02 빅데이터 분석

서울 1978
경기 3736
강원 318
인천 685
충남 623
대전 576
충북 478
경북 459
전북 537
대구 809
울산 331
광주 409
경남 765
부산 1403
전남 414
제주 167

분석 시험지 총 수

13,688 장

분석 기출문제 수

301,137 문제

트렌드 A

분석

평가원·교육청 기출문제와 동일
혹은 변형한 기출문제
출제율 증가

16% → **23%**

2017 2018

결과 반영

기출문제 보강 및
기출문제 수 추가

1.34배

47 문제 (Before)

63 문제 (After)

트렌드 B

분석

변별력을 요하는
고난도 문제 평균
1-2 문제씩 출제

$$\sqrt{2} \times \int_{2}^{1} \cdots (\alpha+\beta)^2$$

결과 반영

고난도 문제를 위한
실력 UP
코너 강화

1.25배

12 코너 (Before)

15 코너 (After)

개념원리

개념을 알면 원리가 보인다
수학의 시작, 개념원리

개념원리

발행일	2024년 8월 15일 2판 6쇄
지은이	이홍섭
기획 및 개발	개념원리 수학연구소

사업 책임	정현호
마케팅 책임	권가민
제작/유통 책임	이미혜, 이건호
콘텐츠 개발 총괄	한소영
콘텐츠 개발 책임	오영석, 김경숙, 오지애, 모규리, 김현진
디자인	스튜디오 에딩크, 손수영

펴낸이	고사무열
펴낸곳	(주)개념원리
등록번호	제 22-2381호
주소	서울시 강남구 테헤란로 8길 37, 7층(역삼동, 한동빌딩) 06239
고객센터	1644-1248

개념원리

수학 I

많은 학생들은 왜 개념원리로 공부할까요?
정확한 개념과 원리의 이해,
수학의 비결
개념원리에 있습니다.

개념원리수학의 특징

01 하나를 알면 10개, 20개를 풀 수 있고 어려운 수학에 흥미를 갖게 하여 쉽게 수학을 정복할 수 있습니다.

02 나선식 교육법을 채택하여 쉬운 것부터 어려운 것까지 단계적으로 혼자서도 충분히 공부할 수 있도록 하였습니다.

03 페이지마다 문제를 푸는 방법과 틀리기 쉬운 부분을 체크하여 개념원리를 충실히 익히도록 하였습니다.

04 전국 주요 학교의 중간·기말고사 시험 문제 중 앞으로 출제가 예상되는 문제를 엄선 수록함으로써 어떤 시험에도 철저히 대비할 수 있도록 하였습니다.

이 책을 펴내면서

수험생 여러분!

수학을 어떻게 하면 잘 할 수 있을까요?

이것은 과거에나 현재나 끊임없이 제기되고 있는 학생들의 질문이며 가장 큰 바람입니다.

그런데 안타깝게도 대부분의 학생들이 공부는 열심히 하지만 성적이 오르지 않아서 흥미를 잃고 중도에 포기하는 경우가 많이 있습니다.

수학 공부를 더 열심히 하지 않아서 그럴까요? 머리가 나빠서 그럴까요? 그렇지 않습니다. 그것은 공부하는 방법이 잘못되었기 때문입니다.

새 교육과정은 수학적 사고를 기르는데 초점을 맞추고 있고 현재 출제 경향은 단순한 암기식 문제 풀이 위주에서 벗어나 근본적인 개념과 원리의 이해를 묻는 문제와 종합적이고 논리적인 사고력, 추리력, 응용력을 요구하는 복잡한 문제들로 바뀌고 있습니다.

따라서 개념원리수학은 단순한 암기식 문제 풀이가 아니라 개념원리에 의한 독특한 교수법으로 사고력, 응용력, 추리력을 배양하도록 제작되어 생각하는 방법을 깨칠 수 있게 하였습니다.

이 책의 구성에 따라 인내심을 가지고 꾸준히 공부한다면 학교 내신 성적은 물론 다른 어떤 시험에도 좋은 결실을 거둘 수 있으리라 확신합니다.

구성과 특징

01 개념원리 이해

각 단원마다 중요한 개념과 원리를 정확히 이해하고 쉽게 응용할 수 있도록 정리하였습니다.

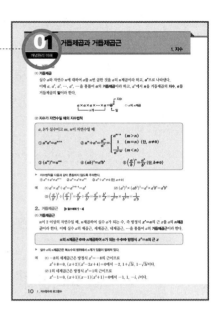

02 개념원리 익히기

학습한 내용을 확인하기 위한 쉬운 문제로 개념과 원리를 정확히 이해할 수 있도록 하였습니다.

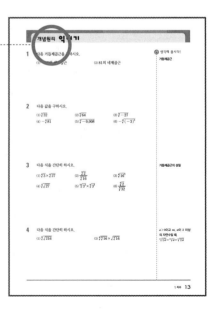

03 필수예제

필수예제에서는 꼭 알아야 할 문제를 수록하여
학교 내신과 수능에 대비하도록 하였습니다.

확인체크

수학에서 충분한 연습은 필수! 직접 풀면서
실력을 키울 수 있도록 하였습니다.

04 연습문제 · 실력UP

연습문제에서는 그 단원에서 알아야 할 핵심
적인 문제들을 풀어봄으로써 단계적으로 실력
을 키울 수 있도록 하였습니다.
실력UP에서는 고난도 문제를 통하여 단 한 문
제도 놓치지 않는 실력을 키울 수 있도록 하였
습니다.

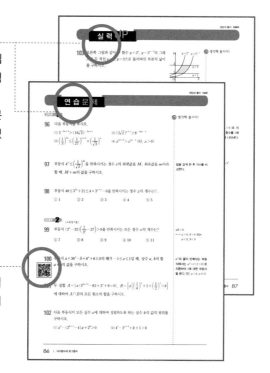

QR코드

어려운 문제에 QR코드를 제공하여 모바일
기기를 통하여 동영상 강의를 언제, 어디서
든 쉽게 들을 수 있도록 하였습니다.

차례

II 삼각함수

차례

III 수열

I

지수함수와 로그함수

01 거듭제곱과 거듭제곱근

1. 지수

개념원리 이해

1. 거듭제곱

(1) 거듭제곱

실수 a와 자연수 n에 대하여 a를 n번 곱한 것을 a의 n제곱이라 하고, a^n으로 나타낸다.

이때 a, a^2, a^3, $\cdots$, a^n, $\cdots$을 통틀어 a의 **거듭제곱**이라 하고, a^n에서 n을 거듭제곱의 **지수**, a를 거듭제곱의 **밑**이라 한다.

$$\underbrace{a \times a \times a \times \cdots \times a}_{n개} = a^n \quad \Leftarrow a\text{의 } n\text{제곱}$$

지수 → n, 밑 → a

(2) 지수가 자연수일 때의 지수법칙

a, b가 실수이고 m, n이 자연수일 때

① $a^m a^n = a^{m+n}$

② $a^m \div a^n = \dfrac{a^m}{a^n} = \begin{cases} a^{m-n} & (m>n) \\ 1 & (m=n) \quad (단, a \neq 0) \\ \dfrac{1}{a^{n-m}} & (m<n) \end{cases}$

③ $(a^m)^n = a^{mn}$

④ $(ab)^n = a^n b^n$

⑤ $\left(\dfrac{a}{b}\right)^n = \dfrac{a^n}{b^n}$ (단, $b \neq 0$)

▶ 지수법칙을 다음과 같이 혼동하지 않도록 주의한다.
① $a^m + a^n \neq a^{m+n}$ ② $a^m \times a^n \neq a^{mn}$ ③ $a^m \div a^m \neq 0$ (단, $a \neq 0$)

예 (1) $a^2 \times a^6 \div a^4 = a^{2+6-4} = a^4$ (2) $(a^3)^2 \times (ab^2)^2 = a^6 \times a^2 b^4 = a^8 b^4$

(3) $\left(\dfrac{a}{b^2}\right)^2 \div \left(\dfrac{a^2}{b}\right)^3 = \dfrac{a^2}{b^4} \div \dfrac{a^6}{b^3} = \dfrac{a^2}{b^4} \times \dfrac{b^3}{a^6} = \dfrac{1}{a^{6-2}} \times \dfrac{1}{b^{4-3}} = \dfrac{1}{a^4 b}$

2. 거듭제곱근 ▷ 필수예제 **1~4**

(1) 거듭제곱근

n이 2 이상의 자연수일 때, n제곱하여 실수 a가 되는 수, 즉 방정식 $x^n = a$의 근 x를 a의 **n제곱근**이라 한다. 이때 실수 a의 제곱근, 세제곱근, 네제곱근, $\cdots$을 통틀어 a의 **거듭제곱근**이라 한다.

a의 **n제곱근** $\Longleftrightarrow$ n제곱하여 a가 되는 수 $\Longleftrightarrow$ 방정식 $x^n = a$의 근 x

▶ 실수 a의 n제곱근은 복소수의 범위에서 n개가 있음이 알려져 있다.

예 (1) -8의 세제곱근은 방정식 $x^3 = -8$의 근이므로
$x^3 + 8 = 0$, $(x+2)(x^2 - 2x + 4) = 0$에서 -2, $1 + \sqrt{3}i$, $1 - \sqrt{3}i$이다.

(2) 1의 네제곱근은 방정식 $x^4 = 1$의 근이므로
$x^4 - 1 = 0$, $(x+1)(x-1)(x^2+1) = 0$에서 -1, 1, $-i$, i이다.

(2) **실수 a의 n제곱근 중 실수인 것의 개수**

실수 a와 자연수 n $(n \geq 2)$에 대하여

① **n이 짝수일 때**

　㉠ $a>0$이면 a의 n제곱근 중 실수인 것은 2개 존재한다. ⇨ $\sqrt[n]{a}$, $-\sqrt[n]{a}$

　㉡ $a=0$이면 a의 n제곱근 중 실수인 것은 0 하나뿐이다. ⇨ $\sqrt[n]{0}=0$

　㉢ $a<0$이면 a의 n제곱근 중 실수인 것은 존재하지 않는다.

② **n이 홀수일 때**

　a의 n제곱근 중 실수인 것은 1개 존재한다. ⇨ $\sqrt[n]{a}$

▶ 위의 내용을 정리하면 다음 표와 같다.

n ＼ a	$a>0$	$a=0$	$a<0$
n이 짝수	$\sqrt[n]{a}$, $-\sqrt[n]{a}$	0	없다.
n이 홀수	$\sqrt[n]{a}$	0	$\sqrt[n]{a}$

▶ $\sqrt[n]{a}$를 'n제곱근 a'로 읽는다. 또 $\sqrt[2]{a}$는 2를 생략하여 $\sqrt{a}$로 나타낸다. 즉 $\sqrt[2]{a}=\sqrt{a}$

설명 실수 a의 n제곱근 중에서 실수인 것은 방정식 $x^n=a$의 실근이므로 함수 $y=x^n$의 그래프와 직선 $y=a$의 교점의 x좌표와 같다.

　① n이 짝수일 때

　　㉠ $a>0$이면 교점이 2개이고, 교점의 x좌표는 각각 양수와 음수이므로 a의 n제곱근 중에서 실수인 것은 각각 $\sqrt[n]{a}$, $-\sqrt[n]{a}$로 나타낸다.

　　㉡ $a=0$이면 교점이 1개이고, 교점의 x좌표는 0이므로 a의 n제곱근 중에서 실수인 것은 0 하나뿐이다. 즉 $\sqrt[n]{0}=0$이다.

　　㉢ $a<0$이면 교점이 없으므로 a의 n제곱근 중에서 실수인 것은 없다.

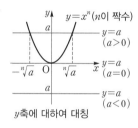

y축에 대하여 대칭

　② n이 홀수일 때

　　a의 값에 관계없이 교점이 항상 1개이므로 a의 n제곱근 중에서 실수인 것은 오직 하나뿐이며, 이것을 $\sqrt[n]{a}$로 나타낸다.

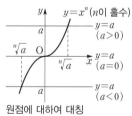

원점에 대하여 대칭

예 다음 거듭제곱근 중 실수인 것을 구하시오.

　(1) 16의 네제곱근　　　　　　　　　　　　(2) -125의 세제곱근

풀이 (1) 16의 네제곱근은 방정식 $x^4=16$의 근이므로

　　$x^4-16=0$, $(x+2)(x-2)(x^2+4)=0$에서 -2, 2, $-2i$, $2i$이고 이 중 실수인 것은 -2, 2이다. 즉 $\sqrt[4]{16}=2$, $-\sqrt[4]{16}=-2$

　　(2) -125의 세제곱근은 방정식 $x^3=-125$의 근이므로

　　$x^3+125=0$, $(x+5)(x^2-5x+25)=0$에서 -5, $\dfrac{5+5\sqrt{3}i}{2}$, $\dfrac{5-5\sqrt{3}i}{2}$이고 이 중 실수인 것은 -5이다. 즉 $\sqrt[3]{-125}=-5$

(3) 거듭제곱근의 성질

> $a>0$, $b>0$이고 m, n이 2 이상의 자연수일 때
>
> ① $(\sqrt[n]{a})^n = a$ ② $\sqrt[n]{a}\,\sqrt[n]{b} = \sqrt[n]{ab}$
>
> ③ $\dfrac{\sqrt[n]{a}}{\sqrt[n]{b}} = \sqrt[n]{\dfrac{a}{b}}$ ④ $(\sqrt[n]{a})^m = \sqrt[n]{a^m}$
>
> ⑤ $\sqrt[m]{\sqrt[n]{a}} = \sqrt[mn]{a} = \sqrt[n]{\sqrt[m]{a}}$ ⑥ $\sqrt[np]{a^{mp}} = \sqrt[n]{a^m}$ (단, p는 자연수)

설명 $a>0$, $b>0$이고 m, n이 2 이상의 자연수일 때

① $\sqrt[n]{a}$는 a의 양의 n제곱근이므로 $(\sqrt[n]{a})^n = a$이다.

② 지수법칙에 의하여 $(\sqrt[n]{a}\,\sqrt[n]{b})^n = (\sqrt[n]{a})^n(\sqrt[n]{b})^n = ab$

이때 $a>0$, $b>0$에서 $\sqrt[n]{a}>0$, $\sqrt[n]{b}>0$이므로 $\sqrt[n]{a}\,\sqrt[n]{b}>0$

따라서 $\sqrt[n]{a}\,\sqrt[n]{b}$는 ab의 양의 n제곱근이므로 $\sqrt[n]{a}\,\sqrt[n]{b} = \sqrt[n]{ab}$

③ 지수법칙에 의하여 $\left(\dfrac{\sqrt[n]{a}}{\sqrt[n]{b}}\right)^n = \dfrac{(\sqrt[n]{a})^n}{(\sqrt[n]{b})^n} = \dfrac{a}{b}$

이때 $a>0$, $b>0$에서 $\sqrt[n]{a}>0$, $\sqrt[n]{b}>0$이므로 $\dfrac{\sqrt[n]{a}}{\sqrt[n]{b}}>0$

따라서 $\dfrac{\sqrt[n]{a}}{\sqrt[n]{b}}$는 $\dfrac{a}{b}$의 양의 n제곱근이므로 $\dfrac{\sqrt[n]{a}}{\sqrt[n]{b}} = \sqrt[n]{\dfrac{a}{b}}$

④ 지수법칙에 의하여 $\{(\sqrt[n]{a})^m\}^n = (\sqrt[n]{a})^{mn} = \{(\sqrt[n]{a})^n\}^m = a^m$

이때 $a>0$에서 $\sqrt[n]{a}>0$이므로 $(\sqrt[n]{a})^m>0$

따라서 $(\sqrt[n]{a})^m$은 a^m의 양의 n제곱근이므로 $(\sqrt[n]{a})^m = \sqrt[n]{a^m}$

⑤ 지수법칙에 의하여 $(\sqrt[m]{\sqrt[n]{a}})^{mn} = \{(\sqrt[m]{\sqrt[n]{a}})^m\}^n = (\sqrt[n]{a})^n = a$

이때 $a>0$에서 $\sqrt[m]{\sqrt[n]{a}}>0$이므로 $\sqrt[m]{\sqrt[n]{a}}$는 a의 양의 mn제곱근이다. $\quad\therefore \sqrt[m]{\sqrt[n]{a}} = \sqrt[mn]{a}$

⑥ 지수법칙에 의하여 $(\sqrt[n]{a^m})^{np} = \{(\sqrt[n]{a^m})^n\}^p = (a^m)^p = a^{mp}$

이때 $a^{mp}>0$이고 $\sqrt[n]{a^m}>0$이므로 $\sqrt[n]{a^m}$은 a^{mp}의 양의 np제곱근이다. $\quad\therefore \sqrt[n]{a^m} = \sqrt[np]{a^{mp}}$

예 (1) $(\sqrt[5]{6})^5 = 6$, $(\sqrt[3]{5})^3 = 5$ (2) $\sqrt[5]{3}\,\sqrt[5]{5} = \sqrt[5]{3\times5} = \sqrt[5]{15}$ (3) $\dfrac{\sqrt[3]{2}}{\sqrt[3]{4}} = \sqrt[3]{\dfrac{2}{4}} = \sqrt[3]{\dfrac{1}{2}}$

(4) $(\sqrt[5]{3})^2 = \sqrt[5]{3^2}$ (5) $\sqrt[3]{\sqrt[2]{5}} = \sqrt[3\times2]{5} = \sqrt[2]{\sqrt[3]{5}}$ (6) $\sqrt[15]{6^{10}} = \sqrt[3\times5]{6^{2\times5}} = \sqrt[3]{6^2}$

참고 $\sqrt[n]{a^n} = \begin{cases} a & (n\text{이 홀수}) \\ |a| & (n\text{이 짝수}) \end{cases}$ **예** $\sqrt[3]{(-5)^3} = -5$

예 $\sqrt[4]{7^4} = 7$, $\sqrt[4]{(-7)^4} = |-7| = 7$

(4) 거듭제곱근의 대소 비교

거듭제곱근의 성질 ⑥과 다음 성질을 이용하여 거듭제곱근의 대소를 비교할 수 있다.

> $a>0$, $b>0$일 때
>
> $a>b \Longleftrightarrow \sqrt[n]{a} > \sqrt[n]{b}$ (단, n은 2 이상의 자연수)

예 $\sqrt{3}$, $\sqrt[3]{4}$의 대소를 비교해 보면

$\sqrt{3} = \sqrt[2\times3]{3^3} = \sqrt[6]{27}$, $\sqrt[3]{4} = \sqrt[3\times2]{4^2} = \sqrt[6]{16}$이고

$27>16$이므로 $\sqrt[6]{27} > \sqrt[6]{16}$ $\quad\therefore \sqrt{3} > \sqrt[3]{4}$

1 다음 거듭제곱근을 구하시오.

(1) -27의 세제곱근

(2) 81의 네제곱근

생각해 봅시다!
거듭제곱근

2 다음 값을 구하시오.

(1) $\sqrt[5]{32}$

(2) $\sqrt[6]{64}$

(3) $\sqrt[3]{-27}$

(4) $-\sqrt[4]{81}$

(5) $\sqrt[3]{-0.008}$

(6) $-\sqrt[5]{(-3)^5}$

3 다음 식을 간단히 하시오.

거듭제곱근의 성질

(1) $\sqrt[4]{3} \times \sqrt[4]{27}$

(2) $\dfrac{\sqrt[3]{2}}{\sqrt[3]{16}}$

(3) $\sqrt[4]{16^3}$

(4) $\sqrt[3]{\sqrt{27}}$

(5) $\sqrt[12]{3^4} \times \sqrt[9]{3^6}$

(6) $\dfrac{\sqrt[4]{2}}{\sqrt[4]{32}}$

4 다음 식을 간단히 하시오.

(1) $\sqrt[3]{\sqrt{216}}$

(2) $\sqrt[4]{\sqrt[3]{16}} \times \sqrt{\sqrt[3]{16}}$

$a>0$이고 m, n이 2 이상 의 자연수일 때,
$$\sqrt[m]{\sqrt[n]{a}}=\sqrt[mn]{a}=\sqrt[n]{\sqrt[m]{a}}$$

다음 보기 중 옳은 것만을 있는 대로 고르시오.

┤보기├

ㄱ. 64의 세제곱근은 4이다.　　　　　ㄴ. -81의 네제곱근 중 실수인 것은 없다.

ㄷ. -8의 세제곱근은 -2이다.　　　ㄹ. -5의 세제곱근 중 실수인 것은 1개이다.

풀이

ㄱ. 64의 세제곱근을 x라 하면 $x^3=64$이므로

$x^3-64=0$, $(x-4)(x^2+4x+16)=0$

$\therefore x=4$ 또는 $x=-2\pm2\sqrt{3}i$ (거짓)

ㄴ. -81의 네제곱근을 x라 하면 $x^4=-81$이므로 실수인 것은 없다. (참)

ㄷ. -8의 세제곱근을 x라 하면 $x^3=-8$이므로

$x^3+8=0$, $(x+2)(x^2-2x+4)=0$

$\therefore x=-2$ 또는 $x=1\pm\sqrt{3}i$ (거짓)

ㄹ. -5의 세제곱근을 x라 하면 $x^3=-5$이므로 -5의 세제곱근 중 실수인 것은 $\sqrt[3]{-5}$뿐이다. (참)

따라서 옳은 것은 ㄴ, ㄹ이다.

KEY Point

• a의 n제곱근 ⇨ 방정식 $x^n=a$를 만족시키는 x, n제곱근 a ⇨ $\sqrt[n]{a}$

• 실수 a의 n제곱근 중 실수인 것은 다음과 같다.

	$a>0$	$a=0$	$a<0$
n이 짝수	$\sqrt[n]{a}$, $-\sqrt[n]{a}$	0	없다.
n이 홀수	$\sqrt[n]{a}$	0	$\sqrt[n]{a}$

5 다음 중 옳은 것은?

① -4의 제곱근은 $-2i$이다.　　　　② 제곱근 16은 -4이다.

③ 27의 세제곱근은 3이다.　　　　　④ 9의 네제곱근 중 실수인 것은 2개이다.

⑤ -16의 네제곱근 중 실수인 것은 $\sqrt[4]{-16}$이다.

다음 식을 간단히 하시오.

(1) $\sqrt[3]{27^2} \times (\sqrt[4]{3})^8 + \sqrt{\sqrt[3]{729}}$

(2) $\dfrac{\sqrt{2}}{\sqrt[4]{16}}(\sqrt[3]{3}-1)(\sqrt[3]{9}+\sqrt[3]{3}+1)$

(3) $\sqrt{\dfrac{\sqrt[6]{64}}{\sqrt[3]{64}}} \times \sqrt[3]{\dfrac{\sqrt{64}}{\sqrt[6]{64}}} \times \sqrt[6]{\dfrac{\sqrt[3]{64}}{\sqrt{64}}}$

(4) $\sqrt{\dfrac{8^{10}+4^{10}}{8^4+4^{11}}}$

풀이

(1) $\sqrt[3]{27^2} \times (\sqrt[4]{3})^8 + \sqrt{\sqrt[3]{729}} = \sqrt[3]{(3^3)^2} \times \sqrt[4]{3^8} + \sqrt[6]{729} = \sqrt[3]{(3^2)^3} \times \sqrt[4]{(3^2)^4} + \sqrt[6]{3^6}$
$\qquad = 3^2 \times 3^2 + 3 = \mathbf{84}$

(2) $\dfrac{\sqrt{2}}{\sqrt[4]{16}}(\sqrt[3]{3}-1)(\sqrt[3]{9}+\sqrt[3]{3}+1) = \dfrac{\sqrt{2}}{\sqrt[4]{2^4}}(\sqrt[3]{3}-1)(\sqrt[3]{3^2}+\sqrt[3]{3}+1)$
$\qquad = \dfrac{\sqrt{2}}{2}(\sqrt[3]{3}-1)\{(\sqrt[3]{3})^2+\sqrt[3]{3}+1\}$
$\qquad = \dfrac{\sqrt{2}}{2}\{(\sqrt[3]{3})^3-1^3\} = \dfrac{\sqrt{2}}{2} \times (3-1) = \mathbf{\sqrt{2}}$

(3) $\sqrt{\dfrac{\sqrt[6]{64}}{\sqrt[3]{64}}} \times \sqrt[3]{\dfrac{\sqrt{64}}{\sqrt[6]{64}}} \times \sqrt[6]{\dfrac{\sqrt[3]{64}}{\sqrt{64}}} = \dfrac{\sqrt{\sqrt[6]{64}}}{\sqrt{\sqrt[3]{64}}} \times \dfrac{\sqrt[3]{\sqrt{64}}}{\sqrt[3]{\sqrt[6]{64}}} \times \dfrac{\sqrt[6]{\sqrt[3]{64}}}{\sqrt[6]{\sqrt{64}}} = \dfrac{\sqrt[12]{64}}{\sqrt[6]{64}} \times \dfrac{\sqrt[6]{64}}{\sqrt[18]{64}} \times \dfrac{\sqrt[18]{64}}{\sqrt[12]{64}} = \mathbf{1}$

(4) $\sqrt{\dfrac{8^{10}+4^{10}}{8^4+4^{11}}} = \sqrt{\dfrac{(2^3)^{10}+(2^2)^{10}}{(2^3)^4+(2^2)^{11}}} = \sqrt{\dfrac{2^{30}+2^{20}}{2^{12}+2^{22}}} = \sqrt{\dfrac{2^{20}(2^{10}+1)}{2^{12}(1+2^{10})}} = \sqrt{2^8} = 2^4 = \mathbf{16}$

6 다음 식을 간단히 하시오.

(1) $\sqrt[5]{32^2} \div (\sqrt[3]{2})^6 - \sqrt{\sqrt[3]{64}}$

(2) $\dfrac{1}{\sqrt[3]{27}}(\sqrt[3]{2}+1)(\sqrt[3]{4}-\sqrt[3]{2}+1)$

(3) $\sqrt[4]{\dfrac{\sqrt[3]{125}}{\sqrt[9]{125}}} \times \sqrt[6]{\dfrac{\sqrt[3]{125}}{\sqrt{125}}} \times \sqrt[9]{\dfrac{\sqrt[4]{125}}{\sqrt{125}}}$

(4) $\sqrt{\dfrac{27^{10}+9^{10}}{27^4+9^{11}}}$

다음 식을 간단히 하시오. (단, $a>0$, $b>0$)

(1) $\sqrt{a^3 b} \div \sqrt[3]{a^4 b^2} \times \sqrt[6]{a^5 b^2}$ (2) $\sqrt[3]{\dfrac{\sqrt{a}}{\sqrt[4]{a}}} \times \sqrt{\dfrac{\sqrt[6]{a}}{\sqrt[3]{a}}}$ (3) $\sqrt{a \times \sqrt[4]{a \times \sqrt[3]{a^2}}}$

풀이

(1) $\sqrt{a^3 b} \div \sqrt[3]{a^4 b^2} \times \sqrt[6]{a^5 b^2} = \sqrt[6]{a^9 b^3} \div \sqrt[6]{a^8 b^4} \times \sqrt[6]{a^5 b^2} = \sqrt[6]{a^9 b^3 \div a^8 b^4 \times a^5 b^2} = \sqrt[6]{a^{9-8+5} b^{3-4+2}}$

$\qquad = \sqrt[6]{a^6 b} = \boldsymbol{a \sqrt[6]{b}}$

(2) $\sqrt[3]{\dfrac{\sqrt{a}}{\sqrt[4]{a}}} \times \sqrt{\dfrac{\sqrt[6]{a}}{\sqrt[3]{a}}} = \dfrac{\sqrt[3]{\sqrt{a}}}{\sqrt[3]{\sqrt[4]{a}}} \times \dfrac{\sqrt{\sqrt[6]{a}}}{\sqrt{\sqrt[3]{a}}} = \dfrac{\sqrt[6]{a}}{\sqrt[12]{a}} \times \dfrac{\sqrt[12]{a}}{\sqrt[6]{a}} = \boldsymbol{1}$

(3) $\sqrt{a \times \sqrt[4]{a \times \sqrt[3]{a^2}}} = \sqrt{a \times \sqrt[4]{a \times \sqrt[3]{a^2}}} = \sqrt{a \times \sqrt[8]{a \times \sqrt[3]{a^2}}} = \sqrt{a \times \sqrt[8]{a \times \sqrt[3]{a^2}}} = \sqrt{a \times \sqrt[8]{a \times \sqrt[24]{a^2}}}$

$\qquad = \sqrt[24]{a^{12}} \times \sqrt[24]{a^3} \times \sqrt[24]{a^2} = \sqrt[24]{a^{12} \times a^3 \times a^2}$

$\qquad = \sqrt[24]{a^{12+3+2}} = \boldsymbol{\sqrt[24]{a^{17}}}$

세 수 $A=\sqrt{5}$, $B=\sqrt[3]{10}$, $C=\sqrt[6]{120}$ 의 대소를 비교하시오.

풀이

2, 3, 6의 최소공배수는 6이므로

$A=\sqrt{5}=\sqrt[6]{5^3}=\sqrt[6]{125}$, $B=\sqrt[3]{10}=\sqrt[6]{10^2}=\sqrt[6]{100}$, $C=\sqrt[6]{120}$

따라서 $\sqrt[6]{100}<\sqrt[6]{120}<\sqrt[6]{125}$ 이므로 $\boldsymbol{B<C<A}$

KEY Point

• $a>0$, $b>0$일 때,

$a>b \Longleftrightarrow \sqrt[n]{a} > \sqrt[n]{b}$ (단, n은 2 이상의 자연수)

---

7 다음 식을 간단히 하시오. (단, $a>0$, $b>0$, $x>0$)

(1) $\sqrt[4]{ab^2} \times \sqrt[8]{a^2 b} \div \sqrt[6]{a^2 b^3}$ (2) $\sqrt[5]{\dfrac{\sqrt[3]{x}}{\sqrt{x}}} \times \sqrt[3]{\dfrac{\sqrt{x}}{\sqrt[5]{x}}} \times \sqrt{\dfrac{\sqrt[5]{x}}{\sqrt[3]{x}}}$ (3) $\sqrt[5]{a \times \sqrt[4]{a^2 \times \sqrt[3]{a}}}$

8 세 수 $A=\sqrt[3]{\sqrt{10}}$, $B=\sqrt[4]{5}$, $C=\sqrt[3]{\sqrt{11}}$ 의 대소를 비교하시오.

02 지수의 확장

개념원리 이해

1. 지수의 확장

지금까지는 지수가 자연수(양의 정수)인 경우만 생각하였으나 지수가 0 또는 음의 정수인 경우, 더 나아가 유리수, 실수인 경우까지 확장하여 생각할 수 있다.

2. 지수법칙 – 지수가 정수인 경우 ▷ 필수예제 **5~12**

(1) 0 또는 음의 정수인 지수의 정의

> $a \neq 0$이고 n이 양의 정수일 때
>
> ① $a^0 = 1$ ② $a^{-n} = \dfrac{1}{a^n}$

▶ 0^0, 0^{-1}, 0^{-2} 등은 정의되지 않는다.

설명 보충학습 4 참조

예 $5^0 = 1$, $(-2)^0 = 1$, $3^{-2} = \dfrac{1}{3^2} = \dfrac{1}{9}$, $\left(\dfrac{1}{2}\right)^{-1} = \dfrac{1}{\frac{1}{2}} = 2$

(2) 지수가 정수일 때의 지수법칙

> $a \neq 0$, $b \neq 0$이고 m, n이 정수일 때
>
> ① $a^m a^n = a^{m+n}$ ② $a^m \div a^n = a^{m-n}$
>
> ③ $(a^m)^n = a^{mn}$ ④ $(ab)^n = a^n b^n$

예 (1) $2^3 \times 2^{-5} = 2^{3+(-5)} = 2^{-2} = \dfrac{1}{2^2} = \dfrac{1}{4}$ (2) $5^2 \div 5^4 = 5^{2-4} = 5^{-2} = \dfrac{1}{5^2} = \dfrac{1}{25}$

(3) $(2^2)^{-5} = 2^{-10} = \dfrac{1}{2^{10}} = \dfrac{1}{1024}$ (4) $(2^2 \times 3)^{-2} = (2^2)^{-2} \times 3^{-2} = \dfrac{1}{2^4} \times \dfrac{1}{3^2} = \dfrac{1}{144}$

3. 지수법칙 – 지수가 유리수인 경우 ▷ 필수예제 **5~12**

(1) 유리수인 지수의 정의

> $a > 0$이고 m, n $(n \geq 2)$이 정수일 때
>
> $a^{\frac{m}{n}} = \sqrt[n]{a^m}$, 특히 $a^{\frac{1}{n}} = \sqrt[n]{a}$

▶ $a > 0$이고 m, n $(n \geq 2)$이 정수일 때, $a^{-\frac{m}{n}} = \dfrac{1}{a^{\frac{m}{n}}} = \dfrac{1}{\sqrt[n]{a^m}}$

설명 보충학습 5 참조

예 $5^{\frac{2}{3}} = \sqrt[3]{5^2}$, $7^{-\frac{2}{3}} = \sqrt[3]{7^{-2}}$, $10^{-\frac{3}{2}} = \sqrt{10^{-3}}$, $9^{\frac{2}{3}} = \sqrt[3]{9^2} = \sqrt[3]{3^4} = \sqrt[3]{3^3 \times 3} = 3\sqrt[3]{3}$

(2) **지수가 유리수일 때의 지수법칙**

> $a>0,\ b>0$이고 $p,\ q$가 유리수일 때
> ① $a^p a^q = a^{p+q}$ ② $a^p \div a^q = a^{p-q}$
> ③ $(a^p)^q = a^{pq}$ ④ $(ab)^p = a^p b^p$

설명 보충학습 6 참조

예   (1) $8^{\frac{1}{2}} \times 4^{\frac{1}{4}} \times 2^{-2} = (2^3)^{\frac{1}{2}} \times (2^2)^{\frac{1}{4}} \times 2^{-2} = 2^{\frac{3}{2} + \frac{1}{2} - 2} = 2^0 = 1$

        (2) $5^{\frac{5}{2}} \div 5^2 = 5^{\frac{5}{2} - 2} = 5^{\frac{1}{2}} = \sqrt{5}$

        (3) $\left(3^{\frac{4}{3}}\right)^{\frac{3}{2}} = 3^{\frac{4}{3} \times \frac{3}{2}} = 3^2 = 9$

        (4) $(2^3 \times 3)^{\frac{2}{3}} = (2^3)^{\frac{2}{3}} \times 3^{\frac{2}{3}} = 2^2 \times 3^{\frac{2}{3}}$

4. 지수법칙 – 지수가 실수인 경우   ▷ 필수예제 **5~12**

> $a>0,\ b>0$이고 $x,\ y$가 실수일 때
> (1) $a^x a^y = a^{x+y}$ (2) $a^x \div a^y = a^{x-y}$
> (3) $(a^x)^y = a^{xy}$ (4) $(ab)^x = a^x b^x$

설명 보충학습 7 참조

예   (1) $5^{\sqrt{3}} \times 5^{2\sqrt{3}} = 5^{\sqrt{3} + 2\sqrt{3}} = 5^{3\sqrt{3}}$ (2) $3^{\sqrt{2}} \div 3^{-\sqrt{2}} = 3^{\sqrt{2} - (-\sqrt{2})} = 3^{2\sqrt{2}}$

        (3) $\left(2^{\sqrt{3}}\right)^{\sqrt{2}} = 2^{\sqrt{3} \times \sqrt{2}} = 2^{\sqrt{6}}$ (4) $2^{\sqrt{3}} \times 3^{\sqrt{3}} = (2 \times 3)^{\sqrt{3}} = 6^{\sqrt{3}}$

보충학습

1. 지수의 식 변형 공식

> (1) $x^a = y^b$일 때 $\Rightarrow x = y^{\frac{b}{a}},\ y = x^{\frac{a}{b}}$ (단, $x>0, y>0, ab \neq 0$)
> (2) $a^x = b^y = c^z = k$일 때 $\Rightarrow a = k^{\frac{1}{x}},\ b = k^{\frac{1}{y}},\ c = k^{\frac{1}{z}}$ (단, $a>0, b>0, c>0, xyz \neq 0$)

설명 (1) $x^a = y^b$에서 $(x^a)^{\frac{1}{a}} = (y^b)^{\frac{1}{a}}$ $\therefore\ x = y^{\frac{b}{a}}$

2. 유리수인 지수는 밑이 양수일 때에만 정의된다. 따라서 밑이 양수가 아닐 때에는 유리수인 지수의 지수
    법칙을 적용할 수 없다.

예 $\{(-2)^2\}^{\frac{1}{2}} = \underline{(-2)^{2 \times \frac{1}{2}}} = -2\,(\times),\ \{(-2)^2\}^{\frac{1}{2}} = (2^2)^{\frac{1}{2}} = \underline{2^{2 \times \frac{1}{2}}} = 2\,(\bigcirc)$
                             밑이 음수이므로 잘못된 계산   밑이 양수이므로 올바른 계산

3. 주의해야 할 지수법칙

$a>0$, $b>0$일 때,

$$\left(\frac{a}{b}\right)^{-\frac{1}{2}}=\left(\frac{b}{a}\right)^2(\times),\ \left(\frac{a}{b}\right)^{-\frac{1}{2}}=\left(\frac{b}{a}\right)^{\frac{1}{2}}(\bigcirc)$$

4. 0 또는 음의 정수인 지수의 정의

$a\neq0$이고 m, n이 양의 정수일 때의 지수법칙

$$a^m a^n=a^{m+n}$$

이 $m=0$, $m=-n$일 때도 성립한다고 하면 a^0, a^{-n}을 다음과 같이 정의할 수 있다.

① $m=0$일 때, $a^0\times a^n=a^{0+n}=a^n$이고, $1\times a^n=a^n$이므로 $a^0=1$

② $m=-n$일 때, $a^{-n}\times a^n=a^{-n+n}=a^0=1$이고, $\dfrac{1}{a^n}\times a^n=1$이므로 $a^{-n}=\dfrac{1}{a^n}$

5. 유리수인 지수의 정의

$a>0$이고 m, n $(n\geq2)$이 정수일 때의 지수법칙

$$(a^m)^n=a^{mn}$$

이 지수가 유리수 $\dfrac{m}{n}$인 경우에도 성립한다고 하면

$$(a^{\frac{m}{n}})^n=a^{\frac{m}{n}\times n}=a^m$$

이때 $a^{\frac{m}{n}}>0$이므로 $a^{\frac{m}{n}}$은 a^m의 양의 n제곱근이다.

$$\therefore a^{\frac{m}{n}}=\sqrt[n]{a^m}$$

6. 지수가 유리수일 때의 지수법칙

$a>0$이고 p, q가 유리수일 때, 정수 k, l, m, n에 대하여 $p=\dfrac{l}{k}$, $q=\dfrac{n}{m}$ $(k\geq2,\ m\geq2)$이라 하면

$$a^p a^q=a^{\frac{l}{k}}a^{\frac{n}{m}}=a^{\frac{lm}{km}}a^{\frac{kn}{km}}=\sqrt[km]{a^{lm}}\times\sqrt[km]{a^{kn}}=\sqrt[km]{a^{lm+kn}}=a^{\frac{lm+kn}{km}}=a^{\frac{l}{k}+\frac{n}{m}}=a^{p+q}$$

따라서 지수가 유리수일 때의 지수법칙 ①이 성립함을 알 수 있고, 마찬가지 방법으로 지수법칙 ②, ③, ④가 성립함을 증명할 수 있다.

7. 실수인 지수의 정의

지수를 실수의 범위까지 확장하기 위하여 지수가 무리수인 $2^{\sqrt{2}}$의 값을 생각해 보자.

무리수 $\sqrt{2}=1.4142\cdots$이므로 $\sqrt{2}$에 한없이 가까워지는 유리수 1.4, 1.41, 1.414, 1.4142, $\cdots$를 지수로 갖는 수 $2^{1.4}$, $2^{1.41}$, $2^{1.414}$, $2^{1.4142}$, $\cdots$은 어떤 일정한 수에 가까워진다는 사실이 알려져 있다. 이 일정한 수를 $2^{\sqrt{2}}$으로 정의한다.

이와 같은 방법을 이용하여 $a>0$이고 x가 실수일 때, a^x을 정의할 수 있다.

9 다음 값을 구하시오.

(1) $\left(2\sqrt{2}\right)^0$ (2) $\left(\dfrac{1}{2}\right)^{-4}$ (3) 3^{-2} (4) $8^0+\left(\dfrac{1}{4}\right)^{-2}$

🧠 **생각해 봅시다!**

$a\neq0$이고 n이 양의 정수일 때,

$a^0=1,\ a^{-n}=\dfrac{1}{a^n}$

10 다음 식을 간단히 하시오.

(1) $\left(2^{\frac{3}{4}}\right)^2\times2^{\frac{3}{2}}$ (2) $5^{\frac{4}{3}}\times25^{-\frac{1}{6}}$ (3) $\sqrt{3}\div\left(3^{\frac{1}{4}}\right)^6$

(4) $\sqrt{32}\div\sqrt[4]{4}$ (5) $\left\{\left(\dfrac{1}{4}\right)^{\frac{3}{4}}\right\}^{-\frac{8}{3}}$ (6) $\left\{\left(\dfrac{1}{2}\right)^{-\frac{15}{2}}\right\}^{\frac{8}{5}}$

지수법칙
— 지수가 유리수일 때

11 $a>0$일 때, $\sqrt{a}\times\sqrt[3]{a}$를 간단히 하시오.

$a>0$이고 n이 2 이상의 자연수일 때,

$\sqrt[n]{a}=a^{\frac{1}{n}}$

12 다음 식을 간단히 하시오.

(1) $\left(4^{\sqrt{3}}\right)^{\sqrt{12}}$ (2) $5^{3\sqrt{5}}\div5^{\sqrt{5}}$

(3) $3^{\sqrt{2}(\sqrt{2}+1)}\times3^{2-\sqrt{2}}$ (4) $5^{\sqrt{3}}\times5^{1-\sqrt{3}}\times3^{\pi}\times3^{2-\pi}$

지수법칙
— 지수가 실수일 때

다음 식을 간단히 하시오.

(1) $4^{\frac{2}{3}} \div 24^{\frac{1}{3}} \times 18^{\frac{2}{3}}$ (2) $\left\{ \left(\dfrac{27}{125} \right)^{-\frac{1}{3}} \right\}^{\frac{3}{2}} \times \left(\dfrac{27}{5} \right)^{\frac{1}{2}}$ (3) $(5^{\sqrt{2}} \div 2^{\sqrt{6}})^{\sqrt{2}} \times 4^{\sqrt{3}}$

풀이

(1) $4^{\frac{2}{3}} \div 24^{\frac{1}{3}} \times 18^{\frac{2}{3}} = (2^2)^{\frac{2}{3}} \div (2^3 \times 3)^{\frac{1}{3}} \times (2 \times 3^2)^{\frac{2}{3}} = 2^{\frac{4}{3}} \div (2 \times 3^{\frac{1}{3}}) \times (2^{\frac{2}{3}} \times 3^{\frac{4}{3}})$

$\qquad = 2^{\frac{4}{3} - 1 + \frac{2}{3}} \times 3^{-\frac{1}{3} + \frac{4}{3}} = 2 \times 3 = \mathbf{6}$

(2) $\left\{ \left(\dfrac{27}{125} \right)^{-\frac{1}{3}} \right\}^{\frac{3}{2}} \times \left(\dfrac{27}{5} \right)^{\frac{1}{2}} = \left[\left\{ \left(\dfrac{3}{5} \right)^3 \right\}^{-\frac{1}{3}} \right]^{\frac{3}{2}} \times \left(\dfrac{3^3}{5} \right)^{\frac{1}{2}} = \left(\dfrac{3}{5} \right)^{-\frac{3}{2}} \times \left(\dfrac{3^3}{5} \right)^{\frac{1}{2}} = \dfrac{3^{-\frac{3}{2}}}{5^{-\frac{3}{2}}} \times \dfrac{3^{\frac{3}{2}}}{5^{\frac{1}{2}}}$

$\qquad = \dfrac{3^{-\frac{3}{2}} \times 3^{\frac{3}{2}}}{5^{-\frac{3}{2}} \times 5^{\frac{1}{2}}} = \dfrac{3^0}{5^{-1}} = \mathbf{5}$

(3) $(5^{\sqrt{2}} \div 2^{\sqrt{6}})^{\sqrt{2}} \times 4^{\sqrt{3}} = \left(\dfrac{5^{\sqrt{2}}}{2^{\sqrt{6}}} \right)^{\sqrt{2}} \times (2^2)^{\sqrt{3}} = \dfrac{5^2}{2^{2\sqrt{3}}} \times 2^{2\sqrt{3}} = \mathbf{25}$

다음을 만족시키는 유리수 k의 값을 구하시오.

(1) $\sqrt{2 \sqrt[3]{4 \sqrt[4]{8}}} = 2^k$ (2) $\sqrt{a \sqrt{a \sqrt{a}}} \times \sqrt{\sqrt[4]{a}} = a^k$ (단, $a > 0$, $a \ne 1$)

풀이

(1) $\sqrt{2 \sqrt[3]{4 \sqrt[4]{8}}} = (2 \times 4^{\frac{1}{3}} \times 8^{\frac{1}{4}})^{\frac{1}{2}} = (2 \times 2^{\frac{2}{3}} \times 2^{\frac{3}{4}})^{\frac{1}{2}} = (2^{1 + \frac{2}{3} + \frac{3}{4}})^{\frac{1}{2}} = (2^{\frac{29}{12}})^{\frac{1}{2}} = 2^{\frac{29}{24}}$ $\therefore k = \dfrac{\mathbf{29}}{\mathbf{24}}$

(2) $\sqrt{a \sqrt{a \sqrt{a}}} \times \sqrt{\sqrt[4]{a}} = \left\{ a \times (a \times a^{\frac{1}{2}})^{\frac{1}{2}} \right\}^{\frac{1}{2}} \times (a^{\frac{1}{4}})^{\frac{1}{2}} = \left\{ a \times (a^{\frac{3}{2}})^{\frac{1}{2}} \right\}^{\frac{1}{2}} \times a^{\frac{1}{8}} = (a \times a^{\frac{3}{4}})^{\frac{1}{2}} \times a^{\frac{1}{8}}$

$\qquad = (a^{\frac{7}{4}})^{\frac{1}{2}} \times a^{\frac{1}{8}} = a^{\frac{7}{8}} \times a^{\frac{1}{8}} = a^1$ $\therefore k = \mathbf{1}$

KEY Point • $a > 0$일 때, $\sqrt[n]{a^m} = a^{\frac{m}{n}}$임을 이용하여 거듭제곱근을 유리수인 지수로 변형한 다음 지수법칙을 이용한다.

13 다음 식을 간단히 하시오.

(1) $8^{\frac{1}{4}} \times 32^{-\frac{1}{2}} \div 2^{-\frac{3}{4}}$ (2) $\left\{ \left(\dfrac{27}{216} \right)^{-\frac{1}{3}} \right\}^{\frac{3}{2}} \times \left(\dfrac{27}{6} \right)^{\frac{1}{2}}$

(3) $3^{2 + 2\sqrt{2}} \div 3^{2\sqrt{2} - 1} - \left\{ (-3)^6 \right\}^{\frac{1}{3}}$

14 $\sqrt[3]{a^2} \div \sqrt[4]{a} \times \sqrt[12]{a} = a^k$일 때, 유리수 k의 값을 구하시오. (단, $a > 0$, $a \ne 1$)

15 $\sqrt[3]{4\sqrt{4} \times \dfrac{4}{\sqrt[4]{4}}} = 2^k$일 때, 유리수 k의 값을 구하시오.

$2^6=a$, $3^5=b$라 할 때, 다음을 a, b를 이용하여 나타내시오.

(1) 6^{11} (2) 18^5

풀이 $2^6=a$에서 $2=a^{\frac{1}{6}}$, $3^5=b$에서 $3=b^{\frac{1}{5}}$이므로

(1) $6^{11}=(2\times3)^{11}=2^{11}\times3^{11}=(a^{\frac{1}{6}})^{11}(b^{\frac{1}{5}})^{11}=\boldsymbol{a^{\frac{11}{6}}b^{\frac{11}{5}}}$

(2) $18^5=(2\times3^2)^5=2^5\times3^{10}=(a^{\frac{1}{6}})^5(b^{\frac{1}{5}})^{10}=\boldsymbol{a^{\frac{5}{6}}b^2}$

다음 식을 간단히 하시오.

(1) $(a+b^{-1})\div(a^{\frac{1}{3}}+b^{-\frac{1}{3}})$ (단, $a>0$, $b>0$)

(2) $(x^{\frac{1}{4}}+y^{-\frac{1}{4}})(x^{\frac{1}{4}}-y^{-\frac{1}{4}})(x^{\frac{1}{2}}+y^{-\frac{1}{2}})$ (단, $x>0$, $y>0$)

설명 $(A+B)(A-B)=A^2-B^2$, $(A+B)(A^2-AB+B^2)=A^3+B^3$

풀이   (1) $(a+b^{-1})\div(a^{\frac{1}{3}}+b^{-\frac{1}{3}})=\{(a^{\frac{1}{3}})^3+(b^{-\frac{1}{3}})^3\}\div(a^{\frac{1}{3}}+b^{-\frac{1}{3}})$

$$=\frac{(a^{\frac{1}{3}}+b^{-\frac{1}{3}})(a^{\frac{2}{3}}-a^{\frac{1}{3}}b^{-\frac{1}{3}}+b^{-\frac{2}{3}})}{a^{\frac{1}{3}}+b^{-\frac{1}{3}}}=\boldsymbol{a^{\frac{2}{3}}-a^{\frac{1}{3}}b^{-\frac{1}{3}}+b^{-\frac{2}{3}}}$$

(2) $(x^{\frac{1}{4}}+y^{-\frac{1}{4}})(x^{\frac{1}{4}}-y^{-\frac{1}{4}})(x^{\frac{1}{2}}+y^{-\frac{1}{2}})=\{(x^{\frac{1}{4}})^2-(y^{-\frac{1}{4}})^2\}(x^{\frac{1}{2}}+y^{-\frac{1}{2}})$

$$=(x^{\frac{1}{2}}-y^{-\frac{1}{2}})(x^{\frac{1}{2}}+y^{-\frac{1}{2}})=(x^{\frac{1}{2}})^2-(y^{-\frac{1}{2}})^2=x-y^{-1}$$

$$=\boldsymbol{x-\frac{1}{y}}$$

KEY Point

$a>0$, $b>0$이고 p, q가 실수일 때

- $(a^p+b^q)(a^p-b^q)=a^{2p}-b^{2q}$
- $(a^p\pm b^q)^2=a^{2p}\pm2a^pb^q+b^{2q}$ (복부호동순)
- $(a^p\pm b^q)(a^{2p}\mp a^pb^q+b^{2q})=a^{3p}\pm b^{3q}$ (복부호동순)

---

16 $2^3=a$, $3^4=b$라 할 때, 12^8을 a, b를 이용하여 나타내시오.

17 $a=\sqrt[3]{6}$, $b=\sqrt{7}$이라 할 때, $\sqrt[9]{42}$를 a, b를 이용하여 나타내시오.

18   다음 식을 간단히 하시오. (단, $a>0$, $b>0$)

(1) $(a^{\frac{1}{3}}-b^{\frac{1}{3}})(a^{\frac{2}{3}}+a^{\frac{1}{3}}b^{\frac{1}{3}}+b^{\frac{2}{3}})$ (2) $(3^{\frac{1}{2}}+1)(3^{\frac{1}{2}}-1)(8^{\frac{1}{3}}+1)(8^{\frac{1}{3}}-1)$

$x^{\frac{1}{2}}+x^{-\frac{1}{2}}=3$일 때, 다음 식의 값을 구하시오. (단, $x>0$)

(1) $x+x^{-1}$　　　　　　　(2) x^2+x^{-2}　　　　　　　(3) $x^{\frac{3}{2}}+x^{-\frac{3}{2}}$

풀이　　(1) $x^{\frac{1}{2}}+x^{-\frac{1}{2}}=3$의 양변을 제곱하면

$(x^{\frac{1}{2}}+x^{-\frac{1}{2}})^2=3^2,\ x+2+x^{-1}=9$　　∴ $x+x^{-1}=\mathbf{7}$

(2) $x+x^{-1}=7$의 양변을 제곱하면

$(x+x^{-1})^2=7^2,\ x^2+2+x^{-2}=49$　　∴ $x^2+x^{-2}=\mathbf{47}$

(3) $x^{\frac{1}{2}}+x^{-\frac{1}{2}}=3$의 양변을 세제곱하면

$(x^{\frac{1}{2}}+x^{-\frac{1}{2}})^3=3^3,\ x^{\frac{3}{2}}+3x\cdot x^{-\frac{1}{2}}+3x^{\frac{1}{2}}\cdot x^{-1}+x^{-\frac{3}{2}}=27,\ x^{\frac{3}{2}}+x^{-\frac{3}{2}}+3(x^{\frac{1}{2}}+x^{-\frac{1}{2}})=27$

$x^{\frac{3}{2}}+x^{-\frac{3}{2}}+3\cdot3=27$　　∴ $x^{\frac{3}{2}}+x^{-\frac{3}{2}}=\mathbf{18}$

$a=2^{\frac{1}{3}}+2^{-\frac{1}{3}}$일 때, $2a^3-6a+5$의 값을 구하시오.

풀이　　$a=2^{\frac{1}{3}}+2^{-\frac{1}{3}}$의 양변을 세제곱하면

$a^3=(2^{\frac{1}{3}}+2^{-\frac{1}{3}})^3=2+3\cdot2^{\frac{2}{3}}\cdot2^{-\frac{1}{3}}+3\cdot2^{\frac{1}{3}}\cdot2^{-\frac{2}{3}}+2^{-1}=\dfrac{5}{2}+3(2^{\frac{1}{3}}+2^{-\frac{1}{3}})=\dfrac{5}{2}+3a$

∴ $a^3-3a=\dfrac{5}{2}$

∴ $2a^3-6a+5=2(a^3-3a)+5=2\cdot\dfrac{5}{2}+5=\mathbf{10}$

KEY Point　　$x>0$일 때

- $x+x^{-1}=(x^{\frac{1}{2}}+x^{-\frac{1}{2}})^2-2$　　　　　　・$x^2+x^{-2}=(x+x^{-1})^2-2$
- $x^{\frac{3}{2}}+x^{-\frac{3}{2}}=(x^{\frac{1}{2}}+x^{-\frac{1}{2}})^3-3(x^{\frac{1}{2}}+x^{-\frac{1}{2}})$　　・$(x^{\frac{1}{2}}-x^{-\frac{1}{2}})^2=(x^{\frac{1}{2}}+x^{-\frac{1}{2}})^2-4$

확인 체크

19　$x^{\frac{1}{2}}-x^{-\frac{1}{2}}=1$일 때, x^3+x^{-3}의 값을 구하시오. (단, $x>0$)

20　$a^{\frac{1}{2}}+a^{-\frac{1}{2}}=4$일 때, $\dfrac{a^{\frac{3}{2}}+a^{-\frac{3}{2}}+2}{a^2+a^{-2}+3}$의 값을 구하시오. (단, $a>0$)

21　$x=4^{\frac{1}{3}}+2^{\frac{1}{3}}$일 때, x^3-6x의 값을 구하시오.

$a^{2x}=5$일 때, 다음 식의 값을 구하시오. (단, $a>0$)

(1) $\dfrac{a^x-a^{-x}}{a^x+a^{-x}}$ (2) $\dfrac{a^{3x}+a^{-3x}}{a^x+a^{-x}}$

설명 구하는 식의 분모, 분자에 각각 a^{-x} 또는 a^x 등을 적당히 곱하여 a^{2x}을 포함한 식으로 변형한다.

풀이 주어진 식의 분모, 분자에 각각 a^x을 곱하면

(1) $\dfrac{a^x-a^{-x}}{a^x+a^{-x}}=\dfrac{a^x(a^x-a^{-x})}{a^x(a^x+a^{-x})}=\dfrac{a^{2x}-1}{a^{2x}+1}=\dfrac{5-1}{5+1}=\dfrac{4}{6}=\dfrac{2}{3}$

(2) $\dfrac{a^{3x}+a^{-3x}}{a^x+a^{-x}}=\dfrac{a^x(a^{3x}+a^{-3x})}{a^x(a^x+a^{-x})}=\dfrac{a^{4x}+a^{-2x}}{a^{2x}+1}=\dfrac{(a^{2x})^2+(a^{2x})^{-1}}{a^{2x}+1}=\dfrac{5^2+\dfrac{1}{5}}{5+1}=\dfrac{21}{5}$

$13^x=27$, $117^y=81$일 때, $\dfrac{3}{x}-\dfrac{4}{y}$의 값을 구하시오.

설명 다음을 이용하여 밑을 통일한 후 지수법칙을 이용하여 계산한다.

$a^x=b \iff (a^x)^{\frac{1}{x}}=b^{\frac{1}{x}} \iff a=b^{\frac{1}{x}}$ (단, $a>0$, $b>0$, $x\ne0$)

풀이 $13^x=27$에서 $13=27^{\frac{1}{x}}=(3^3)^{\frac{1}{x}}=3^{\frac{3}{x}}$ ······ ㉠

$117^y=81$에서 $117=81^{\frac{1}{y}}=(3^4)^{\frac{1}{y}}=3^{\frac{4}{y}}$ ······ ㉡

㉠÷㉡을 하면 $\dfrac{13}{117}=3^{\frac{3}{x}}\div3^{\frac{4}{y}}$

$\dfrac{1}{9}=3^{\frac{3}{x}-\frac{4}{y}}$, $3^{-2}=3^{\frac{3}{x}-\frac{4}{y}}$ ∴ $\dfrac{3}{x}-\dfrac{4}{y}=-2$

KEY Point

- a^{2x}의 값이 주어지면 ➪ 구하는 식을 a^{2x}을 포함한 식으로 변형한다.
- 주어진 조건을 구하는 식에 대입하기 좋은 꼴로 변형한다.

---

22 $x^{-2}=6$일 때, $\dfrac{x^3-x^{-3}}{x+x^{-1}}$의 값을 구하시오. (단, $x\ne0$)

23 $9^x=2$일 때, $\dfrac{27^x-27^{-x}}{3^x+3^{-x}}$의 값을 구하시오.

24 $\dfrac{a^x+a^{-x}}{a^x-a^{-x}}=2$일 때, a^x의 값을 구하시오. (단, $a>0$)

25 $4^x=9^y=6^z=6$일 때, $\dfrac{1}{x}+\dfrac{1}{y}-\dfrac{2}{z}$의 값을 구하시오. (단, $xyz\ne0$)

연습문제

😊 생각해 봅시다!

1 다음 중 옳은 것은?

① $\sqrt[4]{256}=64$ ② $\sqrt[4]{\dfrac{1}{81}}=-3$ ③ $\sqrt[3]{\left(\dfrac{1}{27}\right)^2}=-\dfrac{1}{9}$

④ $-\sqrt[3]{-0.008}=0.2$ ⑤ $-\sqrt[6]{(-3)^6}=3$

2 다음 중 옳지 <u>않은</u> 것은?

① $\sqrt[3]{25}\times\sqrt[3]{5}=5$ ② $\sqrt[5]{-32}=-2$ ③ $\dfrac{\sqrt[3]{16}}{\sqrt[3]{2}}=2$

④ $\sqrt[4]{\sqrt[3]{16}}=\sqrt[3]{2}$ ⑤ $\dfrac{\sqrt[6]{27}\times\sqrt[12]{9}}{\sqrt[6]{81}}=3$

3 다음 식을 간단히 하시오.

(1) $\sqrt[3]{2^6}\div\sqrt[5]{32^2}+2\sqrt[3]{\sqrt{64}}$

(2) $\sqrt{\dfrac{16^2+4^5}{8^4+4^5}}$

(3) $\sqrt[4]{81a\sqrt{a}}\div\sqrt[8]{a^3}$ (단, $a>0$)

(4) $\dfrac{1}{2}\sqrt[6]{4}+\sqrt[3]{16}+\sqrt[3]{-\dfrac{1}{4}}$

(5) $(a^{\sqrt{3}})^{2\sqrt{3}}\div a^3\times(\sqrt[3]{a})^6$ (단, $a>0$)

거듭제곱근의 계산

4 세 수 $A=\sqrt{2\sqrt[3]{3}}$, $B=\sqrt[3]{3\sqrt{2}}$, $C=\sqrt[3]{2\sqrt{3}}$의 대소 관계를 바르게 나타낸 것은?

① $A<B<C$ ② $A<C<B$ ③ $B<A<C$

④ $B<C<A$ ⑤ $C<B<A$

$a>0$, $b>0$일 때,
$a>b\Longleftrightarrow\sqrt[n]{a}>\sqrt[n]{b}$

5 $\sqrt{2}\times\sqrt[3]{3}\times\sqrt[4]{4}\times\sqrt[6]{6}=2^a\times3^b$일 때, 유리수 a, b의 합 $a+b$의 값을 구하시오.

6 $(9\times\sqrt[3]{3})^3\times(3^2)^{\frac{8}{5}}\times\dfrac{1}{\sqrt[5]{9^3}}=3^k$일 때, 유리수 k의 값은?

① 6   ② 7   ③ 8   ④ 9   ⑤ 10

거듭제곱근을 유리수인 지수로 나타낸 후, 지수법칙을 이용하여 계산한다.

● **연습**문제

7 $\sqrt[3]{a^2}=\sqrt[4]{a\sqrt{a^k}}$일 때, 유리수 k의 값을 구하시오. (단, $a>0$, $a\neq1$)

거듭제곱근을 유리수인 지수로 나타낸다.

8 $\sqrt[3]{a\sqrt{a\sqrt[4]{a\sqrt[3]{a}}}}=a^k$일 때, 유리수 k의 값은? (단, $a>0$, $a\neq1$)

① $\dfrac{1}{9}$ ② $\dfrac{2}{9}$ ③ $\dfrac{1}{3}$ ④ $\dfrac{4}{9}$ ⑤ $\dfrac{5}{9}$

STEP **2**

9 8의 세제곱근 중 실수인 것을 a, -64의 세제곱근 중 실수인 것을 b라 하자. $a+b$가 실수 x의 세제곱근일 때, x의 값을 구하시오.

a의 n제곱근 중 실수인 것
① n이 짝수일 때,
  $a>0$이면 $\sqrt[n]{a}$, $-\sqrt[n]{a}$
  $a<0$이면 없음
② n이 홀수일 때, $\sqrt[n]{a}$

10 다음 보기 중 옳은 것만을 있는 대로 고르시오.

| 보기 |
ㄱ. $\sqrt{16}$의 네제곱근은 ±2이다.
ㄴ. $\sqrt[3]{-64}=-8$
ㄷ. -49의 네제곱근 중 실수인 것은 ±7이다.
ㄹ. 자연수 n $(n\geq2)$이 홀수일 때, 5의 n제곱근 중 실수인 것은 1개이다.
ㅁ. -5의 세제곱근 중 실수인 것은 $-\sqrt[3]{5}$이다.

a의 n제곱근
$\Longleftrightarrow$ 방정식 $x^n=a$의 근 x

11 $2^x=3$일 때, $\left(\dfrac{1}{8}\right)^{\frac{x}{3}}$의 값을 구하시오.

양수 a와 실수 x에 대하여
$a^{-x}=\dfrac{1}{a^x}$

12 $(\sqrt[3]{3^4})^{\frac{1}{3}}$이 어떤 자연수의 n제곱근이 되도록 하는 두 자리 자연수 n의 개수를 구하시오.

어떤 자연수를 x라 하면
$\{(\sqrt[3]{3^4})^{\frac{1}{3}}\}^n=x$

[교육청기출]
13 $30\leq a\leq40$, $150\leq b\leq294$일 때, $\sqrt{a}+\sqrt[3]{b}$의 값이 자연수가 되도록 하는 두 자연수 a, b에 대하여 $a+b$의 값을 구하시오.

14 $\sqrt[7]{\sqrt{a} \times \sqrt[4]{\dfrac{a}{\sqrt[3]{a^2}}}} = a^k$일 때, 유리수 k의 값을 구하시오. (단, $a>0$, $a \neq 1$)

거듭제곱근을 유리수인 지수로 나타낸 후, 지수법칙을 이용하여 계산한다.

15 $a^{\frac{1}{2}} - a^{-\frac{1}{2}} = 3$일 때, $\dfrac{a^{\frac{3}{2}} - a^{-\frac{3}{2}} + 9}{a + a^{-1} + 4}$의 값을 구하시오. (단, $a>0$)

16 $x = \sqrt[3]{9} - \sqrt[3]{3}$일 때, $2x^3 + 18x - 5$의 값을 구하시오.

17 $a \neq 0$일 때, $\dfrac{a^2 + a^4 + a^6 + a^8 + a^{10}}{a^{-1} + a^{-3} + a^{-5} + a^{-7} + a^{-9}}$을 간단히 하면?

① a^{10} ② a^{11} ③ a^{12} ④ a^{13} ⑤ a^{14}

18 다음 물음에 답하시오.

(1) $2^x + 2^{-x} = 4$일 때, $8^x + 8^{-x}$의 값을 구하시오.

(2) $29^x = 2$, $(4 \times 29)^y = 2^2$일 때, $2^{\frac{1}{x} - \frac{2}{y}}$의 값을 구하시오.

(3) $3^{2x} = \sqrt{2} - 1$일 때, $\dfrac{3^{3x} + 3^{-3x}}{3^x + 3^{-x}}$의 값을 구하시오.

(1) $(a+b)^3$
    $= a^3 + 3a^2b + 3ab^2 + b^3$
(3) 주어진 식의 분모, 분자에 각각 3^x을 곱하여 3^{2x}을 포함하는 식으로 변형한다.

19 $2^x = 5^y = 10^z$일 때, $xy - yz - zx$의 값을 구하시오. (단, $xyz \neq 0$)

$a^x = k \Longleftrightarrow a = k^{\frac{1}{x}}$
  (단, $a>0$, $k>0$, $x \neq 0$)

20 $5^x = 80^y = a^z = 10$이고 $\dfrac{1}{x} + \dfrac{1}{y} - \dfrac{1}{z} = 2$일 때, 양수 a의 값을 구하시오.

실력 UP

21 $\left(x^{\frac{1}{a-b}}\right)^{\frac{1}{b-c}} \cdot \left(x^{\frac{1}{b-c}}\right)^{\frac{1}{c-a}} \cdot \left(x^{\frac{1}{c-a}}\right)^{\frac{1}{a-b}}$ 을 간단히 하시오.

$$(\text{단, } x>0, \, a\neq b, \, b\neq c, \, c\neq a)$$

💡 **생각해 봅시다!**

지수의 분모를
$(a-b)(b-c)(c-a)$
로 통분한다.

22 세 양수 a, b, c에 대하여 $a^6=5$, $b^5=7$, $c^2=11$일 때, $(abc)^n$이 자연수가 되도록 하는 자연수 n의 최솟값을 구하시오.

자연수 m, p, q, r에 대하여 $\frac{m}{p}$, $\frac{m}{q}$, $\frac{m}{r}$이 모두 자연수이면
⇨ m은 p, q, r의 공배수

23 이차방정식 $x^2-6x+2=0$의 두 근을 2^a, 2^b이라 할 때, 8^a+8^b의 값을 구하시오.

24 $a^{4x}=\sqrt{2}+1$일 때, $\dfrac{a^{6x}+a^{-6x}}{a^{2x}+a^{-2x}}$의 값을 구하시오. (단, $a>0$)

분자를 인수분해하여 약분한다.

25 $f(x)=\dfrac{a^x-a^{-x}}{a^x+a^{-x}}$에 대하여 $f(p)=\dfrac{1}{2}$, $f(q)=\dfrac{1}{3}$일 때, $f(p+q)$의 값을 구하시오. (단, a는 상수이고, $a>0$)

26 세 실수 x, y, z가 다음 조건을 만족시킬 때, 상수 a의 값을 구하시오.

> (가) $16^x=9^y=48^z$　　　　(나) $\dfrac{2a}{x}+\dfrac{1}{y}=\dfrac{2}{z}$

I

지수함수와 로그함수

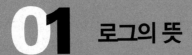

로그의 뜻

2. 로그

개념원리 이해

1. 로그의 정의 ▷ 필수예제 **1**

$a>0$, $a\neq1$일 때, 양수 N에 대하여 $a^x=N$을 만족시키는 실수 x는 오직 하나 존재한다. 이 실수 x 를 $\log_a N$과 같이 나타내고, a를 **밑**으로 하는 N의 **로그**라 한다. 이때 N을 $\log_a N$의 **진수**라 한다.

$$a>0,\ a\neq1,\ N>0\text{일 때,}\quad a^x=N \iff x=\log_a N$$

진수

밑

▶ log는 영어 logarithm의 약자이고 간단히 '로그'라 읽는다.

설명 $2^x=8$을 만족시키는 x의 값은 $x=3$임을 쉽게 알 수 있지만, $2^x=5$를 만족시키는 x의 값은 쉽게 구할 수 없으므로 $x=\log_2 5$와 같이 나타낸다.

참고 마찬가지로 $2^x=8$을 만족시키는 x는 $x=\log_2 8$로 나타낼 수 있으므로 $\log_2 8=3$이다.

예 $3^2=9 \iff 2=\log_3 9,\ 9^{\frac{1}{2}}=3 \iff \frac{1}{2}=\log_9 3$

2. $\log_a N$이 정의되기 위한 조건 ▷ 필수예제 **2**

$\log_a N$이 정의되기 위한 두 조건은
(1) **밑의 조건 : $a>0$, $a\neq1$** (2) **진수의 조건 : $N>0$**

설명 (1) $a>0$, $a\neq1$ ← 밑은 1이 아닌 양수이다.
   (ⅰ) $a<0$인 경우 : $\log_{-2} 3=x$라 하면 $(-2)^x=3$
      그런데 x가 어떤 값을 갖더라도 $(-2)^x$은 결코 3이 될 수 없으므로 $a<0$일 수 없다.
   (ⅱ) $a=0$인 경우 : $\log_0 3=x$라 하면 $0^x=3$
      그런데 x가 어떤 값을 갖더라도 0^x은 결코 3이 될 수 없으므로 $a=0$일 수 없다.
   (ⅲ) $a=1$인 경우 : $\log_1 3=x$라 하면 $1^x=3$
      그런데 x가 어떤 값을 갖더라도 1^x은 결코 3이 될 수 없으므로 $a=1$일 수 없다.
   (ⅰ)~(ⅲ)에서 $\log_a N$의 밑 a는 1이 아닌 양수이어야 한다.
  (2) $N>0$ ← 진수는 양수이다.
   $\log_3(-4)=x$라 하면 $3^x=-4$, $\log_3 0=x$라 하면 $3^x=0$
   그런데 3^x은 항상 양수이므로 $3^x=-4$, $3^x=0$을 만족시키는 x의 값은 존재하지 않는다. 따라서 $\log_3(-4)$, $\log_3 0$ 과 같은 수는 정의되지 않는다.
   따라서 진수는 항상 양수이어야 한다.

예 $\log_{x-1}(4-x)$가 정의되도록 하는 실수 x의 값의 범위는
   (밑)>0, (밑)$\neq1$에서 $x-1>0$, $x-1\neq1$ $\therefore x>1$, $x\neq2$ ······ ㉠
   (진수)>0에서 $4-x>0$ $\therefore x<4$ ······ ㉡
   ㉠, ㉡의 공통 범위를 구하면 $1<x<2$ 또는 $2<x<4$

26 다음 등식을 $x = \log_a N$의 꼴로 나타내시오.

(1) $4^2 = 16$ (2) $10^{-3} = 0.001$ (3) $4^0 = 1$

(4) $5^1 = 5$ (5) $5^{\frac{1}{2}} = \sqrt{5}$ (6) $(\sqrt{3})^4 = 9$

😊 생각해 봅시다!

$a^x = N \Longleftrightarrow x = \log_a N$
(단, $a > 0$, $a \neq 1$, $N > 0$)

27 다음 등식을 $a^x = N$의 꼴로 나타내시오.

(1) $\log_3 81 = 4$ (2) $\log_{\sqrt{2}} 4 = 4$

(3) $\log_{\frac{1}{3}} \dfrac{1}{27} = 3$ (4) $\log_5 1 = 0$

28 다음 값을 구하시오.

(1) $\log_2 16$ (2) $\log_{\frac{1}{3}} 27$ (3) $\log_4 64$ (4) $\log_{\frac{1}{3}} 81$

29 다음 등식을 만족시키는 N의 값을 구하시오.

(1) $\log_3 N = -2$ (2) $\log_{\frac{1}{4}} N = 3$

(3) $\log_2 N = 1$ (4) $\log_6 N = 0$

30 다음이 정의되도록 하는 실수 x의 값의 범위를 구하시오.

(1) $\log_2 (x+4)$ (2) $\log_x 5$

로그가 정의되기 위한 조건

필수예제 01 **로그의 정의**

다음 등식을 만족시키는 x의 값을 구하시오.

(1) $\log_x 9 = 2$　　　　(2) $\log_{16} x = \dfrac{1}{2}$　　　　(3) $\log_{\sqrt{2}} 16 = x$

(4) $\log_{\frac{1}{4}} x^2 = 0$　　　　(5) $\log_x 27 = -\dfrac{3}{2}$　　　　(6) $\log_4(\log_{16} x) = -1$

풀이

(1) $\log_x 9 = 2$에서 $x^2 = 9$이고, 밑의 조건에서 $x > 0$이므로 $x = \mathbf{3}$

(2) $\log_{16} x = \dfrac{1}{2}$에서 $x = 16^{\frac{1}{2}} = (4^2)^{\frac{1}{2}} = \mathbf{4}$

(3) $\log_{\sqrt{2}} 16 = x$에서 $(\sqrt{2})^x = 16$, $2^{\frac{x}{2}} = 16$, $\dfrac{x}{2} = 4$　　∴ $x = \mathbf{8}$

(4) $\log_{\frac{1}{4}} x^2 = 0$에서 $x^2 = \left(\dfrac{1}{4}\right)^0 = 1$, $x^2 - 1 = 0$, $(x+1)(x-1) = 0$　　∴ $x = \mathbf{\pm 1}$

(5) $\log_x 27 = -\dfrac{3}{2}$에서 $x^{-\frac{3}{2}} = 27 = 3^3$　　∴ $x = (3^3)^{-\frac{2}{3}} = 3^{-2} = \dfrac{1}{3^2} = \dfrac{\mathbf{1}}{\mathbf{9}}$

(6) $\log_4(\log_{16} x) = -1$에서 $4^{-1} = \log_{16} x$, $\dfrac{1}{4} = \log_{16} x$　　∴ $x = 16^{\frac{1}{4}} = (2^4)^{\frac{1}{4}} = \mathbf{2}$

필수예제 02 **로그의 밑과 진수의 조건**

다음이 정의되도록 하는 실수 x의 값의 범위를 구하시오.

(1) $\log_4(x-2)^2$　　　　　　(2) $\log_{x-3}(-x^2 + 5x - 4)$

설명

$\log_a N$이 정의되기 위한 조건 $\Rightarrow a > 0,\ a \neq 1,\ N > 0$

풀이

(1) 진수의 조건에서 $(x-2)^2 > 0$　　∴ **$x \neq 2$인 모든 실수**

(2) 밑의 조건에서 $x - 3 > 0$, $x - 3 \neq 1$　　∴ $x > 3$, $x \neq 4$　　 …… ㉠

진수의 조건에서 $-x^2 + 5x - 4 > 0$

$x^2 - 5x + 4 < 0$, $(x-1)(x-4) < 0$　　∴ $1 < x < 4$　　 …… ㉡

㉠, ㉡의 공통 범위를 구하면 **$3 < x < 4$**

KEY Point

• $a^x = N \iff x = \log_a N$이 정의되기 위한 조건

밑의 조건 : $a > 0, a \neq 1$, 진수의 조건 : $N > 0$

확인체크

31 다음 등식을 만족시키는 x의 값을 구하시오.

(1) $\log_8 0.25 = x$　　　　(2) $\log_{0.1} 0.001 = x$　　　　(3) $\log_x 81 = -\dfrac{4}{3}$

(4) $\log_{\frac{1}{\sqrt{2}}} x = -2$　　　　(5) $\log_4\{\log_3(\log_2 x)\} = 0$

32 $\log_a 27 = -2$, $\log_{\sqrt{3}} b = 3$일 때, ab의 값을 구하시오.

33 $\log_{x-2}(-x^2 + 8x - 7)$이 정의되도록 하는 모든 자연수 x의 값의 합을 구하시오.

02 로그의 성질

개념원리 이해

1. 로그의 성질 ▷ 필수예제 **3, 4**

> $a>0$, $a\neq1$, $x>0$, $y>0$일 때
>
> (1) $\log_a 1=0$, $\log_a a=1$
>
> (2) $\log_a xy=\log_a x+\log_a y$
>
> (3) $\log_a \dfrac{x}{y}=\log_a x-\log_a y$
>
> (4) $\log_a x^n=n\log_a x$ (단, n은 실수)

증명
(1) $a^0=1$, $a^1=a$이므로 로그의 정의에 의하여 $\log_a 1=0$, $\log_a a=1$

(2) $\log_a x=m$, $\log_a y=n$이라 하면 로그의 정의에 의하여
$$x=a^m,\ y=a^n \qquad \therefore\ xy=a^m a^n=a^{m+n}$$
따라서 로그의 정의에 의하여
$$\log_a xy=m+n=\log_a x+\log_a y$$

(3) $\log_a x=m$, $\log_a y=n$이라 하면 로그의 정의에 의하여
$$x=a^m,\ y=a^n \qquad \therefore\ \frac{x}{y}=\frac{a^m}{a^n}=a^{m-n}$$
따라서 로그의 정의에 의하여
$$\log_a \frac{x}{y}=m-n=\log_a x-\log_a y$$

(4) $\log_a x=m$이라 하면 로그의 정의에 의하여
$$x=a^m \qquad \therefore\ x^n=(a^m)^n=a^{mn}$$
따라서 로그의 정의에 의하여
$$\log_a x^n=mn=(\log_a x)n=n\log_a x$$

예
(1) $\log_{10} 1=0$, $\log_3 3=1$

(2) $\log_2 15=\log_2(3\times5)=\log_2 3+\log_2 5$

(3) $\log_2 \dfrac{5}{3}=\log_2 5-\log_2 3$

(4) $\log_3 4=\log_3 2^2=2\log_3 2$

주의 다음은 잘못된 계산이다.
(1) $\log_1 1=1$ ($\times$) ────────── $\Leftarrow$ 밑이 1인 로그는 정의되지 않는다.
   $\log_1 1=0$ ($\times$) ──────────

(2) $\log_a(x+y)=\log_a x+\log_a y$ ($\times$) ───┐
   $(\log_a x)(\log_a y)=\log_a x+\log_a y$ ($\times$) ──┘ $\Leftarrow \log_a xy=\log_a x+\log_a y$

(3) $\dfrac{\log_a x}{\log_a y}=\log_a x-\log_a y$ ($\times$) $\Leftarrow \log_a \dfrac{x}{y}=\log_a x-\log_a y$

(4) $(\log_a x)^n=n\log_a x$ ($\times$) $\Leftarrow \log_a x^n=n\log_a x$

2. 밑의 변환 공식 ▷ 필수예제 5~8

$\log_a b$에서 밑 a를 a가 아닌 다른 수로 바꿀 때, 다음과 같은 밑의 변환 공식을 이용한다.

> $a>0$, $a \neq 1$, $b>0$일 때
>
> (1) $\log_a b = \dfrac{\log_c b}{\log_c a}$ (단, $c>0$, $c \neq 1$)　　　(2) $\log_a b = \dfrac{1}{\log_b a}$ (단, $b \neq 1$)

증명　(1) $\log_a b = x$, $\log_c a = y$라 하면 $b = a^x$, $a = c^y$이므로 $b = a^x = (c^y)^x = c^{xy}$

　　　　로그의 정의에 의하여 $xy = \log_c b$이므로 $(\log_a b)(\log_c a) = \log_c b$

　　　　이때 $a \neq 1$에서 $\log_c a \neq 0$이므로 양변을 $\log_c a$로 나누면 $\log_a b = \dfrac{\log_c b}{\log_c a}$

　　　　(2) (1)에서 $c = b$라 하면 $\log_a b = \dfrac{\log_b b}{\log_b a} = \dfrac{1}{\log_b a}$

예　(1) $\log_5 4 = \dfrac{\log_3 4}{\log_3 5}$　　　　　　　　　(2) $\log_2 5 = \dfrac{1}{\log_5 2}$

3. 로그의 여러 가지 성질 ▷ 필수예제 5, 6

> $a>0$, $a \neq 1$, $b>0$, $b \neq 1$, $c>0$, $c \neq 1$일 때
>
> (1) $(\log_a b)(\log_b a) = 1$, $(\log_a b)(\log_b c)(\log_c a) = 1$
>
> (2) $\log_{a^m} b^n = \dfrac{n}{m} \log_a b$ (단, $m \neq 0$)　　　(3) $a^{\log_a b} = b$　　　(4) $a^{\log_c b} = b^{\log_c a}$

▶ 양수 x, y, a $(a \neq 1)$에 대하여 $x = y$이면 $\log_a x = \log_a y$이다.

증명　(1) 밑의 변환 공식을 이용하여 밑을 x $(x>0, x \neq 1)$로 같게 하면

$$(\log_a b)(\log_b c)(\log_c a) = \dfrac{\log_x b}{\log_x a} \times \dfrac{\log_x c}{\log_x b} \times \dfrac{\log_x a}{\log_x c} = 1$$

　　　　(2) 밑의 변환 공식에 의하여 $\log_{a^m} b^n = \dfrac{\log_a b^n}{\log_a a^m} = \dfrac{n \log_a b}{m \log_a a} = \dfrac{n}{m} \log_a b$

　　　　(3) $a^{\log_a b}$에 a를 밑으로 하는 로그를 취하면 $\log_a a^{\log_a b} = (\log_a b)(\log_a a) = \log_a b$

　　　　　즉 $\log_a a^{\log_a b} = \log_a b$이므로 $a^{\log_a b} = b$

　　　　(4) $a^{\log_c b}$에 c를 밑으로 하는 로그를 취하면 $\log_c a^{\log_c b} = (\log_c b)(\log_c a) = (\log_c a)(\log_c b) = \log_c b^{\log_c a}$

　　　　　즉 $\log_c a^{\log_c b} = \log_c b^{\log_c a}$이므로 $a^{\log_c b} = b^{\log_c a}$

예　(1) $(\log_2 3)(\log_3 2) = 1$, $(\log_2 3)(\log_3 4)(\log_4 2) = 1$

　　　(2) $\log_{2^2} 3^5 = \dfrac{5}{2} \log_2 3$　　　(3) $10^{\log_{10} 2} = 2$　　　　　　(4) $3^{\log_4 5} = 5^{\log_4 3}$

참고　정수 n에 대하여 $n \leq \log_a N < n+1$일 때

　　　(1) $\log_a N$의 정수 부분 : n　　　　　(2) $\log_a N$의 소수 부분 : $\log_a N - n$

　　예 $\log_2 4 = 2$, $\log_2 8 = 3$이므로 $2 < \log_2 7 < 3$

　　　(1) $(\log_2 7$의 정수 부분$) = 2$　　　　(2) $(\log_2 7$의 소수 부분$) = \log_2 7 - 2$

34 다음 값을 구하시오.

(1) $\log_5 5$　　　　(2) $\log_3 1$　　　　(3) $\log_4 4$　　　　(4) $\log_{\frac{1}{2}} 1$

🔶 생각해 봅시다!

35 다음 값을 구하시오.

(1) $\log_4 8 + \log_4 2$　　　(2) $\log_{10} 50 - \log_{10} 5$　　　(3) $\log_3 \dfrac{3}{4} + \log_3 12$

밑이 같은 로그의 계산은
로그의 성질을 이용한다.

36 $\log_{10} 2 = a$, $\log_{10} 3 = b$일 때, 다음을 a, b로 나타내시오.

(1) $\log_{10} 6$　　　　(2) $\log_{10} 18$　　　　(3) $\log_{10} 5$　　　　(4) $\log_{10} \dfrac{9}{8}$

로그의 성질을 이용하여
$\log_{10} 2$, $\log_{10} 3$에 대한 식
으로 나타낸다.

37 다음 값을 구하시오.

(1) $\log_{16} 8$　　　(2) $\log_{1000} \dfrac{1}{10}$　　　(3) $2^{\log_2 5}$　　　(4) $4^{\log_2 9}$

38 다음을 밑이 10인 로그로 나타내시오.

(1) $\log_7 2$　　　　(2) $\log_3 8$　　　　(3) $\log_3 100$

밑의 변환 공식

다음 값을 구하시오.

(1) $\log_3 27\sqrt{3}$ 　　　　　　　　　　　　　　(2) $\log_{\frac{1}{3}} \sqrt{3}$

풀이　　(1) $\log_3 27\sqrt{3} = \log_3 (3^3 \times 3^{\frac{1}{2}}) = \log_3 3^{\frac{7}{2}} = \frac{7}{2}\log_3 3 = \dfrac{\mathbf{7}}{\mathbf{2}}$

　　　　　(2) $\log_{\frac{1}{3}} \sqrt{3} = \log_{\frac{1}{3}} 3^{\frac{1}{2}} = \log_{\frac{1}{3}} \left\{\left(\frac{1}{3}\right)^{-1}\right\}^{\frac{1}{2}} = \log_{\frac{1}{3}} \left(\frac{1}{3}\right)^{-\frac{1}{2}} = -\frac{1}{2}\log_{\frac{1}{3}} \frac{1}{3} = -\dfrac{\mathbf{1}}{\mathbf{2}}$

다음 값을 구하시오.

(1) $\log_7 25 + 2\log_7 \frac{1}{5}$ 　　　　　　　　(2) $\frac{1}{3}\log_2 32 + \log_2 \sqrt[3]{2}$

(3) $\log_3 2 - 2\log_3 6 + 2\log_3 \sqrt{18}$ 　　　(4) $\log_{10} \frac{1}{4} - \log_{10} 9 - 2\log_{10} \frac{5}{3}$

풀이　　(1) $\log_7 25 + 2\log_7 \frac{1}{5} = \log_7 5^2 + 2\log_7 5^{-1} = 2\log_7 5 - 2\log_7 5 = \mathbf{0}$

　　　　　(2) $\frac{1}{3}\log_2 32 + \log_2 \sqrt[3]{2} = \log_2 32^{\frac{1}{3}} + \log_2 2^{\frac{1}{3}} = \log_2 (32^{\frac{1}{3}} \times 2^{\frac{1}{3}}) = \log_2 (2^{\frac{5}{3}} \times 2^{\frac{1}{3}}) = \log_2 2^2 = 2\log_2 2$

　　　　　　　　$= \mathbf{2}$

　　　　　(3) $\log_3 2 - 2\log_3 6 + 2\log_3 \sqrt{18} = \log_3 2 - \log_3 6^2 + \log_3 (\sqrt{18})^2 = \log_3 (2 \div 36 \times 18) = \log_3 1 = \mathbf{0}$

　　　　　(4) $\log_{10} \frac{1}{4} - \log_{10} 9 - 2\log_{10} \frac{5}{3} = \log_{10} \frac{1}{4} - \log_{10} 9 - \log_{10} \left(\frac{5}{3}\right)^2 = \log_{10} \left\{\frac{1}{4} \div 9 \div \left(\frac{5}{3}\right)^2\right\}$

　　　　　　　　　　$= \log_{10} \left(\frac{1}{4} \times \frac{1}{9} \times \frac{9}{25}\right) = \log_{10} \frac{1}{100} = \log_{10} 10^{-2}$

　　　　　　　　　　$= -2\log_{10} 10 = \mathbf{-2}$

KEY Point　　$a>0,\ a \neq 1,\ x>0,\ y>0$일 때

- $\log_a 1 = 0,\ \log_a a = 1$ 　　　　　　　　・$\log_a xy = \log_a x + \log_a y$
- $\log_a \dfrac{x}{y} = \log_a x - \log_a y$ 　　　　　・$\log_a x^n = n\log_a x$ (단, n은 실수)

확인 체크

39　다음 값을 구하시오.

(1) $\log_2 16\sqrt{2}$ 　　　　　　　　　　(2) $\log_a \dfrac{1}{a^2}$ (단, $a>0,\ a \neq 1$)

40　다음 값을 구하시오.

(1) $\frac{1}{2}\log_2 \frac{9}{49} - \log_2 \frac{3}{14}$ 　　　　　(2) $\frac{1}{2}\log_2 3 + 3\log_2 \sqrt{2} - \log_2 \sqrt{6}$

(3) $2\log_{10} \frac{5}{3} - \log_{10} \frac{7}{4} + 2\log_{10} 3 + \frac{1}{2}\log_{10} 49$

(4) $3\log_5 \sqrt[3]{2} + \log_5 \sqrt{10} - \frac{1}{2}\log_5 8$

다음 값을 구하시오.

(1) $(\log_3 2 + \log_{27} 4)(\log_{16} 9 + \log_{32} 81)$ (2) $3^{2\log_3 4 + \log_3 5 - 3\log_3 2}$

(3) $8^{\log_2 3} - 9^{\log_3 \sqrt{10}}$ (4) $(\log_2 3)(\log_3 5)(\log_5 2)$

풀이

(1) $(\log_3 2 + \log_{27} 4)(\log_{16} 9 + \log_{32} 81) = (\log_3 2 + \log_{3^3} 2^2)(\log_{2^4} 3^2 + \log_{2^5} 3^4)$

$$= \left(\log_3 2 + \frac{2}{3}\log_3 2\right)\left(\frac{1}{2}\log_2 3 + \frac{4}{5}\log_2 3\right)$$

$$= \frac{5}{3}\log_3 2 \times \frac{13}{10}\log_2 3 = \frac{13}{6}\log_3 2 \times \log_2 3 = \boldsymbol{\frac{13}{6}}$$

(2) $2\log_3 4 + \log_3 5 - 3\log_3 2 = \log_3 4^2 + \log_3 5 - \log_3 2^3 = \log_3 \frac{16 \times 5}{8} = \log_3 10$

$\therefore 3^{2\log_3 4 + \log_3 5 - 3\log_3 2} = 3^{\log_3 10} = \boldsymbol{10}$

(3) $8^{\log_2 3} - 9^{\log_3 \sqrt{10}} = 3^{\log_2 8} - (\sqrt{10})^{\log_3 9} = 3^3 - (\sqrt{10})^2 = 27 - 10 = \boldsymbol{17}$

(4) $(\log_2 3)(\log_3 5)(\log_5 2) = \dfrac{\log_{10} 3}{\log_{10} 2} \times \dfrac{\log_{10} 5}{\log_{10} 3} \times \dfrac{\log_{10} 2}{\log_{10} 5} = \boldsymbol{1}$

양수 x, y, z에 대하여 $\log_2 x + 2\log_4 y + 3\log_8 z = 1$일 때, $\{(2^x)^y\}^z$의 값을 구하시오.

풀이

$\log_2 x + 2\log_4 y + 3\log_8 z = 1$에서 $\log_2 x + 2\log_{2^2} y + 3\log_{2^3} z = 1$

$\log_2 x + 2 \times \dfrac{1}{2}\log_2 y + 3 \times \dfrac{1}{3}\log_2 z = 1$, $\log_2 x + \log_2 y + \log_2 z = 1$

$\log_2 xyz = 1$ $\therefore xyz = 2$

$\therefore \{(2^x)^y\}^z = 2^{xyz} = 2^2 = \boldsymbol{4}$

KEY Point

- 밑이 다를 때에는 밑의 변환 공식을 이용하여 밑을 같게 한다.

⇨ $\log_a b = \dfrac{\log_c b}{\log_c a}$, $\log_a b = \dfrac{1}{\log_b a}$

- $\log_{a^m} b^n = \dfrac{n}{m}\log_a b$ (단, $m \neq 0$)

- $(\log_a b)(\log_b a) = 1$, $(\log_a b)(\log_b c)(\log_c a) = 1$

- $a^{\log_a b} = b$, $a^{\log_c b} = b^{\log_c a}$

---

41 다음 값을 구하시오.

(1) $(\log_2 3 + \log_8 9)(\log_9 2 + \log_{27} 16)$ (2) $5^{2\log_5 4 - 3\log_5 2}$

(3) $4^{\log_2 7} + 27^{\log_3 2}$ (4) $(\log_2 3)(\log_3 5)(\log_5 6)(\log_6 8)$

42 다음 물음에 답하시오.

(1) $(\log_2 3)(\log_4 x) = \log_4 3$일 때, 양수 x의 값을 구하시오.

(2) $a^2 b^3 = 1$일 때, $\log_a a^3 b^2$의 값을 구하시오. (단, $a > 0$, $a \neq 1$, $b > 0$)

(3) $(\log_2 3 + 2\log_4 5)\log_{\sqrt{15}} a = 6$일 때, a의 값을 구하시오. (단, $a > 0$)

다음 물음에 답하시오.

(1) $\log_{10} 2=a$, $\log_{10} 3=b$일 때, $\log_{10} 1.08$을 a, b로 나타내시오.

(2) $\log_2 3=a$, $\log_2 7=b$일 때, $\log_{42} 56$을 a, b로 나타내시오.

설명 진수를 소인수분해하여 조건식의 진수를 인수로 갖도록 변형한다.

풀이
$$(1)\ \log_{10} 1.08=\log_{10}\frac{108}{100}=\log_{10} 108-\log_{10} 100=\log_{10}(2^2\times 3^3)-\log_{10} 10^2$$
$$=\log_{10} 2^2+\log_{10} 3^3-2$$
$$=2\log_{10} 2+3\log_{10} 3-2=\boldsymbol{2a+3b-2}$$
$$(2)\ \log_{42} 56=\frac{\log_2 56}{\log_2 42}=\frac{\log_2 (2^3\times 7)}{\log_2 (2\times 3\times 7)}=\frac{\log_2 2^3+\log_2 7}{\log_2 2+\log_2 3+\log_2 7}=\boldsymbol{\frac{3+b}{1+a+b}}$$

$10^x=a$, $10^y=b$, $10^z=c$일 때, 다음을 x, y, z로 나타내시오. (단, $xyz\neq 0$)

(1) $\log_a b$　　　　　(2) $\log_{ab} c^2$　　　　　(3) $\log_{\sqrt{b}} c$

설명 로그의 정의를 이용하여 주어진 등식을 밑이 10인 로그로 나타내고, 밑의 변환 공식을 이용하여 구하는 식을 밑이 10인 로그로 나타낸다.

풀이 $10^x=a$, $10^y=b$, $10^z=c$에서 $x=\log_{10} a$, $y=\log_{10} b$, $z=\log_{10} c$
$$(1)\ \log_a b=\frac{\log_{10} b}{\log_{10} a}=\boldsymbol{\frac{y}{x}}$$
$$(2)\ \log_{ab} c^2=\frac{\log_{10} c^2}{\log_{10} ab}=\frac{2\log_{10} c}{\log_{10} a+\log_{10} b}=\boldsymbol{\frac{2z}{x+y}}$$
$$(3)\ \log_{\sqrt{b}} c=\frac{\log_{10} c}{\log_{10} \sqrt{b}}=\frac{\log_{10} c}{\frac{1}{2}\log_{10} b}=\frac{z}{\frac{1}{2}y}=\boldsymbol{\frac{2z}{y}}$$

KEY Point
- 진수를 소인수분해하여 조건식의 진수를 인수로 갖도록 변형한다.
- 밑이 다를 때에는 밑의 변환 공식을 이용하여 밑을 같게 한다.

---

 43 $\log_{10} 2=a$, $\log_{10} 3=b$일 때, 다음을 a, b로 나타내시오.

(1) $\log_{10} 25$　　　(2) $\log_{10} 0.72$　　　(3) $\log_{10}\dfrac{1}{15}$　　　(4) $\log_{10}\sqrt{30}$

44 $\log_3 a=x$, $\log_3 b=y$일 때, $\log_{a^3}\sqrt[4]{a^3 b}$를 x, y로 나타내시오. (단, $a>0$, $a\neq 1$, $b>0$)

$25^x=4^y=10$일 때, $\dfrac{1}{x}+\dfrac{1}{y}$의 값을 구하시오.

풀이

$25^x=10$에서 $x=\log_{25}10$, $4^y=10$에서 $y=\log_4 10$

$\therefore \dfrac{1}{x}=\dfrac{1}{\log_{25}10}=\log_{10}25$, $\dfrac{1}{y}=\dfrac{1}{\log_4 10}=\log_{10}4$

$\therefore \dfrac{1}{x}+\dfrac{1}{y}=\log_{10}25+\log_{10}4=\log_{10}(25\times4)=\log_{10}100=\log_{10}10^2=\mathbf{2}$

다른풀이

$25^x=10$에서 $25=10^{\frac{1}{x}}$ ······ ㉠

$4^y=10$에서 $4=10^{\frac{1}{y}}$ ······ ㉡

㉠×㉡을 하면

$100=10^{\frac{1}{x}}\times10^{\frac{1}{y}}$

$100=10^{\frac{1}{x}+\frac{1}{y}}$ $\therefore \dfrac{1}{x}+\dfrac{1}{y}=2$

이차방정식 $x^2-5x+5=0$의 두 실근 α, β에 대하여 $a=\alpha-\beta$라 할 때, $\log_a \alpha+\log_a \beta$의 값을 구하시오. (단, $\alpha>\beta$)

풀이

이차방정식 $x^2-5x+5=0$의 두 실근이 α, β이므로 근과 계수의 관계에 의하여

$\alpha+\beta=5$, $\alpha\beta=5$

따라서 $(\alpha-\beta)^2=(\alpha+\beta)^2-4\alpha\beta=5^2-4\times5=5$이므로

$\alpha-\beta=\sqrt{5}$ $(\because \alpha>\beta)$ $\therefore a=\sqrt{5}$

$\therefore \log_a \alpha+\log_a \beta=\log_a \alpha\beta=\log_{\sqrt{5}}5=\log_{\sqrt{5}}(\sqrt{5})^2=\mathbf{2}$

KEY Point

• $a^x=b^y=k$일 때

로그의 정의를 이용하여 x, y를 구한 후 밑의 변환 공식을 이용한다.

45 $32^x=243^y=216$일 때, $\dfrac{1}{x}+\dfrac{1}{y}$의 값을 구하시오.

46 이차방정식 $x^2-9x+3=0$의 두 실근을 α, β라 할 때, $\log_3(\alpha^{-1}+\beta^{-1})$의 값을 구하시오.

47 이차방정식 $x^2-5x+3=0$의 두 실근을 $\log_{10}\alpha$, $\log_{10}\beta$라 할 때, $\log_\alpha \beta+\log_\beta \alpha$의 값을 구하시오.

세 수 $A=2^{1+\log_2 4}$, $B=\log_3 81\sqrt{3}$, $C=2\log_4 64\sqrt{8}$의 대소 관계를 바르게 나타낸 것은?

① $A<C<B$ ② $B<A<C$ ③ $B<C<A$

④ $C<A<B$ ⑤ $C<B<A$

풀이

$A=2^{1+\log_2 4}=2^{1+2}=2^3=8$

$B=\log_3 81\sqrt{3}=\log_3 (3^4 \times 3^{\frac{1}{2}})=\log_3 3^{4+\frac{1}{2}}=\log_3 3^{\frac{9}{2}}=\dfrac{9}{2}$

$C=2\log_4 64\sqrt{8}=2\log_{2^2}(2^6 \times 2^{\frac{3}{2}})=\log_2 2^{6+\frac{3}{2}}=\log_2 2^{\frac{15}{2}}=\dfrac{15}{2}$

이때 $\dfrac{9}{2}<\dfrac{15}{2}<8$이므로 $B<C<A$

따라서 대소 관계를 바르게 나타낸 것은 ③이다.

$\log_2 7$의 정수 부분을 a, 소수 부분을 b라 할 때, $4(3^a+2^b)$의 값을 구하시오.

설명

$\log_2 7=$(정수 부분)$+$(소수 부분)에서 (소수 부분)$=\log_2 7-$(정수 부분)

풀이

$\log_2 4=2$, $\log_2 8=3$이므로 $2<\log_2 7<3$

즉 $\log_2 7$의 정수 부분은 2이다. $\therefore a=2$

$\log_2 7$의 정수 부분이 2이므로 소수 부분은

$\log_2 7-2=\log_2 7-\log_2 2^2=\log_2 \dfrac{7}{4}$ $\therefore b=\log_2 \dfrac{7}{4}$

$\therefore 4(3^a+2^b)=4\left(3^2+2^{\log_2 \frac{7}{4}}\right)=4\left(9+\dfrac{7}{4}\right)=\mathbf{43}$

KEY Point

• 정수 n에 대하여 $n \leq \log_a N < n+1$ $(a>0, a\neq 1, N>0)$일 때

(1) $\log_a N$의 정수 부분 : n (2) $\log_a N$의 소수 부분 : $\log_a N-n$

---

48 세 수 $A=\dfrac{1}{3}\log_{\frac{1}{4}} 8$, $B=8^{\log_{\frac{1}{8}} 16}$, $C=\dfrac{1}{7}\log_{27} 3\sqrt{3}$의 대소를 비교하시오.

49 $\log_5 100$의 정수 부분을 a, 소수 부분을 b라 할 때, $4^a+4^{\frac{1}{b}}$의 값을 구하시오.

연습문제

STEP **1**

🔵 생각해 봅시다!

27 다음 중 옳은 것은?

① $\log_{\frac{1}{2}} 4 = 2$　　　　　② $\log_{10} \sqrt[4]{0.001} = -\dfrac{3}{4}$

③ $\log_9 3 + \log_9 27 = 3$　　　④ $\log_{10} 12 - \log_{10} 2 = 1$

⑤ $\log_{\sqrt{3}} \dfrac{1}{9} = 4$

28 $a = \dfrac{2}{\sqrt{3}-1}$일 때, $\log_3(a^3-1) - \log_3(a^2+a+1)$의 값을 구하시오.

$x^3 - 1$
$= (x-1)(x^2+x+1)$

29 다음 값을 구하시오.

(1) $\log_2 \left(4^{\frac{3}{4}} \times \sqrt{2^5}\right)^{\frac{1}{2}}$　　　　(2) $8^{\log_2 3} - 100^{\log_{10} 5}$

(3) $(\log_9 2 + \log_3 4)(\log_2 3 + \log_4 9)$

(4) $3\log_2 \sqrt[3]{3} + \dfrac{1}{2}\log_2 \sqrt{2} + \log_2 \dfrac{\sqrt{2}}{3}$

① $\log_{a^m} b^n$
$\quad = \dfrac{n}{m}\log_a b$
② $\log_a x^n$
$\quad = n\log_a x$
③ $a^{\log_c b} = b^{\log_c a}$

30 $a = (\sqrt{3})^{\log_3 4}$, $b = 2^{\log_2 3}$일 때, $a^2 + b^2$의 값을 구하시오.

31 $\log_5 2 = a$, $\log_5 3 = b$일 때, $\log_5 \sqrt{2.4}$를 a, b로 나타내시오.

$2.4 = \dfrac{2^2 \times 3}{5}$

[교육청기출]

32 두 실수 x, y가 $2^x = 3^y = 24$를 만족시킬 때, $(x-3)(y-1)$의 값은?

① 1　　　② 2　　　③ 3　　　④ 4　　　⑤ 5

33 세 수 $A = \dfrac{1}{2}\log_3 \sqrt{3}$, $B = \dfrac{1}{6}\log_4 32$, $C = \log_{25} 5\sqrt{5}$의 대소 관계를 바르게 나타낸 것은?

① $A < B < C$　　　② $A < C < B$　　　③ $B < A < C$

④ $B < C < A$　　　⑤ $C < A < B$

●**연습문제**

STEP **2**

34 모든 실수 x에 대하여 $\log_{a-1}(ax^2-ax+2)$가 정의되도록 하는 모든 정수 a의 값의 합을 구하시오.

로그가 정의되기 위한 조건
⇨ (밑)>0, (밑)$\neq1$,
(진수)>0

35 다음 물음에 답하시오.

(1) $x=\log_2(2+\sqrt{3})$일 때, 2^x+2^{-x}의 값을 구하시오.

(2) $\log_2(a+b)=3$, $\log_2 a+\log_2 b=3$일 때, $(a-b)^2$의 값을 구하시오.

(3) $\log_a x=\dfrac{1}{4}$, $\log_b x=\dfrac{1}{5}$, $\log_c x=\dfrac{1}{6}$일 때, $\dfrac{2}{\log_{abc} x}$의 값을 구하시오.

(단, a, b, c, x는 1이 아닌 양수이다.)

36 $3.45^x=100$, $0.00345^y=100$일 때, $\dfrac{1}{x}-\dfrac{1}{y}$의 값은?

① 1   ② $\dfrac{3}{2}$ ③ 2   ④ $\dfrac{5}{2}$ ⑤ 3

$a^x=b^y=k$
⇨ $x=\log_a k,\ y=\log_b k$

37 $5^x=2^y=(\sqrt[3]{10})^z$일 때, $\dfrac{1}{x}+\dfrac{1}{y}-\dfrac{3}{z}$의 값을 구하시오. (단, $xyz\neq0$)

38 이차방정식 $x^2-3x+1=0$의 두 실근을 $\log_{10}\alpha$, $\log_{10}\beta$라 할 때, $2\log_{a^2}\beta+\dfrac{1}{3}\log_\beta \alpha^3$의 값은?

① 5   ② 6   ③ 7   ④ 8   ⑤ 9

이차방정식
$ax^2+bx+c=0$
의 두 근이 α, β이면
$\alpha+\beta=-\dfrac{b}{a}$
$\alpha\beta=\dfrac{c}{a}$

39 세 수 $A=(\sqrt{3})^{\log_2 12-\log_2 3}$, $B=(4\sqrt{2})^{-\log_2 \frac{\sqrt{3}}{3}}$, $C=\log_4 2+\log_9 3$의 대소 관계를 바르게 나타낸 것은?

① $A<B<C$ ② $A<C<B$ ③ $B<A<C$

④ $B<C<A$ ⑤ $C<A<B$

40 $\log_a b=\dfrac{1}{5}$일 때, $\log_{b^2} a$의 정수 부분을 구하시오.

(단, $a>0$, $a\neq1$, $b>0$, $b\neq1$)

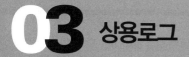

03 상용로그

개념원리 이해

1. 상용로그의 뜻

10을 밑으로 하는 로그를 **상용로그**라 하고, 양수 N에 대하여 상용로그 $\log_{10} N$은 보통 밑 10을 생략하여 **$\log N$**과 같이 나타낸다.

▶ $\log 10^n = n \log 10 = n$

예 $\log 10 = \log_{10} 10 = 1$, $\log 1000 = \log_{10} 10^3 = 3 \log_{10} 10 = 3$

$\log \sqrt{10} = \log_{10} 10^{\frac{1}{2}} = \frac{1}{2} \log_{10} 10 = \frac{1}{2}$, $\log 0.01 = \log_{10} 10^{-2} = -2 \log_{10} 10 = -2$

2. 상용로그표

(1) 이 책의 311, 312쪽에 있는 상용로그표는 0.01의 간격으로 1.00부터 9.99까지의 수에 대한 상용로그의 값을 반올림하여 소수점 아래 넷째 자리까지 나타낸 것이다.
예를 들어 상용로그표에서 $\log 5.73$의 값을

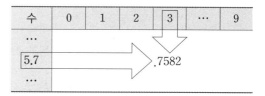

구하려면 5.7의 가로줄과 3의 세로줄이 만나는 곳의 수 0.7582를 찾으면 된다.
즉 $\log 5.73 = 0.7582$이다.

▶ ① 상용로그표에서 .7582는 0.7582를 뜻한다.
② 상용로그표의 상용로그의 값은 어림한 값이므로 $\log 5.73 ≒ 0.7582$로 쓰는 것이 옳지만 편의상 ≒ 대신 =를 사용하여 $\log 5.73 = 0.7582$로 쓴다.

(2) 로그의 성질과 상용로그표를 이용하면 상용로그표에 없는 양수의 상용로그의 값도 구할 수 있다.
예를 들어 상용로그표에서 $\log 5.73 = 0.7582$이므로
$\log 57.3 = \log(10 \times 5.73) = 1 + \log 5.73 = 1 + 0.7582 = 1.7582$
$\log 0.573 = \log(10^{-1} \times 5.73) = -1 + \log 5.73 = -1 + 0.7582 = -0.2418$

3. 상용로그의 정수 부분과 소수 부분 ▷ **필수예제 14**

임의의 양수 N에 대하여 상용로그는
$$\log N = n + \overbrace{\log a}^{\log N의\ 소수\ 부분} \ (n은\ 정수,\ 0 \leq \log a < 1)$$
└ $\log N$의 정수 부분
와 같이 나타낼 수 있다.

설명 $735 = 7.35 \times 10^2$, $0.0546 = 5.46 \times 10^{-2}$과 같이 임의의 양수 N은 10의 거듭제곱을 이용하여

$$N = a \times 10^n \ (1 \leq a < 10, \ n \text{은 정수})$$

의 꼴로 나타낼 수 있다.

위의 식의 양변에 상용로그를 취하면

$$\log N = \log(a \times 10^n) = \log a + \log 10^n = n + \log a$$

이고, $1 \leq a < 10$에서 $0 \leq \log a < 1$이므로 상용로그의 값은 (정수)+(0 이상 1 미만의 수)로 표현할 수 있다.

이때 $\log N$의 정수 부분은 n, 소수 부분은 $\log a$이다.

예   (1) $\log 375 = \log(3.75 \times 10^2) = \log 3.75 + \log 10^2$

$$= 2 + \log 3.75 = 2 + 0.5740$$

이므로 $\log 375$의 정수 부분은 2, 소수 부분은 0.5740이다.

(2) $\log 0.0375 = \log(3.75 \times 10^{-2}) = \log 3.75 + \log 10^{-2}$

$$= -2 + \log 3.75 = -2 + 0.5740$$

이므로 $\log 0.0375$의 정수 부분은 -2, 소수 부분은 0.5740이다.

4. 상용로그의 값이 음수일 때의 정수 부분과 소수 부분   ▷ **필수예제 14**

> $\log 0.00732 = -2.1355$와 같이 상용로그의 값이 음수인 경우, 소수 부분의 범위는 항상
> $0 \leq (\text{소수 부분}) < 1$임에 주의한다.

설명

1을 빼기 ┐   ┌ 1을 더하기

$$\log 0.00732 = -2.1355 = -2 - 0.1355 = (\underline{-2-1}) + (\underline{1-0.1355}) = -3 + 0.8645$$

정수 부분   소수 부분

이므로 $\log 0.00732$의 정수 부분은 -3, 소수 부분은 0.8645이다.

주의 $0 \leq (\text{상용로그의 소수 부분}) < 1$이므로 $\log 0.00732 = -2.1355$의 소수 부분을 -0.1355라 하지 않도록 주의한다.

5. 상용로그의 성질   ▷ **필수예제 15 ~ 19**

> (1) **상용로그의 정수 부분**
>   ① 정수 부분이 n자리인 수의 상용로그의 정수 부분은 $n-1$이다.
>   ② 소수점 아래 n째 자리에서 처음으로 0이 아닌 숫자가 나타나는 수의 상용로그의 정수 부분
>   은 $-n$이다.
> (2) **상용로그의 소수 부분**
>   숫자의 배열이 같고 소수점의 위치만 다른 양수들의 상용로그의 소수 부분은 모두 같다.

설명 (2) $\log 2.75 = 0.4393$에서

$\log 27.5 = \log(10 \times 2.75) = \log 10 + \log 2.75 = 1 + 0.4393 = 1.4393$

$\log 275 = \log(10^2 \times 2.75) = \log 10^2 + \log 2.75 = 2 + 0.4393 = 2.4393$

$\log 0.275 = \log(10^{-1} \times 2.75) = \log 10^{-1} + \log 2.75 = -1 + 0.4393$

$\log 0.0275 = \log(10^{-2} \times 2.75) = \log 10^{-2} + \log 2.75 = -2 + 0.4393$

위의 상용로그의 소수 부분은 모두 0.4393이다. 즉 진수의 숫자 배열이 같으면 진수의 소수점의 위치에 관계없이 상용로그의 소수 부분이 모두 같음을 알 수 있다.

예 (1) $\log 1.09 = 0.0374$일 때

① 109000은 정수 부분이 6자리인 수이므로 $\log 109000$의 정수 부분은 $6-1=5$이고 소수 부분은 0.0374이다.

② 0.00109는 소수점 아래 셋째 자리에서 처음으로 0이 아닌 숫자가 나타나는 수이므로 $\log 0.00109$의 정수 부분은 -3이고 소수 부분은 0.0374이다.

(2) $\log 3.25 = 0.5119$일 때

① $\log N = 1.5119$이면 $\log N$의 정수 부분은 1이므로 진수 N은 정수 부분이 2자리인 수이고, $\log N$의 소수 부분은 0.5119이므로 N의 숫자의 배열은 3, 2, 5이다.

$$\therefore N = 32.5$$

② $\log M = -2.4881 = -3 + 0.5119$이면 $\log M$의 정수 부분은 -3이므로 진수 M은 소수점 아래 셋째 자리에서 처음으로 0이 아닌 숫자가 나타나는 수이고, $\log M$의 소수 부분은 0.5119이므로 M의 숫자의 배열은 3, 2, 5이다.

$$\therefore M = 0.00325$$

6. 상용로그의 소수 부분의 조건에 따른 상용로그의 특징 ▷ 필수예제 **21, 22**

(1) **$\log A$, $\log B$의 소수 부분이 같으면 두 상용로그의 차는 정수이다.**

$\Rightarrow \log A - \log B = (정수)$

(2) **$\log A$, $\log B$의 소수 부분의 합이 1이면 두 상용로그의 합은 정수이고,**
$\log A \neq (정수)$, $\log B \neq (정수)$이다.

$\Rightarrow \log A + \log B = (정수)$, $\log A \neq (정수)$, $\log B \neq (정수)$

설명 (1) $\log A$의 소수 부분과 $\log B$의 소수 부분이 같으므로

$\log A = m + \alpha$, $\log B = n + \alpha$ (m, n은 정수, $0 \le \alpha < 1$)로 놓으면

$\log A - \log B = (m + \alpha) - (n + \alpha) = \underset{정수}{\underline{m - n}}$

(2) $\log A = m + \alpha$ (m은 정수, $0 \le \alpha < 1$), $\log B = n + \beta$ (n은 정수, $0 \le \beta < 1$)로 놓으면

$\alpha + \beta = 1$이므로 $\alpha \neq 0$, $\beta \neq 0$이고,

$\log A + \log B = (m + \alpha) + (n + \beta) = \underset{정수}{\underline{(m + n)}} + \underset{1}{\underline{(\alpha + \beta)}} = \underset{정수}{\underline{m + n + 1}}$

50 다음 값을 구하시오.

(1) $\log 10000$ (2) $\log \dfrac{1}{100}$ (3) $\log 0.001$

(4) $\log \sqrt[4]{10^3}$ (5) $\log 10\sqrt{10}$ (6) $\log \sqrt[3]{100}$

🔍 **생각해 봅시다!**
$\log 10^n = n$ $\log 10 = n$

51 311~312쪽의 상용로그표를 이용하여 다음 값을 구하시오.

(1) $\log 5.16$ (2) $\log 6.68$ (3) $\log 2.48$

52 다음은 $\log 3.62 = 0.5587$임을 이용하여 $\log 362$의 값을 구하는 과정이다.

$\log 3.62 = 0.5587$이므로

$\log 362 = \log(3.62 \times 10^{\boxed{(7!)}}) = \log 3.62 + \log 10^{\boxed{(7!)}}$

$= \log 3.62 + \boxed{(7!)} = \boxed{(L!)} + \boxed{(7!)}$

$= \boxed{(C!)}$

위의 과정에서 (개), (내), (대)에 알맞은 것을 써넣으시오.

53 상용로그의 값이 다음과 같을 때, 상용로그의 정수 부분과 소수 부분을 각각 구하시오.

(1) $\log 4.12 = 0.6149$ (2) $\log 3625 = 3.5593$

(3) $\log 0.8525 = -0.0693$ (4) $\log 0.0025 = -2.6021$

상용로그의 소수 부분은 0 이상 1 미만의 수이다.

54 다음 상용로그의 정수 부분을 구하시오.

(1) $\log 12345$ (2) $\log 19.19$

(3) $\log 0.0419$ (4) $\log 1.4$

필수예제 13 상용로그의 값 · 더 다양한 문제는 **RPM** 수학 I 24쪽

$\log 2=0.3010$, $\log 3=0.4771$일 때, 다음 상용로그의 값을 구하시오.

(1) $\log \dfrac{5}{2}$ (2) $\log 12$ (3) $\log \sqrt{5}$

풀이

(1) $\log \dfrac{5}{2}=\log \dfrac{10}{4}=\log 10-\log 4=1-\log 4=1-2\log 2=1-2\times 0.3010=\mathbf{0.3980}$

(2) $\log 12=\log(2^2\times 3)=2\log 2+\log 3=2\times 0.3010+0.4771=\mathbf{1.0791}$

(3) $\log \sqrt{5}=\log 5^{\frac{1}{2}}=\log\left(\dfrac{10}{2}\right)^{\frac{1}{2}}=\dfrac{1}{2}\log \dfrac{10}{2}=\dfrac{1}{2}(\log 10-\log 2)=\dfrac{1}{2}(1-\log 2)$

$\qquad =\dfrac{1}{2}(1-0.3010)=\mathbf{0.3495}$

필수예제 14 상용로그의 정수 부분과 소수 부분 · 더 다양한 문제는 **RPM** 수학 I 25쪽

$\log 2.71=0.4330$임을 이용하여 다음 상용로그의 정수 부분과 소수 부분을 구하시오.

(1) $\log 2710$ (2) $\log 27.1$ (3) $\log 0.00271$

풀이

(1) $\log 2710=\log(2.71\times 10^3)=\log 2.71+\log 10^3=0.4330+3=3.4330$

∴ 정수 부분 : **3**, 소수 부분 : **0.4330**

(2) $\log 27.1=\log(2.71\times 10)=\log 2.71+\log 10=0.4330+1=1.4330$

∴ 정수 부분 : **1**, 소수 부분 : **0.4330**

(3) $\log 0.00271=\log(2.71\times 10^{-3})=\log 2.71+\log 10^{-3}=0.4330-3=-3+0.4330$

∴ 정수 부분 : **-3**, 소수 부분 : **0.4330**

KEY Point

• $\log 5=\log \dfrac{10}{2}=\log 10-\log 2=1-\log 2$

• 소수 부분은 0 이상 1 미만의 수이다. 즉 $0\leq$(상용로그의 소수 부분)<1

55 $\log 2=0.3010$, $\log 3=0.4771$일 때, 다음 상용로그의 값을 구하시오.

(1) $\log 18$ (2) $\log \dfrac{5}{3}$ (3) $\log \sqrt{6}$

56 $\log 5.23=0.7185$임을 이용하여 다음 상용로그의 정수 부분과 소수 부분을 구하시오.

(1) $\log 523$ (2) $\log 52.3$ (3) $\log 0.0523$

$\log 3.24 = 0.5105$임을 이용하여 다음 상용로그의 값을 구하시오.

(1) $\log 3240$ (2) $\log 0.00324$ (3) $\log \sqrt[5]{324}$

풀이

(1) 3240은 정수 부분이 4자리인 수이므로 $\log 3240$의 정수 부분은 $4-1=3$이다. 또한 3240과 3.24의 숫자 배열이 같으므로 $\log 3240$의 소수 부분과 $\log 3.24$의 소수 부분은 같다.

$\therefore \log 3240 = 3 + 0.5105 = \mathbf{3.5105}$

(2) 0.00324는 소수점 아래 셋째 자리에서 처음으로 0이 아닌 숫자가 나타나는 수이므로 $\log 0.00324$의 정수 부분은 -3이다. 또한 0.00324와 3.24의 숫자 배열이 같으므로 $\log 0.00324$의 소수 부분과 $\log 3.24$의 소수 부분은 같다.

$\therefore \log 0.00324 = -3 + 0.5105 = \mathbf{-2.4895}$

(3) $\log \sqrt[5]{324} = \log 324^{\frac{1}{5}} = \dfrac{1}{5} \log 324$

324는 정수 부분이 3자리인 수이므로 $\log 324$의 정수 부분은 $3-1=2$이다. 또한 324와 3.24의 숫자 배열이 같으므로 $\log 324$의 소수 부분과 $\log 3.24$의 소수 부분은 같다.

$\therefore \log 324 = 2 + 0.5105 = 2.5105$ $\therefore \dfrac{1}{5} \log 324 = \dfrac{1}{5} \times 2.5105 = \mathbf{0.5021}$

다른풀이

(1) $\log 3240 = \log(3.24 \times 10^3) = \log 3.24 + \log 10^3 = \log 3.24 + 3 = 0.5105 + 3 = 3.5105$

$\log 56.7 = 1.7536$임을 이용하여 다음 등식을 만족시키는 x의 값을 구하시오.

(1) $\log x = 4.7536$ (2) $\log x = -2.2464$

풀이

(1) $\log x$의 소수 부분과 $\log 56.7$의 소수 부분이 같으므로 x의 숫자 배열은 56.7의 숫자 배열과 같다. 또한 $\log x$의 정수 부분이 4이므로 x는 정수 부분이 5자리인 수이다. $\therefore x = \mathbf{56700}$

(2) $\log x = -2.2464 = -2 - 0.2464 = (-2-1) + (1-0.2464) = -3 + 0.7536$

$\log x$의 소수 부분과 $\log 56.7$의 소수 부분이 같으므로 x의 숫자 배열은 56.7의 숫자 배열과 같다. 또한 $\log x$의 정수 부분이 -3이므로 x는 소수점 아래 셋째 자리에서 처음으로 0이 아닌 숫자가 나타나는 수이다. $\therefore x = \mathbf{0.00567}$

KEY Point

- **$\log N$의 정수 부분**

① $N \geq 1$일 때 : (N의 정수 부분의 자릿수)-1

② $0 < N < 1$일 때 : $-$(소수점 아래 처음으로 0이 아닌 숫자가 나타나는 자릿수)

- 두 상용로그의 진수의 숫자 배열이 같다. $\Longleftrightarrow$ 두 상용로그의 소수 부분이 같다.

확인 체크

57 $\log 37.4 = 1.5729$임을 이용하여 다음 상용로그의 값을 구하시오.

(1) $\log 3.74$ (2) $\log 374$ (3) $\log 0.0374$

58 $\log 2.34 = 0.3692$임을 이용하여 다음 등식을 만족시키는 x의 값을 구하시오.

(1) $\log x = 2.3692$ (2) $\log x = -0.6308$ (3) $\log x = -2.6308$

> $\log 2 = 0.3010$, $\log 3 = 0.4771$일 때, 다음 수는 몇 자리의 정수인지 구하시오.
>
> (1) 3^{20}　　　　　　　　(2) 6^{52}　　　　　　　　(3) $2^{20} \times 3^{30}$

설명　$\log N$ ($N \geq 1$)의 정수 부분이 n이면 ⇨ N은 정수 부분이 $(n+1)$자리인 수이다.

풀이　(1) $\log 3^{20} = 20 \log 3 = 20 \times 0.4771 = 9.542$
　　　　따라서 $\log 3^{20}$의 정수 부분이 9이므로 3^{20}은 **10자리**의 정수이다.
　　　　(2) $\log 6^{52} = 52 \log 6 = 52 \log(2 \times 3) = 52(\log 2 + \log 3) = 52(0.3010 + 0.4771) = 40.4612$
　　　　따라서 $\log 6^{52}$의 정수 부분이 40이므로 6^{52}은 **41자리**의 정수이다.
　　　　(3) $\log(2^{20} \times 3^{30}) = \log 2^{20} + \log 3^{30} = 20 \log 2 + 30 \log 3 = 20 \times 0.3010 + 30 \times 0.4771 = 20.3330$
　　　　따라서 $\log(2^{20} \times 3^{30})$의 정수 부분이 20이므로 $2^{20} \times 3^{30}$은 **21자리**의 정수이다.

필수예제 **18** 자릿수 결정 (2)　　　　　　　　　　　🔄 더 다양한 문제는 **RPM** 수학 Ⅰ 27쪽

> $\left(\dfrac{1}{5}\right)^{100}$을 소수로 나타낼 때, 소수점 아래 몇째 자리에서 처음으로 0이 아닌 숫자가 나타나는지 구하시오. (단, $\log 2 = 0.3010$으로 계산한다.)

설명　$\log N$ ($0 < N < 1$)의 정수 부분이 n이면
　　　⇨ N은 소수점 아래 $-n$째 자리에서 처음으로 0이 아닌 숫자가 나타나는 수이다.

풀이　$\log\left(\dfrac{1}{5}\right)^{100} = \log 5^{-100} = -100 \log 5 = -100 \log \dfrac{10}{2} = -100(1 - \log 2) = -100(1 - 0.3010)$
　　　　　$= -69.90 = -69 - 0.90 = (-69 - 1) + (1 - 0.90) = -70 + 0.10$
　　　따라서 $\log\left(\dfrac{1}{5}\right)^{100}$의 정수 부분이 -70이므로 $\left(\dfrac{1}{5}\right)^{100}$을 소수로 나타내면 **소수점 아래 70째 자리**에서 처음으로 0이 아닌 숫자가 나타난다.

59　$\log 2 = 0.3010$, $\log 3 = 0.4771$일 때, 다음 수는 몇 자리의 정수인지 구하시오.

　　(1) 5^{30}　　　　　　　(2) 2^{40}　　　　　　　(3) $2^{30} \times 3^{30}$

60　다음 수를 소수로 나타낼 때, 소수점 아래 몇째 자리에서 처음으로 0이 아닌 숫자가 나타나는지 구하시오. (단, $\log 2 = 0.3010$으로 계산한다.)

　　(1) $\left(\dfrac{1}{4}\right)^{100}$　　　　　　　　　　(2) 2^{-20}

61　18^{50}이 63자리의 정수일 때, 18^{15}은 몇 자리의 정수인지 구하시오.

필수예제 19 최고 자리의 숫자

♻ 더 다양한 문제는 RPM 수학 Ⅰ 27쪽

다음 물음에 답하시오. (단, $\log 2 = 0.3010$, $\log 3 = 0.4771$로 계산한다.)

(1) 3^{14}은 몇 자리의 정수인지 구하시오.

(2) 3^{14}의 최고 자리의 숫자를 구하시오.

풀이

(1) $\log 3^{14} = 14 \log 3 = 14 \times 0.4771 = 6.6794$

따라서 $\log 3^{14}$의 정수 부분이 6이므로 3^{14}은 **7자리**의 정수이다.

(2) $\log 3^{14}$의 소수 부분이 0.6794이고

$\log 4 = 2 \log 2 = 0.6020$, $\log 5 = \log \dfrac{10}{2} = 1 - \log 2 = 0.6990$이므로

$\log 4 < 0.6794 < \log 5$

각 변에 6을 더하면 $\log 4 + 6 < 6.6794 < \log 5 + 6$

$\log 4 + \log 10^6 < \log 3^{14} < \log 5 + \log 10^6$

$\log(4 \times 10^6) < \log 3^{14} < \log(5 \times 10^6)$ $\therefore 4 \times 10^6 < 3^{14} < 5 \times 10^6$

따라서 $3^{14} = 4.\square \times 10^6$이므로 3^{14}의 최고 자리의 숫자는 **4**이다.

필수예제 20 이차방정식과 상용로그

♻ 더 다양한 문제는 RPM 수학 Ⅰ 28쪽

$\log A$의 정수 부분과 소수 부분이 이차방정식 $3x^2 + 7x + k = 0$의 두 근일 때, 상수 k의 값을 구하시오.

풀이

$\log A = n + \alpha$ (n은 정수, $0 \le \alpha < 1$)라 하면 n과 α가 이차방정식 $3x^2 + 7x + k = 0$의 두 근이므로 근과 계수의 관계에 의하여

$n + \alpha = -\dfrac{7}{3}$ ······ ㉠, $n\alpha = \dfrac{k}{3}$ ······ ㉡

n은 정수이고, $0 \le \alpha < 1$이므로 ㉠에서

$n + \alpha = -\dfrac{7}{3} = -2 - \dfrac{1}{3} = (-2-1) + \left(1 - \dfrac{1}{3}\right) = -3 + \dfrac{2}{3}$ $\therefore n = -3, \alpha = \dfrac{2}{3}$

이를 ㉡에 대입하면 $-3 \times \dfrac{2}{3} = \dfrac{k}{3}$ $\therefore k = -6$

KEY Point

- a^k의 최고 자리의 숫자 구하기 ⇨ 상용로그의 소수 부분의 성질을 이용한다.

(i) $\log a^k$의 소수 부분 α를 찾는다.

(ii) $\log N \le \alpha < \log(N+1)$을 만족시키는 한 자리의 자연수 N을 찾는다.

(iii) a^k의 최고 자리의 숫자는 N이다.

---

62 5^{20}은 a자리의 정수이고, 최고 자리의 숫자가 b일 때, $a+b$의 값을 구하시오.

(단, $\log 2 = 0.3010$, $\log 3 = 0.4771$로 계산한다.)

63 $\log A$의 정수 부분과 소수 부분이 이차방정식 $2x^2 + 5x + k = 0$의 두 근일 때, 상수 k의 값을 구하시오.

> $10 < x < 100$이고 $\log x$의 소수 부분과 $\log x^3$의 소수 부분이 같을 때, x의 값을 구하시오.

설명   두 상용로그의 소수 부분이 같다. ⇨ 두 상용로그의 차가 정수이다. 즉 $\log x^3 - \log x = (정수)$

풀이 $10 < x < 100$에서 $\log 10 < \log x < \log 100$ $\therefore 1 < \log x < 2$ $\cdots\cdots$ ㉠

$\log x$의 소수 부분과 $\log x^3$의 소수 부분이 같으므로

$\log x^3 - \log x = 3\log x - \log x = 2\log x = (정수)$

㉠에서 $2 < 2\log x < 4$이고, $2\log x$는 정수이므로

$2\log x = 3$, $\log x = \dfrac{3}{2}$ $\therefore x = 10^{\frac{3}{2}} = \mathbf{10\sqrt{10}}$

> $\log x$의 정수 부분이 3이고, $\log x$의 소수 부분과 $\log \sqrt[3]{x}$의 소수 부분의 합이 1일 때, 양수 x의 값을 구하시오.

설명   두 상용로그의 소수 부분의 합이 1이다.

     ⇨ 두 상용로그 각각은 정수가 아니고, 두 상용로그의 합은 정수이다. 즉 $\log x + \log \sqrt[3]{x} = (정수)$, $\log x \neq (정수)$, $\log \sqrt[3]{x} \neq (정수)$

풀이 $\log x$의 소수 부분과 $\log \sqrt[3]{x}$의 소수 부분의 합이 1이므로

$\log x + \log \sqrt[3]{x} = \log x + \dfrac{1}{3}\log x = \dfrac{4}{3}\log x = (정수)$, $\log x \neq (정수)$, $\log \sqrt[3]{x} \neq (정수)$

$\log x$의 정수 부분이 3이므로

$3 < \log x < 4$ ← $\log x$는 정수가 아니므로 $\log x = 3$이 될 수 없다.

각 변에 $\dfrac{4}{3}$를 곱하면 $4 < \dfrac{4}{3}\log x < \dfrac{16}{3}$

$\dfrac{4}{3}\log x$는 정수이므로 $\dfrac{4}{3}\log x = 5$, $\log x = \dfrac{15}{4}$ $\therefore x = 10^{\frac{15}{4}} = \mathbf{\sqrt[4]{10^{15}}}$

다른풀이 $\log x$의 소수 부분을 α라 하면 $\log x = 3 + \alpha$ $(0 < \alpha < 1)$ ← $\log x$는 정수가 아니다.

$\therefore \log \sqrt[3]{x} = \dfrac{1}{3}\log x = \dfrac{1}{3}(3 + \alpha) = 1 + \dfrac{\alpha}{3}$

따라서 $\log \sqrt[3]{x}$의 소수 부분은 $\dfrac{\alpha}{3}$이므로 $\alpha + \dfrac{\alpha}{3} = 1$ $\therefore \alpha = \dfrac{3}{4}$

$\therefore \log x = 3 + \dfrac{3}{4} = \dfrac{15}{4}$ $\therefore x = 10^{\frac{15}{4}} = \sqrt[4]{10^{15}}$

KEY Point
- 두 상용로그의 소수 부분이 같다. ⇨ (두 상용로그의 차)=(정수)
- 두 상용로그의 소수 부분의 합이 1이다. ⇨ 두 상용로그 각각은 정수가 아니고, (두 상용로그의 합)=(정수)

---

 64 $\log x$의 정수 부분이 2이고, $\log x^2$의 소수 부분과 $\log \dfrac{1}{x}$의 소수 부분이 같을 때, 양수 x의 값을 모두 구하시오.

65 $\log x$의 정수 부분이 4이고, $\log x$의 소수 부분과 $\log \sqrt{x}$의 소수 부분의 합이 1일 때, $\log \sqrt[4]{x}$의 소수 부분을 구하시오.

어떤 용액의 수소 이온 농도를 $[H^+]$라 할 때, 이 용액의 산성도를 나타내는 pH는
$$pH = -\log [H^+]$$
로 정의한다. 사탕을 먹은 직후 채취한 타액의 pH는 6.6이었고, 사탕을 먹고 10분 후 채취한 타액의 수소 이온 농도는 사탕을 먹은 직후 채취한 타액의 수소 이온 농도의 50배였다고 할 때, 사탕을 먹고 10분 후 채취한 타액의 pH를 구하시오.

(단, $\log 2 = 0.3$으로 계산한다.)

풀이

사탕을 먹은 직후 채취한 타액의 수소 이온 농도를 $[H^+]$라 하면
$$6.6 = -\log [H^+]$$
$$\log [H^+] = -6.6$$
$$\therefore [H^+] = 10^{-6.6}$$
사탕을 먹고 10분 후 채취한 타액의 수소 이온 농도가 처음 채취한 타액의 50배이므로 사탕을 먹고 10분 후 채취한 타액의 pH를 x라 하면
$$\begin{aligned} x &= -\log 50[H^+] \\ &= -\log(50 \times 10^{-6.6}) \\ &= -(\log 5 + \log 10 + \log 10^{-6.6}) \\ &= -\left(\log \frac{10}{2} + 1 - 6.6\right) \\ &= -(1 - \log 2 + 1 - 6.6) \\ &= -(2 - \log 2 - 6.6) \\ &= -(2 - 0.3 - 6.6) \\ &= \mathbf{4.9} \end{aligned}$$

 66 외부 공기의 온도를 $T_a(℃)$, 어떤 물체의 처음 온도를 $T_0(℃)$, t분 후의 이 물체의 온도를 $T(℃)$라 할 때, 다음 관계식이 성립한다고 한다.
$$T = T_a + (T_0 - T_a)10^{-0.02t} (℃)$$
외부 공기의 온도가 20 ℃, 이 물체의 처음 온도가 120 ℃일 때, 이 물체의 온도가 25 ℃가 되는 것은 몇 분 후인가?

(단, 외부 공기의 온도는 변하지 않는다고 가정하고, $\log 2 = 0.3$으로 계산한다.)

① 60분   ② 65분   ③ 70분   ④ 75분   ⑤ 80분

67 어느 작업장에 먼지의 양이 1 m³당 200 μg (1 μg = 10^{-6} g)이 되면 자동으로 가동되기 시작하는 먼지 제거 장치가 있다. 이 장치가 가동되기 시작하여 t초 후 1 m³당 먼지의 양 $x(t)$는
$$x(t) = 20 + 180 \times 3^{-\frac{t}{256}} (\mu g/m^3)$$
과 같다. 먼지 제거 장치가 가동되기 시작하고 n초 후 작업장의 1 m³당 먼지의 양이 50 μg이 되었다고 할 때, n의 값을 구하시오. (단, $\log 2 = 0.30$, $\log 3 = 0.48$로 계산한다.)

연습문제

💡 **생각해 봅시다!**

41 $\log 32.3 = 1.5092$일 때, $\log \dfrac{1}{3230}$의 값은?

① -3.5092 ② -2.5092 ③ -2.4908

④ 3.5092 ⑤ 4.4908

42 $\log 2 = 0.3010$, $\log 3 = 0.4771$일 때, $\log 6 + \log \sqrt{2} - \log 18$의 값은?

① -0.3266 ② -0.3158 ③ -0.3032

④ -0.2833 ⑤ -0.2267

양수 x, y에 대하여
$\log xy = \log x + \log y$
$\log \dfrac{x}{y} = \log x - \log y$

43 양수 A에 대하여 $\log A = 1.2$일 때, $\log \dfrac{1}{\sqrt[4]{A}}$의 정수 부분을 a, 소수 부분을 b라 하자. $100ab$의 값을 구하시오.

$\dfrac{1}{\sqrt[4]{A}} = A^{-\frac{1}{4}}$

44 양수 N에 대하여 $\log N$의 정수 부분을 $f(N)$이라 할 때, $f(9) + f(99) + f(999)$의 값을 구하시오.

45 $\log 50$의 소수 부분을 a라 할 때, 1000^a의 값을 구하시오.

$0 \leq (\text{소수 부분}) < 1$

46 3^{100}은 a자리의 정수이고, $\left(\dfrac{1}{2}\right)^{200}$을 소수로 나타내면 소수점 아래 b째 자리에서 처음으로 0이 아닌 숫자가 나타난다. $a+b$의 값을 구하시오.
(단, $\log 2 = 0.3010$, $\log 3 = 0.4771$로 계산한다.)

•연습문제

47 $\log 200$의 정수 부분과 소수 부분이 이차방정식 $x^2+ax+b=0$의 두 근일 때, 상수 a, b에 대하여 $2a+b$의 값을 구하시오.

> 이차방정식 $ax^2+bx+c=0$의 두 근을 α, β라 하면 $\alpha+\beta=-\dfrac{b}{a}$, $\alpha\beta=\dfrac{c}{a}$

STEP 2

48 $\log x=3.7781$을 만족시키는 x의 값을 구하시오.
(단, $\log 2=0.3010$, $\log 3=0.4771$로 계산한다.)

49 $\log x=-0.4260$을 만족시키는 x의 값을 구하시오.
(단, $\log 3.75=0.5740$으로 계산한다.)

> $\log x$의 정수 부분과 소수 부분을 구한다.

50 $\log_3 x=20$인 양수 x에 대하여 $\log \dfrac{1}{x}=n+\alpha$ (n은 정수, $0\leq\alpha<1$)라 할 때, 1000α의 값을 구하시오. (단, $\log 3=0.4771$로 계산한다.)

51 $\log 12$의 정수 부분을 x, 소수 부분을 y라 할 때, 10^x+10^{-y}의 값은?

① $\dfrac{19}{2}$ ② $\dfrac{59}{6}$ ③ $\dfrac{61}{6}$ ④ $\dfrac{21}{2}$ ⑤ $\dfrac{65}{6}$

> 12는 정수 부분이 두 자리인 수이므로 $\log 12$의 정수 부분은 1이다.

52 자연수 A에 대하여 A^{50}이 67자리의 정수일 때, A^{20}은 몇 자리의 정수인가?

① 26자리 ② 27자리 ③ 28자리 ④ 29자리 ⑤ 30자리

> A^{50}이 n자리의 정수이면 $\log A^{50}$의 정수 부분은 $n-1$이다.

53 일정한 온도에서 어떤 세균의 수는 2시간마다 3배가 된다고 한다. 이 세균을 일정한 온도에서 배양하면 2일 후 세균의 수는 x배가 된다고 할 때, x는 몇 자리의 정수인가? (단, $\log 3=0.4771$로 계산한다.)

① 11자리 ② 12자리 ③ 13자리 ④ 14자리 ⑤ 15자리

54 $\left(\dfrac{3}{5}\right)^n$을 소수로 나타낼 때, 소수점 아래 15째 자리에서 처음으로 0이 아닌 숫자가 나타나도록 하는 자연수 n의 개수를 구하시오.

(단, $\log 2 = 0.3010$, $\log 3 = 0.4771$로 계산한다.)

55 이차방정식 $x^2 - 8x + 10 = 0$의 두 실근을 $\log a$, $\log b$라 할 때, $\log_a b + \log_b a$의 값을 구하시오.

56 $2 < \log x < 3$이고, $\log x^4$의 소수 부분과 $\log x^2$의 소수 부분이 같을 때, 양수 x의 값은?

① $10^{\frac{13}{6}}$ ② $10^{\frac{11}{5}}$ ③ $10^{\frac{9}{4}}$ ④ $10^{\frac{7}{3}}$ ⑤ $10^{\frac{5}{2}}$

> 두 상용로그의 소수 부분이 같다.
> ⇨ (두 상용로그의 차)
>   ＝(정수)

57 어떤 상품의 수요량 D와 판매 가격 P 사이에는

$$\log D = \log c - \frac{1}{3} \log P \ (c > 0)$$

인 관계가 성립한다고 한다. 이 상품의 판매 가격이 P_1, $4P_1$일 때의 수요량을 각각 D_1, D_2라 할 때, $\dfrac{D_2}{D_1}$의 값은?

① $2^{-\frac{2}{3}}$ ② $2^{-\frac{1}{2}}$ ③ $2^{-\frac{1}{3}}$ ④ $2^{\frac{1}{3}}$ ⑤ $2^{\frac{2}{3}}$

[교육청기출]

58 흙의 투수계수는 물이 흙에 침투하는 정도를 나타내는 지표이다. 동일한 흙의 투수계수(k)는 같은 실험 조건에서 일정하고, 투수 실험 장치에서 처음 물의 높이를 h_1(cm), 실험을 시작한 지 t분 후의 물의 높이를 h_2(cm)라 할 때, 다음 식이 성립한다고 한다.

$$k = \frac{C}{t}(\log h_1 - \log h_2) \ (\text{단, } C\text{는 양의 상수이다.})$$

어떤 흙의 투수 실험 장치에서 처음 물의 높이가 64 cm일 때, 실험을 시작한 지 40분 후의 물의 높이가 16 cm이었고, 실험을 시작한 지 x분 후의 물의 높이가 2 cm이었다. x의 값은?

① 80 ② 100 ③ 120 ④ 140 ⑤ 160

실력 UP

😊 생각해 봅시다!

59 다음 물음에 답하시오. (단, $\log 2 = 0.3010$, $\log 3 = 0.4771$로 계산한다.)

(1) 2^{15}은 a자리의 정수이고, 2^{15}의 최고 자리의 숫자는 b이다. $a-b$의 값을 구하시오.

(2) $27^{100} \div 5^{200}$의 정수 부분은 a자리의 수이고, 최고 자리의 숫자는 b이다. ab의 값을 구하시오.

60 $\log z$의 정수 부분과 소수 부분이 이차방정식 $x^2 - ax + b = 0$의 두 근이고, $\log \dfrac{1}{z}$의 정수 부분과 소수 부분이 이차방정식 $x^2 + ax + b - \dfrac{3}{2} = 0$의 두 근일 때, 상수 a, b의 값을 구하시오. (단, $b \neq 0$)

61 $\log x$의 정수 부분이 3이고, $\log x$의 소수 부분과 $\log \sqrt{x}$의 소수 부분의 합이 $\dfrac{3}{4}$일 때, $\log \sqrt{x}$의 소수 부분은?

$\log x = n + \alpha$ (n은 정수, $0 \leq \alpha < 1$)

① $\dfrac{1}{3}$　　② $\dfrac{5}{12}$　　③ $\dfrac{1}{2}$　　④ $\dfrac{7}{12}$　　⑤ $\dfrac{2}{3}$

62 $\log x$의 정수 부분이 2이고, $\log x^3$과 $\log x^2$의 소수 부분의 합이 1일 때, $\log x$의 최댓값을 k라 하자. $100k$의 값을 구하시오.

63 밀폐된 용기 속의 온도가 t($^\circ$C)일 때, 어떤 액체의 포화증기압 P에 대하여

$$\log P = 9 - \frac{2200}{t + 180} \ (0 < t < 70)$$

이 성립한다. 밀폐된 용기 속의 온도가 30 $^\circ$C일 때 이 액체의 포화증기압을 P_1, 40 $^\circ$C일 때 이 액체의 포화증기압을 P_2라 할 때, $\dfrac{P_2}{P_1}$의 값은?

① $10^{\frac{2}{7}}$　　② $10^{\frac{8}{21}}$　　③ $10^{\frac{10}{21}}$　　④ $10^{\frac{4}{7}}$　　⑤ $10^{\frac{2}{3}}$

I

지수함수와 로그함수

1. 지수함수의 뜻

a가 1이 아닌 양수일 때, 실수 x에 대하여 a^x의 값은 하나로 정해진다. 따라서 x에 a^x을 대응시키면 $y=a^x\,(a>0,\ a\neq1)$은 x에 대한 함수이다. 이 함수를 a를 밑으로 하는 **지수함수**라 한다.

▶ 함수 $y=a^x$에서 지수 x는 실수이므로 밑 a는 $a>0$인 경우만 생각한다.
   또한 $a=1$이면 함수 $y=a^x$은 모든 실수 x에 대하여 $y=1$인 상수함수가 된다. 따라서 지수함수의 밑은 1이 아닌 양수인 경우만 생각한다.

2. 지수함수 $y=a^x\,(a>0,\,a\neq1)$의 성질 ▷ 필수예제 **1**

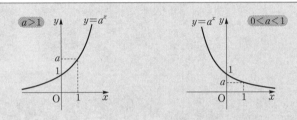

(1) **정의역은 실수 전체의 집합**이고, **치역은 양의 실수 전체**의 집합이다.

(2) 그래프는 점 $(0,\ 1)$, $(1,\ a)$를 지나고 x축 (직선 $y=0$)을 점근선으로 갖는다.

(3) $a>1$일 때, x의 값이 **증가**하면 y의 값도 **증가**한다.
   $0<a<1$일 때, x의 값이 **증가**하면 y의 값은 **감소**한다.

(4) 실수 전체의 집합에서 실수 전체의 집합으로의 일대일함수이다. 또는 실수 전체의 집합에서 양의 실수 전체의 집합으로의 일대일대응이다.

(5) $y=a^x$의 그래프와 $y=\left(\dfrac{1}{a}\right)^x$의 그래프는 y축에 대하여 대칭이다.

▶ ① $a>0$, $a\neq1$일 때, 모든 실수 x에 대하여 $a^x>0$이다.
   ② 곡선이 어떤 직선에 한없이 가까워질 때, 이 직선을 그 곡선의 점근선이라 한다.

설명 (5) $y=\left(\dfrac{1}{a}\right)^x=(a^{-1})^x=a^{-x}$이므로 $y=a^x$의 그래프와 $y=\left(\dfrac{1}{a}\right)^x$의 그래프는 y축에 대하여 대칭이다.

3. 지수함수 $y=a^x\,(a>0,\,a\neq1)$의 그래프의 평행이동과 대칭이동 ▷ 필수예제 **2, 3**

(1) 평행이동

> 지수함수 $y=a^x$의 그래프를 x축의 방향으로 m만큼, y축의 방향으로 n만큼 평행이동한 그래프의 식은 $y-n=a^{x-m}$, 즉 $y=a^{x-m}+n$

▶ 지수함수 $y=a^{x-m}+n$의 정의역은 실수 전체의 집합, 치역은 $\{y|y>n\}$이고, 그래프의 점근선은 직선 $y=n$이다.

▶ ① x축의 방향으로 m만큼 평행이동 ⇨ x 대신 $x-m$ 대입
   ② y축의 방향으로 n만큼 평행이동 ⇨ y 대신 $y-n$ 대입

예 함수 $y=3^x$의 그래프를 x축의 방향으로 -1만큼, y축의 방향으로 2
만큼 평행이동한 그래프의 식은
$$y=3^{x+1}+2$$

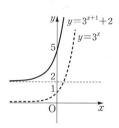

(2) 대칭이동

> 지수함수 $y=a^x$ $(a>0,\ a\neq1)$의 그래프를
> ① x축에 대하여 대칭이동한 그래프의 식은 $\Rightarrow$ $-y=a^x$에서 $y=-a^x$
> ② y축에 대하여 대칭이동한 그래프의 식은 $\Rightarrow$ $y=a^{-x}$에서 $y=\left(\dfrac{1}{a}\right)^x$
> ③ 원점에 대하여 대칭이동한 그래프의 식은 $\Rightarrow$ $-y=a^{-x}$에서 $y=-\left(\dfrac{1}{a}\right)^x$

▶ ① x축에 대하여 대칭이동 $\Rightarrow$ y 대신 $-y$ 대입　　　← y의 부호만 반대
　② y축에 대하여 대칭이동 $\Rightarrow$ x 대신 $-x$ 대입　　　← x의 부호만 반대
　③ 원점에 대하여 대칭이동 $\Rightarrow$ x 대신 $-x$, y 대신 $-y$ 대입　← x, y의 부호가 모두 반대

예 함수 $y=2^x$의 그래프를
(1) x축에 대하여 대칭이동한 그래프의 식은 $-y=2^x$, 즉 $y=-2^x$
(2) y축에 대하여 대칭이동한 그래프의 식은 $y=2^{-x}$, 즉 $y=\left(\dfrac{1}{2}\right)^x$
(3) 원점에 대하여 대칭이동한 그래프의 식은 $-y=2^{-x}$, 즉 $y=-\left(\dfrac{1}{2}\right)^x$

4. 지수함수를 이용한 수의 대소 관계　▷ 필수예제 5

> 지수함수 $y=a^x$ $(a>0,\ a\neq1)$에서
> (1) $a>1$일 때, $x_1<x_2$이면 $a^{x_1}<a^{x_2}$　← x의 값이 증가하면 y의 값도 증가 (부등호 방향 그대로)
> (2) $0<a<1$일 때, $x_1<x_2$이면 $a^{x_1}>a^{x_2}$　← x의 값이 증가하면 y의 값은 감소 (부등호 방향 반대로)

▶ 밑을 같게 하여 지수의 대소를 먼저 비교한 후, 밑의 범위에 따른 지수함수의 증가와 감소를 이용하여 수의 대소를 비교한다.

예 다음 세 수의 대소를 비교하시오.

(1) 3^3, $3^{\sqrt{2}}$, 3 　　　　　　　(2) $\left(\dfrac{2}{3}\right)^{-1}$, $\left(\dfrac{2}{3}\right)^2$, $\left(\dfrac{2}{3}\right)^{0.5}$

풀이 (1) $1<\sqrt{2}<3$이고, 함수 $y=3^x$은 x의 값이 증가하면 y의 값도 증가하는 함수이므로
$$3<3^{\sqrt{2}}<3^3$$

(2) $-1<0.5<2$이고, 함수 $y=\left(\dfrac{2}{3}\right)^x$은 x의 값이 증가하면 y의 값은 감소하는 함수이므로
$$\left(\dfrac{2}{3}\right)^{-1}>\left(\dfrac{2}{3}\right)^{0.5}>\left(\dfrac{2}{3}\right)^2 \qquad \therefore \left(\dfrac{2}{3}\right)^2<\left(\dfrac{2}{3}\right)^{0.5}<\left(\dfrac{2}{3}\right)^{-1}$$

68 다음 보기 중 지수함수인 것만을 있는 대로 고르시오.

생각해 봅시다!

$y=a^x \ (a>0, a\neq1)$

⇨ a를 밑으로 하는 지수함수

| 보기 |

ㄱ. $y=2^x$ 　　ㄴ. $y=0.3^x$ 　　ㄷ. $y=-2x^3$

ㄹ. $y=2\cdot3^x$ 　　ㅁ. $y=x^2$ 　　ㅂ. $y=\dfrac{1}{2^x}$

69 두 함수 $f(x)=2^x$, $g(x)=\left(\dfrac{1}{3}\right)^x$에 대하여 다음을 구하시오.

(1) $f(2)$ 　　(2) $f\left(-\dfrac{1}{2}\right)$ 　　(3) $f(-3)$

(4) $g(0)$ 　　(5) $g(3)$ 　　(6) $g(-2)$

70 다음은 함수 $f(x)=a^x \ (a>0, \ a\neq1)$에 대한 설명이다. □에 알맞은 것을 써넣으시오.

지수함수의 성질

(1) 정의역은 □ 전체의 집합이다.

(2) 치역은 □ 전체의 집합이다.

(3) $a>1$일 때, $x_1<x_2$이면 $f(x_1)$ □ $f(x_2)$이다.

(4) $0<a<1$일 때, $x_1<x_2$이면 $f(x_1)$ □ $f(x_2)$이다.

(5) 그래프의 점근선은 □ 이다.

71 다음 함수의 그래프를 그리고, 정의역, 치역, 점근선을 구하시오.

(1) $y=\left(\dfrac{1}{3}\right)^x$ 　　(2) $y=-3^x$ 　　(3) $y=3^{x-1}$ 　　(4) $y=3^x+2$

72 다음 두 수의 대소를 비교하시오.

지수함수 $y=a^x$에서

① $a>1$일 때
 x의 값이 증가하면 y의 값도 증가한다.

② $0<a<1$일 때
 x의 값이 증가하면 y의 값은 감소한다.

(1) $\sqrt[3]{3}, \ \sqrt[4]{9}$ 　　　　(2) $\left(\dfrac{1}{5}\right)^{-2}, \ \left(\dfrac{1}{5}\right)^{0.5}$

다음 보기 중 함수 $y=\left(\dfrac{1}{3}\right)^x$에 대한 설명으로 옳은 것만을 있는 대로 고르시오.

┤보기├

ㄱ. 그래프는 점 $(1,\ 0)$을 지난다.   ㄴ. 그래프의 점근선은 y축이다.

ㄷ. 그래프는 제3사분면을 지나지 않는다.   ㄹ. x의 값이 증가하면 y의 값도 증가한다.

풀이

ㄱ. 그래프는 점 $(0,\ 1)$을 지난다. (거짓)

ㄴ. 그래프의 점근선은 x축이다. (거짓)

ㄷ. 그래프는 제1사분면, 제2사분면만을 지난다. (참)

ㄹ. x의 값이 증가하면 y의 값은 감소한다. (거짓)

따라서 옳은 것은 ㄷ뿐이다.

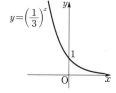

다음 함수의 그래프를 그리고, 정의역, 치역, 점근선을 구하시오.

(1) $y=2^{x-1}-1$ (2) $y=3^{-x}+1$

풀이

(1) $y=2^{x-1}-1$의 그래프는 $y=2^x$의 그래프를 x축의 방향으로 1만큼, y축의 방향으로 -1만큼 평행이동한 것이다.

따라서 함수 $y=2^{x-1}-1$의 그래프는 오른쪽 그림과 같고, **정의역은 실수 전체의 집합, 치역은 $\{y\,|\,y>-1\}$, 점근선은 직선 $y=-1$**이다.

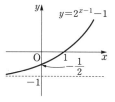

(2) $y=3^{-x}+1$의 그래프는 $y=3^x$의 그래프를 y축에 대하여 대칭이동한 후 y축의 방향으로 1만큼 평행이동한 것이다.

따라서 함수 $y=3^{-x}+1$의 그래프는 오른쪽 그림과 같고, **정의역은 실수 전체의 집합, 치역은 $\{y\,|\,y>1\}$, 점근선은 직선 $y=1$**이다.

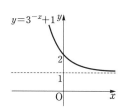

확인 체크

73 다음 보기 중 함수 $y=5^x$에 대한 설명으로 옳은 것만을 있는 대로 고르시오.

┤보기├

ㄱ. 그래프는 점 $(0,\ 1)$을 지난다.   ㄴ. 그래프의 점근선은 y축이다.

ㄷ. x의 값이 증가하면 y의 값도 증가한다.

ㄹ. 두 실수 $x_1,\ x_2$에 대하여 $x_1 \neq x_2$이면 $f(x_1) \neq f(x_2)$이다.

74 다음 함수의 그래프를 그리고, 정의역, 치역, 점근선을 구하시오.

(1) $y=2^{-x}-1$ (2) $y=-2^{-x}$ (3) $y=2^{x-2}-1$

(4) $y=\left(\dfrac{1}{4}\right)^{x-1}+2$ (5) $y=3^{-x+1}$ (6) $y=-\left(\dfrac{1}{2}\right)^x+2$

함수 $y=2^x$의 그래프를 x축의 방향으로 2만큼, y축의 방향으로 1만큼 평행이동한 후 x축에 대하여 대칭이동한 그래프의 식이 $y=a \cdot 2^x+b$일 때, 상수 a, b의 값을 각각 구하시오.

풀이　$y=2^x$의 그래프를 x축의 방향으로 2만큼, y축의 방향으로 1만큼 평행이동한 그래프의 식은

$y-1=2^{x-2}$　　∴ $y=2^{x-2}+1$　　⋯⋯ ㉠

㉠의 그래프를 x축에 대하여 대칭이동한 그래프의 식은 $-y=2^{x-2}+1$　　∴ $y=-2^{x-2}-1$

즉 $y=-2^x \cdot 2^{-2}-1=-\dfrac{1}{4} \cdot 2^x-1$

∴ $a=-\dfrac{1}{4}$, $b=-1$

오른쪽 그림은 함수 $f(x)=3^x$의 그래프이다. $f(a)=m$, $f(b)=n$이고 $a+b=4$일 때, mn의 값을 구하시오.

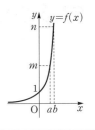

풀이　$f(a)=m$에서 $3^a=m$, $f(b)=n$에서 $3^b=n$

∴ $mn=3^a \times 3^b=3^{a+b}$

그런데 $a+b=4$이므로 $mn=3^4=$**81**

KEY Point
- 지수함수 $y=a^x$ $(a>0, a \neq 1)$의 그래프를 x축의 방향으로 m만큼, y축의 방향으로 n만큼 평행이동하면
  ⇨ $y=a^{x-m}+n$
- x축에 대하여 대칭이동 ⇨ y 대신 $-y$ 대입, y축에 대하여 대칭이동 ⇨ x 대신 $-x$ 대입

확인 체크

75　함수 $y=3^x$의 그래프를 x축의 방향으로 3만큼, y축의 방향으로 -2만큼 평행이동한 후 원점에 대하여 대칭이동한 그래프의 식이 $y=a \cdot 3^{-x}+b$일 때, 상수 a, b의 값을 각각 구하시오.

76　함수 $y=\left(\dfrac{2}{3}\right)^x$의 그래프를 x축의 방향으로 -1만큼 평행이동한 후 y축에 대하여 대칭이동하면 두 점 $(-1, m)$, $(2, n)$을 지난다. mn의 값을 구하시오.

77　함수 $y=2^x$의 그래프와 직선 $y=x$가 오른쪽 그림과 같을 때, $a+b+c+d$의 값을 구하시오.

(단, 점선은 x축 또는 y축에 평행하다.)

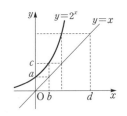

다음 세 수의 대소를 비교하시오.

(1) $3^{0.5}$, $\sqrt{27}$, $\sqrt[3]{9}$ (2) $0.1^{-0.1}$, $0.1^{-\frac{1}{2}}$, 0.1^{-4}

설명   (1) $a>1$일 때, $x_1<x_2 \Longleftrightarrow a^{x_1}<a^{x_2}$ (2) $0<a<1$일 때, $x_1<x_2 \Longleftrightarrow a^{x_1}>a^{x_2}$

풀이   (1) $3^{0.5}=3^{\frac{1}{2}}$, $\sqrt{27}=\sqrt{3^3}=3^{\frac{3}{2}}$, $\sqrt[3]{9}=\sqrt[3]{3^2}=3^{\frac{2}{3}}$

이때 $\dfrac{1}{2}<\dfrac{2}{3}<\dfrac{3}{2}$이고, 지수함수 $y=3^x$은 x의 값이 증가하면 y의 값도 증가하

는 함수이므로 $3^{\frac{1}{2}}<3^{\frac{2}{3}}<3^{\frac{3}{2}}$

$\therefore \mathbf{3^{0.5}<\sqrt[3]{9}<\sqrt{27}}$

(2) $-4<-\dfrac{1}{2}<-0.1$이고, 지수함수 $y=0.1^x$은 x의 값이 증가하면 y의 값은 감

소하는 함수이므로 $0.1^{-4}>0.1^{-\frac{1}{2}}>0.1^{-0.1}$

$\therefore \mathbf{0.1^{-0.1}<0.1^{-\frac{1}{2}}<0.1^{-4}}$

함수 $f(x)=\left(\dfrac{1}{2}\right)^{x-1}+3$의 역함수를 $g(x)$라 할 때, 다음을 구하시오.

(1) $g(a)=2$를 만족시키는 실수 a의 값

(2) $g\left(\dfrac{7}{2}\right)$

풀이   (1) $f(x)$와 $g(x)$는 각각 서로의 역함수이므로

$g(a)=2 \Longleftrightarrow f(2)=a$

$f(2)=\left(\dfrac{1}{2}\right)^{2-1}+3=a$ $\therefore a=\dfrac{7}{2}$

(2) $g\left(\dfrac{7}{2}\right)=k$라 하면 $f(k)=\dfrac{7}{2}$

$f(k)=\left(\dfrac{1}{2}\right)^{k-1}+3=\dfrac{7}{2}$, $\left(\dfrac{1}{2}\right)^{k-1}=\dfrac{1}{2}$

$k-1=1$ $\therefore k=2$

$\therefore g\left(\dfrac{7}{2}\right)=2$

---

78 다음 세 수의 대소를 비교하시오.

(1) $\sqrt{2^3}$, $0.5^{\frac{1}{3}}$, $\sqrt[3]{4}$ (2) $\sqrt{\dfrac{1}{9}}$, $\sqrt[3]{\dfrac{1}{3}}$, $\sqrt[4]{\dfrac{1}{27}}$

79 함수 $f(x)=5^x$의 역함수를 $g(x)$라 할 때, $g\left(\dfrac{1}{25}\right)\cdot g(125)$의 값을 구하시오.

80 함수 $f(x)=3^x\cdot 2^{1-x}$의 역함수를 $g(x)$라 할 때, $g\left(\dfrac{4}{3}\right)$의 값을 구하시오.

연 습 문 제

🔘 생각해 봅시다!

64 함수 $f(x)=a^x$ $(a>0,\ a\neq1)$에 대하여 $f(2)=16$일 때, $\dfrac{f(-1)f(3)}{f(1)}$의 값을 구하시오.

65 함수 $y=3^{2x-1}+1$에 대한 다음 설명 중 옳은 것은?

① 치역은 $\{y|y\geq-1\}$이다.

② x의 값이 증가하면 y의 값은 감소한다.

③ 그래프는 $y=9^x$의 그래프를 x축의 방향으로 1만큼, y축의 방향으로 1만큼 평행이동한 것이다.

④ 그래프의 점근선은 직선 $y=1$이다.

⑤ 그래프는 $y=\left(\dfrac{1}{9}\right)^x$의 그래프와 y축에 대하여 대칭이다.

> $a>0,\ a\neq1$일 때,
> $y=a^x$의 그래프와
> $y=\left(\dfrac{1}{a}\right)^x$의 그래프는 y축에 대하여 대칭이다.

66 함수 $y=3^{-x+a}+b$의 그래프가 점 $(1,\ 1)$을 지나고, 그래프의 점근선이 직선 $y=-2$일 때, 상수 a, b의 합 $a+b$의 값은?

① -4 ② $-\dfrac{3}{2}$ ③ 0 ④ $\dfrac{3}{2}$ ⑤ 4

67 다음 중 함수 $y=5^{x-1}-2$의 그래프의 개형으로 알맞은 것은?

①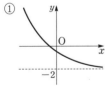
②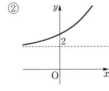
③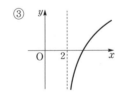
④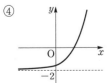
⑤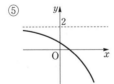

> $y=a^{x-m}+n$의 그래프는 $y=a^x$의 그래프를 x축의 방향으로 m만큼, y축의 방향으로 n만큼 평행이동한 것이다.

68 다음 물음에 답하시오.

(1) 함수 $y=3^x$의 그래프를 x축의 방향으로 1만큼 평행이동한 후 y축에 대하여 대칭이동하면 점 $(2, k)$를 지난다. k의 값을 구하시오.

(2) 함수 $y=a^x$ $(a>0,\ a\neq1)$의 그래프를 x축에 대하여 대칭이동한 후 x축의 방향으로 2만큼, y축의 방향으로 10만큼 평행이동하면 점 $(4, 1)$을 지난다고 할 때, 상수 a의 값을 구하시오.

x축에 대하여 대칭이동
$\Rightarrow$ y 대신 $-y$ 대입
y축에 대하여 대칭이동
$\Rightarrow$ x 대신 $-x$ 대입

69 함수 $y=3^{2x}$의 그래프를 x축의 방향으로 m만큼, y축의 방향으로 n만큼 평행이동하였더니 함수 $y=\dfrac{1}{9}\cdot3^{2x}-1$의 그래프와 겹친다고 할 때, $m+n$의 값을 구하시오.

70 오른쪽 그림은 함수 $y=3^x$의 그래프이다. $\alpha\beta=27$일 때, $a+b$의 값은?

① 1   ② 2   ③ 3
④ 4   ⑤ 5

$a>0$이고 x, y가 실수일 때, $a^x a^y=a^{x+y}$

71 함수 $f(x)=a^x$ $(a>0,\ a\neq1)$에 대하여 $f(x+2)=2f(x+1)+8f(x)$가 성립할 때, $f(3)$의 값을 구하시오.

 STEP 2

72 다음 보기 중 그래프를 평행이동하여 함수 $y=4^x$의 그래프와 겹칠 수 있는 함수만을 있는 대로 고른 것은?

┌─ 보기 ├─────────────────────────────
ㄱ. $y=\left(\dfrac{1}{4}\right)^x$ ㄴ. $y=\left(\dfrac{1}{4}\right)^{3-x}$ ㄷ. $y=-\left(\dfrac{1}{2}\right)^{2x}$ ㄹ. $y=2^{2x-1}$
└──────────────────────────────────

① ㄱ, ㄴ   ② ㄱ, ㄷ   ③ ㄴ, ㄹ
④ ㄱ, ㄴ, ㄷ   ⑤ ㄴ, ㄷ, ㄹ

함수의 식을 변형하여 $y=4^{x-m}+n$의 꼴이 되는 것을 찾는다.

●**연습**문제

73 함수 $y=a^{2x-4}+3\ (a>0)$의 그래프는 a의 값에 관계없이 항상 점 $(\alpha,\ \beta)$를 지난다. $\alpha\beta$의 값은? (단, $a\neq1$)

① 7   ② 8   ③ 9   ④ 10   ⑤ 11

지수함수
$y=a^x\ (a>0,\ a\neq1)$의 그래프는 항상 점 $(0,\ 1)$을 지난다.

74 함수 $y=3^x$의 그래프를 y축에 대하여 대칭이동한 후 x축의 방향으로 a만큼, y축의 방향으로 b만큼 평행이동한 그래프가 오른쪽 그림과 같을 때, $a+b$의 값은?

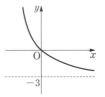

① 0   ② -1 ③ -2
④ -3 ⑤ -4

[교육청기출]
75 지수함수 $f(x)=a^x$의 그래프가 그림과 같다.
$f(b)=3$, $f(c)=6$일 때, $f\left(\dfrac{b+c}{2}\right)$의 값은?

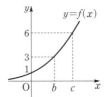

① 4   ② $\sqrt{17}$ ③ $3\sqrt{2}$
④ $\sqrt{19}$ ⑤ $2\sqrt{5}$

76 다음 세 수 A, B, C의 대소를 비교하시오.

(1) $A=\sqrt[4]{9}$, $B=\left(\dfrac{1}{3}\right)^{-\frac{1}{3}}$, $C=\sqrt{27}$

(2) $A=0.1^{\frac{2}{5}}$, $B=\left(\dfrac{1}{100}\right)^{\frac{1}{3}}$, $C=\left(\dfrac{1}{10}\right)^{\frac{3}{2}}$

77 함수 $y=2^x$의 그래프와 $y=2^x$의 역함수 $y=g(x)$의 그래프가 오른쪽 그림과 같을 때, k의 값을 구하시오.

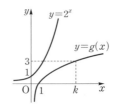

$f(x)$와 $g(x)$가 각각 서로의 역함수이면
$f(a)=b\Longleftrightarrow g(b)=a$

78 함수 $f(x)=\left(\dfrac{1}{3}\right)^{x-1}-1$의 역함수 $g(x)$에 대하여 $g(8)=a$, $g(b)=1$일 때, 상수 a, b의 합 $a+b$의 값을 구하시오.

02 지수함수의 최대 · 최소

개념원리 이해

1. 지수함수의 최대 · 최소 ▷ 필수예제 **7**

> 정의역이 $\{x \mid m \leq x \leq n\}$일 때, 지수함수 $f(x)=a^x\,(a>0,\ a\neq1)$은
>
> (1) $\boldsymbol{a>1}$이면 $x=m$에서 **최솟값 $\boldsymbol{f(m)}$**, $x=n$에서 **최댓값 $\boldsymbol{f(n)}$**을 갖는다.
>
> (2) $\boldsymbol{0<a<1}$이면 $x=m$에서 **최댓값 $\boldsymbol{f(m)}$**, $x=n$에서 **최솟값 $\boldsymbol{f(n)}$**을 갖는다.

설명   지수함수 $f(x)=a^x\,(a>0,\ a\neq1)$의 그래프는 a의 값의 범위에 따라 다음과 같다.

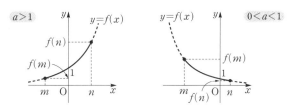

따라서 정의역이 $\{x \mid m \leq x \leq n\}$일 때, 함수 $f(x)=a^x$은

(1) $a>1$이면

　x의 값이 증가할 때 y의 값도 증가하는 함수이므로 <u>$x=m$에서 최솟값 $f(m)$, $x=n$에서 최댓값 $f(n)$</u>을 갖는다.
　　　　　　　　　　　　　　　　　　　　└▸ 치역은 $\{y \mid f(m)\leq y \leq f(n)\}$

(2) $0<a<1$이면

　x의 값이 증가할 때 y의 값은 감소하는 함수이므로 <u>$x=m$에서 최댓값 $f(m)$, $x=n$에서 최솟값 $f(n)$</u>을 갖는다.
　　　　　　　　　　　　　　　　　　　　└▸ 치역은 $\{y \mid f(n)\leq y \leq f(m)\}$

예   (1) $-2\leq x\leq1$일 때, 함수 $y=3^x$은 $x=-2$에서 최솟값 $3^{-2}=\dfrac{1}{9}$, $x=1$에서 최댓값 $3^1=3$

을 갖는다.

(2) $-3\leq x\leq2$일 때, 함수 $y=\left(\dfrac{1}{2}\right)^x$은 $x=-3$에서 최댓값 $\left(\dfrac{1}{2}\right)^{-3}=8$, $x=2$에서 최솟값

$\left(\dfrac{1}{2}\right)^2=\dfrac{1}{4}$을 갖는다.

2. 함수 $y=a^{f(x)}\,(a>0,\ a\neq1)$의 최대 · 최소 ▷ 필수예제 **9, 10**

> $y=a^{f(x)}$에서
>
> **(1) $\boldsymbol{a>1}$인 경우**
>
> 　① **지수 $f(x)$가 최대**일 때, $a^{f(x)}$도 **최대**이다.　② **지수 $f(x)$가 최소**일 때, $a^{f(x)}$도 **최소**이다.
>
> **(2) $\boldsymbol{0<a<1}$인 경우**
>
> 　① **지수 $f(x)$가 최대**일 때, $a^{f(x)}$은 **최소**이다.　② **지수 $f(x)$가 최소**일 때, $a^{f(x)}$은 **최대**이다.

81 다음은 정의역이 $\{x \mid -1 \leq x \leq 2\}$인 함수 $y=3^x$의 최댓값과 최솟값을 구하는 과정이다. ☐ 안에 알맞은 것을 써넣으시오.

> 함수 $y=3^x$은 x의 값이 증가할 때 y의 값도 ☐하는 함수이다.
>
> 따라서 $-1 \leq x \leq 2$일 때, 함수 $y=3^x$은 $x=$☐에서 최댓값 ☐,
>
> $x=$☐에서 최솟값 ☐을 갖는다.

생각해 봅시다!

82 다음은 정의역이 $\{x \mid -2 \leq x \leq 3\}$인 함수 $y=\left(\dfrac{1}{3}\right)^x$의 최댓값과 최솟값을 구하는 과정이다. ☐ 안에 알맞은 것을 써넣으시오.

> 함수 $y=\left(\dfrac{1}{3}\right)^x$은 x의 값이 증가할 때 y의 값은 ☐하는 함수이다.
>
> 따라서 $-2 \leq x \leq 3$일 때, 함수 $y=\left(\dfrac{1}{3}\right)^x$은 $x=$☐에서 최댓값 ☐,
>
> $x=$☐에서 최솟값 ☐을 갖는다.

83 다음 함수의 최댓값과 최솟값을 구하시오.

(1) $y=2^x \ (0 \leq x \leq 3)$
(2) $y=\left(\dfrac{1}{4}\right)^x \ (-2 \leq x \leq 1)$

(3) $y=5^x \ (x \geq 1)$
(4) $y=\left(\dfrac{1}{3}\right)^x \ (x \leq -4)$

지수함수 $y=a^x$에서
① $a>1$이면
  x의 값이 증가할 때 y의 값도 증가한다.
② $0<a<1$이면
  x의 값이 증가할 때 y의 값은 감소한다.

다음 함수의 최댓값과 최솟값을 구하시오.

(1) $y=3^{x+2}$ ($-2 \leq x \leq 1$)   (2) $y=2^{1-x}$ ($-1 \leq x \leq 2$)

(3) $y=4^x \cdot 3^{-x}$ ($0 \leq x \leq 1$)

설명 지수함수의 최대·최소 문제는 그래프를 이용하여 구한다.

풀이

(1) $y=3^{x+2}$은 x의 값이 증가하면 y의 값도 증가하는 함수이다.

따라서 $-2 \leq x \leq 1$일 때, 함수 $y=3^{x+2}$은

$x=-2$에서 최솟값 $3^{-2+2}=3^0=1$,

$x=1$에서 최댓값 $3^{1+2}=3^3=27$

을 갖는다.   ∴ **최댓값 : 27, 최솟값 : 1**

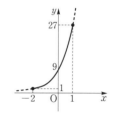

(2) $y=2^{1-x}=2^{-(x-1)}=\left(\dfrac{1}{2}\right)^{x-1}$이므로 함수 $y=2^{1-x}$은 x의 값이 증가하면 y의 값

은 감소하는 함수이다.

따라서 $-1 \leq x \leq 2$일 때, 함수 $y=2^{1-x}$은

$x=-1$에서 최댓값 $2^{1-(-1)}=2^2=4$,

$x=2$에서 최솟값 $2^{1-2}=2^{-1}=\dfrac{1}{2}$

을 갖는다.   ∴ **최댓값 : 4, 최솟값 : $\dfrac{1}{2}$**

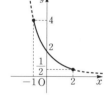

(3) $y=4^x \cdot 3^{-x}=4^x \cdot \left(\dfrac{1}{3}\right)^x=\left(\dfrac{4}{3}\right)^x$이므로 함수 $y=4^x \cdot 3^{-x}$은 x의 값이 증가하면 y

의 값도 증가하는 함수이다. └ 밑이 1보다 큼

따라서 $0 \leq x \leq 1$일 때, 함수 $y=4^x \cdot 3^{-x}$은

$x=0$에서 최솟값 $\left(\dfrac{4}{3}\right)^0=1$,

$x=1$에서 최댓값 $\left(\dfrac{4}{3}\right)^1=\dfrac{4}{3}$

를 갖는다.   ∴ **최댓값 : $\dfrac{4}{3}$, 최솟값 : 1**

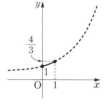

KEY Point

- 지수함수 $y=a^x$ ($a>0$, $a \neq 1$)의 최대·최소 ⇨ 그래프를 그린다.
- $a>1$일 때 ⇨ x의 값이 증가하면 y의 값도 증가하는 함수이므로

        x가 최대일 때 y도 최대, x가 최소일 때 y도 최소

- $0<a<1$일 때 ⇨ x의 값이 증가하면 y의 값은 감소하는 함수이므로

        x가 최대일 때 y는 최소, x가 최소일 때 y는 최대

---

 84 다음 함수의 최댓값과 최솟값을 구하시오.

(1) $y=3^{x+1}-2$ ($-1 \leq x \leq 2$)   (2) $y=2^{x-1}+4$ ($-1 \leq x \leq 2$)

(3) $y=2^{2-x}$ ($-1 \leq x \leq 2$)   (4) $y=2^x \cdot 3^{1-x}$ ($-1 \leq x \leq 1$)

$0 \leq x \leq 2$일 때, 함수 $y = 4^x - 2^{x+1}$의 최댓값과 최솟값을 구하시오.

설명

$y = 4^x - 2^{x+1} = (2^x)^2 - 2 \cdot 2^x$에서 2^x이 반복되어 나타나는 것을 알 수 있다.

이와 같이 a^x의 꼴이 반복해서 나타나면 이를 t로 치환한 다음 t의 값의 범위 내에서 함수의 최대 · 최소를 구한다.

풀이

$y = 4^x - 2^{x+1} = (2^x)^2 - 2 \cdot 2^x$

$2^x = t \ (t > 0)$로 놓으면 $0 \leq x \leq 2$에서 $2^0 \leq 2^x \leq 2^2$

$\therefore 1 \leq t \leq 4$

이때 주어진 함수는

$y = t^2 - 2t = (t-1)^2 - 1$

따라서 $1 \leq t \leq 4$일 때, 함수 $y = (t-1)^2 - 1$은

$t = 1$에서 최솟값 $0 - 1 = -1$,

$t = 4$에서 최댓값 $3^2 - 1 = 8$

을 갖는다.

$\therefore$ **최댓값 : 8, 최솟값 : -1**

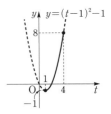

참고

① $t = 2^x$은 x의 값이 증가하면 t의 값도 증가하는 함수이므로 $0 \leq x \leq 2$이면

$2^0 \leq 2^x \leq 2^2$ $\therefore 1 \leq t \leq 4$

② 주어진 함수는 $t = 2^x = 1$, 즉 $x = 0$에서 최소이고, $t = 2^x = 4$, 즉 $x = 2$에서 최대이다.

KEY Point

• a^x의 꼴이 반복되는 함수의 최대 · 최소

(ⅰ) 지수법칙을 이용하여 식을 변형한다.

(ⅱ) $a^x = t$로 치환한 후 t의 값의 범위 내에서 최대 · 최소를 구한다.

확인 체크

85 다음 함수의 최댓값과 최솟값을 구하시오.

(1) $y = 9^x - 4 \cdot 3^x + 6 \ (-1 \leq x \leq 1)$

(2) $y = \left(\dfrac{1}{4}\right)^x - \left(\dfrac{1}{2}\right)^{x-1} + 3 \ (-1 \leq x \leq 2)$

(3) $y = 4^x - 2^{x+2} + 2 \ (x \leq 3)$

86 함수 $y = 9^x + k \cdot 3^{x+1} + 3$의 최솟값이 -6일 때, 상수 k의 값을 구하시오.

● 더 다양한 문제는 **RPM** 수학 I 39쪽

필수예제 09 지수함수 $y=a^{f(x)}$의 꼴의 최대 · 최소 (1)

> 함수 $y=2^{-x^2+2x+2}$이 $x=a$에서 최댓값 b를 가질 때, $a+b$의 값을 구하시오.

풀이 $f(x)=-x^2+2x+2$로 놓으면 $y=2^{-x^2+2x+2}$에서 $y=2^{f(x)}$

$y=2^{f(x)}$의 밑 2가 1보다 크므로

$f(x)$가 최대일 때 함수 $y=2^{f(x)}$도 최대가 된다.

$f(x)=-x^2+2x+2=-(x-1)^2+3$이므로 $f(x)$는 $x=1$에서 최댓값 3을 갖는다.

따라서 함수 $y=2^{f(x)}$은 $x=1$에서 최댓값 $2^3=8$을 갖는다.

$\therefore a=1,\ b=8$

$\therefore a+b=1+8=\mathbf{9}$

참고 $y=2^{f(x)}$은 $f(x)$의 값이 증가하면 y의 값도 증가하는 함수이므로

$f(x_1)<f(x_2)$이면 $2^{f(x_1)}<2^{f(x_2)}$이다.

● 더 다양한 문제는 **RPM** 수학 I 39쪽

필수예제 10 지수함수 $y=a^{f(x)}$의 꼴의 최대 · 최소 (2)

> 정의역이 $\{x\,|\,1\leq x\leq 4\}$인 함수 $y=\left(\dfrac{1}{4}\right)^{-x^2+6x-8}$의 최댓값과 최솟값을 구하시오.

풀이 $f(x)=-x^2+6x-8$로 놓으면 $y=\left(\dfrac{1}{4}\right)^{-x^2+6x-8}$에서 $y=\left(\dfrac{1}{4}\right)^{f(x)}$

$y=\left(\dfrac{1}{4}\right)^{f(x)}$의 밑 $\dfrac{1}{4}$이 1보다 작은 양수이므로

$y=\left(\dfrac{1}{4}\right)^{f(x)}$은 $f(x)$가 최대일 때 최소가 되고, $f(x)$가 최소일 때 최대가 된다.

$f(x)=-x^2+6x-8=-(x-3)^2+1$이므로

$1\leq x\leq 4$일 때, $f(x)$는 $x=3$에서 최댓값 1, $x=1$에서 최솟값 -3을 갖는다.

따라서 $1\leq x\leq 4$일 때, 함수 $y=\left(\dfrac{1}{4}\right)^{f(x)}$은 $x=3$에서 **최솟값** $\left(\dfrac{1}{4}\right)^1=\dfrac{1}{4}$,

$x=1$에서 **최댓값** $\left(\dfrac{1}{4}\right)^{-3}=\mathbf{64}$를 갖는다.

KEY Point 함수 $y=a^{f(x)}\ (a>0,\ a\neq 1)$에서

- $a>1$이면 ⇨ $f(x)$가 최대일 때 $a^{f(x)}$도 최대, $f(x)$가 최소일 때 $a^{f(x)}$도 최소
- $0<a<1$이면 ⇨ $f(x)$가 최대일 때 $a^{f(x)}$은 최소, $f(x)$가 최소일 때 $a^{f(x)}$은 최대

확인체크

87 다음 함수가 $x=a$에서 최솟값 b를 가질 때, $a,\ b$의 값을 각각 구하시오.

(1) $y=3^{x^2+4x+2}$ (2) $y=\left(\dfrac{1}{3}\right)^{-x^2-2x+3}$

88 다음 함수의 최댓값과 최솟값을 구하시오.

(1) $y=2^{-x^2-3x+5}\ (-1\leq x\leq 1)$ (2) $y=\left(\dfrac{1}{2}\right)^{-x^2+4x-7}\ (1\leq x\leq 4)$

89 함수 $y=a^{-x^2-2x+1}\ (0<a<1)$의 최솟값이 $\dfrac{1}{16}$일 때, 상수 a의 값을 구하시오.

함수 $y=2^x+2^{1-x}$의 최솟값을 구하시오.

풀이 $2^x>0$, $2^{1-x}>0$이므로 산술평균과 기하평균의 관계에 의하여

$$2^x+2^{1-x} \geq 2\sqrt{2^x \cdot 2^{1-x}}$$

$$=2\sqrt{2}\left(단, 등호는 2^x=2^{1-x}, 즉 x=\frac{1}{2}일 때 성립\right)$$

따라서 함수 $y=2^x+2^{1-x}$의 최솟값은 $\mathbf{2\sqrt{2}}$이다.

함수 $y=4^x+4^{-x}-2(2^x+2^{-x})$의 최솟값을 구하시오.

설명 4^x+4^{-x}은 2^x+2^{-x}으로 표현되므로 공통부분인 2^x+2^{-x}을 t로 치환하되, t의 값의 범위에 유의한다.

풀이 $2^x+2^{-x}=t$로 놓으면

$2^x>0$, $2^{-x}>0$이므로 산술평균과 기하평균의 관계에 의하여

$t=2^x+2^{-x} \geq 2\sqrt{2^x \cdot 2^{-x}}=2$ (단, 등호는 $2^x=2^{-x}$, 즉 $x=0$일 때 성립) $\therefore t \geq 2$

또한 $4^x+4^{-x}=(2^x)^2+(2^{-x})^2=(2^x+2^{-x})^2-2$이므로

$y=4^x+4^{-x}-2(2^x+2^{-x})$에서 $y=t^2-2-2t=(t-1)^2-3$

따라서 $t \geq 2$일 때, 함수 $y=(t-1)^2-3$은 $t=2$에서 최솟값

$(2-1)^2-3=\mathbf{-2}$를 갖는다.

$$y=(t-1)^2-3$$

KEY Point

• 산술평균과 기하평균의 관계를 이용한 지수함수의 최대·최소

$a>0$, $a \neq 1$일 때, 모든 실수 x에 대하여 $a^x>0$, $a^{-x}>0$이므로

$a^x+a^{-x} \geq 2\sqrt{a^x \cdot a^{-x}}=2$ (단, 등호는 $x=0$일 때 성립)

---

90   함수 $y=5^x+5^{-x}$이 $x=a$에서 최솟값 b를 가질 때, $a+b$의 값을 구하시오.

91   함수 $y=10^{2x-1}+10^{3-2x}$이 $x=\alpha$에서 최솟값 β를 가질 때, $\alpha+\beta$의 값을 구하시오.

92   함수 $y=4^x+4^{-x}+2(2^x+2^{-x})+5$의 최솟값을 구하시오.

연습문제

생각해 봅시다!

STEP 1

79 정의역이 $\{x \mid 0 \leq x \leq 1\}$인 함수 $y = 2^{x+1} \cdot 5^{1-x}$의 최댓값을 M, 최솟값을 m 이라 할 때, $M - m$의 값은?

① 3   ② 4   ③ 5   ④ 6   ⑤ 7

80 정의역이 $\{x \mid a \leq x \leq 3\}$인 함수 $y = 3^{-x} + b$의 최솟값이 $\dfrac{1}{9}$, 최댓값이 $\dfrac{5}{27}$일 때, 상수 a, b의 값을 각각 구하시오. (단, $a < 3$)

81 다음 물음에 답하시오.

(1) 정의역이 $\{x \mid -1 \leq x \leq 3\}$인 함수 $y = -4^x + 2^{x+2} + 1$의 최댓값과 최솟 값의 합을 구하시오.

(2) 함수 $y = 4^x - 4 \cdot 2^x + k$의 최솟값이 2일 때, 상수 k의 값을 구하시오.

$2^x = t$ $(t > 0)$로 치환하여 t에 대한 이차함수로 나타 낸다.

[교육청기출]

82 두 함수 $f(x)$, $g(x)$를 $f(x) = x^2 - 6x + 3$, $g(x) = a^x$ $(a > 0,\ a \neq 1)$이라 하자. $1 \leq x \leq 4$에서 함수 $(g \circ f)(x)$의 최댓값은 27, 최솟값은 m이다. m의 값은?

① $\dfrac{1}{27}$ ② $\dfrac{1}{3}$ ③ $\dfrac{\sqrt{3}}{3}$ ④ 3   ⑤ $3\sqrt{3}$

STEP 2

83 다음 물음에 답하시오.

(1) 함수 $y = 3^{x+k} + \left(\dfrac{1}{3}\right)^{x-k}$의 최솟값이 18일 때, 상수 k의 값을 구하시오.

(2) 함수 $y = 16^x + \left(\dfrac{1}{2}\right)^{4x+2}$이 $x = p$에서 최솟값 q를 가질 때, $p + q$의 값을 구 하시오.

84 다음 물음에 답하시오.

(1) 정의역이 $\{x \mid 1 \leq x \leq 4\}$인 함수 $y = \left(\dfrac{1}{2}\right)^{-x^2+4x-5}$의 최댓값과 최솟값의 합 을 구하시오.

(2) 함수 $y = a^{x^2-2x-2}$ $(0 < a < 1)$의 최댓값이 8일 때, 상수 a의 값을 구하시오.

개념원리 이해

1. **지수에 미지수가 있는 방정식과 지수함수의 관계**

지수에 미지수가 있는 방정식은 다음 성질을 이용하여 푼다.

> $a>0$, $a \neq 1$일 때, $a^{x_1}=a^{x_2} \Longleftrightarrow x_1=x_2$

▶ 지수에 미지수가 있는 방정식을 지수방정식이라 한다.

설명 지수함수 $y=a^x$은 실수 전체의 집합에서 실수 전체의 집합으로의 일대일함수이므로 위의 성질이 성립한다.

2. **지수 또는 밑에 미지수가 있는 방정식의 풀이** ▷ **필수예제 13, 14, 16**

> (1) **밑을 같게 할 수 있을 때**
>   ⇨ 밑을 같게 한 후 다음을 이용한다.
> $$a^{f(x)}=a^{g(x)} \Longleftrightarrow f(x)=g(x) \ (단, \ a>0, \ a \neq 1)$$
> (2) **a^x의 꼴이 반복될 때**
> $a^x=t \ (t>0)$로 **치환**하여 t에 대한 방정식을 푼다.
>   이때 $a^x>0$, 즉 $t>0$임에 주의한다.
> (3) **지수가 같을 때**
>   ⇨ 밑이 같거나 지수가 0이다.
> $$a^{f(x)}=b^{f(x)} \ (a>0, \ b>0) \Longleftrightarrow a=b \ 또는 \ f(x)=0$$
> (4) **밑에도 미지수가 있을 때**
> $$x^{f(x)}=x^{g(x)} \ (x>0) \Longleftrightarrow f(x)=g(x) \ 또는 \ x=1$$

▶ 밑도 지수도 같지 않으면 양변에 $\log$를 취하여 푼다.

설명 (3) $a^{f(x)}=b^{f(x)}$에서 $f(x)=0$이면 $a^0=b^0=1$이므로 $f(x)=0$을 만족시키는 x도 방정식의 해가 될 수 있다.

(4) $x^{f(x)}=x^{g(x)}$에서 $x=1$이면 $1^{f(x)}=1^{g(x)}=1$이므로 등식이 성립한다.

예 다음 방정식을 푸시오.

(1) $2^{x+1}=32$ (2) $4^x-2^x-2=0$

풀이 (1) $2^{x+1}=2^5$이므로 $x+1=5$ ∴ $x=4$

(2) $4^x=(2^x)^2$이므로 $4^x-2^x-2=0$에서 $(2^x)^2-2^x-2=0$

$2^x=t \ (t>0)$로 놓으면

$t^2-t-2=0$, $(t+1)(t-2)=0$ ∴ $t=2 \ (\because t>0)$

즉 $2^x=2$이므로 $x=1$

93 다음 방정식을 푸시오.

(1) $2^x = 8$ (2) $\left(\dfrac{1}{2}\right)^x = \dfrac{1}{16}$ (3) $3^x = \dfrac{1}{81}$

(4) $5^x = 125$ (5) $\left(\dfrac{1}{3}\right)^x = \dfrac{1}{9}$ (6) $\left(\dfrac{1}{5}\right)^x = 25$

94 다음 방정식을 푸시오.

(1) $2^{2x} = 2^{3-x}$ (2) $3^{-x+1} = 3^{2x-2}$ (3) $\left(\dfrac{1}{5}\right)^{-2x-3} = \left(\dfrac{1}{5}\right)^{4x+3}$

> 🔆 **생각해 봅시다!**
>
> $a > 0$, $a \neq 1$일 때,
> $a^{f(x)} = a^{g(x)}$이면
> $f(x) = g(x)$

95 다음 방정식을 푸시오.

(1) $3^{2x-4} - 3^{3x+1} = 0$ (2) $\left(\dfrac{1}{81}\right)^{4x-4} - \left(\dfrac{1}{81}\right)^{x-1} = 0$

96 다음 방정식을 푸시오.

(1) $2^{2x-3} = 128$ (2) $25^{x+3} = \left(\dfrac{1}{125}\right)^{2x-1}$ (3) $2^{-x+2} = 16^{2x}$

(4) $\left(\dfrac{1}{2}\right)^{x+1} = (\sqrt{2})^{x-3}$ (5) $\left(\dfrac{1}{9}\right)^{-x+2} = 81\sqrt{3}$ (6) $4^{x+2} - 8^{x-7} = 0$

> 밑을 같게 한 후 지수를 비교한다.

97 다음은 방정식 $4^x - 3 \cdot 2^x + 2 = 0$을 푸는 과정이다. ☐ 안에 알맞은 것을 써넣으시오.

> $2^x = t$ $(t > 0)$로 놓으면 방정식 $4^x - 3 \cdot 2^x + 2 = 0$은
>
> $\boxed{} - 3\boxed{} + 2 = 0$ $\therefore t = \boxed{}$ 또는 $t = \boxed{}$
>
> 즉 $2^x = \boxed{}$ 또는 $2^x = \boxed{}$이므로
>
> $x = \boxed{}$ 또는 $x = \boxed{}$

필수예제 **13** 밑을 같게 할 수 있는 지수방정식   ↻ 더 다양한 문제는 **RPM** 수학 Ⅰ 41쪽

다음 방정식을 푸시오.

(1) $2^{x^2-3}=4^x$ (2) $3^{2x^2-6x}=\left(\dfrac{1}{9}\right)^{x-8}$ (3) $\left(\dfrac{3}{4}\right)^{x^2+3x}=\left(\dfrac{4}{3}\right)^{2x+6}$

설명   밑을 같게 한 다음 지수를 비교한다.

풀이   (1) $2^{x^2-3}=4^x$에서 $2^{x^2-3}=2^{2x}$

$\qquad$ $x^2-3=2x,\ x^2-2x-3=0,\ (x+1)(x-3)=0$

$\qquad$ ∴ $x=-1$ 또는 $x=3$

$\qquad$ (2) $3^{2x^2-6x}=\left(\dfrac{1}{9}\right)^{x-8}$에서 $3^{2x^2-6x}=3^{-2(x-8)}$

$\qquad$ $2x^2-6x=-2(x-8),\ 2x^2-4x-16=0,\ 2(x+2)(x-4)=0$

$\qquad$ ∴ $x=-2$ 또는 $x=4$

$\qquad$ (3) $\left(\dfrac{3}{4}\right)^{x^2+3x}=\left(\dfrac{4}{3}\right)^{2x+6}$에서 $\left(\dfrac{3}{4}\right)^{x^2+3x}=\left\{\left(\dfrac{3}{4}\right)^{-1}\right\}^{2x+6},\ \left(\dfrac{3}{4}\right)^{x^2+3x}=\left(\dfrac{3}{4}\right)^{-2x-6}$

$\qquad$ $x^2+3x=-2x-6,\ x^2+5x+6=0,\ (x+3)(x+2)=0$

$\qquad$ ∴ $x=-3$ 또는 $x=-2$

필수예제 **14** a^x의 꼴이 반복되는 지수방정식   ↻ 더 다양한 문제는 **RPM** 수학 Ⅰ 41쪽

방정식 $4\times2^{2x}-9\times2^{x+2}+32=0$을 푸시오.

풀이 $9\times2^{x+2}=9\times2^x\times2^2=36\times2^x$이므로

$\qquad$ $4\times2^{2x}-9\times2^{x+2}+32=0$에서 $4\times(2^x)^2-36\times2^x+32=0$

$\qquad$ $2^x=t\ (t>0)$로 놓으면

$\qquad$ $4t^2-36t+32=0,\ 4(t-1)(t-8)=0$ ∴ $t=1$ 또는 $t=8$

$\qquad$ 즉 $2^x=1$ 또는 $2^x=8$

$\qquad$ ∴ $x=0$ 또는 $x=3$

98   다음 방정식을 푸시오.

$\quad$ (1) $9^{x^2+3x}=3^{x^2+4x+3}$ (2) $\left(2\sqrt{2}\right)^{2x^2+12}=2^{-15x}$

$\quad$ (3) $\dfrac{3^{x^2+1}}{3^{x-1}}=81$ (4) $\left(\dfrac{2}{3}\right)^{x^2}=\left(\dfrac{3}{2}\right)^{2-3x}$

99   다음 방정식을 푸시오.

$\quad$ (1) $9^x-6\times3^x-27=0$ (2) $4^{x+1}-5\times2^{x+2}+16=0$

$\quad$ (3) $3^x-9\times3^{-x}=8$ (4) $\left(\dfrac{1}{9}\right)^x+\left(\dfrac{1}{3}\right)^x=12$

● 더 다양한 문제는 **RPM** 수학 I 42쪽

필수예제 15 a^x의 꼴이 반복되는 지수방정식의 활용

방정식 $9^x-3^{x+1}+1=0$의 두 근을 α, β라 할 때, $\alpha+\beta$의 값을 구하시오.

풀이 $9^x=(3^x)^2$, $3^{x+1}=3\times3^x$이므로 $9^x-3^{x+1}+1=0$에서 $(3^x)^2-3\times3^x+1=0$

$3^x=t$ $(t>0)$로 놓으면 $t^2-3t+1=0$ ...... ㉠

방정식 $9^x-3^{x+1}+1=0$의 두 근이 α, β이므로 방정식 ㉠의 두 근은 3^α, 3^β이다.

따라서 이차방정식의 근과 계수의 관계에 의하여

$3^\alpha\cdot3^\beta=1$

$3^{\alpha+\beta}=3^0$ ∴ $\alpha+\beta=\mathbf{0}$

● 더 다양한 문제는 **RPM** 수학 I 42쪽

필수예제 16 밑에 미지수가 포함된 지수방정식

다음 방정식을 푸시오.

(1) $(x+2)^x=3^x$ (단, $x>-2$)　　　　(2) $(x-3)^{x+2}=(x-3)^{x^2-4}$ (단, $x>3$)

설명 (1) $a^{f(x)}=b^{f(x)}$ $(a>0, b>0)$ ⟺ $a=b$ 또는 $f(x)=0$

(2) $a^{f(x)}=a^{g(x)}$ $(a>0)$ ⟺ $f(x)=g(x)$ 또는 $a=1$

풀이 (1) 지수가 같으므로 밑이 같거나 지수가 0이다.

(ⅰ) $x+2=3$이면 $x=1$

(ⅱ) $x=0$이면 $2^0=3^0$이므로 등식이 성립한다.

(ⅰ), (ⅱ)에서 구하는 방정식의 해는 $x=\mathbf{0}$ 또는 $x=\mathbf{1}$

(2) 밑이 같으므로 지수가 같거나 밑이 1이다.

(ⅰ) $x+2=x^2-4$에서 $x^2-x-6=0$, $(x+2)(x-3)=0$ ∴ $x=-2$ 또는 $x=3$

그러나 $x>3$이므로 방정식의 해는 없다.

(ⅱ) $x-3=1$, 즉 $x=4$이면 $1^6=1^{12}$이므로 등식이 성립한다.

(ⅰ), (ⅱ)에서 구하는 방정식의 해는 $x=\mathbf{4}$

KEY Point

• $(a^x)^2-ma^x+n=0$ $(a>0, a\neq1)$의 두 실근이 α, β일 때, $a^x=t$로 놓으면

⇨ t에 대한 이차방정식 $t^2-mt+n=0$의 두 근은 a^α, a^β

100 다음 물음에 답하시오.

(1) 방정식 $4^x-5\times2^x+2=0$의 두 근을 α, β라 할 때, $\alpha+\beta$의 값을 구하시오.

(2) 방정식 $2^{2x+1}-2^x+k=0$의 두 근의 합이 -5일 때, 상수 k의 값을 구하시오.

101 다음 방정식을 푸시오.

(1) $x^{3x+1}=x^{2x+3}$ (단, $x>0$)　　　　(2) $(x+7)^{x-1}=4^{x-1}$ (단, $x>-7$)

(3) $(x-1)^{x^2}=(x-1)^{2x+3}$ (단, $x>1$)　　　　(4) $(2x-1)^{x-3}=(3x-5)^{x-3}\left(단, x>\dfrac{5}{3}\right)$

필수예제 17 지수함수의 식이 포함된 연립방정식

더 다양한 문제는 **RPM** 수학 I 42쪽

연립방정식 $\begin{cases} 2^x + 3^{y+1} = 13 \\ 2^{x+1} - 3^y = 5 \end{cases}$ 의 근을 $x=\alpha$, $y=\beta$라 할 때, $\alpha+\beta$의 값을 구하시오.

풀이

$2^x = X \ (X>0)$, $3^y = Y \ (Y>0)$로 놓으면 주어진 연립방정식은

$\begin{cases} X+3Y=13 & \cdots\cdots \ \text{㉠} \\ 2X-Y=5 & \cdots\cdots \ \text{㉡} \end{cases}$

㉠, ㉡을 연립하여 풀면 $X=4$, $Y=3$

$2^x=4$, $3^y=3$ ∴ $x=2$, $y=1$

따라서 $\alpha=2$, $\beta=1$이므로 $\alpha+\beta=2+1=\mathbf{3}$

필수예제 18 지수방정식의 실생활에의 활용

더 다양한 문제는 **RPM** 수학 I 45쪽

어떤 세균 1마리를 플라스크에 배양하면 x시간 후에 a^x마리로 증식한다고 한다. 세균 10마리를 플라스크에 배양하였더니 3시간 후 80마리가 되었다고 할 때, 세균 10마리가 2560마리가 되는 것은 배양을 시작한 지 몇 시간 후인가? (단, $a>0$, $a \neq 1$)

① 6시간　　② 7시간　　③ 8시간　　④ 9시간　　⑤ 10시간

풀이

처음에 10마리였던 세균이 3시간 후에 80마리가 되었으므로

$10 \times a^3 = 80$, $a^3 = 8$ ∴ $a=2$

처음에 10마리였던 세균이 t시간 후에 2560마리가 되었다고 하면

$10 \times 2^t = 2560$, $2^t = 256$, $2^t = 2^8$ ∴ $t=8$

따라서 세균 10마리가 2560마리가 되는 것은 ③ **8시간** 후이다.

102 연립방정식 $\begin{cases} -3^{x+2} + 3^y = 26 \\ 2 \cdot 3^{x+3} + 3^{y-1} = 15 \end{cases}$ 의 해가 $x=\alpha$, $y=\beta$일 때, $\alpha^2 + \beta^2$의 값을 구하시오.

103 어느 제약 회사에서 만든 A 물질 보충용 영양제를 복용하면 복용 후 1시간마다 체내에 잔류하는 A 물질의 양이 반으로 줄어든다고 한다. 이 영양제를 복용하고 t시간 후 체내에 잔류하는 A 물질의 양이 복용한 양의 12.5 %가 되었다고 할 때, 양수 t의 값을 구하시오. (단, A 물질은 체내에서 자연 합성되지 않으며, 영양제에 포함된 A 물질은 복용 즉시 체내에 모두 흡수된다.)

연습문제

생각해 봅시다!

85 다음 방정식을 푸시오.

(1) $3^x - 9\sqrt{3} = 0$

(2) $2^{2x} = \dfrac{1}{4\sqrt{2}}$

(3) $\dfrac{2^{x^2 - 2x}}{2^{x-1}} = 32$

(4) $\left(\dfrac{5}{7}\right)^{x^3 + 6} = \left(\dfrac{7}{5}\right)^{-2x^2 - 5x}$

(5) $x^{x^2} = x^{2x+3}$ (단, $x > 0$)

86 함수 $f(x) = 3^x$에 대하여 $f(2x) = 2f(x+1) + 27$을 만족시키는 x의 값을 구하시오.

$f(2x)$, $f(x+1)$은 $f(x)$ 에 x 대신 각각 $2x$, $x+1$ 을 대입하여 구한다.

87 방정식 $\dfrac{1}{4^x} - 3 \cdot \dfrac{1}{2^{x-2}} + 32 = 0$의 모든 근의 합은?

① -6 ② -5 ③ -1 ④ 3 ⑤ 4

[교육청기출]
88 방정식 $9^x - 11 \times 3^x + 28 = 0$의 두 실근을 α, β라 할 때, $9^\alpha + 9^\beta$의 값은?

① 59 ② 61 ③ 63 ④ 65 ⑤ 67

$3^x = t$ $(t > 0)$로 치환하여 t에 대한 이차방정식으로 나타낸다.

89 방정식 $a^{2x} - a^x = 2$의 해가 $\dfrac{1}{7}$일 때, 상수 a의 값을 구하시오.

(단, $a > 0$, $a \neq 1$)

90 방정식 $4 \cdot 3^{2x} - 3^x - k = 0$의 두 근의 합이 -4일 때, 상수 k의 값은?

① $-\dfrac{4}{81}$ ② $-\dfrac{1}{27}$ ③ $-\dfrac{2}{81}$ ④ $-\dfrac{1}{81}$ ⑤ $\dfrac{1}{81}$

두 근을 α, β로 놓으면 $\alpha + \beta = -4$이다.

•**연습**문제

STEP **2**

91 방정식 $9^x = 2 \cdot 3^{x+1} - 2k$가 서로 다른 두 실근을 갖도록 하는 실수 k의 값의 범위를 구하시오.

이차방정식이 서로 다른 두 양의 실근을 가질 조건
⇨ (판별식) > 0
   (두 근의 합) > 0
   (두 근의 곱) > 0

92 다음 방정식을 푸시오.

(1) $3(9^x + 9^{-x}) - (3^x + 3^{-x}) - 24 = 0$

(2) $2(4^x + 4^{-x}) - (2^x + 2^{-x}) - 6 = 0$

$a > 0$, $a \neq 1$일 때,
$a^{2x} + a^{-2x}$
$= (a^x + a^{-x})^2 - 2a^x \cdot a^{-x}$
$= (a^x + a^{-x})^2 - 2$

93 연립방정식 $\begin{cases} 3^{x+1} + 3^y = 18 \\ 3^{x+y-1} = 9 \end{cases}$ 의 해가 $x = \alpha$, $y = \beta$일 때, $\alpha^2 + \beta^2$의 값은?

① 4   ② 5   ③ 6   ④ 7   ⑤ 8

94 어떤 미생물 1마리를 플라스크에 배양하면 x시간 후에 10^{ax}마리로 증식한다고 한다. 플라스크에 미생물을 배양하기 시작한 지 10시간 후 미생물의 수가 처음의 16배가 되었다고 할 때, 미생물의 수가 처음의 64배가 되는 것은 배양을 시작한 지 n시간 후이다. n의 값을 구하시오. (단, $a > 0$)

95 어떤 도시에서 매년 1월에 나온 음식물 쓰레기의 양 T_1(톤)과 t개월 후에 나온 음식물 쓰레기의 양 T(톤)에 대하여

$$T = T_1 \times \left(\frac{4}{5}\right)^{\frac{2}{5}kt} \ (k는 \ 상수)$$

과 같은 관계식이 성립한다고 한다. 이 도시에서 2017년 1월에 나온 음식물 쓰레기의 양은 1200톤, 같은 해 7월에 나온 음식물 쓰레기의 양은 960톤일 때, k의 값을 구하시오. (단, 음식물 쓰레기의 양은 매월 말에 조사한다.)

04 지수함수의 활용 (2) – 부등식

3. 지수함수

개념원리 이해

1. 지수에 미지수가 있는 부등식과 지수함수의 관계

지수에 미지수가 있는 부등식을 풀 때에는 밑 a의 값의 범위에 따른 지수함수의 성질을 이용한다.

(1) 임의의 실수 x에 대하여 $a^x > 0$ (단, $a > 0$, $a \neq 1$)

(2) ① $a > 1$일 때

$$x_1 < x_2 \Longleftrightarrow a^{x_1} < a^{x_2}$$

(부등호 방향 그대로)

② $0 < a < 1$일 때

$$x_1 < x_2 \Longleftrightarrow a^{x_1} > a^{x_2}$$

(부등호 방향 반대로)

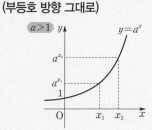
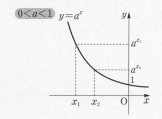

▶ 지수에 미지수가 있는 부등식을 지수부등식이라 한다.

예 (1) $4^x > 4^2$에서 (밑) > 1이므로 부등호의 방향이 그대로이다.   ∴ $x > 2$

(2) $\left(\dfrac{1}{3}\right)^x > \left(\dfrac{1}{3}\right)^3$에서 $0 < $ (밑) < 1이므로 부등호의 방향이 반대로 바뀐다.   ∴ $x < 3$

2. 지수 또는 밑에 미지수가 있는 부등식의 풀이   ▷ 필수예제 **19~21**

(1) **밑을 같게 할 수 있을 때**

밑을 같게 한 후 다음을 이용한다.

$\begin{cases} (\text{밑}) > 1 \Rightarrow \text{지수의 부등호 방향 그대로} & \leftarrow a^{f(x)} < a^{g(x)} \Longleftrightarrow f(x) < g(x) \\ 0 < (\text{밑}) < 1 \Rightarrow \text{지수의 부등호 방향 반대로} & \leftarrow a^{f(x)} < a^{g(x)} \Longleftrightarrow f(x) > g(x) \end{cases}$

(2) a^x**의 꼴이 반복될 때**

$a^x = t \ (t > 0)$**로 치환**하여 t에 대한 부등식을 푼다.

이때 $a^x > 0$, 즉 $t > 0$임에 주의한다.

(3) **밑에도 미지수가 있을 때**

밑의 범위에 따라 부등호의 방향이 바뀌므로 밑이 같은 미지수일 때에는 다음과 같이 범위를 나누어 푼다.

① $0 < (\text{밑}) < 1$ ② $(\text{밑}) = 1$ ③ $(\text{밑}) > 1$

104 다음 부등식을 푸시오.

(1) $3^x < 9$

(2) $\left(\dfrac{1}{2}\right)^x > 8$

(3) $\left(\dfrac{5}{3}\right)^x \geq \left(\dfrac{5}{3}\right)^6$

(4) $5^x \geq 125$

(5) $\left(\dfrac{1}{3}\right)^x \leq \dfrac{1}{81}$

(6) $2^x < \dfrac{1}{64}$

💡 **생각해 봅시다!**

① $a > 1$일 때
$a^{f(x)} > a^{g(x)}$이면
$f(x) > g(x)$

② $0 < a < 1$일 때
$a^{f(x)} > a^{g(x)}$이면
$f(x) < g(x)$

105 다음 부등식을 푸시오.

(1) $2^{3x} \leq 2^{4+x}$

(2) $\left(\dfrac{1}{5}\right)^{-5x+1} > \left(\dfrac{1}{5}\right)^{-4x-1}$

(3) $2^{2x} - 2^{x+1} < 0$

(4) $\left(\dfrac{1}{25}\right)^{-4x-5} - \left(\dfrac{1}{25}\right)^{2x+1} \geq 0$

106 다음 부등식을 푸시오.

(1) $2^{-x+1} < 16$

(2) $3^{3x-1} \leq 9$

(3) $\left(\dfrac{1}{5}\right)^{x+3} > \dfrac{1}{25}$

(4) $\left(\dfrac{1}{3}\right)^{x-2} \leq \dfrac{1}{27}$

밑을 같게 한 후 지수를 비교한다.

107 다음은 부등식 $4^x - 3 \cdot 2^x + 2 < 0$을 푸는 과정이다. □ 안에 알맞은 것을 써넣으시오.

$2^x = t \ (t > 0)$로 치환한다.

> $2^x = t \ (t > 0)$로 놓으면 부등식 $4^x - 3 \cdot 2^x + 2 < 0$은
>
> $\boxed{} - 3\boxed{} + 2 < 0$ ∴ $\boxed{} < t < \boxed{}$
>
> 즉 $\boxed{} < 2^x < \boxed{}$이므로 $\boxed{} < x < \boxed{}$

다음 부등식을 푸시오.

(1) $2^{-2x+21} < \left(\dfrac{1}{32}\right)^{2x-1}$ (2) $0.2^{3x-5} \leq \left(\dfrac{1}{25}\right)^{-x}$ (3) $3^{x-1} > 27^{-x^2+x}$

설명 밑을 같게 한 다음 지수를 비교한다.
⇨ 밑이 1보다 크면 부등호 방향 그대로, 밑이 1보다 작으면 부등호 방향 반대로

풀이 (1) $2^{-2x+21} < \left(\dfrac{1}{32}\right)^{2x-1}$ 에서 $2^{-2x+21} < (2^{-5})^{2x-1}$, $2^{-2x+21} < 2^{-10x+5}$

밑이 1보다 크므로 $-2x+21 < -10x+5$

$8x < -16$ $\therefore$ $\boldsymbol{x < -2}$

(2) $0.2^{3x-5} \leq \left(\dfrac{1}{25}\right)^{-x}$ 에서 $\left(\dfrac{1}{5}\right)^{3x-5} \leq \left(\dfrac{1}{5}\right)^{-2x}$

밑이 1보다 작은 양수이므로 $3x-5 \geq -2x$

$5x \geq 5$ $\therefore$ $\boldsymbol{x \geq 1}$

(3) $3^{x-1} > 27^{-x^2+x}$ 에서 $3^{x-1} > (3^3)^{-x^2+x}$, $3^{x-1} > 3^{-3x^2+3x}$

밑이 1보다 크므로 $x-1 > -3x^2+3x$

$3x^2 - 2x - 1 > 0$, $(3x+1)(x-1) > 0$ $\therefore$ $\boldsymbol{x < -\dfrac{1}{3}}$ **또는** $\boldsymbol{x > 1}$

부등식 $2 \times 4^x - 5 \times 2^x + 2 \geq 0$을 푸시오.

설명 a^x의 꼴이 반복될 때에는 $a^x = t$ $(t > 0)$로 치환하여 t에 대한 부등식을 푼다. (단, $a > 0$, $a \neq 1$)

풀이 $2^x = t$ $(t > 0)$로 놓으면 $2 \times 4^x - 5 \times 2^x + 2 \geq 0$에서

$2t^2 - 5t + 2 \geq 0$, $(2t-1)(t-2) \geq 0$ $\therefore$ $t \leq \dfrac{1}{2}$ 또는 $t \geq 2$

그런데 $t > 0$이므로 $0 < t \leq \dfrac{1}{2}$ 또는 $t \geq 2$

즉 $0 < 2^x \leq \dfrac{1}{2}$ 또는 $2^x \geq 2$이므로 $0 < 2^x \leq 2^{-1}$ 또는 $2^x \geq 2^1$

밑이 1보다 크므로 $\boldsymbol{x \leq -1}$ **또는** $\boldsymbol{x \geq 1}$

---

 108 다음 부등식을 푸시오.

(1) $9^{-x} \geq (3\sqrt{3})^{-2-5x}$ (2) $\left(\dfrac{5}{4}\right)^{x+2} > \left(\dfrac{4}{5}\right)^{2-3x}$

(3) $\left(\dfrac{1}{4}\right)^{x^2+x+12} \leq \left(\dfrac{1}{16}\right)^{x^2+x}$ (4) $4^x - 3 \times 2^{x+1} + 8 < 0$

(5) $9^x + 3^{x+1} \leq 3^{x+2} + 27$ (6) $\left(\dfrac{1}{3}\right)^{2x} + \left(\dfrac{1}{3}\right)^{x+2} > \left(\dfrac{1}{3}\right)^{x-2} + 1$

109 부등식 $4^x + a \times 2^x + b > 0$의 해가 $x < -1$ 또는 $x > 2$일 때, 상수 a, b의 곱 ab의 값을 구하시오.

부등식 $x^{3x+1}>x^{x+5}$을 푸시오. (단, $x>0$)

설명 밑이 문자일 때에는 $0<$(밑)<1, (밑)$=1$, (밑)>1인 경우로 나누어 생각한다.

풀이 $x^{3x+1}>x^{x+5}$ $(x>0)$에서

(i) $0<x<1$일 때

밑이 1보다 작은 양수이므로 $3x+1<x+5$

$2x<4$ ∴ $x<2$

그런데 $0<x<1$이므로 $0<x<1$

(ii) $x=1$일 때

$1^4>1^6$이므로 부등식이 성립하지 않는다.

(iii) $x>1$일 때

밑이 1보다 크므로 $3x+1>x+5$ ∴ $x>2$

그런데 $x>1$이므로 $x>2$

(i)~(iii)에서 부등식 $x^{3x+1}>x^{x+5}$의 해는 **$0<x<1$ 또는 $x>2$**

부등식 $3^{-x}<3\sqrt{3}<\left(\dfrac{1}{3}\right)^{x-1}$을 푸시오.

풀이 부등식 $3^{-x}<3\sqrt{3}<\left(\dfrac{1}{3}\right)^{x-1}$에서 $3^{-x}<3^{\frac{3}{2}}<3^{-x+1}$

밑이 1보다 크므로 $-x<\dfrac{3}{2}<-x+1$

(i) $-x<\dfrac{3}{2}$에서 $x>-\dfrac{3}{2}$

(ii) $\dfrac{3}{2}<-x+1$에서 $x<-\dfrac{1}{2}$

(i), (ii)에서 연립부등식의 해는 **$-\dfrac{3}{2}<x<-\dfrac{1}{2}$**

110 다음 부등식을 푸시오.

(1) $x^{x+1}\le x^5$ (단, $x>0$)   (2) $x^{2x-5}\ge x^9$ (단, $x>0$)

(3) $(x+1)^{-2x-3}<(x+1)^5$ (단, $x>-1$)

111 다음 부등식을 푸시오.

(1) $\left(\dfrac{1}{25}\right)^{3x-1}<625<\left(\dfrac{1}{5}\right)^{4x-12}$ (2) $\left(\dfrac{1}{2}\right)^{4x-3}<\left(\dfrac{1}{2}\right)^{x^2}<\left(\dfrac{1}{2}\right)^{x-1}$

(3) $\left(\dfrac{1}{3}\right)^{x}<\sqrt[3]{3}<\left(\dfrac{1}{9}\right)^{x-1}$

모든 실수 x에 대하여 부등식 $2^{2x}-3\times 2^{x+2}+2k>0$이 성립하도록 하는 실수 k의 값의 범위를 구하시오.

설명

모든 실수 x에 대하여 부등식 $(a^x)^2+pa^x+q>0$ $(p, q$는 상수)이 성립

⇨ $a^x=t$ $(t>0)$라 할 때, $t^2+pt+q>0$이 $t>0$에서 항상 성립

풀이

$2^{2x}-3\times 2^{x+2}+2k>0$에서 $(2^x)^2-12\times 2^x+2k>0$

$2^x=t$ $(t>0)$로 놓으면 $t^2-12t+2k>0$ ······ ㉠

$f(t)=t^2-12t+2k=(t-6)^2+2k-36$으로 놓으면

$t>0$인 모든 t에 대하여 부등식 ㉠, 즉 $f(t)>0$이 성립할 필요충분조건은

$t>0$에서 $f(t)$의 최솟값이 $f(6)$이므로 오른쪽 그림과 같이 $f(6)>0$이다.

즉 $f(6)=2k-36>0$ ∴ $\boldsymbol{k>18}$

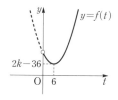

전자파가 특수 소재로 제작한 필름 1장을 통과하면 그 세기가 $75\,\%$씩 감소하는 것으로 나타났다. 전자파의 세기를 처음의 $\dfrac{1}{1024}$ 이하로 줄이기 위해 필요한 필름은 최소 몇 장인가?

① 4장   ② 5장   ③ 6장   ④ 7장   ⑤ 8장

풀이

전자파가 필름 1장을 통과할 때마다 그 세기가 $75\,\%$씩 감소하므로 필름 1장을 통과하면 전자파의 세기는 처음의 $\dfrac{1}{4}$이 된다. 필름 n장을 통과했을 때 전자파의 세기가 처음의 $\dfrac{1}{1024}$ 이하로 줄었다고 하면

$\left(\dfrac{1}{4}\right)^n\leq\dfrac{1}{1024}$, $\left(\dfrac{1}{4}\right)^n\leq\left(\dfrac{1}{4}\right)^5$ ∴ $n\geq 5$

따라서 필름은 최소 ② **5장**이 필요하다.

 확인 체크

112 모든 실수 x에 대하여 다음 부등식이 성립하기 위한 실수 k의 값의 범위를 구하시오.

(1) $25^x-2\times 5^{x+1}+k-2>0$

(2) $\left(\dfrac{1}{3}\right)^{2x}+2\times\left(\dfrac{1}{3}\right)^{x-1}+k+1\geq 0$

(3) $\left(\dfrac{1}{5}\right)^{x^2+2x}\leq 25^{x+k}$

113 A_0(만 원)짜리 새 자동차의 t년 후의 가격이 A(만 원)일 때,

$$A=A_0 k^t\ (k\text{는 상수})$$

과 같은 관계식이 성립한다고 한다. 2000만 원에 산 새 자동차의 1년 후의 가격이 1000만 원일 때, 이 자동차의 가격이 250만 원 이하로 떨어지는 것은 최소 m년 후이다. 자연수 m의 값을 구하시오.

연습문제

96 다음 부등식을 푸시오.

(1) $2^{-5x+3} > (16\sqrt{2})^{-2x+1}$

(2) $(2\sqrt{2})^{x+1} \geq 8^{-10x-2}$

(3) $\left(\dfrac{1}{3}\right)^{2x} \leq \left(\dfrac{1}{27}\right)^{x+2} \times \left(\dfrac{1}{\sqrt{3}}\right)^{x}$

(4) $x^{2x+5} > x^{3x-2}$ (단, $x > 0$)

97 부등식 $4^{x^2} \leq \left(\dfrac{1}{\sqrt{2}}\right)^{8x}$ 을 만족시키는 정수 x의 최댓값을 M, 최솟값을 m이라 할 때, $M+m$의 값을 구하시오.

> 생각해 봅시다!
>
> 밑을 같게 한 후 지수를 비교한다.

98 부등식 $48 \leq 3^{2x} + 21 \leq 4 \times 3^{x+1} - 6$을 만족시키는 정수 x의 개수는?

① 1   ② 2   ③ 3   ④ 4   ⑤ 5

[교육청기출]

99 부등식 $(2^x - 32)\left(\dfrac{1}{3^x} - 27\right) > 0$을 만족시키는 모든 정수 x의 개수는?

① 7   ② 8   ③ 9   ④ 10   ⑤ 11

> $ab > 0$
> $\iff a > 0, b > 0$ 또는
> $\quad a < 0, b < 0$

100 부등식 $a \times 36^x - b \times 6^x + 6 \leq 0$의 해가 $-1 \leq x \leq 1$일 때, 상수 a, b의 합 $a+b$의 값을 구하시오.

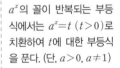

> a^x의 꼴이 반복되는 부등식에서는 $a^x = t$ $(t > 0)$로 치환하여 t에 대한 부등식을 푼다. (단, $a > 0$, $a \neq 1$)

101 두 집합 $A = \{x \,|\, 3^{2x+2} - 82 \times 3^x + 9 = 0\}$, $B = \left\{x \,\middle|\, \left(\dfrac{1}{4}\right)^x + 2 \times \left(\dfrac{1}{2}\right)^x > 8\right\}$ 에 대하여 $A \cap B$의 모든 원소의 합을 구하시오.

102 다음 부등식이 모든 실수 x에 대하여 성립하도록 하는 실수 k의 값의 범위를 구하시오.

(1) $x^2 - (2^{k+1} - 4)x + 2^k > 0$

(2) $4^x - 2^{x+3} + k + 1 > 0$

실력 UP

103 오른쪽 그림과 같이 두 함수 $y=2^x$, $y=2^{x-2}$의 그래프와 두 직선 $y=1$, $y=3$으로 둘러싸인 부분의 넓이를 구하시오.

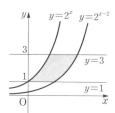

🤔 생각해 봅시다!

104 실수 전체의 집합에서 정의된 함수 $f(x)=\dfrac{6}{3^x+3^{-x}}$의 최댓값을 구하시오.

105 함수 $y=4^x+4^{-x}-2k(2^x+2^{-x})$의 최솟값이 -2일 때, 상수 k의 값을 구하시오. (단, $k<2$)

$2^x+2^{-x}=t\,(t>0)$로 치환하여 주어진 함수를 t에 대한 이차함수로 나타낸다.

106 연립방정식 $\begin{cases} x+y=3 \\ 3^x+3^y=12 \end{cases}$의 해를 $x=\alpha$, $y=\beta$라 할 때, $\alpha\beta$의 값을 구하시오.

$x+y=3$에서
$3^x\times3^y=3^{x+y}=3^3$

107 부등식 $\left(\dfrac{1}{4}\right)^{x^2}>(\sqrt{2})^{kx}$을 만족시키는 정수 x의 개수가 3일 때, 자연수 k의 최댓값을 M, 최솟값을 m이라 하자. $M+m$의 값을 구하시오.

108 모든 실수 x에 대하여 부등식 $9^x-2k\times3^x+16\geq0$이 성립하도록 하는 실수 k의 값의 범위를 구하시오.

109 미생물 A는 1주마다 그 수가 2배가 되고, 미생물 B는 1주마다 그 수가 4배가 된다고 한다. 미생물 A, B를 각각 10마리씩 동시에 배양했을 때, 미생물 A, B의 수의 합이 2720마리 이상이 되는 것은 최소 m주 후이다. m의 값을 구하시오.

인생은 미완성

미국의 철학자 존 듀이가 80세가 넘었을 때의 이야기입니다.

그에게 한 젊은 학자가 찾아와 철학이 우습다는 듯이 빈정거렸습니다.

"그 따위 말장난이 무슨 학문입니까? 도대체 그것이 우리에게 무슨 소용이 있습니까?"

그러자 존 듀이는 조용히 웃으며 말했습니다.

"그건 말이야, 우리가 산에 올라가야 하는 이유와 똑같은 걸세."

"산에 오르는 것과 같다니요. 그게 무슨 말입니까?"

젊은 학자가 얕보듯이 반문하자 존 듀이는 말했습니다.

"아래에 있을 때는 모르지만 산 정상에 올라가보면 올라야 할 다른 산들이 많이 있다는 것을 알게 된다네. 그래서 또 다른 산을 오르고, 또 오르고 그렇게 계속 산에 오르는 것이지. 만일 자네가 올라가야 할 산을 보지 못하고 산에 오르는 것을 포기한다면 자네 인생은 지금 상태에서 만족해야 하는 것이네."

우리는 아직 배워야 할 것들이 더 많은 미완의 인생입니다. 무엇인가를 알게 되면 알게 될수록 더 배워야 할 것이 많다는 사실을 깨닫게 될 것입니다.

I

지수함수와 로그함수

01 로그함수의 뜻과 그래프

4. 로그함수

개념원리 이해

1. 로그함수의 뜻

지수함수 $y=a^x$ $(a>0,\ a\neq1)$은 실수 전체의 집합에서 양의 실수 전체의 집합으로의 일대일대응이므로 역함수를 갖는다.

이때 로그의 정의에 의하여 $x=\log_a y$이므로 x와 y를 서로 바꾸면 지수함수 $y=a^x$의 역함수 $y=\log_a x$ $(a>0,\ a\neq1)$를 얻는다. 이 함수를 a를 밑으로 하는 **로그함수**라 한다.

예 $y=2^x$의 역함수는 $y=\log_2 x$로, 2를 밑으로 하는 로그함수이다.

2. 로그함수 $y=\log_a x$ $(a>0, a\neq1)$의 성질 ▷ 필수예제 **2**

로그함수 $y=\log_a x$ $(a>0,\ a\neq1)$는 지수함수 $y=a^x$의 역함수이므로 $y=\log_a x$의 그래프는 지수함수 $y=a^x$의 그래프와 직선 $y=x$에 대하여 대칭이다.

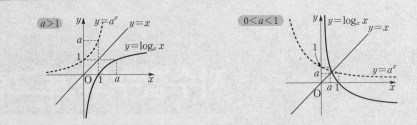

(1) **정의역은 양의 실수 전체의 집합**이고, **치역은 실수 전체의 집합**이다.
(2) 그래프는 점 $(1,\ 0)$, $(a,\ 1)$을 지나고, **y축** (직선 $x=0$)을 점근선으로 갖는다.
(3) $a>1$일 때, x의 값이 **증가**하면 y의 값도 **증가**한다.
　　$0<a<1$일 때, x의 값이 **증가**하면 y의 값은 **감소**한다.
(4) 양의 실수 전체의 집합에서 실수 전체의 집합으로의 일대일대응이다.
(5) **$y=\log_a x$의 그래프와 $y=\log_{\frac{1}{a}} x$의 그래프는 x축에 대하여 대칭**이다.
(6) **$y=\log_a x$와 $y=a^x$은 각각 서로의 역함수**이다.
　　⇨ $y=\log_a x$의 그래프와 $y=a^x$의 그래프는 **직선 $y=x$에 대하여 대칭**이다.

설명 (5) $y=\log_{\frac{1}{a}} x=-\log_a x$에서 $-y=\log_a x$이므로 $y=\log_a x$의 그래프와 $y=\log_{\frac{1}{a}} x$의 그래프는 x축에 대하여 대칭이다.

3. 로그함수 $y=\log_a x$ $(a>0, a\neq1)$의 그래프의 평행이동과 대칭이동 ▷ 필수예제 **3, 4**

(1) **평행이동**

> 로그함수 $y=\log_a x$의 그래프를 x축의 방향으로 m만큼, y축의 방향으로 n만큼 평행이동한 그래프의 식은 $y-n=\log_a(x-m)$, 즉 **$y=\log_a(x-m)+n$**

▶ 로그함수 $y=\log_a(x-m)+n$의 정의역은 $\{x\,|\,x>m\}$, 치역은 실수 전체의 집합이고, 그래프의 점근선은 직선 $x=m$이다.

예　함수 $y=\log_3 x$의 그래프를 x축의 방향으로 1만큼, y축의 방향으로 1만큼 평행이동한 그래프의 식은
$$y=\log_3(x-1)+1$$

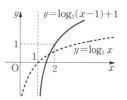

(2) 대칭이동

로그함수 $y=\log_a x\,(a>0,\ a\neq1)$의 그래프를

① **x축**에 대하여 대칭이동한 그래프의 식은 $\Rightarrow$ $-y=\log_a x$에서 $\boldsymbol{y=\log_a \dfrac{1}{x}}$

② **y축**에 대하여 대칭이동한 그래프의 식은 $\Rightarrow$ $\boldsymbol{y=\log_a(-x)}$

③ **원점**에 대하여 대칭이동한 그래프의 식은 $\Rightarrow$ $-y=\log_a(-x)$에서 $\boldsymbol{y=\log_a\left(-\dfrac{1}{x}\right)}$

④ **직선 $y=x$**에 대하여 대칭이동한 그래프의 식은 $\Rightarrow$ $x=\log_a y$에서 $\boldsymbol{y=a^x}$

▶ ④ 직선 $y=x$에 대하여 대칭이동 $\Rightarrow$ x 대신 y, y 대신 x 대입 ← $x,\ y$의 자리가 서로 바뀜

예　$y=\log_2 x$의 그래프를

① x축에 대하여 대칭이동한 그래프의 식은 $-y=\log_2 x$, 즉 $y=\log_2 \dfrac{1}{x}$

② y축에 대하여 대칭이동한 그래프의 식은 $y=\log_2(-x)$

③ 원점에 대하여 대칭이동한 그래프의 식은 $-y=\log_2(-x)$, 즉 $y=\log_2\left(-\dfrac{1}{x}\right)$

④ 직선 $y=x$에 대하여 대칭이동한 그래프의 식은 $x=\log_2 y$, 즉 $y=2^x$

4. 로그함수를 이용한 수의 대소 관계　▷ 필수예제 **5**

로그함수 $y=\log_a x\,(a>0,\ a\neq1)$에서

(1) $\boldsymbol{a>1}$일 때, $\boldsymbol{0<x_1<x_2}$이면 $\boldsymbol{\log_a x_1<\log_a x_2}$ ← x의 값이 증가하면 y의 값도 증가 (부등호 방향 그대로)

(2) $\boldsymbol{0<a<1}$일 때, $\boldsymbol{0<x_1<x_2}$이면 $\boldsymbol{\log_a x_1>\log_a x_2}$ ← x의 값이 증가하면 y의 값은 감소 (부등호 방향 반대로)

▶ 밑을 같게 하여 진수의 대소를 먼저 비교한 후, 밑의 범위에 따른 로그함수의 증가와 감소를 이용하여 수의 대소를 비교한다.

예　다음 세 수의 대소를 비교하시오.

(1) $\log_5 3,\ \log_5 \dfrac{1}{2},\ \log_5 \sqrt{6}$　　　　(2) $\log_{\frac{1}{3}} 0.8,\ \log_{\frac{1}{3}} 4,\ \log_{\frac{1}{3}} \sqrt{5}$

풀이　(1) $\dfrac{1}{2}<\sqrt{6}<3$이고, 함수 $y=\log_5 x$는 x의 값이 증가하면 y의 값도 증가하는 함수이므로
$$\log_5 \dfrac{1}{2}<\log_5 \sqrt{6}<\log_5 3$$

(2) $0.8<\sqrt{5}<4$이고, 함수 $y=\log_{\frac{1}{3}} x$는 x의 값이 증가하면 y의 값은 감소하는 함수이므로
$$\log_{\frac{1}{3}} 0.8>\log_{\frac{1}{3}} \sqrt{5}>\log_{\frac{1}{3}} 4 \qquad \therefore \log_{\frac{1}{3}} 4<\log_{\frac{1}{3}} \sqrt{5}<\log_{\frac{1}{3}} 0.8$$

114 두 함수 $f(x)=\log_2 x$, $g(x)=\log_{\frac{1}{3}} x$에 대하여 다음을 구하시오.

(1) $f(4)$ (2) $f\left(\dfrac{1}{2}\right)$ (3) $f(1)$

(4) $g\left(\dfrac{1}{9}\right)$ (5) $g(27)$ (6) $g(1)$

115 다음은 함수 $f(x)=\log_a x\ (a>0,\ a\neq1)$에 대한 설명이다. □ 안에 알맞은 것을 써넣으시오.

(1) 정의역은 □□□□ 전체의 집합이다.

(2) 치역은 □ 전체의 집합이다.

(3) $a>1$일 때, $x_1<x_2$이면 $f(x_1)$□$f(x_2)$이다.

(4) $0<a<1$일 때, $x_1<x_2$이면 $f(x_1)$□$f(x_2)$이다.

(5) 그래프의 점근선은 □이다.

생각해 봅시다!

로그함수의 성질

116 다음 함수의 그래프를 그리고, 정의역, 치역, 점근선을 구하시오.

(1) $y=\log_3(x-1)$ (2) $y=\log_{\frac{1}{2}} x+2$

로그함수의 그래프

117 다음 □ 안에 알맞은 것을 써넣으시오.

(1) $y=\log_2(x+1)+1$의 그래프는 함수 $y=\log_2 x$의 그래프를 x축의 방향으로 □만큼, y축의 방향으로 □만큼 평행이동한 것이다.

(2) $y=-\log_3 x$의 그래프는 함수 $y=\log_3 x$의 그래프를 □축에 대하여 대칭이동한 것이다.

로그함수의 그래프의 평행이동과 대칭이동

118 다음은 함수 $y=5^x$의 역함수를 구하는 과정이다. □ 안에 알맞은 것을 써넣으시오.

함수 $y=5^x$은 실수 전체의 집합에서 □□□□ 전체의 집합으로의 □□□□이므로 역함수가 존재한다.

$y=5^x$에서 로그의 정의에 의하여 $x=$□

x와 y를 서로 바꾸면 함수 $y=5^x$의 역함수는

$y=$□

$y=a^x\ (a>0,\ a\neq1)$의 역함수는 $y=\log_a x\ (a>0,\ a\neq1)$

필수예제 **01** 로그함수의 함숫값   🔁 더 다양한 문제는 **RPM** 수학 Ⅰ 52쪽

함수 $f(x)=\log_a(2x+3)+2$ $(a>0,\ a\neq1)$에 대하여 $f(3)=4$일 때, $f(12)$의 값을 구하시오.

풀이

$f(3)=4$이므로

$\log_a 9+2=4$, $\log_a 9=2$, $a^2=9$ $\therefore a=3\ (\because a>0)$

따라서 $f(x)=\log_3(2x+3)+2$이므로

$f(12)=\log_3 27+2=3+2=\mathbf{5}$

필수예제 **02** 로그함수의 성질   🔁 더 다양한 문제는 **RPM** 수학 Ⅰ 52쪽

다음 보기 중 함수 $y=\log_5 x$에 대한 설명으로 옳은 것만을 있는 대로 고르시오.

┤ 보기 ├

ㄱ. 그래프는 점 $(1,\ 0)$을 지난다.

ㄴ. 그래프의 점근선은 x축이다.

ㄷ. 정의역은 실수 전체의 집합이다.

ㄹ. 양수 x에 대하여 x의 값이 증가하면 y의 값도 증가한다.

ㅁ. 그래프는 $y=5^x$의 그래프와 직선 $y=x$에 대하여 대칭이다.

풀이

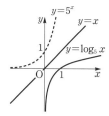

$y=\log_5 x$의 그래프는 오른쪽 그림과 같다.

ㄱ. 그래프는 점 $(1,\ 0)$을 지난다. (참)

ㄴ. 그래프의 점근선은 y축이다. (거짓)

ㄷ. 정의역은 양의 실수 전체의 집합이다. (거짓)

ㄹ. 양수 x에 대하여 x의 값이 증가하면 y의 값도 증가한다. (참)

ㅁ. $y=\log_5 x$는 $y=5^x$의 역함수이므로 $y=\log_5 x$의 그래프는 $y=5^x$의 그래프와 직선 $y=x$에 대하여 대칭이다. (참)

따라서 옳은 것은 ㄱ, ㄹ, ㅁ이다.

119 두 함수 $f(x)=\left(\dfrac{1}{9}\right)^x$, $g(x)=\log_3 x^2$에 대하여 $(g\circ f)\left(-\dfrac{1}{2}\right)$의 값을 구하시오.

120 다음 보기 중 함수 $y=\log_{\frac{1}{2}} x$에 대한 설명으로 옳은 것만을 있는 대로 고르시오.

┤ 보기 ├

ㄱ. 그래프는 점 $(0,\ 1)$을 지난다.

ㄴ. 그래프의 점근선은 y축이다.

ㄷ. 양수 x에 대하여 x의 값이 증가하면 y의 값도 증가한다.

ㄹ. $f(x)=\log_{\frac{1}{2}} x$라 할 때, 양수 x_1, x_2에 대하여 $x_1\neq x_2$이면 $f(x_1)\neq f(x_2)$이다.

ㅁ. 그래프는 $y=2^x$의 그래프와 직선 $y=x$에 대하여 대칭이다.

다음 함수의 그래프를 그리고, 정의역, 치역, 점근선을 구하시오.

(1) $y = \log_3 (x+1) + 2$　　　　　　　　(2) $y = \log_3 (-x) - 1$

풀이　(1) $y = \log_3 (x+1) + 2$의 그래프는 $y = \log_3 x$의 그래프를 x축의 방향으로 -1만큼, y축의 방향으로 2만큼 평행이동한 것이므로 오른쪽 그림과 같다.

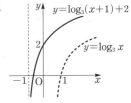

따라서 **정의역은 $\{x | x > -1\}$, 치역은 실수 전체의 집합, 점근선은 직선 $x = -1$**이다.

(2) $y = \log_3 (-x) - 1$의 그래프는 $y = \log_3 x$의 그래프를 y축에 대하여 대칭이동한 후, y축의 방향으로 -1만큼 평행이동한 것이므로 오른쪽 그림과 같다.

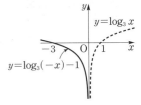

따라서 **정의역은 $\{x | x < 0\}$, 치역은 실수 전체의 집합, 점근선은 y축 (직선 $x = 0$)**이다.

함수 $y = \log_2 x$의 그래프를 x축의 방향으로 m만큼, y축의 방향으로 n만큼 평행이동한 그래프의 식이 $y = \log_2 (4x-8) + 1$일 때, $m+n$의 값을 구하시오.

풀이　$y = \log_2 (4x-8) + 1$에서 $y = \log_2 \{4(x-2)\} + 1$

$y = \log_2 4 + \log_2 (x-2) + 1$　　$\therefore y = \log_2 (x-2) + 3$

따라서 함수 $y = \log_2 (4x-8) + 1$의 그래프는 $y = \log_2 x$의 그래프를 x축의 방향으로 2만큼, y축의 방향으로 3만큼 평행이동한 것이다.　　$\therefore m = 2, n = 3$

$\therefore m + n = 5$

121 다음 함수의 그래프를 그리고, 정의역, 치역, 점근선을 구하시오.

　　(1) $y = \log_{\frac{1}{2}} (x+2) + 1$　　　(2) $y = \log_{\frac{1}{2}} (-x) - 2$　　　(3) $y = -\log_{\frac{1}{2}} (x-3)$

122 함수 $y = \log_3 x$의 그래프를 x축의 방향으로 m만큼, y축의 방향으로 n만큼 평행이동한 그래프의 식이 $y = \log_3 (27x+9)$일 때, mn의 값을 구하시오.

123 함수 $y = \log_{\frac{1}{5}} x$의 그래프를 x축에 대하여 대칭이동한 후 x축의 방향으로 2만큼, y축의 방향으로 -3만큼 평행이동한 그래프의 식을 구하시오.

다음 세 수의 대소를 비교하시오.

(1) 3, $\log_2 7$, $\log_4 63$　　　　　　　(2) $\log_{\frac{1}{3}} 2$, $\log_{\frac{1}{3}} \dfrac{1}{2}$, -1

설명　(1) $a>1$일 때, $0<x_1<x_2 \Longleftrightarrow \log_a x_1 < \log_a x_2$

　　　(2) $0<a<1$일 때, $0<x_1<x_2 \Longleftrightarrow \log_a x_1 > \log_a x_2$

풀이　(1) $3=\log_4 4^3=\log_4 64$, $\log_2 7=\log_{2^2} 7^2=\log_4 49$, $\log_4 63$

　　　이때 $49<63<64$이고, 로그함수 $y=\log_4 x$는 x의 값이 증가하면 y의 값도 증가하는 함수이므로

　　　$\log_4 49 < \log_4 63 < \log_4 64$

　　　$\therefore \log_2 7 < \log_4 63 < 3$

　　　(2) $\log_{\frac{1}{3}} 2$, $\log_{\frac{1}{3}} \dfrac{1}{2}$, $-1=\log_{\frac{1}{3}}\left(\dfrac{1}{3}\right)^{-1}=\log_{\frac{1}{3}} 3$

　　　이때 $\dfrac{1}{2}<2<3$이고, 로그함수 $y=\log_{\frac{1}{3}} x$는 x의 값이 증가하면 y의 값은 감소하는 함수이므로

　　　$\log_{\frac{1}{3}} \dfrac{1}{2} > \log_{\frac{1}{3}} 2 > \log_{\frac{1}{3}} 3$, $\log_{\frac{1}{3}} \dfrac{1}{2} > \log_{\frac{1}{3}} 2 > -1$

　　　$\therefore -1 < \log_{\frac{1}{3}} 2 < \log_{\frac{1}{3}} \dfrac{1}{2}$

다음 함수의 역함수를 구하시오.

(1) $y=3^{x-2}+1$　　　　　　　(2) $y=\log_2(x-1)+1$

풀이　(1) 함수 $y=3^{x-2}+1$은 실수 전체의 집합에서 집합 $\{y|y>1\}$로의 일대일대응이므로 역함수가 존재한다.

　　　$y=3^{x-2}+1$에서 $y-1=3^{x-2}$

　　　로그의 정의에서 $x-2=\log_3(y-1)$　　$\therefore x=\log_3(y-1)+2$

　　　x와 y를 서로 바꾸면 함수 $y=3^{x-2}+1$의 역함수는 $\boldsymbol{y=\log_3(x-1)+2}$

　　　(2) 함수 $y=\log_2(x-1)+1$은 집합 $\{x|x>1\}$에서 실수 전체의 집합으로의 일대일대응이므로 역함수가 존재한다.

　　　$y=\log_2(x-1)+1$에서 $y-1=\log_2(x-1)$

　　　로그의 정의에서 $x-1=2^{y-1}$　　$\therefore x=2^{y-1}+1$

　　　x와 y를 서로 바꾸면 함수 $y=\log_2(x-1)+1$의 역함수는 $\boldsymbol{y=2^{x-1}+1}$

124 다음 세 수의 대소를 비교하시오.

(1) $\log_4 25$, $\log_8 80$, 2　　　　　　　(2) $\log_{\frac{1}{2}} 3$, $\log_{\frac{1}{2}} 4$, $\log_{\frac{1}{2}} 5$

125 다음 함수의 역함수를 구하시오.

(1) $y=2^{-x+1}-3$　　　　　　　(2) $y=\log_{\frac{1}{3}}(x-2)+1$

126 함수 $y=\log_4(x+a)-3$의 역함수가 $y=4^{x+b}-1$일 때, 상수 a, b의 합 $a+b$의 값을 구하시오.

♻ 더 다양한 문제는 **RPM** 수학 I 54쪽

함수 $y=\log_2 x$의 그래프와 직선 $y=x$가 오른쪽 그림과 같을 때, $d-c$의 값을 구하시오.

(단, 점선은 x축 또는 y축에 평행하다.)

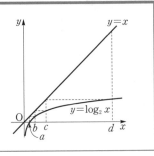

풀이
$y=\log_2 x$의 그래프는 점 $(1, 0)$을 지나므로 $a=1$
$y=\log_2 x$의 그래프는 점 $(b, 1)$을 지나므로 $1=\log_2 b$에서 $b=2$
$y=\log_2 x$의 그래프는 점 $(c, 2)$를 지나므로 $2=\log_2 c$에서 $c=2^2=4$
$y=\log_2 x$의 그래프는 점 $(d, 4)$를 지나므로
$4=\log_2 d$에서 $d=2^4=16$ ∴ $d-c=16-4=$**12**

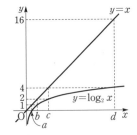

♻ 더 다양한 문제는 **RPM** 수학 I 54쪽

오른쪽 그림은 두 함수 $y=\log_2 x$, $y=\log_2(x+4)$의 그래프이다. 두 선분 AB, CD와 두 곡선으로 둘러싸인 부분의 넓이를 구하시오.

(단, 점선은 x축 또는 y축에 평행하다.)

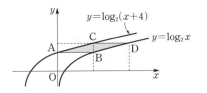

설명
평행이동한 함수의 그래프 ⇨ 넓이가 같은 영역을 찾는다.

풀이
점 A의 y좌표는 $\log_2 4=2$
점 B의 y좌표가 2이므로 점 B의 x좌표는 $2=\log_2 x$에서 4
점 C의 y좌표는 $\log_2(4+4)=\log_2 8=3$
$y=\log_2(x+4)$의 그래프는 $y=\log_2 x$의 그래프를 x축의 방향으로 -4만큼 평행이동한 것이므로 오른쪽 그림과 같이
$S_3=S_2$
따라서 $S_1+S_2=S_1+S_3$이므로 구하는 넓이는 $4\times 1=$**4**

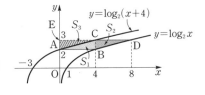

확인 체크 **127** 두 함수 $y=2^x$, $y=\log_2 x$의 그래프가 오른쪽 그림과 같을 때, a의 값을 구하시오. (단, 점선은 x축 또는 y축에 평행하다.)

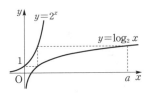

128 오른쪽 그림과 같이 두 곡선 $y=\log_3 x$, $y=\log_3 x+1$과 두 직선 $x=3$, $x=4$로 둘러싸인 부분의 넓이를 구하시오.

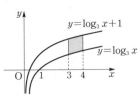

연습문제

💭 생각해 봅시다!

110 함수 $f(x)=\log_3 x+k \log_x 81$에 대하여 $f(27)=f(9)$일 때, 상수 k의 값을 구하시오.

111 다음 중 함수 $y=\log_3(x-5)+2$에 대한 설명으로 옳지 <u>않은</u> 것은?

로그함수의 성질

① 정의역은 $\{x|x>5\}$이다.

② 치역은 실수 전체의 집합이다.

③ 역함수는 $y=3^{x+2}+5$이다.

④ 그래프는 $y=\log_3 x$의 그래프를 x축의 방향으로 5만큼, y축의 방향으로 2만큼 평행이동한 것이다.

⑤ $x>5$인 x에 대하여 x의 값이 증가할 때, y의 값도 증가한다.

112 오른쪽 그림과 같이 함수 $y=\log_2(x-a)+b$의 그래프가 원점을 지나고, 그래프의 점근선이 직선 $x=-2$일 때, 상수 a, b의 곱 ab의 값을 구하시오.

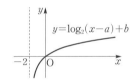

$y=\log_a(x-m)+n$의 그래프의 점근선은 직선 $x=m$

[교육청기출]

113 함수 $y=\log_3\left(\dfrac{x}{9}-1\right)$의 그래프는 함수 $y=\log_3 x$의 그래프를 x축의 방향으로 m만큼, y축의 방향으로 n만큼 평행이동한 것이라 할 때, $10(m+n)$의 값을 구하시오.

$y=\log_a x$의 그래프를 x축의 방향으로 m만큼, y축의 방향으로 n만큼 평행이동한 그래프의 식은 $y=\log_a(x-m)+n$

114 다음 보기 중 함수 $y=\log_2 x$의 그래프를 평행이동 또는 대칭이동하여 만들 수 있는 그래프의 식만을 있는 대로 고르시오.

| 보기 |

ㄱ. $y=\log_{\frac{1}{2}} 4x$ ㄴ. $y=\log_2 \sqrt{x}$

ㄷ. $y=2^{x-1}$ ㄹ. $y=\log_2 \dfrac{1}{x}$

• **연습문제**

115 세 수
$$A=2\log_{0.1}3\sqrt{3},\ B=\log\frac{1}{25},\ C=\log_{0.1}3-1$$
의 대소 관계를 바르게 나타낸 것은?

① $A<B<C$ ② $A<C<B$ ③ $B<C<A$

④ $C<A<B$ ⑤ $C<B<A$

$0<a<1$일 때,
$0<x_1<x_2$
$\Longleftrightarrow \log_a x_1>\log_a x_2$

116 두 함수 $f(x)=x+1$, $g(x)=2^x$에 대하여 함수 $y=g(f(x))$의 역함수를 구하시오.

117 오른쪽 그림과 같이 두 함수 $y=\log_2 x$, $y=\log_4 x$의 그래프와 직선 $x=k$의 교점을 각각 A, B라 할 때, $\overline{AB}=2$를 만족시키는 k의 값을 구하시오.
(단, $k>1$)

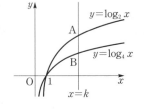

두 점 A, B의 x좌표는 k로 같으므로 선분 AB의 길이는 두 점 A, B의 y좌표의 차와 같다.

STEP 2

118 함수 $f(x)$에 대하여 $f(7)=0$, $f(11)=1$이고, 함수 $y=f(x)$의 그래프는 $y=\log_2 x+1$의 그래프를 x축의 방향으로 a만큼, y축의 방향으로 b만큼 평행이동한 것일 때, $a+b$의 값을 구하시오.

119 $1<a<2$일 때, 세 수 $A=\log_2 a$, $B=\log_2\dfrac{1}{a}$, $C=\log_a 2$의 대소 관계를 바르게 나타낸 것은?

① $A<B<C$ ② $A<C<B$ ③ $B<A<C$

④ $B<C<A$ ⑤ $C<A<B$

120 두 함수 $y=100^{kx}$, $y=\dfrac{k}{288}\log x$의 그래프가 직선 $y=x$에 대하여 대칭일 때, 음수 k의 값을 구하시오.

121 오른쪽 그림에서 사각형 ABCD는 한 변의 길이가 4인 정사각형이고, 두 점 D, E는 곡선 $y=\log_2 x$ 위의 점이다. 두 점 B, C가 x축 위의 점일 때, 선분 BE의 길이는?

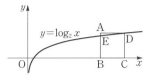

① 2   ② 3   ③ $2+\log_2 3$

④ $2+\log_2 5$ ⑤ $4\log_2 3$

122 두 함수 $y=2^x$, $y=\log_2 x$의 그래프가 오른쪽 그림과 같을 때, 점 D의 y좌표를 구하시오.

(단, 점선은 x축 또는 y축에 평행하다.)

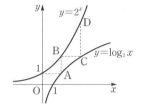

주어진 조건을 이용하여 네 점 A, B, C, D의 좌표를 순서대로 구한다.

123 오른쪽 그림과 같이 함수 $y=g(x)$의 그래프는 함수 $y=\log_2 (x-1)$의 그래프와 직선 $y=x$에 대하여 대칭이다. $y=g(x)$의 그래프는 점 P$(2, b)$를 지나고, $y=\log_2 (x-1)$의 그래프는 점 Q(a, b)를 지날 때, $a+b$의 값을 구하시오.

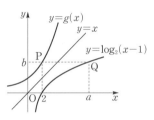

124 오른쪽 그림은 함수 $y=\log_2 x$의 그래프이고 A$(2, 0)$, C$(16, 0)$이다.
점 E가 선분 DF를 1 : 2로 내분하는 점일 때, 점 B의 x좌표를 구하시오.
(단, 점선은 x축 또는 y축에 평행하다.)

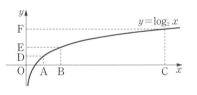

좌표평면 위의 두 점 A(x_1, y_1), B(x_2, y_2)에 대하여 선분 AB를 $m : n (m>0, n>0)$으로 내분하는 점 P는 P$\left(\dfrac{mx_2+nx_1}{m+n}, \dfrac{my_2+ny_1}{m+n}\right)$

125 오른쪽 그림과 같이 두 함수 $y=\log_2 (x+1)$, $y=\log_2 (x+1)+2$의 그래프와 두 직선 $x=0$, $x=3$으로 둘러싸인 부분의 넓이를 구하시오.

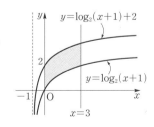

02 로그함수의 최대·최소

4. 로그함수

개념원리 이해

1. 로그함수의 최대·최소 ▷ 필수예제 **9**

> 정의역이 $\{x\,|\,m\leq x\leq n\}$일 때, 로그함수 $f(x)=\log_a x \ (a>0,\ a\neq1)$는
> (1) $a>1$이면 $x=m$에서 **최솟값** $f(m)$, $x=n$에서 **최댓값** $f(n)$을 갖는다.
> (2) $0<a<1$이면 $x=m$에서 **최댓값** $f(m)$, $x=n$에서 **최솟값** $f(n)$을 갖는다.

설명 로그함수 $f(x)=\log_a x \ (a>0,\ a\neq1)$의 그래프는 밑 a의 값의 범위에 따라 다음과 같다.

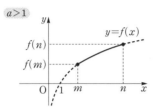 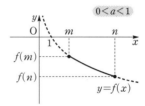

따라서 정의역이 $\{x\,|\,m\leq x\leq n\}$일 때, 함수 $f(x)=\log_a x$는

(1) $a>1$이면

　x의 값이 증가할 때 y의 값도 증가하는 함수이므로 <u>$x=m$에서 최솟값 $f(m)$, $x=n$에서 최댓값 $f(n)$</u>을 갖는다.
　　　　　　　　　　　　　　　　　　　　　↳ 치역은 $\{y\,|\,f(m)\leq y\leq f(n)\}$

(2) $0<a<1$이면

　x의 값이 증가할 때 y의 값은 감소하는 함수이므로 <u>$x=m$에서 최댓값 $f(m)$, $x=n$에서 최솟값 $f(n)$</u>을 갖는다.
　　　　　　　　　　　　　　　　　　　　　↳ 치역은 $\{y\,|\,f(n)\leq y\leq f(m)\}$

예 (1) $2\leq x\leq4$일 때, 함수 $y=\log_2 x$는 $x=2$에서 최솟값 $\log_2 2=1$, $x=4$에서 최댓값
　　$\log_2 4=2$를 갖는다.

　(2) $\dfrac{1}{3}\leq x\leq9$일 때, 함수 $y=\log_{\frac{1}{3}} x$는 $x=\dfrac{1}{3}$에서 최댓값 $\log_{\frac{1}{3}} \dfrac{1}{3}=1$, $x=9$에서 최솟값
　　$\log_{\frac{1}{3}} 9=-2$를 갖는다.

2. 함수 $y=\log_a f(x) \ (a>0,\ a\neq1)$의 최대·최소 ▷ 필수예제 **10, 11**

> 함수 $y=\log_a f(x)$에서
> (1) $a>1$인 경우
> 　① **진수** $f(x)$가 **최대**일 때, $\log_a f(x)$도 **최대**이다.
> 　② **진수** $f(x)$가 **최소**일 때, $\log_a f(x)$도 **최소**이다.
> (2) $0<a<1$인 경우
> 　① **진수** $f(x)$가 **최대**일 때, $\log_a f(x)$는 **최소**이다.
> 　② **진수** $f(x)$가 **최소**일 때, $\log_a f(x)$는 **최대**이다.

129 다음은 정의역이 $\left\{x \mid \dfrac{1}{2} \leq x \leq 1\right\}$인 함수 $y = \log_2 x$의 최댓값과 최솟값을 구하는 과정이다. ☐ 안에 알맞은 것을 써넣으시오.

> 함수 $y = \log_2 x$는 x의 값이 증가할 때 y의 값은 ☐하는 함수이다.
>
> 따라서 $\dfrac{1}{2} \leq x \leq 1$일 때, 함수 $y = \log_2 x$는 $x =$ ☐에서 최댓값 ☐,
>
> $x =$ ☐에서 최솟값 ☐을(를) 갖는다.

130 다음은 정의역이 $\left\{x \mid \dfrac{1}{9} \leq x \leq 3\right\}$인 함수 $y = \log_{\frac{1}{3}} x$의 최댓값과 최솟값을 구하는 과정이다. ☐ 안에 알맞은 것을 써넣으시오.

> 함수 $y = \log_{\frac{1}{3}} x$는 x의 값이 증가할 때 y의 값은 ☐하는 함수이다.
>
> 따라서 $\dfrac{1}{9} \leq x \leq 3$일 때, 함수 $y = \log_{\frac{1}{3}} x$는 $x =$ ☐에서 최댓값 ☐,
>
> $x =$ ☐에서 최솟값 ☐을(를) 갖는다.

131 다음 함수의 최댓값과 최솟값을 구하시오.

(1) $y = \log_3 x \ (3 \leq x \leq 9)$

(2) $y = \log_{\frac{1}{4}} x \left(\dfrac{1}{16} \leq x \leq 4\right)$

(3) $y = \log_5 x \ (x \leq 1)$

(4) $y = \log_{\frac{1}{2}} x \left(x \leq \dfrac{1}{16}\right)$

다음 함수의 최댓값과 최솟값을 구하시오.

(1) $y = \log_2(x-2)$ $(4 \le x \le 6)$　　　　　　(2) $y = \log_{\frac{1}{3}}(x+1) - 2$ $(2 \le x \le 8)$

풀이

(1) $y = \log_2(x-2)$는 밑 2가 $2 > 1$이므로 x의 값이 증
가하면 y의 값도 증가하는 함수이다.
따라서 $4 \le x \le 6$일 때, 함수 $y = \log_2(x-2)$는
$x = 4$에서 최솟값 $\log_2 2 = 1$,
$x = 6$에서 최댓값 $\log_2 4 = 2$
를 갖는다.
∴ **최댓값 : 2, 최솟값 : 1**

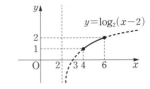

(2) $y = \log_{\frac{1}{3}}(x+1) - 2$는 밑 $\dfrac{1}{3}$이 $0 < \dfrac{1}{3} < 1$이므로 x의 값이 증가하
면 y의 값은 감소하는 함수이다.
따라서 $2 \le x \le 8$일 때, 함수 $y = \log_{\frac{1}{3}}(x+1) - 2$는
$x = 2$에서 최댓값 $\log_{\frac{1}{3}} 3 - 2 = -3$,
$x = 8$에서 최솟값 $\log_{\frac{1}{3}} 9 - 2 = -4$
를 갖는다.
∴ **최댓값 : -3, 최솟값 : -4**

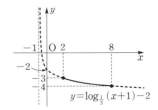

KEY Point

로그함수 $y = \log_a x$ $(a > 0, a \ne 1)$의 최대 · 최소

• $a > 1$일 때 ▷ $y = \log_a x$는 x의 값이 증가하면 y의 값도 증가하는 함수이므로
  x가 최대일 때 y도 최대, x가 최소일 때 y도 최소

• $0 < a < 1$일 때 ▷ $y = \log_a x$는 x의 값이 증가하면 y의 값은 감소하는 함수이므로
  x가 최대일 때 y는 최소, x가 최소일 때 y는 최대

---

132 다음 함수의 최댓값과 최솟값을 구하시오.

(1) $y = \log_2(x+1) - 3$ $(1 \le x \le 7)$

(2) $y = \log_{\frac{1}{3}}(2x+1) + 3$ $(1 \le x \le 4)$

133 정의역이 $\{x \mid 6 \le x \le 8\}$인 함수 $y = \log_{\frac{1}{2}}(x-a)$의 최솟값이 -2일 때, 최댓값을 구하시
오. (단, a는 상수이다.)

필수예제 **10** 로그함수의 최대 · 최소 (2)   🔄 더 다양한 문제는 **RPM** 수학 I 55쪽

함수 $y=\log_2(x^2-4x+6)$이 $x=a$에서 최솟값 b를 가질 때, $a+b$의 값을 구하시오.

풀이

$f(x)=x^2-4x+6$으로 놓으면 $y=\log_2(x^2-4x+6)$에서 $y=\log_2 f(x)$

함수 $y=\log_2 f(x)$의 밑 2가 1보다 크므로 함수 $y=\log_2 f(x)$는 $f(x)$가 최소일 때 최소가 된다.

$f(x)=x^2-4x+6=(x-2)^2+2$이므로 $f(x)$는 $x=2$에서 최솟값 2를 갖는다.

따라서 함수 $y=\log_2 f(x)$는 $x=2$에서 최솟값 $\log_2 2=1$을 갖는다.

$\therefore a=2,\ b=1 \qquad \therefore a+b=\mathbf{3}$

필수예제 **11** 로그함수의 최대 · 최소 (3)   🔄 더 다양한 문제는 **RPM** 수학 I 55쪽

정의역이 $\{x\,|\,-2\leq x\leq 1\}$인 함수 $y=\log_{\frac{1}{2}}(-x^2-2x+7)$의 최댓값과 최솟값을 구하시오.

풀이

$f(x)=-x^2-2x+7$로 놓으면 $y=\log_{\frac{1}{2}}(-x^2-2x+7)$에서 $y=\log_{\frac{1}{2}} f(x)$

함수 $y=\log_{\frac{1}{2}} f(x)$의 밑 $\dfrac{1}{2}$이 1보다 작은 양수이므로 함수 $y=\log_{\frac{1}{2}} f(x)$는 $f(x)$가 최대일 때 최소가 되고, $f(x)$가 최소일 때 최대가 된다.

$f(x)=-x^2-2x+7=-(x+1)^2+8$이므로 $-2\leq x\leq 1$일 때, $f(x)$는 $x=-1$에서 최댓값 8, $x=1$에서 최솟값 4를 갖는다.

따라서 $-2\leq x\leq 1$일 때, 함수 $y=\log_{\frac{1}{2}} f(x)$는 $x=-1$에서 최솟값 $\log_{\frac{1}{2}} 8=-3$, $x=1$에서 최댓값 $\log_{\frac{1}{2}} 4=-2$를 갖는다.

$\therefore$ **최댓값 : -2, 최솟값 : -3**

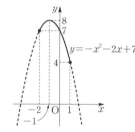

KEY Point

로그함수 $y=\log_a f(x)\ (a>0,\ a\neq 1)$의 최대 · 최소

- $a>1$이면 ⇨ 진수 $f(x)$가 최대일 때 $\log_a f(x)$도 최대, 진수 $f(x)$가 최소일 때 $\log_a f(x)$도 최소
- $0<a<1$이면 ⇨ 진수 $f(x)$가 최대일 때 $\log_a f(x)$는 최소, 진수 $f(x)$가 최소일 때 $\log_a f(x)$는 최대

134 함수 $y=\log_2(-x^2+6x+7)$이 $x=a$에서 최댓값 b를 가질 때, $a+b$의 값을 구하시오.

135 함수 $y=\log_a(x^2-2x+5)$의 최댓값이 -2일 때, 실수 a의 값을 구하시오.

(단, $a>0,\ a\neq 1$)

136 정의역이 $\{x\,|\,-2\leq x\leq 1\}$인 함수 $y=\log_{\frac{1}{2}}(x^2+2x+5)$의 최댓값과 최솟값을 구하시오.

다음 함수의 최댓값과 최솟값을 구하시오.

(1) $y=(\log_3 x)^2-\log_3 x^2+2 \ (3\le x\le 9)$

(2) $y=(\log_{\frac{1}{2}} x)\left(\log_{\frac{1}{2}} \dfrac{4}{x}\right)\left(\dfrac{1}{4}\le x\le 2\right)$

풀이

(1) $y=(\log_3 x)^2-\log_3 x^2+2$

$\quad =(\log_3 x)^2-2\log_3 x+2$

$\log_3 x=t$로 놓으면 $3\le x\le 9$에서 $\log_3 3\le \log_3 x\le \log_3 9$

$\therefore 1\le t\le 2$

이때 주어진 함수는 $y=t^2-2t+2=(t-1)^2+1 \ (1\le t\le 2)$ ······ ㉠

따라서 $1\le t\le 2$일 때, ㉠은 $t=1$에서 최솟값 1, $t=2$에서 최댓값 2를 갖는다.

∴ 최댓값 : 2, 최솟값 : 1

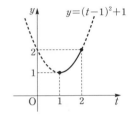

(2) $y=(\log_{\frac{1}{2}} x)\left(\log_{\frac{1}{2}} \dfrac{4}{x}\right)=\log_{\frac{1}{2}} x(\log_{\frac{1}{2}} 4-\log_{\frac{1}{2}} x)$

$\quad =\log_{\frac{1}{2}} x(-2-\log_{\frac{1}{2}} x)=-(\log_{\frac{1}{2}} x)^2-2\log_{\frac{1}{2}} x$

$\log_{\frac{1}{2}} x=t$로 놓으면 $\dfrac{1}{4}\le x\le 2$에서 $\log_{\frac{1}{2}} 2\le \log_{\frac{1}{2}} x\le \log_{\frac{1}{2}} \dfrac{1}{4}$

$\therefore -1\le t\le 2$

이때 주어진 함수는 $y=-t^2-2t=-(t+1)^2+1$ ······ ㉠

따라서 $-1\le t\le 2$일 때, ㉠은 $t=-1$에서 최댓값 1, $t=2$에서 최솟값 $-(2+1)^2+1=-8$을 갖는다.

∴ 최댓값 : 1, 최솟값 : −8

참고

(1) 주어진 함수는 $\log_3 x=1$, 즉 $x=3$에서 최솟값 1을 갖고,

$\log_3 x=2$, 즉 $x=9$에서 최댓값 2를 갖는다.

KEY Point

• $\log_a x$의 꼴이 반복되는 함수의 최대·최소

⇨ $\log_a x=t$로 치환한 후 t의 값의 범위 내에서 최대·최소를 구한다.

---

137 다음 함수의 최댓값과 최솟값을 구하시오.

(1) $y=(\log_{\frac{1}{3}} x)^2-\log_{\frac{1}{3}} x^2+2 \ (3\le x\le 9)$

(2) $y=\left(\log_3 \dfrac{x}{9}\right)\left(\log_3 \dfrac{3}{x}\right) (1\le x\le 27)$

138 함수 $y=2(\log_3 x)^2+a\log_3 \dfrac{1}{x^2}+b$가 $x=\dfrac{1}{3}$에서 최솟값 1을 가질 때, 상수 a, b의 합 $a+b$의 값을 구하시오.

$x>0$, $y>0$일 때, $\log_3\left(2x+\dfrac{1}{y}\right)+\log_3\left(y+\dfrac{2}{x}\right)$의 최솟값을 구하시오.

풀이

$$\log_3\left(2x+\frac{1}{y}\right)+\log_3\left(y+\frac{2}{x}\right)=\log_3\left\{\left(2x+\frac{1}{y}\right)\left(y+\frac{2}{x}\right)\right\}=\log_3\left(2xy+\frac{2}{xy}+5\right) \quad \cdots\cdots \text{㉠}$$

㉠의 밑 3이 1보다 크므로 ㉠은 $2xy+\dfrac{2}{xy}+5$가 최소일 때 최소가 된다.

이때 $x>0$, $y>0$이므로 산술평균과 기하평균의 관계에 의하여

$2xy+\dfrac{2}{xy}+5\geq 2\sqrt{2xy\times\dfrac{2}{xy}}+5=9$ (단, 등호는 $xy=1$일 때 성립)

따라서 $2xy+\dfrac{2}{xy}+5$의 최솟값이 9이므로 ㉠의 최솟값은 $\log_3 9=\mathbf{2}$이다.

정의역이 $\{x\,|\,1\leq x\leq 100\}$인 함수 $y=x^{2+\log x}$의 최댓값과 최솟값을 구하시오.

설명

지수에 로그가 있으면 양변에 로그를 취한다.

풀이

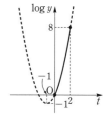

$y=x^{2+\log x}$의 양변에 상용로그를 취하면

$\log y=\log x^{2+\log x}=(2+\log x)\log x=(\log x)^2+2\log x$

$\log x=t$로 놓으면

$1\leq x\leq 100$에서 $\log 1\leq \log x\leq \log 100$ $\therefore\ 0\leq t\leq 2$

이때 주어진 함수는 $\log y=t^2+2t=(t+1)^2-1$

따라서 $0\leq t\leq 2$일 때, $\log y$는

$t=2$에서 최댓값 8,

$t=0$에서 최솟값 0

을 가지므로 y의 최댓값은 10^8, 최솟값은 $10^0=1$이다.

$\therefore$ **최댓값 : 10^8, 최솟값 : 1**

KEY Point

- $\left.\begin{array}{l}\text{양수 조건, 역수 관계}\\ \text{합 또는 곱이 일정}\end{array}\right\} \Rightarrow$ 산술평균과 기하평균의 관계를 이용한다.
- 지수에 로그가 있을 때 $\Rightarrow$ 양변에 로그를 취하여 최대·최소를 구한다.

---

139 $x>1$일 때, 함수 $y=\log_4 x+\log_x 256$의 최솟값을 구하시오.

140 $x>0$, $y>0$이고 $x+y=6$일 때, $\log_{\frac{1}{3}} x+\log_{\frac{1}{3}} y$의 최솟값을 구하시오.

141 정의역이 $\{x\,|\,1\leq x\leq 1000\}$인 함수 $y=(100x)^{6-\log x}$이 $x=a$에서 최댓값 b를 가질 때, ab의 값을 구하시오.

연습문제

💡 생각해 봅시다!

126 정의역이 $\{x | 21 \leq x \leq 27\}$인 두 함수 $f(x) = -\log_{\frac{1}{3}} x^2$, $g(x) = \log_{\frac{1}{3}}(x-18)+2$에 대하여 $f(x)$의 최댓값을 M, $g(x)$의 최솟값을 m이라 할 때, $M+m$의 값을 구하시오.

127 정의역이 $\{x | 1 \leq x \leq 5\}$인 함수 $y = \log_2(x+3)-1$의 최댓값을 M, 최솟값을 m이라 할 때, Mm의 값을 구하시오.

128 정의역이 $\{x | -2 \leq x \leq 1\}$인 함수 $y = \log_{\frac{1}{2}}(x+3)+k$의 최댓값이 1일 때, 최솟값은? (단, k는 상수이다.)

① -1　　② 0　　③ 1　　④ 2　　⑤ 3

$y = \log_{\frac{1}{2}}(x+3)+k$의 밑이 1보다 작은 양수이므로 x의 값이 증가하면 y의 값은 감소한다.

129 두 함수 $f(x) = \log_{\frac{1}{2}} x$, $g(x) = x^2-2x+3$에 대하여 함수 $(f \circ g)(x)$의 최댓값을 구하시오.

130 $1 \leq x \leq 4$일 때, 함수 $y = \log_{\frac{1}{2}}(x^2-4x+8)$의 최솟값은?

① -5　　② -3　　③ -1　　④ 2　　⑤ 3

131 $x>0$, $y>0$이고 $x+3y=200$일 때, $\log 3x + \log y$의 최댓값은?

① 1　　② 2　　③ 3　　④ 4　　⑤ 5

산술평균과 기하평균의 관계를 이용하여 $3xy$의 최댓값을 구한다.

STEP **2**

132 함수 $y = \log_a(x+1) + \log_a(3-x)$의 최솟값이 -2일 때, 상수 a의 값을 구하시오. (단, $a > 0$, $a \neq 1$)

$a > 1$일 때와 $0 < a < 1$일 때로 경우를 나눈다.

133 함수 $y = (\log_2 x)^2 + a \log_4 x + 2$가 $x = \dfrac{1}{4}$에서 최솟값 b를 가질 때, $a + b$의 값을 구하시오. (단, a는 상수이다.)

$\log_2 x = t$로 치환하여 t에 대한 이차함수의 최솟값을 찾는다.

134 함수 $y = (\log_3 3x)\left(\log_3 \dfrac{9}{x}\right)$의 최댓값을 구하시오.

135 $x > 0$, $y > 0$일 때, $\log_3\left(x + \dfrac{1}{y}\right) + \log_3\left(y + \dfrac{4}{x}\right)$의 최솟값을 구하시오.

$x > 0$, $y > 0$일 때
$x + y \geq 2\sqrt{xy}$
(단, 등호는 $x = y$일 때 성립)

136 $a > 1$, $b > 1$일 때, $\log_a b + \log_{b^2} a$의 최솟값을 구하시오.

137 정의역이 $\{x \mid 1 \leq x \leq 1000\}$인 함수 $y = x^{4 - \log x}$의 최댓값을 M, 최솟값을 m이라 할 때, Mm의 값을 구하시오.

주어진 함수의 식의 양변에 상용로그를 취한다.

138 정의역이 $\{x \mid 1 \leq x \leq 4\}$인 함수 $y = 16x^{-6 + \log_2 x^3}$의 최댓값을 M, 최솟값을 m이라 할 때, $M + m$의 값을 구하시오.

1. 로그의 진수에 미지수가 있는 방정식과 로그함수의 관계

로그의 진수에 미지수가 있는 방정식은 다음 성질을 이용하여 푼다.

> $a>0$, $a \neq 1$일 때
>
> (1) $\log_a x = b \Longleftrightarrow x = a^b$ (단, $x>0$)　　(2) $\log_a x_1 = \log_a x_2 \Longleftrightarrow x_1 = x_2$ (단, $x_1>0$, $x_2>0$)

▶ 로그의 진수에 미지수가 있는 방정식을 로그방정식이라 한다.

설명　(2) 로그함수 $y = \log_a x$는 양의 실수 전체의 집합에서 실수 전체의 집합으로의 일대일대응이므로 (2)의 성질이 성립한다.

2. 로그의 진수 또는 밑에 미지수가 있는 방정식의 풀이　▷ 필수예제 **15, 16, 18**

먼저 주어진 방정식에서 밑의 조건과 진수의 조건을 확인한 후, 다음과 같이 방정식을 푼다.

> (1) $\log_a f(x) = b \Longleftrightarrow f(x) = a^b$ (단, $a>0$, $a \neq 1$, $f(x)>0$)
>
> (2) **밑을 같게 할 수 있을 때**
>
> 　밑을 같게 한 후 다음을 이용한다.
>
> 　$\log_a f(x) = \log_a g(x) \Longleftrightarrow f(x) = g(x)$ (단, $a>0$, $a \neq 1$, $f(x)>0$, $g(x)>0$)
>
> (3) $\log_a x$의 꼴이 반복될 때
>
> 　$\log_a x = t$로 치환하여 t에 대한 방정식을 푼다.
>
> (4) **진수가 같을 때**
>
> 　밑이 같거나 진수가 1이다.
>
> 　$\log_a f(x) = \log_b f(x) \Longleftrightarrow a = b$ 또는 $f(x) = 1$ (단, $a>0$, $a \neq 1$, $b>0$, $b \neq 1$, $f(x)>0$)
>
> (5) **지수에 로그가 있을 때**
>
> 　양변에 로그를 취하여 푼다.

▶ 로그의 진수 또는 밑에 미지수가 있는 방정식을 풀 때, 구한 해가 처음 주어진 방정식에 있는 로그의 밑의 조건과 진수의
조건을 만족시키는지 반드시 확인한다.

$\log_a x$가 정의되려면

① 밑의 조건 : $a>0$, $a \neq 1$　　　　　　② 진수의 조건 : $x>0$

예　방정식 $2\log_2 x = \log_2(x+12) + 1$을 푸시오.

풀이　진수의 조건에서 $x>0$, $x+12>0$　　∴ $x>0$　　……　㉠

주어진 방정식에서 $\log_2 x^2 = \log_2(x+12) + \log_2 2$, $\log_2 x^2 = \log_2 2(x+12)$

$x^2 = 2(x+12)$, $x^2 - 2x - 24 = 0$, $(x+4)(x-6) = 0$　　∴ $x = -4$ 또는 $x = 6$

그런데 ㉠에서 $x>0$이므로 방정식의 해는 $x = 6$

142 다음 방정식을 푸시오.

(1) $\log_2 x = 3$ (2) $\log_{\frac{1}{3}} x = -3$ (3) $\log_5 x = 0$

🤔 생각해 봅시다!
$\log_a f(x) = b$
$\iff f(x) = a^b$

143 다음 방정식을 푸시오.

(1) $\log_2 (3x-1) = 3$ (2) $\log_{\frac{1}{3}} (-x+6) = -2$

(3) $\log_3 (x+2) = 2$ (4) $\log_{\frac{1}{2}} (-3x+4) = -1$

(5) $\log_{0.1} (x-2) = -1$ (6) $\log_{\frac{1}{3}} (-3x+1) = -1$

144 다음 방정식을 푸시오.

(1) $\log_2 (2-x) = \log_2 (2x+5)$ (2) $\log_{\frac{1}{5}} (-3x+1) = \log_{\frac{1}{5}} (x+5)$

$a > 0$, $a \neq 1$일 때,
$\log_a x_1 = \log_a x_2$
$\iff x_1 = x_2$
     (단, $x_1 > 0$, $x_2 > 0$)

145 다음은 방정식 $(\log x)^2 - 4\log x + 3 = 0$의 해를 구하는 과정이다. ☐ 안에 알맞은 것을 써넣으시오.

> 진수의 조건에서 $x > \boxed{}$ …… ㉠
>
> $\log x = t$로 놓으면 $(\log x)^2 - 4\log x + 3 = 0$에서
>
> $\boxed{} - 4\boxed{} + 3 = 0$ $\therefore t = \boxed{}$ 또는 $t = 3$
>
> 즉 $\log x = \boxed{}$ 또는 $\log x = 3$이므로
>
> $x = \boxed{}$ 또는 $x = \boxed{}$ …… ㉡
>
> ㉠, ㉡에서 방정식 $(\log x)^2 - 4\log x + 3 = 0$의 해는
>
> $x = \boxed{}$ 또는 $x = \boxed{}$

다음 방정식을 푸시오.

(1) $\log_2 x + \log_2 (x-1) = \log_2 6$ (2) $\log_2 (x+4) + \log_2 x = \log_2 5$

(3) $\log_2 (x-3) = \log_4 (x-1)$

설명   (3) 밑이 같지 않을 때, $\log_{a^m} b^n = \dfrac{n}{m} \log_a b$임을 이용하여 밑을 같게 한다.

풀이   (1) 진수의 조건에서 $x > 0$, $x-1 > 0$ $\therefore x > 1$ ······ ㉠

     $\log_2 x + \log_2 (x-1) = \log_2 6$에서 $\log_2 \{x(x-1)\} = \log_2 6$

     양변의 밑이 2로 같으므로 $x(x-1) = 6$

     $x^2 - x - 6 = 0$, $(x-3)(x+2) = 0$ $\therefore x = -2$ 또는 $x = 3$ ······ ㉡

     ㉠, ㉡에서 방정식 $\log_2 x + \log_2 (x-1) = \log_2 6$의 해는 $\boldsymbol{x=3}$

   (2) 진수의 조건에서 $x+4 > 0$, $x > 0$ $\therefore x > 0$ ······ ㉠

     $\log_2 (x+4) + \log_2 x = \log_2 5$에서 $\log_2 \{x(x+4)\} = \log_2 5$

     양변의 밑이 2로 같으므로 $x(x+4) = 5$

     $x^2 + 4x - 5 = 0$, $(x+5)(x-1) = 0$ $\therefore x = -5$ 또는 $x = 1$ ······ ㉡

     ㉠, ㉡에서 방정식 $\log_2 (x+4) + \log_2 x = \log_2 5$의 해는 $\boldsymbol{x=1}$

   (3) 진수의 조건에서 $x-3 > 0$, $x-1 > 0$ $\therefore x > 3$ ······ ㉠

     $\log_2 (x-3) = \log_4 (x-1)$에서 $\log_{2^2} (x-3)^2 = \log_4 (x-1)$

     $\log_4 (x-3)^2 = \log_4 (x-1)$

     양변의 밑이 4로 같으므로 $(x-3)^2 = x-1$

     $x^2 - 7x + 10 = 0$, $(x-2)(x-5) = 0$ $\therefore x = 2$ 또는 $x = 5$ ······ ㉡

     ㉠, ㉡에서 방정식 $\log_2 (x-3) = \log_4 (x-1)$의 해는 $\boldsymbol{x=5}$

KEY Point

• 로그의 진수에 미지수가 있는 방정식의 풀이

① 로그의 정의를 이용한다.

     $\log_a f(x) = b \Longleftrightarrow f(x) = a^b$ (단, $a > 0$, $a \neq 1$, $f(x) > 0$)

② 밑을 같게 한 후 다음을 이용한다.

     $\log_a f(x) = \log_a g(x) \Longleftrightarrow f(x) = g(x)$ (단, $a > 0$, $a \neq 1$, $f(x) > 0$, $g(x) > 0$)

---

146 다음 방정식을 푸시오.

(1) $\log (x^2 + 3x) = 1$ (2) $\log_{x-2} 4 = 2$

(3) $\log x + \log (x-10) = 2 + \log 2$ (4) $\log_{\frac{1}{4}} (3x+1) = \log_{\frac{1}{2}} (x+1)$

(5) $\log_{\sqrt{3}} (x-1) = \log_3 (x+5) + 1$ (6) $\log_3 (2x-1) = \dfrac{1}{2} \log_3 (x^2 + 5)$

다음 방정식을 푸시오.

(1) $(\log_5 x)^2 - \log_5 x^3 + 2 = 0$ (2) $\log_3 x = \log_x 9 - 1$

설명

(1) $\log_5 x = t$로 치환하여 t에 대한 방정식을 푼다.

(2) 로그의 밑의 변환 공식을 이용하여 밑을 3으로 같게 한 후 $\log_3 x = t$로 치환한다.

풀이

(1) 진수의 조건에서 $x > 0$, $x^3 > 0$

   $\therefore x > 0$ ······ ㉠

$(\log_5 x)^2 - \log_5 x^3 + 2 = 0$에서 $(\log_5 x)^2 - 3\log_5 x + 2 = 0$

$\log_5 x = t$로 놓으면 $t^2 - 3t + 2 = 0$, $(t-1)(t-2) = 0$ $\therefore t = 1$ 또는 $t = 2$

즉 $\log_5 x = 1$ 또는 $\log_5 x = 2$이므로 $x = 5$ 또는 $x = 25$ ······ ㉡

㉠, ㉡에서 방정식 $(\log_5 x)^2 - \log_5 x^3 + 2 = 0$의 해는

$x = 5$ 또는 $x = 25$

(2) 진수의 조건에서 $x > 0$, 밑의 조건에서 $x > 0$, $x \neq 1$

   $\therefore 0 < x < 1$ 또는 $x > 1$ ······ ㉠

$\log_3 x = \log_x 9 - 1$에서 $\log_3 x = 2\log_x 3 - 1$, $\log_3 x = \dfrac{2}{\log_3 x} - 1$

$\log_3 x = t$로 놓으면 $t = \dfrac{2}{t} - 1$

$t^2 + t - 2 = 0$, $(t+2)(t-1) = 0$ $\therefore t = -2$ 또는 $t = 1$

즉 $\log_3 x = -2$ 또는 $\log_3 x = 1$이므로 $x = \dfrac{1}{9}$ 또는 $x = 3$ ······ ㉡

㉠, ㉡에서 방정식 $\log_3 x = \log_x 9 - 1$의 해는

$x = \dfrac{1}{9}$ 또는 $x = 3$

KEY Point

• $\log_a x$의 꼴이 반복될 때

⇨ $\log_a x = t$로 치환하여 t에 대한 방정식을 푼다.

---

 147 다음 방정식을 푸시오.

(1) $(\log x)^2 = 3 + \log x^2$

(2) $\log_{10} x - \log_x 100 = 1$

(3) $(2 + \log x)^2 + (\log x - 1)^2 = (1 + \log x^2)^2$

(4) $(\log_2 2x)\left(\log_2 \dfrac{x}{2}\right) = 3$

(5) $\log_2 x + \log_8 x = 2(\log_2 x)(\log_8 x)$

(6) $(\log_3 x)^3 - 4(\log_9 x)^2 + \log_{81} x = 0$

방정식 $(\log_{\frac{1}{3}} x)^2 + 2\log_{\frac{1}{3}} x - 6 = 0$의 두 실근을 α, β라 할 때, $\alpha\beta$의 값을 구하시오.

풀이

진수의 조건에서 $x > 0$ ⋯⋯ ㉠

$\log_{\frac{1}{3}} x = t$로 놓으면 $(\log_{\frac{1}{3}} x)^2 + 2\log_{\frac{1}{3}} x - 6 = 0$에서 $t^2 + 2t - 6 = 0$ ⋯⋯ ㉡

방정식 $(\log_{\frac{1}{3}} x)^2 + 2\log_{\frac{1}{3}} x - 6 = 0$의 두 실근이 α, β이므로 t에 대한 이차방정식 ㉡의 두 근은 $\log_{\frac{1}{3}} \alpha$, $\log_{\frac{1}{3}} \beta$이다.

따라서 이차방정식의 근과 계수의 관계에 의하여 $\log_{\frac{1}{3}} \alpha + \log_{\frac{1}{3}} \beta = -2$

$\log_{\frac{1}{3}} \alpha\beta = -2$ ∴ $\alpha\beta = \mathbf{9}$

참고

t에 대한 이차방정식 ㉡의 두 근은 모두 실수이므로 $x = \left(\dfrac{1}{3}\right)^t > 0$이다. 즉 진수의 조건 ㉠을 만족시킨다.

다음 방정식을 푸시오.

(1) $x^{\log_2 x} = 8x^2$

(2) $2^{\log_5 x} \cdot x^{\log_5 2} = 6 \cdot 2^{\log_5 x} - 8$

풀이

(1) 진수의 조건에서 $x > 0$ ⋯⋯ ㉠

$x^{\log_2 x} = 8x^2$의 양변에 밑이 2인 로그를 취하면 $\log_2 x^{\log_2 x} = \log_2 8x^2$, $(\log_2 x)(\log_2 x) = 3 + 2\log_2 x$

$\log_2 x = t$로 놓으면 $t^2 = 3 + 2t$, $t^2 - 2t - 3 = 0$, $(t+1)(t-3) = 0$ ∴ $t = -1$ 또는 $t = 3$

즉 $\log_2 x = -1$ 또는 $\log_2 x = 3$이므로 $x = \dfrac{1}{2}$ 또는 $x = 8$ ⋯⋯ ㉡

㉠, ㉡에서 구하는 해는 $x = \dfrac{1}{2}$ 또는 $x = 8$

(2) 진수의 조건에서 $x > 0$ ⋯⋯ ㉠

$2^{\log_5 x} \cdot x^{\log_5 2} = 6 \cdot 2^{\log_5 x} - 8$에서 $x^{\log_5 2} = 2^{\log_5 x}$이므로 $2^{\log_5 x} \cdot 2^{\log_5 x} = 6 \cdot 2^{\log_5 x} - 8$

∴ $(2^{\log_5 x})^2 - 6 \cdot 2^{\log_5 x} + 8 = 0$

$2^{\log_5 x} = t$ $(t > 0)$로 놓으면 $t^2 - 6t + 8 = 0$, $(t-2)(t-4) = 0$ ∴ $t = 2$ 또는 $t = 4$

즉 $2^{\log_5 x} = 2$ 또는 $2^{\log_5 x} = 4$이므로 $\log_5 x = 1$ 또는 $\log_5 x = 2$ ∴ $x = 5$ 또는 $x = 25$ ⋯⋯ ㉡

㉠, ㉡에서 구하는 해는 $x = \mathbf{5}$ 또는 $x = \mathbf{25}$

148 다음 방정식의 두 실근을 α, β라 할 때, $\alpha\beta$의 값을 구하시오.

(1) $(\log_2 x)^2 - 4\log_2 x + 3 = 0$

(2) $\log_2 x - 5\log_x 2 - 2 = 0$

149 다음 방정식을 푸시오.

(1) $x^{\log x} = \dfrac{1000}{x^2}$

(2) $2^{\log x} + 2^{2 - \log x} = 4$

(3) $x^{\log 3} \cdot 3^{\log x} - 5(x^{\log 3} + 3^{\log x}) + 9 = 0$

연립방정식 $\begin{cases} \log_2 x^2 + \log_3 y = 5 \\ \log_2 x - \log_3 y = 1 \end{cases}$ 의 해가 $x=\alpha$, $y=\beta$일 때, $\alpha\beta$의 값을 구하시오.

풀이　진수의 조건에서 $x>0$, $y>0$

$\begin{cases} \log_2 x^2 + \log_3 y = 5 \\ \log_2 x - \log_3 y = 1 \end{cases}$ 에서 $\begin{cases} 2\log_2 x + \log_3 y = 5 \\ \log_2 x - \log_3 y = 1 \end{cases}$

$\log_2 x = X$, $\log_3 y = Y$로 놓으면

$\begin{cases} 2X + Y = 5 & \cdots\cdots \ \text{㉠} \\ X - Y = 1 & \cdots\cdots \ \text{㉡} \end{cases}$

㉠, ㉡을 연립하여 풀면 $X=2$, $Y=1$

즉 $\log_2 x = 2$, $\log_3 y = 1$이므로 $x=4$, $y=3$

$\therefore \alpha=4$, $\beta=3$

$\therefore \alpha\beta = \mathbf{12}$

x에 대한 이차방정식 $x^2 - x\log a - \log a + 3 = 0$이 중근을 갖도록 하는 모든 실수 a의 값의 곱을 구하시오.

풀이　이차방정식 $x^2 - x\log a - \log a + 3 = 0$이 중근을 가질 필요충분조건은

방정식 $x^2 - x\log a - \log a + 3 = 0$의 판별식을 D라 할 때 $D=0$이므로

$D = (-\log a)^2 - 4(-\log a + 3) = 0$, $(\log a)^2 + 4\log a - 12 = 0$

$(\log a + 6)(\log a - 2) = 0$　　$\therefore \log a = -6$ 또는 $\log a = 2$

$\therefore a = 10^{-6}$ 또는 $a = 10^2$

따라서 모든 실수 a의 값의 곱은

$10^{-6} \times 10^2 = 10^{-4} = \dfrac{\mathbf{1}}{\mathbf{10000}}$

150 연립방정식 $\begin{cases} \log_3 x + \log_2 y = 4 \\ (\log_3 x)(\log_2 y) = 3 \end{cases}$ 의 해가 $x=\alpha$, $y=\beta$일 때, $\alpha-\beta$의 값을 구하시오.

(단, $x>y$)

151 x에 대한 이차방정식 $(5\log_2 a - 1)x^2 + 2(1 + \log_2 a)x + 1 = 0$이 중근을 갖도록 하는 모든 실수 a의 값의 곱을 구하시오.

온도가 $T_0(\text{℃})$인 물체를 온도가 $k(\text{℃})$인 실내에 t분 동안 두었을 때의 물체의 온도를 $T(\text{℃})$라 하면

$$t = -15 \log \frac{T-k}{T_0-k} \ (k \neq T_0)$$

와 같은 관계가 성립한다. 온도가 120 ℃인 물체를 온도가 20 ℃인 실내에 30분 동안 두었을 때, 물체의 온도는?

① 20 ℃　　　　② 21 ℃　　　　③ 22 ℃　　　　④ 23 ℃　　　　⑤ 24 ℃

풀이　　$T_0=120$, $k=20$, $t=30$이므로 30분 후 물체의 온도를 $T(\text{℃})$라 하면

$$30 = -15 \log \frac{T-20}{120-20}$$

$$-2 = \log \frac{T-20}{100}, \ -2 = \log(T-20) - \log 100, \ -2 = \log(T-20) - 2$$

$\log(T-20) = 0$, $T-20 = 1$　　∴ $T=21$

따라서 30분 후 물체의 온도는 ② 21 ℃이다.

152 소리의 측정치를 $I(\text{W/cm}^2)$, 소리의 기준치를 $I_0(\text{W/cm}^2)$이라 할 때, 소리의 크기 $x(\text{dB})$는

$$x = 10 \log \frac{I}{I_0}$$

로 정의한다고 한다. 소리의 기준치가 $10^8\,\text{W/cm}^2$, 소리의 크기가 100 dB일 때, 소리의 측정치는 $a(\text{W/cm}^2)$이다. a의 값을 구하시오.

153 특정 해역에 서식하는 어떤 소형 물고기의 연령 $a(\text{세})$와 길이 $l(\text{cm})$ 사이에는

$$a = -2 \log_k \left(1 - \frac{l}{30}\right) - 0.3$$

과 같은 관계가 성립한다. 이 물고기의 연령이 1.7세일 때의 길이가 10 cm일 때, 물고기의 연령이 3.7세일 때의 길이는? (단, $k>1$)

① $\dfrac{50}{3}$ cm　　　　② 17 cm　　　　③ $\dfrac{52}{3}$ cm

④ $\dfrac{53}{3}$ cm　　　　⑤ 18 cm

연 습 문 제

STEP **1**

139 다음 방정식을 푸시오.

(1) $\log_3(-5x+2)=3$ (2) $\log_2(x-4)=\log_4(x-2)$

(3) $\log_2 x-\log_4 x=3(\log_2 x)(\log_8 x)$

(4) $(\log_{16} x^2)^2-5\log_{16} x+1=0$

(5) $\log_x 10+3\log_{10} x=4$ (6) $\log_x(2x+4)+\log_x(x-2)=2$

😮 **생각해 봅시다!**

로그방정식의 풀이

140 방정식 $\log_3\{\log_2(\log_k x)\}=0$의 해가 49일 때, 상수 k의 값을 구하시오.

141 방정식 $(\log_2 x)^2-\log_2 x^4+k=0$의 한 근이 2일 때, 다른 한 근을 구하시오. (단, k는 상수이다.)

방정식의 한 근이 2이므로 $x=2$를 대입하여 상수 k의 값을 먼저 구한다.

142 다음 방정식의 두 근을 α, β라 할 때, $\alpha\beta$의 값을 구하시오.

(1) $(\log_3 x)^2-6\log_3\sqrt{x}+2=0$

(2) $(\log_3 3x)(\log_3 9x)-1=0$

143 방정식 $(\log x)^2-k\log x-2=0$의 두 근의 곱이 10일 때, 상수 k의 값은?

① 1   ② $\dfrac{3}{2}$ ③ 2   ④ $\dfrac{5}{2}$ ⑤ 3

144 다음 방정식을 푸시오.

(1) $x^{\log_{0.1} x}=\dfrac{1}{1000x^2}$ (2) $2^{\log x}+\left(\dfrac{1}{2}\right)^{\log x}=\dfrac{5}{2}$

145 연립방정식 $\begin{cases} \log_2 x^2-2\log_2 y=3 \\ \log_2 x^3+\log_2 y=\dfrac{1}{2} \end{cases}$ 의 해가 $x=\alpha$, $y=\beta$일 때, $\dfrac{\alpha^2}{\beta^2}$의 값을 구하시오.

$\log_2 x=X$, $\log_2 y=Y$로 치환하여 연립방정식의 해를 구한다.

STEP 2

146 방정식 $\log_2 x + a \log_x 4 = b$의 두 근이 2, $\frac{1}{8}$일 때, 상수 a, b의 곱 ab의 값은?

① 1   ② 2   ③ 3   ④ 4   ⑤ 5

147 방정식 $(\log x)^2 - 6 \log x - 2 = 0$의 두 근을 α, β라 할 때, 방정식 $(\log x)^2 - a \log x + b = 0$의 두 근은 $\frac{1}{\alpha}$, $\frac{1}{\beta}$이다. 상수 a, b에 대하여 $b-a$의 값을 구하시오.

> $\log x = t$로 놓으면 이차방정식 $t^2 - 6t - 2 = 0$의 두 근은 $\log \alpha$, $\log \beta$이다.

148 방정식 $\log_{x+9}(x-1) = \log_{x^2-2x+5}(x-1)$의 모든 근의 합을 구하시오.

149 다음 방정식을 푸시오.

(1) $5^{\log x} \cdot x^{\log 5} - 6 \cdot 5^{\log x} + 5 = 0$

(2) $\left(\frac{x}{4}\right)^{\log_5 4} - \left(\frac{x}{3}\right)^{\log_5 3} = 0$ (단, $x > 0$)

[교육청기출]
150 어떤 약물을 사람의 정맥에 일정한 속도로 주입하기 시작한 지 t분 후 정맥에서의 약물 농도가 $C(\text{ng/mL})$일 때, 다음 식이 성립한다고 한다.
$$\log(10 - C) = 1 - kt \text{ (단, } C < 10\text{이고, } k\text{는 양의 상수이다.)}$$
이 약물을 사람의 정맥에 일정한 속도로 주입하기 시작한 지 30분 후 정맥에서의 약물 농도는 $2(\text{ng/mL})$이고, 주입하기 시작한 지 60분 후 정맥에서의 농도가 $a(\text{ng/mL})$일 때, a의 값은?

① 3   ② 3.2   ③ 3.4   ④ 3.6   ⑤ 3.8

> 먼저 $t = 30$, $C = 2$를 대입하여 상수 k의 값을 구한다.

151 어느 공장에 설치된 정수 시설을 1번 가동할 때마다 물속의 불순물의 양의 $x\%$가 제거된다고 한다. 정수 시설을 10번 가동하였더니 물속의 불순물의 양이 처음 불순물의 양의 10%가 되었다고 할 때, x의 값을 구하시오.
(단, $\log 80 = 1.9$로 계산한다.)

> 불순물의 $x\%$, 즉 $\frac{x}{100}$가 제거되면 남는 불순물은 전체의 $\left(1 - \frac{x}{100}\right)$이다.

04 로그함수의 활용 (2) – 부등식

개념원리 이해

1. 로그의 진수에 미지수가 있는 부등식과 로그함수의 관계

로그의 진수에 미지수가 있는 부등식을 풀 때에는 로그함수의 다음 성질을 이용한다.

$x_1 > 0$, $x_2 > 0$일 때

(1) $a > 1$이면

$$x_1 < x_2 \iff \log_a x_1 < \log_a x_2$$

(부등호 방향 그대로)

(2) $0 < a < 1$이면

$$x_1 < x_2 \iff \log_a x_1 > \log_a x_2$$

(부등호 방향 반대로)

▶ 로그의 진수에 미지수가 있는 부등식을 로그부등식이라 한다.

예 (1) $\log_3 x > \log_3 2$

진수의 조건에서 $x > 0$이고, (밑) > 1이므로 부등호의 방향이 그대로이다.   ∴ $x > 2$

(2) $\log_{\frac{1}{3}} x > \log_{\frac{1}{3}} 2$

진수의 조건에서 $x > 0$이고, $0 <$ (밑) < 1이므로 부등호의 방향이 반대로 바뀐다.

∴ $0 < x < 2$

2. 로그의 진수 또는 밑에 미지수가 있는 부등식의 풀이   ▷ 필수예제 **22, 24, 25**

먼저 주어진 부등식에서 밑의 조건과 진수의 조건을 확인한 후 다음과 같이 부등식을 푼다.

(1) **밑을 같게 할 수 있을 때**

밑을 같게 한 후 다음을 이용한다.

$$\begin{cases} (밑) > 1 \Rightarrow 진수의 부등호 방향 그대로 \\ 0 < (밑) < 1 \Rightarrow 진수의 부등호 방향 반대로 \end{cases}$$

←$\log_a f(x) < \log_a g(x) \iff 0 < f(x) < g(x)$

←$\log_a f(x) < \log_a g(x) \iff f(x) > g(x) > 0$

(2) **$\log_a x$의 꼴이 반복될 때**

$\log_a x = t$로 치환하여 t에 대한 부등식을 푼다.

(3) **지수에 로그가 있을 때**

양변에 로그를 취하여 푼다.

▶ 로그의 진수 또는 밑에 미지수가 있는 부등식을 풀 때, 구한 해가 처음 주어진 부등식에 있는 로그의 밑의 조건과 진수의
조건을 만족시키는지 반드시 확인한다.

⇨ (밑) > 0, (밑) $\neq 1$, (진수) > 0

154 다음 부등식을 푸시오.

(1) $\log_2 x < 3$ (2) $\log_{\frac{1}{3}} x \geq 2$ (3) $\log_5 x > 0$

155 다음은 부등식 $\log_3(6x-10) > \log_3(3x-1)$의 해를 구하는 과정이다. $\square$ 안에 알맞은 것을 써넣으시오.

> 진수의 조건에서 $6x-10 > 0$, $3x-1 > 0$
>
> $x > \dfrac{5}{3}$, $x > \dfrac{1}{3}$ $\therefore x > \boxed{}$ $\cdots\cdots$ ㉠
>
> 부등식 $\log_3(6x-10) > \log_3(3x-1)$에서 밑이 1보다 크므로
>
> $6x-10 \boxed{} 3x-1$ $\therefore x > \boxed{}$ $\cdots\cdots$ ㉡
>
> ㉠, ㉡에서 부등식 $\log_3(6x-10) > \log_3(3x-1)$의 해는 $\boxed{}$

156 다음 부등식을 푸시오.

(1) $\log_2(x-1) \geq \log_2(-5x+11)$ (2) $\log_{\frac{1}{3}}(2x-5) < \log_{\frac{1}{3}}(x-3)$

157 다음 부등식을 푸시오.

(1) $\log_2(2x-4) \leq 3$ (2) $\log_{\frac{1}{3}}(3-x) \geq 1$

158 다음은 부등식 $(\log_2 x)^2 + \log_2 x - 2 \leq 0$의 해를 구하는 과정이다. $\square$ 안에 알맞은 것을 써넣으시오.

> 진수의 조건에서 $x > \boxed{}$ $\cdots\cdots$ ㉠
>
> $\log_2 x = t$로 놓으면 $(\log_2 x)^2 + \log_2 x - 2 \leq 0$에서
>
> $\boxed{} + \boxed{} - 2 \leq 0$ $\therefore \boxed{} \leq t \leq \boxed{}$
>
> 즉 $\boxed{} \leq \log_2 x \leq \boxed{}$이므로 $\boxed{} \leq x \leq \boxed{}$ $\cdots\cdots$ ㉡
>
> ㉠, ㉡에서 구하는 부등식의 해는 $\boxed{} \leq x \leq \boxed{}$

생각해 봅시다!

로그부등식

$a > 1$일 때,
$\log_a x_1 > \log_a x_2$
$\iff x_1 > x_2$
$0 < a < 1$일 때,
$\log_a x_1 > \log_a x_2$
$\iff x_1 < x_2$

다음 부등식을 푸시오.

(1) $\log_2 x + \log_2 (x-1) \leq 1$ (2) $2\log_{\frac{1}{2}}(x-4) > \log_{\frac{1}{2}}(x-2)$

(3) $\log_2 (x-3) \leq \log_4 (x-1)$

풀이

(1) 진수의 조건에서 $x > 0$, $x-1 > 0$ $\therefore x > 1$ ······ ㉠

$\log_2 x + \log_2 (x-1) \leq 1$에서 $\log_2 \{x(x-1)\} \leq 1$

$\log_2 \{x(x-1)\} \leq \log_2 2$

밑이 1보다 크므로 $x(x-1) \leq 2$

$x^2 - x - 2 \leq 0$, $(x+1)(x-2) \leq 0$ $\therefore -1 \leq x \leq 2$ ······ ㉡

㉠, ㉡에서 부등식 $\log_2 x + \log_2 (x-1) \leq 1$의 해는 $\mathbf{1 < x \leq 2}$

(2) 진수의 조건에서 $x-4 > 0$, $x-2 > 0$

$x > 4$, $x > 2$ $\therefore x > 4$ ······ ㉠

$2\log_{\frac{1}{2}}(x-4) > \log_{\frac{1}{2}}(x-2)$에서 $\log_{\frac{1}{2}}(x-4)^2 > \log_{\frac{1}{2}}(x-2)$

밑이 1보다 작은 양수이므로 $(x-4)^2 < x-2$

$x^2 - 9x + 18 < 0$, $(x-3)(x-6) < 0$ $\therefore 3 < x < 6$ ······ ㉡

㉠, ㉡에서 부등식 $2\log_{\frac{1}{2}}(x-4) > \log_{\frac{1}{2}}(x-2)$의 해는 $\mathbf{4 < x < 6}$

(3) 진수의 조건에서 $x-3 > 0$, $x-1 > 0$

$x > 3$, $x > 1$ $\therefore x > 3$ ······ ㉠

$\log_2 (x-3) \leq \log_4 (x-1)$에서 $\log_{2^2}(x-3)^2 \leq \log_4 (x-1)$

$\log_4 (x-3)^2 \leq \log_4 (x-1)$

밑이 1보다 크므로 $(x-3)^2 \leq x-1$

$x^2 - 7x + 10 \leq 0$, $(x-2)(x-5) \leq 0$ $\therefore 2 \leq x \leq 5$ ······ ㉡

㉠, ㉡에서 부등식 $\log_2 (x-3) \leq \log_4 (x-1)$의 해는 $\mathbf{3 < x \leq 5}$

KEY Point

• **로그의 진수에 미지수가 있는 부등식의 풀이**

(i) 로그가 정의되기 위한 진수의 조건, 밑의 조건을 확인한다. ← (밑)>0, (밑)≠1, (진수)>0

(ii) 로그함수의 성질을 이용하여 진수를 비교한다.

밑이 **1보다 크면** ⇨ 부등호 방향 그대로

밑이 **1보다 작은 양수이면** ⇨ 부등호 방향 반대로

---

 159 다음 부등식을 푸시오.

(1) $-1 < \log_{\frac{1}{2}} x < 2$ (2) $\log_{\frac{1}{2}}(x-5) + \log_{\frac{1}{2}}(x-6) > -1$

(3) $\log_{0.5}(x-3) > 2\log_{0.5}(x-5)$ (4) $\log(11-x) + \log x < 1$

(5) $\log_{\frac{1}{2}}(x-1) > \log_{\frac{1}{4}}(2x+6)$ (6) $\log_2 (x+1) - \log_4 (2x-1) > \log_4 (x-1)$

부등식 $\log_2\left(\log_{\frac{1}{2}} x\right) < 1$을 푸시오.

풀이

진수의 조건에서 $\log_{\frac{1}{2}} x > 0$, $x > 0$

$\log_{\frac{1}{2}} x > 0$, 즉 $\log_{\frac{1}{2}} x > \log_{\frac{1}{2}} 1$에서 밑이 1보다 작은 양수이므로 $x < 1$

$\therefore 0 < x < 1$ ······ ㉠

$\log_2\left(\log_{\frac{1}{2}} x\right) < 1$에서 $\log_2\left(\log_{\frac{1}{2}} x\right) < \log_2 2$

밑이 1보다 크므로 $\log_{\frac{1}{2}} x < 2$, $\log_{\frac{1}{2}} x < \log_{\frac{1}{2}} \dfrac{1}{4}$

밑이 1보다 작은 양수이므로 $x > \dfrac{1}{4}$ ······ ㉡

㉠, ㉡에서 부등식 $\log_2\left(\log_{\frac{1}{2}} x\right) < 1$의 해는 $\boldsymbol{\dfrac{1}{4} < x < 1}$

부등식 $\log_{\frac{1}{3}} x^3 + \left(\log_{\frac{1}{3}} x\right)^2 < -2$를 푸시오.

설명

$\log_{\frac{1}{3}} x = t$로 치환하여 t에 대한 부등식을 푼다.

풀이

진수의 조건에서 $x^3 > 0$, $x > 0$ $\therefore x > 0$ ······ ㉠

$\log_{\frac{1}{3}} x^3 + \left(\log_{\frac{1}{3}} x\right)^2 < -2$에서 $\left(\log_{\frac{1}{3}} x\right)^2 + 3\log_{\frac{1}{3}} x + 2 < 0$

$\log_{\frac{1}{3}} x = t$로 놓으면 $t^2 + 3t + 2 < 0$, $(t+1)(t+2) < 0$

$\therefore -2 < t < -1$

즉 $-2 < \log_{\frac{1}{3}} x < -1$이므로 $\log_{\frac{1}{3}} \left(\dfrac{1}{3}\right)^{-2} < \log_{\frac{1}{3}} x < \log_{\frac{1}{3}} \left(\dfrac{1}{3}\right)^{-1}$

밑이 1보다 작은 양수이므로 $\left(\dfrac{1}{3}\right)^{-2} > x > \left(\dfrac{1}{3}\right)^{-1}$

$\therefore 3 < x < 9$ ······ ㉡

㉠, ㉡에서 부등식 $\log_{\frac{1}{3}} x^3 + \left(\log_{\frac{1}{3}} x\right)^2 < -2$의 해는 $\boldsymbol{3 < x < 9}$

확인 체크 **160** 다음 부등식을 푸시오.

(1) $\log_4\left(\log_2 x - 1\right) \leq 1$ (2) $\log_{\frac{1}{2}}\left(\log_3 x\right) \geq -1$

(3) $2\left(\log_3 x\right)^2 + 5\log_3 x - 3 < 0$ (4) $\left(\log_{\frac{1}{2}} x\right)^2 - \log_{\frac{1}{2}} x - 12 > 0$

(5) $\left(\log_{\frac{1}{3}} x\right)\left(\log_3 9x\right) \leq 3$ (6) $\left(\log_2 8x^2\right)\left(\log_{\frac{1}{2}} \dfrac{4}{x}\right) < 9$

161 부등식 $\left(\log_3 x\right)^2 + \log_{\frac{1}{3}} x^2 > 8$의 해가 $0 < x < \alpha$ 또는 $x > \beta$일 때, $\alpha\beta$의 값을 구하시오.

부등식 $x^{\log_2 x} < 8x^2$을 푸시오.

풀이   진수의 조건에서 $x > 0$ ⋯⋯ ㉠

$x^{\log_2 x} < 8x^2$의 양변에 밑이 2인 로그를 취하면 밑이 1보다 크므로

$\log_2 x^{\log_2 x} < \log_2 8x^2$, $(\log_2 x)(\log_2 x) < \log_2 8 + \log_2 x^2$, $(\log_2 x)^2 < 3 + 2\log_2 x$

$\log_2 x = t$로 놓으면 $t^2 < 3 + 2t$

$t^2 - 2t - 3 < 0$, $(t+1)(t-3) < 0$ $\therefore -1 < t < 3$

즉 $-1 < \log_2 x < 3$이므로 $\log_2 2^{-1} < \log_2 x < \log_2 2^3$

밑이 1보다 크므로 $\dfrac{1}{2} < x < 8$ ⋯⋯ ㉡

㉠, ㉡에서 부등식 $x^{\log_2 x} < 8x^2$의 해는 $\dfrac{1}{2} < x < 8$

연립부등식 $\begin{cases} \log_5 x > \log_5 8 \\ \log_2 x + \log_2 (x-4) \leq \log_2 (x+5) + 2 \end{cases}$ 를 푸시오.

풀이   (i) $\log_5 x > \log_5 8$

진수의 조건에서 $x > 0$ ⋯⋯ ㉠

$\log_5 x > \log_5 8$에서 밑이 1보다 크므로 $x > 8$ ⋯⋯ ㉡

㉠, ㉡에서 부등식 $\log_5 x > \log_5 8$의 해는 $x > 8$

(ii) $\log_2 x + \log_2 (x-4) \leq \log_2 (x+5) + 2$

진수의 조건에서 $x > 0$, $x - 4 > 0$, $x + 5 > 0$

$x > 0$, $x > 4$, $x > -5$ $\therefore x > 4$ ⋯⋯ ㉢

$\log_2 x + \log_2 (x-4) \leq \log_2 (x+5) + 2$에서 $\log_2 \{x(x-4)\} \leq \log_2 (x+5) + \log_2 4$

$\log_2 \{x(x-4)\} \leq \log_2 \{4(x+5)\}$

밑이 1보다 크므로 $x(x-4) \leq 4(x+5)$

$x^2 - 8x - 20 \leq 0$, $(x+2)(x-10) \leq 0$ $\therefore -2 \leq x \leq 10$ ⋯⋯ ㉣

㉢, ㉣에서 부등식 $\log_2 x + \log_2 (x-4) \leq \log_2 (x+5) + 2$의 해는 $4 < x \leq 10$

(i), (ii)에서 구하는 연립부등식의 해는 $8 < x \leq 10$

확인 체크

162 다음 부등식을 푸시오.

(1) $x^{\log_3 x} < 27x^2$ (2) $\left(\dfrac{1}{2}x\right)^{\log_{\frac{1}{2}} x - 2} \geq 2^{-4}$

(3) $2^{\log_5 x} \cdot x^{\log_5 2} \geq 10 \cdot 2^{\log_5 x} - 16$

163 다음 연립부등식을 푸시오.

(1) $\begin{cases} 2\log_{\frac{1}{2}}(x-2) \geq \log_{\frac{1}{2}}(2x-1) \\ \log_2 (\log_4 x) \leq 0 \end{cases}$ (2) $\begin{cases} 2^{x+3} > 4 \\ 2\log(x+3) < \log(5x+15) \end{cases}$

모든 양수 x에 대하여 부등식 $(\log_{\frac{1}{3}} x)^2 - 6\log_{\frac{1}{3}} x + 3\log_{\frac{1}{3}} k > 0$이 성립하도록 하는
실수 k의 값의 범위를 구하시오.

풀이 진수의 조건에서 $x>0$, $k>0$ ⋯⋯ ㉠

$\log_{\frac{1}{3}} x = t$로 놓으면 x는 모든 양수이므로 t는 모든 실수이고, $(\log_{\frac{1}{3}} x)^2 - 6\log_{\frac{1}{3}} x + 3\log_{\frac{1}{3}} k > 0$에서

$t^2 - 6t + 3\log_{\frac{1}{3}} k > 0$ ⋯⋯ ㉡

모든 실수 t에 대하여 ㉡이 성립해야 하므로 t에 대한 이차방정식 $t^2 - 6t + 3\log_{\frac{1}{3}} k = 0$의 판별식을 D라
하면 $D<0$이어야 한다. 즉

$\dfrac{D}{4} = 3^2 - 3\log_{\frac{1}{3}} k < 0$, $3 - \log_{\frac{1}{3}} k < 0$, $\log_{\frac{1}{3}} k > 3$, $\log_{\frac{1}{3}} k > \log_{\frac{1}{3}} \dfrac{1}{27}$

밑이 1보다 작은 양수이므로 $k < \dfrac{1}{27}$ ⋯⋯ ㉢

㉠, ㉢에서 k의 값의 범위는 $\mathbf{0 < k < \dfrac{1}{27}}$

x에 대한 이차방정식 $x^2 - 2(1 + \log a)x + 1 - (\log a)^2 = 0$이 서로 다른 두 실근을 가
질 때, 실수 a의 값의 범위를 구하시오.

풀이 진수의 조건에서 $a>0$ ⋯⋯ ㉠

이차방정식 $x^2 - 2(1 + \log a)x + 1 - (\log a)^2 = 0$의 판별식을 D라 하면 $D>0$이어야 하므로

$\dfrac{D}{4} = (1 + \log a)^2 - \{1 - (\log a)^2\} > 0$

$2(\log a)^2 + 2\log a > 0$, $2\log a(\log a + 1) > 0$

$\log a < -1$ 또는 $\log a > 0$

$\log a < \log \dfrac{1}{10}$ 또는 $\log a > \log 1$

밑이 1보다 크므로 $a < \dfrac{1}{10}$ 또는 $a > 1$ ⋯⋯ ㉡

㉠, ㉡에서 실수 a의 값의 범위는 $\mathbf{0 < a < \dfrac{1}{10}}$ **또는** $\mathbf{a > 1}$

164 모든 양수 x에 대하여 부등식 $(\log_2 x)^2 \geq \log_2 \dfrac{x^4}{a}$이 성립하도록 하는 양수 a의 최솟값을
구하시오.

165 x에 대한 이차방정식 $x^2 - 2(1 - \log_2 a)x - 3(\log_2 a - 1) = 0$의 실근이 존재하지 않을 때,
실수 a의 값의 범위를 구하시오.

총인구에서 65세 이상 인구가 차지하는 비율이 20 % 이상인 사회를 '초고령화 사회'라고 한다. 2000년 어느 나라의 총인구는 1000만 명이고 65세 이상 인구는 50만 명이었다. 총인구는 매년 전년도보다 0.3 %씩 증가하고 65세 이상 인구는 매년 전년도보다 4 %씩 증가한다고 가정할 때, 처음으로 '초고령화 사회'가 예측되는 시기는?

(단, $\log 1.003=0.0013$, $\log 1.04=0.0170$, $\log 2=0.3010$으로 계산한다.)

① 2048년 ~ 2050년   ② 2038년 ~ 2040년   ③ 2028년 ~ 2030년
④ 2018년 ~ 2020년   ⑤ 2008년 ~ 2010년

풀이

n년 후 총인구는 $1000(1+0.003)^n$(만 명)

n년 후 65세 이상 인구는 $50(1+0.04)^n$(만 명)

총인구에서 65세 이상 인구의 비율이 0.2 이상일 때 초고령화 사회가 되므로

$\dfrac{50(1+0.04)^n}{1000(1+0.003)^n} \geq 0.2$, $50 \times 1.04^n \geq 200 \times 1.003^n$

$1.04^n \geq 4 \times 1.003^n$

양변에 상용로그를 취하면 $n \log 1.04 \geq \log 4 + n \log 1.003$

$n(\log 1.04 - \log 1.003) \geq 2 \log 2$, $0.0157n \geq 0.6020$

$\therefore n \geq \dfrac{0.6020}{0.0157} = 38.\times\times\times$

따라서 처음으로 초고령화 사회가 예측되는 시기는 2000년으로부터 최소 $38.\times\times\times$년 흐른 후이므로 ② 2038년 ~ 2040년이다.

166 어떤 화학 물질 A kg이 바다로 유입되었을 때, t년 후 바닷속에 남은 이 화학 물질의 양은 $A\left(\dfrac{1}{3}\right)^{\frac{t}{50}}$ kg이라고 한다. 이 화학 물질 500 kg이 바다로 유입되었을 때, 바닷속에 남은 이 화학 물질의 양이 5 kg 이하가 되려면 최소 m년이 지나야 한다. 자연수 m의 값을 구하시오. (단, $\log 3=0.48$로 계산한다.)

167 오염 물질을 포함한 폐수가 어떤 폐수 처리 기계를 통과하면 오염 물질의 10 %가 제거된다고 한다. 폐수에 포함된 오염 물질의 양을 처음의 2 % 이하로 줄이려면 이 폐수 처리 기계를 최소 몇 번 통과시켜야 하는가? (단, $\log 2=0.3010$, $\log 3=0.4771$로 계산한다.)

① 36번   ② 37번   ③ 38번   ④ 39번   ⑤ 40번

연습문제

생각해 봅시다!

152 다음 부등식을 푸시오.

(1) $2\log_{\frac{1}{2}}(x-2) > \log_{\frac{1}{2}}(x^2+1)$　　(2) $\log_3(-5x+1) < 4$

(3) $\log_2\{\log_2(\log_2 x)\} \le 1$　　(4) $(\log_2 x)^2 + \log_2 x - 2 \ge 0$

153 부등식 $\log_{x-2}(2x^2-11x+14) < 2$를 푸시오.

[교육청기출]

154 부등식 $2\log_{\frac{1}{3}}(x-4) > \log_{\frac{1}{3}}(x-2)$의 해가 $a < x < b$일 때, ab의 값은?

① 6　　② 12　　③ 18　　④ 24　　⑤ 30

밑이 같으므로 진수를 비교한다.

155 부등식 $\log_{0.2}|x| < 2$의 해를 구하시오.

$0 <$ (밑) < 1이므로 진수의 부등호 방향은 반대로 바뀐다.

156 부등식 $\left(\log_{\frac{1}{2}}8x\right)\left(\log_2\dfrac{x}{2}\right) > 0$의 해가 $\alpha < x < \beta$일 때, $\dfrac{\beta}{\alpha}$의 값은?

① 10　　② 12　　③ 14　　④ 16　　⑤ 18

157 부등식 $(1+\log_3 x)(a-\log_3 x) > 0$의 해가 $\dfrac{1}{3} < x < 9$일 때, 상수 a의 값을 구하시오.

158 부등식 $\left(\dfrac{2}{3}\right)^{-2+\log_2(x^2-4x)} \ge \left(\dfrac{2}{3}\right)^{\log_2(x-3)}$을 만족시키는 x의 최댓값을 구하시오.

$0 < a < 1$일 때, $x_1 \le x_2 \Longleftrightarrow a^{x_1} \ge a^{x_2}$

STEP **2**

159 부등식 $\log_a(x+3)-\log_a(1-x)>1$의 해가 $-\dfrac{1}{3}<x<1$일 때, 양수 a의 값을 구하시오. (단, $a\neq1$)

160 부등식 $(\log_2 4x)^2-4\log_{\sqrt{2}}x-1<0$의 해와 부등식 $x^2+mx+n<0$의 해가 서로 같을 때, 상수 m, n의 합 $m+n$의 값을 구하시오.

161 연립부등식 $\begin{cases} 2\log_{\frac{1}{2}}(x-5)>\log_{\frac{1}{2}}(x+7) \\ \left(\log_2\dfrac{x}{2}\right)^2-\log_2 x^2+2<0 \end{cases}$ 의 해가 $\alpha<x<\beta$일 때, $\alpha\beta$의 값을 구하시오.

> 각 부등식의 해를 각각 구하여 공통부분을 찾는다.

162 모든 실수 x에 대하여 부등식 $\log_3(x^2-2kx+36)\geq3$이 성립하도록 하는 실수 k의 최댓값을 M, 최솟값을 m이라 할 때, Mm의 값을 구하시오.

163 임의의 실수 x에 대하여 부등식 $8^{x^2+\log_8 a}>a^{-2x}$이 성립하도록 하는 정수 a의 개수를 구하시오.

> 주어진 부등식의 양변에 8을 밑으로 하는 로그를 취한다.

164 x에 대한 이차방정식 $(3+\log_2 a)x^2+2(1+\log_2 a)x+1=0$이 서로 다른 두 실근을 가질 때, 다음 중 상수 a의 값이 될 수 있는 것은?

① $\dfrac{1}{8}$ ② $\dfrac{1}{4}$ ③ $\dfrac{1}{2}$ ④ 2 ⑤ 4

> 이차방정식의 판별식 D에 대하여 $D>0$임을 이용한다.

165 어떤 컴퓨터 바이러스는 마우스를 한 번 클릭할 때마다 자신의 파일 크기를 2배로 증가시키고, 하드디스크에 여유 공간이 부족하여 파일의 크기를 2배로 증가시킬 수 없으면 시스템을 다운시킨다고 한다. 파일의 크기가 1000바이트인 이 바이러스가 하드디스크의 빈 공간이 5기가바이트인 어느 컴퓨터에 침입하였을 때, 마우스를 몇 번 클릭하면 시스템이 다운되는지 구하시오.
(단, $\log 2=0.3010$, 1기가바이트는 10^9바이트로 계산한다.)

실력 UP

🔮 생각해 봅시다!

166 오른쪽 그림과 같이 기울기가 $\frac{1}{2}$인 직선 l

이 곡선 $y=\log_2 x$와 서로 다른 두 점
$A(a, \log_2 a)$, $B(b, \log_2 b)$에서 만난다.
직선 l과 두 직선 $x=b$, $y=\log_2 a$로 둘
러싸인 부분의 넓이가 4일 때, $a+b$의 값은? (단, $0<a<b$)

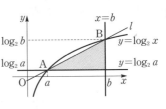

① 6   ② $\frac{19}{3}$ ③ $\frac{20}{3}$ ④ 7   ⑤ $\frac{22}{3}$

167 함수 $y=3^{\log x} \cdot x^{\log 3}-3(3^{\log x}+x^{\log 3})+7$이 $x=a$에서 최솟값 b를 가질 때,

$\frac{a}{b}$의 값을 구하시오.

$x^{\log 3}=3^{\log x}$이므로
$3^{\log x}=t$로 치환한다.

168 연립방정식 $\begin{cases} \log_x 4-\log_y 3=5 \\ \log_x 2-\log_y 27=5 \end{cases}$의 해가 $x=\alpha$, $y=\beta$일 때, $\frac{\alpha^2}{\beta}$의 값을 구

하시오.

$\log_x 2=X$, $\log_y 3=Y$로
치환한다.

169 x에 대한 이차식 $(1+2\log a)x^2+2(2+\log a)x+\log a$가 모든 실수 x
에 대하여 항상 음이 되도록 하는 실수 a의 값의 범위를 구하시오.

모든 실수 x에 대하여
$ax^2+bx+c<0$
$\iff a<0$, $D<0$

[교육청기출]
170 이상기체 1몰의 부피가 V_0에서 V_i로 변할 때, 엔트로피 변화량 $S_i(J/K)$는
다음과 같이 구할 수 있다고 한다.

$$S_i=C \log \frac{V_i}{V_0} \text{ (단, } C\text{는 상수이고 부피의 단위는 m}^3\text{이다.)}$$

이상기체 1몰의 부피가 V_0에서 V_1로 a배 변할 때, $S_1=6.02$이고, 이상기체
1몰의 부피가 V_0에서 V_2로 b배 변할 때, $S_2=36.02$이다. 이때 $\frac{b}{a}$의 값은?

(단, 몰은 기체입자수의 단위이고 $C=20(J/K)$으로 계산한다.)

① 10   ② $6\sqrt{6}$ ③ $10\sqrt{10}$ ④ $15\sqrt{15}$ ⑤ 100

II

삼각함수

01 일반각

개념원리 이해

1. 각

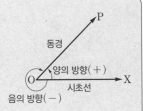

(1) 오른쪽 그림과 같이 ∠XOP의 크기는 반직선 OP가 고정된 반직선 OX의 위치에서 점 O를 중심으로 반직선 OP의 위치까지 회전한 양으로 정한다. 이때 반직선 OX를 **시초선**, 반직선 OP를 **동경**이라 한다.

(2) 동경 OP가 점 O를 중심으로 회전할 때
   ① 양의 방향 : 시곗바늘이 도는 방향과 반대인 방향
      ⇨ 각의 크기를 나타낼 때, 양의 부호 +를 붙인다.
   ② 음의 방향 : 시곗바늘이 도는 방향
      ⇨ 각의 크기를 나타낼 때, 음의 부호 −를 붙인다.

▶ ① 시초선(始初線)은 처음 시작하는 선이고, 동경(動徑)은 움직이는 선이라는 뜻이다.
   ② 각의 크기를 나타낼 때, 보통 양의 부호 +는 생략한다.

2. 일반각   ▷ 필수예제 **1**

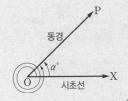

일반적으로 시초선 OX와 동경 OP가 나타내는 한 각의 크기를 $a°$라 하면 ∠XOP의 크기는 다음과 같이 나타낼 수 있다.
$$360° \times n + a° \ (단, n은 정수)$$
이것을 동경 OP가 나타내는 **일반각**이라 한다.

▶ ① n은 동경이 회전한 방향과 횟수를 나타낸다.
   ② 일반각으로 나타낼 때, $a°$는 보통 $0° \le a° < 360°$인 각을 택한다.

설명   시초선 OX는 고정되어 있으므로 ∠XOP의 크기가 정해지면 동경 OP의 위치는 하나로 정해진다. 그러나 동경 OP의 위치가 정해지더라도 동경 OP가 나타내는 각의 크기는 하나로 정해지지 않는다.

예를 들어 시초선 OX와 $60°$의 위치에 있는 동경 OP가 나타내는 각의 크기는 동경 OP가 회전한 횟수 및 방향에 따라 다음 그림과 같이 여러 가지이다.

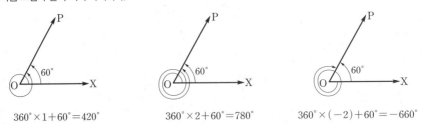

$360° \times 1 + 60° = 420°$ $360° \times 2 + 60° = 780°$ $360° \times (-2) + 60° = -660°$

이때 $420°, 780°, -660°$는 모두 $360° \times n + 60°$ (n은 정수)의 꼴로 나타낼 수 있으므로 이것을 $60°$의 동경이 나타내는 일반각이라고 한다.

3. 사분면의 각 ▷ 필수예제 2

좌표평면의 원점 O에서 x축의 양의 방향으로 시초선을 잡을 때, 동경 OP가 제1사분면, 제2사분면, 제3사분면, 제4사분면에 있으면 동경 OP가 나타내는 각을 각각 **제1사분면의 각, 제2사분면의 각, 제3사분면의 각, 제4사분면의 각**이라 한다.

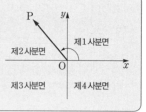

▶ ① 좌표평면에서 시초선은 보통 x축의 양의 방향으로 정한다.
  ② 동경 OP가 좌표축 위에 있을 때는 어느 사분면에도 속하지 않는다.

▶ 각 θ를 나타내는 동경이 존재하는 각 사분면에 따라 θ의 범위를 일반각으로 표현하면 다음과 같다. (단, n은 정수)
  ① θ가 제1사분면의 각 : $360° \times n + 0° < \theta < 360° \times n + 90°$
  ② θ가 제2사분면의 각 : $360° \times n + 90° < \theta < 360° \times n + 180°$
  ③ θ가 제3사분면의 각 : $360° \times n + 180° < \theta < 360° \times n + 270°$
  ④ θ가 제4사분면의 각 : $360° \times n + 270° < \theta < 360° \times n + 360°$

예 $520° = 360° \times 1 + 160°$이므로 $520°$는 제2사분면의 각이고,
  $-750° = 360° \times (-3) + 330°$이므로 $-750°$는 제4사분면의 각이다.

4. 두 동경의 위치 관계 ▷ 필수예제 3

두 동경의 위치 관계를 그림으로 나타내어 생각하면 두 동경이 나타내는 각 사이의 관계를 쉽게 파악할 수 있다. 여기서 기억해야 할 점은 두 동경의 위치 관계는 **각의 합 또는 차를 일반각으로 나타내야 한다**는 것이다.

두 동경이 나타내는 각의 크기를 각각 α, β라 할 때, 정수 n에 대하여
(1) 두 동경이 일치할 조건 $\Rightarrow \alpha - \beta = 360° \times n$
(2) 두 동경이 일직선 위에 있고 방향이 반대일 조건 $\Rightarrow \alpha - \beta = 360° \times n + 180°$
(3) 두 동경이 x축에 대하여 대칭일 조건 $\Rightarrow \alpha + \beta = 360° \times n$
(4) 두 동경이 y축에 대하여 대칭일 조건 $\Rightarrow \alpha + \beta = 360° \times n + 180°$
(5) 두 동경이 직선 $y = x$에 대하여 대칭일 조건 $\Rightarrow \alpha + \beta = 360° \times n + 90°$

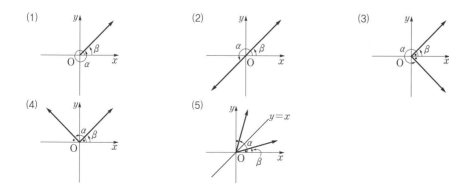

168 시초선이 $\overrightarrow{OX}$일 때, 크기가 다음과 같은 각을 나타내는 동경 OP의 위치를 그림으로 나타내시오.

(1) $30°$ (2) $-250°$

(3) $630°$ (4) $-750°$

🤔 **생각해 봅시다!**

169 다음 그림에서 시초선이 $\overrightarrow{OX}$일 때, 동경 OP가 나타내는 일반각을 구하시오.

동경 OP가 나타내는 한 각의 크기를 $a°$라 하면 일반각은
$360° \times n + a°$
       (단, n은 정수)

(1)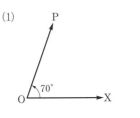

(2)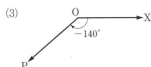

(3)

(4)

170 크기가 다음과 같은 각의 동경이 나타내는 일반각을 $360° \times n + a°$의 꼴로 나타내시오. (단, n은 정수, $0° \le a° < 360°$)

(1) $80°$ (2) $400°$

(3) $-1000°$ (4) $-1300°$

일반각으로 나타낼 때, $a°$는 보통 $0° \le a° < 360°$로 나타낸다.

171 크기가 다음과 같은 각은 제몇 사분면의 각인지 말하시오.

(1) $620°$ (2) $-680°$

(3) $1230°$ (4) $-1500°$

사분면의 각
⇨ 시초선을 x축의 양의 방향으로 잡고 동경이 제몇 사분면에 위치하는지 알아본다.

다음 각의 크기를 $360° \times n + \alpha°$ (n은 정수, $0° < \alpha° < 360°$)와 같이 나타낼 때, α의 값이 가장 작은 것은?

① $-500°$ ② $-300°$ ③ $-100°$ ④ $400°$ ⑤ $700°$

풀이

① $-500° = 360° \times (-2) + 220°$ ② $-300° = 360° \times (-1) + 60°$

③ $-100° = 360° \times (-1) + 260°$ ④ $400° = 360° \times 1 + 40°$

⑤ $700° = 360° \times 1 + 340°$

따라서 α의 값이 가장 작은 것은 ④이다.

θ가 제1사분면의 각일 때, $\dfrac{\theta}{3}$를 나타내는 동경이 존재하는 사분면을 모두 구하시오.

설명

θ가 제1사분면의 각이라고 해서 $0° < \theta < 90°$로 놓아서는 안된다.

각 θ를 나타내는 동경의 위치가 주어졌을 때에는 θ의 범위를 일반각으로 나타내어야 한다.

풀이

θ가 제1사분면의 각이므로 일반각으로 나타내면 $360° \times n + 0° < \theta < 360° \times n + 90°$ (n은 정수)

각 변을 3으로 나누어 $\dfrac{\theta}{3}$의 범위를 구하면 $120° \times n < \dfrac{\theta}{3} < 120° \times n + 30°$

(i) $n = 0$일 때, $0° < \dfrac{\theta}{3} < 30°$ $\therefore \dfrac{\theta}{3}$는 제1사분면의 각

(ii) $n = 1$일 때, $120° < \dfrac{\theta}{3} < 150°$ $\therefore \dfrac{\theta}{3}$는 제2사분면의 각

(iii) $n = 2$일 때, $240° < \dfrac{\theta}{3} < 270°$ $\therefore \dfrac{\theta}{3}$는 제3사분면의 각

$n = 3, 4, 5, \cdots$에 대해서도 동경의 위치가 제1, 2, 3사분면으로 반복된다.

따라서 $\dfrac{\theta}{3}$를 나타내는 동경이 존재하는 사분면은 **제1사분면, 제2사분면, 제3사분면**이다.

KEY Point   • 사분면의 각 ⇨ 일반각으로 나타내어 계산한다.

172 크기가 다음과 같은 각 중에서 같은 위치의 동경을 나타내는 것이 <u>아닌</u> 것은?

① $-310°$ ② $50°$ ③ $410°$ ④ $660°$ ⑤ $1130°$

173 θ가 제4사분면의 각일 때, $\dfrac{\theta}{2}$를 나타내는 동경이 존재하는 사분면을 모두 구하시오.

174 3θ가 제2사분면의 각일 때, θ를 나타내는 동경이 존재하는 사분면을 모두 구하시오.

각 θ와 각 5θ를 나타내는 두 동경이 일치할 때, 각 θ의 크기를 모두 구하시오.

(단, $0° < \theta < 360°$)

설명

두 동경의 위치 관계에 대한 문제는 조건을 만족시키도록 좌표평면 위에 두 동경을 그려서 생각한다. 두 각 α, β의 동경을 각각 $\overrightarrow{OP}$, $\overrightarrow{OQ}$라 하면 두 동경이 일치할 때, 오른쪽 그림과 같다. 이때 $\alpha - \beta = 360°$로 생각하기 쉽지만, 일반적으로 $\alpha - \beta = 360° \times n$ (n은 정수)임에 주의한다.

따라서 두 동경의 위치 관계를 다음과 같이 나타낼 수 있다.

두 동경이 나타내는 각의 크기를 각각 α, β라 할 때, 정수 n에 대하여 두 동경의 위치가

① 일치한다. $\Longleftrightarrow \alpha - \beta = 360° \times n$

② 일직선 위에 있고 방향이 반대이다. $\Longleftrightarrow \alpha - \beta = 360° \times n + 180°$

③ x축에 대하여 대칭이다. $\Longleftrightarrow \alpha + \beta = 360° \times n$

④ y축에 대하여 대칭이다. $\Longleftrightarrow \alpha + \beta = 360° \times n + 180°$

⑤ 직선 $y = x$에 대하여 대칭이다. $\Longleftrightarrow \alpha + \beta = 360° \times n + 90°$

풀이

각 θ를 나타내는 동경과 각 5θ를 나타내는 동경이 일치하므로

$5\theta - \theta = 360° \times n$ (n은 정수)

$4\theta = 360° \times n$ $\therefore \theta = 90° \times n$ …… ㉠

그런데 $0° < \theta < 360°$이므로

$0° < 90° \times n < 360°$ $\therefore 0 < n < 4$

n은 정수이므로 $n = 1$ 또는 $n = 2$ 또는 $n = 3$

$n = 1$이면 ㉠에서 $\theta = 90°$

$n = 2$이면 ㉠에서 $\theta = 180°$

$n = 3$이면 ㉠에서 $\theta = 270°$

$\therefore$ **90°, 180°, 270°**

KEY Point   • 두 동경의 위치 관계 ⇨ 각의 합 또는 차를 일반각으로 나타낸다.

---

175 각 θ와 각 7θ를 나타내는 두 동경이 일직선 위에 있고 방향이 반대일 때, 각 θ의 크기를 구하시오. (단, $90° < \theta < 180°$)

176 각 5θ를 나타내는 동경과 각 2θ를 나타내는 동경이 x축에 대하여 대칭일 때, 각 θ의 개수를 구하시오. (단, $0° < \theta < 180°$)

177 각 θ와 각 3θ를 나타내는 두 동경이 y축에 대하여 대칭일 때, 각 θ의 크기를 모두 구하시오. (단, $0° < \theta < 180°$)

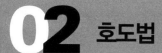

02 호도법

개념원리 이해

1. 호도법

> 반지름의 길이가 r인 원에서 길이가 r인 호 AB를 정할 때, $\angle AOB$의 크기(중심각의 크기)를 **1라디안**(radian)이라 하고, 이것을 단위로 하여 각도를 나타내는 방법을 **호도법**이라 한다.

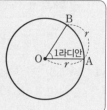

▶ ① 육십분법은 원의 둘레를 360등분하여 각 호에 대한 중심각의 크기를 1도($°$), 1도의 $\dfrac{1}{60}$을 1분($'$), 1분의 $\dfrac{1}{60}$을 1초($''$)로 정의하여 각의 크기를 나타내는 방법이다.

② 1라디안을 육십분법으로 나타내면 약 $57°17'45''$이다.

③ 라디안(radian)은 반지름(radius)과 각(angle)의 합성어이고, 호도법(弧度法)의 호도는 호의 중심각의 크기라는 뜻이다.

설명 육십분법과 호도법

지금까지는 각의 크기를 나타낼 때, $30°$, $45°$, $60°$, $\cdots$와 같이 도($°$)를 단위로 하는 육십분법을 사용하였다.

이제 각의 크기를 나타내는 새로운 단위에 대하여 알아보자.

오른쪽 그림과 같이 반지름의 길이가 r인 원 O에서 길이가 r인 호 AB에 대한 중심각의 크기를 $a°$라 하면 호의 길이는 중심각의 크기에 정비례하므로

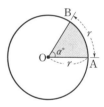

$$360° : a° = 2\pi r : r$$

$$\therefore a° = \frac{180°}{\pi}$$

따라서 중심각의 크기 $a°$는 반지름의 길이 r에 관계없이 $\dfrac{180°}{\pi}$로 일정하다. 이 일정한

각의 크기 $\dfrac{180°}{\pi}$를 1라디안이라 하고, 이것을 단위로 하여 각의 크기를 나타내는 방법을 호도법이라 한다.

2. 호도법과 육십분법의 관계 ▷ 필수예제 **4, 5**

> $$1\text{라디안} = \frac{180°}{\pi}, \ 1° = \frac{\pi}{180}\text{라디안}$$

▶ ① 각의 크기를 호도법으로 나타낼 때는 단위인 '라디안'은 생략하고, $\dfrac{\pi}{2}$, 3, π와 같이 실수로 나타낸다.

② 문제에서 사용된 단위가 육십분법이면 답안도 육십분법으로, 호도법이면 답안도 호도법으로 나타내는 것이 좋다.

③ $\begin{cases} \text{육십분법을 호도법으로 나타낼 때} \Rightarrow (\text{육십분법의 각}) \times \dfrac{\pi}{180} \\ \text{호도법을 육십분법으로 나타낼 때} \Rightarrow (\text{호도법의 각}) \times \dfrac{180^\circ}{\pi} \end{cases}$

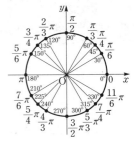

④

육십분법	0°	30°	45°	60°	90°	180°	270°	360°
호도법	0	$\dfrac{\pi}{6}$	$\dfrac{\pi}{4}$	$\dfrac{\pi}{3}$	$\dfrac{\pi}{2}$	π	$\dfrac{3}{2}\pi$	2π

예   (1) $30^\circ = 30 \times \dfrac{\pi}{180} = \dfrac{\pi}{6}$ (라디안)   (2) $\dfrac{\pi}{3}$ (라디안) $= \dfrac{\pi}{3} \times \dfrac{180^\circ}{\pi} = 60^\circ$

3. 일반각을 호도법으로 나타내기   ▷ 필수예제 4, 5

동경 OP가 나타내는 한 각의 크기를 θ(라디안)라 할 때, 그 일반각은 $2n\pi + \theta$ (n은 정수)로 나타낼 수 있다. 여기서 θ는 보통 $0 \le \theta < 2\pi$의 범위에서 택한다.

▶ 일반각 $\begin{cases} \text{육십분법}: 360^\circ \times n + \alpha^\circ \ (n\text{은 정수}) \\ \text{호도법}: 2n\pi + \theta \ (n\text{은 정수}) \end{cases}$

예 $\dfrac{17}{4}\pi = 2\pi \times 2 + \dfrac{\pi}{4}$이므로 동경이 나타내는 일반각은 $2n\pi + \dfrac{\pi}{4}$ (n은 정수)이다.

4. 부채꼴의 호의 길이와 넓이   ▷ 필수예제 6, 7

반지름의 길이가 r, 중심각의 크기가 θ (라디안)인 부채꼴의 호의 길이를 l, 넓이를 S라 하면

$$l = r\theta$$
$$S = \frac{1}{2}r^2\theta = \frac{1}{2}rl$$

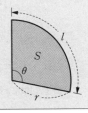

▶ 중심각의 크기 θ는 반드시 호도법으로 나타내어야 한다.

설명   반지름의 길이가 r이고 중심각의 크기가 θ (라디안)인 부채꼴 OAB의 호 AB의 길이를 l이라 하면 호의 길이는 중심각의 크기에 정비례하므로

$\qquad l : 2\pi r = \theta : 2\pi \qquad \therefore l = r\theta$

또 부채꼴 OAB의 넓이를 S라 하면 부채꼴의 넓이도 중심각의 크기에 정비례하므로

$\qquad S : \pi r^2 = \theta : 2\pi \qquad \therefore S = \dfrac{1}{2}r^2\theta = \dfrac{1}{2}rl$

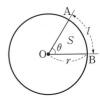

예   반지름의 길이가 5 cm, 중심각의 크기가 $\dfrac{\pi}{3}$인 부채꼴의 호의 길이 l과 넓이 S를 구하시오.

풀이 $l = 5 \times \dfrac{\pi}{3} = \dfrac{5}{3}\pi$ (cm), $S = \dfrac{1}{2} \times 5^2 \times \dfrac{\pi}{3} = \dfrac{25}{6}\pi$ (cm²)

178 다음 각을 호도법으로 나타내시오.

    (1) $120°$ (2) $-315°$

    (3) $135°$ (4) $330°$

179 다음 각을 육십분법으로 나타내시오.

    (1) $\dfrac{5}{6}\pi$ (2) $\dfrac{5}{4}\pi$

    (3) $-\dfrac{4}{3}\pi$ (4) $-\dfrac{31}{6}\pi$

180 크기가 다음과 같은 각의 동경이 나타내는 일반각을 $2n\pi+\theta$의 꼴로 나타내시오. (단, n은 정수, $0\le\theta<2\pi$)

    (1) $\dfrac{17}{6}\pi$ (2) $-\dfrac{2}{3}\pi$

    (3) $\dfrac{8}{3}\pi$ (4) $-\dfrac{15}{4}\pi$

181 반지름의 길이 r와 중심각의 크기 θ가 다음과 같은 부채꼴에 대하여 호의 길이 l과 넓이 S를 구하시오.

    (1) $r=4$, $\theta=60°$ (2) $r=3$, $\theta=\dfrac{\pi}{6}$

🔆 **생각해 봅시다!**

육십분법을 호도법으로

⇨ (육십분법의 각)$\times\dfrac{\pi}{180}$

호도법을 육십분법으로

⇨ (호도법의 각)$\times\dfrac{180°}{\pi}$

$l=r\theta$

$S=\dfrac{1}{2}r^2\theta=\dfrac{1}{2}rl$

다음 중 옳지 <u>않은</u> 것은?

① $75° = \dfrac{5}{12}\pi$ ② $160° = \dfrac{4}{5}\pi$ ③ $-300° = -\dfrac{5}{3}\pi$

④ $\dfrac{\pi}{12} = 15°$ ⑤ $\dfrac{10}{3}\pi = 600°$

설명 $1° = \dfrac{\pi}{180}$ 라디안, 1 라디안 $= \dfrac{180°}{\pi}$

풀이 ① $75° = 75 \times \dfrac{\pi}{180} = \dfrac{5}{12}\pi$ ② $160° = 160 \times \dfrac{\pi}{180} = \dfrac{8}{9}\pi$

③ $-300° = -300 \times \dfrac{\pi}{180} = -\dfrac{5}{3}\pi$ ④ $\dfrac{\pi}{12} = \dfrac{\pi}{12} \times \dfrac{180°}{\pi} = 15°$

⑤ $\dfrac{10}{3}\pi = \dfrac{10}{3}\pi \times \dfrac{180°}{\pi} = 600°$

따라서 옳지 않은 것은 ②이다.

크기가 다음과 같은 각의 동경이 나타내는 일반각을 호도법으로 나타내시오.

(1) $300°$ (2) $-210°$

풀이 (1) $300° = 300 \times \dfrac{\pi}{180} = \dfrac{5}{3}\pi$ ∴ $2n\pi + \dfrac{5}{3}\pi$ (단, n은 정수)

(2) $-210° = 360° \times (-1) + 150°$ 이고 $150° = 150 \times \dfrac{\pi}{180} = \dfrac{5}{6}\pi$ ∴ $2n\pi + \dfrac{5}{6}\pi$ (단, n은 정수)

KEY Point

• 육십분법을 호도법으로 나타낼 때 ⇨ (육십분법의 각) $\times \dfrac{\pi}{180}$

• 호도법을 육십분법으로 나타낼 때 ⇨ (호도법의 각) $\times \dfrac{180°}{\pi}$

182 다음 중 옳지 <u>않은</u> 것은?

① $\dfrac{3}{4}\pi = 135°$ ② $-\dfrac{7}{6}\pi = -210°$ ③ $\dfrac{3}{2}\pi = 270°$

④ $330° = \dfrac{11}{6}\pi$ ⑤ $165° = \dfrac{13}{12}\pi$

183 크기가 다음과 같은 각의 동경이 나타내는 일반각을 $2n\pi + \theta$의 꼴로 나타내시오.

(단, n은 정수, $0 \leq \theta < 2\pi$)

(1) $345°$ (2) $900°$ (3) $-960°$

반지름의 길이가 4 cm이고, 호의 길이가 2π cm인 부채꼴의 중심각의 크기 θ와 넓이 S를 구하시오.

풀이

부채꼴의 반지름의 길이를 r, 호의 길이를 l이라 하면

$l=r\theta$에서 $\theta=\dfrac{l}{r}$ $\therefore \theta=\dfrac{2\pi}{4}=\dfrac{\pi}{2}$

$S=\dfrac{1}{2}rl$에서 $S=\dfrac{1}{2}\times 4\times 2\pi=4\pi\ (\mathbf{cm^2})$

둘레의 길이가 8인 부채꼴의 최대 넓이와 그때의 중심각의 크기를 구하시오.

풀이

부채꼴의 반지름의 길이를 r라 하면 부채꼴의 호의 길이 l은

$l=8-2r\ (0<r<4)$

부채꼴의 넓이 S는

$S=\dfrac{1}{2}rl=\dfrac{1}{2}r(8-2r)$

$\quad=-r^2+4r=-(r-2)^2+4$

따라서 $r=2$일 때, S는 최댓값 4를 갖는다.

이때 부채꼴의 중심각의 크기를 θ라 하고

$S=\dfrac{1}{2}r^2\theta$에 $r=2$, $S=4$를 대입하면 $\theta=2$

$\therefore$ **최대 넓이 : 4, 중심각의 크기 : 2**

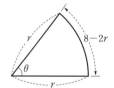

KEY Point

• 반지름의 길이가 r이고 중심각의 크기가 θ인 부채꼴의 호의 길이를 l, 넓이를 S라 하면

$\Rightarrow l=r\theta,\ S=\dfrac{1}{2}r^2\theta=\dfrac{1}{2}rl$

확인 체크

184 중심각의 크기가 $\dfrac{4}{3}\pi$이고 넓이가 6π인 부채꼴의 둘레의 길이를 구하시오.

185 밑면의 반지름의 길이가 1이고 모선의 길이가 3인 원뿔의 겉넓이를 구하시오.

186 둘레의 길이가 20인 부채꼴의 최대 넓이와 그때의 중심각의 크기를 구하시오.

연습문제

171 다음 중 각을 나타내는 동경의 위치가 <u>다른</u> 하나는?

① $\dfrac{\pi}{3}$　　　　　　② $-\dfrac{5}{3}\pi$　　　　　　③ $\dfrac{7}{3}\pi$

④ $-660°$　　　　　⑤ 5π

> **💡 생각해 봅시다!**
>
> 모든 각을
> $360°\times n+a°$ (n은 정수,
> $0°<a°<360°$)의 꼴로 나
> 타낸다.

172 호도법으로 나타낸 것을 육십분법으로 고칠 때, 다음 **보기** 중 옳은 것의 개수
를 구하시오.

> ┤ 보기 ├
>
> ㄱ. $1=\dfrac{360°}{\pi}$　　　　ㄴ. $-\dfrac{\pi}{2}=90°$　　　　ㄷ. $-\dfrac{\pi}{3}=-60°$
>
> ㄹ. $\dfrac{1}{4}=\dfrac{90°}{\pi}$　　　　ㅁ. $\pi=180°$

> (호도법의 각)$\times\dfrac{180°}{\pi}$
> $=$(육십분법의 각)

173 각 3θ를 나타내는 동경과 각 θ를 나타내는 동경이 직선 $y=x$에 대하여 대칭
일 때, 각 θ의 크기를 모두 구하시오. $\left(\text{단, } 0<\theta<\dfrac{2}{3}\pi\right)$

> 각 3θ와 각 θ 사이의 관계
> 식을 일반각으로 나타내어
> 계산한다.

174 반지름의 길이가 3, 중심각의 크기가 $\dfrac{\pi}{5}$인 부채꼴의 호의 길이를 l, 넓이를
S라 할 때, $l+S$의 값을 구하시오.

> $l=r\theta$
> $S=\dfrac{1}{2}r^2\theta=\dfrac{1}{2}rl$

175 중심각의 크기가 $50°$이고 반지름의 길이가 $6\ \text{cm}$인 부채꼴의 넓이와 중심각
의 크기가 θ이고 반지름의 길이가 $10\ \text{cm}$인 부채꼴의 넓이가 같을 때, θ의 값
을 구하시오. (단, $0<\theta<2\pi$)

> 중심각의 크기 θ는 반드시
> 호도법으로 나타내어야 한
> 다.

176 θ가 제2사분면의 각일 때, $\dfrac{\theta}{3}$를 나타내는 동경과 $\dfrac{\theta}{4}$를 나타내는 동경이 모
두 존재하는 사분면은?

① 제1, 4사분면　　　② 제2, 3사분면　　　③ 제1, 2, 4사분면
④ 제1, 3, 4사분면　　　⑤ 제2, 3, 4사분면

177 각 5θ를 나타내는 동경을 $180°$만큼 회전하였더니 각 2θ를 나타내는 동경과 일치하였다. 각 θ의 크기를 구하시오. (단, $180° < \theta < 360°$)

[교육청기출]

178 다음 그림과 같이 부채꼴 모양의 종이로 고깔모자를 만들었더니, 밑면의 반지름의 길이가 8 cm이고, 모선의 길이가 20 cm인 원뿔 모양이 되었다. 이 종이의 넓이는? (단, 종이는 겹치지 않도록 한다.)

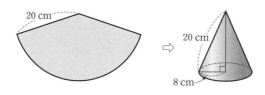

① $160\pi \text{ cm}^2$ ② $170\pi \text{ cm}^2$ ③ $180\pi \text{ cm}^2$
④ $190\pi \text{ cm}^2$ ⑤ $200\pi \text{ cm}^2$

179 중심각의 크기가 $\dfrac{\pi}{3}$, 호의 길이가 2π인 부채꼴에 내접하는 원의 넓이는?

① 2π ② 3π ③ 4π ④ 5π ⑤ 6π

부채꼴에서
(호의 길이)=(반지름의 길이)×(중심각의 크기)
임을 이용하여 부채꼴의 반지름의 길이부터 구한다.

실력 UP

180 θ가 제1사분면의 각일 때, $\dfrac{\theta}{2}$를 나타내는 동경이 존재하는 범위를 단위원 안에 나타내고, 그 넓이를 구하시오. (단, 경계선은 제외한다.)

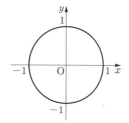

실력 UP

181 둘레의 길이가 24π로 일정한 부채꼴 중 넓이가 최대인 부채꼴로 원뿔을 만들 때, 이 원뿔의 부피를 구하시오.

03 삼각함수의 뜻

개념원리 이해

1. 삼각함수의 정의 ▷ 필수예제 **8, 9**

> 오른쪽 그림에서 동경 OP가 나타내는 각의 크기를 θ라 할 때,
>
> $$\sin\theta = \frac{y}{r}$$
>
> $$\cos\theta = \frac{x}{r}$$
>
> $$\tan\theta = \frac{y}{x} \ (x \neq 0)$$

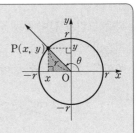

▶ sin, cos, tan는 각각 sine, cosine, tangent의 약자이다.

설명 오른쪽 그림과 같이 원점을 중심으로 하고, 반지름의 길이가 r인 원 O 위의 점 $P(x, y)$에 대하여 x축의 양의 방향을 시초선으로 하고 반직선 OP를 동경으로 하는 일반각 중 하나의 크기를 θ라 할 때, $\frac{y}{r}, \frac{x}{r}, \frac{y}{x} \ (x \neq 0)$의 값은 r의 값에 관계없이 θ의 값에 따라 각각 하나씩 정해진다. 따라서 $\theta \rightarrow \frac{y}{r}, \theta \rightarrow \frac{x}{r}, \theta \rightarrow \frac{y}{x} \ (x \neq 0)$와 같은 대응은 θ에 대한 함수이다.

이들 함수를 차례대로 θ의 **사인함수, 코사인함수, 탄젠트함수**라 하며

$$\sin\theta = \frac{y}{r}, \cos\theta = \frac{x}{r}, \tan\theta = \frac{y}{x} \ (x \neq 0)$$

와 같이 나타낸다. 이와 같은 함수들을 θ에 대한 **삼각함수**라 한다.

예 오른쪽 그림과 같이 원점 O와 점 $P(3, -4)$를 지나는 동경 OP가 나타내는 각의 크기를 θ라 할 때, $\overline{OP} = \sqrt{3^2 + (-4)^2} = 5$이므로

$$\sin\theta = -\frac{4}{5}, \cos\theta = \frac{3}{5}, \tan\theta = -\frac{4}{3}$$

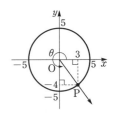

2. 삼각함수의 값의 부호 ▷ 필수예제 **10, 11**

> (1) θ가 **제1사분면**의 각이면 : 모두가 $+$
>
> (2) θ가 **제2사분면**의 각이면 : $\sin\theta$만 $+$
>
> (3) θ가 **제3사분면**의 각이면 : $\tan\theta$만 $+$
>
> (4) θ가 **제4사분면**의 각이면 : $\cos\theta$만 $+$

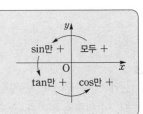

▶ 암기하는 방법 $\begin{cases} 올\,(all) - 산\,(sin) - 타\,(tan) - 크\,(cos)로스 \\ 얼\,(all) - 싸\,(sin) - 안\,(tan) - 코\,(cos) \end{cases}$

설명 동경이 위치한 사분면에 따라 삼각함수의 값의 부호는 어떻게 결정되는지 알아보자.

각 θ를 나타내는 동경 위의 점 $P(x, y)$에 대하여 x좌표와 y좌표의 부호는 동경이 위치한 사분면에 따라 결정되므로 삼각함수의 값의 부호는 다음과 같이 정해진다.

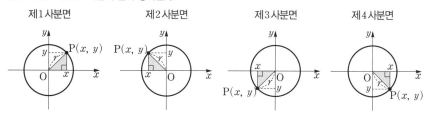

제1사분면　　　　제2사분면　　　　제3사분면　　　　제4사분면

사분면 삼각함수	제1사분면 $(x>0, y>0)$	제2사분면 $(x<0, y>0)$	제3사분면 $(x<0, y<0)$	제4사분면 $(x>0, y<0)$
$\sin\theta = \dfrac{y}{r}$	$+$	$+$	$-$	$-$
$\cos\theta = \dfrac{x}{r}$	$+$	$-$	$-$	$+$
$\tan\theta = \dfrac{y}{x}$	$+$	$-$	$+$	$-$

보충학습

1. **삼각비**: 직각삼각형에서 직각이 아닌 한 각의 크기 θ에 대하여

$$\sin\theta = \frac{(높이)}{(빗변의 길이)} = \frac{a}{b} = \frac{a'}{b'}$$

$$\cos\theta = \frac{(밑변의 길이)}{(빗변의 길이)} = \frac{c}{b} = \frac{c'}{b'}$$

$$\tan\theta = \frac{(높이)}{(밑변의 길이)} = \frac{a}{c} = \frac{a'}{c'}$$

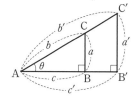

2. **특수각의 삼각비의 값**: $30°\left(=\dfrac{\pi}{6}\right)$, $45°\left(=\dfrac{\pi}{4}\right)$, $60°\left(=\dfrac{\pi}{3}\right)$에 대한 삼각비의 값

θ 삼각비	$30°\left(=\dfrac{\pi}{6}\right)$	$45°\left(=\dfrac{\pi}{4}\right)$	$60°\left(=\dfrac{\pi}{3}\right)$
$\sin\theta$	$\dfrac{1}{2}$	$\dfrac{1}{\sqrt{2}}$	$\dfrac{\sqrt{3}}{2}$
$\cos\theta$	$\dfrac{\sqrt{3}}{2}$	$\dfrac{1}{\sqrt{2}}$	$\dfrac{1}{2}$
$\tan\theta$	$\dfrac{1}{\sqrt{3}}$	1	$\sqrt{3}$

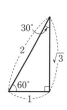

개념원리 익히기

187 오른쪽 그림에서 동경 OP가 나타내는 각의 크기를 θ라 할 때, 다음 값을 구하시오.

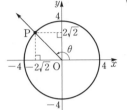

(1) $\sin \theta$

(2) $\cos \theta$

(3) $\tan \theta$

삼각함수의 정의

188 원점 O와 다음 점 P에 대하여 동경 OP가 나타내는 각의 크기를 θ라 할 때, $\sin \theta$, $\cos \theta$, $\tan \theta$의 값을 각각 구하시오.

(1) $P(-4, 3)$ (2) $P(15, -8)$

$\overline{OP}$의 길이를 먼저 구한다.

189 다음 각 θ에 대하여 $\sin \theta$, $\cos \theta$, $\tan \theta$의 값을 각각 구하시오.

(1) $\dfrac{2}{3}\pi$ (2) $-\dfrac{5}{6}\pi$

190 다음 각 θ에 대하여 $\sin \theta$, $\cos \theta$, $\tan \theta$의 값의 부호를 각각 말하시오.

(1) $400°$ (2) $-\dfrac{17}{6}\pi$

(3) $-760°$ (4) $\dfrac{29}{10}\pi$

각 θ가 제몇 사분면의 각인지 먼저 생각한다.

191 다음을 만족시키는 각 θ는 제몇 사분면의 각인지 말하시오.

(1) $\sin \theta > 0$, $\cos \theta < 0$

(2) $\cos \theta > 0$, $\tan \theta < 0$

(3) $\sin \theta \cos \theta < 0$

삼각함수의 값의 부호

원점 O와 점 $P(-5, -12)$를 지나는 동경 OP가 나타내는 각의 크기를 θ라 할 때, 다음 식의 값을 구하시오.

(1) $\cos\theta - \sin\theta$ (2) $\dfrac{24}{13\sin\theta\tan\theta}$

풀이

$\overline{OP} = \sqrt{(-5)^2 + (-12)^2} = 13$이므로

$\sin\theta = -\dfrac{12}{13}$, $\cos\theta = -\dfrac{5}{13}$, $\tan\theta = \dfrac{12}{5}$

(1) $\cos\theta - \sin\theta = -\dfrac{5}{13} - \left(-\dfrac{12}{13}\right) = \dfrac{7}{13}$

(2) $\dfrac{24}{13\sin\theta\tan\theta} = \dfrac{24}{13\cdot\left(-\dfrac{12}{13}\right)\cdot\dfrac{12}{5}} = -\dfrac{5}{6}$

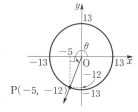

$\theta = \dfrac{3}{4}\pi$일 때, $\sqrt{2}\sin\theta + 2\cos\theta + \tan\theta$의 값을 구하시오.

풀이

오른쪽 그림과 같이 반지름의 길이가 1인 원에서 $\theta = \dfrac{3}{4}\pi$의 동경과 이 원의 교점을 P, 점 P에서 x축에 내린 수선의 발을 H라 하면 삼각형 POH에서 $\angle POH = \dfrac{\pi}{4}$이므로 점 P의 좌표는 $\left(-\dfrac{\sqrt{2}}{2}, \dfrac{\sqrt{2}}{2}\right)$이다.

$\therefore \sin\theta = \dfrac{\sqrt{2}}{2}$, $\cos\theta = -\dfrac{\sqrt{2}}{2}$, $\tan\theta = -1$

$\therefore \sqrt{2}\sin\theta + 2\cos\theta + \tan\theta = \sqrt{2}\cdot\dfrac{\sqrt{2}}{2} + 2\cdot\left(-\dfrac{\sqrt{2}}{2}\right) + (-1) = -\sqrt{2}$

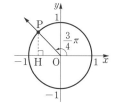

KEY Point

• 삼각함수의 정의

$\sin\theta = \dfrac{y}{r}$, $\cos\theta = \dfrac{x}{r}$, $\tan\theta = \dfrac{y}{x}$ $(x \neq 0)$

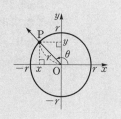

확인 체크

192 원점 O와 점 $P(\sqrt{3}, -1)$을 지나는 동경 OP가 나타내는 각의 크기를 θ라 할 때, 다음 식의 값을 구하시오.

(1) $\dfrac{\tan\theta - \cos\theta}{\sqrt{3}}$ (2) $4\sqrt{3}\sin\theta\cos\theta$

193 $\theta = -\dfrac{\pi}{3}$일 때, $\dfrac{\cos\theta}{\sin\theta - \tan\theta}$의 값을 구하시오.

$\sin\theta\cos\theta>0$, $\cos\theta\tan\theta<0$을 동시에 만족시키는 각 θ는 제몇 사분면의 각인지 구하시오.

풀이

(i) $\sin\theta\cos\theta>0$에서 $\sin\theta>0$, $\cos\theta>0$ 또는 $\sin\theta<0$, $\cos\theta<0$이다.

$\sin\theta>0$, $\cos\theta>0$일 때, θ는 제1사분면의 각

$\sin\theta<0$, $\cos\theta<0$일 때, θ는 제3사분면의 각

(ii) $\cos\theta\tan\theta<0$에서 $\cos\theta<0$, $\tan\theta>0$ 또는 $\cos\theta>0$, $\tan\theta<0$이다.

$\cos\theta<0$, $\tan\theta>0$일 때, θ는 제3사분면의 각

$\cos\theta>0$, $\tan\theta<0$일 때, θ는 제4사분면의 각

(i), (ii)에서 주어진 조건을 동시에 만족시키는 θ는 **제3사분면**의 각이다.

$\dfrac{\pi}{2}<\theta<\pi$일 때, $|\sin\theta|+\sqrt{\cos^2\theta}+\sqrt{\tan^2\theta}$를 간단히 하시오.

풀이

$\dfrac{\pi}{2}<\theta<\pi$에서 θ는 제2사분면의 각이므로

$\sin\theta>0$, $\cos\theta<0$, $\tan\theta<0$

$\therefore |\sin\theta|+\sqrt{\cos^2\theta}+\sqrt{\tan^2\theta}=\mathbf{\sin\theta-\cos\theta-\tan\theta}$

KEY Point

- 각 사분면에서 삼각함수의 값의 부호가 +인 것을 좌표평면 위에 나타내면 오른쪽 그림과 같다.

⇨ 암기하는 방법

얼(all)—싸(sin)—안(tan)—코(cos)

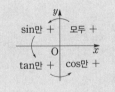

확인 체크

194 $\sin\theta\tan\theta>0$, $\cos\theta\tan\theta<0$을 동시에 만족시키는 각 θ는 제몇 사분면의 각인지 구하시오.

195 θ가 제4사분면의 각일 때, $\sqrt{(\sin\theta-\cos\theta)^2}-|\sin\theta|-\sqrt[3]{\cos^3\theta}$를 간단히 하시오.

196 $\sin\theta\cos\theta\neq0$이고 $\dfrac{\sqrt{\sin\theta}}{\sqrt{\cos\theta}}=-\sqrt{\dfrac{\sin\theta}{\cos\theta}}$를 만족시키는 θ에 대하여

$|\cos\theta+\tan\theta|+\sqrt{\sin^2\theta}-\sqrt{(\tan\theta-\sin\theta)^2}$을 간단히 하시오.

04 삼각함수 사이의 관계

개념원리 이해

1. 삼각함수 사이의 관계 ▷ **필수예제 12~16**

> (1) $\tan \theta = \dfrac{\sin \theta}{\cos \theta}$
>
> (2) $\sin^2 \theta + \cos^2 \theta = 1$

▶ $(\sin \theta)^2$, $(\cos \theta)^2$, $(\tan \theta)^2$을 각각 $\sin^2 \theta$, $\cos^2 \theta$, $\tan^2 \theta$로 나타낸다.
   이때 $(\sin \theta)^2 \neq \sin \theta^2$임에 주의한다.

설명 (1) 오른쪽 그림과 같이 각 θ를 나타내는 동경과 단위원의 교점을 $P(x, y)$라 하면

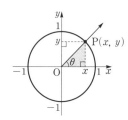

$$\sin \theta = \frac{y}{1} = y, \ \cos \theta = \frac{x}{1} = x$$

이고, $\tan \theta = \dfrac{y}{x} \ (x \neq 0)$이므로

$$\tan \theta = \frac{y}{x} = \frac{\sin \theta}{\cos \theta}$$

(2) 점 $P(x, y)$는 단위원 위의 점이므로 $x^2 + y^2 = 1$
   그런데 $x = \cos \theta$, $y = \sin \theta$이므로
$$\sin^2 \theta + \cos^2 \theta = 1$$

참고 $\sin^2 \theta + \cos^2 \theta = 1$의 양변을 $\cos^2 \theta$로 나누면

$$\frac{\sin^2 \theta}{\cos^2 \theta} + 1 = \frac{1}{\cos^2 \theta}$$

$$\therefore \ \tan^2 \theta + 1 = \frac{1}{\cos^2 \theta}$$

예 θ가 제3사분면의 각이고 $\sin \theta = -\dfrac{4}{5}$일 때, $\cos \theta$, $\tan \theta$의 값을 각각 구하시오.

풀이 $\sin^2 \theta + \cos^2 \theta = 1$이므로

$$\cos^2 \theta = 1 - \sin^2 \theta$$

$$= 1 - \left(-\frac{4}{5}\right)^2 = \frac{9}{25}$$

그런데 θ는 제3사분면의 각이므로

$$\cos \theta < 0 \quad \therefore \ \cos \theta = -\frac{3}{5}$$

또 $\tan \theta = \dfrac{\sin \theta}{\cos \theta}$에서

$$\tan \theta = \frac{-\dfrac{4}{5}}{-\dfrac{3}{5}} = \frac{4}{3}$$

필수예제 12 삼각함수 사이의 관계를 이용하여 식 간단히 하기   ↻ 더 다양한 문제는 **RPM** 수학 I 72쪽

$$\dfrac{\cos\theta}{1+\sin\theta}+\dfrac{1+\sin\theta}{\cos\theta}$$ 를 간단히 하시오.

풀이

$$\dfrac{\cos\theta}{1+\sin\theta}+\dfrac{1+\sin\theta}{\cos\theta}=\dfrac{\cos^2\theta+\sin^2\theta+2\sin\theta+1}{\cos\theta(1+\sin\theta)}$$

$$=\dfrac{2+2\sin\theta}{\cos\theta(1+\sin\theta)}=\dfrac{2(1+\sin\theta)}{\cos\theta(1+\sin\theta)}$$

$$=\dfrac{2}{\cos\theta}$$

필수예제 13 삼각함수 사이의 관계를 이용하여 식의 값 구하기 (1)   ↻ 더 다양한 문제는 **RPM** 수학 I 72쪽

$\cos\theta=\dfrac{3}{5}$일 때, $\dfrac{1}{\sin\theta}+\dfrac{1}{\tan\theta}$의 값을 구하시오. $\left(\text{단, }\dfrac{3}{2}\pi<\theta<2\pi\right)$

풀이

$\cos\theta=\dfrac{3}{5}$이므로 $\sin^2\theta+\cos^2\theta=1$에서

$$\sin^2\theta=1-\cos^2\theta=1-\left(\dfrac{3}{5}\right)^2=\dfrac{16}{25}$$

$\dfrac{3}{2}\pi<\theta<2\pi$이므로 $\sin\theta<0$ $\therefore \sin\theta=-\dfrac{4}{5}$ $\therefore \dfrac{1}{\sin\theta}=-\dfrac{5}{4}$

또 $\tan\theta=\dfrac{\sin\theta}{\cos\theta}=-\dfrac{4}{3}$이므로 $\dfrac{1}{\tan\theta}=-\dfrac{3}{4}$

$\therefore \dfrac{1}{\sin\theta}+\dfrac{1}{\tan\theta}=-\dfrac{5}{4}-\dfrac{3}{4}=-2$

KEY Point   삼각함수 사이의 관계

• $\tan\theta=\dfrac{\sin\theta}{\cos\theta}$ • $\sin^2\theta+\cos^2\theta=1$

---

197 다음 식을 간단히 하시오.

(1) $\dfrac{1-\sin^4\theta}{\cos^2\theta}+\cos^2\theta$

(2) $\left(\sin\theta-\dfrac{1}{\sin\theta}\right)^2+\left(\cos\theta-\dfrac{1}{\cos\theta}\right)^2-\left(\tan\theta-\dfrac{1}{\tan\theta}\right)^2$

(3) $\dfrac{1+\sin\theta}{1-\cos\theta}+\dfrac{1-\sin\theta}{1+\cos\theta}-\dfrac{2}{\sin^2\theta}$

(4) $\dfrac{\sin\theta+\sin^2\theta}{1-\cos\theta}-\dfrac{\sin\theta-\sin^2\theta}{1+\cos\theta}$

198 θ가 제3사분면의 각이고 $\sin\theta=-\dfrac{2\sqrt{5}}{5}$일 때, $\dfrac{1}{\cos\theta}+\tan\theta$의 값을 구하시오.

다음 물음에 답하시오.

(1) $3\sin\theta = 4\cos\theta$일 때, $\sin\theta + \cos\theta$의 값을 구하시오. $\left(\text{단, } \pi < \theta < \dfrac{3}{2}\pi\right)$

(2) $\dfrac{1}{1+\sin\theta} + \dfrac{1}{1-\sin\theta} = \dfrac{5}{2}$일 때, $\tan\theta$의 값을 구하시오. $\left(\text{단, } \dfrac{\pi}{2} < \theta < \pi\right)$

풀이

(1) $3\sin\theta = 4\cos\theta$에서 $\dfrac{\sin\theta}{\cos\theta} = \dfrac{4}{3}$

$\therefore \tan\theta = \dfrac{4}{3}$

이때 $\sin^2\theta + \cos^2\theta = 1$의 양변을 $\cos^2\theta$로 나누면

$\tan^2\theta + 1 = \dfrac{1}{\cos^2\theta}$

이므로 $\cos^2\theta = \dfrac{1}{\tan^2\theta + 1} = \dfrac{1}{\left(\dfrac{4}{3}\right)^2 + 1} = \dfrac{9}{25}$

$\pi < \theta < \dfrac{3}{2}\pi$이므로 $\cos\theta < 0$ $\quad \therefore \cos\theta = -\dfrac{3}{5}$

$\cos\theta = -\dfrac{3}{5}$을 $3\sin\theta = 4\cos\theta$에 대입하면

$\sin\theta = -\dfrac{4}{5}$

$\therefore \sin\theta + \cos\theta = -\dfrac{4}{5} - \dfrac{3}{5} = \boldsymbol{-\dfrac{7}{5}}$

(2) $\dfrac{1}{1+\sin\theta} + \dfrac{1}{1-\sin\theta} = \dfrac{(1-\sin\theta) + (1+\sin\theta)}{(1+\sin\theta)(1-\sin\theta)}$

$= \dfrac{2}{1-\sin^2\theta} = \dfrac{2}{\cos^2\theta}$

즉 $\dfrac{2}{\cos^2\theta} = \dfrac{5}{2}$이므로 $\dfrac{1}{\cos^2\theta} = \dfrac{5}{4}$

이때 $\sin^2\theta + \cos^2\theta = 1$의 양변을 $\cos^2\theta$로 나누면

$\tan^2\theta + 1 = \dfrac{1}{\cos^2\theta}$

이므로 $\tan^2\theta = \dfrac{1}{\cos^2\theta} - 1 = \dfrac{5}{4} - 1 = \dfrac{1}{4}$

$\dfrac{\pi}{2} < \theta < \pi$이므로 $\tan\theta < 0$ $\quad \therefore \tan\theta = \boldsymbol{-\dfrac{1}{2}}$

199 $\sin\theta + 2\cos\theta = 0$일 때, $\sin\theta + \cos\theta$의 값을 구하시오. $\left(\text{단, } \dfrac{\pi}{2} < \theta < \pi\right)$

200 $\dfrac{3}{2}\pi < \theta < 2\pi$이고 $\dfrac{1+\cos\theta}{\sin\theta} + \dfrac{\sin\theta}{1+\cos\theta} = -3$일 때, $\sin\theta + \tan\theta$의 값을 구하시오.

201 $\dfrac{1-\tan\theta}{1+\tan\theta} = \dfrac{1}{3}$일 때, $\sin\theta$의 값을 구하시오. $\left(\text{단, } \pi < \theta < \dfrac{3}{2}\pi\right)$

$\sin\theta+\cos\theta$, $\sin\theta\cos\theta$의 관계를 이용하여 식의 값 구하기 $\circlearrowleft$ 더 다양한 문제는 **RPM** 수학Ⅰ 73쪽

$\sin\theta+\cos\theta=\dfrac{1}{2}$일 때, 다음 식의 값을 구하시오. (단, $\sin\theta>\cos\theta$)

(1) $\sin\theta\cos\theta$ (2) $\sin\theta-\cos\theta$
(3) $\sin^3\theta+\cos^3\theta$ (4) $\sin^4\theta+\cos^4\theta$

풀이

(1) $\sin\theta+\cos\theta=\dfrac{1}{2}$의 양변을 제곱하면

$(\sin\theta+\cos\theta)^2=\left(\dfrac{1}{2}\right)^2$, $1+2\sin\theta\cos\theta=\dfrac{1}{4}$ ←$\sin^2\theta+\cos^2\theta=1$

$\therefore\ \sin\theta\cos\theta=-\dfrac{3}{8}$

(2) $(\sin\theta-\cos\theta)^2=1-2\sin\theta\cos\theta$

$=1-2\cdot\left(-\dfrac{3}{8}\right)=\dfrac{7}{4}$

이때 $\sin\theta>\cos\theta$이므로 $\sin\theta-\cos\theta>0$

$\therefore\ \sin\theta-\cos\theta=\dfrac{\sqrt{7}}{2}$

(3) $\sin^3\theta+\cos^3\theta=(\sin\theta+\cos\theta)(\sin^2\theta-\sin\theta\cos\theta+\cos^2\theta)$

$=\dfrac{1}{2}\cdot\left(1+\dfrac{3}{8}\right)=\dfrac{\mathbf{11}}{\mathbf{16}}$

(4) $\sin^4\theta+\cos^4\theta=(\sin^2\theta+\cos^2\theta)^2-2\sin^2\theta\cos^2\theta$

$=1-2(\sin\theta\cos\theta)^2$

$=1-2\cdot\left(-\dfrac{3}{8}\right)^2=\dfrac{\mathbf{23}}{\mathbf{32}}$

KEY Point

• $\sin\theta\pm\cos\theta$의 값 또는 $\sin\theta\cos\theta$의 값이 주어지는 경우

$\Rightarrow (\sin\theta\pm\cos\theta)^2=1\pm2\sin\theta\cos\theta$ (복부호동순)임을 이용한다.

---

202 $\sin\theta-\cos\theta=\dfrac{1}{2}$일 때, $\sin^3\theta-\cos^3\theta$의 값을 구하시오.

203 $\sin\theta\cos\theta=\dfrac{1}{8}$일 때, $\dfrac{1}{\sin\theta}+\dfrac{1}{\cos\theta}$의 값을 구하시오. $\left(\text{단, }\pi<\theta<\dfrac{3}{2}\pi\right)$

204 $\dfrac{\pi}{2}<\theta<\pi$이고 $\sin\theta+\cos\theta=\dfrac{1}{4}$일 때, $\sin\theta-\cos\theta$의 값을 구하시오.

205 $\dfrac{\pi}{2}<\theta<\pi$이고 $\tan\theta+\dfrac{1}{\tan\theta}=-2$일 때, $\sin\theta-\cos\theta$의 값을 구하시오.

이차방정식 $5x^2-x+k=0$의 두 근을 $\sin\theta$, $\cos\theta$라 할 때, 상수 k의 값을 구하시오.

풀이　　이차방정식의 근과 계수의 관계에 의하여

$\sin\theta+\cos\theta=\dfrac{1}{5}$　　　　　　　……　㉠

$\sin\theta\cos\theta=\dfrac{k}{5}$　　　　　　　……　㉡

㉠의 양변을 제곱하면

$(\sin\theta+\cos\theta)^2=\left(\dfrac{1}{5}\right)^2$

$1+2\sin\theta\cos\theta=\dfrac{1}{25}$

$\therefore \sin\theta\cos\theta=-\dfrac{12}{25}$　　　　　　　……　㉢

㉡, ㉢에서 $\dfrac{k}{5}=-\dfrac{12}{25}$

$\therefore k=-\dfrac{12}{5}$

KEY Point

• 이차방정식 $ax^2+bx+c=0$의 두 근이 $\sin\theta$, $\cos\theta$인 경우

⇨ $\sin\theta+\cos\theta=-\dfrac{b}{a}$, $\sin\theta\cos\theta=\dfrac{c}{a}$, $\sin^2\theta+\cos^2\theta=1$임을 이용한다.

---

206 이차방정식 $3x^2+2x+k=0$의 두 근을 $\sin\theta$, $\cos\theta$라 할 때, 상수 k의 값을 구하시오.

207 이차방정식 $5x^2+kx-3=0$의 두 근을 $\cos\theta$, $\tan\theta$라 할 때, 상수 k의 값을 구하시오.

$$\left(\text{단, } \pi<\theta<\dfrac{3}{2}\pi\right)$$

208 이차방정식 $2x^2-\sqrt{2}x+k=0$의 두 근을 $\sin\theta$, $\cos\theta$라 할 때, $\dfrac{1}{\sin\theta}$, $\dfrac{1}{\cos\theta}$을 두 근으로 하는 이차방정식이 $x^2+ax+b=0$이다. 상수 a, b에 대하여 a^2+b^2의 값을 구하시오.

(단, k는 상수이다.)

연습문제

🤔 **생각해 봅시다!**

182 $\sin \theta \tan \theta < 0$일 때, 다음 중 항상 옳은 것은?

① $\sin \theta > 0$ ② $\cos \theta < 0$ ③ $\tan \theta < 0$

④ $\sin \theta \cos \theta > 0$ ⑤ $\cos \theta \tan \theta < 0$

$\sin \theta \tan \theta < 0$에서
$\sin \theta > 0$, $\tan \theta < 0$ 또는
$\sin \theta < 0$, $\tan \theta > 0$이다.

183 다음 식을 간단히 하시오.

(1) $\pi < x < \dfrac{3}{2}\pi$일 때,

$\sin x + \cos x + \tan x + |\sin x| + |\cos x| + |\tan x|$

(2) $\dfrac{\pi}{2} < \theta < \pi$일 때,

$\sqrt{\sin^2 \theta} + \sqrt{\cos^2 \theta} + |\tan \theta| - \sqrt{(\cos \theta + \tan \theta)^2}$

$\sqrt{a^2} = |a| = \begin{cases} a & (a \geq 0) \\ -a & (a < 0) \end{cases}$

184 $\sin \theta = \sqrt{3} \cos \theta$일 때, $\dfrac{1}{1 - \sin \theta} - \dfrac{1}{1 + \sin \theta}$의 값을 구하시오.

$\left(\text{단}, \ \pi < \theta < \dfrac{3}{2}\pi\right)$

185 $\sin \theta \cos \theta = -\dfrac{1}{2}$일 때, $\sin^3 \theta - \cos^3 \theta$의 값을 구하시오.

$\left(\text{단}, \ \dfrac{\pi}{2} < \theta < \pi\right)$

186 $\sin \theta + \cos \theta = \dfrac{1}{\sqrt{2}}$일 때, $\tan^2 \theta + \dfrac{1}{\tan^2 \theta}$의 값을 구하시오.

$\tan \theta = \dfrac{\sin \theta}{\cos \theta}$

187 이차방정식 $4x^2 - 3x + k = 0$의 두 근을 $-\sin \theta$, $\cos \theta$라 할 때, 상수 k의 값을 구하시오.

이차방정식
$ax^2 + bx + c = 0$의 두 근
을 α, β라 하면
$\alpha + \beta = -\dfrac{b}{a}$, $\alpha\beta = \dfrac{c}{a}$

STEP 2

188 다음 보기 중 항상 성립하는 것만을 있는 대로 고르시오.

> **보기**
>
> ㄱ. $\cos^4 \theta - \sin^4 \theta = 2\cos^2 \theta - 1$
>
> ㄴ. $(1+\sin \theta - \cos \theta)^2 = 2(1-\sin \theta)(1-\cos \theta)$
>
> ㄷ. $\dfrac{\cos \theta}{1-\sin \theta} - \dfrac{\cos \theta}{1+\sin \theta} = 2\tan \theta$

189 $\dfrac{1-\tan \theta}{1+\tan \theta} = 2+\sqrt{3}$일 때, $\cos \theta$의 값을 구하시오. $\left(단, \dfrac{\pi}{2} < \theta < \pi\right)$

> $\sin^2 \theta + \cos^2 \theta = 1$의 양
> 변을 $\cos^2 \theta$로 나누면
> $\tan^2 \theta + 1 = \dfrac{1}{\cos^2 \theta}$임을
> 이용한다.

190 $\sin \theta = -\dfrac{1}{3}$일 때, $\tan \theta + \dfrac{1}{\tan \theta}$의 값을 구하시오. $\left(단, \pi < \theta < \dfrac{3}{2}\pi\right)$

[교육청기출]

191 $\sin \theta + \cos \theta = \sin \theta \cos \theta$일 때, $\sin \theta \cos \theta$의 값은 $a + b\sqrt{2}$이다. $10a - b$의 값을 구하시오. (단, a, b는 유리수이다.)

실력 UP

192 좌표평면 위의 원점 O에서 x축의 양의 방향을 시초선으로 잡을 때, 점 P(a, b)를 지나는 동경 OP가 나타내는 각의 크기를 θ라 하면
$$\sqrt{\sin \theta}\sqrt{\cos \theta} = -\sqrt{\sin \theta \cos \theta}, \; |a| - |b| = 1, \; \overline{\text{OP}} = 5$$
가 성립한다. 이때 $\sin \theta + \cos \theta + \tan \theta$의 값을 구하시오.

$$(단, \sin \theta \cos \theta \neq 0)$$

> $\sqrt{a}\sqrt{b} = -\sqrt{ab}$이면
> $a < 0$, $b < 0$ 또는 $a = 0$
> 또는 $b = 0$

실력 UP

193 삼차방정식 $4x^3 + ax^2 + bx - 3 = 0$의 세 근을 $\sin \theta$, $\cos \theta$, $\tan \theta$라 할 때, 상수 a, b의 합 $a + b$의 값을 구하시오. $\left(단, \dfrac{\pi}{2} < \theta < \pi\right)$

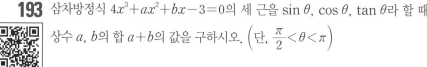

> 삼차방정식
> $ax^3 + bx^2 + cx + d = 0$의
> 세 근을 α, β, γ라 하면
> $\alpha + \beta + \gamma = -\dfrac{b}{a}$
> $\alpha\beta + \beta\gamma + \gamma\alpha = \dfrac{c}{a}$
> $\alpha\beta\gamma = -\dfrac{d}{a}$

Take a Break

따뜻한 아날로그 친구

당신에게는 지금 친구가 곁에 있습니까?

부르면 만사를 제쳐놓고 달려올 친구가 있습니까?

혹시 컴퓨터가 당신에게 가장 친한 친구가 아닙니까?

텔레비전, MP3, 핸드폰만 있으면 된다고 생각하는 건 아닙니까?

언제부터인가 우리에겐 사람보다는 물건이, 마음 맞는 친구보다는 마음에 드는 물건을 더 선호하는 경향이 있는 것 같습니다.

아무리 좋은 컴퓨터일지라도 그것이 우리의 말에 귀 기울여 주는 것은 아닌데, 텔레비전, MP3, 핸드폰이 우리에게 따뜻한 말 한마디 건네주는 것도 아닌데 말입니다.

그러나 물건들이 우리의 마음을 다 점령하고 있으니 이웃도 친구도 점점 더 멀어지는 것이 아닐까요?

그래서 당신의 공허한 마음이 채워진다면 다행이지만, 그 자리에서 일어섰을 때도 과연 그 기분이 유지될지는 의심스럽습니다.

Ⅱ

삼각함수

삼각함수의 그래프

1. 주기함수

> 일반적으로 함수 $y=f(x)$의 정의역에 속하는 모든 x에 대하여 $f(x+p)=f(x)$를 만족시키는 0이 아닌 상수 p가 존재할 때, 함수 $y=f(x)$를 **주기함수**라 하고, 상수 p 중에서 **최소인 양수**를 그 함수의 **주기**라 한다.

▶ 함수 $f(x)$가 주기가 p인 주기함수이면 $\Rightarrow f(x)=f(x+p)=f(x+2p)=f(x+3p)=\cdots$
$\Rightarrow f(x+np)=f(x)$ (단, n은 정수)

2. 삼각함수의 그래프

(1) 함수 $y=\sin x$의 그래프와 성질　▷ 필수예제 **1, 4**

> ① 정의역 : 실수 전체의 집합
> ② 치역 : $\{y \mid -1 \le y \le 1\}$
> ③ 그래프는 원점에 대하여 대칭이다.
> ④ 주기가 2π인 주기함수이다.

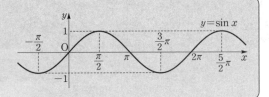

▶ $y=\sin\theta$의 그래프는 원점에 대하여 대칭이므로 $\sin(-\theta)=-\sin\theta$이다.

설명　오른쪽 그림과 같이 각 θ를 나타내는 동경과 단위원의 교점을 $\mathrm{P}(x,\,y)$라 하면

$\sin\theta=\dfrac{y}{1}=y$이므로 $\sin\theta$의 값은 점 P의 y좌표로 정해진다.

따라서 점 P가 단위원 위를 움직일 때, θ의 값에 따른 $\sin\theta$의 값의 변화는 점 P의 y좌표의 변화와 같다.

이를 이용하여 θ의 값을 가로축에, θ에 대응하는 $\sin\theta$의 값을 세로축에 나타내어 사인함수 $y=\sin\theta$의 그래프를 그리면 다음과 같다.

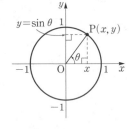

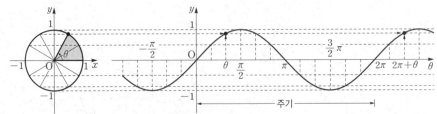

(2) 함수 $y=\cos x$의 그래프와 성질　▷ 필수예제 2, 4

① 정의역 : 실수 전체의 집합
② 치역 : $\{y\,|\,-1\leq y\leq 1\}$
③ 그래프는 y축에 대하여 대칭이다.
④ 주기가 2π인 주기함수이다.

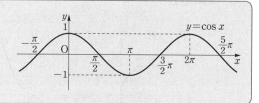

▶ ① $y=\cos\theta$의 그래프는 y축에 대하여 대칭이므로 $\cos(-\theta)=\cos\theta$이다.
　② $y=\cos\theta$의 그래프는 $y=\sin\theta$의 그래프를 x축의 방향으로 $-\dfrac{\pi}{2}$만큼 평행이동한 것과 같다.

설명　오른쪽 그림과 같이 각 θ를 나타내는 동경과 단위원의 교점을 $\mathrm{P}(x,y)$라 하면
　$\cos\theta=\dfrac{x}{1}=x$이므로 $\cos\theta$의 값은 점 P의 x좌표로 정해진다.
　따라서 점 P가 단위원 위를 움직일 때, θ의 값에 따른 $\cos\theta$의 값의 변화는 점 P의
　x좌표의 변화와 같다.
　이를 이용하여 θ의 값을 가로축에, θ에 대응하는 $\cos\theta$의 값을 세로축에 나타내어 코
　사인함수 $y=\cos\theta$의 그래프를 그리면 다음과 같다.

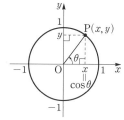

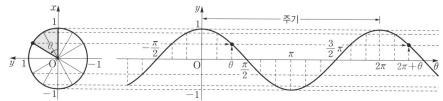

(3) 함수 $y=\tan x$의 그래프와 성질　▷ 필수예제 3, 4

① 정의역 : $n\pi+\dfrac{\pi}{2}$ (n은 정수)를 제외한 실수 전체의 집합
② 치역 : 실수 전체의 집합
③ 그래프는 원점에 대하여 대칭이다.
④ 주기가 π인 주기함수이다.
⑤ 그래프의 점근선 : 직선 $x=n\pi+\dfrac{\pi}{2}$ (n은 정수)

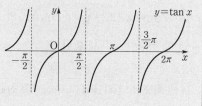

▶ ① $y=\tan\theta$의 그래프는 원점에 대하여 대칭이므로 $\tan(-\theta)=-\tan\theta$이다.
　② 곡선이 어떤 직선에 한없이 가까워질 때, 이 직선을 그 곡선의 점근선이라 한다.

설명　오른쪽 그림과 같이 각 θ를 나타내는 동경과 단위원의 교점을 $\mathrm{P}(x,y)$라 하자.
　(i) $\theta\neq n\pi+\dfrac{\pi}{2}$ (n은 정수)일 때, 단위원 위의 점 $(1,0)$에서의 접선과 동경 OP
　　의 교점을 $\mathrm{T}(1,t)$라 하면 $\tan\theta=\dfrac{t}{1}=t$이므로 $\tan\theta$의 값은 점 T의 y좌표
　　로 정해진다.
　(ii) $\theta=n\pi+\dfrac{\pi}{2}$ (n은 정수)일 때, 각 θ를 나타내는 동경 OP는 y축 위에 있다.
　　이때 점 P의 x좌표가 0이므로 $\tan\theta$의 값은 정의되지 않는다.

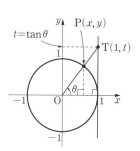

따라서 θ의 값을 가로축에, θ에 대응하는 $\tan \theta$의 값을 세로축에 나타내어 탄젠트함수 $y = \tan \theta$의 그래프를 그리면 다음과 같다.

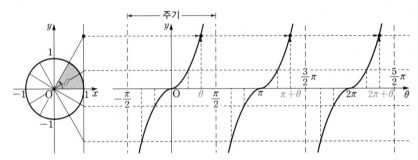

위의 그래프에서 알 수 있듯이 $y = \tan \theta$의 정의역은 $n\pi + \dfrac{\pi}{2}$ (n은 정수)를 제외한 실수 전체의 집합이고, 치역은 실수 전체의 집합이다. 이때 직선 $\theta = n\pi + \dfrac{\pi}{2}$ (n은 정수)는 $y = \tan \theta$의 그래프의 점근선이다.

3. 평행이동한 삼각함수의 그래프 ▷ 필수예제 **1~4**

⑴ $y = a \sin bx$, $y = a \cos bx$ 꼴의 그래프

$y = \sin x$ (또는 $y = \cos x$)의 그래프를 y축의 방향으로 $|a|$배, x축의 방향으로 $\left| \dfrac{1}{b} \right|$배한 그래프이다.

> ① 최댓값 : $|a|$ ② 최솟값 : $-|a|$ ③ 주기 : $\dfrac{2\pi}{|b|}$

⑵ $y = a \sin (bx+c) + d$, $y = a \cos (bx+c) + d$ 꼴의 그래프

$y = a \sin bx$ (또는 $y = a \cos bx$)의 그래프를 x축의 방향으로 $-\dfrac{c}{b}$만큼, y축의 방향으로 d만큼 평행이동한 그래프이다.

> ① 최댓값 : $|a| + d$ ② 최솟값 : $-|a| + d$ ③ 주기 : $\dfrac{2\pi}{|b|}$

▶ ① 삼각함수의 그래프를 y축의 방향으로 늘리거나 줄이면 치역은 변하지만 주기는 변하지 않고, x축의 방향으로 늘리거나 줄이면 주기는 변하지만 치역은 변하지 않는다.
   ② 삼각함수의 그래프를 x축의 방향으로 평행이동하면 치역과 주기는 모두 변하지 않고, y축의 방향으로 평행이동하면 주기는 변하지 않지만 치역은 변한다.

예   함수 $y = 3 \sin (2x - \pi) + 2$의 최댓값과 최솟값 및 주기를 구하시오.

풀이   최댓값 : $3 + 2 = 5$, 최솟값 : $-3 + 2 = -1$, 주기 : $\dfrac{2\pi}{2} = \pi$

(3) $y=a \tan bx$ 꼴의 그래프

$y=\tan x$의 그래프를 x축의 방향으로 $\dfrac{1}{|b|}$배, y축의 방향으로 $|a|$배한 그래프이다.

> ① 최댓값, 최솟값은 없다.　　　　　② 주기 : $\dfrac{\pi}{|b|}$
>
> ③ 점근선의 방정식 : $bx=n\pi+\dfrac{\pi}{2}$에서 $x=\dfrac{1}{b}\left(n\pi+\dfrac{\pi}{2}\right)$ (단, n은 정수)

(4) $y=a \tan (bx+c)+d$ 꼴의 그래프

$y=a \tan bx$의 그래프를 x축의 방향으로 $-\dfrac{c}{b}$만큼, y축의 방향으로 d만큼 평행이동한 그래프이다.

> ① 최댓값, 최솟값은 없다.　　　　　② 주기 : $\dfrac{\pi}{|b|}$

예　함수 $y=2 \tan \left(3x-\dfrac{\pi}{2}\right)$의 최댓값과 최솟값 및 주기를 구하시오.

풀이　최댓값과 최솟값은 없고, 주기는 $\dfrac{\pi}{3}$이다.

4. 절댓값 기호가 포함된 삼각함수의 주기와 최대 · 최소　　▷ 필수예제 **8**

> (1) $y=|a \sin bx|$, $y=|a \cos bx|$　　　(2) $y=|\tan bx|$
>
> ① 최댓값 : $|a|$, 최솟값 : 0　　　　① 최댓값 : 없다, 최솟값 : 0
>
> ② 주기 : $\dfrac{\pi}{|b|}$　　　　　　　　② 주기 : $\dfrac{\pi}{|b|}$

▶ $y=|a \sin bx|$, $y=|a \cos bx|$의 주기는 $y=a \sin bx$, $y=a \cos bx$의 주기의 $\dfrac{1}{2}$이다.

보충학습

1. 절댓값 기호가 포함된 삼각함수의 그래프 그리는 방법

(1) $y=|\sin x|$, $y=|\cos x|$, $y=|\tan x|$의 그래프

　⇨ 절댓값이 없는 삼각함수의 그래프를 그린 후, x축의 아랫부분을 x축에 대하여 대칭이동한다.

(2) $y=\sin |x|$, $y=\cos |x|$, $y=\tan |x|$의 그래프

　⇨ $x>0$일 때의 그래프, 즉 y축의 오른쪽 부분만 그린 후, y축의 오른쪽 부분을 y축에 대하여 대칭이동한다.

① $y=|\sin x|$, $y=\sin |x|$ 의 그래프

	$y=|\sin x|$	$y=\sin |x|$
그래프		
정의역	실수 전체의 집합	실수 전체의 집합
치역	$\{y\,|\,0\le y\le 1\}$	$\{y\,|-1\le y\le 1\}$
주기	π	없다.
대칭성	y축에 대하여 대칭	y축에 대하여 대칭

▶ $y=\sin |x|$는 주기함수가 아니다.

② $y=|\cos x|$, $y=\cos |x|$ 의 그래프

	$y=|\cos x|$	$y=\cos |x|$
그래프		
정의역	실수 전체의 집합	실수 전체의 집합
치역	$\{y\,|\,0\le y\le 1\}$	$\{y\,|-1\le y\le 1\}$
주기	π	2π
대칭성	y축에 대하여 대칭	y축에 대하여 대칭

▶ $y=\cos |x|$와 $y=\cos x$의 그래프는 일치한다.

③ $y=|\tan x|$, $y=\tan |x|$ 의 그래프

	$y=|\tan x|$	$y=\tan |x|$
그래프		
정의역	$n\pi+\dfrac{\pi}{2}$ (n은 정수)를 제외한 실수 전체의 집합	$n\pi+\dfrac{\pi}{2}$ (n은 정수)를 제외한 실수 전체의 집합
치역	$\{y\,|\,y\ge 0\}$	실수 전체의 집합
주기	π	없다.
대칭성	y축에 대하여 대칭	y축에 대하여 대칭

▶ $y=\tan |x|$는 주기함수가 아니다.

209 함수 $y=3\sin x$에 대하여 ☐ 안에 알맞은 것을 써넣으시오.

💡 생각해 봅시다!
함수 $y=a\sin x$의 그래프

(1) 정의역은 ☐이다.

(2) 최댓값은 ☐이고, 최솟값은 ☐이다.

(3) 그래프는 ☐에 대하여 대칭이다.

(4) 주기는 ☐이다.

(5) 함수 $y=\sin x$의 그래프를 ☐축의 방향으로 ☐배한 것이다.

210 함수 $y=\cos\dfrac{x}{2}$에 대하여 ☐ 안에 알맞은 것을 써넣으시오.

함수 $y=\cos bx$의 그래프

(1) 정의역은 ☐이다.

(2) 치역은 ☐이다.

(3) 그래프는 ☐에 대하여 대칭이다.

(4) 주기는 ☐이다.

(5) 함수 $y=\cos x$의 그래프를 ☐축의 방향으로 ☐배한 것이다.

211 함수 $y=\tan\dfrac{x}{3}$에 대하여 ☐ 안에 알맞은 것을 써넣으시오.

함수 $y=\tan bx$의 그래프

(1) 정의역은 ☐ (n은 정수)를 제외한 실수 전체의 집합이다.

(2) 그래프는 ☐에 대하여 대칭이다.

(3) 주기는 ☐이다.

(4) 그래프의 점근선은 직선 ☐ (n은 정수)이다.

(5) 함수 $y=\tan x$의 그래프를 ☐축의 방향으로 ☐배한 것이다.

212 다음 함수의 그래프를 그리시오.

(1) $y=2\sin x$ (2) $y=\cos 2x$ (3) $y=3\tan x$

다음 함수의 최댓값, 최솟값, 주기를 각각 구하고, 그 그래프를 그리시오.

(1) $y = \sin 2x$

(2) $y = \sin \left(x - \dfrac{\pi}{4} \right)$

풀이

(1) **최댓값 : 1, 최솟값 : −1**

주기 : $\dfrac{2\pi}{2} = \pi$

$y = \sin 2x$의 그래프는 $y = \sin x$의 그래프를

x축의 방향으로 $\dfrac{1}{2}$배한 것이므로 오른쪽 그림

과 같다.

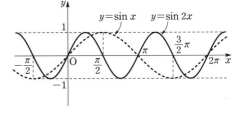

(2) **최댓값 : 1, 최솟값 : −1**

주기 : $\dfrac{2\pi}{1} = 2\pi$

$y = \sin \left(x - \dfrac{\pi}{4} \right)$의 그래프는 $y = \sin x$의 그래프를

x축의 방향으로 $\dfrac{\pi}{4}$만큼 평행이동한 것이므로 오른쪽

그림과 같다.

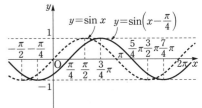

KEY Point $y = a \sin bx$ **꼴의 그래프**

• **최댓값** : $|a|$, **최솟값** : $-|a|$, **주기** : $\dfrac{2\pi}{|b|}$

• $y = \sin x$의 그래프를 y축의 방향으로 $|a|$배, x축의 방향으로 $\left| \dfrac{1}{b} \right|$배한 것이다.

---

213 다음 함수의 최댓값, 최솟값, 주기를 각각 구하고, 그 그래프를 그리시오.

(1) $y = \dfrac{1}{2} \sin x$

(2) $y = \sin \dfrac{1}{2}x + 1$

(3) $y = -\sin \left(x + \dfrac{\pi}{2} \right)$

214 함수 $y = \sin \left(\dfrac{\pi}{3}x - \pi \right) + 3$의 주기를 p, 최댓값을 M, 최솟값을 m이라 할 때,

$p + M + m$의 값을 구하시오.

다음 함수의 최댓값, 최솟값, 주기를 각각 구하고, 그 그래프를 그리시오.

(1) $y = 3\cos 3x$ (2) $y = -2\cos\left(x - \dfrac{\pi}{2}\right)$

풀이

(1) **최댓값 : 3, 최솟값 : −3**

     주기 : $\dfrac{2\pi}{3}$

     $y = 3\cos 3x$의 그래프는 $y = \cos x$의 그래프를
     x축의 방향으로 $\dfrac{1}{3}$배, y축의 방향으로 3배한 것
     이므로 오른쪽 그림과 같다.

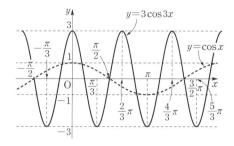

(2) **최댓값 : $|-2| = 2$, 최솟값 : $-|-2| = -2$**

     주기 : $\dfrac{2\pi}{1} = 2\pi$

     $y = -2\cos\left(x - \dfrac{\pi}{2}\right)$의 그래프는 $y = \cos x$의 그
     래프를 x축에 대하여 대칭이동한 후 x축의 방향으
     로 $\dfrac{\pi}{2}$만큼 평행이동하고, y축의 방향으로 2배한 것
     이므로 오른쪽 그림과 같다.

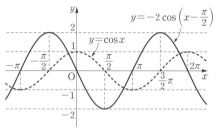

KEY Point

$y = a\cos bx$ 꼴의 그래프

- **최댓값 : $|a|$, 최솟값 : $-|a|$, 주기 : $\dfrac{2\pi}{|b|}$**

- $y = \cos x$의 그래프를 y축의 방향으로 $|a|$배, x축의 방향으로 $\left|\dfrac{1}{b}\right|$배한 것이다.

---

215 다음 함수의 최댓값, 최솟값, 주기를 각각 구하고, 그 그래프를 그리시오.

     (1) $y = \cos 2x + 1$ (2) $y = 2\cos(x - \pi)$ (3) $y = -2\cos\dfrac{x}{3} + 1$

216 함수 $y = -3\cos(-2\pi x) + 6$의 주기를 p, 최댓값을 M, 최솟값을 m이라 할 때,
     $p + M + m$의 값을 구하시오.

다음 함수의 주기와 점근선의 방정식을 구하고, 그 그래프를 그리시오.

(1) $y=\tan \dfrac{x}{2}$ 　　　　　　　(2) $y=\tan \left(x-\dfrac{\pi}{4}\right)$

풀이　　(1) **주기** : $\dfrac{\pi}{\frac{1}{2}}=2\pi$

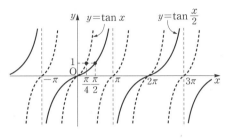

$y=\tan \dfrac{x}{2}$의 그래프는 $y=\tan x$의 그래프를 x축
의 방향으로 2배한 것이므로 오른쪽 그림과 같다.

점근선의 방정식 : $\dfrac{x}{2}=n\pi+\dfrac{\pi}{2}$에서

$x=2n\pi+\pi$ (n은 정수)

(2) **주기** : $\dfrac{\pi}{1}=\pi$

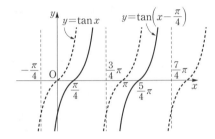

$y=\tan \left(x-\dfrac{\pi}{4}\right)$의 그래프는 $y=\tan x$의 그래프를

x축의 방향으로 $\dfrac{\pi}{4}$만큼 평행이동한 것이므로 오른쪽
그림과 같다.

점근선의 방정식 : $x-\dfrac{\pi}{4}=n\pi+\dfrac{\pi}{2}$에서

$x=n\pi+\dfrac{3}{4}\pi$ (n은 정수)

KEY Point

$y=a \tan bx$ 꼴의 그래프

• 최댓값, 최솟값은 없다.

• 주기 : $\dfrac{\pi}{|b|}$, 점근선의 방정식 : $x=\dfrac{1}{b}\left(n\pi+\dfrac{\pi}{2}\right)$ (n은 정수)

• $y=\tan x$의 그래프를 x축의 방향으로 $\dfrac{1}{|b|}$배, y축의 방향으로 $|a|$배한 것이다.

---

217 다음 함수의 주기와 점근선의 방정식을 구하고, 그 그래프를 그리시오.

(1) $y=\tan 3x$ 　　　　(2) $y=2 \tan x$ 　　　　(3) $y=\tan \left(x-\dfrac{\pi}{2}\right)+2$

218 함수 $y=\tan \left(2x-\dfrac{\pi}{2}\right)+1$의 주기가 $a\pi$, 그래프의 점근선의 방정식이

$x=bn\pi$(n은 정수)일 때, $a+b$의 값을 구하시오. (단, a, b는 상수이다.)

다음 함수의 그래프를 그리고, 최댓값, 최솟값, 주기를 각각 구하시오.

(1) $y=\dfrac{1}{4}\sin\left(2x-\dfrac{\pi}{3}\right)$ (2) $y=3\cos\left(\dfrac{1}{2}x-\pi\right)+1$ (3) $y=\dfrac{1}{2}\tan\left(3x-\dfrac{\pi}{2}\right)$

설명

$y=2\sin x$의 그래프는 $y=\sin x$의 그래프를 y축의 방향으로 2배한 것이고,

$y=\sin 2x$의 그래프는 $y=\sin x$의 그래프를 x축의 방향으로 $\dfrac{1}{2}$배한 것이다.

풀이

(1) $y=\dfrac{1}{4}\sin\left(2x-\dfrac{\pi}{3}\right)=\dfrac{1}{4}\sin 2\left(x-\dfrac{\pi}{6}\right)$의 그래프는

$y=\sin x$의 그래프를 x축의 방향으로 $\dfrac{1}{2}$배, y축의 방향으로

$\dfrac{1}{4}$배한 후 x축의 방향으로 $\dfrac{\pi}{6}$만큼 평행이동한 것이므로 오른쪽

그림과 같다.

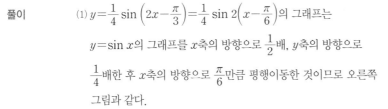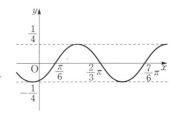

∴ **최댓값 : $\dfrac{1}{4}$, 최솟값 : $-\dfrac{1}{4}$, 주기 : $\dfrac{2\pi}{2}=\pi$**

(2) $y=3\cos\left(\dfrac{1}{2}x-\pi\right)+1=3\cos\dfrac{1}{2}(x-2\pi)+1$의 그래프는

$y=\cos x$의 그래프를 x축의 방향으로 2배, y축의 방향으로 3

배한 후 x축의 방향으로 2π만큼, y축의 방향으로 1만큼 평행이

동한 것이므로 오른쪽 그림과 같다.

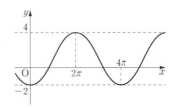

∴ **최댓값 : $3+1=4$, 최솟값 : $-3+1=-2$, 주기 : $\dfrac{2\pi}{\frac{1}{2}}=4\pi$**

(3) $y=\dfrac{1}{2}\tan\left(3x-\dfrac{\pi}{2}\right)=\dfrac{1}{2}\tan 3\left(x-\dfrac{\pi}{6}\right)$의 그래프는

$y=\tan x$의 그래프를 x축의 방향으로 $\dfrac{1}{3}$배, y축의 방향으로

$\dfrac{1}{2}$배한 후 x축의 방향으로 $\dfrac{\pi}{6}$만큼 평행이동한 것이므로

오른쪽 그림과 같다.

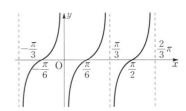

∴ **최댓값 : 없다., 최솟값 : 없다., 주기 : $\dfrac{\pi}{3}$**

KEY Point

• $y=a\sin(bx+c)+d$, $y=a\cos(bx+c)+d$

 ⇨ 최댓값 : $|a|+d$, 최솟값 : $-|a|+d$, 주기 : $\dfrac{2\pi}{|b|}$

• $y=a\tan(bx+c)+d$ ⇨ 최댓값 : 없다, 최솟값 : 없다, 주기 : $\dfrac{\pi}{|b|}$

---

 219 다음 함수의 최댓값, 최솟값, 주기를 각각 구하시오.

(1) $y=-2\sin\left(2x-\dfrac{\pi}{2}\right)+1$ (2) $y=-\dfrac{1}{4}\cos\left(3x+\dfrac{\pi}{2}\right)-4$

(3) $y=-2\tan\left(\pi x+\dfrac{\pi}{3}\right)$

함수 $y=\dfrac{1}{2}\sin(2x+1)-1$의 그래프를 x축의 방향으로 2만큼, y축의 방향으로 2만큼

평행이동하면 함수 $y=\dfrac{1}{2}\sin(ax+b)+c$의 그래프와 겹쳐진다. 이때 상수 a, b, c에

대하여 $a+b+c$의 값을 구하시오. (단, $-\pi<b<0$)

풀이   함수 $y=\dfrac{1}{2}\sin(2x+1)-1$의 그래프를 x축의 방향으로 2만큼, y축의 방향으로 2만큼 평행이동하면

$y-2=\dfrac{1}{2}\sin\{2(x-2)+1\}-1$ $\therefore y=\dfrac{1}{2}\sin(2x-3)+1$

$\therefore a=2,\ b=-3,\ c=1$

$\therefore a+b+c=\mathbf{0}$

함수 $f(x)=a\cos(\pi-px)+b$의 최솟값이 -1, 주기가 π이고, $f\left(\dfrac{\pi}{3}\right)=2$일 때, 상수

a, b, p에 대하여 $a+b+p$의 값을 구하시오. (단, $a>0$, $p>0$)

풀이   최솟값이 -1이고 $a>0$이므로 $-a+b=-1$ ······ ㉠

주기가 π이고 $p>0$이므로 $\dfrac{2\pi}{|-p|}=\pi$에서 $2\pi=p\pi$ $\therefore p=2$

$f(x)=a\cos(\pi-2x)+b$에서 $f\left(\dfrac{\pi}{3}\right)=a\cos\dfrac{\pi}{3}+b=2$

$\dfrac{1}{2}a+b=2$ $\therefore a+2b=4$ ······ ㉡

㉠, ㉡을 연립하여 풀면 $a=2$, $b=1$

$\therefore a+b+p=\mathbf{5}$

220 함수 $y=\cos 2x+1$의 그래프를 x축의 방향으로 $-\dfrac{\pi}{8}$만큼 평행이동한 후 x축에 대하여
대칭이동한 그래프의 식을 구하시오.

221 함수 $f(x)=a\sin\left(\dfrac{x}{b}-\dfrac{\pi}{3}\right)-c$의 최댓값이 3, 주기가 4π이고, $f\left(\dfrac{\pi}{3}\right)=0$일 때, $f(x)$의
최솟값을 구하시오. (단, $a>0$, $b>0$이고 c는 상수이다.)

222 함수 $f(x)=a\tan(bx+c)+d$의 그래프는 주기가 $\dfrac{\pi}{2}$이고 $y=a\tan bx$의 그래프를
x축의 방향으로 $\dfrac{\pi}{4}$만큼, y축의 방향으로 -1만큼 평행이동한 것이다. $f\left(\dfrac{\pi}{3}\right)=\sqrt{3}-1$일
때, 상수 a, b, c, d에 대하여 $abcd$의 값을 구하시오. (단, $b>0$, $-\pi<c<0$)

함수 $y=a\cos(bx-c)+d$의 그래프가 오른쪽 그림과 같을 때, 상수 a, b, c, d에 대하여 $abcd$의 값을 구하시오.

$$\text{(단, } a>0, b>0, 0<c<\pi)$$

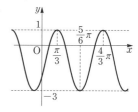

풀이

주어진 그래프에서 함수의 최댓값이 1, 최솟값이 -3이고 $a>0$이므로

$a+d=1$, $-a+d=-3$

위의 두 식을 연립하여 풀면 $a=2$, $d=-1$

또 주기가 $\dfrac{4}{3}\pi-\dfrac{\pi}{3}=\pi$이고 $b>0$이므로

$\dfrac{2\pi}{b}=\pi$ ∴ $b=2$

따라서 주어진 함수의 식은 $y=2\cos(2x-c)-1$이고, 그 그래프가 점 $\left(\dfrac{\pi}{3}, 1\right)$을 지나므로

$1=2\cos\left(2\cdot\dfrac{\pi}{3}-c\right)-1$, $\cos\left(\dfrac{2}{3}\pi-c\right)=1$

$0<c<\pi$이므로 $\dfrac{2}{3}\pi-c=0$ ∴ $c=\dfrac{2}{3}\pi$

∴ $abcd=2\cdot2\cdot\dfrac{2}{3}\pi\cdot(-1)=-\dfrac{8}{3}\pi$

KEY Point

x축의 방향으로 평행이동 결정

• $\boldsymbol{y=a\sin(bx+c)+d}$ ← y축의 방향으로 평행이동 결정

주기 결정

최댓값, 최솟값 결정

---

 223 함수 $y=a\cos(bx-c)$의 그래프가 오른쪽 그림과 같을 때, 이 함수의 식을 구하시오.

$$\text{(단, } a>0, b>0, 0\le c\le2\pi)$$

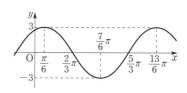

224 함수 $y=a\sin(bx+c)+d$의 그래프가 오른쪽 그림과 같을 때, 상수 a, b, c, d에 대하여 $abcd$의 값을 구하시오. (단, $a>0$, $b>0$, $0<c<\pi$)

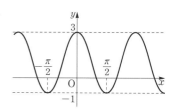

> 함수 $y=|2\sin x|$의 최댓값, 최솟값, 주기를 각각 구하시오.

설명 $y=|f(x)|$의 그래프 그리는 방법
     ⇨ $y=f(x)$의 그래프에서 $y\geq 0$인 부분은 그대로 두고, $y<0$인 부분은 x축에 대하여 대칭이동한다.

풀이 $y=|2\sin x|$의 그래프는 $y=2\sin x$의 그래프에서 $y<0$인 부분을 x축에 대하여 대칭이동한 것이므로 오른쪽 그림과 같다.
     ∴ **최댓값 : 2, 최솟값 : 0, 주기 : π**

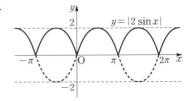

> 함수 $f(x)=|\sin ax|+b$의 최댓값이 5이고 주기가 $\dfrac{\pi}{3}$일 때, $a+b$의 값을 구하시오.
>   (단, $a>0$이고 b는 상수이다.)

설명 $y=|\sin ax|$의 주기는 오른쪽 그림에서처럼 $y=\sin ax$의 주기의 절반이므로 $\dfrac{\pi}{|a|}$이다.

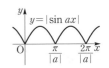

풀이   최댓값이 5이므로 $1+b=5$ ∴ $b=4$

     주기가 $\dfrac{\pi}{3}$이고 $a>0$이므로 $\dfrac{\pi}{a}=\dfrac{\pi}{3}$ ∴ $a=3$

     ∴ $a+b=3+4=$**7**

225 다음 함수의 최댓값, 최솟값, 주기를 각각 구하시오.

     ⑴ $y=|\cos 2x|$ ⑵ $y=2|\sin x|-1$

226 함수 $f(x)=7|\cos \pi x|+3$의 주기를 a, 최댓값을 M, 최솟값을 m이라 할 때, $a+M+m$의 값을 구하시오.

227 함수 $f(x)=a|\sin bx|+c$의 최댓값이 5, 주기가 $\dfrac{\pi}{3}$이고 $f\left(\dfrac{\pi}{18}\right)=\dfrac{7}{2}$일 때, abc의 값을 구하시오. (단, $a>0$, $b>0$이고 c는 상수이다.)

연습문제

🔖 생각해 봅시다!

$y = a \cos (bx+c) + d$

⇨ 최댓값 : $|a|+d$
최솟값 : $-|a|+d$

주기 : $\dfrac{2\pi}{|b|}$

194 다음 중 함수 $y = 2\cos\left(3x - \dfrac{\pi}{2}\right) + 1$에 대한 설명으로 옳지 <u>않은</u> 것은?

① 주기는 $\dfrac{2}{3}\pi$이다.　　　　　　② 최댓값은 3이다.

③ 최솟값은 -1이다.　　　　　　④ 그래프는 점 $(0, 1)$을 지난다.

⑤ 그래프는 $y = 2\cos 3x$의 그래프를 x축의 방향으로 $\dfrac{\pi}{2}$만큼, y축의 방향으로 1만큼 평행이동한 것이다.

195 다음 함수 중 주기가 가장 긴 것은?

① $y = \sin 2x + 3$　　② $y = 2\sin\left(\dfrac{x}{3} - \dfrac{\pi}{4}\right)$　③ $y = 3\cos(x-2)$

④ $y = \cos\left(\dfrac{x}{4} + \dfrac{\pi}{6}\right)$　　⑤ $y = \tan 2x - 5$

196 함수 $y = \sin 3x$의 주기가 p일 때, 오른쪽 그림은 함수 $y = \sin px$의 그래프이다. 이때 점 A의 좌표를 구하시오.

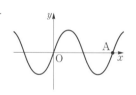

197 함수 $f(x) = a\sin\left(bx + \dfrac{\pi}{2}\right) + c$의 최댓값이 4, 최솟값이 -2이고 주기가 π이다. 이때 $f\left(\dfrac{\pi}{4}\right)$의 값은? (단, $a > 0$, $b > 0$이고, c는 상수이다.)

① -1　　　② 0　　　③ $\dfrac{1}{2}$　　　④ 1　　　⑤ $\dfrac{3}{2}$

$y = a \sin (bx+c) + d$

⇨ 최댓값 : $|a|+d$
최솟값 : $-|a|+d$

주기 : $\dfrac{2\pi}{|b|}$

198 오른쪽 그림은 함수 $y = a\cos\dfrac{\pi}{3}(2x-1) + b$의 그래프이다. 이때 상수 a, b, c에 대하여 $a+b+c$의 값을 구하시오. (단, $a > 0$)

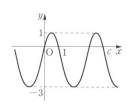

최댓값, 최솟값과 주기를 구한다.

•연습문제

199 오른쪽 그림과 같은 그래프를 나타내는 삼각함수의
식은?

① $y=\sin 3x-1$ 　　② $y=2\sin 3x-1$

③ $y=2\sin \dfrac{x}{3}-1$ 　　④ $y=\cos 3x-1$

⑤ $y=2\cos 3x-1$

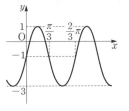

STEP 2

200 오른쪽 그림과 같이 함수 $y=\cos \dfrac{\pi}{4}x$의 그래프와
x축으로 둘러싸인 부분에 내접하는 사각형
ABCD가 있다. $\overline{CD}$는 x축에 평행하고 $\overline{CD}=2$
일 때, 사각형 ABCD의 넓이를 구하시오.

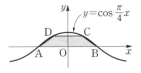

201 두 함수 $y=\tan x$, $y=\tan x+1$의 그래프와 y축 및 직선 $x=\dfrac{\pi}{4}$로 둘러싸
인 도형의 넓이를 구하시오.

평행이동을 하여도 도형의
모양은 변하지 않음을 이
용한다.

202 상수 a, b, c에 대하여 함수 $f(x)=a\cos bx+c$가 다음 조건을 만족시킬 때,
$a+b+c$의 값을 구하시오. (단, $a>0$, $0<b<5$)

(개) 최댓값과 최솟값의 합이 6이다.

(내) 모든 실수 x에 대하여 $f\left(x+\dfrac{\pi}{2}\right)=f(x)$가 성립한다.

(대) 그래프가 점 $\left(\dfrac{\pi}{12},\,4\right)$를 지난다.

실력 UP

203 상수 a, b, c에 대하여 함수 $f(x)=a|\sin bx|+c$가 다음 조건을 만족시킬
때, $a+b+c$의 값을 구하시오. (단, $a>0$, $b>0$)

(개) 최댓값과 최솟값의 차가 3이다.

(내) 주기가 함수 $y=\cos 4x$의 주기와 같다.

(대) 그래프의 y절편은 5이다.

일반각에 대한 삼각함수의 성질

2. 삼각함수의 그래프

개념원리 이해

1. 일반각에 대한 삼각함수의 성질

(1) $2n\pi+x$ (n은 정수)의 삼각함수 ▷ 필수예제 **10, 13**

① $\sin(2n\pi+x)=\sin x$
② $\cos(2n\pi+x)=\cos x$
③ $\tan(2n\pi+x)=\tan x$

설명 보충학습 2 참조

예 (1) $\sin\dfrac{17}{4}\pi=\sin\left(2\pi\times2+\dfrac{\pi}{4}\right)=\sin\dfrac{\pi}{4}=\dfrac{\sqrt{2}}{2}$

(2) $\cos405°=\cos(360°+45°)=\cos45°=\dfrac{\sqrt{2}}{2}$

(3) $\tan780°=\tan(360°\times2+60°)=\tan60°=\sqrt{3}$

(2) $-x$의 삼각함수 ▷ 필수예제 **10**

① $\sin(-x)=-\sin x$
② $\cos(-x)=\cos x$
③ $\tan(-x)=-\tan x$

설명 보충학습 3 참조

예 (1) $\sin(-60°)=-\sin60°=-\dfrac{\sqrt{3}}{2}$

(2) $\cos\left(-\dfrac{7}{3}\pi\right)=\cos\dfrac{7}{3}\pi=\cos\left(2\pi+\dfrac{\pi}{3}\right)=\cos\dfrac{\pi}{3}=\dfrac{1}{2}$

(3) $\tan\left(-\dfrac{25}{4}\pi\right)=-\tan\dfrac{25}{4}\pi=-\tan\left(2\pi\times3+\dfrac{\pi}{4}\right)=-\tan\dfrac{\pi}{4}=-1$

(3) $\pi\pm x$의 삼각함수 ▷ 필수예제 **10, 11, 13**

① $\sin(\pi+x)=-\sin x$ ② $\sin(\pi-x)=\sin x$
③ $\cos(\pi+x)=-\cos x$ ④ $\cos(\pi-x)=-\cos x$
⑤ $\tan(\pi+x)=\tan x$ ⑥ $\tan(\pi-x)=-\tan x$

설명 보충학습 4 참조

예 (1) $\sin \dfrac{5}{4}\pi = \sin \left(\pi + \dfrac{\pi}{4}\right) = -\sin \dfrac{\pi}{4} = -\dfrac{\sqrt{2}}{2}$

(2) $\cos 150° = \cos (180° - 30°) = -\cos 30° = -\dfrac{\sqrt{3}}{2}$

(3) $\tan \dfrac{2}{3}\pi = \tan \left(\pi - \dfrac{\pi}{3}\right) = -\tan \dfrac{\pi}{3} = -\sqrt{3}$

(4) $\dfrac{\pi}{2} \pm x$의 삼각함수 ▷ **필수예제 11, 12, 13**

---

① $\sin \left(\dfrac{\pi}{2} + x\right) = \cos x$ ② $\sin \left(\dfrac{\pi}{2} - x\right) = \cos x$

③ $\cos \left(\dfrac{\pi}{2} + x\right) = -\sin x$ ④ $\cos \left(\dfrac{\pi}{2} - x\right) = \sin x$

⑤ $\tan \left(\dfrac{\pi}{2} + x\right) = -\dfrac{1}{\tan x}$ ⑥ $\tan \left(\dfrac{\pi}{2} - x\right) = \dfrac{1}{\tan x}$

설명 보충학습 5 참조

예 (1) $\sin \dfrac{\pi}{3} = \sin \left(\dfrac{\pi}{2} - \dfrac{\pi}{6}\right) = \cos \dfrac{\pi}{6} = \dfrac{\sqrt{3}}{2}$

(2) $\cos \dfrac{5}{6}\pi = \cos \left(\dfrac{\pi}{2} + \dfrac{\pi}{3}\right) = -\sin \dfrac{\pi}{3} = -\dfrac{\sqrt{3}}{2}$

(3) $\tan 135° = \tan (90° + 45°) = -\dfrac{1}{\tan 45°} = -\dfrac{1}{1} = -1$

2. 삼각함수표의 사용

지금까지 배운 삼각함수의 성질을 이용하면 일반각에 대한 삼각함수를 0°에서 90°까지의 각에 대한 삼각함수로 나타낼 수 있다.

따라서 이 책의 313쪽에 있는 삼각함수표를 이용하면 일반각에 대한 삼각함수의 값을 구할 수 있다.

예 (1) $\cos 250° = \cos (180° + 70°) = -\cos 70°$
삼각함수표에서 $\cos 70° = 0.3420$이므로
$\cos 250° = -0.3420$

θ	$\sin \theta$	$\cos \theta$	$\tan \theta$
⋮		⇓	
70°	⟹	0.3420	
⋮			

(2) $\tan 340° = \tan (360° - 20°)$
$= \tan (-20°) = -\tan 20°$
삼각함수표에서 $\tan 20° = 0.3640$이므로
$\tan 340° = -0.3640$

θ	$\sin \theta$	$\cos \theta$	$\tan \theta$
⋮			⇓
20°	⟹		0.3640
⋮			

1. 삼각함수의 각의 변환 방법

(i) 모든 각을 $90° \times n \pm \theta$ 또는 $\dfrac{\pi}{2} \times n \pm \theta$ (n은 정수) 꼴로 고친다.

(ii) 삼각함수를 결정한다.

　① n이 짝수이면 ⇨ 그대로

　　　$\sin \rightarrow \sin,\ \cos \rightarrow \cos,\ \tan \rightarrow \tan$

　② n이 홀수이면 ⇨ 바꾼다.

　　　$\sin \rightarrow \cos,\ \cos \rightarrow \sin,\ \tan \rightarrow \dfrac{1}{\tan}$

(iii) 부호를 결정한다.

$90° \times n \pm \theta$ 또는 $\dfrac{\pi}{2} \times n \pm \theta$ (n은 정수)를 나타내는 동경이 제몇 사분면에 있는지 구한 후
원래 주어진 삼각함수의 부호가 양이면 $+$, 음이면 $-$를 붙인다.

(단, θ는 항상 **예각**으로 간주한다.)

예　$\cos 210°$, $\tan \dfrac{11}{4}\pi$의 값을 구하시오.

풀이　$\cos 210° = \cos(90° \times 2 + 30°)$　◀──　$90° \times n \pm \theta$ 꼴로 변형

여기서 n이 짝수($n=2$)이므로 $\cos \rightarrow \cos$으로 그대로 두고

원래 삼각함수의 각 $210°$는 제3사분면의 각이므로 $\cos 210°$의 부호는 '$-$'

$\therefore \cos 210° = \cos(90° \times 2 + 30°) = -\cos 30° = -\dfrac{\sqrt{3}}{2}$

$\tan \dfrac{11}{4}\pi = \tan\left(\dfrac{\pi}{2} \times 5 + \dfrac{\pi}{4}\right)$　◀──　$\dfrac{\pi}{2} \times n \pm \theta$ 꼴로 변형

여기서 n이 홀수($n=5$)이므로 바꾼다. 즉 $\tan \rightarrow \dfrac{1}{\tan}$로 바꾸고

원래 삼각함수의 각 $\dfrac{11}{4}\pi$는 제2사분면의 각이므로 $\tan \dfrac{11}{4}\pi$의 부호는 '$-$'

$\therefore \tan \dfrac{11}{4}\pi = \tan\left(\dfrac{\pi}{2} \times 5 + \dfrac{\pi}{4}\right) = -\dfrac{1}{\tan \dfrac{\pi}{4}} = -\dfrac{1}{1} = -1$

2. $2n\pi + x$ (n은 정수)의 삼각함수

함수 $y = \sin x$와 $y = \cos x$의 주기는 2π이므로

$y = \sin x = \sin(x + 2\pi) = \sin(x + 4\pi) = \cdots$

$y = \cos x = \cos(x + 2\pi) = \cos(x + 4\pi) = \cdots$

$\therefore \sin(2n\pi + x) = \sin x,\ \cos(2n\pi + x) = \cos x$

또 함수 $y = \tan x$의 주기는 π이므로

$y = \tan x = \tan(x + \pi) = \tan(x + 2\pi) = \cdots$

$\therefore \tan(2n\pi + x) = \tan x$

3. $-x$의 삼각함수

함수 $y=\sin x$와 $y=\tan x$의 그래프는 각각 원점에 대하여 대칭이므로

$$\sin(-x)=-\sin x,\ \tan(-x)=-\tan x$$

또 함수 $y=\cos x$의 그래프는 y축에 대하여 대칭이므로

$$\cos(-x)=\cos x$$

4. $\pi\pm x$의 삼각함수

함수 $y=\sin x$의 그래프를 x축의 방향으로 $-\pi$만큼 평행이동하면 함수 $y=-\sin x$의 그래프와 겹쳐진다.

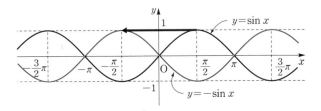

즉 임의의 실수 x에 대하여

$$\sin(\pi+x)=-\sin x$$

위의 식에서 x 대신 $-x$를 대입하면

$$\sin(\pi-x)=-\sin(-x) \qquad \therefore \sin(\pi-x)=\sin x$$

또 함수 $y=\cos x$의 그래프를 x축의 방향으로 $-\pi$만큼 평행이동하면 함수 $y=-\cos x$의 그래프와 겹쳐진다.

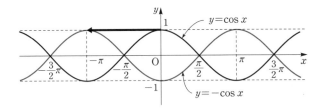

즉 임의의 실수 x에 대하여

$$\cos(\pi+x)=-\cos x$$

위의 식에서 x 대신 $-x$를 대입하면

$$\cos(\pi-x)=-\cos(-x) \qquad \therefore \cos(\pi-x)=-\cos x$$

한편, 함수 $y=\tan x$는 주기가 π인 주기함수이므로 임의의 실수 x에 대하여

$$\tan(\pi+x)=\tan x$$

위의 식에서 x 대신 $-x$를 대입하면

$$\tan(\pi-x)=\tan(-x) \qquad \therefore \tan(\pi-x)=-\tan x$$

5. $\dfrac{\pi}{2}\pm x$의 삼각함수

함수 $y=\sin x$의 그래프를 x축의 방향으로 $-\dfrac{\pi}{2}$만큼 평행이동하면 함수 $y=\cos x$의 그래프와 겹쳐진다.

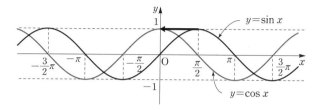

즉 임의의 실수 x에 대하여

$$\sin\left(\dfrac{\pi}{2}+x\right)=\cos x$$

위의 식에서 x 대신 $-x$를 대입하면

$$\sin\left(\dfrac{\pi}{2}-x\right)=\cos\left(-x\right) \qquad \therefore \sin\left(\dfrac{\pi}{2}-x\right)=\cos x$$

또 함수 $y=\cos x$의 그래프를 x축의 방향으로 $-\dfrac{\pi}{2}$만큼 평행이동하면 함수 $y=-\sin x$의 그래프와 겹쳐진다.

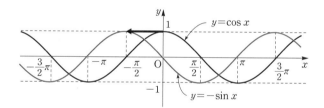

즉 임의의 실수 x에 대하여

$$\cos\left(\dfrac{\pi}{2}+x\right)=-\sin x$$

위의 식에서 x 대신 $-x$를 대입하면

$$\cos\left(\dfrac{\pi}{2}-x\right)=-\sin\left(-x\right) \qquad \therefore \cos\left(\dfrac{\pi}{2}-x\right)=\sin x$$

한편, $\tan\left(\dfrac{\pi}{2}+x\right)=\dfrac{\sin\left(\dfrac{\pi}{2}+x\right)}{\cos\left(\dfrac{\pi}{2}+x\right)}$ 이므로

$$\tan\left(\dfrac{\pi}{2}+x\right)=\dfrac{\cos x}{-\sin x} \qquad \therefore \tan\left(\dfrac{\pi}{2}+x\right)=-\dfrac{1}{\tan x}$$

위의 식에서 x 대신 $-x$를 대입하면

$$\tan\left(\dfrac{\pi}{2}-x\right)=-\dfrac{1}{\tan\left(-x\right)} \qquad \therefore \tan\left(\dfrac{\pi}{2}-x\right)=\dfrac{1}{\tan x}$$

228 다음 삼각함수의 값을 구하시오.

(1) $\sin 750° = \sin(360° \times 2 + \boxed{}) = \sin\boxed{} = \boxed{}$

(2) $\sin \dfrac{13}{3}\pi$

(3) $\cos 420°$

(4) $\tan \dfrac{7}{3}\pi$

229 다음 삼각함수의 값을 구하시오.

(1) $\tan\left(-\dfrac{\pi}{6}\right) = -\tan\boxed{} = \boxed{}$

(2) $\sin\left(-\dfrac{\pi}{4}\right)$

(3) $\cos\left(-\dfrac{\pi}{6}\right)$

(4) $\tan\left(-\dfrac{\pi}{3}\right)$

230 다음 삼각함수의 값을 구하시오.

(1) $\cos \dfrac{3}{4}\pi = \cos\left(\pi - \boxed{}\right) = -\cos\boxed{} = \boxed{}$

(2) $\sin 150°$

(3) $\cos 225°$

(4) $\tan \dfrac{4}{3}\pi$

231 다음 삼각함수의 값을 구하시오.

(1) $\sin 135° = \sin(90° \times \boxed{} - \boxed{}) = \sin\boxed{} = \boxed{}$

(2) $\sin \dfrac{11}{6}\pi$

(3) $\cos \dfrac{7}{4}\pi$

(4) $\tan 300°$

232 313쪽의 삼각함수표를 이용하여 다음 값을 구하시오.

(1) $\sin 760°$ (2) $\cos 1000°$ (3) $\tan(-410°)$

생각해 봅시다!

$2n\pi + x$ (n은 정수)의 삼각함수

$-x$의 삼각함수

$\pi \pm x$의 삼각함수

$\tan \dfrac{5}{4}\pi - \cos\left(-\dfrac{16}{3}\pi\right) + \sin \dfrac{9}{2}\pi$의 값을 구하시오.

풀이 $\tan \dfrac{5}{4}\pi = \tan\left(\pi + \dfrac{\pi}{4}\right) = \tan \dfrac{\pi}{4} = 1$

$\cos\left(-\dfrac{16}{3}\pi\right) = \cos \dfrac{16}{3}\pi = \cos\left(\dfrac{\pi}{2} \times 10 + \dfrac{\pi}{3}\right) = -\cos \dfrac{\pi}{3} = -\dfrac{1}{2}$

$\sin \dfrac{9}{2}\pi = \sin\left(2\pi \times 2 + \dfrac{\pi}{2}\right) = \sin \dfrac{\pi}{2} = 1$

$\therefore$ (주어진 식) $= 1 - \left(-\dfrac{1}{2}\right) + 1 = \dfrac{5}{2}$

$\dfrac{\sin(\pi+\theta)\tan^2(\pi-\theta)}{\cos\left(\dfrac{3}{2}\pi+\theta\right)} - \dfrac{\sin\left(\dfrac{3}{2}\pi-\theta\right)}{\sin\left(\dfrac{\pi}{2}+\theta\right)\cos^2\theta}$의 값을 구하시오.

풀이 $\sin(\pi+\theta) = -\sin\theta$, $\tan(\pi-\theta) = -\tan\theta$, $\cos\left(\dfrac{3}{2}\pi+\theta\right) = \sin\theta$,

$\sin\left(\dfrac{3}{2}\pi-\theta\right) = -\cos\theta$, $\sin\left(\dfrac{\pi}{2}+\theta\right) = \cos\theta$이므로

(주어진 식) $= \dfrac{(-\sin\theta)(-\tan\theta)^2}{\sin\theta} - \dfrac{-\cos\theta}{\cos\theta\cos^2\theta}$

$= -\tan^2\theta + \dfrac{1}{\cos^2\theta} = -\dfrac{\sin^2\theta}{\cos^2\theta} + \dfrac{1}{\cos^2\theta} = \dfrac{1-\sin^2\theta}{\cos^2\theta} = \dfrac{\cos^2\theta}{\cos^2\theta} = 1$

KEY Point   • 삼각함수의 각의 변환 방법

(ⅰ) 각을 $\dfrac{\pi}{2} \times n \pm \theta$ (n은 정수) 꼴로 고친다.

(ⅱ) n이 짝수이면 ⇨ 그대로 ⇨ $\sin \to \sin$, $\cos \to \cos$, $\tan \to \tan$

     n이 홀수이면 ⇨ 바꾼다. ⇨ $\sin \to \cos$, $\cos \to \sin$, $\tan \to \dfrac{1}{\tan}$

(ⅲ) 원래 삼각함수의 부호가 양이면 '+', 음이면 '−'를 붙인다.

---

233 $\sin\left(-\dfrac{17}{6}\pi\right) + \tan\left(-\dfrac{\pi}{4}\right) + \cos\left(-\dfrac{10}{3}\pi\right)$의 값을 구하시오.

234 $\sin\left(\dfrac{5}{2}\pi+\theta\right)\cos(3\pi+\theta) + \cos\left(\dfrac{3}{2}\pi-\theta\right)\sin(5\pi-\theta)$의 값을 구하시오.

235 $\dfrac{\sin\left(\dfrac{\pi}{2}-\dfrac{\pi}{6}\right)}{\sin\left(\dfrac{3}{2}\pi+\dfrac{\pi}{6}\right) + \cos\left(3\pi+\dfrac{\pi}{6}\right)}$의 값을 구하시오.

$\sin^2 1° + \sin^2 2° + \sin^2 3° + \cdots + \sin^2 89° + \sin^2 90°$의 값을 구하시오.

설명   각의 크기의 합이 90°인 것끼리 짝을 짓고, $\sin(90°-\theta) = \cos\theta$, $\sin^2\theta + \cos^2\theta = 1$임을 이용한다.

풀이 $\sin(90°-\theta) = \cos\theta$이므로

$\sin 89° = \sin(90°-1°) = \cos 1°$, $\sin 88° = \sin(90°-2°) = \cos 2°$

$\qquad\vdots$

$\sin 47° = \sin(90°-43°) = \cos 43°$, $\sin 46° = \sin(90°-44°) = \cos 44°$

$\therefore \sin^2 1° + \sin^2 2° + \sin^2 3° + \cdots + \sin^2 89° + \sin^2 90°$

$\quad = (\sin^2 1° + \sin^2 89°) + (\sin^2 2° + \sin^2 88°) + (\sin^2 3° + \sin^2 87°) + \cdots$
$\qquad\qquad\qquad\qquad\qquad\qquad + (\sin^2 44° + \sin^2 46°) + \sin^2 45° + \sin^2 90°$

$\quad = (\sin^2 1° + \cos^2 1°) + (\sin^2 2° + \cos^2 2°) + \cdots + (\sin^2 44° + \cos^2 44°) + \sin^2 45° + \sin^2 90°$

$\quad = \underbrace{1 + 1 + \cdots + 1}_{44개} + \dfrac{1}{2} + 1 = 45 + \dfrac{1}{2} = \dfrac{\mathbf{91}}{\mathbf{2}}$

$\sin^2\left(\dfrac{\pi}{2} - \theta\right) + \sin^2(\pi - \theta) + \sin^2\left(\dfrac{3}{2}\pi - \theta\right) + \sin^2(2\pi - \theta)$의 값을 구하시오.

풀이 $\sin\left(\dfrac{\pi}{2} - \theta\right) = \cos\theta$, $\sin(\pi - \theta) = \sin\theta$,

$\sin\left(\dfrac{3}{2}\pi - \theta\right) = -\cos\theta$, $\sin(2\pi - \theta) = -\sin\theta$

이므로

$\sin^2\left(\dfrac{\pi}{2} - \theta\right) + \sin^2(\pi - \theta) + \sin^2\left(\dfrac{3}{2}\pi - \theta\right) + \sin^2(2\pi - \theta)$

$= \cos^2\theta + \sin^2\theta + (-\cos\theta)^2 + (-\sin\theta)^2$

$= \cos^2\theta + \sin^2\theta + \cos^2\theta + \sin^2\theta$

$= \mathbf{2}$

236 다음 식의 값을 구하시오.

   (1) $\cos^2 0° + \cos^2 1° + \cos^2 2° + \cdots + \cos^2 89° + \cos^2 90°$

   (2) $\tan 1° \times \tan 2° \times \tan 3° \times \cdots \times \tan 88° \times \tan 89°$

237 $\cos^2(\pi + \theta) + \cos^2\left(\dfrac{\pi}{2} + \theta\right) + \cos^2(2\pi + \theta) + \cos^2\left(\dfrac{3}{2}\pi + \theta\right)$의 값을 구하시오.

연습문제

STEP **1**

🧠 **생각해 봅시다!**

204 다음 중 함수 $y=\cos\dfrac{x}{2}$의 그래프를 x축의 방향으로 π만큼 평행이동한 후 x축에 대하여 대칭이동한 그래프의 식은?

$\cos\left(\dfrac{\pi}{2}-\dfrac{x}{2}\right)=\sin\dfrac{x}{2}$

① $y=\cos\dfrac{x}{2}$ ② $y=-\cos\dfrac{x}{2}$ ③ $y=\sin\dfrac{x}{2}$

④ $y=-\sin\dfrac{x}{2}$ ⑤ $y=\sin\dfrac{x-1}{2}$

205 함수 $f(x)=2\tan(ax+b)$의 주기가 2이고 $f(2)=2$일 때, 상수 a, b의 합 $a+b$의 값을 구하시오. $\left(단, a>0, -\dfrac{\pi}{2}<b<\dfrac{\pi}{2}\right)$

$y=a\tan(bx+c)+d$

$\Rightarrow$ 주기 : $\dfrac{\pi}{|b|}$

206 삼각형 ABC에서 다음 중 성립하지 <u>않는</u> 것은?

삼각형 ABC에서
$A+B+C=\pi$

① $\tan\dfrac{A+B}{2}=\dfrac{1}{\tan\dfrac{C}{2}}$ ② $\sin\dfrac{A}{2}=\cos\left(\dfrac{B+C}{2}\right)$

③ $\cos A=\cos(B+C)$ ④ $\sin A=\sin(B+C)$

⑤ $\cos\dfrac{A}{2}=\sin\left(\dfrac{B+C}{2}\right)$

207 다음 식의 값을 구하시오.

$\dfrac{\pi}{2}\times n\pm\theta$ 꼴의 삼각함수

(i) $\begin{cases} n이 짝수 \Rightarrow 그대로 \\ n이 홀수 \Rightarrow 바꾼다. \end{cases}$

(ii) 원래 주어진 삼각함수의 부호를 붙인다.

(1) $\dfrac{\cos 750°}{\sin 420°+\sin 225°}-\dfrac{\sin 1125°}{\cos 330°-\cos 135°}$

(2) $\left\{\dfrac{\sin\left(\dfrac{\pi}{2}-\theta\right)\cos(3\pi+\theta)}{\cos(\pi-\theta)}\right\}^2+\left\{\dfrac{\sin(\pi-\theta)\cos\left(\dfrac{3}{2}\pi+\theta\right)}{\sin(\pi+\theta)}\right\}^2$

(3) $\dfrac{\cos(\pi+\theta)}{\sin\left(\dfrac{3}{2}\pi+\theta\right)\cos^2(\pi-\theta)}+\dfrac{\sin(\pi+\theta)\tan^2(\pi-\theta)}{\cos\left(\dfrac{3}{2}\pi+\theta\right)}$

208 $\theta=\dfrac{\pi}{12}$일 때, $\cos\theta+\cos 2\theta+\cos 3\theta+\cdots+\cos 12\theta$의 값을 구하시오.

$\theta=\dfrac{\pi}{12}$

$\Rightarrow 12\theta=\pi$

● 연습문제

STEP **2**

209 다음 함수의 그래프 중 $y=\sin 2x$의 그래프를 평행이동하여 겹쳐지지 <u>않는</u> 것은?

① $y=\sin(2x-\pi)$ ② $y=\cos\left(2x-\dfrac{\pi}{2}\right)+1$

③ $y=2\sin 2x$ ④ $y=\sin 2x+2$

⑤ $y=-\sin(2x+\pi)-1$

210 함수 $f(x)=\sin 2x+3\cos^2 x+\tan\dfrac{x}{2}$의 주기를 p라 할 때, $f\left(p+\dfrac{2}{3}\pi\right)$의 값을 구하시오.

211 삼각형 ABC에서

$$2\sin\left(\dfrac{A-B+C}{2}\right)=\cos A\cos(\pi-A)+\sin A\sin(\pi+A)$$

가 성립할 때, $\cos B$의 값을 구하시오.

> 삼각형 ABC에서
> $A+B+C=\pi$

212 다음 식의 값을 구하시오.

(1) $\sin^2 10°+\sin^2 20°+\cdots+\sin^2 80°+\sin^2 90°$

(2) $\cos 10°+\cos 20°+\cdots+\cos 170°+\cos 180°$

(3) $\tan 5°\times\tan 10°\times\tan 15°\times\cdots\times\tan 80°\times\tan 85°$

> (1) 각의 크기의 합이 90°인 것끼리 짝을 짓는다.
> $\Rightarrow \sin^2 10°+\sin^2 80°$
> $=\sin^2 10°+\cos^2 10°$
> $=1$

실력**UP**

213 함수 $y=a\tan(bx+c)+d$의 그래프가 오른쪽 그림과 같을 때, 상수 a, b, c, d에 대하여 $abcd$의 값을 구하시오. $\left(\text{단, } b>0, -\dfrac{\pi}{3}<c<0\right)$

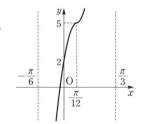

> $y=a\tan(bx+c)+d$
> $\Rightarrow$ 주기 : $\dfrac{\pi}{|b|}$

실력**UP**

214 오른쪽 그림과 같이 좌표평면 위에 있는 단위원을 8등분하는 각 점을 차례로 P_1, P_2, $\cdots$, P_8이라 하자. $P_1(1, 0)$, $\angle P_1OP_2=\theta$라 할 때, $\sin\theta+\sin 2\theta+\cdots+\sin 8\theta$의 값을 구하시오.

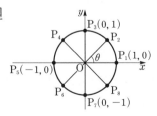

> $4\theta=\pi$이고,
> $\sin(\pi+\theta)=-\sin\theta$임을 이용한다.

03 삼각함수를 포함한 식의 최대 · 최소
2. 삼각함수의 그래프

개념원리 이해

1. 두 종류의 삼각함수를 포함하는 일차식 꼴인 경우 ▷ **필수예제 14**

(ⅰ) 삼각함수의 성질 등을 이용하여 **한 종류의 삼각함수**로 변형한다.

(ⅱ) 삼각함수의 최댓값과 최솟값을 구한다.

2. 절댓값 기호를 포함하는 일차식 꼴인 경우 ▷ **필수예제 14**

(ⅰ) 삼각함수를 t로 **치환**한다.

(ⅱ) t의 값의 범위를 구한다.

(ⅲ) t에 대한 함수의 그래프를 그려서 t의 값의 범위에서 최댓값, 최솟값을 구한다.

▶ x의 값의 범위에 대한 특별한 언급이 없는 경우, $\sin x=t$ 또는 $\cos x=t$로 치환하면 t의 값의 범위는 $-1 \le t \le 1$이고, $\tan x=t$로 치환하면 t의 값의 범위는 실수 전체이다.

예   함수 $y=|\cos x+2|-3$의 최댓값과 최솟값을 구하시오.

풀이 $y=|\cos x+2|-3$에서

  $\cos x=t$로 놓으면 $-1 \le t \le 1$ ······ ㉠

  $\therefore y=|t+2|-3$

  (ⅰ) $t \ge -2$일 때, $y=t-1$

  (ⅱ) $t < -2$일 때, $y=-(t+2)-3=-t-5$

  ㉠의 범위에서 최댓값, 최솟값을 구하면 오른쪽 그림과 같이

  $t=1$일 때, 최댓값은 0

  $t=-1$일 때, 최솟값은 -2

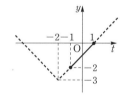

3. 이차식 꼴인 경우 ▷ **필수예제 15**

(ⅰ) 주어진 식을 $\sin^2 x+\cos^2 x=1$을 이용하여 **한 종류의 삼각함수**로 변형한다.

(ⅱ) $\sin x$ 또는 $\cos x$를 t로 **치환**한다.

(ⅲ) t의 값의 범위를 구한다.

(ⅳ) t에 대한 함수의 그래프를 그려서 t의 값의 범위에서 최댓값, 최솟값을 구한다.

4. 유리함수 꼴인 경우 ▷ **필수예제 15**

(ⅰ) 삼각함수를 t로 치환하여 t에 대한 유리함수를 만든다.

(ⅱ) t의 값의 범위를 구한다.

(ⅲ) t에 대한 함수의 그래프를 그려서 t의 값의 범위에서 최댓값, 최솟값을 구한다.

238 다음은 함수 $y=|\sin x-2|+1$의 최댓값과 최솟값을 구하는 과정이다. ☐ 안에 알맞은 것을 써넣으시오.

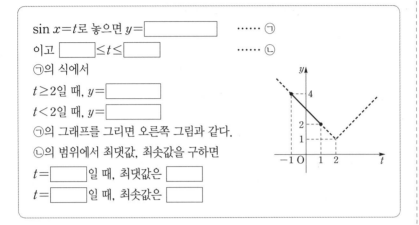

$\sin x=t$로 놓으면 $y=$ ☐   ⋯⋯ ㉠

이고 ☐ $\leq t \leq$ ☐   ⋯⋯ ㉡

㉠의 식에서

$t \geq 2$일 때, $y=$ ☐

$t < 2$일 때, $y=$ ☐

㉠의 그래프를 그리면 오른쪽 그림과 같다.

㉡의 범위에서 최댓값, 최솟값을 구하면

$t=$ ☐ 일 때, 최댓값은 ☐

$t=$ ☐ 일 때, 최솟값은 ☐

🤔 **생각해 봅시다!**

절댓값 기호를 포함하는 일차식 꼴의 최대 · 최소
⇨ 주어진 삼각함수를 t로 치환하고 t에 대한 함수의 그래프를 그린 후 t의 값의 범위에서 최댓값, 최솟값을 구한다.

239 다음은 함수 $y=-|\cos x-3|+2$의 최댓값과 최솟값을 구하는 과정이다. ☐ 안에 알맞은 것을 써넣으시오.

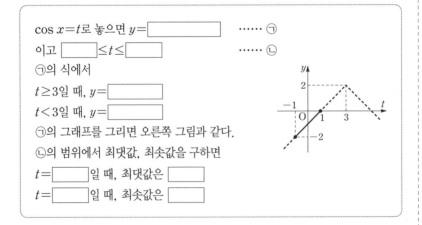

$\cos x=t$로 놓으면 $y=$ ☐   ⋯⋯ ㉠

이고 ☐ $\leq t \leq$ ☐   ⋯⋯ ㉡

㉠의 식에서

$t \geq 3$일 때, $y=$ ☐

$t < 3$일 때, $y=$ ☐

㉠의 그래프를 그리면 오른쪽 그림과 같다.

㉡의 범위에서 최댓값, 최솟값을 구하면

$t=$ ☐ 일 때, 최댓값은 ☐

$t=$ ☐ 일 때, 최솟값은 ☐

다음 함수의 최댓값과 최솟값을 구하시오.

(1) $y=2\sin x-\cos\left(x-\dfrac{\pi}{2}\right)-1$ (2) $y=|\sin x-1|-2$

풀이

(1) $\cos\left(x-\dfrac{\pi}{2}\right)=\cos\left\{-\left(\dfrac{\pi}{2}-x\right)\right\}=\cos\left(\dfrac{\pi}{2}-x\right)=\sin x$

$\therefore y=2\sin x-\cos\left(x-\dfrac{\pi}{2}\right)-1$

$\qquad =2\sin x-\sin x-1$

$\qquad =\sin x-1$

이때 $-1\le\sin x\le1$이므로 $-2\le\sin x-1\le0$

$\therefore$ **최댓값 : 0, 최솟값 : −2**

(2) $y=|\sin x-1|-2$에서

$\sin x=t$로 놓으면 $-1\le t\le1$ $\cdots\cdots$ ㉠

$y=|t-1|-2$

$t\ge1$일 때, $y=t-3$

$t<1$일 때, $y=-t-1$

㉠의 범위에서 최댓값, 최솟값을 구하면 오른쪽 그림에서

$t=-1$일 때, 최댓값 0

$t=1$일 때, 최솟값은 −2

$\therefore$ **최댓값 : 0, 최솟값 : −2**

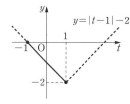

다른풀이

(2) $-1\le\sin x\le1$이므로 $-2\le\sin x-1\le0$

$0\le|\sin x-1|\le2$ $\therefore$ $-2\le|\sin x-1|-2\le0$

따라서 최댓값은 0, 최솟값은 −2이다.

KEY Point

• 두 종류 이상의 삼각함수를 포함하는 일차식 꼴의 최대·최소

  ⇨ 삼각함수의 성질 등을 이용하여 한 종류의 삼각함수로 변형한 후 최댓값, 최솟값을 구한다.

• 절댓값 기호를 포함하는 일차식 꼴의 삼각함수의 최대·최소

  ⇨ 삼각함수를 t로 치환하고 그래프를 그려서 t의 값의 범위에서 최댓값, 최솟값을 구한다.

---

 240 다음 함수의 최댓값과 최솟값을 구하시오.

(1) $y=3\cos(x+\pi)-\sin\left(x-\dfrac{\pi}{2}\right)-3$ (2) $y=\left|\sin x-\dfrac{1}{2}\right|+1$

(3) $y=|2\sin x-5|-1$ (4) $y=|2-3\cos x|+1$

241 함수 $y=a|\cos x-1|+b$의 최댓값이 6, 최솟값이 −2일 때, 상수 a, b의 합 $a+b$의 값을 구하시오. (단, $a>0$)

다음 함수의 최댓값과 최솟값을 구하시오. (단, $0 \leq x \leq 2\pi$)

(1) $y = 2\sin^2 x + 4\cos x + 1$ (2) $y = \dfrac{-2\sin x + 5}{\sin x + 2}$

설명

(1) 주어진 식을 $\sin^2 x + \cos^2 x = 1$을 이용하여 한 종류의 삼각함수로 변형한다.

(2) 삼각함수를 t로 치환하여 t의 값의 범위에서 최댓값, 최솟값을 구한다.

풀이

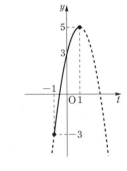

(1) $y = 2\sin^2 x + 4\cos x + 1$

    $= 2(1 - \cos^2 x) + 4\cos x + 1$ ← $\sin^2 x + \cos^2 x = 1$

    $= -2\cos^2 x + 4\cos x + 3$

$\cos x = t$로 놓으면 $-1 \leq t \leq 1$이고

$y = -2t^2 + 4t + 3 = -2(t-1)^2 + 5$

$-1 \leq t \leq 1$에서 그래프는 오른쪽 그림과 같으므로

$t = 1$일 때, 최댓값은 5

$t = -1$일 때, 최솟값은 -3

  ∴ **최댓값 : 5, 최솟값 : −3**

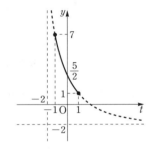

(2) $y = \dfrac{-2\sin x + 5}{\sin x + 2}$에서 $\sin x = t$로 놓으면

$-1 \leq t \leq 1$이고

$y = \dfrac{-2t + 5}{t + 2} = \dfrac{-2(t+2) + 9}{t + 2} = \dfrac{9}{t + 2} - 2$

$-1 \leq t \leq 1$에서 그래프는 오른쪽 그림과 같으므로

$t = -1$일 때, 최댓값은 7

$t = 1$일 때, 최솟값은 1

  ∴ **최댓값 : 7, 최솟값 : 1**

다른풀이

(2) $y = \dfrac{-2\sin x + 5}{\sin x + 2}$를 변형하면 $(y+2)\sin x = 5 - 2y$ ∴ $\sin x = \dfrac{5 - 2y}{y + 2}$

그런데 $-1 \leq \sin x \leq 1$이므로 $-1 \leq \dfrac{5 - 2y}{y + 2} \leq 1$

$-1 \leq -2 + \dfrac{9}{y + 2} \leq 1$, $1 \leq \dfrac{9}{y + 2} \leq 3$, $\dfrac{1}{3} \leq \dfrac{y + 2}{9} \leq 1$, $3 \leq y + 2 \leq 9$

  ∴ $1 \leq y \leq 7$

242 다음 함수의 최댓값과 최솟값을 구하시오.

(1) $y = -\cos^2 x + 2\sin x + 1$ (2) $y = \dfrac{2\sin x}{\sin x + 2}$

(3) $y = \sin\left(x + \dfrac{\pi}{2}\right) - \cos^2(x + \pi)$

(4) $y = \cos^2\left(\dfrac{\pi}{2} + x\right) - 3\cos^2 x + 4\sin(\pi + x)$

연습문제

STEP 1

215 함수 $y=a|\sin 2x+2|+b$의 최댓값이 4, 최솟값이 2일 때, 상수 a, b의 곱 ab의 값을 구하시오. (단, $a>0$)

216 다음 물음에 답하시오.

(1) 함수 $y=-2\sin^2 x+2\cos x+1$의 최댓값을 M, 최솟값을 m이라 할 때, $M+m$의 값을 구하시오.

(2) $0\leq x\leq \dfrac{3}{2}\pi$에서 함수 $y=\sin^2\left(x+\dfrac{\pi}{2}\right)+\cos\left(x-\dfrac{\pi}{2}\right)$의 최댓값을 M, 최솟값을 m이라 할 때, Mm의 값을 구하시오.

217 다음 물음에 답하시오. (단, a는 상수이다.)

(1) 함수 $y=\sin^2 x+\cos x+a-2$의 최솟값이 $-\dfrac{1}{4}$일 때, 최댓값을 구하시오.

(2) 함수 $y=\cos^2\left(\dfrac{\pi}{2}+x\right)-2\sin\left(\dfrac{3}{2}\pi-x\right)+a$의 최댓값이 7일 때, 최솟값을 구하시오.

STEP 2

218 함수 $y=\dfrac{2\tan x+1}{\tan x+2}$의 최댓값과 최솟값을 각각 M, m이라 할 때, $M-m$의 값을 구하시오. $\left(단, 0\leq x\leq \dfrac{\pi}{4}\right)$

219 함수 $y=\dfrac{|\sin x|+1}{2|\sin x|+1}$의 최솟값을 구하시오.

220 함수 $y=\dfrac{\sin^2 x+\sin x\cos x-4\cos^2 x}{\cos^2 x}$의 최댓값과 최솟값을 각각 M, m이라 할 때, $M+m$의 값을 구하시오. $\left(단, -\dfrac{\pi}{4}\leq x\leq \dfrac{\pi}{4}\right)$

💡 생각해 봅시다!

(1) $\sin^2 x+\cos^2 x=1$을 이용하여 한 종류의 삼각함수로 변형한다.

$|\sin x|=t$로 놓으면 $0\leq t\leq 1$

$\tan x=\dfrac{\sin x}{\cos x}$임을 이용한다.

04 삼각함수가 포함된 방정식과 부등식

2. 삼각함수의 그래프

개념원리 이해

1. 삼각함수가 포함된 방정식 ▷ 필수예제 **16, 17, 18**

$\cos x = \dfrac{1}{2}$, $\sqrt{3}\tan x = 1$ 등과 같이 각의 크기에 미지수가 있는 삼각함수가 포함된 방정식은 다음과 같이 그래프를 이용하여 풀 수 있다.

> (ⅰ) 주어진 방정식을 $\sin x = k$ (또는 $\cos x = k$ 또는 $\tan x = k$)의 꼴로 고친다.
> (ⅱ) $y = \sin x$ (또는 $y = \cos x$ 또는 $y = \tan x$)의 그래프와 직선 $y = k$를 그린다.
> (ⅲ) 주어진 범위에서 삼각함수의 그래프와 직선의 교점의 x좌표를 찾아 방정식의 해를 구한다.

설명 방정식 $f(x) = g(x)$의 실근은 함수 $y = f(x)$의 그래프와 함수 $y = g(x)$의 그래프의 교점의 x좌표와 같다.

오른쪽 그림과 같이 $0 \le x < \pi$에서 곡선 $y = \sin x$와 직선 $y = k$의 교점의 x좌표를 구하면 α, β이므로 $0 \le x < \pi$일 때, 방정식 $\sin x = k$의 해는 $x = \alpha$ 또는 $x = \beta$이다.

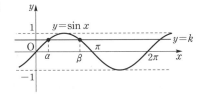

예 $0 \le x < 2\pi$일 때, 방정식 $\sin x = \dfrac{\sqrt{3}}{2}$의 해를 구하시오.

풀이 오른쪽 그림에서 함수 $y = \sin x$의 그래프와 직선 $y = \dfrac{\sqrt{3}}{2}$의 교점의 x좌표는 $\dfrac{\pi}{3}$, $\dfrac{2}{3}\pi$이므로 구하는 해는 $x = \dfrac{\pi}{3}$ 또는 $x = \dfrac{2}{3}\pi$

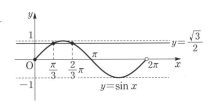

2. 삼각함수가 포함된 부등식 ▷ 필수예제 **19, 20**

$\sin x > \dfrac{1}{2}$, $2\cos x + \sqrt{3} > 0$ 등과 같이 각의 크기에 미지수가 있는 삼각함수가 포함된 부등식은 다음과 같이 그래프를 이용하여 풀 수 있다.

> ⑴ $\sin x > k$ (또는 $\cos x > k$ 또는 $\tan x > k$)의 꼴
> ⇨ $y = \sin x$ (또는 $y = \cos x$ 또는 $y = \tan x$)의 그래프가 직선 $y = k$보다 위쪽에 있는 x의 값의 범위를 구한다.
> ⑵ $\sin x < k$ (또는 $\cos x < k$ 또는 $\tan x < k$)의 꼴
> ⇨ $y = \sin x$ (또는 $y = \cos x$ 또는 $y = \tan x$)의 그래프가 직선 $y = k$보다 아래쪽에 있는 x의 값의 범위를 구한다.

▶ 부등식 $f(x) > g(x)$의 해는 함수 $y = f(x)$의 그래프가 함수 $y = g(x)$의 그래프보다 위쪽에 있는 x의 값의 범위이다.

예　$0 \leq x < 2\pi$일 때, 부등식 $\cos x < \dfrac{1}{2}$의 해를 구하시오.

풀이　주어진 부등식의 해는 오른쪽 그림에서 $y = \cos x$의 그래프가

직선 $y = \dfrac{1}{2}$보다 아래쪽에 있는 x의 값의 범위와 같으므로

$\dfrac{\pi}{3} < x < \dfrac{5}{3}\pi$

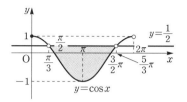

보충학습

1. 단위원을 이용한 삼각함수가 포함된 방정식의 풀이 방법

(1) $\sin x = k$의 꼴 [그림 1]

직선 $y = k$와 단위원의 교점 P, Q에 대하여 두 동경 OP, OQ가 나타내는 각 α, β를 구한다.

(2) $\cos x = k$의 꼴 [그림 2]

직선 $x = k$와 단위원의 교점 P, Q에 대하여 두 동경 OP, OQ가 나타내는 각 α, β를 구한다.

(3) $\tan x = k$의 꼴 [그림 3]

원점과 점 $(1, k)$를 지나는 직선과 단위원의 교점 P, Q에 대하여 두 동경 OP, OQ가 나타내는 각 α, β를 구한다.

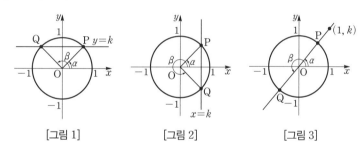

[그림 1]　　　　[그림 2]　　　　[그림 3]

2. 단위원을 이용한 삼각함수가 포함된 부등식의 풀이 방법

단위원을 이용하여 삼각함수가 포함된 방정식의 해를 구하는 것과 마찬가지로 단위원을 이용하여 삼각함수가 포함된 부등식의 해를 구할 수 있다.

예　$0 \leq x < 2\pi$일 때, 단위원을 이용하여 부등식 $\cos x < \dfrac{1}{2}$의 해를 구하시오.

풀이　직선 $x = \dfrac{1}{2}$과 단위원의 교점을 P, Q라 할 때, 동경 OP와 OQ가 나타내는

각의 크기가 각각 $\dfrac{\pi}{3}$, $\dfrac{5}{3}\pi$이므로 주어진 부등식의 해는 단위원 위의 점 중

에서 x좌표가 $\dfrac{1}{2}$보다 작을 때의 동경이 나타내는 각의 범위가 된다.

따라서 오른쪽 그림에서 $\dfrac{\pi}{3} < x < \dfrac{5}{3}\pi$

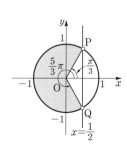

3. 삼각함수의 주기와 그래프의 대칭성의 이용

삼각함수가 포함된 방정식과 부등식을 풀 때, 삼각함수의 주기와 그래프의 대칭성을 이용하면 편리하다.

예를 들어 $0 \leq x \leq 3\pi$일 때, 방정식 $\sin x = k$의 해를 구해 보자.

함수 $y = \sin x$의 그래프와 직선 $y = k$의 교점의 x좌표를 작은 것부터 차례로 a, b, c, d라 하면

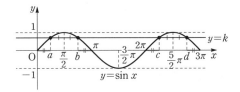

함수 $y = \sin x$의 그래프는 직선 $x = \dfrac{\pi}{2}$에 대하여 대칭이므로

$$\frac{a+b}{2} = \frac{\pi}{2}, \ b = \pi - a$$

함수 $y = \sin x$의 주기가 2π이고 주기함수이므로 $c = 2\pi + a$

함수 $y = \sin x$의 그래프는 직선 $x = \dfrac{5}{2}\pi$에 대하여 대칭이므로

$$\frac{c+d}{2} = \frac{5}{2}\pi, \ d = 3\pi - a$$

따라서 $0 \leq x \leq 3\pi$에서 삼각방정식 $\sin x = k$의 해는

$x = a$ 또는 $x = \pi - a$ 또는 $x = 2\pi + a$ 또는 $x = 3\pi - a$

예　오른쪽 그림은 함수 $y = \sin x$의 그래프이다. 이때 $\cos(a+b+c+d+e+f)$의 값을 구하시오.

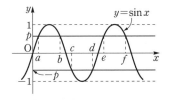

풀이　두 점 $(a, 0)$, $(b, 0)$은 직선 $x = \dfrac{\pi}{2}$에 대하여 대칭이므로

$$\frac{a+b}{2} = \frac{\pi}{2} \qquad \therefore a + b = \pi$$

두 점 $(c, 0)$, $(d, 0)$은 직선 $x = \dfrac{3}{2}\pi$에 대하여 대칭이므로

$$\frac{c+d}{2} = \frac{3}{2}\pi \qquad \therefore c + d = 3\pi$$

두 점 $(e, 0)$, $(f, 0)$은 직선 $x = \dfrac{5}{2}\pi$에 대하여 대칭이므로

$$\frac{e+f}{2} = \frac{5}{2}\pi \qquad \therefore e + f = 5\pi$$

$\therefore a + b + c + d + e + f = \pi + 3\pi + 5\pi = 9\pi$

$\therefore \cos(a+b+c+d+e+f) = \cos 9\pi = -1$

243 다음은 방정식 $\cos x = \dfrac{1}{2}$의 해를 구하는 과정이다. ☐ 안에 알맞은 것을 써 넣으시오. (단, $0 \le x < 2\pi$)

> $0 \le x < 2\pi$에서 함수 $y = \cos x$의 그래프와 직선 $y = \dfrac{1}{2}$을 그리면 오른쪽 그림과 같다.
>
> 함수 $y = \cos x$의 그래프와 직선 $y = \dfrac{1}{2}$의 교점의 x좌표는
>
> ☐, ☐ 이므로 구하는 해는
>
> $x = $ ☐ 또는 $x = $ ☐

생각해 봅시다!

삼각함수가 포함된 방정식
⇨ 삼각함수의 그래프와 직선의 교점의 x좌표를 구한다.

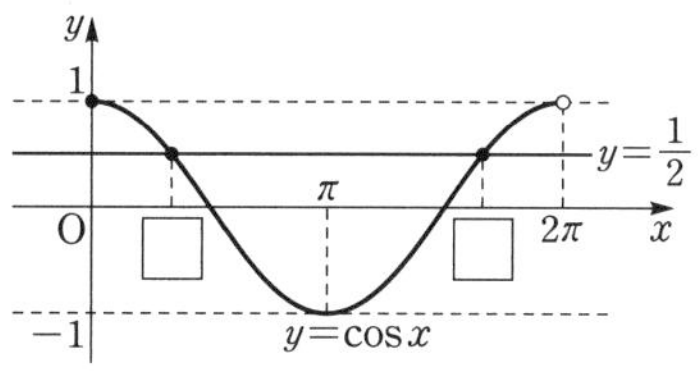

244 다음은 부등식 $\tan x < 1$의 해를 구하는 과정이다. ☐ 안에 알맞은 것을 써 넣으시오. (단, $0 \le x < 2\pi$)

> $0 \le x < 2\pi$에서 함수 $y = \tan x$의 그래프와 직선 $y = 1$을 그리면 오른쪽 그림과 같다.
>
> 함수 $y = \tan x$의 그래프와 직선 $y = 1$의 교점의 x좌표는 ☐, ☐ 이다.
>
> 따라서 구하는 해는 함수 $y = \tan x$의 그래프가 직선 $y = 1$보다 아래쪽에 있는 x의 값의 범위이므로
>
> ☐ 또는 ☐ 또는 ☐

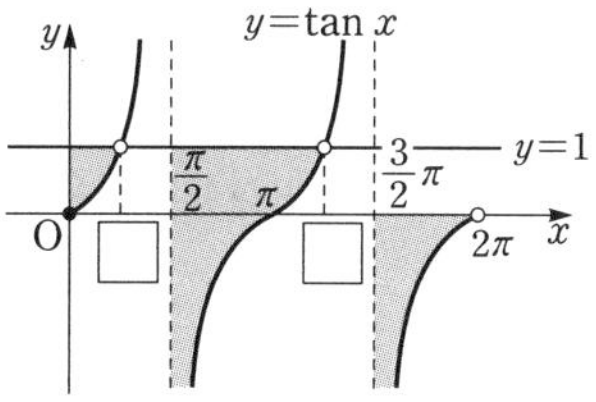

삼각함수가 포함된 부등식
⇨ 삼각함수의 그래프를 그려서 부등식을 만족시키는 x의 값의 범위를 구한다.

다음 방정식을 푸시오. (단, $0 \le x \le 2\pi$)

(1) $\sin x = \dfrac{1}{2}$ (2) $\cos x = -\dfrac{1}{2}$ (3) $\tan x = \sqrt{3}$

풀이

(1) 주어진 방정식의 해는 $y=\sin x$의 그래프와 직선 $y=\dfrac{1}{2}$의 교점 A, B의 x좌표와 같다.

$\sin \dfrac{\pi}{6} = \dfrac{1}{2}$이므로 점 A의 x좌표는 $\dfrac{\pi}{6}$

점 A와 B는 직선 $x=\dfrac{\pi}{2}$에 대하여 대칭이므로 점 B의

x좌표는 $\pi - \dfrac{\pi}{6} = \dfrac{5}{6}\pi$ $\therefore x=\dfrac{\pi}{6}$ 또는 $x=\dfrac{5}{6}\pi$

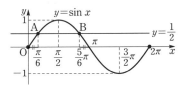

(2) 주어진 방정식의 해는 $y=\cos x$의 그래프와 직선 $y=-\dfrac{1}{2}$의 교점 A, B의 x좌표와 같다.

$\cos \dfrac{\pi}{3} = \dfrac{1}{2}$이므로 점 A의 x좌표는 $\pi - \dfrac{\pi}{3} = \dfrac{2}{3}\pi$

점 A와 B는 직선 $x=\pi$에 대하여 대칭이므로 점 B의

x좌표는 $\pi + \dfrac{\pi}{3} = \dfrac{4}{3}\pi$ $\therefore x=\dfrac{2}{3}\pi$ 또는 $x=\dfrac{4}{3}\pi$

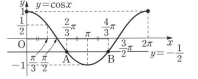

(3) 주어진 방정식의 해는 $y=\tan x$의 그래프와 직선 $y=\sqrt{3}$의 교점 A, B의 x좌표와 같다.

$\tan \dfrac{\pi}{3} = \sqrt{3}$이므로 점 A의 x좌표는 $\dfrac{\pi}{3}$

$y=\tan x$의 주기는 π이므로 점 B의 x좌표는

$\pi + \dfrac{\pi}{3} = \dfrac{4}{3}\pi$ $\therefore x=\dfrac{\pi}{3}$ 또는 $x=\dfrac{4}{3}\pi$

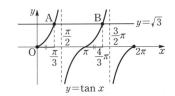

다른풀이

(1) 직선 $y=\dfrac{1}{2}$과 단위원의 교점 P, Q에 대하여 동경 OP, OQ가 나타내는 각을 구한다.

(2) 직선 $x=-\dfrac{1}{2}$과 단위원의 교점 P, Q에 대하여 동경 OP, OQ가 나타내는 각을 구한다.

(3) 원점과 점 $(1, \sqrt{3})$을 지나는 직선과 단위원의 교점 P, Q에 대하여 동경 OP, OQ가 나타내는 각을 구한다.

(1) 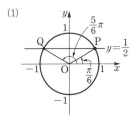   (2) 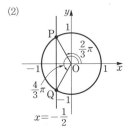   (3)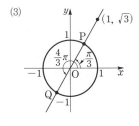

245 다음 방정식을 푸시오. (단, $0 \le x \le 2\pi$)

(1) $2\sin x = -\sqrt{3}$ (2) $\cos x = \dfrac{1}{\sqrt{2}}$ (3) $\sqrt{3}\tan x = 1$

$0 \le x < \pi$일 때, 방정식 $2\cos\left(2x + \dfrac{\pi}{3}\right) = \sqrt{3}$의 해를 구하시오.

풀이

$2\cos\left(2x + \dfrac{\pi}{3}\right) = \sqrt{3}$에서 $\cos\left(2x + \dfrac{\pi}{3}\right) = \dfrac{\sqrt{3}}{2}$

$2x + \dfrac{\pi}{3} = t$로 놓으면 $\cos t = \dfrac{\sqrt{3}}{2}$

한편, $0 \le x < \pi$이므로 $0 \le 2x < 2\pi$, $\dfrac{\pi}{3} \le 2x + \dfrac{\pi}{3} < \dfrac{7}{3}\pi$ $\therefore \dfrac{\pi}{3} \le t < \dfrac{7}{3}\pi$ ...... ㉠

㉠의 범위에서 함수 $y = \cos t$의 그래프와 직선 $y = \dfrac{\sqrt{3}}{2}$의

교점의 t좌표를 구하면 $\dfrac{11}{6}\pi$, $\dfrac{13}{6}\pi$이므로

$2x + \dfrac{\pi}{3} = \dfrac{11}{6}\pi$ 또는 $2x + \dfrac{\pi}{3} = \dfrac{13}{6}\pi$

$\therefore x = \dfrac{3}{4}\pi$ 또는 $x = \dfrac{11}{12}\pi$

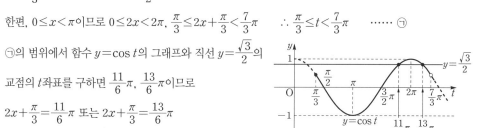

$0 \le x \le 2\pi$일 때, 방정식 $2\cos^2 x + \sin x = 1$의 해를 구하시오.

설명 한 종류의 삼각함수로 통일한 다음 방정식을 푼다.

풀이

$2\cos^2 x + \sin x = 1$에서 $2(1 - \sin^2 x) + \sin x = 1$

$2\sin^2 x - \sin x - 1 = 0$, $(2\sin x + 1)(\sin x - 1) = 0$

$\therefore \sin x = -\dfrac{1}{2}$ 또는 $\sin x = 1$

$0 \le x \le 2\pi$에서 주어진 방정식의 해는

$\sin x = -\dfrac{1}{2}$이면 $x = \dfrac{7}{6}\pi$ 또는 $x = \dfrac{11}{6}\pi$

$\sin x = 1$이면 $x = \dfrac{\pi}{2}$

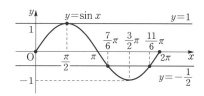

KEY Point
- $\sin(ax + b) = k$ 꼴의 방정식
  ⇨ $ax + b = t$로 치환한 후 삼각함수가 포함된 방정식의 풀이 순서대로 한다. 이때 t의 값의 범위에 유의한다.
- 이차식 꼴의 삼각함수가 포함된 방정식 ⇨ 한 종류의 삼각함수로 통일한다.

확인 체크

246 다음 방정식을 푸시오.

(1) $\sin 2x = \dfrac{\sqrt{3}}{2}$ $(0 \le x < \pi)$

(2) $\tan\left(x + \dfrac{\pi}{4}\right) = \sqrt{3}$ $(-\pi \le x < \pi)$

(3) $2\sin\left(x - \dfrac{\pi}{3}\right) = \sqrt{3}$ $(0 \le x < 2\pi)$

(4) $\cos^2 x - \cos x - 2 = 0$ $(0 \le x < 2\pi)$

(5) $2\sin^2 x - \cos x - 1 = 0$ $(0 \le x < 2\pi)$

(6) $\tan x + \dfrac{3}{\tan x} = 2\sqrt{3}$ $(0 < x < 2\pi)$

다음 부등식을 푸시오. (단, $0 \le x < 2\pi$)

(1) $\sin x > \dfrac{1}{\sqrt{2}}$ (2) $\cos\left(x - \dfrac{\pi}{6}\right) \le -\dfrac{1}{2}$

풀이

(1) $\sin x > \dfrac{1}{\sqrt{2}}$의 해는 $y = \sin x$의 그래프가 직선

$y = \dfrac{1}{\sqrt{2}}$보다 위쪽에 있는 x의 값의 범위이므로

$\dfrac{\pi}{4} < x < \dfrac{3}{4}\pi$

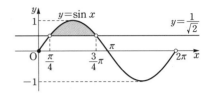

(2) $\cos\left(x - \dfrac{\pi}{6}\right) \le -\dfrac{1}{2}$에서 $x - \dfrac{\pi}{6} = t$로 놓으면 $\cos t \le -\dfrac{1}{2}$ ······ ㉠

한편, $0 \le x < 2\pi$에서 $-\dfrac{\pi}{6} \le x - \dfrac{\pi}{6} < \dfrac{11}{6}\pi$ ∴ $-\dfrac{\pi}{6} \le t < \dfrac{11}{6}\pi$

$-\dfrac{\pi}{6} \le t < \dfrac{11}{6}\pi$에서 함수 $y = \cos t$의 그래프와 직선

$y = -\dfrac{1}{2}$의 교점의 t좌표를 구하면 $\dfrac{2}{3}\pi$, $\dfrac{4}{3}\pi$

㉠의 해는 $y = \cos t$의 그래프가 직선 $y = -\dfrac{1}{2}$보다 아

래쪽(경계선 포함)에 있는 t의 값의 범위이므로

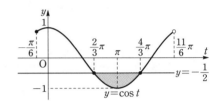

$\dfrac{2}{3}\pi \le t \le \dfrac{4}{3}\pi$

이때 $t = x - \dfrac{\pi}{6}$이므로 $\dfrac{2}{3}\pi \le x - \dfrac{\pi}{6} \le \dfrac{4}{3}\pi$ ∴ $\dfrac{5}{6}\pi \le x \le \dfrac{3}{2}\pi$

다른풀이

(1) 직선 $y = \dfrac{1}{\sqrt{2}}$과 단위원의 교점 P, Q에 대하여 동경 OP, OQ가 나타내는

각의 크기는 각각 $\dfrac{\pi}{4}$, $\dfrac{3}{4}\pi$이다.

따라서 부등식 $\sin x > \dfrac{1}{\sqrt{2}}$의 해는 단위원 위의 점 중에서 y좌표가 $\dfrac{1}{\sqrt{2}}$

보다 클 때의 동경이 나타내는 각의 범위이므로 $\dfrac{\pi}{4} < x < \dfrac{3}{4}\pi$

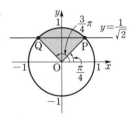

KEY Point

• $\sin(ax + b) < k$ 꼴의 부등식

⇨ $ax + b = t$로 치환한 후 삼각함수가 포함된 부등식의 풀이 순서대로 한다. 이때 t의 값의 범위에 유의한
다.

---

247 다음 부등식을 푸시오.

(1) $\sqrt{3}\tan x \le -1$ ($0 \le x < 2\pi$) (2) $2\cos x > -\sqrt{3}$ ($0 \le x < 2\pi$)

(3) $\sin x < \cos x$ ($0 \le x < 2\pi$) (4) $\cos\left(x + \dfrac{\pi}{6}\right) \le \dfrac{1}{2}$ ($0 \le x < 2\pi$)

(5) $\sin\left(x - \dfrac{\pi}{3}\right) \ge \dfrac{\sqrt{3}}{2}$ ($0 \le x \le \pi$) (6) $\tan\left(x + \dfrac{\pi}{3}\right) < 1$ ($0 \le x < \pi$)

다음 부등식을 푸시오.

(1) $2\cos^2 x - 3\sin x < 0$ $(0 \le x < 2\pi)$

(2) $2\cos^2\left(x - \dfrac{\pi}{2}\right) + \cos x - 2 > 0$ $(0 \le x \le \pi)$

설명 $\sin^2 x + \cos^2 x = 1$임을 이용하여 주어진 부등식을 한 종류의 삼각함수로 변형한다.

풀이   (1) $2\cos^2 x - 3\sin x < 0$에서 $2(1 - \sin^2 x) - 3\sin x < 0$

$2\sin^2 x + 3\sin x - 2 > 0$, $(2\sin x - 1)(\sin x + 2) > 0$

그런데 $\sin x + 2 > 0$이므로

$2\sin x - 1 > 0$ $\therefore \sin x > \dfrac{1}{2}$ $\cdots\cdots$ ㉠

$0 \le x < 2\pi$에서 함수 $y = \sin x$의 그래프와 직선 $y = \dfrac{1}{2}$

의 교점의 x좌표를 구하면 $\dfrac{\pi}{6}, \dfrac{5}{6}\pi$

㉠의 해는 함수 $y = \sin x$의 그래프가 직선 $y = \dfrac{1}{2}$보다

위쪽에 있는 x의 값의 범위이므로 $\dfrac{\pi}{6} < x < \dfrac{5}{6}\pi$

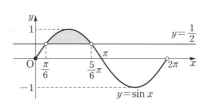

(2) $2\cos^2\left(x - \dfrac{\pi}{2}\right) + \cos x - 2 > 0$에서

$2\sin^2 x + \cos x - 2 > 0$, $2(1 - \cos^2 x) + \cos x - 2 > 0$

$2\cos^2 x - \cos x < 0$, $\cos x(2\cos x - 1) < 0$

$\therefore 0 < \cos x < \dfrac{1}{2}$

따라서 오른쪽 그림에서 주어진 부등식의 해는

$\dfrac{\pi}{3} < x < \dfrac{\pi}{2}$

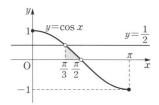

KEY Point
- 이차식 꼴의 삼각함수가 포함된 부등식
  ⇨ (ⅰ) $\sin^2 x + \cos^2 x = 1$임을 이용하여 한 종류의 삼각함수로 통일한다.
    (ⅱ) 통일한 삼각함수의 그래프를 그려서 x의 값의 범위를 구한다.

---

 248 다음 부등식을 푸시오.

(1) $2\sin^2\left(x + \dfrac{3}{2}\pi\right) + 3\sin x - 3 \ge 0$ $(0 \le x < \pi)$

(2) $2\cos x > 3\tan x$ $\left(-\dfrac{\pi}{2} < x < \dfrac{\pi}{2}\right)$

(3) $\tan^2 x + (\sqrt{3} + 1)\tan x > -\sqrt{3}$ $(0 \le x < \pi)$

다음 물음에 답하시오.

(1) x에 대한 이차방정식 $x^2+2x+2\cos\theta=0$이 허근을 가질 때, θ의 값의 범위를 구하시오. (단, $0\le\theta\le\pi$)

(2) 모든 실수 x에 대하여 부등식 $\sqrt{2}x^2+4x\sin\theta-3\sqrt{2}\cos\theta>0$이 항상 성립하도록 하는 θ의 값의 범위를 구하시오. (단, $0\le\theta\le2\pi$)

풀이

(1) $x^2+2x+2\cos\theta=0$이 허근을 가지므로 판별식을 D라 하면

$$\frac{D}{4}=1^2-2\cos\theta<0 \qquad \therefore \cos\theta>\frac{1}{2}$$

오른쪽 그림에서 구하는 θ의 값의 범위는

$$\mathbf{0\le\theta<\frac{\pi}{3}}$$

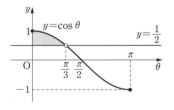

(2) 모든 실수 x에 대하여 $\sqrt{2}x^2+(4\sin\theta)x-3\sqrt{2}\cos\theta>0$이 성립해야 하므로 이차방정식 $\sqrt{2}x^2+(4\sin\theta)x-3\sqrt{2}\cos\theta=0$이 허근을 가져야 한다.

즉 이차방정식의 판별식을 D라 할 때 $D<0$이어야 하므로

$$\frac{D}{4}=(2\sin\theta)^2+\sqrt{2}\cdot3\sqrt{2}\cos\theta<0$$

$$2\sin^2\theta+3\cos\theta<0,\ 2(1-\cos^2\theta)+3\cos\theta<0$$

$$2\cos^2\theta-3\cos\theta-2>0,\ (2\cos\theta+1)(\cos\theta-2)>0$$

그런데 $\cos\theta-2<0$이므로 $2\cos\theta+1<0$

$$\therefore \cos\theta<-\frac{1}{2}$$

오른쪽 그림에서 구하는 θ의 값의 범위는

$$\mathbf{\frac{2}{3}\pi<\theta<\frac{4}{3}\pi}$$

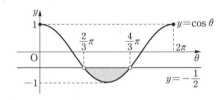

KEY Point

• a, b, c가 실수인 이차방정식 $ax^2+bx+c=0$에서 $D=b^2-4ac$라 할 때

(1) ① $D>0 \Longleftrightarrow$ 서로 다른 두 실근

② $D=0 \Longleftrightarrow$ 중근 (서로 같은 두 실근)

③ $D<0 \Longleftrightarrow$ 허근 (서로 다른 두 허근)

(2) 모든 실수 x에 대하여 이차부등식 $ax^2+bx+c>0$이 항상 성립하려면 $\Rightarrow a>0, D<0$

---

249 x에 대한 이차함수 $y=x^2+2\sqrt{2}x\sin\theta-3\cos\theta$의 그래프가 x축과 서로 다른 두 점에서 만날 때, θ의 값의 범위를 구하시오. (단, $0\le\theta<2\pi$)

250 모든 실수 x에 대하여 부등식 $x^2-2x\sin\theta+\frac{1}{2}\sin\theta>0$이 항상 성립하도록 하는 θ의 값의 범위를 구하시오. (단, $0\le\theta\le2\pi$)

연 습 문 제

221 이차방정식 $4x^2+2(\sqrt{3}-1)x-\sqrt{3}=0$의 두 근을 $\cos\theta$, $\sin\theta$라 할 때, θ의 값을 구하시오. $\left(단, \dfrac{\pi}{2}\leq\theta\leq\pi\right)$

> 😮 생각해 봅시다!
>
> $\dfrac{\pi}{2}\leq\theta\leq\pi$에서
> $\cos\theta\leq 0$, $\sin\theta\geq 0$

222 두 함수 $f(x)=\cos x$, $g(x)=\sin x$에 대하여 방정식 $g^{-1}(f(x))=\dfrac{\pi}{6}$의 근을 구하시오. $\left(단, -\dfrac{\pi}{2}<x<\dfrac{\pi}{2}\right)$

> $g^{-1}(f(x))=\dfrac{\pi}{6}$
> $\Rightarrow f(x)=g\left(\dfrac{\pi}{6}\right)$

223 방정식 $\sin\left(\dfrac{\pi}{2}+x\right)-\cos(\pi-x)=1$의 모든 근의 합은? (단, $0\leq x<2\pi$)

① π ② $\dfrac{4}{3}\pi$ ③ $\dfrac{5}{3}\pi$ ④ 2π ⑤ $\dfrac{7}{3}\pi$

224 $0\leq x<\pi$에서 부등식 $\tan^2 x-(\sqrt{3}-1)\tan x<\sqrt{3}$의 해의 집합을 A라 할 때, 다음 중 집합 A의 원소가 <u>아닌</u> 것은?

① $\dfrac{\pi}{6}$ ② $\dfrac{\pi}{5}$ ③ $\dfrac{\pi}{4}$ ④ $\dfrac{2}{3}\pi$ ⑤ $\dfrac{4}{5}\pi$

225 $0<x<2\pi$일 때, 방정식 $2\cos x+3\tan x=0$의 모든 실근의 합을 구하시오.

> $\tan x=\dfrac{\sin x}{\cos x}$를 주어진 식에 대입한다.

226 방정식 $2|\sin x|=\sqrt{2}$ $(0\leq x<4\pi)$의 실근의 개수를 구하시오.

• **연습문제**

227 다음 그림과 같이 함수 $y=\sin\dfrac{\pi}{2}x$의 그래프와 직선 $y=\dfrac{1}{2}$의 교점의 일부의 x 좌표를 차례로 a, b, c, d, e, f라 할 때, $a+b+c+d+e+f$의 값을 구하시오.

삼각함수의 그래프의 대칭성을 이용하여 교점의 x좌표의 합을 구한다.

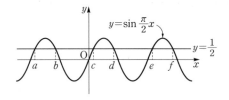

228 $0\le x<2\pi$일 때, 연립부등식 $\begin{cases} 2\cos x<1 \\ 2\sin x>1 \end{cases}$의 해가 $\alpha<x<\beta$이다. 이때 $\sin(\alpha+\beta)$의 값을 구하시오.

부등식 $2\cos x<1$과 $2\sin x>1$을 만족시키는 x의 공통 범위를 구한다.

229 $-\dfrac{\pi}{2}\le x\le\dfrac{\pi}{2}$일 때, 부등식 $|\sin x|<\cos x$를 만족시키는 x의 값의 범위를 구하시오.

230 다음 부등식을 푸시오.

(1) $\dfrac{1}{2}\le\sin\left(\dfrac{1}{2}x+\dfrac{\pi}{3}\right)<\dfrac{\sqrt{3}}{2}$ $(-\pi\le x<\pi)$

(2) $2\cos^2\left(\theta-\dfrac{\pi}{3}\right)-\cos\left(\theta+\dfrac{\pi}{6}\right)\ge1$ $(0\le\theta<2\pi)$

231 x에 대한 이차방정식 $x^2-3x+1-2\sin^2\theta=0$이 부호가 서로 다른 두 실근을 갖도록 하는 θ의 값의 범위는? $\left(단, \dfrac{\pi}{2}\le\theta\le\pi\right)$

① $\dfrac{2}{3}\pi\le\theta\le\dfrac{3}{4}\pi$ ② $\dfrac{2}{3}\pi\le\theta\le\pi$ ③ $\dfrac{\pi}{2}\le\theta<\dfrac{3}{4}\pi$

④ $\dfrac{\pi}{2}\le\theta<\dfrac{5}{6}\pi$ ⑤ $\dfrac{\pi}{2}\le\theta<\pi$

이차방정식 $ax^2+bx+c=0$의 두 실근을 α, β라 할 때, 두 근이 서로 다른 부호를 가질 조건 $\Rightarrow \alpha\beta<0$, 즉 $\dfrac{c}{a}<0$

232 부등식 $\cos^2\theta-3\cos\theta-a+9\ge0$이 모든 θ에 대하여 항상 성립하도록 하는 실수 a의 값의 범위를 구하시오.

실력 UP

233 $0<x<2\pi$에서 두 함수 $y=\cos x$, $y=\cos(\pi+x)+k$의 그래프가 한 점에서 만날 때, 상수 k의 값을 구하시오.

🔆 생각해 봅시다!

234 다음 물음에 답하시오.

(1) $0\le x\le\dfrac{3}{2}\pi$일 때, 방정식 $\cos(\pi\cos x)=0$의 모든 실근을 구하시오.

(2) $\cos\left(\dfrac{2}{3}\pi\sin\theta\right)=\dfrac{1}{2}$의 모든 근의 합을 구하시오. (단, $0\le\theta<\pi$)

(1) $0\le x\le\dfrac{3}{2}\pi$일 때,
$-\pi\le\pi\cos x\le\pi$

235 자연수 n에 대하여 함수 $y=\sin nx$의 그래프와 직선 $y=\dfrac{1}{2\pi}x$가 만나는 점의 개수를 $f(n)$이라 할 때, $f(3)+f(4)$의 값을 구하시오.

실근의 개수
⇨ 두 그래프의 교점의 개수

[평가원기출]

236 $0\le x\le\pi$일 때, 방정식 $(\sin x+\cos x)^2=\sqrt{3}\sin x+1$의 모든 실근의 합은?

① $\dfrac{7}{6}\pi$ ② $\dfrac{4}{3}\pi$ ③ $\dfrac{3}{2}\pi$ ④ $\dfrac{5}{3}\pi$ ⑤ $\dfrac{11}{6}\pi$

237 x에 대한 이차함수 $y=x^2-2x\sin\theta+\cos^2\theta$에 대하여 다음 물음에 답하시오.

(1) 그래프의 꼭짓점이 직선 $y=x$ 위에 있을 때, θ의 값을 구하시오.

$\left(\text{단, } 0\le\theta<\dfrac{\pi}{2}\right)$

(2) 그래프의 꼭짓점이 직선 $y=\sqrt{3}x+1$의 아래쪽에 있을 때, θ의 값의 범위를 구하시오. (단, $\pi\le\theta<2\pi$)

이차함수
$y=a(x-p)^2+q$의 그래프의 꼭짓점의 좌표는 (p, q)

238 방정식 $\sin^2\theta-\cos\theta-a+1=0$을 만족시키는 θ의 값이 존재하기 위한 실수 a의 값의 범위를 구하시오. (단, $0\le\theta<2\pi$)

그래프를 그려서 실근이 존재하기 위한 조건을 생각한다.

Take a Break

선택할 줄 알라.

선택할 줄 알라. 삶의 대부분은 여기에 달려 있다.

선택할 수 있기 위해선 좋은 감식력과 올바른 판단이 필요하다.

학식이나 지성만으로는 충분치 않기 때문이다. 선택이 없으면 완전성도 없다.

선택은 선택할 수 있는 능력을, 더욱이 최선의 것을 선택할 수 있음을 포함한다.

풍요하고 노련한 정신과 예리한 분별력, 그리고 학식과 조심성을 지녔으면서도 선택에서는 실패하는

사람들이 많다. 그들은 오류를 범하기로 한 듯 매번 최악의 것을 움켜쥔다.

그러므로 선택할 줄 아는 것은 하늘이 내린 최고의 재능 중 하나이다.

Ⅱ

삼각함수

01 사인법칙

3. 삼각함수의 활용

개념원리 이해

1. 사인법칙 ▷ 필수예제 **1, 2**

삼각형 ABC에서 외접원의 반지름의 길이를 R라 하면

$$\frac{a}{\sin A}=\frac{b}{\sin B}=\frac{c}{\sin C}=2R$$

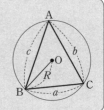

▶ 삼각형 ABC의 세 각 ∠A, ∠B, ∠C의 크기를 각각 A, B, C로 나타내고, 이들의 대변의 길이를 각각 a, b, c로 나타내기로 한다.

설명 보충학습 1, 2 참조

2. 사인법칙의 변형 ▷ 필수예제 **3, 4**

(1) $\sin A=\dfrac{a}{2R}$, $\sin B=\dfrac{b}{2R}$, $\sin C=\dfrac{c}{2R}$ ←각을 변으로

(2) $a=2R\sin A$, $b=2R\sin B$, $c=2R\sin C$ ←변을 각으로

(3) $a:b:c=\sin A:\sin B:\sin C$ ←변의 비를 각의 비로

예 삼각형 ABC에서 $A=60°$, $B=45°$, $a=3$일 때, b의 값과 외접원의 반지름의 길이 R를 구하시오.

풀이 사인법칙에 의하여 $\dfrac{a}{\sin A}=\dfrac{b}{\sin B}=2R$이므로 $\dfrac{3}{\sin 60°}=\dfrac{b}{\sin 45°}=2R$

$\dfrac{3}{\sin 60°}=\dfrac{b}{\sin 45°}$에서 $b=\sqrt{6}$, $\dfrac{3}{\sin 60°}=2R$에서 $R=\sqrt{3}$

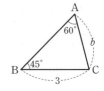

보충학습

1. 사인법칙의 증명

삼각형 ABC의 외접원의 중심을 O, 반지름의 길이를 R라 할 때, ∠A의 크기에 따라 세 가지 경우로 나누어 $\dfrac{a}{\sin A}$의 값을 구하면 다음과 같다.

(i) $A<90°$일 때

점 B에서 지름 BA'을 그으면 $A=A'$이고, $∠\text{BCA}'=90°$이므로

$$\sin A=\sin A'=\frac{a}{2R}$$

$$\therefore \frac{a}{\sin A}=2R$$

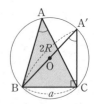

(ii) $A = 90°$일 때

$\sin A = 1$이고, $2R = a$이므로

$$\sin A = 1 = \frac{a}{2R}$$

$$\therefore \frac{a}{\sin A} = 2R$$

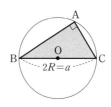

(iii) $A > 90°$일 때

점 B에서 지름 $\overline{BA'}$을 그으면 $A = 180° - A'$이고,
$\angle A'CB = 90°$이므로

$$\sin A = \sin(180° - A') = \sin A' = \frac{a}{2R}$$

$$\therefore \frac{a}{\sin A} = 2R$$

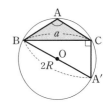

(i), (ii), (iii)에 의하여 $\angle A$의 크기에 관계없이 $\dfrac{a}{\sin A} = 2R$가 성립한다.

같은 방법으로

$$\frac{b}{\sin B} = 2R, \ \frac{c}{\sin C} = 2R$$

가 성립함을 알 수 있다.

참고   **1. 원주각의 성질**
　　　　① 한 호에 대한 원주각의 크기는 모두 같다.
　　　　② 반원에 대한 원주각의 크기는 90°이다.
　　　　2. 원에 내접하는 사각형의 성질
　　　　원에 내접하는 사각형에서 마주 보는 두 내각의 크기의 합은 180°이다.

2. 사인법칙의 적용

(1) 한 변의 길이와 두 각의 크기가 주어질 때
　⇨ $A + B + C = 180°$로부터 나머지 한 각의 크기를 구한다.
　⇨ 나머지 두 변의 길이는 사인법칙을 이용하여 구한다.

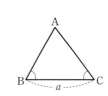

(2) 두 변의 길이와 그 끼인각이 아닌 한 각의 크기가 주어질 때
　⇨ 사인법칙을 이용하여 나머지를 구한다.

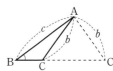

> 삼각형 ABC에서 다음을 구하시오.
>
> (1) $a=10$, $A=45°$, $C=60°$일 때, c의 값
>
> (2) $b=1$, $c=\sqrt{3}$, $B=30°$일 때, a의 값, A, C의 크기

설명 (1) 한 변의 길이와 두 각의 크기가 주어진 경우

(2) 두 변의 길이와 그 끼인각이 아닌 한 각의 크기가 주어진 경우

풀이 (1) 사인법칙에 의하여 $\dfrac{a}{\sin A}=\dfrac{c}{\sin C}$이므로

$$\frac{10}{\sin 45°}=\frac{c}{\sin 60°}$$

$$\therefore c=5\sqrt{6}$$

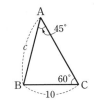

(2) 사인법칙에 의하여 $\dfrac{b}{\sin B}=\dfrac{c}{\sin C}$이므로

$$\frac{1}{\sin 30°}=\frac{\sqrt{3}}{\sin C} \qquad \therefore \sin C=\frac{\sqrt{3}}{2}$$

$$\therefore C=60° \text{ 또는 } C=120°$$

(i) $C=60°$일 때

$$A=180°-(30°+60°)=90°$$

이때 $\dfrac{a}{\sin 90°}=\dfrac{\sqrt{3}}{\sin 60°}$에서 $a=2$

$$\therefore a=2,\ A=90°,\ C=60°$$

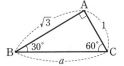

(ii) $C=120°$일 때

$$A=180°-(30°+120°)=30°$$

따라서 삼각형 ABC는 $A=B$인 이등변삼각형이므로 $a=1$

$$\therefore a=1,\ A=30°,\ C=120°$$

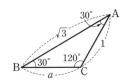

KEY Point

사인법칙을 적용하는 경우
- 한 변의 길이와 두 각의 크기가 주어질 때
- 두 변의 길이와 그 끼인각이 아닌 한 각의 크기가 주어질 때

251 삼각형 ABC에서 $c=20$, $A=45°$, $B=105°$일 때, a의 값을 구하시오.

252 삼각형 ABC에서 $a=15$, $c=30$, $A=30°$일 때, 다음을 구하시오.

(1) B의 크기 　　　　　　　　　　　(2) b의 값

사인법칙과 삼각형의 외접원　　　　　🔄 더 다양한 문제는 **RPM** 수학 I 98쪽

> 오른쪽 그림과 같이 $a=2\sqrt{2}$, $B=60°$, $C=75°$인 삼각형 ABC의 외접원의 반지름의 길이 R를 구하시오.

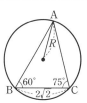

풀이　　삼각형 ABC에서 $A+B+C=180°$이므로
$A=180°-(60°+75°)=45°$

이때 사인법칙에 의하여 $2R=\dfrac{a}{\sin A}$이므로

$R=\dfrac{a}{2\sin A}=\dfrac{2\sqrt{2}}{2\sin 45°}=\mathbf{2}$

사인법칙의 변형 — 변의 길이의 비　　　　　🔄 더 다양한 문제는 **RPM** 수학 I 99쪽

> 삼각형 ABC에서 $(a+b):(b+c):(c+a)=6:7:9$일 때, $\sin A : \sin B : \sin C$를 구하시오.

풀이　　양수 k에 대하여 $a+b=6k$ ……㉠, $b+c=7k$ ……㉡, $c+a=9k$ ……㉢로 놓자.
㉠＋㉡＋㉢을 하면 $2(a+b+c)=22k$
∴ $a+b+c=11k$　……㉣
㉣－㉠에서 $c=5k$, ㉣－㉡에서 $a=4k$, ㉣－㉢에서 $b=2k$
∴ $\sin A : \sin B : \sin C = a:b:c = 4k:2k:5k = \mathbf{4:2:5}$

KEY Point　**사인법칙의 변형**

• 변의 길이의 비를 각의 비로 ⇨ $a:b:c=2R\sin A:2R\sin B:2R\sin C=\sin A:\sin B:\sin C$

• 각의 크기의 비를 변의 비로 ⇨ $\sin A:\sin B:\sin C=\dfrac{a}{2R}:\dfrac{b}{2R}:\dfrac{c}{2R}=a:b:c$

---

253 오른쪽 그림과 같이 $b=2\sqrt{3}$, $A=75°$, $C=45°$인 삼각형 ABC의 외접원의 넓이를 구하시오.

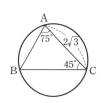

254 삼각형 ABC에서 $a+b-2c=0$, $2a-3b+3c=0$이 성립할 때, $\sin A : \sin B : \sin C$를 구하시오.

255 삼각형 ABC에서 $A:B:C=3:2:1$일 때, $a:b:c$를 구하시오.

> 삼각형 ABC에서 $a \sin A = b \sin B + c \sin C$가 성립할 때, 삼각형 ABC는 어떤 삼각형인지 말하시오.

풀이   삼각형 ABC의 외접원의 반지름의 길이를 R라 하면 사인법칙에 의하여

$$\sin A = \frac{a}{2R},\ \sin B = \frac{b}{2R},\ \sin C = \frac{c}{2R}$$

이것을 주어진 식에 대입하면

$$a \cdot \frac{a}{2R} = b \cdot \frac{b}{2R} + c \cdot \frac{c}{2R}$$

$$\therefore a^2 = b^2 + c^2$$

따라서 삼각형 ABC는 **$A = 90°$인 직각삼각형**이다.

> 오른쪽 그림과 같이 원 모양의 호수가 있다. 이 호수의 지름의 길이를 구하기 위하여 호수 둘레에 세 지점 A, B, C를 정하고 A, B 사이의 거리와 $\angle CAB$, $\angle ABC$의 크기를 측정하였더니 $\overline{AB} = 50\ \text{m}$, $\angle CAB = 45°$, $\angle ABC = 105°$이었다. 이 호수의 지름의 길이를 구하시오.

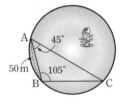

풀이   원 모양의 호수의 반지름의 길이를 R라 하면 사인법칙에 의하여 $\dfrac{\overline{AB}}{\sin C} = 2R$

이때 $\overline{AB} = 50\ \text{m}$, $C = 180° - (45° + 105°) = 30°$이므로 $2R = \dfrac{50}{\sin 30°} = 100\ (\text{m})$

따라서 호수의 지름의 길이는 **100 m**이다.

KEY Point   삼각형의 모양 결정

⇨ $\sin A = \dfrac{a}{2R}$, $\sin B = \dfrac{b}{2R}$, $\sin C = \dfrac{c}{2R}$를 주어진 식에 대입하여 변의 길이 사이의 관계로 변형한다.

---

256 삼각형 ABC에서 $a \sin^2 A = b \sin^2 B$가 성립할 때, 삼각형 ABC는 어떤 삼각형인지 말하시오.

257 오른쪽 그림과 같은 원 모양의 스케이트장이 있다. 이 스케이트장의 둘레의 세 지점 A, B, C에 대하여 $\overline{AC} = 10\ \text{m}$, $\angle ABC = 45°$, $\angle BCA = 60°$일 때, 이 스케이트장의 둘레의 길이를 구하시오.

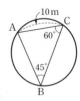

02 코사인법칙

개념원리 이해

1. 코사인법칙 ▷ 필수예제 **6**

삼각형 ABC에서

$$a^2=b^2+c^2-2bc \cos A$$
$$b^2=c^2+a^2-2ca \cos B$$
$$c^2=a^2+b^2-2ab \cos C$$

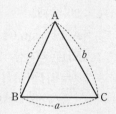

설명 보충학습 1, 2 참조

예 삼각형 ABC에서 $b=3$, $c=5$, $A=60°$일 때, a의 값을 구하시오.

풀이 코사인법칙에 의하여
$$a^2=b^2+c^2-2bc \cos A$$
$$=9+25-2 \cdot 3 \cdot 5 \cos 60°$$
$$=19$$
그런데 $a>0$이므로 $a=\sqrt{19}$

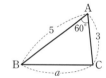

2. 코사인법칙의 변형 ▷ 필수예제 **6~9**

$$\cos A = \frac{b^2+c^2-a^2}{2bc} \quad \leftarrow a^2=b^2+c^2-2bc \cos A에서$$

$$\cos B = \frac{c^2+a^2-b^2}{2ca} \quad \leftarrow b^2=c^2+a^2-2ca \cos B에서$$

$$\cos C = \frac{a^2+b^2-c^2}{2ab} \quad \leftarrow c^2=a^2+b^2-2ab \cos C에서$$

예 삼각형 ABC에서 $a=\sqrt{21}$, $b=4$, $c=5$일 때, A의 크기를 구하시오.

풀이 코사인법칙에 의하여
$$\cos A = \frac{b^2+c^2-a^2}{2bc}$$
$$= \frac{16+25-21}{2 \cdot 4 \cdot 5}$$
$$= \frac{1}{2}$$
그런데 $0°<A<180°$이므로 $A=60°$

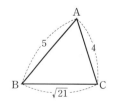

1. 코사인법칙의 증명

삼각형 ABC의 꼭짓점 A에서 변 BC 또는 그 연장선에 내린 수선의 발을 H라 할 때, $\angle C$의 크기에 따라 세 가지 경우로 나누어 변 AB의 길이를 구하면 다음과 같다.

(i) $C < 90°$일 때

$$\overline{AH} = b \sin C, \ \overline{BH} = \overline{BC} - \overline{CH} = a - b \cos C$$

△ABH는 직각삼각형이므로 피타고라스 정리에 의하여

$$\begin{aligned} c^2 &= \overline{BH}^2 + \overline{AH}^2 \\ &= (a - b \cos C)^2 + (b \sin C)^2 \\ &= a^2 + b^2(\sin^2 C + \cos^2 C) - 2ab \cos C \\ &= a^2 + b^2 - 2ab \cos C \end{aligned}$$

(ii) $C = 90°$일 때

△ABC는 $C = 90°$인 직각삼각형이고 $\cos C = 0$이므로

$$c^2 = a^2 + b^2 = a^2 + b^2 - 2ab \cos C$$

(iii) $C > 90°$일 때

$$\overline{AH} = b \sin(180° - C) = b \sin C,$$
$$\overline{BH} = \overline{BC} + \overline{CH} = a + b \cos(180° - C) = a - b \cos C$$

△ABH는 직각삼각형이므로 피타고라스 정리에 의하여

$$\begin{aligned} c^2 &= \overline{BH}^2 + \overline{AH}^2 \\ &= (a - b \cos C)^2 + (b \sin C)^2 \\ &= a^2 + b^2(\sin^2 C + \cos^2 C) - 2ab \cos C \\ &= a^2 + b^2 - 2ab \cos C \end{aligned}$$

(i), (ii), (iii)에 의하여 $\angle C$의 크기에 관계없이 $c^2 = a^2 + b^2 - 2ab \cos C$가 성립한다.

같은 방법으로

$$b^2 = c^2 + a^2 - 2ca \cos B, \ a^2 = b^2 + c^2 - 2bc \cos A$$

가 성립함을 알 수 있다.

2. 코사인법칙의 적용

(1) 두 변의 길이와 그 끼인각의 크기가 주어질 때

⇨ { 나머지 한 변의 길이는 ⇨ 코사인법칙을 이용
    나머지 두 각의 크기는 ⇨ 사인법칙을 이용

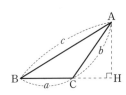

(2) 세 변의 길이가 주어질 때

⇨ 코사인법칙의 변형 공식을 이용하여 세 각의 크기를 구한다.

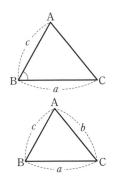

삼각형 ABC에서 다음을 구하시오.

(1) $b=8$, $c=4$, $A=60°$일 때, a의 값, B, C의 크기

(2) $a=\sqrt{2}$, $b=2$, $c=\sqrt{3}+1$일 때, A, B, C의 크기

풀이

(1) 코사인법칙에 의하여

$$a^2=b^2+c^2-2bc\cos A=8^2+4^2-2\cdot8\cdot4\cos60°$$

$$=64+16-2\cdot8\cdot4\cdot\frac{1}{2}=48$$

그런데 $a>0$이므로 $a=\sqrt{48}=4\sqrt{3}$

또 사인법칙에 의하여 $\dfrac{a}{\sin A}=\dfrac{b}{\sin B}$이므로

$$\frac{4\sqrt{3}}{\sin60°}=\frac{8}{\sin B}, \sin B=1 \qquad \therefore B=90°$$

$A+B+C=180°$이므로 $C=180°-(60°+90°)=30°$

$$\therefore \boldsymbol{a=4\sqrt{3}, B=90°, C=30°}$$

(2) 코사인법칙에 의하여

$$\cos A=\frac{b^2+c^2-a^2}{2bc}=\frac{2^2+(\sqrt{3}+1)^2-(\sqrt{2})^2}{2\cdot2\cdot(\sqrt{3}+1)}=\frac{2\sqrt{3}(\sqrt{3}+1)}{4(\sqrt{3}+1)}=\frac{\sqrt{3}}{2}$$

$$\cos B=\frac{a^2+c^2-b^2}{2ac}=\frac{(\sqrt{2})^2+(\sqrt{3}+1)^2-2^2}{2\cdot\sqrt{2}\cdot(\sqrt{3}+1)}=\frac{2(\sqrt{3}+1)}{2\sqrt{2}(\sqrt{3}+1)}=\frac{\sqrt{2}}{2}$$

$$\therefore A=30°, B=45°$$

$A+B+C=180°$이므로 $C=180°-(30°+45°)=105°$

$$\therefore \boldsymbol{A=30°, B=45°, C=105°}$$

258 삼각형 ABC에서 다음을 구하시오.

(1) $b=\sqrt{2}$, $c=3$, $A=135°$일 때, a의 값

(2) $a=\sqrt{7}$, $b=2$, $c=3$일 때, A의 크기

> 삼각형 ABC에서 $a=3$, $b=5$, $c=7$일 때, 최대각의 크기를 구하시오.

설명 ・삼각형에서 길이가 가장 긴 변의 대각이 최대각이고, 길이가 가장 짧은 변의 대각이 최소각이다.

・삼각형의 세 변의 길이가 주어지면 코사인법칙을 이용하여 각의 크기를 구할 수 있다.

풀이 삼각형 ABC에서 c가 가장 긴 변의 길이이므로 C가 최대각의 크기이다.

코사인법칙에 의하여

$$\cos C = \frac{a^2+b^2-c^2}{2ab} = \frac{3^2+5^2-7^2}{2\cdot 3\cdot 5} = -\frac{1}{2}$$

그런데 $0°<C<180°$이므로 $C=120°$

따라서 최대각의 크기는 **120°**이다.

> 삼각형 ABC에서 $\sin A : \sin B : \sin C = 7 : 3 : 8$일 때, A의 크기를 구하시오.

풀이 사인법칙에 의하여

$\sin A : \sin B : \sin C = a : b : c = 7 : 3 : 8$

따라서 $a=7k$, $b=3k$, $c=8k$ $(k>0)$로 놓으면

코사인법칙에 의하여

$$\cos A = \frac{b^2+c^2-a^2}{2bc} = \frac{(3k)^2+(8k)^2-(7k)^2}{2\cdot 3k\cdot 8k} = \frac{1}{2}$$

그런데 $0°<A<180°$이므로 $A=\mathbf{60°}$

KEY Point

・삼각형의 세 변의 길이가 주어지고 최대각 또는 최소각의 크기를 구할 때

⇨ $\begin{cases} \text{길이가 가장 긴 변의 대각} ⇨ \text{최대각} \\ \text{길이가 가장 짧은 변의 대각} ⇨ \text{최소각} \end{cases}$ ⇨ 코사인법칙을 이용

・사인법칙과 코사인법칙

⇨ 사인법칙으로 변의 길이의 비를 구하고 코사인법칙을 이용하여 각의 크기를 구한다.

---

259 삼각형 ABC에서 $a=\sqrt{6}$, $b=2$, $c=\sqrt{3}+1$일 때, 최소각의 크기를 구하시오.

260 삼각형 ABC에서 $\dfrac{\sin A}{7} = \dfrac{\sin B}{5} = \dfrac{\sin C}{3}$ 일 때, $\sin\left(\dfrac{B+C-A}{2}\right)$의 값을 구하시오.

삼각형 ABC에서 $\sin A = 2 \cos B \sin C$가 성립할 때, 삼각형 ABC는 어떤 삼각형인지 말하시오.

설명　삼각형의 모양 결정은 사인법칙, 코사인법칙을 이용하여 각에 대한 식을 변에 대한 식으로 고친 후 다음을 이용한다.
　　　　삼각형 ABC의 세 변의 길이 a, b, c에 대하여 c가 가장 긴 변의 길이일 때
　　　　① $c^2 = a^2 + b^2 \Rightarrow C = 90°$인 직각삼각형　　② $c^2 > a^2 + b^2$　　⇨ 둔각삼각형
　　　　③ $c^2 < a^2 + b^2 \Rightarrow$ 예각삼각형　　　　　　　④ $a = b$ 또는 $a^2 = b^2 \Rightarrow a = b$인 이등변삼각형

풀이　삼각형 ABC의 외접원의 반지름의 길이를 R라 하면
　　　　$\sin A = 2 \cos B \sin C$에서 $\dfrac{a}{2R} = 2 \cdot \dfrac{c^2 + a^2 - b^2}{2ca} \cdot \dfrac{c}{2R}$
　　　　$a^2 = c^2 + a^2 - b^2$, $b^2 = c^2$　　∴ $b = c$ (∵ $b > 0$, $c > 0$)
　　　　따라서 삼각형 ABC는 **$b = c$인 이등변삼각형**이다.

오른쪽 그림과 같이 호수의 양 끝 지점에 세워져 있는 두 나무 A, B 사이의 거리를 알아보기 위하여 한 지점 C에서 두 나무 사이의 거리와 각의 크기를 측정하였더니 $\overline{AC} = 30$ m, $\overline{BC} = 50$ m, $\angle ACB = 120°$이었다. 두 나무 A, B 사이의 거리를 구하시오.

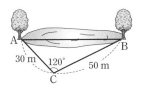

풀이　코사인법칙에 의하여
　　　　$\overline{AB}^2 = \overline{AC}^2 + \overline{BC}^2 - 2\,\overline{AC} \cdot \overline{BC} \cdot \cos C$
　　　　　　$= 30^2 + 50^2 - 2 \cdot 30 \cdot 50 \cdot \left(-\dfrac{1}{2}\right)$ ← $\cos 120° = \cos(180° - 60°) = -\cos 60° = -\dfrac{1}{2}$
　　　　　　$= 70^2$
　　　　∴ $\overline{AB} = 70$ (m) (∵ $\overline{AB} > 0$)
　　　　따라서 두 나무 A, B 사이의 거리는 **70 m**이다.

KEY Point　**삼각형의 모양 결정**
⇨ 사인법칙, 코사인법칙을 이용하여 각에 대한 식을 변에 대한 식으로 고친다.

261　삼각형 ABC에서 $a \cos B = b \cos A + c$가 성립할 때, 삼각형 ABC는 어떤 삼각형인지 말하시오.

262　고대 유적 발굴팀은 유적을 조사하던 중 원형의 연못이 있었음을 확인하였다. 오른쪽 그림은 발굴한 연못의 일부이고, 연못가의 세 지점 A, B, C에 대하여 $\overline{AB} = 6$ m, $\overline{AC} = 10$ m, $\angle BAC = 120°$일 때, 이 연못의 반지름의 길이를 구하시오.

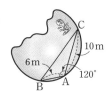

연습문제

💡 생각해 봅시다!

239 삼각형 ABC에서 $c=10\sqrt{6}$, $A=60°$, $B=75°$일 때, a의 값을 구하시오.

240 삼각형 ABC에서 $b=4$, $c=4\sqrt{3}$, $C=60°$일 때, a의 값은?

① 5　　　　② $4\sqrt{3}$　　　　③ 8　　　　④ $6\sqrt{3}$　　　　⑤ $9\sqrt{2}$

241 반지름의 길이가 3인 원에 내접하는 삼각형 ABC의 둘레의 길이가 12일 때, $\sin A+\sin B+\sin C$의 값을 구하시오.

$\sin A=\dfrac{a}{2R}$

$\sin B=\dfrac{b}{2R}$

$\sin C=\dfrac{c}{2R}$

242 삼각형 ABC에서 $a=7$, $c=5$, $B=60°$일 때, 이 삼각형의 외접원의 넓이를 구하시오.

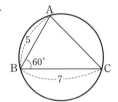

먼저 코사인법칙을 이용하여 b의 값을 구한다.

243 오른쪽 그림과 같이 원에 내접하는 사각형 ABCD에서 $\overline{AD}=2$, $\overline{CD}=3$, $\cos B=\dfrac{1}{4}$일 때, $\overline{AC}$의 길이를 구하시오.

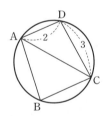

$B+D=180°$

244 삼각형 ABC에서 $\sin A=\sqrt{2}\sin B=2\sin C$가 성립할 때, 삼각형 ABC의 최대각의 크기 θ에 대하여 $\cos\theta$의 값은?

① $-\dfrac{\sqrt{2}}{2}$　　② $-\dfrac{\sqrt{2}}{3}$　　③ $-\dfrac{\sqrt{2}}{4}$　　④ $\dfrac{\sqrt{2}}{4}$　　⑤ $\dfrac{\sqrt{2}}{2}$

$\sin A:\sin B:\sin C$를 구한다.

245 삼각형 ABC의 세 변의 길이 a, b, c 사이에 $a-2b+c=0$, $3a+b-2c=0$ 인 관계가 성립할 때, $\cos C$의 값을 구하시오.

STEP **2**

246 삼각형 ABC에서 $b=\sqrt{2}$, $c=\sqrt{5}$, $C=45°$ 일 때, $\sin A$의 값을 구하시오.

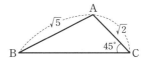

꼭짓점 A에서 $\overline{BC}$에 수선을 내려서 만든 직각삼각형에서 피타고라스 정리를 이용한다.

247 오른쪽 그림과 같이 40 m 떨어진 지평면의 두 지점 A, B에서 하늘 위의 한 지점 P에 떠 있는 드론을 보았다. $\angle PAB=75°$, $\angle PBA=60°$, $\angle PAQ=30°$ 일 때, 드론의 높이를 구하시오.

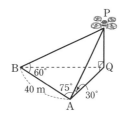

248 오른쪽 그림과 같은 직육면체에서 $\overline{AB}=1$, $\overline{AD}=2$, $\overline{BF}=1$일 때, $\cos\theta$의 값을 구하시오.

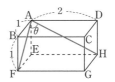

$\overline{AF}$, $\overline{AH}$, $\overline{FH}$의 길이를 구한 후 삼각형 AFH에서 코사인법칙을 이용한다.

249 삼각형 ABC에서 $\dfrac{\sin A}{2}=\dfrac{\sin B}{4}=\dfrac{\sin C}{3}$일 때, $\sin A+\sin (B+C)$의 값은?

$a:b:c$
$=\sin A:\sin B:\sin C$

① $\dfrac{\sqrt{7}}{8}$ ② $\dfrac{\sqrt{15}}{8}$ ③ $\dfrac{\sqrt{15}}{4}$ ④ $\dfrac{\sqrt{15}}{3}$ ⑤ $\dfrac{\sqrt{15}}{2}$

250 삼각형 ABC에서 다음 등식이 성립할 때, 이 삼각형은 어떤 삼각형인가?

사인법칙과 코사인법칙을 이용한다.

$$2\sin\left(\frac{A-B+C}{2}\right)\sin A=\sin C$$

① $A=90°$인 직각삼각형   ② $B=90°$인 직각삼각형
③ 정삼각형   ④ $a=b$인 이등변삼각형
⑤ $b=c$인 이등변삼각형

실력 UP

251 x에 대한 이차방정식

$$ax^2-4\sqrt{b}\,x\sin(B+C)+4\sin^2 A=0$$

이 중근을 가질 때, 삼각형 ABC는 어떤 삼각형인가?

● 생각해 봅시다!

① $B=\dfrac{\pi}{2}$인 직각삼각형   ② $C=\dfrac{\pi}{2}$인 직각삼각형

③ $a=b$인 이등변삼각형   ④ $a=c$인 이등변삼각형

⑤ 정삼각형

252 오른쪽 그림과 같이 원에 내접하는 사각형 ABCD에서 $\overline{AB}=1$, $\overline{BC}=2$, $\overline{CD}=3$, $\overline{DA}=4$일 때, $\cos A$의 값은?

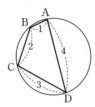

사각형 ABCD가 원에 내접하므로
$A+C=180°$

① $\dfrac{1}{5}$ ② $\dfrac{2}{5}$ ③ $\dfrac{3}{5}$

④ $\dfrac{4}{5}$ ⑤ $\dfrac{5}{6}$

253 오른쪽 그림과 같이 $\overline{AB}=\overline{BC}=6$인 직각이등변삼각형 ABC에서 빗변 AC를 삼등분한 점을 D, E라 하자. $\angle DBE=\theta$라 할 때, $\cos\theta$의 값을 구하시오.

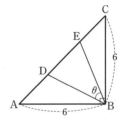

$\overline{AD}=\overline{DE}=\overline{EC}$

254 세 변의 길이가 x^2+x+1, $2x+1$, x^2-1인 삼각형의 최대각의 크기를 구하시오.

삼각형에서 길이가 가장 긴 변의 대각이 최대각이다.

255 삼각형 ABC에서 $\sin A:\sin B=\sqrt{2}:1$, $c^2=b^2+ac$일 때, C의 크기는?

① $30°$ ② $45°$ ③ $60°$ ④ $105°$ ⑤ $120°$

03 삼각형의 넓이

3. 삼각함수의 활용

개념원리 이해

1. 삼각형의 넓이   ▷ 필수예제 **11, 12**

삼각형 ABC의 넓이를 S라 하면

$$S=\frac{1}{2}\,bc\sin A=\frac{1}{2}\,ca\sin B=\frac{1}{2}\,ab\sin C$$

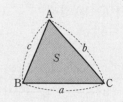

▶ (1) 삼각형의 두 변의 길이와 그 끼인각의 크기를 알 때, 위의 공식을 이용하면 삼각형의 넓이를 구할 수 있다.

   (2) 그 밖의 삼각형의 넓이 공식

    ① 세 변의 길이를 알 때 (헤론(Heron)의 공식)

$$S=\sqrt{s(s-a)(s-b)(s-c)}\ \left(단,\ s=\frac{a+b+c}{2}\right)$$

    ② 외접원의 반지름의 길이 R를 알 때

$$S=\frac{abc}{4R}=2R^2\sin A\sin B\sin C$$

    ③ 내접원의 반지름의 길이 r를 알 때

$$S=\frac{1}{2}r(a+b+c)$$

설명   보충학습 1, 2 참조

2. 사각형의 넓이   ▷ 필수예제 **13, 14**

(1) **평행사변형의 넓이**

   이웃하는 두 변의 길이가 a, b이고, 그 끼인각의 크기가 θ인 평행사변형의 넓이를 S라 하면

$$S=ab\sin\theta$$

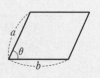

(2) **사각형의 넓이**

   두 대각선의 길이가 a, b이고, 두 대각선이 이루는 각의 크기가 θ인 사각형의 넓이를 S라 하면

$$S=\frac{1}{2}\,ab\sin\theta$$

설명   보충학습 3 참조

보충학습

1. 삼각형의 넓이의 증명

삼각형 ABC의 꼭짓점 A에서 변 BC 또는 그 연장선에 내린 수선의 발을 H라 하고 $\overline{AH}=h$로 놓으면 ∠C의 크기에 따라 다음 세 가지 경우로 나누어 생각해 볼 수 있다.

(ⅰ) $C<90°$일 때   (ⅱ) $C=90°$일 때   (ⅲ) $C>90°$일 때

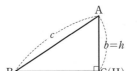

$$h=b \sin C$$

$$h=b=b \sin C$$

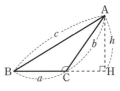

$$h=b \sin (180°-C)$$
$$=b \sin C$$

(ⅰ), (ⅱ), (ⅲ)에 의하여 ∠C의 크기에 관계없이 $h=b \sin C$가 성립한다.

따라서 삼각형 ABC의 넓이를 S라 하면

$$S=\frac{1}{2} ah=\frac{1}{2} ab \sin C$$

같은 방법으로

$$S=\frac{1}{2} bc \sin A=\frac{1}{2} ca \sin B$$

가 성립함을 알 수 있다.

2. 그 밖의 삼각형의 넓이 공식

① 세 변의 길이를 알 때 (헤론의 공식)

$$S=\frac{1}{2} bc \sin A$$

$$=\frac{1}{2} bc\sqrt{1-\cos^2 A} \quad \leftarrow 0°<A<180°일 때, \sin A>0$$

$$=\frac{1}{2} bc\sqrt{(1+\cos A)(1-\cos A)}$$

$$=\frac{1}{2} bc\sqrt{\left(1+\frac{b^2+c^2-a^2}{2bc}\right)\left(1-\frac{b^2+c^2-a^2}{2bc}\right)} \quad \leftarrow 코사인법칙에 의하여$$

$$=\frac{1}{2} bc\sqrt{\frac{\{2bc+(b^2+c^2-a^2)\}\{2bc-(b^2+c^2-a^2)\}}{(2bc)^2}}$$

$$=\frac{bc}{4bc}\sqrt{\{(b+c)^2-a^2\}\{a^2-(b-c)^2\}}$$

$$=\frac{1}{4}\sqrt{(a+b+c)(-a+b+c)(a-b+c)(a+b-c)} \quad \cdots\cdots ㉠$$

여기서 $\frac{1}{2}(a+b+c)=s$로 놓으면 $a+b+c=2s$이므로

$$-a+b+c=a+b+c-2a=2s-2a=2(s-a)$$

이와 같이 하면 $a-b+c=2(s-b)$, $a+b-c=2(s-c)$

이들을 ㉠에 대입하면

$$S = \frac{1}{4}\sqrt{2s \cdot 2(s-a) \cdot 2(s-b) \cdot 2(s-c)}$$

$$= \sqrt{s(s-a)(s-b)(s-c)}$$

② 외접원의 반지름의 길이 R를 알 때

$$S = \frac{1}{2}bc \sin A = \frac{1}{2}bc \cdot \frac{a}{2R} = \frac{abc}{4R} \quad \leftarrow \frac{a}{\sin A} = 2R \text{에서 } \sin A = \frac{a}{2R}$$

또 사인법칙 $\dfrac{b}{\sin B} = \dfrac{c}{\sin C} = 2R$에서 $b = 2R \sin B$, $c = 2R \sin C$이므로

$$S = \frac{1}{2}bc \sin A = \frac{1}{2} \cdot 2R \sin B \cdot 2R \sin C \cdot \sin A = 2R^2 \sin A \sin B \sin C$$

③ 내접원의 반지름의 길이 r를 알 때

오른쪽 그림과 같이 삼각형 ABC의 내접원의 중심을 I, 반지름의
길이를 r라 하면

$$S = \triangle IAB + \triangle IBC + \triangle ICA$$

$$= \frac{1}{2}cr + \frac{1}{2}ar + \frac{1}{2}br = \frac{1}{2}r(a+b+c)$$

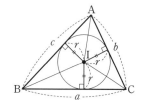

3. 사각형의 넓이의 증명

일반적으로 다각형의 넓이는 다각형을 여러 개의 삼각형으로 나눈 다음 삼각형의 넓이의 합으로 구할 수 있다.

⑴ 평행사변형의 넓이

평행사변형 ABCD에서 대각선 AC를 그으면 삼각형 ABC와 삼각형
CDA는 서로 합동이므로 평행사변형 ABCD의 넓이는 삼각형 ABC
의 넓이의 2배이다.

$$\therefore S = 2\triangle ABC = 2 \cdot \left(\frac{1}{2}ab \sin \theta\right) = ab \sin \theta$$

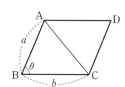

⑵ 사각형의 넓이

오른쪽 그림과 같이 사각형 ABCD에서 두 대각선을 그어 사각형
ABCD를 네 개의 삼각형으로 나누고 $a = p_1 + p_2$, $b = q_1 + q_2$로
놓으면

$$S = \triangle OAB + \triangle OBC + \triangle OCD + \triangle ODA$$

$$= \frac{1}{2}p_1 q_1 \sin \theta + \frac{1}{2}p_2 q_1 \sin(180° - \theta) + \frac{1}{2}p_2 q_2 \sin \theta + \frac{1}{2}p_1 q_2 \sin(180° - \theta)$$

$$= \frac{1}{2}p_1 q_1 \sin \theta + \frac{1}{2}p_2 q_1 \sin \theta + \frac{1}{2}p_2 q_2 \sin \theta + \frac{1}{2}p_1 q_2 \sin \theta$$

$$= \frac{1}{2}(p_1 + p_2)q_1 \sin \theta + \frac{1}{2}(p_1 + p_2)q_2 \sin \theta$$

$$= \frac{1}{2}(p_1 + p_2)(q_1 + q_2)\sin \theta = \frac{1}{2}ab \sin \theta$$

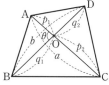

263 다음 조건을 만족시키는 삼각형 ABC의 넓이 S를 구하시오.

(1) $a=4$, $b=5$, $C=60°$

(2) $b=3$, $c=6$, $A=45°$

(3) $c=5$, $a=6$, $B=30°$

😊 **생각해 봅시다!**

두 변의 길이가 a, b이고 그 끼인각의 크기가 C인 삼각형의 넓이 S는
$$S=\frac{1}{2}ab\sin C$$

264 다음 조건을 만족시키는 삼각형 ABC의 넓이 S를 구하시오.

(1) $a=5$, $b=6$, $c=5$, 외접원의 반지름의 길이 $R=\dfrac{25}{8}$

(2) $a=10$, $b=12$, $c=8$, 내접원의 반지름의 길이 $r=\sqrt{7}$

$$S=\frac{abc}{4R}$$
$$=\frac{1}{2}r(a+b+c)$$

265 다음 조건을 만족시키는 평행사변형 ABCD의 넓이를 구하시오.

(1) $\overline{AB}=4$, $\overline{AD}=\sqrt{3}$, $A=30°$

(2) $\overline{AB}=6$, $\overline{BC}=8$, $C=120°$

평행사변형의 넓이

266 다음 그림과 같은 사각형 ABCD의 넓이를 구하시오.

(1)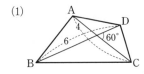

(2)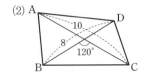

사각형의 넓이

다음을 구하시오.

(1) 삼각형 ABC에서 $a=10$, $b=8$이고, 넓이가 $20\sqrt{3}$일 때, 예각 C의 크기

(2) 삼각형 ABC에서 $b=4$, $A=135°$이고, 넓이가 2일 때, a의 값

풀이

(1) 삼각형 ABC의 넓이가 $20\sqrt{3}$이므로

$\dfrac{1}{2}\cdot 10\cdot 8\cdot \sin C = 20\sqrt{3}$

$\therefore \sin C = \dfrac{\sqrt{3}}{2}$

그런데 C는 예각이므로 $C=\mathbf{60°}$

(2) 삼각형 ABC의 넓이가 2이므로

$\dfrac{1}{2}\cdot 4\cdot c\cdot \sin 135° = 2$

$2c\cdot \dfrac{\sqrt{2}}{2}=2 \qquad \therefore c=\sqrt{2}$

따라서 코사인법칙에 의하여

$a^2=b^2+c^2-2bc\cos 135°$

$\quad = 4^2+(\sqrt{2})^2-2\cdot 4\cdot \sqrt{2}\cos 135°$

$\quad = 16+2-8\sqrt{2}\cdot \left(-\dfrac{\sqrt{2}}{2}\right)=26$

$\therefore a=\sqrt{\mathbf{26}}\ (\because a>0)$

KEY Point

두 변의 길이와 그 끼인각의 크기를 알 때 삼각형의 넓이 S는

$\Rightarrow S=\dfrac{1}{2}bc\sin A=\dfrac{1}{2}ca\sin B=\dfrac{1}{2}ab\sin C$

---

267 삼각형 ABC에서 $b=4$, $c=7$이고, 넓이가 7일 때, A의 크기를 구하시오.

268 삼각형 ABC에서 $a=8$, $b=6$, $\cos C=\dfrac{\sqrt{5}}{3}$일 때, 삼각형 ABC의 넓이를 구하시오.

269 오른쪽 그림과 같이 $b=2\sqrt{3}$, $c=3\sqrt{3}$, $A=60°$인 삼각형 ABC에서 ∠A의 이등분선과 $\overline{BC}$가 만나는 점을 D라 할 때, $\overline{AD}$의 길이를 구하시오.

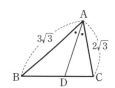

삼각형 ABC에서 $a=5$, $b=7$, $c=8$일 때, 다음을 구하시오.

(1) 삼각형의 넓이
(2) 외접원의 반지름의 길이
(3) 내접원의 반지름의 길이

풀이

(1) 코사인법칙에 의하여 $\cos C = \dfrac{a^2+b^2-c^2}{2ab} = \dfrac{5^2+7^2-8^2}{2 \cdot 5 \cdot 7} = \dfrac{1}{7}$

$\therefore \sin C = \sqrt{1-\cos^2 C} = \sqrt{1-\left(\dfrac{1}{7}\right)^2} = \dfrac{4\sqrt{3}}{7}$ ($\because \sin C > 0$)

따라서 삼각형 ABC의 넓이를 S라 하면

$S = \dfrac{1}{2}ab\sin C = \dfrac{1}{2} \cdot 5 \cdot 7 \cdot \dfrac{4\sqrt{3}}{7} = \boldsymbol{10\sqrt{3}}$

(2) 외접원의 반지름의 길이를 R라 하면

$S = \dfrac{abc}{4R}$에서 $10\sqrt{3} = \dfrac{5 \cdot 7 \cdot 8}{4R}$

$\therefore R = \dfrac{\boldsymbol{7\sqrt{3}}}{\boldsymbol{3}}$

(3) 내접원의 반지름의 길이를 r라 하면

$S = \dfrac{1}{2}r(a+b+c)$에서 $10\sqrt{3} = \dfrac{1}{2}r(5+7+8)$

$\therefore r = \boldsymbol{\sqrt{3}}$

다른풀이

(1) 헤론의 공식을 이용하면 $s = \dfrac{5+7+8}{2} = 10$이므로

$S = \sqrt{10(10-5)(10-7)(10-8)} = 10\sqrt{3}$

참고

삼각형의 세 변의 길이가 모두 자연수로 주어지지 않으면 헤론의 공식을 이용하여 넓이를 구하기 어려우므로 일반적으로 세 변의 길이가 주어진 삼각형의 넓이는 코사인법칙을 이용하여 $\sin C$를 구한 후 넓이를 구한다.

KEY Point

• 세 변의 길이를 알 때 ⇨ $S = \sqrt{s(s-a)(s-b)(s-c)}$ (단, $s = \dfrac{a+b+c}{2}$)

• 세 변의 길이와 외접원의 반지름의 길이 R를 알 때 ⇨ $S = \dfrac{abc}{4R} = 2R^2 \sin A \sin B \sin C$

• 세 변의 길이와 내접원의 반지름의 길이 r를 알 때 ⇨ $S = \dfrac{1}{2}r(a+b+c)$

---

270 삼각형 ABC에서 $a=13$, $b=14$, $c=15$일 때, 다음을 구하시오.

　　　(1) 삼각형의 넓이　　　(2) 외접원의 반지름의 길이　　　(3) 내접원의 반지름의 길이

271 삼각형 ABC에서 $b=8$, $c=7$, $A=120°$일 때, 내접원의 반지름의 길이를 구하시오.

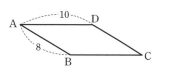
오른쪽 그림과 같이 $\overline{AB}=8$, $\overline{AD}=10$인 평행사변형
ABCD의 넓이가 40일 때, A의 크기를 구하시오.

(단, $0°<A<90°$)

풀이　평행사변형 ABCD의 넓이가 40이므로

$40=8\cdot10\cdot\sin A$

$\therefore \sin A=\dfrac{1}{2}$

그런데 $0°<A<90°$이므로 $A=\mathbf{30°}$

필수예제 **14** 사각형의 넓이
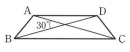
더 다양한 문제는 **RPM** 수학 Ⅰ 104쪽

오른쪽 그림과 같은 등변사다리꼴 ABCD에서 $\overline{AC}=6$이고
두 대각선 AC, BD가 이루는 각의 크기가 30°일 때, 등변사
다리꼴 ABCD의 넓이를 구하시오.

풀이　등변사다리꼴 ABCD에서 두 대각선의 길이는 같으므로

$\overline{AC}=\overline{BD}=6$

또 두 대각선이 이루는 각의 크기가 30°이므로
등변사다리꼴 ABCD의 넓이를 S라 하면

$S=\dfrac{1}{2}\cdot6\cdot6\cdot\sin 30°=\mathbf{9}$

KEY Point

• 평행사변형의 넓이

$S=ab\sin\theta$

• 사각형의 넓이

$S=\dfrac{1}{2}ab\sin\theta$

---

272 오른쪽 그림과 같이 $\overline{AB}=6$, $\overline{BC}=7$인 평행사변형 ABCD의 넓
이가 $21\sqrt{3}$일 때, A의 크기를 구하시오. (단, $90°<A<180°$)

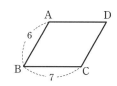

273 등변사다리꼴에서 두 대각선이 이루는 각의 크기가 150°이고 넓이가 8일 때, 한 대각선의
길이를 구하시오.

연습문제

💡 생각해 봅시다!

$\frac{1}{2}\overline{AB}\cdot\overline{AC}\sin 60°$

$=\frac{1}{2}\overline{BC}\cdot\overline{AH}$

256 오른쪽 그림과 같은 삼각형 ABC에서 $\overline{AB}=8$, $\overline{AC}=6$, $A=60°$이다. 꼭짓점 A에서 변 BC에 내린 수선의 발을 H라 할 때, $\overline{AH}$의 길이를 구하시오.

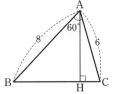

257 $a=4$, $b=5$, $c=7$인 삼각형 ABC의 넓이를 구하시오.

258 삼각형 ABC에 대하여 $b=3$, $c=5$, $A=120°$일 때, 내접원의 반지름의 길이 r의 값을 구하시오.

$S=\frac{1}{2}r(a+b+c)$

259 오른쪽 그림과 같은 사각형 ABCD의 넓이가 3일 때, $\tan^2\theta$의 값을 구하시오.

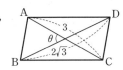

$\tan\theta=\dfrac{\sin\theta}{\cos\theta}$

260 삼각형 ABC의 외접원의 반지름의 길이가 4이고, $A=30°$, $B=45°$일 때, 삼각형 ABC의 넓이를 구하시오.

사인법칙을 이용하여 a, b의 값을 구한 후, 코사인법칙을 이용하여 c의 값을 구한다.

261 오른쪽 그림과 같이 삼각형 ABC의 외접원의 반지름의 길이가 20이고 세 꼭짓점 A, B, C에 의하여 외접원의 둘레가 $\overset{\frown}{AB}:\overset{\frown}{BC}:\overset{\frown}{CA}=3:4:5$로 분할될 때, 삼각형 ABC의 넓이를 구하시오.

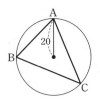

부채꼴의 호의 길이와 중심각의 크기는 정비례한다.

262 삼각형 ABC의 외접원의 반지름의 길이가 8, $\sin A + \sin B + \sin C = \dfrac{5}{4}$ 이고 삼각형 ABC의 넓이가 20일 때, 삼각형 ABC의 내접원의 반지름의 길이는?

$\sin A = \dfrac{a}{2R}$

$\sin B = \dfrac{b}{2R}$

$\sin C = \dfrac{c}{2R}$

① 2　　　　② $\dfrac{5}{2}$　　　　③ 3　　　　④ $\dfrac{7}{2}$　　　　⑤ 4

263 오른쪽 그림과 같이 $\overline{BC}=\sqrt{3}$, $\overline{AC}=\sqrt{7}$, $B=30°$인 평행사변형 ABCD의 넓이는?

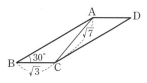

① $\sqrt{3}$　　　　② 2　　　　③ $2\sqrt{3}$

④ $3\sqrt{2}$　　　　⑤ $3\sqrt{3}$

[교육청기출]

264 그림은 선분 AB를 지름으로 하는 원 O에 내접하는 사각형 APBQ를 나타낸 것이다. $\overline{AP}=4$ cm, $\overline{BP}=2$ cm이고 $\overline{QA}=\overline{QB}$일 때, 선분 PQ의 길이는?

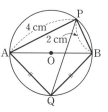

① $3\sqrt{2}$ cm　　　　② $\dfrac{10\sqrt{2}}{3}$ cm

③ $\sqrt{14}$ cm　　　　④ $\dfrac{4\sqrt{10}}{3}$ cm　　　　⑤ 4 cm

실력 **UP**

265 오른쪽 그림은 세 도시 A, B, C를 서로 잇는 직선도로를 나타낸 것이다. ∠BAC=120°, $\overline{AB}=15$ km, $\overline{AC}=20$ km이고 두 도시 B, C 사이에 선분 BC를 3 : 4로 내분하는 지점 D에 도서관을 세워 직선도로로 연결하였다. A 도시와 지점 D의 도서관을 잇는 직선도로의 길이를 구하시오.

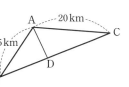

다음 그림과 같이 △ABC의 ∠A의 이등분선이 $\overline{BC}$와 만나는 점을 D라 하면

$\overline{AB} : \overline{AC} = \overline{BD} : \overline{CD}$

실력 **UP**

266 오른쪽 그림과 같이 $A=60°$인 삼각형 ABC의 두 변 AB, AC 위에 삼각형 APQ의 넓이가 삼각형 ABC의 넓이의 $\dfrac{1}{2}$이 되도록 두 점 P, Q를 각각 잡을 때, $\overline{PQ}$의 길이의 최솟값을 구하시오.

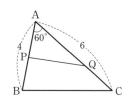

산술평균과 기하평균의 관계를 이용한다.

Take a Break

오늘 바로 내일을,
그리고 더 먼 훗날을 생각하라.

오늘 바로 내일을, 그리고 더 먼 훗날을 생각하라.

시간을 할애하여 앞일을 근심하고 생각하는 것은 신중한 자의 태도이다. 조심스런 자에게 우연이란 없으며 신중한 자에게 위험이란 없다.

목이 늪에 잠길 때까지 생각을 미루지 마라. 생각은 앞서야 한다.

머리맡의 베개는 말없는 예언자이다. 처음에 자면서 생각하는 것이 후에 베개를 벤 채 잠들지 못하는 것보다 낫다.

삶이란 생각의 연속이어야 하며, 그럴 때 올바른 길을 잃지 않을 수 있다.

III

수열

1. 수열의 뜻

3, 6, 9, 12, …와 같이 차례로 나열된 수의 열을 **수열**이라 하고, 나열된 각 수를 그 수열의 **항**이라 한다.

▶ 일정한 규칙 없이 수를 나열한 것도 수열이지만, 여기서는 규칙이 있는 수열만 다룬다.

참고 (1) 유한수열 : 항이 유한 개인 수열을 유한수열이라 한다.
　　　(2) 무한수열 : 항이 무한히 많은 수열을 무한수열이라 한다.
　　　(3) 항수 : 유한수열에서 항의 개수를 항수라 한다.
　　　(4) 끝항 : 유한수열에서 마지막 항을 끝항이라 한다.

2. 수열의 일반항

(1) 일반적으로 수열을 나타낼 때 항에 번호를 붙여 a_1, a_2, a_3, …, a_n, …과 같이 나타내고, 앞에서부터 차례로 a_1을 **첫째항**(제1항), a_2를 **둘째항**(제2항), …, a_n을 **n째항**(제n항)이라 하며, 특히 n째항 a_n을 이 수열의 **일반항**이라 한다.

(2) 수열 a_1, a_2, a_3, …을 간단히 $\{a_n\}$과 같이 나타낸다.

설명 자연수 전체의 집합 N에서 실수 전체의 집합 R로의 함수 $f : N \longrightarrow R$의 함숫값을 차례로 나열한 $f(1)$, $f(2)$, $f(3)$, …, $f(n)$, …은 수열이 되고 $f(n) = a_n$으로 나타내면 이 수열은 a_1, a_2, a_3, …, a_n, …이 된다.

예 수열 2, 4, 7, 11, 16, …에서 첫째항은 2이고, 제4항은 11이다.

3. 등차수열

(1) 등차수열의 뜻

① 수열 1, 3, 5, 7, …과 같이 첫째항부터 차례로 **일정한 수를 더하여 만들어지는 수열**을 **등차수열**이라 하고, 그 **일정한 수를 공차**라 한다.

② 공차가 d인 등차수열 $\{a_n\}$에 대하여 제n항 a_n과 제$n+1$항 a_{n+1} 사이에는 다음 관계가 성립한다.

$$a_{n+1} = a_n + d \iff a_{n+1} - a_n = d \ (n = 1, 2, 3, \cdots)$$

▶ 공차는 영어로 common difference이고 보통 d로 나타낸다.

예 1, 3, 5, 7, 9, … ← 일정한 수 2를 더하여 만들어지는 수열이다.
　　　　+2 +2 +2 +2　　　└ 공차 : 2

즉 1, 3, 5, 7, 9, …는 첫째항이 1이고 공차가 2인 등차수열이다.

(2) **등차수열의 일반항**　▷ **필수예제 1~6**

> 첫째항이 a, 공차가 d인 등차수열의 일반항 a_n은
> $$a_n = a + (n-1)d \ (n=1, 2, 3, \cdots)$$

설명　첫째항이 a, 공차가 d인 등차수열 $\{a_n\}$의 각 항은 다음과 같다.

$a_1 = a$

$a_2 = a_1 + d = a + d$

$a_3 = a_2 + d = (a+d) + d = a + 2d$

$a_4 = a_3 + d = (a+2d) + d = a + 3d$

$\vdots$

$a_1 = a + \mathbf{0} \times d$

$a_2 = a + \mathbf{1} \times d$

$a_3 = a + \mathbf{2} \times d$

$a_4 = a + \mathbf{3} \times d$

$\vdots$

따라서 일반항 a_n은

$a_n = a + (n-1)d \ (n=1, 2, 3, \cdots)$

$a_n = a + (\boxed{n-1}) \times d$

예　첫째항이 1, 공차가 2인 등차수열의 일반항 a_n은
$$a_n = 1 + (n-1) \cdot 2 = 2n - 1$$

(3) **등차수열의 일반항의 특징**

> 일반항 a_n이 n에 대한 일차식 $\boldsymbol{a_n = An + B}$ (A, B는 상수, $n=1, 2, 3, \cdots$)인 수열 $\{a_n\}$은
> **첫째항이 $\boldsymbol{A+B}$이고, 공차가 $\boldsymbol{A}$인 등차수열이다.**

증명　$a_{n+1} - a_n$의 값이 일정한 값을 가지면 수열 $\{a_n\}$은 등차수열이다.

$a_n = An + B$에서 $a_{n+1} = A(n+1) + B$이므로 $a_{n+1} - a_n = \{A(n+1) + B\} - (An + B) = A$ (일정)

또 첫째항은 $a_1 = A \times 1 + B = A + B$

따라서 수열 $\{a_n\}$은 첫째항이 $A+B$이고 공차가 A인 등차수열이다.

예　일반항 a_n이 $a_n = -5n + 8$이면 수열 $\{a_n\}$은 첫째항이 $-5+8 = 3$이고 공차가 -5인 등차수열이다.

4. 등차중항　▷ **필수예제 7**

> 세 수 a, b, c가 이 순서대로 등차수열을 이룰 때, b를 a와 c의 **등차중항**이라 한다.
> 이때 b가 a와 c의 등차중항이면 $b - a = c - b$이므로 $\boldsymbol{b = \dfrac{a+c}{2}}$

▶　① 등차수열 a, b, c에서 등차중항 $b = \dfrac{a+c}{2}$는 두 수 a와 c의 산술평균과 같다.

② 수열 $\{a_n\}$이 등차수열이면 연속하는 세 항 a_n, a_{n+1}, a_{n+2} 사이에 다음이 성립한다.
$$2a_{n+1} = a_n + a_{n+2} \ (n=1, 2, 3, \cdots)$$

예　세 수 x, $2x+3$, $6x$가 이 순서대로 등차수열을 이룰 때, x의 값을 구하시오.

풀이　$2x+3$이 x와 $6x$의 등차중항이므로 $2x+3 = \dfrac{x+6x}{2}$, $2(2x+3) = 7x$　∴ $x = 2$

274 다음 수열의 첫째항부터 제3항까지를 구하시오.

(1) $\{3n\}$ (2) $\{2^n+1\}$

(3) $\left\{\dfrac{1}{2n-1}\right\}$ (4) $\left\{\cos\dfrac{n\pi}{2}\right\}$

🧠 **생각해 봅시다!**

n에 1, 2, 3을 차례로 대입한다.

275 다음 수열의 일반항 a_n을 구하시오.

(1) $1, \dfrac{1}{2}, \dfrac{1}{3}, \dfrac{1}{4}, \cdots$

(2) $1\cdot3, 3\cdot5, 5\cdot7, 7\cdot9, \cdots$

(3) $\log 3, \log 9, \log 27, \log 81, \cdots$

각 항의 규칙을 찾아서 일반항을 구한다.

276 다음 수열이 등차수열을 이룰 때, ☐ 안에 알맞은 수를 써넣으시오.

(1) $6, 0, -6, \boxed{}, \boxed{}$

(2) $\boxed{}, 15, \boxed{}, 27, 33$

(3) $\dfrac{3}{4}, \dfrac{1}{4}, \boxed{}, -\dfrac{3}{4}, \boxed{}$

(4) $\boxed{}, \dfrac{1}{3}, \dfrac{1}{2}, \boxed{}, \dfrac{5}{6}$

이웃하는 두 항의 차가 공차임을 이용한다.

277 다음 등차수열의 일반항 a_n을 구하시오.

(1) $2, 4, 6, 8, \cdots$ (2) $10, 7, 4, 1, \cdots$

(3) $1, \dfrac{3}{2}, 2, \dfrac{5}{2}, \cdots$ (4) $3, \dfrac{8}{3}, \dfrac{7}{3}, 2, \cdots$

첫째항을 a, 공차를 d라 하면 일반항 a_n은
$a_n=a+(n-1)d$

필수예제 01 등차수열의 첫째항과 공차　🔁 더 다양한 문제는 **RPM** 수학 Ⅰ 114쪽

다음 물음에 답하시오.

(1) 첫째항이 -11이고 제4항이 -2인 등차수열의 공차를 구하시오.

(2) 공차가 -3이고 제5항이 -6인 등차수열의 첫째항을 구하시오.

풀이　첫째항을 a, 공차를 d라 하면

(1) $a=-11$, $a_4=a+3d=-11+3d=-2$　∴ $d=3$

(2) $d=-3$, $a_5=a+4d=a+4\cdot(-3)=-6$　∴ $a=6$

필수예제 02 항 또는 항의 관계가 주어진 등차수열 (1)　🔁 더 다양한 문제는 **RPM** 수학 Ⅰ 114쪽

등차수열 $\{a_n\}$에서 $a_5=4a_3$, $a_2+a_4=6$이 성립할 때, a_7의 값을 구하시오.

풀이　등차수열 $\{a_n\}$의 첫째항을 a, 공차를 d라 하면

$a_5=4a_3$에서 $a+4d=4(a+2d)$　∴ $3a+4d=0$　……㉠

$a_2+a_4=6$에서 $(a+d)+(a+3d)=6$　∴ $2a+4d=6$　……㉡

㉠, ㉡을 연립하여 풀면 $a=-6$, $d=\dfrac{9}{2}$

∴ $a_7=a+6d=-6+6\cdot\dfrac{9}{2}=21$

KEY Point

• 첫째항이 a, 공차가 d인 등차수열의 일반항 a_n은

⇨ $a_n=a+(n-1)d$

이때 $d=a_{n+1}-a_n$ $(n=1, 2, 3, \cdots)$

---

278 다음을 만족시키는 등차수열의 공차를 구하시오.

(1) 첫째항이 2, 제4항이 11　　　　　　(2) 첫째항이 3, 제5항이 -5

279 일반항 a_n이 다음과 같은 등차수열의 첫째항과 공차를 구하시오.

(1) $a_n=3n-5$　　　　　　(2) $a_n=-7n+9$

280 등차수열 $\{a_n\}$에서 $a_6+a_{15}=61$, $a_8+a_{16}=70$이 성립할 때, a_{31}의 값을 구하시오.

> 제31항이 85, 제45항이 127인 등차수열 $\{a_n\}$에 대하여 다음 물음에 답하시오.
>
> (1) 첫째항과 공차를 구하시오.
>
> (2) 제100항을 구하시오.
>
> (3) 175는 제 몇 항인지 구하시오.

풀이　등차수열 $\{a_n\}$의 첫째항을 a, 공차를 d라 하면

(1) 제31항이 85이므로 $a_{31}=a+30d=85$　　……　㉠

　제45항이 127이므로 $a_{45}=a+44d=127$　　……　㉡

　㉠, ㉡을 연립하여 풀면 $a=-5$, $d=3$

　∴ **(첫째항)$=-5$, (공차)$=3$**

(2) $a_{100}=a+99d=-5+99 \cdot 3=\mathbf{292}$

(3) 175를 제n항이라 하면 $-5+(n-1) \cdot 3=175$　　∴ $n=61$

　따라서 175는 **제61항**이다.

> 다음 물음에 답하시오.
>
> (1) 등차수열 100, 97, 94, 91, ⋯은 제 몇 항에서 처음으로 음수가 되는지 구하시오.
>
> (2) 등차수열 -52, -46, -40, -34, ⋯는 제 몇 항에서 처음으로 양수가 되는지 구하시오.

설명　(1) 공차가 -3이므로 항의 값은 점점 작아진다. 따라서 제n항에서 처음으로 음수가 된다고 생각하고 n에 대한 식을 세운다.

(2) 공차가 6이므로 항의 값은 점점 커진다. 따라서 제n항에서 처음으로 양수가 된다고 생각하고 n에 대한 식을 세운다.

풀이　(1) 첫째항이 100, 공차가 -3인 등차수열이므로 제n항에서 처음으로 음수가 된다고 하면

$$a_n=100-3(n-1)=103-3n<0 \qquad \therefore n>\frac{103}{3}=34. \times\times\times$$

따라서 처음으로 음수가 되는 항은 **제35항**이다.

(2) 첫째항이 -52, 공차가 6인 등차수열이므로 제n항에서 처음으로 양수가 된다고 하면

$$a_n=-52+6(n-1)=6n-58>0 \qquad \therefore n>\frac{58}{6}=9. \times\times\times$$

따라서 처음으로 양수가 되는 항은 **제10항**이다.

281 제2항이 3, 제7항이 13인 등차수열 $\{a_n\}$에서 일반항 a_n을 구하고, 199는 제 몇 항인지 구하시오.

282 $a_7=70$이고 $a_{10}=61$인 등차수열 $\{a_n\}$은 제 몇 항에서 처음으로 음수가 되는지 구하시오.

필수예제 **05** 조건을 만족시키는 등차수열의 항 구하기   ⟳ 더 다양한 문제는 **RPM** 수학 I 115쪽

등차수열 1, 5, 9, 13, …은 제 몇 항에서 처음으로 100보다 커지는지 구하시오.

풀이   첫째항이 1, 공차가 4인 등차수열이므로 제 n 항에서 처음으로 100보다 커진다고 하면

$$a_n = 1 + 4(n-1) = 4n - 3 > 100$$

$$\therefore \ n > \frac{103}{4} = 25.75$$

따라서 처음으로 100보다 커지는 항은 **제 26 항**이다.

필수예제 **06** 두 수 사이에 수를 넣어서 만든 등차수열   ⟳ 더 다양한 문제는 **RPM** 수학 I 115쪽

18과 9 사이에 두 수를 넣어 등차수열을 만들 때, 넣은 두 수를 차례로 구하시오.

풀이   18과 9 사이에 두 수 x, y를 넣어 등차수열을 만들면 첫째항이 18, 제 4 항이 9인 등차수열이 된다.

공차를 d라 하면 $18 + 3d = 9$에서 $d = -3$

$\therefore \ x = 18 + (-3) = 15$, $y = 18 + 2 \cdot (-3) = 12$

따라서 구하는 두 수는 차례로 **15, 12**이다.

KEY Point

- 조건을 만족시키는 등차수열의 항 구하기
  ⇨ 조건을 만족시키는 항을 제 n 항이라 놓고 n에 대한 식을 세운다.
- 두 수 a, b 사이에 n개의 수를 넣어서 등차수열을 만들면
  ⇨ 첫째항이 a, 제 $n+2$ 항이 b인 등차수열이 된다.

---

283 첫째항이 2이고, $a_5 - a_3 = -4$인 등차수열 $\{a_n\}$은 제 몇 항에서 처음으로 -50보다 작아지는지 구하시오.

284 등차수열 -8, x_1, x_2, …, x_n, 30의 공차가 2일 때, 자연수 n의 값을 구하시오.

필수예제 **07** 등차중항   🔄 더 다양한 문제는 **RPM** 수학 I 116쪽

세 수 x, x^2-1, $2x+3$이 이 순서대로 등차수열을 이룰 때, x의 값을 구하시오.

풀이   세 수 x, x^2-1, $2x+3$이 이 순서대로 등차수열을 이루면 x^2-1이 x와 $2x+3$의 등차중항이므로
$2(x^2-1)=x+(2x+3)$
$2x^2-3x-5=0$, $(2x-5)(x+1)=0$
$\therefore x=\dfrac{5}{2}$ 또는 $x=-1$

필수예제 **08** 등차수열을 이루는 세 수   🔄 더 다양한 문제는 **RPM** 수학 I 116쪽

삼차방정식 $x^3-3x^2-6x+k=0$의 세 근이 등차수열을 이룰 때, 상수 k의 값을 구하시오.

설명   ① 삼차방정식 $ax^3+bx^2+cx+d=0$의 세 근을 α, β, γ라 하면
$$\alpha+\beta+\gamma=-\frac{b}{a},\ \alpha\beta+\beta\gamma+\gamma\alpha=\frac{c}{a},\ \alpha\beta\gamma=-\frac{d}{a}$$
② 세 수가 등차수열을 이루면 $a-d$, a, $a+d$로 놓고 식을 세운다.

풀이 $x^3-3x^2-6x+k=0$의 세 근을 각각 $a-d$, a, $a+d$라 하면 세 근의 합은
$(a-d)+a+(a+d)=3$, $3a=3$ $\therefore a=1$
따라서 $x^3-3x^2-6x+k=0$의 한 근이 1이므로 $f(x)=x^3-3x^2-6x+k$라 하면
$f(1)=1-3-6+k=0$ $\therefore k=8$

KEY Point
• 세 수 a, b, c가 이 순서대로 등차수열을 이룬다.
$\Rightarrow b=\dfrac{a+c}{2}$, 즉 $2b=a+c$
• 세 수가 등차수열을 이룬다. $\Rightarrow a-d$, a, $a+d$로 놓고 식을 세운다.

---

285 다항식 $f(x)=x^2+ax+2$를 $x+1$, $x-1$, $x-2$로 나눈 나머지가 이 순서대로 등차수열을 이룰 때, 상수 a의 값을 구하시오.

286 등차수열을 이루는 세 수가 있다. 세 수의 합이 15이고 세 수의 제곱의 합이 83일 때, 이 세 수를 구하시오.

조화수열과 조화중항

1. 조화수열과 조화중항

(1) 조화수열의 뜻

수열 a_1, a_2, a_3, $\cdots$, a_n, $\cdots$에서 각 항의 역수의 수열 $\dfrac{1}{a_1}$, $\dfrac{1}{a_2}$, $\dfrac{1}{a_3}$, $\cdots$, $\dfrac{1}{a_n}$, $\cdots$이 등차수열을 이룰 때, 수열 a_1, a_2, a_3, $\cdots$, a_n, $\cdots$을 **조화수열**이라 한다.

(2) 조화수열의 일반항

조화수열의 일반항은 **등차수열의 일반항의 역수**이다.

즉 $\dfrac{1}{a_n}=\dfrac{1}{a_1}+(n-1)d$에서 a_n을 구한다. $\left(d=\dfrac{1}{a_2}-\dfrac{1}{a_1}\right)$

예   수열 $\dfrac{1}{2}$, $\dfrac{2}{5}$, $\dfrac{1}{3}$, $\dfrac{2}{7}$, $\cdots$, a_n, $\cdots$의 일반항을 구하시오.

풀이   각 항의 역수를 구하면 2, $\dfrac{5}{2}$, 3, $\dfrac{7}{2}$, $\cdots$, $\dfrac{1}{a_n}$, $\cdots$이므로 수열 $\left\{\dfrac{1}{a_n}\right\}$은 첫째항이 2, 공차가 $\dfrac{1}{2}$인 등차수열이다.

즉 일반항 $\dfrac{1}{a_n}$은 $\dfrac{1}{a_n}=2+(n-1)\cdot\dfrac{1}{2}=\dfrac{n+3}{2}$

따라서 조화수열의 일반항 a_n은 $a_n=\dfrac{2}{n+3}$

(3) 조화중항

세 수 a, b, c가 이 순서대로 조화수열을 이룰 때, b를 a와 c의 **조화중항**이라 한다.

b가 a와 c의 조화중항이면 $b=\dfrac{2ac}{a+c}$

설명   세 수 a, b, c가 조화수열을 이루면 $\dfrac{1}{a}$, $\dfrac{1}{b}$, $\dfrac{1}{c}$은 등차수열을 이루므로 $\dfrac{2}{b}=\dfrac{1}{a}+\dfrac{1}{c}$

$$\therefore b=\dfrac{2ac}{a+c}$$

KEY Point
- 모든 조화수열은 역수를 취하여 등차수열로 고친다.
- (조화수열의 일반항) $\xleftrightarrow[\text{역수}]{}$ (등차수열의 일반항)

조화수열

다음 수열의 일반항 a_n을 구하시오.

(1) $12,\ 6,\ 4,\ 3,\ \cdots$ 　　　　　　　　　　(2) $\dfrac{1}{3},\ 1,\ -1,\ -\dfrac{1}{3},\ \cdots$

풀이

(1) 각 항의 역수를 구하면 $\dfrac{1}{12},\ \dfrac{1}{6},\ \dfrac{1}{4},\ \dfrac{1}{3},\ \cdots$

즉 수열 $\left\{\dfrac{1}{a_n}\right\}$은 첫째항이 $\dfrac{1}{12}$, 공차가 $\dfrac{1}{6}-\dfrac{1}{12}=\dfrac{1}{12}$인 등차수열이므로 일반항 $\dfrac{1}{a_n}$은

$$\dfrac{1}{a_n}=\dfrac{1}{12}+\dfrac{1}{12}(n-1)=\dfrac{n}{12}$$

따라서 수열의 일반항 a_n은 $\boldsymbol{a_n=\dfrac{12}{n}}$

(2) 각 항의 역수를 구하면 $3,\ 1,\ -1,\ -3,\ \cdots$

즉 수열 $\left\{\dfrac{1}{a_n}\right\}$은 첫째항이 3, 공차가 $1-3=-2$인 등차수열이므로 일반항 $\dfrac{1}{a_n}$은

$$\dfrac{1}{a_n}=3-2(n-1)=-2n+5$$

따라서 수열의 일반항 a_n은 $\boldsymbol{a_n=\dfrac{1}{-2n+5}}$

조화중항

세 수 $x+3,\ 4,\ x$가 조화수열을 이룰 때, 양수 x의 값을 구하시오.

풀이

세 수 $x+3,\ 4,\ x$가 조화수열을 이루므로 세 수 $\dfrac{1}{x+3},\ \dfrac{1}{4},\ \dfrac{1}{x}$은 등차수열을 이룬다.

즉 $\dfrac{1}{4}$은 $\dfrac{1}{x+3}$과 $\dfrac{1}{x}$의 등차중항이므로

$$2\cdot\dfrac{1}{4}=\dfrac{1}{x+3}+\dfrac{1}{x}$$

양변에 $2x(x+3)$을 곱하면

$x(x+3)=2x+2(x+3)$

$x^2-x-6=0,\ (x-3)(x+2)=0$

$\therefore x=3\ (\because x>0)$

287 다음 수열 $\{a_n\}$에 대하여 a_{10}의 값을 구하시오.

(1) $6,\ 3,\ 2,\ \dfrac{3}{2},\ \cdots$ 　　　　　　　　(2) $5,\ \dfrac{10}{3},\ \dfrac{5}{2},\ 2,\ \cdots$

288 $\dfrac{1}{15},\ x,\ y,\ z,\ \dfrac{1}{5}$이 이 순서대로 조화수열을 이룰 때, $\dfrac{1}{x}+\dfrac{1}{y}+\dfrac{1}{z}$의 값을 구하시오.

02 등차수열의 합

1. 등차수열과 등비수열

개념원리 이해

1. 등차수열의 합 ▷ 필수예제 **9~13**

등차수열의 첫째항부터 제n항까지의 합 S_n은 다음과 같이 나타낼 수 있다.

> (1) 첫째항이 a, 제n항이 l일 때, $S_n = \dfrac{n(a+l)}{2}$ ← $l = a + (n-1)d$
>
> (2) 첫째항이 a, 공차가 d일 때, $S_n = \dfrac{n\{2a+(n-1)d\}}{2}$

설명 첫째항이 a, 공차가 d인 등차수열의 제n항을 l, 첫째항부터 제n항까지의 합을 S_n이라 하면

$$S_n = a + (a+d) + (a+2d) + \cdots + (l-d) + l \qquad \cdots\cdots \text{㉠}$$

㉠에서 우변의 합의 순서를 거꾸로 나타내면

$$S_n = l + (l-d) + (l-2d) + \cdots + (a+d) + a \qquad \cdots\cdots \text{㉡}$$

이때 ㉠, ㉡을 변끼리 더하면

$$2S_n = \underbrace{(a+l) + (a+l) + (a+l) + \cdots + (a+l) + (a+l)}_{n개}$$

$$= n(a+l)$$

$$\therefore S_n = \dfrac{n(a+l)}{2} \qquad \cdots\cdots \text{㉢}$$

또 l은 $l = a + (n-1)d$이므로 이것을 ㉢에 대입하여 정리하면

$$S_n = \dfrac{n\{2a+(n-1)d\}}{2}$$

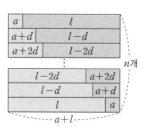

예 (1) 첫째항이 3, 제7항이 15인 등차수열의 첫째항부터 제7항까지의 합 S_7은

$$S_7 = \dfrac{7(3+15)}{2} = 63$$

(2) 첫째항이 -2, 공차가 3인 등차수열의 첫째항부터 제10항까지의 합 S_{10}은

$$S_{10} = \dfrac{10\{2 \cdot (-2) + (10-1) \cdot 3\}}{2} = 115$$

2. 수열의 합 S_n과 일반항 a_n 사이의 관계 ▷ 필수예제 **14, 15**

> 수열 $\{a_n\}$의 첫째항부터 제n항까지의 합을 S_n이라 하면
> $$a_1 = S_1, \ a_n = S_n - S_{n-1} \ (n \geq 2)$$

설명 수열 $\{a_n\}$의 첫째항부터 제n항까지의 합을 S_n이라 하면

$$S_1 = a_1$$

$$S_2 = a_1 + a_2 = S_1 + a_2$$

$$S_3 = a_1 + a_2 + a_3 = S_2 + a_3$$

$$\vdots$$

$$S_n = a_1 + a_2 + a_3 + \cdots + a_{n-1} + a_n = S_{n-1} + a_n$$

이므로 $a_1 = S_1, \ a_n = S_n - S_{n-1} \ (n \geq 2)$

보충학습

1. 등차수열의 합이 될 조건

> (1) **등차수열의 일반항** : $a_n = An + B$(A, B는 상수)의 꼴로서 n에 대한 일차식이고 n의 계수 A가 공차이다.
>
> (2) **등차수열의 합** : $S_n = An^2 + Bn$(A, B는 상수)의 꼴로서 n에 대한 이차식이고 **상수항은 0** 이다. 또 (공차)$=2A$이다.
>
> (3) S_n이 **등차수열의 합이 되기 위한 필요충분조건** : $S_n = An^2 + Bn$
>
> (4) $S_n = An^2 + Bn + C$(A, B, C는 상수)를 합으로 갖는 수열 $\{a_n\}$은
> $$\begin{cases} C=0 \text{이면 } \textbf{첫째항부터 등차수열} \\ C \neq 0 \text{이면 } \textbf{제2항부터 등차수열} \end{cases}$$

예 수열 $\{a_n\}$의 첫째항부터 제n항까지의 합 S_n이 $S_n = An^2 + Bn$ (A, B는 상수)일 때, 이 수 열은 등차수열임을 보이시오.

풀이 제n항 a_n에 대하여

$n \geq 2$일 때, $a_n = S_n - S_{n-1} = (An^2 + Bn) - \{A(n-1)^2 + B(n-1)\}$
$\qquad\qquad\qquad = 2An - A + B$ ······ ㉠

$n = 1$일 때, $a_1 = S_1 = A + B$ ······ ㉡

그런데 ㉠에 $n=1$을 대입하면 $a_1 = 2A - A + B = A + B$가 되어 ㉡과 일치한다.

따라서 수열 $\{a_n\}$은 일반항이 $a_n = 2An - A + B$인 수열, 즉 첫째항이 $A+B$, 공차가 $2A$인 등차수 열이다.

2. 등차수열의 합 S_n을 알 때 일반항 a_n 쉽게 구하기

> 등차수열 $\{a_n\}$의 첫째항부터 제n항까지의 합 S_n이 $S_n = An^2 + Bn$(A, B는 상수)일 때
> $$a_n = 2An - A + B$$
> $$a_1 = S_1 = A + B, \text{ 공차} : 2A$$

예 등차수열 $\{a_n\}$의 합 S_n이 $S_n = 2n^2 + 3n$일 때, 일반항 a_n을 구하시오.

풀이 [방법 1] $a_n = S_n - S_{n-1}$에서

$\qquad a_n = (2n^2 + 3n) - \{2(n-1)^2 + 3(n-1)\} = 4n + 1 \ (n \geq 2)$

$\qquad a_1 = S_1 = 5$

$\qquad \therefore a_n = 4n + 1 \ (n \geq 1)$

[방법 2] $S_n = 2n^2 + 3n$에서 $a_n = 2 \cdot 2n + 3 - 2 = 4n + 1$

289 다음과 같이 주어진 등차수열의 합을 구하시오.

(1) 첫째항 2, 끝항 18, 항수 20

(2) 첫째항 -2, 끝항 15, 항수 8

(3) 첫째항 1, 공차 2, 항수 10

(4) 첫째항 -3, 공차 -5, 항수 15

(5) 첫째항 $\dfrac{1}{2}$, 공차 $-\dfrac{3}{2}$, 항수 11

(6) 첫째항 -10, 공차 2, 끝항 20

> 🎨 **생각해 봅시다!**
>
> 등차수열의 첫째항부터 제n항까지의 합 S_n은 첫째항 a와 끝항 l을 알 때
> $$S_n = \frac{n(a+l)}{2}$$
> 첫째항 a와 공차 d를 알 때
> $$S_n = \frac{n\{2a+(n-1)d\}}{2}$$

290 다음 등차수열의 합을 구하시오.

(1) $1+2+3+4+\cdots+10$

(2) $1+3+5+7+\cdots+23$

(3) $(-12)+(-9)+(-6)+(-3)+\cdots+15$

(4) $15+11+7+3+\cdots+(-41)$

(5) $\dfrac{1}{2}+1+\dfrac{3}{2}+2+\cdots+10$

(6) $\left(-\dfrac{1}{3}\right)+\left(-\dfrac{2}{3}\right)+(-1)+\left(-\dfrac{4}{3}\right)+\cdots+(-5)$

> 등차수열의 합

다음 물음에 답하시오.

(1) 첫째항이 7이고 공차가 2인 등차수열 $\{a_n\}$의 제k항이 33일 때, 첫째항부터 제k항까지의 합을 구하시오.

(2) 제3항이 7, 제10항이 21인 등차수열의 첫째항부터 제10항까지의 합을 구하시오.

풀이   (1) 첫째항이 7, 공차가 2인 등차수열의 일반항 a_n은 $a_n=7+2(n-1)=2n+5$

$a_k=33$이므로 $2k+5=33$, $2k=28$ $\therefore k=14$

따라서 첫째항부터 제14항까지의 합 S_{14}는 $S_{14}=\dfrac{14(7+33)}{2}=\mathbf{280}$

(2) 첫째항을 a, 공차를 d라 하면

제3항이 7이므로 $a_3=a+2d=7$ ····· ㉠

제10항이 21이므로 $a_{10}=a+9d=21$ ····· ㉡

㉠, ㉡을 연립하여 풀면 $a=3$, $d=2$

따라서 첫째항부터 제10항까지의 합 S_{10}은 $S_{10}=\dfrac{10(3+21)}{2}=\mathbf{120}$

-10과 4 사이에 n개의 수 a_1, a_2, $\cdots$, a_n을 넣어 -10, a_1, a_2, $\cdots$, a_n, 4인 등차수열을 만들면 그 합은 -24가 된다. 이때 n의 값과 공차 d를 구하시오.

풀이   첫째항이 -10, 끝항이 4, 항수가 $n+2$인 등차수열의 합이 -24이므로

$$\dfrac{(n+2)(-10+4)}{2}=-24$$

$-3(n+2)=-24$ $\therefore n=6$

따라서 4는 제8항이므로 $-10+(8-1)d=4$ $\therefore d=2$

$\therefore \mathbf{n=6, d=2}$

$-10,\ a_1,\ a_2,\ \cdots,\ a_n,\ 4$
$\underbrace{\qquad\qquad}_{n개}$
$\underbrace{\qquad\qquad\qquad}_{(n+2)개}$

KEY Point   등차수열의 첫째항부터 제n항까지의 합 S_n은

- 첫째항 a와 끝항 l을 알 때 ⇨ $S_n=\dfrac{n(a+l)}{2}$ ← $l=a+(n-1)d$

- 첫째항 a와 공차 d를 알 때 ⇨ $S_n=\dfrac{n\{2a+(n-1)d\}}{2}$

---

291 첫째항이 50, 제n항이 -10, 첫째항부터 제n항까지의 합이 220인 등차수열의 제10항을 구하시오.

292 -5와 15 사이에 n개의 수 x_1, x_2, $\cdots$, x_n을 넣어 -5, x_1, x_2, $\cdots$, x_n, 15인 등차수열을 만들면 그 합이 100이 된다. 이때 n의 값과 공차 d를 구하시오.

필수예제 11 부분의 합이 주어진 등차수열의 합　　　🔁 더 다양한 문제는 **RPM** 수학 I 118쪽

첫째항부터 제13항까지의 합이 52, 첫째항부터 제20항까지의 합이 -60인 등차수열의 첫째항부터 제30항까지의 합을 구하시오.

풀이　　첫째항을 a, 공차를 d라 하면

$$S_{13}=\frac{13(2a+12d)}{2}=52\text{에서 } a+6d=4 \quad\quad\cdots\cdots\ \text{㉠}$$

$$S_{20}=\frac{20(2a+19d)}{2}=-60\text{에서 } 2a+19d=-6 \quad\quad\cdots\cdots\ \text{㉡}$$

㉠, ㉡을 연립하여 풀면 $a=16,\ d=-2$

$$\therefore S_{30}=\frac{30\{2\cdot16+29\cdot(-2)\}}{2}=\mathbf{-390}$$

필수예제 12 등차수열의 합의 최대·최소　　　🔁 더 다양한 문제는 **RPM** 수학 I 118쪽

첫째항이 7인 등차수열의 첫째항부터 제3항까지의 합과 첫째항부터 제5항까지의 합이 같을 때, 다음 물음에 답하시오.

(1) 이 수열은 제 몇 항에서 처음으로 음수가 되는지 구하시오.

(2) 이 수열은 첫째항부터 제 몇 항까지의 합이 최대가 되는지 구하고, 그 최댓값을 구하시오.

풀이　　(1) 공차를 d라 하면 $S_3=S_5$에서

$$\frac{3(2\cdot7+2d)}{2}=\frac{5(2\cdot7+4d)}{2} \quad\quad \therefore d=-2$$

제n항에서 처음으로 음수가 된다고 하면 $a_n=7-2(n-1)<0$ $\quad \therefore n>\dfrac{9}{2}=4.5$

따라서 처음으로 음수가 되는 항은 **제5항**이다.

(2) (1)에서 제5항부터 음수가 나오므로 제4항까지의 합이 최대임을 알 수 있다.

$$\therefore S_4=\frac{4\{2\cdot7+3\cdot(-2)\}}{2}=16 \quad\quad \therefore \textbf{제4항, 최댓값 : 16}$$

다른풀이　　(2) 첫째항부터 제n항까지의 합을 S_n이라 하면

$$S_n=\frac{n\{2\cdot7+(n-1)\cdot(-2)\}}{2}=-n^2+8n=-(n-4)^2+16$$

따라서 $n=4$일 때 S_n은 최대이고, 최댓값은 16이다.

KEY Point
- 등차수열의 합의 **최댓값** ⇨ (첫째항)＞0, (공차)＜0인 경우 첫째항부터 마지막 양수가 나오는 항까지의 합
- 등차수열의 합의 **최솟값** ⇨ (첫째항)＜0, (공차)＞0인 경우 첫째항부터 마지막 음수가 나오는 항까지의 합

---

293 등차수열 $\{a_n\}$의 첫째항부터 제8항까지의 합이 104, 제9항부터 제16항까지의 합이 360이다. 이때 제17항부터 제24항까지의 합을 구하시오.

294 첫째항이 -29, 공차가 4인 등차수열에서 첫째항부터 제 몇 항까지의 합이 최소가 되는지 구하고, 그 최솟값을 구하시오.

> 20 이상 100 미만의 자연수 중에서 3 또는 5의 배수의 총합을 구하시오.

설명   3의 배수의 합을 $S_{(3)}$, 5의 배수의 합을 $S_{(5)}$, 15의 배수의 합을 $S_{(15)}$로 나타내면 3 또는 5의 배수의 총합 S는
$$S = S_{(3)} + S_{(5)} - S_{(15)} \quad \leftarrow n(A \cup B) = n(A) + n(B) - n(A \cap B)$$

풀이   (ⅰ) 3의 배수의 합을 $S_{(3)}$이라 하면
$$S_{(3)} = 21 + 24 + \cdots + 99$$
이것은 첫째항이 21, 공차가 3, 끝항이 99인 등차수열의 합이므로 99를 제 n 항이라 하면
$$99 = 21 + 3(n-1) \qquad \therefore n = 27$$
$$\therefore S_{(3)} = \frac{27(21+99)}{2} = 1620$$

(ⅱ) 5의 배수의 합을 $S_{(5)}$라 하면
$$S_{(5)} = 20 + 25 + \cdots + 95$$
이것은 첫째항이 20, 공차가 5, 끝항이 95인 등차수열의 합이므로 95를 제 n 항이라 하면
$$95 = 20 + 5(n-1) \qquad \therefore n = 16$$
$$\therefore S_{(5)} = \frac{16(20+95)}{2} = 920$$

(ⅲ) 3과 5의 최소공배수인 15의 배수의 합을 $S_{(15)}$라 하면
$$S_{(15)} = 30 + 45 + \cdots + 90$$
이것은 첫째항이 30, 공차가 15, 끝항이 90인 등차수열의 합이므로 90을 제 n 항이라 하면
$$90 = 30 + 15(n-1) \qquad \therefore n = 5$$
$$\therefore S_{(15)} = \frac{5(30+90)}{2} = 300$$

따라서 3 또는 5의 배수의 총합 S는
$$S = S_{(3)} + S_{(5)} - S_{(15)}$$
$$= 1620 + 920 - 300 = \mathbf{2240}$$

KEY Point   • (3 또는 5의 배수의 총합) = (3의 배수의 합) + (5의 배수의 합) − (15의 배수의 합)

---

295 100과 200 사이에 있는 자연수 중에서 5로 나누었을 때 나머지가 2인 수의 총합을 구하시오.

296 1에서 100까지의 자연수 중에서 2 또는 3으로 나누어떨어지는 수의 총합을 구하시오.

수열의 합과 일반항 사이의 관계 (1)　　　　　　　　　　 ↻ 더 다양한 문제는 **RPM** 수학 Ⅰ 119쪽

첫째항부터 제 n 항까지의 합 S_n 이 $S_n=n^2+n$ 인 등차수열 $\{a_n\}$ 에서 a_{10} 의 값과 공차 d 를 구하시오.

설명　　　$S_n=An^2+Bn+C$ 에서 $C=0$, 즉 (상수항)$=0$이면 수열 $\{a_n\}$은 첫째항부터 등차수열이다.

풀이　　　$a_n=S_n-S_{n-1}=(n^2+n)-\{(n-1)^2+(n-1)\}=2n\ (n\geq2)$
　　　　　첫째항 $a_1=S_1=1^2+1=2$
　　　　　이때 $a_1=2$는 위의 $a_n=2n$에 $n=1$을 대입한 것과 같다.
　　　　　$\therefore\ a_n=2n\ (n\geq1)$
　　　　　따라서 $a_{10}=2\cdot10=20$이고 이 수열은 $2, 4, 6, \cdots$이므로 공차 $d=2$이다.
　　　　　$\therefore\ \boldsymbol{a_{10}=20,\ d=2}$

다른풀이　공식을 이용하면 $S_n=An^2+Bn$에서 $a_n=2An-A+B$이고 $d=2A$이므로
　　　　　$S_n=n^2+n$에서 $a_n=2n$, $d=2$

수열의 합과 일반항 사이의 관계 (2)　　　　　　　　　　 ↻ 더 다양한 문제는 **RPM** 수학 Ⅰ 119쪽

수열 $\{a_n\}$ 의 첫째항부터 제 n 항까지의 합 S_n 이 $S_n=n^2+3n-1$ 일 때, 일반항 a_n 을 구하시오.

설명　　　$S_n=An^2+Bn+C$ 에서 $C\neq0$, 즉 (상수항)$\neq0$이면 수열 $\{a_n\}$은 제2항부터 등차수열이다.
　　　　　$\therefore\ a_1=S_1,\ a_n=S_n-S_{n-1}\ (n=2, 3, 4, \cdots)$

풀이　　　$a_n=S_n-S_{n-1}=(n^2+3n-1)-\{(n-1)^2+3(n-1)-1\}=2n+2\ (n\geq2)$
　　　　　첫째항 $a_1=S_1=1+3-1=3$
　　　　　그런데 $a_1=3$은 위의 $a_n=2n+2$에 $n=1$을 대입한 것과 같지 않다.
　　　　　$\therefore\ \boldsymbol{a_1=3,\ a_n=2n+2\ (n\geq2)}$

KEY Point
- 합 S_n이 주어진 수열에서 일반항 a_n을 구할 때
  $\Rightarrow a_1=S_1,\ a_n=S_n-S_{n-1}\ (n\geq2)$
- $S_n=An^2+Bn+C\ (A, B, C$는 상수$)$의 꼴
  $\Rightarrow \begin{cases} C=0$이면 수열 $\{a_n\}$은 첫째항부터 등차수열 \\ C\neq0$이면 수열 $\{a_n\}$은 제2항부터 등차수열 \end{cases}$

---

297 수열 $\{a_n\}$의 첫째항부터 제 n 항까지의 합 S_n이 $S_n=2n^2-3n$일 때, a_{10}의 값을 구하시오.

298 수열 $\{a_n\}$의 첫째항부터 제 n 항까지의 합 S_n이 $S_n=n^2-2n+3$일 때, a_1+a_{10}의 값을 구하시오.

오른쪽 그림과 같이 두 직선 $y=x$, $y=2x$의 교점에서 오른쪽 방향으로 y축에 평행한 10개의 선분을 같은 간격으로 그었다. 이들 중 가장 짧은 선분의 길이는 1이고, 가장 긴 선분의 길이는 10일 때, 10개의 선분의 길이의 합을 구하시오.

(단, 각 선분의 양 끝점은 두 직선 위에 있다.)

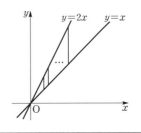

풀이   두 직선과 선분의 교점의 x좌표가 n일 때 선분의 길이를 $f(n)$이라 하면

$$f(n)=2n-n=n$$

즉 주어진 10개의 선분의 길이는 첫째항이 1, 공차가 1인 등차수열을 이룬다.

따라서 구하는 선분의 길이의 합은

$$\frac{10(1+10)}{2}=\mathbf{55}$$

한걸음 더

필수예제 **17** 두 개 이상의 등차수열의 합

첫째항이 1인 두 등차수열 $\{a_n\}$, $\{b_n\}$의 공차가 각각 3, -1일 때, 수열 $\{2a_n+b_n\}$의 첫째항부터 제10항까지의 합을 구하시오.

설명   두 등차수열 $\{a_n\}$, $\{b_n\}$의 공차가 각각 d_1, d_2일 때, 수열 $\{a_n+b_n\}$은 공차가 d_1+d_2인 등차수열이다.

풀이   수열 $\{2a_n+b_n\}$은 첫째항이 $2a_1+b_1=2\cdot1+1=3$, 공차가 $d=2\cdot3+(-1)=5$인 등차수열이므로

$$S_{10}=\frac{10\{2\cdot3+(10-1)\cdot5\}}{2}=\mathbf{255}$$

---

299 오른쪽 그림과 같이 x축 위의 두 점 F, F′과 y축 위의 점 P$(0, n)$에 대하여 삼각형 PF′F는 $\angle$FPF′$=90°$인 직각이등변삼각형이다. 자연수 n에 대하여 삼각형 PF′F의 세 변 위에 있는 점 중에서 x좌표와 y좌표가 모두 정수인 점의 개수를 a_n이라 할 때, 수열 $\{a_n\}$의 첫째항부터 제5항까지의 합을 구하시오.

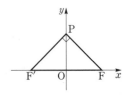

300 수열 $\{a_n\}$이 공차가 2인 등차수열일 때, 등차수열

$$a_1+a_2,\ a_2+a_3,\ a_3+a_4,\ a_4+a_5,\ \cdots$$

의 공차를 구하시오.

301 첫째항이 2인 등차수열 $\{a_n\}$에 대하여 수열 $\{3a_{n+1}-a_n\}$은 공차가 6인 등차수열이다. 이때 $a_k>100$을 만족시키는 자연수 k의 최솟값을 구하시오.

연습문제

STEP **1**

🧠 생각해 봅시다!

267 등차수열 $\{a_n\}$의 첫째항은 9이고 $a_5 - a_2 = a_7$이 성립할 때, a_{10}의 값을 구하시오.

268 제2항과 제6항은 절댓값이 같고 부호가 반대이며 제3항이 -2인 등차수열이 있다. 이 수열의 첫째항과 공차를 구하시오.

$|a_2| = |a_6|$이고 부호가 반대이면
$\Rightarrow a_2 + a_6 = 0$

269 $a_2 = -37$이고, $a_5 - a_2 = 9$인 등차수열 $\{a_n\}$은 제 몇 항에서 처음으로 양수가 되는지 구하시오.

270 0이 아닌 세 수 a, b, c가 이 순서대로 등차수열을 이루고, 세 수 $-c$, $2b$, $4a$도 이 순서대로 등차수열을 이룰 때, $\dfrac{a+b}{c}$의 값을 구하시오.

271 어떤 직각삼각형의 세 변의 길이가 모두 자연수이고 등차수열을 이룬다. 이 삼각형의 넓이가 54일 때, 이 삼각형의 세 변의 길이의 합을 구하시오.

등차수열을 이루는 세 수
$\Rightarrow a-d, a, a+d$

272 어느 프로야구 투수는 시즌 개막 한 달 전부터 개막전에 대비해 매일 투구 수를 늘려가며 연습을 해왔다고 한다. 첫째 날 50개, 둘째 날 52개, 셋째 날 54개, …와 같이 매일 2개씩 늘려가며 30일간 연습을 했다면 연습한 투구 수는 총 몇 개인가?

① 2350 ② 2370 ③ 2390 ④ 2410 ⑤ 2430

273 첫째항부터 제n항까지의 합이 각각 $n^2 + kn + 1$, $2n^2 - 3n - 1$인 두 수열의 제10항이 같을 때, 상수 k의 값을 구하시오.

$a_{10} = S_{10} - S_9$

● **연습**문제

STEP **2**

274 첫째항과 공차가 모두 자연수인 등차수열 $\{a_n\}$이 $a_2{}^2 = a_1 a_7 + 5$를 만족시킬 때, a_{20}의 값을 구하시오.

275 수열 1, a_1, a_2, a_3, $\cdots$, a_n, 2가 이 순서대로 공차가 d인 등차수열을 이루고 $a_1 + a_2 + a_3 + \cdots + a_n = 27$일 때, $n + 19d$의 값을 구하시오.

276 등차수열 $\{a_n\}$에 대하여 $a_1 + a_2 + a_3 + \cdots + a_{10} = 10$이고 $a_{11} + a_{12} + a_{13} + \cdots + a_{20} = 50$일 때, $\dfrac{1}{10}(a_{21} + a_{22} + a_{23} + \cdots + a_{40})$의 값을 구하시오.

$a_{11} + a_{12} + a_{13} + \cdots + a_{20}$
$= S_{20} - S_{10}$

277 제3항이 17이고 제2항과 제7항의 비가 4 : 1인 등차수열 $\{a_n\}$은 첫째항부터 제 몇 항까지의 합이 최대가 되는지 구하시오.

278 두 자리의 자연수 중에서 4의 배수 또는 7의 배수의 총합을 구하시오.

4와 7의 공배수는 28의 배수이다.

[교육청기출]

279 이차함수 $f(x) = -\dfrac{1}{2}x^2 + 3x$에 대하여 수열 $\{a_n\}$의 첫째항부터 제n항까지의 합을 S_n이라 할 때, $S_n = 2f(n)$이다. a_6의 값은?

① -9 ② -7 ③ -5 ④ -3 ⑤ -1

280 두 등차수열 $\{a_n\}$, $\{b_n\}$의 첫째항이 같고, 공차가 각각 2, -3일 때, 등차수열 $\{3a_n + 4b_n\}$의 공차를 구하시오.

두 등차수열 $\{a_n\}$, $\{b_n\}$의 공차가 각각 d_1, d_2이면 등차수열 $\{ka_n + lb_n\}$의 공차는 $kd_1 + ld_2$이다.

실력 UP

281 오른쪽 그림에서 가로줄과 세로줄에 있는 세 수가 각각 등차수열을 이룬다. 예를 들어 a, b, 2는 이 순서대로 등차수열을 이루고, b, c, 6은 이 순서대로 등차수열을 이룬다. 이때 $a+b-(d+f)$의 값을 구하시오.

a	b	2
1	c	d
e	6	f

[교육청기출]
282 첫째항이 a이고 공차가 -4인 등차수열 $\{a_n\}$의 첫째항부터 제n항까지의 합을 S_n이라 하자. 모든 자연수 n에 대하여 $S_n<200$일 때, 자연수 a의 최댓값을 구하시오.

283 n개의 항으로 이루어진 등차수열 a_1, a_2, a_3, $\cdots$, a_n이 다음 조건을 모두 만족시킬 때, n의 값을 구하시오.

> (가) 처음 4개의 항의 합은 26이다.
> (나) 마지막 4개의 항의 합은 134이다.
> (다) $a_1+a_2+a_3+\cdots+a_n=260$

284 수열 $\{a_n\}$의 첫째항부터 제n항까지의 합 S_n이 $S_n=n^2-20n$일 때, $|a_1|+|a_2|+|a_3|+\cdots+|a_{15}|$의 값을 구하시오.

285 $\angle C=120°$인 삼각형 ABC의 세 변의 길이가 등차수열을 이루고 세 변의 길이의 합이 30일 때, 삼각형 ABC의 넓이를 구하시오.

286 $a_{10}-a_8=6$인 등차수열 $\{a_n\}$에 대하여 수열 $\{k_n\}$을
$$a_1+a_2+a_3,\ a_4+a_5+a_6,\ a_7+a_8+a_9,\ \cdots$$
라 할 때, $k_{10}-k_8$의 값은?

① 52   ② 53   ③ 54   ④ 55   ⑤ 56

생각해 봅시다!

세 수 a, b, c가 이 순서대로 등차수열을 이루면
$\Rightarrow b=\dfrac{a+c}{2}$

$a>0$, $b>0$일 때, $a+b\geq2\sqrt{ab}$ (단, 등호는 $a=b$일 때 성립)

$S_n=\dfrac{n(a+l)}{2}$

두 변의 길이가 a, b이고 그 끼인각의 크기가 C인 삼각형의 넓이 S는
$S=\dfrac{1}{2}ab\sin C$

1. 등비수열의 뜻 ▷ 필수예제 **18**

> (1) 수열 1, 2, 4, 8, …과 같이 첫째항부터 차례로 **일정한 수를 곱하여 만들어지는 수열**을 **등비수열**이라 하고, 그 **일정한 수**를 **공비**라 한다.
> (2) 공비가 r인 등비수열 $\{a_n\}$에 대하여 제n항 a_n과 제$n+1$항 a_{n+1} 사이에는 다음 관계가 성립한다.
> $$a_{n+1}=ra_n \Longleftrightarrow \frac{a_{n+1}}{a_n}=r \ (n=1, 2, 3, \cdots)$$

▶ ① 공비는 영어로 common ratio이고 보통 r로 나타낸다.
② (첫째항)≠0, (공비)≠0인 것만 다루도록 한다.

예 (1) 1, 2, 4, 8, … ← 일정한 수 2를 곱하여 얻어지는 수열이다.
$\times 2 \ \times 2 \ \times 2$ └ 공비 : 2

즉 1, 2, 4, 8, …은 첫째항이 1이고 공비가 2인 등비수열이다.

(2) 16, -8, 4, -2, …는 첫째항이 16이고 공비가 $-\dfrac{1}{2}$인 등비수열이다.

2. 등비수열의 일반항 ▷ 필수예제 **19~22**

> 첫째항이 a, 공비가 $r(r \neq 0)$인 등비수열의 일반항 a_n은
> $$a_n = ar^{n-1} \ (n=1, 2, 3, \cdots)$$

설명 첫째항이 a, 공비가 $r(r \neq 0)$인 등비수열 $\{a_n\}$의 각 항은 다음과 같다.

$a_1 = a$ $a_1 = ar^0$
$a_2 = a_1 r = ar$ $a_2 = ar^1$
$a_3 = a_2 r = (ar)r = ar^2$ $a_3 = ar^2$
$a_4 = a_3 r = (ar^2)r = ar^3$ $a_4 = ar^3$
$\vdots$ $\vdots$
따라서 일반항 a_n은 $a_n = ar^{n-1}$
$a_n = ar^{n-1} \ (n=1, 2, 3, \cdots)$

예 첫째항이 3, 공비가 -2인 등비수열의 일반항 a_n은
$$a_n = 3 \cdot (-2)^{n-1}$$
이 수열의 제5항은
$$a_5 = 3 \cdot (-2)^{5-1} = 3 \cdot (-2)^4 = 48$$

3. 등비중항 ▷ 필수예제 **23~24**

> 0이 아닌 세 수 a, b, c가 이 순서대로 등비수열을 이룰 때, b를 a와 c의 **등비중항**이라 한다.
> 이때 b가 a와 c의 등비중항이면 $\dfrac{b}{a} = \dfrac{c}{b}$이므로
> $$b^2 = ac$$

▶ ① $a > 0$, $c > 0$일 때, a와 c의 등비중항 $b = \sqrt{ac}$는 a와 c의 기하평균과 같다.
② 수열 $\{a_n\}$이 등비수열이면 연속하는 세 항 a_n, a_{n+1}, a_{n+2} 사이에 다음이 성립한다.
$$a_{n+1}{}^2 = a_n a_{n+2} \ (n = 1, 2, 3, \cdots)$$

예 세 수 2, x, 18이 이 순서대로 등비수열을 이룰 때, x의 값을 구하시오.

풀이 x는 2와 18의 등비중항이므로
$$x^2 = 2 \times 18 = 36 \qquad \therefore \ x = \pm 6$$

참고 위의 예에서
$x = 6$이면 세 수 2, 6, 18은 공비가 3인 등비수열이고,
$x = -6$이면 세 수 2, -6, 18은 공비가 -3인 등비수열이다.

보충학습

1. 등차중항, 등비중항 사이의 관계

두 양수 a, b에 대하여 등차중항을 A, 등비중항 중 양수인 것을 G라 하면
$$A = \frac{a+b}{2}, \ G = \sqrt{ab}$$

이때 A, G는 각각 두 양수 a, b의 산술평균, 기하평균과 같으므로

$$A \geq G, \ \text{즉} \ \frac{a+b}{2} \geq \sqrt{ab} \ (\text{단, 등호는 } a = b \text{일 때 성립})$$

(산술평균 = 등차중항, 기하평균 = 등비중항)

302 다음 수열이 등비수열을 이룰 때, ☐ 안에 알맞은 수를 써넣으시오.

(1) $1, -2, \boxed{}, -8, \boxed{}$

(2) $\dfrac{1}{2}, \boxed{}, \boxed{}, \dfrac{1}{16}, \dfrac{1}{32}$

(3) $\boxed{}, \boxed{}, 18, -54$

(4) $\sqrt{2}, -1, \dfrac{\sqrt{2}}{2}, \boxed{}, \boxed{}$

(5) $\sqrt{2}-1, 1, \sqrt{2}+1, \boxed{}$

생각해 봅시다!
이웃하는 두 항의 비가 공비임을 이용한다.

303 다음 등비수열의 일반항 a_n을 구하시오.

(1) $1, 2, 4, 8, \cdots$

(2) $4, -4, 4, -4, \cdots$

(3) $3, -1, \dfrac{1}{3}, -\dfrac{1}{9}, \cdots$

(4) $-2, 3, -\dfrac{9}{2}, \dfrac{27}{4}, \cdots$

(5) $2, 2\sqrt{3}, 6, 6\sqrt{3}, \cdots$

첫째항을 a, 공비를 r라 하면 일반항 a_n은
$a_n = ar^{n-1}$

304 등비수열 $\{a_n\}$의 일반항이 다음과 같을 때, 첫째항과 공비를 구하시오.

(1) $a_n = 2 \cdot 3^{n-1}$

(2) $a_n = \left(\dfrac{1}{2}\right)^{n-1}$

(3) $a_n = (-2)^n$

(4) $a_n = 3 \cdot \left(\dfrac{1}{2}\right)^{2n}$

(5) $a_n = 4^{1-2n}$

첫째항은 n에 1을 대입하여 구한다.
공비 r는 $\dfrac{a_2}{a_1} = r$임을 이용하여 구한다.

다음 물음에 답하시오.

(1) 제 n 항이 $3 \cdot 2^{1-2n}$ 인 등비수열 $\{a_n\}$ 의 첫째항과 공비를 구하시오.

(2) 공비가 -2, 제 6 항이 -160 인 등비수열의 첫째항을 구하시오.

풀이

(1) $a_n = 3 \cdot 2^{1-2n}$ 에서

$$a_1 = 3 \cdot 2^{1-2} = \frac{3}{2}, \ a_2 = 3 \cdot 2^{1-4} = 3 \cdot 2^{-3} = \frac{3}{8}$$

$$\therefore (공비) = \frac{a_2}{a_1} = \frac{\dfrac{3}{8}}{\dfrac{3}{2}} = \frac{1}{4}$$

$$\therefore (첫째항) = \frac{3}{2}, \ (공비) = \frac{1}{4}$$

(2) 첫째항을 a_1 이라 하면 $a_1 \cdot (-2)^5 = -160$ $\therefore a_1 = \dfrac{-160}{(-2)^5} = 5$

다른풀이

(1) $a_n = 3 \cdot 2^{1-2(n-1)} = 3 \cdot 2^{-1} \cdot (2^{-2})^{n-1} = \underset{\uparrow}{\frac{3}{2}} \cdot \underset{\uparrow}{\left(\frac{1}{4}\right)^{n-1}}$

                                                      첫째항 공비

$a_1 + a_2 = 60$, $a_3 + a_4 = 240$ 인 등비수열 $\{a_n\}$ 의 첫째항과 공비를 구하시오.

풀이

공비를 r 라 하면 $a_1 + a_2 = 60$ 에서 $a_1 + a_1 r = 60$ $\cdots\cdots$ ㉠

$a_3 + a_4 = 240$ 에서 $a_1 r^2 + a_1 r^3 = 240$ $\therefore r^2(a_1 + a_1 r) = 240$ $\cdots\cdots$ ㉡

㉡ ÷ ㉠ 을 하면 $r^2 = 4$ $\therefore r = \pm 2$

(i) $r = 2$ 일 때, ㉠에서 $a_1 + 2a_1 = 60$ $\therefore a_1 = 20$

(ii) $r = -2$ 일 때, ㉠에서 $a_1 - 2a_1 = 60$ $\therefore a_1 = -60$

$\therefore (첫째항) = 20, (공비) = 2$ 또는 $(첫째항) = -60, (공비) = -2$

KEY Point

- 첫째항이 a, 공비가 r 인 등비수열의 일반항 a_n 은

$$\Rightarrow a_n = ar^{n-1}$$

     이때 $r = \dfrac{a_{n+1}}{a_n} \ (n = 1, 2, 3, \cdots)$

---

305 제 n 항이 2^{2-n} 인 등비수열 $\{a_n\}$ 의 첫째항과 공비를 구하시오.

306 제 4 항이 -8, 제 7 항이 64 인 등비수열 $\{a_n\}$ 의 제 n 항과 제 5 항을 구하시오.

(단, 공비는 실수이다.)

307 등비수열 $\{a_n\}$ 에 대하여 $a_1 - a_4 = 56$, $a_1 + a_2 + a_3 = 14$ 일 때, a_5 의 값을 구하시오.

항 또는 항의 관계가 주어진 등비수열 (2)　　　　🔄 더 다양한 문제는 **RPM** 수학 Ⅰ 120쪽

제2항이 -12, 제4항이 -108이고 공비가 음수인 등비수열 $\{a_n\}$에 대하여 다음 물음에 답하시오.

(1) 첫째항과 공비를 구하시오.

(2) -972는 제 몇 항인지 구하시오.

풀이　　(1) 첫째항을 a, 공비를 r라 하면

제2항이 -12이므로 $ar=-12$　　　…… ㉠

제4항이 -108이므로 $ar^3=-108$　　　…… ㉡

㉡÷㉠을 하면 $r^2=9$

$\therefore r=-3 \ (\because r<0)$

㉠에서 $-3a=-12$　　$\therefore a=4$

$\therefore$ **(첫째항)=4, (공비)=-3**

(2) -972를 제n항이라 하면

$4\cdot(-3)^{n-1}=-972$, $(-3)^{n-1}=-243=(-3)^5$

$n-1=5$　　$\therefore n=6$

따라서 -972는 **제6항**이다.

조건을 만족시키는 등비수열의 항 구하기　　　　🔄 더 다양한 문제는 **RPM** 수학 Ⅰ 121쪽

등비수열 2, 4, 8, $\cdots$에서 처음으로 500보다 커지는 항은 제 몇 항인지 구하시오.

풀이　　첫째항이 2, 공비가 2이므로 일반항 a_n은

$a_n=2\cdot2^{n-1}=2^n$

a_n이 500보다 크려면

$2^n>500$

이때 $2^8=256$, $2^9=512$이므로

$n\geq9$

따라서 처음으로 500보다 커지는 항은 **제9항**이다.

KEY Point

• 첫째항이 a, 공비가 r인 등비수열에서 처음으로 x보다 커지는 항

➡ $ar^{n-1}>x$를 만족시키는 자연수 n의 최솟값을 구한다.

---

308 등비수열 1, -4, 16, -64, $\cdots$에서 -1024는 제 몇 항인지 구하시오.

309 제2항이 6, 공비가 3인 등비수열 $\{a_n\}$에서 처음으로 10000보다 커지는 항은 제 몇 항인지 구하시오. (단, $\log 2=0.30$, $\log 3=0.48$)

수열 2, a_1, a_2, a_3, $\cdots$, a_{10}, 20이 등비수열을 이룰 때, $a_1 a_{10}$의 값을 구하시오.

풀이   공비를 r라 하면 첫째항이 2이고 20은 제12항이므로

$20 = 2r^{12-1} = 2r^{11}$ $\therefore r^{11} = 10$

이때 a_1, a_{10}은 각각 제2항, 제11항이므로

$a_1 = 2r,\ a_{10} = 2r^{10}$

$\therefore a_1 a_{10} = (2r) \cdot (2r^{10}) = 4r^{11} = 4 \cdot 10 = \mathbf{40}$

세 수 $x+2$, $x-4$, $\dfrac{x-1}{3}$이 이 순서대로 등비수열을 이룰 때, 실수 x의 값을 구하시오.

풀이   세 수 $x+2$, $x-4$, $\dfrac{x-1}{3}$이 이 순서대로 등비수열을 이루면 $x-4$가 $x+2$와 $\dfrac{x-1}{3}$의 등비중항이므로

$(x-4)^2 = (x+2) \cdot \dfrac{x-1}{3}$

$2x^2 - 25x + 50 = 0,\ (2x-5)(x-10) = 0$

$\therefore x = \dfrac{5}{2}$ 또는 $x = \mathbf{10}$

KEY Point

- 두 수 a, b 사이에 n개의 수를 넣어서 등비수열을 만들면
  ⇨ a는 첫째항이고, b는 제$n+2$항이다.
  ⇨ $b = ar^{n+1}$ (단, r는 공비)
- 0이 아닌 세 수 a, b, c가 이 순서대로 등비수열을 이루면
  ⇨ $b^2 = ac$ ← b는 a와 c의 등비중항

---

310 수열 3, a_1, a_2, a_3, a_4, 729가 등비수열을 이룰 때, $a_2 + a_4$의 값을 구하시오.

(단, 공비는 실수이다.)

311 다항식 $f(x) = x^2 + 2x + a$를 $x+1$, $x-1$, $x-2$로 나누었을 때의 나머지가 이 순서대로 등비수열을 이룰 때, $f(x)$를 $x+2$로 나누었을 때의 나머지를 구하시오.

(단, a는 상수이다.)

세 양수 a, b, c에 대하여 4, a, b와 b, c, 64가 각각 이 순서대로 등비수열을 이루고, a, b, c가 이 순서대로 등차수열을 이룰 때, $a+b+c$의 값을 구하시오.

설명 세 수 a, b, c가 이 순서대로 등차수열을 이루면 ⇨ $2b=a+c$, 등비수열을 이루면 ⇨ $b^2=ac$

풀이 4, a, b와 b, c, 64가 각각 이 순서대로 등비수열을 이루므로
$a^2=4b$ …… ㉠, $c^2=64b$ …… ㉡
또 a, b, c가 이 순서대로 등차수열을 이루므로
$2b=a+c$ …… ㉢
㉠, ㉡에서 $c^2=16a^2$ ∴ $c=4a$ ($\because$ a, c는 양수)
이것을 ㉢에 대입하면 $b=\dfrac{5}{2}a$
이것을 ㉠에 대입하면 $a^2=4\cdot\dfrac{5}{2}a$, $a^2-10a=0$, $a(a-10)=0$ ∴ $a=0$ 또는 $a=10$
그런데 a는 양수이므로 $a=10$, $b=25$, $c=40$
∴ $a+b+c=$**75**

삼차방정식 $x^3-6x^2-24x+k=0$의 세 근이 등비수열을 이룰 때, 상수 k의 값을 구하시오.

설명 ① 등비수열을 이루는 세 수를 a, ar, ar^2으로 놓고 식을 세운다.
② 삼차방정식 $ax^3+bx^2+cx+d=0$의 세 근을 α, β, γ라 하면
$$\alpha+\beta+\gamma=-\frac{b}{a}, \alpha\beta+\beta\gamma+\gamma\alpha=\frac{c}{a}, \alpha\beta\gamma=-\frac{d}{a}$$

풀이 세 근을 a, ar, ar^2이라 하면 근과 계수의 관계에 의하여
$a+ar+ar^2=6$
∴ $a(1+r+r^2)=6$ …… ㉠
$a\cdot ar+ar\cdot ar^2+a\cdot ar^2=-24$
∴ $a^2r(1+r+r^2)=-24$ …… ㉡
$a\cdot ar\cdot ar^2=-k$
∴ $(ar)^3=-k$ …… ㉢
㉡÷㉠을 하면 $ar=-4$
이것을 ㉢에 대입하면 $k=-(ar)^3=-(-4)^3=$**64**

---

312 세 수 2, a, b가 이 순서대로 등비수열을 이루고, 세 수 a, b, 30이 이 순서대로 등차수열을 이룰 때, $b-a$의 값을 구하시오. (단, $a>0$, $b>0$)

313 등비수열을 이루는 세 실수의 합이 $\dfrac{3}{2}$이고 세 실수의 곱이 -1일 때, 세 실수를 구하시오.

314 곡선 $y=x^3-2x^2+x$와 직선 $y=k$가 서로 다른 세 점에서 만나고 교점의 x좌표가 등비수열을 이룰 때, 상수 k의 값을 구하시오.

한 변의 길이가 2인 정삼각형에서 각 변의 중점을 이어서 만든 정삼각형을 오려 내고 남은 도형을 S_1이라 하자. S_1에서 한 변의 길이가 1인 세 개의 정삼각형의 각 변의 중점을 이어서 만든 정삼각형을 오려 내고 남은 도형을 S_2라 하자. S_2에서 한 변의 길이가 $\dfrac{1}{2}$인 9개의 정삼각형의 각 변의 중점을 이어서 만든 정삼각형을 오려 내고 남은 도형을 S_3이라 하자. 이와 같은 시행을 반복할 때, 도형 S_{10}의 넓이를 구하시오.

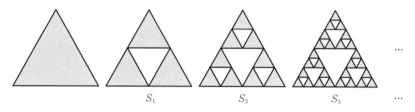

S_1　　　S_2　　　S_3　　　$\cdots$

설명　　한 변의 길이가 a인 정삼각형의 넓이 S는 $S = \dfrac{\sqrt{3}}{4}a^2$

풀이　　한 번의 시행 후 남은 도형의 넓이는 시행 전의 도형의 넓이의 $\dfrac{3}{4}$이다.

한 변의 길이가 2인 정삼각형의 넓이는 $\dfrac{\sqrt{3}}{4} \cdot 2^2 = \sqrt{3}$이므로

도형 S_1의 넓이는 $\sqrt{3} \cdot \dfrac{3}{4}$

도형 S_2의 넓이는 $\sqrt{3} \cdot \left(\dfrac{3}{4}\right)^2$

도형 S_3의 넓이는 $\sqrt{3} \cdot \left(\dfrac{3}{4}\right)^3$

　　　　　$\vdots$

도형 S_n의 넓이는 $\sqrt{3} \cdot \left(\dfrac{3}{4}\right)^n$

따라서 도형 S_{10}의 넓이는 $\sqrt{3} \cdot \left(\dfrac{3}{4}\right)^{10}$

KEY Point

• 등비수열의 활용
도형의 넓이나 길이가 일정한 비율로 변할 때
⇨ 첫째항부터 차례대로 나열하여 규칙을 찾는다.

---

315 오른쪽 그림과 같이 한 변의 길이가 4인 정사각형 ABCD가 있다. 이때 정사각형 ABCD의 각 변의 중점을 이어서 만든 정사각형을 $A_1B_1C_1D_1$이라 하고, 정사각형 $A_1B_1C_1D_1$의 각 변의 중점을 이어서 만든 정사각형을 $A_2B_2C_2D_2$라 하자. 이와 같은 시행을 반복할 때, 정사각형 $A_{10}B_{10}C_{10}D_{10}$의 둘레의 길이를 구하시오.

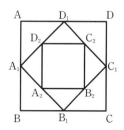

1. 등비수열의 합 ▷ 필수예제 **27~30**

첫째항이 a, 공비가 $r\,(r\neq0)$인 등비수열의 첫째항부터 제n항까지의 합 S_n은

(1) $r\neq1$일 때, $S_n=\dfrac{a(1-r^n)}{1-r}=\dfrac{a(r^n-1)}{r-1}$

(2) $r=1$일 때, $S_n=na$

▶ ① $r>1$일 때 $S_n=\dfrac{a(r^n-1)}{r-1}$, $r<1$일 때 $S_n=\dfrac{a(1-r^n)}{1-r}$ 을 이용하면 편리하다.

② n은 수열의 항의 개수를 의미한다.

설명 첫째항이 a, 공비가 $r\,(r\neq0)$인 등비수열 $\{a_n\}$의 첫째항부터 제n항까지의 합을 S_n이라 하면

$$S_n=a+ar+ar^2+\cdots+ar^{n-2}+ar^{n-1} \qquad \cdots\cdots ㉠$$

㉠의 양변에 공비 r를 곱하면

$$rS_n=ar+ar^2+ar^3+\cdots+ar^{n-1}+ar^n \qquad \cdots\cdots ㉡$$

㉠에서 ㉡을 변끼리 빼면

$$\begin{array}{r} S_n=a+ar+ar^2+\cdots+ar^{n-2}+ar^{n-1} \\ -)\ \ rS_n=\quad ar+ar^2+\cdots+ar^{n-2}+ar^{n-1}+ar^n \\ \hline (1-r)S_n=a \qquad\qquad\qquad\qquad -ar^n \end{array}$$

$$\therefore (1-r)S_n=a(1-r^n)$$

$r\neq1$일 때, $S_n=\dfrac{a(1-r^n)}{1-r}=\dfrac{a(r^n-1)}{r-1}$

$r=1$일 때, $S_n=na$ $\quad\leftarrow S_n=\overset{n개}{\overline{a+a+a+\cdots+a}}$

예 (1) 첫째항이 3, 공비가 2인 등비수열의 첫째항부터 제5항까지의 합 S_5는

$$S_5=\frac{3(2^5-1)}{2-1}=3(2^5-1)=93$$

(2) 등비수열 3, -6, 12, $\cdots$의 첫째항부터 제n항까지의 합 S_n은 $a=3$, $r=-2$이므로

$$S_n=\frac{3\{1-(-2)^n\}}{1-(-2)}=1-(-2)^n$$

2. 수열의 합 S_n과 일반항 a_n 사이의 관계 ▷ 필수예제 **31**

수열 $\{a_n\}$의 첫째항부터 제n항까지의 합을 S_n이라 하면

$$a_1=S_1,\ a_n=S_n-S_{n-1}\ (n\geq2)$$

1. 등비수열의 합이 될 조건

(1) **등비수열의 일반항** : $a_n = ar^{n-1}$, 즉 $\boldsymbol{a_n = Ar^n}$ (A, r는 상수)의 꼴이고 $\boldsymbol{r}$가 공비이다.

(2) **등비수열의 합** : $S_n = Ar^n - A$ (A, r는 상수)의 꼴이고 $\boldsymbol{r}$가 공비이다.

(3) **S_n이 등비수열의 합이 되기 위한 필요충분조건** : $\boldsymbol{S_n = Ar^n - A}$

(4) $S_n = Ar^n + B$ (A, r, B는 상수)를 합으로 갖는 수열 $\{a_n\}$은

$$\begin{cases} A+B=0\text{이면 } \textbf{첫째항부터 등비수열} \\ A+B \neq 0\text{이면 } \textbf{제2항부터 등비수열} \end{cases}$$

설명 (3) $S_n = Ar^n + B$에서

$n=1$일 때, $a_1 = S_1 = Ar + B$

$n \geq 2$일 때, $a_n = S_n - S_{n-1} = (Ar^n + B) - (Ar^{n-1} + B) = A(r-1)r^{n-1}$

즉 a_2, a_3, a_4, $\cdots$는 공비가 r이고 $a_2 = Ar(r-1)$인 등비수열이다.

$$\therefore a_n = \begin{cases} Ar + B & (n=1) \\ A(r-1)r^{n-1} & (n \geq 2) \end{cases}$$

그런데 첫째항부터 등비수열이 되기 위해서는 $Ar + B = A(r-1)$이어야 하므로

$A + B = 0$

예 $S_n = 3^{n+2} + k$가 어떤 등비수열의 합을 나타낼 때, k의 값은

$S_n = 3^2 \cdot 3^n + k$에서 $3^2 + k = 0$ $\therefore k = -9$

2. 등비수열의 합 S_n을 알 때 일반항 a_n 쉽게 구하기

등비수열 $\{a_n\}$의 첫째항부터 제n항까지의 합 S_n이 $\boldsymbol{S_n = Ar^n - A}$ ($r \neq 0$, $r \neq 1$, A, r는 상수)일 때,

$$\boldsymbol{a_n = A(r-1) \cdot r^{n-1}}, \ \boldsymbol{a_1 = S_1 = A(r-1)}, \ \text{공비} : \boldsymbol{r}$$

예 등비수열 $\{a_n\}$의 합 S_n이 $S_n = 3^n - 1$일 때, 일반항 a_n을 구하시오.

풀이 [방법 1] $a_n = S_n - S_{n-1}$에서

$a_n = (3^n - 1) - (3^{n-1} - 1) = 3^n - 3^{n-1} = 3^{n-1}(3-1) = 2 \cdot 3^{n-1}$ $(n \geq 2)$

$a_1 = S_1 = 3 - 1 = 2$

$\therefore a_n = 2 \cdot 3^{n-1}$ $(n \geq 1)$

[방법 2] $S_n = 3^n - 1$에서 $a_n = 1 \cdot (3-1) \cdot 3^{n-1} = 2 \cdot 3^{n-1}$

316 다음을 만족시키는 등비수열의 첫째항부터 제5항까지의 합을 구하시오.

(1) 첫째항 2, 공비 3

(2) 첫째항 $\sqrt{2}$, 공비 $\sqrt{2}$

(3) 첫째항 1, 공비 -3

(4) 첫째항 $\dfrac{1}{2}$, 공비 -2

(5) 첫째항 -2, 공비 $\dfrac{1}{2}$

317 다음 등비수열의 첫째항부터 제 n 항까지의 합을 구하시오.

(1) $1, 3, 9, 27, \cdots$

(2) $2, 2, 2, 2, \cdots$

(3) $\dfrac{1}{2}, -\dfrac{1}{2}, \dfrac{1}{2}, -\dfrac{1}{2}, \cdots$

(4) $1, -2, 4, -8, \cdots$

(5) $0.1, 0.01, 0.001, \cdots$

318 다음 등비수열의 합을 구하시오.

(1) $1+2+4+8+\cdots+256$

(2) $\dfrac{1}{2}+\left(\dfrac{1}{2}\right)^2+\left(\dfrac{1}{2}\right)^3+\cdots+\left(\dfrac{1}{2}\right)^{10}$

(3) $\dfrac{2}{3}-\dfrac{2}{9}+\dfrac{2}{27}-\dfrac{2}{81}+\dfrac{2}{243}$

(4) $5+10+20+\cdots+160$

(5) $\log_2 4+\log_2 4^3+\log_2 4^9+\log_2 4^{27}+\log_2 4^{81}$

🤔 **생각해 봅시다!**

등비수열의 첫째항부터 제 n 항까지의 합 S_n은 $r \neq 1$일 때,

$$S_n = \frac{a(r^n-1)}{r-1}$$

$r=1$일 때,

$$S_n = na$$

주어진 합의 마지막 항을 제 n 항이라 놓고 n의 값을 구한다.

$a_2 = \dfrac{1}{2}$, $a_6 = \dfrac{1}{32}$인 등비수열의 첫째항부터 제5항까지의 합을 구하시오.

(단, 공비는 양수이다.)

풀이

첫째항을 a, 공비를 r라 하면

$ar = \dfrac{1}{2}$ …… ㉠, $ar^5 = \dfrac{1}{32}$ …… ㉡

㉡÷㉠을 하면 $r^4 = \dfrac{1}{16}$ $\therefore r = \dfrac{1}{2}$ ($\because r > 0$)

$r = \dfrac{1}{2}$을 ㉠에 대입하면 $\dfrac{1}{2}a = \dfrac{1}{2}$ $\therefore a = 1$

$\therefore S_5 = \dfrac{1 \cdot \left\{ 1 - \left(\dfrac{1}{2} \right)^5 \right\}}{1 - \dfrac{1}{2}} = \dfrac{\mathbf{31}}{\mathbf{16}}$

등비수열 1, $x+1$, $(x+1)^2$, $\cdots$의 첫째항부터 제n항까지의 합을 구하시오.

(단, $x \neq -1$)

설명

공비가 문자일 때, (공비)$\neq 1$, (공비)$= 1$로 구분하여 생각한다.

풀이

$S_n = 1 + (x+1) + (x+1)^2 + \cdots + (x+1)^{n-1}$이라 하면

공비 $r = x+1$이므로

(ⅰ) $x+1 \neq 1$, 즉 $\boldsymbol{x \neq 0}$일 때, $S_n = \dfrac{1 \cdot \{ (x+1)^n - 1 \}}{(x+1) - 1} = \dfrac{\boldsymbol{(x+1)^n - 1}}{\boldsymbol{x}}$

(ⅱ) $x+1 = 1$, 즉 $\boldsymbol{x = 0}$일 때, $S_n = \underbrace{1 + 1 + 1 + \cdots + 1}_{n개} = \boldsymbol{n}$

KEY Point

- 첫째항이 a, 공비가 r인 등비수열의 첫째항부터 제n항까지의 합 S_n은

  ⇨ $r \neq 1$일 때 $S_n = \dfrac{a(1-r^n)}{1-r} = \dfrac{a(r^n-1)}{r-1}$, $r = 1$일 때 $S_n = na$

---

319 첫째항이 2, 제4항이 -54인 등비수열의 첫째항부터 제10항까지의 합을 구하시오.

320 첫째항과 제3항의 합이 -10이고 첫째항부터 제4항까지의 합이 20인 등비수열의 첫째항을 구하시오.

321 등비수열 x, $x(x+1)^2$, $x(x+1)^4$, $\cdots$의 첫째항부터 제n항까지의 합을 구하시오.

(단, $x > 0$)

첫째항부터 제5항까지의 합이 1이고 첫째항부터 제10항까지의 합이 3인 등비수열의 첫째항부터 제15항까지의 합을 구하시오.

풀이 첫째항을 a, 공비를 r라 하면

$$S_5=\frac{a(1-r^5)}{1-r}=1 \quad \cdots\cdots \ \text{㉠}, \quad S_{10}=\frac{a(1-r^{10})}{1-r}=3 \quad \cdots\cdots \ \text{㉡}$$

㉡에서 $\dfrac{a(1-r^5)(1+r^5)}{1-r}=3$

이 식에 ㉠을 대입하면 $1+r^5=3$ $\quad \therefore r^5=2$

$$\therefore S_{15}=\frac{a(1-r^{15})}{1-r}=\frac{a(1-r^5)(1+r^5+r^{10})}{1-r}=1\cdot(1+r^5+r^{10}) \quad \leftarrow \frac{a(1-r^5)}{1-r}=1$$
$$=1+2+2^2=\boldsymbol{7}$$

다른풀이 등비수열 $\{a_n\}$의 항을 차례대로 5개씩 묶어 그 합을 구하면 이 합은 등비수열을 이룬다.

$$S_5=a_1+a_2+a_3+a_4+a_5=a+ar+ar^2+ar^3+ar^4$$
$$S_{10}-S_5=a_6+a_7+a_8+a_9+a_{10}$$
$$=ar^5+ar^6+ar^7+ar^8+ar^9=r^5(a+ar+ar^2+ar^3+ar^4)=r^5S_5$$
$$S_{15}-S_{10}=a_{11}+a_{12}+a_{13}+a_{14}+a_{15}$$
$$=ar^{10}+ar^{11}+ar^{12}+ar^{13}+ar^{14}=r^{10}(a+ar+ar^2+ar^3+ar^4)=r^{10}S_5$$

이때 $S_5=1$, $S_{10}=3$이므로

$S_{10}-S_5=r^5S_5$에서 $r^5=2$

$S_{15}-S_{10}=r^{10}S_5$에서 $S_{15}=S_{10}+r^{10}S_5=3+2^2\cdot1=7$

KEY Point

• 첫째항이 a, 공비가 r인 등비수열의 첫째항부터 제n항까지의 합 S_n은

⇨ $r\neq1$일 때 $S_n=\dfrac{a(1-r^n)}{1-r}=\dfrac{a(r^n-1)}{r-1}$, $r=1$일 때 $S_n=na$

---

322 첫째항부터 제6항까지의 합이 4이고 첫째항부터 제12항까지의 합이 12인 등비수열의 첫째항부터 제18항까지의 합을 구하시오.

323 첫째항부터 제10항까지의 합이 2이고 제21항부터 제30항까지의 합이 8인 등비수열의 제11항부터 제20항까지의 합을 구하시오.

등비수열 1, $\dfrac{1}{2}$, $\dfrac{1}{4}$, $\dfrac{1}{8}$, $\cdots$의 첫째항부터 제 n항까지의 합을 S_n이라 할 때,

$S_n > 1.999$를 만족시키는 자연수 n의 최솟값을 구하시오.

설명 $\dfrac{1}{2^n} < k$이면 $2^n > \dfrac{1}{k}$임을 이용하여 n의 값을 구한다.

풀이   첫째항이 1이고 공비가 $\dfrac{1}{2}$이므로

$$S_n = \frac{1 \cdot \left\{1 - \left(\dfrac{1}{2}\right)^n\right\}}{1 - \dfrac{1}{2}} = 2\left\{1 - \left(\dfrac{1}{2}\right)^n\right\} = 2 - \frac{1}{2^{n-1}}$$

즉 $2 - \dfrac{1}{2^{n-1}} > 1.999$에서 $\dfrac{1}{2^{n-1}} < \dfrac{1}{1000}$ $\therefore 2^{n-1} > 1000$

이때 $2^9 = 512$, $2^{10} = 1024$이므로 $n-1 \geq 10$ $\therefore n \geq 11$

따라서 n의 최솟값은 **11**이다.

수열 $\{a_n\}$의 첫째항부터 제 n항까지의 합 S_n이 $S_n = 5^n - 1$일 때, 수열 $\{a_n\}$의 일반항 a_n을 구하시오.

풀이 $a_n = S_n - S_{n-1} = (5^n - 1) - (5^{n-1} - 1) = 4 \cdot 5^{n-1}$ $(n \geq 2)$

첫째항 $a_1 = S_1 = 5 - 1 = 4$

이때 $a_1 = 4$는 위의 $a_n = 4 \cdot 5^{n-1}$에 $n=1$을 대입한 것과 같다.

$\therefore a_n = 4 \cdot 5^{n-1}$

KEY Point

수열 $\{a_n\}$의 첫째항부터 제 n항까지의 합 S_n이 $S_n = Ar^n + B$ $(r \neq 0, r \neq 1, A, B$는 상수$)$의 꼴일 때

- $A + B = 0$이면 수열 $\{a_n\}$은 첫째항부터 등비수열을 이룬다.
- $A + B \neq 0$이면 수열 $\{a_n\}$은 제 2항부터 등비수열을 이룬다.

---

324 제 2항이 4, 제 5항이 32인 등비수열 $\{a_n\}$에서 첫째항부터 제 몇 항까지의 합이 처음으로 1000보다 커지는지 구하시오.

325 수열 $\{a_n\}$의 첫째항부터 제 n항까지의 합을 S_n이라 할 때, $\log_3 (S_n + 3) = n + 1$이 되는 수열의 일반항 a_n을 구하시오.

326 수열 $\{a_n\}$의 첫째항부터 제 n항까지의 합 S_n이 $S_n = 2 \cdot 3^n + k$일 때, 수열 $\{a_n\}$이 첫째항부터 등비수열을 이루도록 하는 상수 k의 값을 구하시오.

1. 원리합계의 계산

(1) 원금과 이자를 더한 금액을 **원리합계**라 한다.

(2) 원금 a원을 연이율 r로 n년간 예금했을 때, 원리합계 S는 다음과 같이 두 가지 방법으로 계산한다.

---

① **단리법** : 원금에 대해서만 이자를 더하여 원리합계를 계산하는 방법

$$S=a(1+rn) \quad \text{← 공차가 } ar \text{인 등차수열}$$

② **복리법** : 일정한 기간마다 이자를 원금에 더하여 그 원리합계를 다음 기간의 원금으로 계산하는 방법, 즉 이자에 다시 이자가 붙는 방법

$$S=a(1+r)^n \quad \text{← 공비가 } 1+r \text{인 등비수열}$$

설명1 원금 a원을 연이율 r로 예금할 때, 1년, 2년, $\cdots$, n년 후의 원리합계를 구해 보면 다음과 같다.

	단리로 예금할 경우	복리로 예금할 경우
1년 후	$a+ar=a(1+r)$	$a+ar=a(1+r)$
2년 후	$a+ar+ar=a(1+2r)$	$a(1+r)+a(1+r)r=a(1+r)(1+r)$ $=a(1+r)^2$
3년 후	$a+ar+ar+ar=a(1+3r)$	$a(1+r)^2+a(1+r)^2r=a(1+r)^2(1+r)$ $=a(1+r)^3$
$\vdots$	$\vdots$	$\vdots$
n년 후	$a+ar+\cdots+ar=a(1+nr)$	$a(1+r)(1+r)\cdots(1+r)=a(1+r)^n$

설명2 똑같은 금액을 같은 기간 동안 예금하더라도 단리로 예금하는 경우와 복리로 예금하는 경우에 따라 그 원리합계는 달라지게 된다.

예를 들어 원금 10만 원을 연이율 5 %로 단리로 예금할 때와 1년마다 복리로 예금할 때의 10년 동안의 원리합계를 비교해 보면 다음과 같다. (단, $1.05^{10}=1.63$)

(i) 단리법 $\Rightarrow 10(1+10\times0.05)=10\times1.5=15$(만 원)

(ii) 복리법 $\Rightarrow 10(1+0.05)^{10}=10\times1.63=16.3$(만 원)

위와 같이 같은 금액에 같은 이율을 적용하여 예금했더라도 단리로 예금했을 때보다 복리로 예금했을 때 이자가 더 많이 붙는 것을 알 수 있다.

2. 적금(복리법) ▷ 필수예제 **32**

일정한 금액을 일정한 기간마다 적립하는 것을 **적금** 또는 **적립예금**이라 하며 매년 초에 적립하는 경우와 매년 말에 적립하는 경우의 적립금의 원리합계는 각각 다음과 같다.

---

(1) **매년 초**에 a원씩 연이율 r인 복리법에 의하여 n년간 적립했을 때, n년 말의 원리합계 S_n은

$$S_n = a(1+r) + a(1+r)^2 + \cdots + a(1+r)^n \quad \longleftarrow \text{첫째항}: a(1+r), \text{공비}: 1+r$$

$$= \frac{a(1+r)\{(1+r)^n - 1\}}{(1+r) - 1}$$

$$= \frac{a(1+r)\{(1+r)^n - 1\}}{r} \text{(원)}$$

(2) **매년 말**에 a원씩 연이율 r인 복리법에 의하여 n년간 적립했을 때, n년 말의 원리합계 S_n은

$$S_n = a + a(1+r) + a(1+r)^2 + \cdots + a(1+r)^{n-1} \quad \longleftarrow \text{첫째항}: a, \text{공비}: 1+r$$

$$= \frac{a\{(1+r)^n - 1\}}{(1+r) - 1}$$

$$= \frac{a\{(1+r)^n - 1\}}{r} \text{(원)}$$

▶ 적립예금에서 각 기간의 초에 적립하는 것을 기수불이라 하고, 각 기간의 말에 적립하는 것을 기말불이라 한다.

설명 (1) 연이율 r, 1년마다 복리로 매년 초에 a원씩 n년 동안 적립할 때, n년 말까지 적립금의 원리합계를 구해 보자. (기수불)

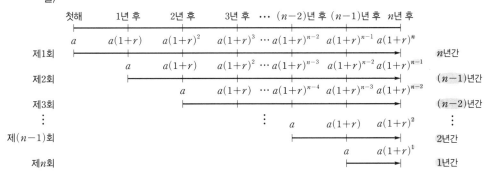

따라서 구하는 적립금의 원리합계를 S_n이라 하면

$$S_n = a(1+r) + a(1+r)^2 + a(1+r)^3 + \cdots + a(1+r)^n$$

이것은 첫째항이 $a(1+r)$, 공비가 $1+r$인 등비수열의 첫째항부터 제n항까지의 합과 같으므로

$$S_n = \frac{a(1+r)\{(1+r)^n - 1\}}{(1+r) - 1}$$

$$= \frac{a(1+r)\{(1+r)^n - 1\}}{r} \text{(원)}$$

(2) 연이율 r, 1년마다 복리로 매년 말에 a원씩 n년 동안 적립할 때, n년 말까지 적립금의 원리합계를 구해 보자. (기말불)

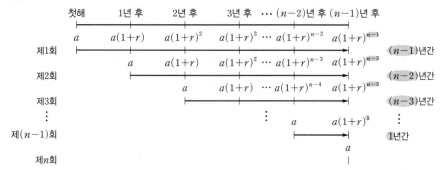

따라서 구하는 적립금의 원리합계를 S_n이라 하면
$$S_n = a + a(1+r) + a(1+r)^2 + \cdots + a(1+r)^{n-1}$$
이것은 첫째항이 a, 공비가 $1+r$인 등비수열의 첫째항부터 제n항까지의 합과 같으므로
$$S_n = \frac{a\{(1+r)^n - 1\}}{(1+r) - 1}$$
$$= \frac{a\{(1+r)^n - 1\}}{r} \text{(원)}$$

▶ 적립금의 원리합계는 복잡한 공식을 외워서 풀기보다는 위와 같이 주어진 조건을 그림으로 나타낸 후 등비수열의 합의 공식을 이용하여 풀도록 한다.

예 연이율 5%, 매년마다 복리로 매년 말에 10만 원씩 5년 동안 적립할 때, 5년 말까지 적립금의 원리합계를 구하시오. (단, $1.05^5 = 1.3$)

풀이 매년 말에 10만 원씩 적립한 적립금의 원리합계는 다음과 같다.

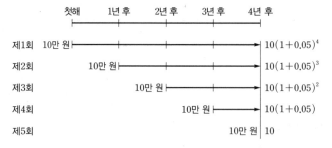

구하는 적립금의 원리합계를 S만 원이라 하면
$$S = 10 + 10(1+0.05) + 10(1+0.05)^2 + 10(1+0.05)^3 + 10(1+0.05)^4$$
이므로 첫째항이 10, 공비가 $1+0.05$인 등비수열의 첫째항부터 제5항까지의 합이다.
$$\therefore S = \frac{10\{(1+0.05)^5 - 1\}}{(1+0.05) - 1} = \frac{10(1.3 - 1)}{0.05} = 60 \text{(만 원)}$$

더 다양한 문제는 **RPM** 수학 Ⅰ 126쪽

연이율 6 %, 매년마다 복리로 매년 초에 20000원씩 10년 동안 적립할 때, 10년 말까지 적립금의 원리합계를 구하시오. (단, $1.06^{10}=1.8$, 만 원 미만은 버린다.)

풀이 첫해부터 10년 동안 20000원씩 적립한 적립금의 원리합계는 다음과 같다.

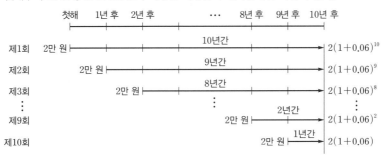

따라서 구하는 적립금의 원리합계를 S만 원이라 하면

$S=2(1+0.06)+2(1+0.06)^2+\cdots+2(1+0.06)^9+2(1+0.06)^{10}$

이것은 첫째항이 $2(1+0.06)$이고, 공비가 $1+0.06$인 등비수열의 첫째항부터 제10항까지의 합이므로

$$S=\frac{2(1+0.06)\{(1+0.06)^{10}-1\}}{(1+0.06)-1}$$

$$=\frac{2\times1.06\times(1.8-1)}{0.06}$$

$$=28.\times\times\times(\text{만 원})$$

이때 만 원 미만은 버리므로 구하는 적립금의 원리합계는 **28만 원**이다.

참고 매년 말에 20000원씩 적립한다고 하면 10년 말까지 적립금의 원리합계는

$2+2(1+0.06)+2(1+0.06)^2+\cdots+2(1+0.06)^9$

KEY Point

적금의 원리합계를 S라 할 때 (원금 : a, 이율 : r, 기간 : n, 복리법으로 계산)

• 기수불 : $S=\dfrac{a(1+r)\{(1+r)^n-1\}}{r}$ • 기말불 : $S=\dfrac{a\{(1+r)^n-1\}}{r}$

▶ 기수불(매기간 초에 적립)은 첫째항이 $a(1+r)$이고, 기말불(매기간 말에 적립)은 첫째항이 a이다.

---

327 연이율 5 %, 매년마다 복리로 매년 초에 10000원씩 10년 동안 적립할 때, 10년 말까지 적립금의 원리합계를 구하시오. (단, $1.05^{10}=1.6$)

328 연이율 12 %, 매년마다 복리로 매년 말에 10만 원씩 10년 동안 적립할 때, 10년 말까지 적립금의 원리합계를 구하시오. (단, $1.12^{10}=3.1$)

329 연이율 6 %로 매년 초에 일정한 금액을 10년 동안 적립하여 10년 말까지 적립금의 원리합계가 100만 원이 되도록 하려면 매년 얼마씩 적립해야 하는지 구하시오.

(단, $1.06^{10}=1.8$, 1년마다 복리로 계산하고, 백의 자리에서 반올림한다.)

등비수열의 활용 (교육과정 外)

1. 상환

빌린 금액을 일정한 기간마다 일정한 금액씩 지불하여 빚을 갚는 것을 상환이라 한다.
이때 상환금을 구하는 방법은 다음과 같다.
빌린 금액이 S원이고 이 금액을 n년 동안 갚기 위해 매년 지불해야 할 금액을 a원이라 하면

(S원을 n년 동안 예금할 때의 원리합계) = (a원을 n년 동안 매년 적립할 때의 원리합계)

특강 1 · 등비수열의 합의 활용(상환)

> 도현이는 140만 원짜리 가전을 이달 초에 구입하고 이달 말부터 일정한 금액씩 10개월에 걸쳐 갚으려고 한다. 월이율 2 %, 1개월마다의 복리로 계산할 때, 매달 갚아야 할 금액을 구하시오. (단, $1.02^{10}=1.22$, 만 원 미만은 버린다.)

설명 매달 갚아야 하는 금액을 a만 원으로 놓고 140만 원을 10개월 동안 예금했을 때의 원리합계와 a만 원씩 10개월 동안 적립할 때의 원리합계가 같음을 이용한다.

풀이 140만 원의 10개월 동안의 원리합계는
$$140 \times (1+0.02)^{10} = 140 \times 1.02^{10} = 140 \times 1.22 = 170.8(\text{만 원}) \quad \cdots\cdots \ \bigcirc$$
또한 이달 말부터 매달 a만 원씩 적립할 때의 원리합계는 다음과 같다.

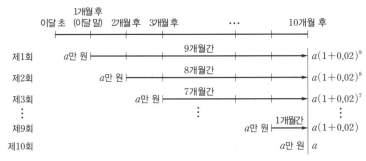

따라서 a만 원씩 10개월 동안 적립할 때의 원리합계는
$$a + a(1+0.02) + a(1+0.02)^2 + \cdots + a(1+0.02)^9$$
$$= \frac{a(1.02^{10}-1)}{1.02-1} = \frac{a(1.22-1)}{0.02} = 11a(\text{만 원})$$

이것이 $\bigcirc$과 같아야 하므로 $170.8 = 11a$ $\therefore a = \dfrac{170.8}{11} = 15.\times\times\times(\text{만 원})$

이때 만 원 미만은 버리므로 도현이가 매달 갚아야 할 금액은 **15만 원**이다.

330 지현이는 은행에서 1000만 원을 올해 초에 대출받아 올해 말부터 연이율 7 %, 1년마다 복리로 매년 말에 일정한 금액씩 20년에 걸쳐 갚으려고 한다. 매년 갚아야 할 금액을 구하시오. (단, $1.07^{20}=3.87$, 만 원 미만은 버린다.)

2. 연금의 현가

매년 지급받을 일정한 금액을 연금이라 하고, 연금을 현재 한꺼번에 받고자 할 때, 한꺼번에 받는 금액을 연금의 현가라 한다.

이때 연금의 현가를 구하는 방법은 다음과 같다.

매년 a원씩 n년 동안 받을 연금의 현가를 S원이라 하면

> (S원을 n년 동안 예금할 때의 원리합계)=(a원을 n년 동안 매년 적립할 때의 원리합계)

특강 2 등비수열의 합의 활용(연금의 현가)

> 올해부터 매년 말에 300만 원씩 10년 동안 받는 연금이 있다. 연이율 6 %, 1년마다 복리로 계산할 때, 이 연금을 올해 초에 한꺼번에 받는다면 얼마를 받게 되는지 구하시오. (단, $1.06^{10}=1.79$, 만 원 미만은 버린다.)

설명   올해 초에 한꺼번에 받는 금액을 S만 원으로 놓고, S만 원의 10년 동안의 원리합계와 매년 말에 받는 300만 원을 10년 동안 적립한 적립금의 원리합계가 같음을 이용한다.

풀이   올해 초에 한꺼번에 받는 금액을 S만 원이라 하면 S만 원의 10년 동안의 원리합계는
$S(1+0.06)^{10}=S\times1.06^{10}=1.79S$(만 원)   ······ ㉠

또한 매년 말에 300만 원씩 10년 동안 적립할 때의 원리합계는 다음과 같다.

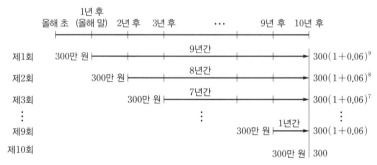

따라서 300만 원씩 10년 동안 적립할 때의 원리합계는
$300+300(1+0.06)+300(1+0.06)^2+\cdots+300(1+0.06)^9$
$=\dfrac{300\{(1+0.06)^{10}-1\}}{(1+0.06)-1}=\dfrac{300(1.79-1)}{0.06}=3950$(만 원)

이것이 ㉠과 같아야 하므로

$1.79S=3950$ $\therefore S=\dfrac{3950}{1.79}=2206.\times\times\times$(만 원)

이때 만 원 미만은 버리므로 올해 초에 한꺼번에 받는 금액은 **2206만 원**이다.

331 어떤 사람이 퇴직금으로 받은 2억 원을 은행에 예금하고 매년 말에 일정한 금액을 연금 형식으로 받으려고 한다. 퇴직금을 모두 1월 초에 은행에 예금하고 그 해 연말부터 20년간 지급받는다면 매년 말에 받을 금액을 구하시오.

(단, $1.05^{20}=2.6$, 연이율은 5 %, 1년마다 복리로 계산한다.)

연습문제

STEP **1**

생각해 봅시다!

287 모든 항이 양수인 등비수열 $\{a_n\}$에 대하여 $a_5=8a_2$일 때, $\dfrac{a_3a_4}{a_2a_6}$의 값을 구하시오.

288 제10항이 6, 제15항이 192인 등비수열의 제9항부터 제16항까지의 합을 구하시오.

항의 개수는
$16-9+1=8$

289 등비수열 $1,\ \dfrac{5}{2},\ \dfrac{25}{4},\ \cdots$에서 처음으로 1000보다 커지는 항은 제 몇 항인지 구하시오. (단, $\log 2=0.3010$)

290 수열 $1,\ a_1,\ a_2,\ a_3,\ 100$이 이 순서대로 등비수열을 이룰 때, $4\log a_2$의 값을 구하시오.

[교육청기출]

291 $x>0$일 때, 함수 $f(x)=\dfrac{p}{x}\ (p>1)$의 그래프는 오른쪽 그림과 같다. 세 수 $f(a),\ f(\sqrt{3}),\ f(a+2)$가 이 순서대로 등비수열을 이룰 때, 양수 a의 값은?

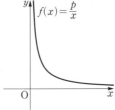

세 수 $a,\ b,\ c$가 이 순서대로 등비수열을 이루면 $b^2=ac$

① 1 ② $\dfrac{9}{8}$ ③ $\dfrac{5}{4}$

④ $\dfrac{11}{8}$ ⑤ $\dfrac{3}{2}$

292 세 양수 $a,\ b,\ c\ (a>b>c)$는 이 순서대로 등비수열을 이루고 다음 두 조건을 모두 만족시킨다. 이때 $a^2+b^2+c^2$의 값을 구하시오.

공비를 r라 하면
$b=ar,\ c=ar^2$

> (개) $a+b+c=\dfrac{7}{2}$ (내) $abc=1$

293 수열 $\{a_n\}$이 첫째항이 1, 공비가 2인 등비수열일 때, 수열 $\{a_na_{n+1}\}$의 첫째항부터 제10항까지의 합은?

① $\dfrac{4}{3}(4^{10}-1)$ ② $\dfrac{4}{3}(3^{10}-1)$ ③ $\dfrac{4}{3}(2^{10}-1)$

④ $\dfrac{2}{3}(4^{10}-1)$ ⑤ $\dfrac{3}{2}(2^{10}-1)$

294 첫째항이 3이고 공비가 -2인 등비수열 $\{a_n\}$에 대하여
$|a_1|+|a_2|+|a_3|+\cdots+|a_{10}|$의 값을 구하시오.

295 수열 $\{a_n\}$의 첫째항부터 제n항까지의 합 S_n이 $S_n=3-\left(\dfrac{2}{3}\right)^n$일 때, a_{20}의
값을 구하시오.

$a_{20}=S_{20}-S_{19}$

296 등비수열 $\{a_n\}$에 대하여 수열 $\{2a_{n+1}+a_n\}$은 첫째항 4, 공비가 $\dfrac{1}{2}$인 등비
수열일 때, 수열 $\{a_n\}$의 제2항을 구하시오.

$a_n=ar^{n-1}$이므로
$2a_{n+1}+a_n$
$=2ar^n+ar^{n-1}$
$=a(2r+1)r^{n-1}$

297 공비가 실수인 등비수열 $\{a_n\}$에 대하여
$$a_1+a_2+a_3=6,\ a_4+a_5+a_6=48$$
일 때, $\dfrac{a_1+a_3+a_5}{a_2+a_4+a_6}$의 값을 구하시오.

298 세 수 x, y, z는 이 순서대로 공비가 r인 등비수열을 이루고, 세 수 x, $2y$,
$3z$는 이 순서대로 등차수열을 이룰 때, r의 값을 구하시오.
(단, $x\neq 0$, $x\neq y$)

STEP 2

299 다음 수열의 첫째항부터 제n항까지의 합을 구하시오.

$9,\ 99,\ 999,\ \cdots$

300 공비가 2인 등비수열 $\{a_n\}$의 첫째항부터 제n항까지의 합을 S_n이라 할 때,
$a_n=400$, $S_n=750$을 만족시키는 자연수 n의 값을 구하시오.

첫째항이 a, 공비가 r인 등
비수열에서 $r\neq 1$이면
$$S_n=\dfrac{a(r^n-1)}{r-1}$$

●**연습문제**

301 모든 항이 실수인 등비수열 $\{a_n\}$에서 첫째항부터 제6항까지의 합이 $\dfrac{63}{8}$이고 곱이 $\dfrac{1}{8}$일 때, $\dfrac{1}{a_1}+\dfrac{1}{a_2}+\dfrac{1}{a_3}+\cdots+\dfrac{1}{a_6}$의 값을 구하시오.

[교육청기출]

302 두 수 3과 40 사이에 10개의 수를 넣어 만든 등비수열

$$3, \ a_1, \ a_2, \ \cdots, \ a_{10}, \ 40$$

이 있다. 등식

$$3+a_1+a_2+\cdots+a_{10}+40=k\left(\dfrac{1}{3}+\dfrac{1}{a_1}+\dfrac{1}{a_2}+\cdots+\dfrac{1}{a_{10}}+\dfrac{1}{40}\right)$$

을 만족시키는 상수 k의 값을 구하시오.

40은 주어진 수열의
제12항이다.

303 공비가 r인 등비수열 $\{a_n\}$의 첫째항부터 제n항까지의 합 S_n에 대하여 $\dfrac{S_{3n}}{S_n}=7$일 때, $\dfrac{S_{2n}}{S_n}$의 값을 구하시오. (단, $r>1$)

304 등비수열 $\dfrac{1}{2}, \ \dfrac{1}{4}, \ \dfrac{1}{8}, \ \cdots$의 첫째항부터 제$n$항까지의 합을 S_n이라 할 때, 부등식 $|S_n-1|<10^{-3}$을 만족시키는 자연수 n의 최솟값을 구하시오.

첫째항이 a, 공비가 r인 등비수열의 첫째항부터 제n항까지의 합
$\Rightarrow \dfrac{a(1-r^n)}{1-r}$

305 수열 $\{a_n\}$의 첫째항부터 제n항까지의 합을 S_n이라 하면 $\log_2(S_n+k)=n+1$을 만족시킨다. 이때 수열 $\{a_n\}$이 첫째항부터 등비수열을 이루도록 하는 상수 k의 값은?

① 1　　　② 2　　　③ 3　　　④ 4　　　⑤ 5

$a_1=S_1$
$a_n=S_n-S_{n-1} \ (n\geq2)$

306 첫째항부터 제n항까지의 합이 각각 $2^{n-1}-\dfrac{1}{2}$, $-\dfrac{1}{2}n^2+kn$인 두 수열 $\{a_n\}$, $\{b_n\}$에 대하여 $a_3=b_1$일 때, $a_m=b_l$을 만족시키는 자연수 m, l과 상수 k에 대하여 $k(m+l)$의 값을 구하시오. (단, $m\neq3$)

307 월이율 1.5 %로 매월 말에 20만 원씩 12개월 동안 적립했을 때, 12개월 말까지 적립금의 원리합계를 구하시오.

(단, $1.015^{12}=1.2$, 1개월마다 복리로 계산하고, 만 원 미만은 버린다.)

실력 UP

a, b, c가 이 순서대로 등비수열을 이루면
$\Rightarrow b^2=ac$

308 두 자연수 a, b에 대하여 세 수 a^n, 576, b^n이 이 순서대로 등비수열을 이룰 때, ab의 최솟값을 구하시오. (단, n은 자연수이다.)

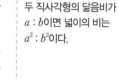생각해 봅시다!

309 직사각형 중에서 짧은 변을 한 변으로 하는 정사각형을 잘라내고 남은 직사각형이 처음의 직사각형과 서로 닮음이 되는 것을 황금직사각형이라 한다. 그림과 같이 긴 변의 길이가 1인 황금직사각형 R_1에서 짧은 변을 한 변으로 하는 정사각형 T_1을 잘라내고 남은 직사각형을 R_2, 직사각형 R_2에서 정사각형 T_2를 잘라내고 남은 직사각형을 R_3이라 한다. 이와 같은 방법을 반복하여 만들어낸 직사각형 R_{10}의 넓이를 구하시오.

두 직사각형의 닮음비가 $a : b$이면 넓이의 비는 $a^2 : b^2$이다.

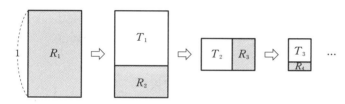

310 첫째항이 1인 등비수열 $\{a_n\}$에 대하여
$$a_1+a_3+a_5+\cdots+a_{2n-1}=91, \quad a_2+a_4+a_6+\cdots+a_{2n}=273$$
일 때, 이 등비수열의 공비와 자연수 n의 값의 합을 구하시오.

등비수열 $\{a_n\}$의 공비가 r일 때, 수열 $\{a_{2n-1}\}$, $\{a_{2n}\}$은 공비가 r^2인 등비수열이다.

311 등비수열 $\{a_n\}$에 대하여
$$a_1+a_2+a_3+\cdots+a_n=36, \quad a_{n+1}+a_{n+2}+a_{n+3}+\cdots+a_{2n}=18$$
일 때, $a_{2n+1}+a_{2n+2}+a_{2n+3}+\cdots+a_{3n}$의 값을 구하시오.

312 윤모는 매년 초에 20만 원씩 연이율 5 %의 복리로 10년 동안 적립하고 동원이는 매년 초에 40만 원씩 연이율 5 %의 복리로 5년 동안 적립할 때, 윤모가 10년 말에 받는 금액은 동원이가 5년 말에 받는 금액보다 약 얼마가 더 많은가? (단, $1.05^5=1.28$)

① 325000원 ② 326000원 ③ 327000원
④ 328000원 ⑤ 329000원

작은 배려, 큰 선물

1970년 여름, 일본 오사카에서 만국 박람회가 열렸습니다. 한 작은 전기 회사의 사장이 자기 회사의 전시관을 보기 위해 박람회장에 갔습니다. 안내를 하던 전시장의 직원들은 먼저 입장할 것을 권했지만, 그는 기다리고 있는 사람들을 제치고 먼저 들어갈 수 없다며 관람객이 서 있는 줄 맨 끝에 섰습니다.

오랜 시간을 기다려 전시관에 입장한 그는 직원을 불러서 다음과 같이 지시했습니다.

"종이 모자를 만들어 줄 서 있는 사람들에게 나누어 주게."

뙤약볕 아래에서 줄 서서 기다리는 것이 정말 힘들다는 것을 느꼈기 때문이었습니다.

그런데 이 작은 배려가 회사에 큰 선물을 가져다 주었습니다. 회사 마크가 찍힌 모자를 쓰고 박람회장 곳곳을 돌아다닌 관람객들이 다른 사람들의 눈길을 끌었기 때문입니다. 곧 그곳에 있는 방문객들은 이름이 알려지지 않은 이 작은 회사를 알게 되었고, 덕분에 예상보다 많은 사람이 회사의 전시관을 찾아와 제품을 널리 홍보할 수 있었습니다.

III

수열

1. 합의 기호 ∑의 뜻   ▷ 필수예제 **1, 2**

수열 $\{a_n\}$의 첫째항부터 제 n항까지의 합 $a_1+a_2+a_3+\cdots+a_n$은
합의 기호 ∑를 사용하여 다음과 같이 간단히 나타낸다.

$$a_1+a_2+a_3+\cdots+a_n=\sum_{k=1}^{n} a_k$$

일반항 a_n에서 n 대신 k를 대입한다.

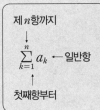

제 n항까지
$$\sum_{k=1}^{n} a_k \leftarrow 일반항$$
첫째항부터

▶ ① $\sum\limits_{k=1}^{n} a_k$는 수열의 일반항 a_k의 k에 1, 2, 3, $\cdots$, n을 차례대로 대입하여 얻은 항 a_1, a_2, a_3, $\cdots$, a_n의 합을 뜻한다.

② $\sum\limits_{k=1}^{n} a_k$에서 k 대신 i 또는 j 등의 다른 문자를 사용하여 $\sum\limits_{i=1}^{n} a_i$, $\sum\limits_{j=1}^{n} a_j$ 등으로 나타내기도 한다.

즉 $\sum\limits_{k=1}^{n} a_k=\sum\limits_{i=1}^{n} a_i=\sum\limits_{j=1}^{n} a_j$

③ $m\leq n$일 때 제 m항부터 제 n항까지의 합은 $\sum\limits_{k=m}^{n} a_k$로 나타낸다.

④ ∑는 합을 나타내는 영어 Sum의 첫 글자 S에 해당하는 그리스 문자의 대문자로 '시그마(sigma)'라고 읽는다.

예 (1) $2+4+6+\cdots+40=\sum\limits_{k=1}^{20} 2k$

(2) $\sum\limits_{i=3}^{7} 3^i=3^3+3^4+3^5+3^6+3^7$

2. ∑의 기본 성질   ▷ 필수예제 **3**

일반적으로 ∑에는 다음과 같은 성질이 있다.

(1) $\sum\limits_{k=1}^{n} (a_k+b_k)=\sum\limits_{k=1}^{n} a_k+\sum\limits_{k=1}^{n} b_k$

(2) $\sum\limits_{k=1}^{n} (a_k-b_k)=\sum\limits_{k=1}^{n} a_k-\sum\limits_{k=1}^{n} b_k$

(3) $\sum\limits_{k=1}^{n} ca_k=c\sum\limits_{k=1}^{n} a_k$ (단, c는 상수)

(4) $\sum\limits_{k=1}^{n} c=cn$ (단, c는 상수)

▶ ① $\sum\limits_{k=1}^{n-1} a_k=\sum\limits_{k=1}^{n} a_k-a_n$, $\sum\limits_{k=2}^{n} a_k=\sum\limits_{k=1}^{n} a_k-a_1$

② $\sum\limits_{k=m}^{n} a_k=\sum\limits_{k=1}^{n} a_k-\sum\limits_{k=1}^{m-1} a_k$ (단, $2\leq m\leq n$)

③ $\sum\limits_{k=1}^{n} a_k=\sum\limits_{k=0}^{n-1} a_{k+1}=\sum\limits_{k=2}^{n+1} a_{k-1}$

증명 (1) $\displaystyle\sum_{k=1}^{n}(a_k+b_k)=(a_1+b_1)+(a_2+b_2)+(a_3+b_3)+\cdots+(a_n+b_n)$

$\qquad\qquad\qquad\quad =(a_1+a_2+a_3+\cdots+a_n)+(b_1+b_2+b_3+\cdots+b_n)$

$\qquad\qquad\qquad\quad =\displaystyle\sum_{k=1}^{n}a_k+\sum_{k=1}^{n}b_k$

(2) $\displaystyle\sum_{k=1}^{n}(a_k-b_k)=(a_1-b_1)+(a_2-b_2)+(a_3-b_3)+\cdots+(a_n-b_n)$

$\qquad\qquad\qquad\quad =(a_1+a_2+a_3+\cdots+a_n)-(b_1+b_2+b_3+\cdots+b_n)$

$\qquad\qquad\qquad\quad =\displaystyle\sum_{k=1}^{n}a_k-\sum_{k=1}^{n}b_k$

(3) $\displaystyle\sum_{k=1}^{n}ca_k=ca_1+ca_2+ca_3+\cdots+ca_n=c(a_1+a_2+a_3+\cdots+a_n)=c\sum_{k=1}^{n}a_k$

(4) $\displaystyle\sum_{k=1}^{n}c=\underbrace{c+c+c+\cdots+c}_{n\text{개}}=cn$

예 $\displaystyle\sum_{k=1}^{10}a_k=20,\ \sum_{k=1}^{10}b_k=15$일 때, 다음 값을 구하시오.

(1) $\displaystyle\sum_{k=1}^{10}(a_k+b_k)$ $\qquad\qquad$ (2) $\displaystyle\sum_{k=1}^{10}(a_k-b_k)$ $\qquad\qquad$ (3) $\displaystyle\sum_{k=1}^{10}3a_k$

풀이 (1) $\displaystyle\sum_{k=1}^{10}(a_k+b_k)=\sum_{k=1}^{10}a_k+\sum_{k=1}^{10}b_k=20+15=35$

(2) $\displaystyle\sum_{k=1}^{10}(a_k-b_k)=\sum_{k=1}^{10}a_k-\sum_{k=1}^{10}b_k=20-15=5$

(3) $\displaystyle\sum_{k=1}^{10}3a_k=3\sum_{k=1}^{10}a_k=3\times20=60$

주의 $\sum$의 성질을 다음과 같이 혼동하지 않도록 주의한다.

(1) $\displaystyle\sum_{k=1}^{n}a_kb_k\neq\sum_{k=1}^{n}a_k\sum_{k=1}^{n}b_k$ $\qquad\qquad$ (2) $\displaystyle\sum_{k=1}^{n}a_k^{\,2}\neq\left(\sum_{k=1}^{n}a_k\right)^2$

(3) $\displaystyle\sum_{k=1}^{n}\frac{a_k}{b_k}\neq\frac{\displaystyle\sum_{k=1}^{n}a_k}{\displaystyle\sum_{k=1}^{n}b_k}\left(b_k\neq0,\ \sum_{k=1}^{n}b_k\neq0\right)$

위의 $\sum$의 기본 성질의 잘못된 적용을 증명해 보면 다음과 같다.

(1) $\displaystyle\sum_{k=1}^{n}a_kb_k=a_1b_1+a_2b_2+a_3b_3+\cdots+a_nb_n,$

$\qquad \displaystyle\sum_{k=1}^{n}a_k\sum_{k=1}^{n}b_k=(a_1+a_2+a_3+\cdots+a_n)(b_1+b_2+b_3+\cdots+b_n)$

$\qquad \therefore\ \displaystyle\sum_{k=1}^{n}a_kb_k\neq\sum_{k=1}^{n}a_k\sum_{k=1}^{n}b_k$

(2) $\displaystyle\sum_{k=1}^{n}a_k^{\,2}=a_1^{\,2}+a_2^{\,2}+a_3^{\,2}+\cdots+a_n^{\,2},\ \left(\sum_{k=1}^{n}a_k\right)^2=(a_1+a_2+a_3+\cdots+a_n)^2$

$\qquad \therefore\ \displaystyle\sum_{k=1}^{n}a_k^{\,2}\neq\left(\sum_{k=1}^{n}a_k\right)^2$

(3) $\displaystyle\sum_{k=1}^{n}\frac{a_k}{b_k}=\frac{a_1}{b_1}+\frac{a_2}{b_2}+\frac{a_3}{b_3}+\cdots+\frac{a_n}{b_n},\ \frac{\displaystyle\sum_{k=1}^{n}a_k}{\displaystyle\sum_{k=1}^{n}b_k}=\frac{a_1+a_2+a_3+\cdots+a_n}{b_1+b_2+b_3+\cdots+b_n}$

$\qquad \therefore\ \displaystyle\sum_{k=1}^{n}\frac{a_k}{b_k}\neq\frac{\displaystyle\sum_{k=1}^{n}a_k}{\displaystyle\sum_{k=1}^{n}b_k}$

332 다음을 합의 기호 $\sum$를 사용하여 나타내시오.

(1) $1+3+5+\cdots+(2n-1)$

(2) $2+4+8+\cdots+2^{n+1}$

(3) $\dfrac{1}{2}+\dfrac{1}{3}+\dfrac{1}{4}+\cdots+\dfrac{1}{n+1}$

(4) $2+5+8+\cdots+29$

(5) $4+4+4+4+4$

(6) $1\cdot2+2\cdot3+3\cdot4+\cdots+10\cdot11$

생각해 봅시다!

$a_1+a_2+a_3+\cdots+a_n$

$=\displaystyle\sum_{k=1}^{n} a_k$

333 다음을 합의 기호 $\sum$를 사용하지 않은 합의 꼴로 나타내시오.

(1) $\displaystyle\sum_{k=1}^{10} (5k+1)$

(2) $\displaystyle\sum_{i=1}^{8} 3^{i-1}$

(3) $\displaystyle\sum_{k=1}^{5} 3$

(4) $\displaystyle\sum_{n=1}^{7} (-1)^n\cdot n$

(5) $\displaystyle\sum_{k=3}^{n} 2^k$

(6) $\displaystyle\sum_{j=1}^{n} \dfrac{1}{j(j+1)}$

$\displaystyle\sum_{k=1}^{n} a_k$

$=a_1+a_2+a_3+\cdots+a_n$

334 $\displaystyle\sum_{k=1}^{20} a_k=10$, $\displaystyle\sum_{k=1}^{20} b_k=-30$일 때, 다음 값을 구하시오.

(1) $\displaystyle\sum_{k=1}^{20} (4a_k-1)$

(2) $\displaystyle\sum_{k=1}^{20} (3a_k-2b_k)$

$\sum$의 기본 성질

필수예제 **01** 합의 기호 $\sum$ (1)   🔄 더 다양한 문제는 **RPM** 수학 I 134쪽

다음 물음에 답하시오.

(1) 수열 $\{a_n\}$에 대하여 $a_1=10$, $a_{10}=1$일 때, $\displaystyle\sum_{k=1}^{9} a_k - \sum_{k=2}^{10} a_k$의 값을 구하시오.

(2) 수열 $\{a_n\}$에 대하여 $\displaystyle\sum_{k=1}^{n} a_k = n^2$일 때, $\displaystyle\sum_{k=1}^{10} (a_{2k-1}+a_{2k})$의 값을 구하시오.

풀이

(1) $\displaystyle\sum_{k=1}^{9} a_k - \sum_{k=2}^{10} a_k = (a_1+a_2+a_3+\cdots+a_9)-(a_2+a_3+a_4+\cdots+a_{10})=a_1-a_{10}=10-1=\mathbf{9}$

(2) $\displaystyle\sum_{k=1}^{10} (a_{2k-1}+a_{2k}) = (a_1+a_2)+(a_3+a_4)+(a_5+a_6)+\cdots+(a_{19}+a_{20})=\sum_{k=1}^{20} a_k = 20^2 = \mathbf{400}$

필수예제 **02** 합의 기호 $\sum$ (2)   🔄 더 다양한 문제는 **RPM** 수학 I 134쪽

다음 보기에서 옳은 것만을 있는 대로 고르시오.

┤ 보기 ├

ㄱ. $\displaystyle\sum_{k=1}^{9} (a_k - a_{10-k}) = 0$

ㄴ. $2-4+6-8+10 = \displaystyle\sum_{k=1}^{5} 2k \cdot (-1)^k$

ㄷ. $\displaystyle\sum_{k=1}^{10} \left(\frac{1}{2k-1}+\frac{1}{2k}\right) = \sum_{k=1}^{20} \frac{1}{k}$

풀이

ㄱ. $\displaystyle\sum_{k=1}^{9} (a_k - a_{10-k}) = (a_1-a_9)+(a_2-a_8)+(a_3-a_7)+\cdots+(a_9-a_1)$

$= (a_1+a_2+\cdots+a_9)-(a_1+a_2+\cdots+a_9) = 0$ (참)

ㄴ. $\displaystyle\sum_{k=1}^{5} 2k \cdot (-1)^k = 2\cdot(-1)+4\cdot(-1)^2+6\cdot(-1)^3+8\cdot(-1)^4+10\cdot(-1)^5$

$= -2+4-6+8-10 \neq 2-4+6-8+10$ (거짓)

ㄷ. $\displaystyle\sum_{k=1}^{10} \left(\frac{1}{2k-1}+\frac{1}{2k}\right) = \left(\frac{1}{1}+\frac{1}{2}\right)+\left(\frac{1}{3}+\frac{1}{4}\right)+\left(\frac{1}{5}+\frac{1}{6}\right)+\cdots+\left(\frac{1}{19}+\frac{1}{20}\right) = \sum_{k=1}^{20} \frac{1}{k}$ (참)

따라서 옳은 것은 ㄱ, ㄷ이다.

335 $\displaystyle\sum_{k=1}^{10} \frac{1}{k} - \sum_{k=1}^{9} \frac{1}{k+1}$의 값을 구하시오.

336 첫째항이 1인 수열 $\{a_n\}$에 대하여 $\displaystyle\sum_{k=1}^{10} (a_k + a_{k+1}) = 30$, $\displaystyle\sum_{k=1}^{10} a_k = 10$일 때, a_{11}의 값을 구하시오.

337 다음 중 $\displaystyle\sum_{k=0}^{9} (2k+2)^2 + \sum_{k=1}^{10} (2k-1)^2$과 값이 같은 것은?

① $\displaystyle\sum_{k=0}^{19} (2k-1)^2$ ② $\displaystyle\sum_{k=1}^{20} k^2$ ③ $\displaystyle\sum_{k=1}^{20} (2k)^2$

④ $2\displaystyle\sum_{k=0}^{10} (2k)^2$ ⑤ $2\displaystyle\sum_{k=1}^{10} (2k+2)^2$

다음 물음에 답하시오.

(1) $\displaystyle\sum_{k=1}^{10} a_k=3$, $\displaystyle\sum_{k=1}^{10} a_k^{\,2}=5$일 때, $\displaystyle\sum_{k=1}^{10} (3a_k-1)^2$의 값을 구하시오.

(2) $\displaystyle\sum_{k=1}^{5} (a_k+b_k)=10$, $\displaystyle\sum_{k=1}^{5} (a_k-b_k)=-4$일 때, $\displaystyle\sum_{k=1}^{5} a_k$, $\displaystyle\sum_{k=1}^{5} b_k$의 값을 구하시오.

풀이

(1) $\displaystyle\sum_{k=1}^{10} (3a_k-1)^2=\sum_{k=1}^{10} (9a_k^{\,2}-6a_k+1)=9\sum_{k=1}^{10} a_k^{\,2}-6\sum_{k=1}^{10} a_k+\sum_{k=1}^{10} 1=9\cdot5-6\cdot3+1\cdot10=\mathbf{37}$

(2) $\displaystyle\sum_{k=1}^{5} \boldsymbol{a_k}=\sum_{k=1}^{5} \frac{1}{2}\{(a_k+b_k)+(a_k-b_k)\}=\frac{1}{2}\Big\{\sum_{k=1}^{5} (a_k+b_k)+\sum_{k=1}^{5} (a_k-b_k)\Big\}=\frac{1}{2}(10-4)=\mathbf{3}$

$\displaystyle\sum_{k=1}^{5} \boldsymbol{b_k}=\sum_{k=1}^{5} \frac{1}{2}\{(a_k+b_k)-(a_k-b_k)\}=\frac{1}{2}\Big\{\sum_{k=1}^{5} (a_k+b_k)-\sum_{k=1}^{5} (a_k-b_k)\Big\}=\frac{1}{2}\{10-(-4)\}=\mathbf{7}$

다음을 계산하시오.

(1) $\displaystyle\sum_{k=1}^{6} (3^{k-1}-2)$

(2) $\displaystyle\sum_{k=1}^{8} \frac{3^k+(-2)^k}{5^k}$

설명

$\displaystyle\sum_{k=1}^{n} r^k=r+r^2+r^3+\cdots+r^n=\frac{r(1-r^n)}{1-r}$ (단, $r\neq1$) $\leftarrow$ 첫째항이 r, 공비가 r인 등비수열의 첫째항부터 제n항까지의 합

풀이

(1) $\displaystyle\sum_{k=1}^{6} (3^{k-1}-2)=\sum_{k=1}^{6} 3^{k-1}-\sum_{k=1}^{6} 2=\frac{1\cdot(3^6-1)}{3-1}-2\cdot6=364-12=\mathbf{352}$

(2) $\displaystyle\sum_{k=1}^{8} \frac{3^k+(-2)^k}{5^k}=\sum_{k=1}^{8} \Big(\frac{3}{5}\Big)^k+\sum_{k=1}^{8} \Big(-\frac{2}{5}\Big)^k$

$=\dfrac{\frac{3}{5}\Big\{1-\big(\frac{3}{5}\big)^8\Big\}}{1-\frac{3}{5}}+\dfrac{-\frac{2}{5}\Big\{1-\big(-\frac{2}{5}\big)^8\Big\}}{1-\big(-\frac{2}{5}\big)}=\frac{3}{2}\Big\{1-\Big(\frac{3}{5}\Big)^8\Big\}-\frac{2}{7}\Big\{1-\Big(-\frac{2}{5}\Big)^8\Big\}$

$=\frac{3}{2}-\frac{3}{2}\cdot\Big(\frac{3}{5}\Big)^8-\frac{2}{7}+\frac{2}{7}\cdot\Big(\frac{2}{5}\Big)^8=\mathbf{\frac{17}{14}}-\mathbf{\frac{3}{2}}\cdot\Big(\mathbf{\frac{3}{5}}\Big)^{\mathbf{8}}+\mathbf{\frac{2}{7}}\cdot\Big(\mathbf{\frac{2}{5}}\Big)^{\mathbf{8}}$

338 $\displaystyle\sum_{k=1}^{10} a_k^{\,2}=15$, $\displaystyle\sum_{k=1}^{10} a_k=5$일 때, $\displaystyle\sum_{k=1}^{10} (3a_k-1)^2-\sum_{k=1}^{10} (a_k+2)^2$의 값을 구하시오.

339 $\displaystyle\sum_{k=1}^{n} (a_k+b_k)^2=60$, $\displaystyle\sum_{k=1}^{n} (a_k^{\,2}+b_k^{\,2})=40$일 때, $\displaystyle\sum_{k=1}^{n} a_kb_k$의 값을 구하시오.

340 다음을 계산하시오.

(1) $\displaystyle\sum_{k=1}^{n} 3\cdot2^k-\sum_{k=11}^{n} 3\cdot2^k$

(2) $\displaystyle\sum_{k=1}^{10} \frac{5^k+(-3)^k}{4^k}$

개념원리 이해

1. 자연수의 거듭제곱의 합 ▷ 필수예제 **5, 6**

(1) $\displaystyle\sum_{k=1}^{n} k = 1+2+3+\cdots+n = \dfrac{n(n+1)}{2}$

(2) $\displaystyle\sum_{k=1}^{n} k^2 = 1^2+2^2+3^2+\cdots+n^2 = \dfrac{n(n+1)(2n+1)}{6}$

(3) $\displaystyle\sum_{k=1}^{n} k^3 = 1^3+2^3+3^3+\cdots+n^3 = \left\{\dfrac{n(n+1)}{2}\right\}^2$

증명 보충학습 1 참조

예 $\displaystyle\sum_{k=1}^{10} k$, $\displaystyle\sum_{k=1}^{10} k^2$, $\displaystyle\sum_{k=1}^{10} k^3$의 값을 각각 구하시오.

풀이 $\displaystyle\sum_{k=1}^{10} k = \dfrac{10(10+1)}{2} = 55$

$\displaystyle\sum_{k=1}^{10} k^2 = \dfrac{10(10+1)(2\cdot10+1)}{6} = 385$

$\displaystyle\sum_{k=1}^{10} k^3 = \left\{\dfrac{10(10+1)}{2}\right\}^2 = 55^2 = 3025$

2. $\sum$를 이용하여 수열의 합을 구하는 방법 ▷ 필수예제 **7**

(i) **일반항 a_n을** 구한다.

(ii) 일반항 a_n에서 **n 대신 k를 대입**하여 a_k를 구한다.

(iii) $S_n = \displaystyle\sum_{k=1}^{n} a_k$를 이용한다.

예 수열의 합 $1\cdot2+2\cdot3+3\cdot4+\cdots+10\cdot11$을 구하시오.

풀이 (i) 일반항 a_n을 구하면 $a_n = n(n+1)$

(ii) a_n에서 n 대신 k를 대입하면 $a_k = k(k+1)$

(iii) $S_{10} = \displaystyle\sum_{k=1}^{10} a_k = \sum_{k=1}^{10} k(k+1) = \sum_{k=1}^{10} (k^2+k)$

$= \displaystyle\sum_{k=1}^{10} k^2 + \sum_{k=1}^{10} k$

$= \dfrac{10(10+1)(20+1)}{6} + \dfrac{10(10+1)}{2}$

$= 440$

보충학습

1. 자연수의 거듭제곱의 합

(1) 1부터 n까지의 자연수의 합은 첫째항이 1이고 공차가 1인 등차수열의 첫째항부터 제n항까지의 합이므로

$$\sum_{k=1}^{n} k = 1+2+3+\cdots+n = \frac{n(n+1)}{2}$$

(2) 항등식 $(k+1)^3-k^3=3k^2+3k+1$에 $k=1, 2, 3, \cdots, n$을 차례대로 대입하여 변끼리 더하면

$$2^3-1^3=3\cdot1^2+3\cdot1+1 \qquad \leftarrow k=1일 때$$
$$3^3-2^3=3\cdot2^2+3\cdot2+1 \qquad \leftarrow k=2일 때$$
$$4^3-3^3=3\cdot3^2+3\cdot3+1 \qquad \leftarrow k=3일 때$$
$$\vdots \qquad \vdots$$
$$+)\ (n+1)^3-n^3=3\cdot n^2+3\cdot n+1 \qquad \leftarrow k=n일 때$$

$$(n+1)^3-1^3=3(1^2+2^2+3^2+\cdots+n^2)+3(1+2+3+\cdots+n)+1\cdot n$$
$$=3\sum_{k=1}^{n} k^2+3\cdot\frac{n(n+1)}{2}+n$$

$$\therefore 3\sum_{k=1}^{n} k^2=(n+1)^3-3\cdot\frac{n(n+1)}{2}-(n+1)$$
$$=\frac{n(n+1)(2n+1)}{2}$$

$$\therefore \sum_{k=1}^{n} k^2=\frac{n(n+1)(2n+1)}{6}$$

(3) 같은 방법으로 항등식 $(k+1)^4-k^4=4k^3+6k^2+4k+1$의 양변에 $k=1, 2, 3, \cdots, n$을 차례대로 대입하여 변끼리 더한 후 정리하면 $\sum_{k=1}^{n} k^3=\left\{\frac{n(n+1)}{2}\right\}^2$임을 알 수 있다.

2. 기타 $\sum$의 성질

(1) $\displaystyle\sum_{k=1}^{n-1} k=\frac{(n-1)n}{2}$, $\displaystyle\sum_{k=1}^{n-1} k^2=\frac{(n-1)n(2n-1)}{6}$, $\displaystyle\sum_{k=1}^{n-1} k^3=\left\{\frac{(n-1)n}{2}\right\}^2$

(2) $\displaystyle\sum_{k=1}^{n} k(k+1)=\frac{n(n+1)(n+2)}{3}$

(3) $\displaystyle\sum_{k=1}^{n} k(k+1)(k+2)=\frac{n(n+1)(n+2)(n+3)}{4}$

증명 (2) $\displaystyle\sum_{k=1}^{n} k(k+1)=\sum_{k=1}^{n} (k^2+k)=\sum_{k=1}^{n} k^2+\sum_{k=1}^{n} k=\frac{n(n+1)(2n+1)}{6}+\frac{n(n+1)}{2}$

$$=\frac{n(n+1)(2n+1)+3n(n+1)}{6}=\frac{n(n+1)(n+2)}{3}$$

(3) $\displaystyle\sum_{k=1}^{n} k(k+1)(k+2)=\sum_{k=1}^{n} (k^3+3k^2+2k)=\sum_{k=1}^{n} k^3+3\sum_{k=1}^{n} k^2+2\sum_{k=1}^{n} k$

$$=\left\{\frac{n(n+1)}{2}\right\}^2+3\cdot\frac{n(n+1)(2n+1)}{6}+2\cdot\frac{n(n+1)}{2}$$
$$=\frac{n(n+1)(n+2)(n+3)}{4}$$

341 다음을 계산하시오.

(1) $\displaystyle\sum_{k=1}^{10}(2k+1)$

(2) $\displaystyle\sum_{k=1}^{8}(2k+1)(3k-1)$

(3) $\displaystyle\sum_{k=1}^{6}k(k^2+2)$

(4) $\displaystyle\sum_{k=1}^{5}(3^k+2k)$

(5) $\displaystyle\sum_{k=0}^{n}(3+4k)$

(6) $\displaystyle\sum_{k=1}^{n-1}(2k+3)$

(7) $\displaystyle\sum_{k=n+1}^{2n}k^2$

🔆 생각해 봅시다!

자연수의 거듭제곱의 합

342 다음을 계산하시오.

(1) $\displaystyle\sum_{k=1}^{5}(k+1)^3-\sum_{k=1}^{5}(k-1)^3$

(2) $\displaystyle\sum_{k=1}^{10}(k^2-k+1)+\sum_{i=1}^{10}(i^2+i-1)$

(3) $\displaystyle\sum_{k=1}^{8}\frac{(k+1)^3}{k}+\sum_{n=1}^{8}\frac{(n-1)^3}{n}$

(4) $\displaystyle\sum_{k=1}^{5}(2^k+1)^2-\sum_{k=1}^{5}(2^k-1)^2$

$\sum$의 기본 성질을 이용하여 식을 간단히 정리한다.

343 다음 등식을 만족시키는 상수 a, b, c의 값을 구하시오.

(1) $\displaystyle\sum_{k=2}^{n}k=an^2+bn+c$

(2) $\displaystyle\sum_{k=5}^{n+5}4(k-3)=an^2+bn+c$

$\displaystyle\sum_{k=m}^{n}a_k=\sum_{k=1}^{n}a_k-\sum_{k=1}^{m-1}a_k$
(단, $2\le m\le n$)

다음 물음에 답하시오.

(1) $\sum\limits_{k=1}^{10} (2k-3)^2 + \sum\limits_{k=1}^{10} (2k)^2$의 값을 구하시오.

(2) $\sum\limits_{k=1}^{10} \dfrac{1+2+3+\cdots+k}{k}$의 값을 구하시오.

풀이

(1) $\displaystyle\sum_{k=1}^{10} (2k-3)^2 + \sum_{k=1}^{10} (2k)^2 = \sum_{k=1}^{10} \{(2k-3)^2 + (2k)^2\}$

$\displaystyle = \sum_{k=1}^{10} (8k^2 - 12k + 9)$

$\displaystyle = 8\sum_{k=1}^{10} k^2 - 12\sum_{k=1}^{10} k + \sum_{k=1}^{10} 9$

$\displaystyle = 8 \cdot \frac{10 \cdot 11 \cdot 21}{6} - 12 \cdot \frac{10 \cdot 11}{2} + 9 \cdot 10$

$= 3080 - 660 + 90 = \mathbf{2510}$

(2) $1+2+3+\cdots+k = \dfrac{k(k+1)}{2}$이므로

$\displaystyle\sum_{k=1}^{10} \frac{1+2+3+\cdots+k}{k} = \sum_{k=1}^{10} \frac{\dfrac{k(k+1)}{2}}{k} = \sum_{k=1}^{10} \frac{k+1}{2}$

$\displaystyle = \frac{1}{2}\sum_{k=1}^{10} k + \frac{1}{2}\sum_{k=1}^{10} 1 = \frac{1}{2} \cdot \frac{10 \cdot 11}{2} + \frac{1}{2} \cdot 1 \cdot 10 = \mathbf{\frac{65}{2}}$

$\sum\limits_{k=1}^{n-1} (3k-2) = 92$를 만족시키는 자연수 n의 값을 구하시오.

풀이

$\displaystyle\sum_{k=1}^{n-1} (3k-2) = 3\sum_{k=1}^{n-1} k - \sum_{k=1}^{n-1} 2 = 3 \cdot \frac{(n-1)n}{2} - 2(n-1) = \frac{3n^2 - 7n + 4}{2}$

즉 $\dfrac{3n^2 - 7n + 4}{2} = 92$이므로 $3n^2 - 7n + 4 = 184$, $3n^2 - 7n - 180 = 0$

$(n-9)(3n+20) = 0$ ∴ $n = 9$ 또는 $n = -\dfrac{20}{3}$

그런데 n은 자연수이므로 구하는 n의 값은 **9**이다.

344 $\sum\limits_{k=1}^{10} \dfrac{k^3}{k+3} + \sum\limits_{k=1}^{10} \dfrac{k(4k+3)}{k+3}$의 값을 구하시오.

345 $\sum\limits_{k=1}^{5} (1^2 + 2^2 + 3^2 + \cdots + k^2)$의 값을 구하시오.

346 $\sum\limits_{j=1}^{n} (2j^2 + 1) - \sum\limits_{j=1}^{n} (j-1)(2j+1) = 102$를 만족시키는 자연수 n의 값을 구하시오.

∑를 이용한 수열의 합   🔄 더 다양한 문제는 **RPM** 수학 I 136쪽

> 다음 수열의 첫째항부터 제 n 항까지의 합을 구하시오.
>
> (1) $1,\ 1+2,\ 1+2+3,\ \cdots$ (2) $1 \cdot 3,\ 2 \cdot 5,\ 3 \cdot 7,\ 4 \cdot 9,\ \cdots$

설명 수열의 일반항을 구한 후 ∑를 사용하여 나타낸다.

풀이

(1) $a_n = 1+2+3+\cdots+n = \dfrac{n(n+1)}{2}$

$\therefore S_n = \displaystyle\sum_{k=1}^{n} \dfrac{k(k+1)}{2} = \dfrac{1}{2}\sum_{k=1}^{n}(k^2+k) = \dfrac{1}{2}\sum_{k=1}^{n}k^2 + \dfrac{1}{2}\sum_{k=1}^{n}k$

$\qquad = \dfrac{1}{2} \cdot \dfrac{n(n+1)(2n+1)}{6} + \dfrac{1}{2} \cdot \dfrac{n(n+1)}{2} = \dfrac{n(n+1)(n+2)}{6}$

(2) $a_n = n \cdot \{3 + 2(n-1)\} = n(2n+1)$

$\therefore S_n = \displaystyle\sum_{k=1}^{n} k(2k+1) = \sum_{k=1}^{n}(2k^2+k) = 2\sum_{k=1}^{n}k^2 + \sum_{k=1}^{n}k$

$\qquad = 2 \cdot \dfrac{n(n+1)(2n+1)}{6} + \dfrac{n(n+1)}{2} = \dfrac{n(n+1)(4n+5)}{6}$

∑로 표현된 수열의 합과 일반항 사이의 관계   🔄 더 다양한 문제는 **RPM** 수학 I 136쪽

> 수열 $\{a_n\}$에 대하여 $\displaystyle\sum_{k=1}^{n} a_k = n^2 + 2n$일 때, $\displaystyle\sum_{k=1}^{10} a_{2k}$의 값을 구하시오.

풀이

수열 $\{a_n\}$의 첫째항부터 제 n 항까지의 합을 S_n이라 하면 $S_n = \displaystyle\sum_{k=1}^{n} a_k = n^2 + 2n$이므로

$n \geq 2$일 때, $a_n = S_n - S_{n-1} = (n^2+2n) - \{(n-1)^2 + 2(n-1)\} = 2n+1$ ······ ㉠

$n = 1$일 때, $a_1 = S_1 = 1^2 + 2 \cdot 1 = 3$

이때 $a_1 = 3$은 ㉠에 $n=1$을 대입한 값과 같으므로 $a_n = 2n+1\ (n \geq 1)$

$\therefore \displaystyle\sum_{k=1}^{10} a_{2k} = \sum_{k=1}^{10}(2 \cdot 2k + 1) = \sum_{k=1}^{10}(4k+1) = 4 \cdot \dfrac{10 \cdot 11}{2} + 10 = \mathbf{230}$

KEY Point

- **∑를 이용하여 수열의 합을 구하는 방법**

  (i) 일반항 a_n을 구한다.

  (ii) $S_n = \displaystyle\sum_{k=1}^{n} a_k$를 이용한다.

- $a_n = S_n - S_{n-1}\ (n \geq 2),\ a_1 = S_1$

---

347 수열 $1,\ 1+2,\ 1+2+2^2,\ 1+2+2^2+2^3,\ 1+2+2^2+2^3+2^4,\ \cdots$의 첫째항부터 제 n 항까지의 합을 구하시오.

348 수열 $\{a_n\}$에 대하여 $\displaystyle\sum_{k=1}^{n} a_k = n^2 + 3n$일 때, $\displaystyle\sum_{k=1}^{5} k a_{3k}$의 값을 구하시오.

349 수열 $\{a_n\}$에 대하여 $\displaystyle\sum_{k=1}^{n} a_k = 3^n - 1$일 때, $\displaystyle\sum_{k=1}^{10} \dfrac{a_{2k}}{a_{2k-1}}$의 값을 구하시오.

다음 물음에 답하시오.

(1) $\displaystyle\sum_{m=1}^{7}\left\{\sum_{n=1}^{7}(m+n)\right\}$ 의 값을 구하시오.

(2) $\displaystyle\sum_{m=1}^{n}\left\{\sum_{l=1}^{m}\left(\sum_{k=1}^{l}k\right)\right\}$ 를 간단히 하시오.

설명

① ∑에 속한 문자가 상수인지 변수인지 구분하여 안쪽에 있는 ∑부터 차례대로 계산한다.

② $\displaystyle\sum_{k=\triangle}^{\bigcirc}$ ☐ 의 계산에서는 k를 제외한 ☐ 안의 문자는 상수로 생각한다.

예를 들어 $\displaystyle\sum_{k=1}^{n}(m+k)$의 꼴에서 m은 k와 무관한 상수이다.

풀이

(1) $\displaystyle\sum_{n=1}^{7}(m+n)=\sum_{n=1}^{7}m+\sum_{n=1}^{7}n=m\cdot7+\frac{7\cdot8}{2}=7m+28$

$\therefore$ (주어진 식)$=\displaystyle\sum_{m=1}^{7}(7m+28)=7\sum_{m=1}^{7}m+\sum_{m=1}^{7}28=7\cdot\frac{7\cdot8}{2}+28\cdot7=196+196=$ **392**

(2) $\displaystyle\sum_{k=1}^{l}k=\frac{l(l+1)}{2}$ 이므로

$\displaystyle\sum_{l=1}^{m}\frac{l(l+1)}{2}=\frac{1}{2}\left(\sum_{l=1}^{m}l^2+\sum_{l=1}^{m}l\right)=\frac{1}{2}\left\{\frac{m(m+1)(2m+1)}{6}+\frac{m(m+1)}{2}\right\}$

$\qquad\qquad\qquad=\dfrac{m(m+1)(m+2)}{6}$

$\therefore$ (주어진 식)$=\displaystyle\sum_{m=1}^{n}\frac{m(m+1)(m+2)}{6}=\frac{1}{6}\left(\sum_{m=1}^{n}m^3+3\sum_{m=1}^{n}m^2+2\sum_{m=1}^{n}m\right)$

$\qquad\qquad\qquad=\dfrac{1}{6}\left[\left\{\dfrac{n(n+1)}{2}\right\}^2+3\cdot\dfrac{n(n+1)(2n+1)}{6}+2\cdot\dfrac{n(n+1)}{2}\right]$

$\qquad\qquad\qquad=\dfrac{n(n+1)(n+2)(n+3)}{24}$

KEY Point

• 안쪽에 있는 ∑부터 차례대로 계산한다.

• $\displaystyle\sum_{k=\triangle}^{\bigcirc}$ ☐ 의 꼴 ⇨ k를 제외한 ☐ 안의 문자는 상수로 생각한다.

• $\displaystyle\sum_{k=1}^{n}n$ • $\displaystyle\sum_{k=1}^{n}km$ • $\displaystyle\sum_{l=1}^{n}(m+l)$

다른 문자 : 상수 취급   다른 문자 : 상수 취급   다른 문자 : 상수 취급

---

350 다음 값을 구하시오.

(1) $\displaystyle\sum_{l=1}^{10}\left(\sum_{k=1}^{10}kl\right)$ (2) $\displaystyle\sum_{k=1}^{4}\left[\sum_{j=1}^{k}\left\{\sum_{i=1}^{j}(i+1)\right\}\right]$

351 $\displaystyle\sum_{n=1}^{m}\left(\sum_{i=1}^{n}i\right)=56$ 일 때, 자연수 m의 값을 구하시오.

연습문제

313 $\sum\limits_{k=1}^{30}(a_{2k-1}+a_{2k})=35$일 때, $\sum\limits_{k=1}^{60}2a_k$의 값을 구하시오.

314 $\sum\limits_{k=1}^{n}(k^4+1)-\sum\limits_{k=1}^{n-1}k^4=n^4+8$을 만족시키는 자연수 n의 값은?

① 5   ② 6   ③ 7   ④ 8   ⑤ 9

315 다음 보기에서 옳은 것만을 있는 대로 고른 것은?

> | 보기 |
>
> ㄱ. $\left(\sum\limits_{k=1}^{n}a_k\right)^2=\sum\limits_{k=1}^{n}a_k{}^2$ ㄴ. $\sum\limits_{k=1}^{n}a_kb_k=\sum\limits_{k=1}^{n}a_k\sum\limits_{k=1}^{n}b_k$
>
> ㄷ. $\sum\limits_{k=1}^{2n}a_k=\sum\limits_{k=1}^{n}a_k+\sum\limits_{k=n+1}^{2n}a_k$

① ㄱ   ② ㄴ   ③ ㄷ   ④ ㄱ, ㄴ   ⑤ ㄴ, ㄷ

316 수열 $\{a_n\}$의 일반항이 $a_n=2^n+(-1)^n$일 때, $a_1+a_2+a_3+\cdots+a_9$의 값은?

① $2^{10}-3$ ② $2^{10}-1$ ③ 2^{10} ④ $2^{10}+1$ ⑤ $2^{10}+3$

317 수열 $7,\ 77,\ 777,\ 7777,\ \cdots$의 첫째항부터 제 10항까지의 합을 구하시오.

318 $\sum\limits_{k=1}^{10}(3k^2+2)+\sum\limits_{k=2}^{10}(3k^2-2)$의 값을 구하시오.

319 수열 $\{a_n\}$에 대하여 $\sum\limits_{k=1}^{n}a_k=\dfrac{n}{n+1}$일 때, $\sum\limits_{k=1}^{n}\dfrac{1}{a_k}$을 n에 대한 식으로 나타내시오.

🔆 생각해 봅시다!

$$\sum_{k=1}^{n}ca_k=c\sum_{k=1}^{n}a_k$$

(단, c는 상수)

$a_n=S_n-S_{n-1}\ (n\geq 2)$,
$a_1=S_1$

● 연습문제

STEP 2

320 첫째항부터 제 n항까지의 합 S_n이 $S_n = \displaystyle\sum_{k=1}^{n+1} (k^2+1) - \sum_{k=1}^{n} (k^2-1)$인 수열 $\{a_n\}$의 제10항을 구하시오.

$a_{10} = S_{10} - S_9$

321 $\displaystyle\sum_{k=1}^{10} k^2 + \sum_{k=2}^{10} k^2 + \sum_{k=3}^{10} k^2 + \cdots + \sum_{k=10}^{10} k^2$의 값을 구하시오.

[교육청기출]
322 그림과 같이 4 이상의 자연수 n에 대하여 곡선 $y=x^2+x$와 직선 $y=nx-2$가 두 점 A, B에서 만난다. 두 직선 OA, OB의 기울기를 각각 a_n, b_n이라 할 때, $\displaystyle\sum_{n=4}^{20} (a_n+b_n)$의 값은? (단, O는 원점이다.)

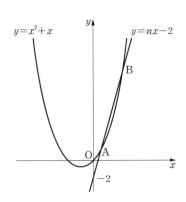

① 211   ② 216
③ 221   ④ 226
⑤ 231

323 다음 값을 구하시오.
(1) $1 \cdot 19 + 2 \cdot 18 + 3 \cdot 17 + \cdots + 19 \cdot 1$
(2) $1 \cdot 2 + 3 \cdot 4 + 5 \cdot 6 + \cdots + 99 \cdot 100$

324 $\displaystyle\sum_{j=1}^{5} \left\{ \sum_{k=1}^{5} (3k-1)2^{j-1} \right\}$의 값을 구하시오.

 꼴
⇨ k를 제외한 □ 안의 문자는 상수로 생각한다.

실력 **UP**
325 중심이 일치하고 반지름의 길이가 같은 두 개의 원판 A, B가 있다. 두 원의 원주 위를 각각 n등분하여 A는 시계 방향으로, B는 시계 반대 방향으로 각각 1, 2, $\cdots$, n까지 번호를 쓴다. 원판을 돌려서 원판 A의 번호 1에 원판 B의 번호 n이 겹쳐지도록 하였다. 이때 겹쳐지는 A의 번호와 B의 번호의 곱들의 합을 구하시오.

실력 **UP**
326 수열 $\{a_n\}$에 대하여 $a_1 + 2a_2 + 3a_3 + \cdots + na_n = \dfrac{n(n+1)(2n+1)}{6}$일 때, $\displaystyle\sum_{k=1}^{10} a_k$의 값을 구하시오.

수열 $\{na_n\}$의 일반항을 구한다.

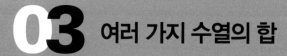

03 여러 가지 수열의 합

2. 수열의 합

개념원리 이해

1. 분수 꼴로 된 수열의 합   ▷ 필수예제 **10**

분수 꼴로 된 수열의 합은 다음과 같은 순서로 구한다.

> (i) 일반항 a_n을 **부분분수로 변형**한다.
> (ii) 수열의 합을 $\sum$를 쓰지 않고 **자연수를 차례대로 대입**하여 합의 꼴로 나타내어 계산한다.

2. 부분분수로의 변형

> (1) $\dfrac{1}{AB}=\dfrac{1}{B-A}\left(\dfrac{1}{A}-\dfrac{1}{B}\right)$ (단, $A\neq B$)
>
> (2) $\dfrac{1}{ABC}=\dfrac{1}{C-A}\left(\dfrac{1}{AB}-\dfrac{1}{BC}\right)$ (단, $A\neq C$)
>
> (3) $\displaystyle\sum_{k=1}^{n}\dfrac{1}{k(k+a)}=\dfrac{1}{a}\sum_{k=1}^{n}\left(\dfrac{1}{k}-\dfrac{1}{k+a}\right)$
>
> (4) $\displaystyle\sum_{k=1}^{n}\dfrac{1}{(k+a)(k+b)}=\dfrac{1}{b-a}\sum_{k=1}^{n}\left(\dfrac{1}{k+a}-\dfrac{1}{k+b}\right)$
>
> (5) $\displaystyle\sum_{k=1}^{n}\dfrac{1}{k(k+1)(k+2)}=\dfrac{1}{2}\sum_{k=1}^{n}\left\{\dfrac{1}{k(k+1)}-\dfrac{1}{(k+1)(k+2)}\right\}$

▶ ① 연달아 소거되는 수열의 합을 구할 때 앞에서 남는 항과 뒤에서 남는 항은 서로 대칭이 되는 위치에 있으므로 소거되고 남는 항의 규칙을 생각한다.

② $\dfrac{1}{1\cdot 3}=\dfrac{1}{2}\left(\dfrac{1}{1}-\dfrac{1}{3}\right)$: 분모의 두 인수의 차가 2이면 $\dfrac{1}{2}$을 두 항의 차 앞에 곱한다.

$\dfrac{1}{1\cdot 4}=\dfrac{1}{3}\left(\dfrac{1}{1}-\dfrac{1}{4}\right)$: 분모의 두 인수의 차가 3이면 $\dfrac{1}{3}$을 두 항의 차 앞에 곱한다.

설명 (5) $\dfrac{1}{k(k+1)(k+2)}=\dfrac{A}{k(k+1)}-\dfrac{B}{(k+1)(k+2)}$로 놓고 우변을 정리한 후 항등식의 성질을 이용하여 A, B의 값을 구하면 위의 공식을 얻을 수 있다.

예 $\dfrac{1}{1\cdot 2}+\dfrac{1}{2\cdot 3}+\dfrac{1}{3\cdot 4}+\cdots+\dfrac{1}{n(n+1)}$을 간단히 하시오.

풀이 (i) 일반항 $a_n=\dfrac{1}{n(n+1)}$ ← 분모가 두 인수의 곱으로 되어 있음.

(ii) 일반항 a_n을 부분분수로 변형한다. $a_n=\dfrac{1}{n}-\dfrac{1}{n+1}$

(iii) $S_n=\displaystyle\sum_{k=1}^{n}a_k=\sum_{k=1}^{n}\left(\dfrac{1}{k}-\dfrac{1}{k+1}\right)=\left(\dfrac{1}{1}-\dfrac{1}{2}\right)+\left(\dfrac{1}{2}-\dfrac{1}{3}\right)+\cdots+\left(\dfrac{1}{n-1}-\dfrac{1}{n}\right)+\left(\dfrac{1}{n}-\dfrac{1}{n+1}\right)$

앞에서 첫 번째가 남으면
뒤에서 첫 번째가 남는다.

$=1-\dfrac{1}{n+1}=\dfrac{n}{n+1}$

3. 무리식을 포함한 수열의 합 ▷ 필수예제 **11, 12**

> (ⅰ) 일반항의 분모에 근호가 있으면 **분모를 유리화**한다.
>
> (ⅱ) 수열의 합을 $\sum$를 쓰지 않고 **자연수를 차례대로 대입**하여 합의 꼴로 나타내어 계산한다.

예 $\displaystyle\sum_{k=1}^{10}\dfrac{1}{\sqrt{k}+\sqrt{k+1}}$의 값을 구하시오.

풀이 $\dfrac{1}{\sqrt{k}+\sqrt{k+1}}=\dfrac{\sqrt{k}-\sqrt{k+1}}{(\sqrt{k}+\sqrt{k+1})(\sqrt{k}-\sqrt{k+1})}=\dfrac{\sqrt{k}-\sqrt{k+1}}{k-(k+1)}=\sqrt{k+1}-\sqrt{k}$

$\therefore \displaystyle\sum_{k=1}^{10}\dfrac{1}{\sqrt{k}+\sqrt{k+1}}=\sum_{k=1}^{10}(\sqrt{k+1}-\sqrt{k})$

$=(\sqrt{2}-\sqrt{1})+(\sqrt{3}-\sqrt{2})+(\sqrt{4}-\sqrt{3})+\cdots+(\sqrt{11}-\sqrt{10})$ ← 앞에서 두 번째가 남으면

$=\sqrt{11}-1$ 　　　　　　　　　　　　　　　　　　　　뒤에서 두 번째가 남는다.

〔한 걸음 더〕

4. (등차수열)×(등비수열) 꼴의 수열의 합 : 멱급수 ▷ 필수예제 **14**

> (1) 수열 $1\cdot3,\ 2\cdot3^2,\ 3\cdot3^3,\ \cdots,\ n\cdot3^n,\ \cdots$과 같이 두 수의 곱이 **앞의 수**는 **등차수열**, **뒤의 수**는 **등비수열**로 진행될 때의 수열의 합을 **멱급수**라 한다.
>
> (2) (ⅰ) 주어진 수열의 합 S에 등비수열의 공비 r를 곱한다.
>
> 　　(ⅱ) $S-rS$를 구한 후 식으로부터 S의 값을 구한다.

설명 수열의 합 $1\cdot3+2\cdot3^2+3\cdot3^3+\cdots+n\cdot3^n$을 구해 보자.

주어진 수열의 합은 등차수열 : $1,\ 2,\ 3,\ \cdots,\ n$

등비수열 : $3,\ 3^2,\ 3^3,\ \cdots,\ 3^n$

을 서로 대응하는 항끼리 곱하여 더한 것이다.

이와 같이 (등차수열)×(등비수열) 꼴로 이루어진 수열의 합을 멱급수라 한다.

구하려는 합을 S로 놓으면 $S=1\cdot3+2\cdot3^2+3\cdot3^3+\cdots+n\cdot3^n$ 　　⋯⋯ ㉠

㉠의 양변에 등비수열의 공비 3을 곱한 것을 빼주면

$$\begin{array}{rl} S= & 1\cdot3+2\cdot3^2+3\cdot3^3+\cdots+n\cdot3^n \\ -)\ 3S= & \quad 1\cdot3^2+2\cdot3^3+\cdots+(n-1)\cdot3^n+n\cdot3^{n+1} \\ \hline -2S= & (3+3^2+3^3+\cdots+3^n)-n\cdot3^{n+1} \end{array}$$

$$=\dfrac{3(3^n-1)}{3-1}-n\cdot3^{n+1}$$

$$=\dfrac{3(3^n-1)}{2}-n\cdot3^{n+1}$$

$$\therefore S=-\dfrac{3(3^n-1)}{4}+\dfrac{n\cdot3^{n+1}}{2}$$

위와 같이 멱급수 S를 계산할 때에는 S에서 등비수열의 공비 r를 곱한 rS를 뺀 $S-rS$를 구한 후 구한 식을 $1-r$로 나누어 주면 된다.

계차수열 (교육과정 外)

1. 계차수열과 계차수열을 이용한 수열의 일반항

(1) 계차수열

① 수열 $\{a_n\}$에서 이웃하는 두 항의 차 $b_n = a_{n+1} - a_n$ $(n=1, 2, 3, \cdots)$을 a_{n+1}과 a_n의 **계차**라 하고, 계차로 이루어진 수열 $\{b_n\}$을 $\{a_n\}$의 계차수열이라 한다.

② $b_n = a_{n+1} - a_n$이라 할 때, 수열 $\{a_n\}$의 일반항은

$$a_n = a_1 + (b_1 + b_2 + b_3 + \cdots + b_{n-1}) = a_1 + \sum_{k=1}^{n-1} b_k \ (n \geq 2)$$

즉 (원수열의 일반항)＝(원수열의 첫째항)
　　　　　　　　　　＋(계차수열의 첫째항부터 제$(n-1)$항까지의 합)

▶ ① 계차를 영어로 difference라 한다.
　② 수열 $\{a_n\}$의 계차수열이 $\{b_n\}$일 때, 원래 주어진 수열 $\{a_n\}$을 원수열이라 한다.

설명　원수열 $\{a_n\}$: $a_1, a_2, a_3, \cdots, a_{n-1}, a_n$
　　　계차수열 $\{b_n\}$: $a_2 - a_1 = b_1$
　　　　　　　　　　　$a_3 - a_2 = b_2$
　　　　　　　　　　　$a_4 - a_3 = b_3$
　　　　　　　　　　　$\vdots \quad \vdots$
　　　　　　　　　　　$a_n - a_{n-1} = b_{n-1}$
　　　변끼리 더하면 $a_n - a_1 = b_1 + b_2 + b_3 + \cdots + b_{n-1}$

$$\therefore a_n = a_1 + \underline{(b_1 + b_2 + b_3 + \cdots + b_{n-1})} = a_1 + \sum_{k=1}^{n-1} b_k \ (n \geq 2)$$

(원수열의 일반항)＝(원수열의 첫째항)＋(계차수열의 첫째항부터 제$(n-1)$항까지의 합)

(2) 계차수열을 이용하여 수열의 일반항 구하기

(ⅰ) 계차수열의 **일반항 b_n**을 구한다.

(ⅱ) 일반항 $a_n = a_1 + \sum\limits_{k=1}^{n-1} b_k \ (n \geq 2)$ ┌ ① 계차수열이 등차수열 ⇨ 자연수의 거듭제곱의 합 공식 이용
　　　　　　　　　　　　　　　　　　　　└ ② 계차수열이 등비수열 ⇨ 등비수열의 합 공식 이용

예　수열 1, 2, 4, 7, 11, …의 일반항을 구하시오.

풀이　$\{a_n\}$: 1, 2, 4, 7, 11, …
　　　$\{b_n\}$: 　1, 2, 3, 4, …
　　　계차수열 $\{b_n\}$은 첫째항이 1, 공차가 1인 등차수열이므로 $b_n = n$

$$\therefore a_n = 1 + \{1 + 2 + 3 + 4 + \cdots + (n-1)\} = 1 + \sum_{k=1}^{n-1} k = 1 + \frac{(n-1)n}{2} = \frac{n^2 - n + 2}{2} \ (n \geq 2)$$

　　　또 $n=1$일 때 $a_1 = 1$은 $\dfrac{n^2 - n + 2}{2}$에 $n=1$을 대입한 것과 같으므로 $a_n = \dfrac{n^2 - n + 2}{2}$

다음 수열의 첫째항부터 제n항까지의 합을 구하시오.

(1) $\dfrac{1}{3^2-1}$, $\dfrac{1}{5^2-1}$, $\dfrac{1}{7^2-1}$, $\cdots$ (2) $\dfrac{1}{1\cdot3}$, $\dfrac{1}{2\cdot4}$, $\dfrac{1}{3\cdot5}$, $\cdots$

설명   분수 꼴로 된 수열의 합은 일반항을 부분분수로 변형한다. ⇨ $\dfrac{1}{AB}=\dfrac{1}{B-A}\left(\dfrac{1}{A}-\dfrac{1}{B}\right)$ (단, $A\neq B$)

풀이

(1) $a_n=\dfrac{1}{(2n+1)^2-1}=\dfrac{1}{4n(n+1)}=\dfrac{1}{4}\left(\dfrac{1}{n}-\dfrac{1}{n+1}\right)$ ← 일반항을 부분분수로 변형한다.

$\therefore S_n=\displaystyle\sum_{k=1}^{n}a_k=\dfrac{1}{4}\sum_{k=1}^{n}\left(\dfrac{1}{k}-\dfrac{1}{k+1}\right)$

$=\dfrac{1}{4}\left\{\left(\dfrac{1}{1}-\dfrac{1}{\cancel{2}}\right)+\left(\dfrac{1}{\cancel{2}}-\dfrac{1}{\cancel{3}}\right)+\cdots+\left(\dfrac{1}{\cancel{n}}-\dfrac{1}{n+1}\right)\right\}$ ← 앞에서 첫 번째가 남으면 뒤에서 첫 번째가 남는다.

$=\dfrac{1}{4}\left(1-\dfrac{1}{n+1}\right)=\dfrac{\boldsymbol{n}}{\boldsymbol{4(n+1)}}$

(2) $a_n=\dfrac{1}{n(n+2)}=\dfrac{1}{2}\left(\dfrac{1}{n}-\dfrac{1}{n+2}\right)$ ← 일반항을 부분분수로 변형한다.

$\therefore S_n=\displaystyle\sum_{k=1}^{n}a_k=\dfrac{1}{2}\sum_{k=1}^{n}\left(\dfrac{1}{k}-\dfrac{1}{k+2}\right)$

$=\dfrac{1}{2}\left\{\left(\dfrac{1}{1}-\dfrac{1}{\cancel{3}}\right)+\left(\dfrac{1}{2}-\dfrac{1}{\cancel{4}}\right)+\left(\dfrac{1}{\cancel{3}}-\dfrac{1}{\cancel{5}}\right)+\cdots+\left(\dfrac{1}{\cancel{n-1}}-\dfrac{1}{n+1}\right)+\left(\dfrac{1}{\cancel{n}}-\dfrac{1}{n+2}\right)\right\}$

앞에서 첫 번째, 세 번째가 남으면 뒤에서 첫 번째, 세 번째가 남는다.

$=\dfrac{1}{2}\left(1+\dfrac{1}{2}-\dfrac{1}{n+1}-\dfrac{1}{n+2}\right)$

$=\dfrac{\boldsymbol{n(3n+5)}}{\boldsymbol{4(n+1)(n+2)}}$

KEY Point

• 분수 꼴로 된 수열의 합을 구할 때 ⇨ 일반항을 부분분수로 변형한다.

• $\displaystyle\sum_{k=1}^{n}\dfrac{1}{k(k+a)}=\dfrac{1}{a}\sum_{k=1}^{n}\left(\dfrac{1}{k}-\dfrac{1}{k+a}\right)$

• $\displaystyle\sum_{k=1}^{n}\dfrac{1}{(k+a)(k+b)}=\dfrac{1}{b-a}\sum_{k=1}^{n}\left(\dfrac{1}{k+a}-\dfrac{1}{k+b}\right)$

---

352 다음 수열의 첫째항부터 제n항까지의 합을 구하시오.

(1) $\dfrac{1}{1\cdot3}$, $\dfrac{1}{3\cdot5}$, $\dfrac{1}{5\cdot7}$, $\cdots$ (2) 1, $\dfrac{1}{1+2}$, $\dfrac{1}{1+2+3}$, $\cdots$

353 $\displaystyle\sum_{k=1}^{10}\dfrac{90}{(4k+1)(4k+5)}$의 값을 구하시오.

354 $\displaystyle\sum_{k=1}^{n}a_k=n^2+4n$일 때, $\displaystyle\sum_{k=1}^{n}\dfrac{1}{a_k a_{k+1}}$을 n에 대한 식으로 나타내시오.

다음 수열의 첫째항부터 제 n 항까지의 합을 구하시오.

$$\frac{1}{1+\sqrt{2}}, \ \frac{1}{\sqrt{2}+\sqrt{3}}, \ \frac{1}{\sqrt{3}+\sqrt{4}}, \ \cdots$$

설명 분모에 근호가 있는 수열의 합은 분모를 유리화한다.

풀이 $a_n = \dfrac{1}{\sqrt{n}+\sqrt{n+1}} = \sqrt{n+1}-\sqrt{n}$ ← 분모의 유리화

$\therefore S_n = \displaystyle\sum_{k=1}^{n} (\sqrt{k+1}-\sqrt{k})$

$= (\sqrt{2}-1) + (\sqrt{3}-\sqrt{2}) + \cdots + (\sqrt{n}-\sqrt{n-1}) + (\sqrt{n+1}-\sqrt{n})$ ← 앞에서 두 번째가 남으면
$= \sqrt{n+1}-1$ 뒤에서 두 번째가 남는다.

수열 $\{a_n\}$이 첫째항이 1, 공차가 2인 등차수열일 때, $\displaystyle\sum_{k=1}^{12} \dfrac{1}{\sqrt{a_{k+1}}+\sqrt{a_k}}$의 값을 구하시오.

풀이 $a_n = 1 + (n-1)\cdot 2 = 2n-1$

$\therefore \displaystyle\sum_{k=1}^{12} \dfrac{1}{\sqrt{a_{k+1}}+\sqrt{a_k}} = \sum_{k=1}^{12} \dfrac{1}{\sqrt{2k+1}+\sqrt{2k-1}}$

$= \dfrac{1}{2} \displaystyle\sum_{k=1}^{12} (\sqrt{2k+1}-\sqrt{2k-1})$

$= \dfrac{1}{2} \{ (\sqrt{3}-1) + (\sqrt{5}-\sqrt{3}) + \cdots + (\sqrt{25}-\sqrt{23}) \}$

$= \dfrac{1}{2} (\sqrt{25}-1) = 2$

KEY Point
- 일반항 a_n의 분모가 무리식일 때
  (i) 분모를 유리화한다.
  (ii) 수열의 합을 $\sum$를 쓰지 않은 합의 꼴로 나타내어 계산한다.

---

355 $\dfrac{2}{\sqrt{4}+\sqrt{2}} + \dfrac{2}{\sqrt{6}+\sqrt{4}} + \dfrac{2}{\sqrt{8}+\sqrt{6}} + \cdots + \dfrac{2}{\sqrt{32}+\sqrt{30}}$의 값을 구하시오.

356 $f(x) = \sqrt{x}+\sqrt{x+1}$일 때, $\displaystyle\sum_{k=1}^{99} \dfrac{1}{f(k)}$의 값을 구하시오.

357 $f(n) = \sqrt{n+1}+\sqrt{n+2}$일 때, $\displaystyle\sum_{k=1}^{n} \dfrac{1}{f(k)} = 2\sqrt{2}$를 만족시키는 자연수 n의 값을 구하시오.

다음을 계산하시오.

(1) $\displaystyle\sum_{k=1}^{40} \log_3 \frac{2k+1}{2k-1}$ (2) $\displaystyle\sum_{k=2}^{8} \log \sqrt{1-\frac{1}{k^2}}$

풀이

(1) $\displaystyle\sum_{k=1}^{40} \log_3 \frac{2k+1}{2k-1} = \log_3 \frac{3}{1} + \log_3 \frac{5}{3} + \log_3 \frac{7}{5} + \cdots + \log_3 \frac{81}{79} = \log_3 \left(\frac{3}{1} \cdot \frac{5}{3} \cdot \frac{7}{5} \cdot \cdots \cdot \frac{81}{79} \right)$

           $= \log_3 81 = \mathbf{4}$

(2) $\displaystyle\sum_{k=2}^{8} \log \sqrt{1-\frac{1}{k^2}} = \sum_{k=2}^{8} \log \sqrt{\frac{k^2-1}{k^2}} = \sum_{k=2}^{8} \log \sqrt{\frac{(k-1)(k+1)}{k \cdot k}}$

           $= \log \sqrt{\frac{1 \cdot 3}{2 \cdot 2}} + \log \sqrt{\frac{2 \cdot 4}{3 \cdot 3}} + \log \sqrt{\frac{3 \cdot 5}{4 \cdot 4}} + \cdots + \log \sqrt{\frac{7 \cdot 9}{8 \cdot 8}}$

           $= \log \sqrt{\frac{1}{2} \cdot \frac{3}{2} \cdot \frac{2}{3} \cdot \frac{4}{3} \cdot \cdots \cdot \frac{7}{8} \cdot \frac{9}{8}} = \log \sqrt{\frac{9}{16}} = \mathbf{\log \frac{3}{4}}$

한걸음 더

$S = \dfrac{1}{2} + \dfrac{2}{2^2} + \dfrac{3}{2^3} + \cdots + \dfrac{10}{2^{10}}$일 때, S의 값을 구하시오.

설명

분자의 1, 2, 3, ⋯, 10은 등차수열, 각 항에 곱해진 $\dfrac{1}{2}$, $\dfrac{1}{2^2}$, ⋯, $\dfrac{1}{2^{10}}$은 등비수열이므로 멱급수이다.

이 경우 S에서 S에 등비수열의 공비를 곱한 것을 뺀다. 즉 $S-$(등비수열의 공비)$\times S$를 만들어 계산한다.

풀이

$$S = \frac{1}{2} + \frac{2}{2^2} + \frac{3}{2^3} + \cdots + \frac{9}{2^9} + \frac{10}{2^{10}}$$

$$-\ \underline{\ )\ \frac{1}{2}S = \qquad \frac{1}{2^2} + \frac{2}{2^3} + \cdots + \frac{8}{2^9} + \frac{9}{2^{10}} + \frac{10}{2^{11}}}$$

$$\frac{1}{2}S = \left(\frac{1}{2} + \frac{1}{2^2} + \frac{1}{2^3} + \cdots + \frac{1}{2^9} + \frac{1}{2^{10}} \right) - \frac{10}{2^{11}} = \frac{\frac{1}{2} \cdot \left\{ 1 - \left(\frac{1}{2} \right)^{10} \right\}}{1 - \frac{1}{2}} - \frac{10}{2^{11}} = 1 - \frac{1}{2^{10}} - \frac{10}{2^{11}}$$

$$\therefore S = 2\left(1 - \frac{1}{2^{10}} - \frac{10}{2^{11}} \right) = 2\left(1 - \frac{1}{2^{10}} - \frac{5}{2^{10}} \right) = 2\left(1 - \frac{3}{2^9} \right) = \mathbf{2 - \frac{3}{2^8}}$$

KEY Point

• (등차수열)×(등비수열) 꼴 ⇨ $S-rS$의 꼴로 만든다. (단, r는 등비수열의 공비)

358 다음을 계산하시오.

(1) $\displaystyle\sum_{k=1}^{99} \log \left(1 + \frac{1}{k} \right)$ (2) $\displaystyle\sum_{k=2}^{10} \left(\frac{2}{9} + \log \frac{k^2-1}{k^2} \right)$

359 $S = 10 \cdot 1 + 9 \cdot 2 + 8 \cdot 2^2 + \cdots + 1 \cdot 2^9$일 때, S의 값을 구하시오.

360 $\displaystyle\sum_{k=1}^{10} (2k-1) \cdot 3^k$의 값을 구하시오.

연습문제

STEP **1**

327 $\sum\limits_{k=1}^{n}\dfrac{1}{4k^2-1}=\dfrac{25}{51}$ 를 만족시키는 자연수 n의 값을 구하시오.

328 수열 $\dfrac{1}{1+1^2},\ \dfrac{1}{2+2^2},\ \dfrac{1}{3+3^2},\ \dfrac{1}{4+4^2},\ \cdots$의 첫째항부터 제$n$항까지의 합이 0.99 이상이 되도록 하는 자연수 n의 최솟값을 구하시오.

329 수열 $\{a_n\}$에 대하여 x에 대한 다항식 $a_n x^2-a_n-3$이 $x-n$으로 나누어떨어질 때, $\sum\limits_{k=2}^{10}a_k$의 값을 구하시오. (단, n은 자연수이다.)

[교육청기출]

330 첫째항이 2이고, 각 항이 양수인 수열 $\{a_n\}$의 첫째항부터 제n항까지의 합을 S_n이라 하자. $\sum\limits_{k=1}^{10}\dfrac{a_{k+1}}{S_k S_{k+1}}=\dfrac{1}{3}$일 때, S_{11}의 값은?

① 6 　　　② 7 　　　③ 8 　　　④ 9 　　　⑤ 10

331 $f(x)=\dfrac{2}{\sqrt{x}+\sqrt{x+1}}$ 일 때, $\sum\limits_{k=1}^{48}f(k)$의 값을 구하시오.

332 수열 $\{a_n\}$의 일반항이 $a_n=1+\dfrac{1}{n^2-1}$일 때, $\sum\limits_{k=2}^{20}\log a_k=\log\dfrac{q}{p}$이다. 서로소인 두 자연수 p, q의 합 $p+q$의 값은?

① 60 　　　② 61 　　　③ 62 　　　④ 63 　　　⑤ 64

생각해 봅시다!

$\dfrac{1}{AB}$
$=\dfrac{1}{B-A}\left(\dfrac{1}{A}-\dfrac{1}{B}\right)$
　　　(단, $A\neq B$)

$\sum\limits_{k=1}^{n}\dfrac{1}{k(k+a)}$
$=\dfrac{1}{a}\sum\limits_{k=1}^{n}\left(\dfrac{1}{k}-\dfrac{1}{k+a}\right)$

다항식 $f(x)$가 $x-n$으로 나누어떨어지면
$\Rightarrow f(n)=0$

• **연습**문제

STEP **2**

333 등차수열 $\{a_n\}$에서 $a_8 : a_{15} = 8 : 15$, $S_{10} = 110$일 때, $\sum\limits_{k=1}^{100} \dfrac{4}{a_k a_{k+1}}$ 의 값을 구하시오. (단, $S_n = a_1 + a_2 + \cdots + a_n$)

334 첫째항부터 제n항까지의 합 S_n이 $S_n = n^3 - n$인 수열 $\{a_n\}$에 대하여 $\dfrac{1}{a_2} + \dfrac{1}{a_3} + \dfrac{1}{a_4} + \cdots + \dfrac{1}{a_n} = \dfrac{3}{10}$을 만족시키는 자연수 n의 값을 구하시오.

$a_n = S_n - S_{n-1}$ $(n \geq 2)$
$a_1 = S_1$

335 $S = \dfrac{3}{1^2} + \dfrac{5}{1^2+2^2} + \dfrac{7}{1^2+2^2+3^2} + \cdots + \dfrac{21}{1^2+2^2+\cdots+10^2}$일 때, $11S$의 값을 구하시오.

$\sum\limits_{k=1}^{n} k^2$ $= \dfrac{n(n+1)(2n+1)}{6}$

336 자연수 n에 대하여 직선 $y = x + a_n$이 원 $(x-2n)^2 + (y-2n^2)^2 = n^2$을 이등분할 때, $\sum\limits_{k=2}^{10} \dfrac{1}{a_k}$의 값을 구하시오.

337 수열 $\{a_n\}$에 대하여 $\sum\limits_{k=1}^{n} a_k = n^2 - 2n$일 때, $\sum\limits_{k=2}^{n} \dfrac{1}{\sqrt{a_k} + \sqrt{a_{k+1}}} = 2$를 만족시키는 자연수 n의 값은?

① 11   ② 12   ③ 13   ④ 14   ⑤ 15

338 수열 $1, 1, \dfrac{3}{4}, \dfrac{1}{2}, \dfrac{5}{16}, \cdots$의 첫째항부터 제10항까지의 합을 구하시오.

수열의 규칙을 찾는다.

생각해 봅시다!

339 실수 전체의 집합에서 정의된 함수

$$f(x)=\sum_{k=1}^{100}\left\{x-\frac{1}{k(k+1)}\right\}^2$$

이 최소가 되도록 하는 x의 값을 구하시오.

340 수열 $\{a_n\}$이 첫째항이 -9, 공차가 2인 등차수열이고, $S=\sum_{k=1}^{10}\left|\dfrac{1}{a_k a_{k+1}}\right|$ 이라 할 때, $99S$의 값을 구하시오.

341 $\{2^x-2f(x)\}(\sqrt{x}+\sqrt{x-1})+2=0$을 만족시키는 함수 $f(x)$에 대하여 $f(1)+f(2)+f(3)+\cdots+f(9)$의 값을 구하시오.

먼저 주어진 식을 간단히 하여 $f(x)$를 구한다.

[교육청기출]
342 자연수 n에 대하여 직선 $x=n$이 두 무리함수 $y=\sqrt{x}$, $y=2\sqrt{x}$의 그래프와 만나는 점을 각각 A_n, B_n이라 하자. 선분 $\mathrm{A}_n\mathrm{B}_n$의 길이를 a_n이라 할 때,

$$\sum_{n=1}^{80}\frac{1}{(n+1)a_n+na_{n+1}}=\frac{q}{p}$$

이다. $p+q$의 값은? (단, p와 q는 서로소인 자연수이다.)

① 17 ② 18 ③ 19 ④ 20 ⑤ 21

343 수열 $\{a_n\}$이 $a_1=10$, $a_{n+1}=a_n^2+3a_n$ $(n=1, 2, 3, \cdots)$을 만족시킬 때, 다음 중 $\sum_{k=1}^{30}\log(a_k+3)$의 값과 같은 것은? (단, $a_n\neq0$)

① $\log a_{30}-10$ ② $\log a_{30}-1$ ③ $\log a_{31}-10$
④ $\log a_{31}-1$ ⑤ $\log a_{31}$

1. 군수열

수열 $\{a_n\}$에서 몇 개의 항이 일정한 규칙에 따라 짝을 지어 이루어지는 수열을 **군수열**이라 하고 각 군을 앞에서부터 차례로 제1군, 제2군, 제3군, …이라 한다.

군수열에 대한 문제는 일반적으로 다음과 같은 순서로 해결한다.

> (i) 수열의 각 항이 갖는 규칙을 파악하여 **규칙성을 갖는 군**으로 묶는다.
>
> (ii) 각 군의 **항의 개수** 및 **첫째항 또는 끝항이 갖는 규칙**을 찾는다.
>
> (iii) 제n군 안에서 규칙을 찾아 **제n군의 일반항**을 구한다.

▶ ① 제n군의 총합을 구할 때
    (i) 제n군의 첫째항을 구한다.
    (ii) 제n군의 항의 개수를 구한다.
    (iii) 제n군의 규칙(형태)을 조사한다.

② 제1군부터 제n군까지의 합 S_n을 구할 때 $\Rightarrow S_n = \sum\limits_{k=1}^{n} a_k$ ← a_k는 제k군의 총합

③ 분수로 표시된 군수열일 때
    • 분모 또는 분자가 같은 것끼리 묶는다.
    • (분자)+(분모)의 값이 같은 것끼리 묶는다.

④ 바둑판 모양으로 이루어진 수열도 군수열의 풀이 방법에 따른다.

예   수열 1, 1, 2, 1, 2, 3, 1, 2, 3, 4, 1, 2, 3, 4, 5, …에서 제110항을 구하시오.

풀이   주어진 수열을 각 군의 첫째항이 1이 되도록 군으로 묶으면

      제1군 제2군   제3군   제4군   제5군   …

     (1), (1, 2), (1, 2, 3), (1, 2, 3, 4), (1, 2, 3, 4, 5), …

    제n군의 항의 개수는 n이므로 제1군부터 제n군까지의 항의 개수는

$$1 + 2 + 3 + \cdots + n = \sum_{k=1}^{n} k = \frac{n(n+1)}{2}$$

    제1군부터 제14군까지의 항의 개수는 $\dfrac{14 \cdot 15}{2} = 105$, 제1군부터 제15군까지의 항의 개수는

$$\frac{15 \cdot 16}{2} = 120$$ 이므로 제110항은 제15군의 5번째 항이다.

    따라서 제110항은 5이다.

다음과 같이 군으로 나누어진 수열에 대하여 물음에 답하시오.

$$(1), (3, 3), (5, 5, 5), (7, 7, 7, 7), \cdots$$

(1) 25는 제a항부터 제b항까지 계속될 때, $a+b$의 값을 구하시오.

(2) 첫째항부터 제50항까지의 합을 구하시오.

풀이

(1) 제1군　제2군　　제3군　　　제4군　　　$\cdots$　　　　제n군

$(1), (3, 3), (5, 5, 5), (7, 7, 7, 7), \cdots, (\underbrace{2n-1, 2n-1, \cdots, 2n-1}_{n개})$

제n군의 첫째항은 각 군의 첫째항, 즉 1, 3, 5, 7, $\cdots$의 일반항이므로

$2n-1$

$25=2n-1$에서 $n=13$이므로 25는 제13군의 수이다.

또한 제n군의 항의 개수는 n이고 제1군부터 제n군까지의 항의 개수는

$1+2+3+\cdots+n=\displaystyle\sum_{k=1}^{n} k=\dfrac{n(n+1)}{2}$

따라서 제1군부터 제12군까지의 항의 개수는 $\dfrac{12 \cdot 13}{2}=78$이므로

$a=78+1=79$, $b=78+13=91$

$\therefore a+b=\mathbf{170}$

(2) 제1군부터 제9군까지의 항의 개수는 $\dfrac{9 \cdot 10}{2}=45$이므로

제50항은 제10군의 5번째 항이고 제10군의 첫째항은 $2 \cdot 10-1=19$이다.

또한 제n군의 합은 $(2n-1) \cdot n=2n^2-n$이므로 제1군부터 제n군까지의 합은

$\displaystyle\sum_{k=1}^{n} (2k^2-k)$이다.

따라서 첫째항부터 제50항까지의 합을 S_{50}이라 하면

$S_{50}=$(제1군부터 제9군까지의 합)$+$(제10군의 첫째항부터 5번째 항까지의 합)

$=\displaystyle\sum_{k=1}^{9} (2k^2-k)+19 \cdot 5=2\sum_{k=1}^{9} k^2-\sum_{k=1}^{9} k+95$

$=2 \cdot \dfrac{9 \cdot 10 \cdot 19}{6}-\dfrac{9 \cdot 10}{2}+95=570-45+95=\mathbf{620}$

KEY Point

• 군수열 ⇨ 각 군의 첫째항 또는 끝항의 규칙, 각 군의 항의 개수를 조사한다.

• △는 제 몇 항인지 구할 때 ⇨ 먼저 제 몇 군에 속하는지 알아본다.

---

361 다음과 같은 수열에서 제100항과 첫째항부터 제100항까지의 합을 구하시오.

$$1, 1, 3, 1, 3, 5, 1, 3, 5, 7, \cdots$$

⟳ 더 다양한 문제는 **RPM** 수학 I 140쪽

특강 2 분수로 이루어진 군수열

수열 $\dfrac{1}{2}, \dfrac{1}{3}, \dfrac{2}{3}, \dfrac{1}{4}, \dfrac{2}{4}, \dfrac{3}{4}, \dfrac{1}{5}, \dfrac{2}{5}, \dfrac{3}{5}, \dfrac{4}{5}, \cdots$ 에 대하여 다음 물음에 답하시오.

(1) $\dfrac{19}{20}$는 제 몇 항인지 구하시오. (2) 제 100 항을 구하시오.

풀이

(1) 주어진 수열을 분모가 같은 항끼리 군으로 묶으면

제1군 제2군   제3군 $\cdots$ 제19군

$\left(\dfrac{1}{2}\right), \left(\dfrac{1}{3}, \dfrac{2}{3}\right), \left(\dfrac{1}{4}, \dfrac{2}{4}, \dfrac{3}{4}\right), \cdots, \left(\dfrac{1}{20}, \dfrac{2}{20}, \cdots, \dfrac{19}{20}\right)$

← 제1군의 분모는 2
   제2군의 분모는 3
   ⋮
   분모가 20이면 제19군

이므로 $\dfrac{19}{20}$는 제19군의 끝항이다.

제 n 군의 항의 개수는 n이므로 제 1 군부터 제 n 군까지의 항의 개수는

$1+2+3+\cdots+n=\displaystyle\sum_{k=1}^{n} k=\dfrac{n(n+1)}{2}$

제 1 군부터 제 19 군까지의 항의 개수는 $\dfrac{19\cdot20}{2}=190$

따라서 $\dfrac{19}{20}$는 **제190항**이다.

(2) 제 1 군부터 제 13 군까지의 항의 개수는 $\dfrac{13\cdot14}{2}=91$이므로 제 100 항은 제 14 군의 9번째 항이다.

따라서 제 n 군의 k번째 항은 $\dfrac{k}{n+1}$이므로 제 100 항은 $\dfrac{9}{14+1}=\dfrac{\mathbf{9}}{\mathbf{15}}$

특강 3 바둑판 모양으로 이루어진 군수열

⟳ 더 다양한 문제는 **RPM** 수학 I 141쪽

자연수를 오른쪽과 같이 규칙적으로 배열할 때, 위에서 5번째 줄의 왼쪽에서 11번째에 있는 수를 구하시오.

1	4	9	16	$\cdots$
2	3	8	15	
5	6	7	14	
10	11	12	13	
⋮				

풀이

첫 번째 줄의 수는 차례대로 $1^2, 2^2, 3^2, 4^2, \cdots$이므로 첫 번째 줄의 왼쪽에서 11번째에 있는 수는 $11^2=121$
첫 번째 줄의 11번째 수부터 11번째 줄의 11번째 수까지 1씩 작아지므로 위에서 5번째 줄의 왼쪽에서 11번째에 있는 수는 $121-4=\mathbf{117}$

362 수열 $\dfrac{1}{1}, \dfrac{1}{2}, \dfrac{2}{1}, \dfrac{1}{3}, \dfrac{2}{2}, \dfrac{3}{1}, \dfrac{1}{4}, \dfrac{2}{3}, \dfrac{3}{2}, \dfrac{4}{1}, \cdots$ 에 대하여 다음 물음에 답하시오.

(1) $\dfrac{5}{8}$는 제 몇 항인지 구하시오. (2) 제 99 항을 구하시오.

363 자연수를 오른쪽과 같이 규칙적으로 배열할 때, 위에서 10번째 줄의 왼쪽에서 9번째에 있는 수를 구하시오.

1	1	1	1	$\cdots$
1	2	3	4	
1	3	5	7	
1	4	7	10	
⋮				

III

수열

1. 수열의 귀납적 정의

> 수열 $\{a_n\}$에 대하여
> (i) 첫째항 a_1의 값
> (ii) 이웃하는 두 항 a_n, a_{n+1} 사이의 관계식 ($n=1, 2, 3, \cdots$)
> 이 주어질 때, (ii)의 관계식에 $n=1, 2, 3, \cdots$을 차례로 대입하면 수열 $\{a_n\}$의 모든 항을 구할
> 수 있다. 이와 같이 **처음 몇 개의 항과 이웃하는 여러 항 사이의 관계식**으로 수열을 정의하는 것을
> 수열의 **귀납적 정의**라 한다.

▶ 서로 이웃하는 두 항 사이의 관계식을 점화식이라 한다.

설명 수열의 일반항이 주어지지 않아도 처음 몇 개의 항과 이웃하는 여러 항들 사이의 관계가 주어지면 수열의 모든 항을
구할 수 있다. 이를테면 등차수열 $\{a_n\}$의 첫째항 $a_1=2$와 $a_{n+1}=a_n+3$ ($n=1, 2, 3, \cdots$)이 주어지면 이 수열의 모든
항은 다음과 같다.

$$a_1=2, \ a_2=a_1+3=5, \ a_3=a_2+3=8, \ a_4=a_3+3=11, \cdots$$

2. 등차수열과 등비수열의 귀납적 정의　▷ 필수예제 **1, 2**

> 수열 $\{a_n\}$에 대하여 $n=1, 2, 3, \cdots$일 때
> (1) $a_{n+1}-a_n=d$ (일정) ⇨ **공차가 d인 등차수열**
> (2) $a_{n+1} \div a_n=r$ (일정) ⇨ **공비가 r인 등비수열**
> (3) $2a_{n+1}=a_n+a_{n+2}$ (즉 $a_{n+1}-a_n=a_{n+2}-a_{n+1}$) ⇨ **등차수열**
> (4) $a_{n+1}{}^2=a_n a_{n+2}$ (즉 $a_{n+1} \div a_n=a_{n+2} \div a_{n+1}$) ⇨ **등비수열**

예 다음과 같이 귀납적으로 정의된 수열 $\{a_n\}$의 일반항을 구하시오. (단, $n=1, 2, 3, \cdots$)

(1) $a_1=6$, $a_{n+1}=a_n+2$　　　　　　　　(2) $a_1=3$, $a_{n+1}=2a_n$

풀이 (1) $a_{n+1}=a_n+2$에서 $a_{n+1}-a_n=2$이므로 수열 $\{a_n\}$은 첫째항이 6, 공차가 2인 등차수열이다.

$\therefore a_n=6+(n-1) \cdot 2=2n+4$

(2) $a_{n+1}=2a_n$에서 $a_{n+1} \div a_n=2$이므로 수열 $\{a_n\}$은 첫째항이 3, 공비가 2인 등비수열이다.

$\therefore a_n=3 \cdot 2^{n-1}$

3. 여러 가지 수열의 귀납적 정의

(1) $a_{n+1}=a_n+f(n)$의 꼴 ▷ 필수예제 **3**

n에 1, 2, 3, ⋯, $n-1$을 **차례로 대입한 후 변끼리 더한다.**

$$a_n=a_1+f(1)+f(2)+\cdots+f(n-1)$$
$$=a_1+\sum_{k=1}^{n-1}f(k)$$

$$a_2=a_1+f(1)$$
$$a_3=a_2+f(2)$$
$$a_4=a_3+f(3)$$
$$\vdots$$
$$+)\ a_n=a_{n-1}+f(n-1)$$
$$\overline{a_n=a_1+f(1)+f(2)+\cdots+f(n-1)}$$

▶ $f(n)$이 상수이면 (공차)$=f(n)$인 등차수열이다.

(2) $a_{n+1}=a_nf(n)$의 꼴 ▷ 필수예제 **4**

n에 1, 2, 3, ⋯, $n-1$을 **차례로 대입한 후 변끼리 곱한다.**

$$a_n=a_1f(1)f(2)f(3)\cdots f(n-1)$$

$$a_2=a_1f(1)$$
$$a_3=a_2f(2)$$
$$a_4=a_3f(3)$$
$$\vdots$$
$$\times)\ a_n=a_{n-1}f(n-1)$$
$$\overline{a_n=a_1f(1)f(2)\cdots f(n-1)}$$

▶ $f(n)$이 상수이면 (공비)$=f(n)$인 등비수열이다.

보충학습

1. 피보나치 수열

(1) 연속한 두 항의 합을 나열하여 얻어지는 수열을 피보나치 수열이라 하며 다음 식이 성립한다.

$$a_1=a_2=1,\ a_{n+2}=a_{n+1}+a_n\ (n=1,\ 2,\ 3,\ \cdots)$$

(2) 이때 $a_{n+2}=a_{n+1}+a_n$의 양변에 n 대신 1, 2, 3, ⋯을 차례로 대입하여 수열 $\{a_n\}$을 구한다.

364 다음과 같이 정의된 수열 $\{a_n\}$의 제2항부터 제4항까지를 구하시오.

(단, $n=1, 2, 3, \cdots$)

(1) $a_1=2$, $a_{n+1}=2a_n+3$

(2) $a_1=1$, $a_{n+1}+a_n=3$

(3) $a_1=2$, $a_{n+1}=\dfrac{1}{a_n}$

(4) $a_1=\dfrac{1}{3}$, $\dfrac{1}{a_{n+1}}=\dfrac{1}{a_n}+2$

(5) $a_1=5$, $a_2=2$, $3a_{n+2}-2a_{n+1}-a_n=0$

(6) $a_1=1$, $a_2=\dfrac{1}{2}$, $\dfrac{2}{a_{n+1}}=\dfrac{1}{a_n}+\dfrac{1}{a_{n+2}}$

생각해 봅시다!

365 다음과 같이 정의된 수열 $\{a_n\}$에서 a_{11}의 값을 구하시오.

(단, $n=1, 2, 3, \cdots$)

(1) $a_1=1$, $a_{n+1}=a_n+2$

(2) $a_1=-4$, $a_{n+1}-a_n=4$

(3) $a_1=12$, $a_2=9$, $2a_{n+1}=a_n+a_{n+2}$

(4) $a_1=1$, $a_{n+1}=3a_n$

(5) $a_1=4$, $\dfrac{a_{n+1}}{a_n}=\dfrac{1}{2}$

(6) $a_1=2$, $a_2=-4$, $a_{n+1}{}^2=a_n a_{n+2}$

필수예제 **01** 등차수열의 귀납적 정의 ↻ 더 다양한 문제는 **RPM** 수학 Ⅰ 148쪽

다음과 같이 정의된 수열 $\{a_n\}$의 일반항 a_n을 구하시오. (단, $n=1, 2, 3, \cdots$)

(1) $a_1=5$, $a_{n+1}=a_n+8$

(2) $a_1=2$, $a_2=6$, $2a_{n+1}=a_n+a_{n+2}$

풀이

(1) $a_{n+1}=a_n+8$이므로 수열 $\{a_n\}$은 공차가 8인 등차수열이다.

이때 첫째항이 5이므로 $\boldsymbol{a_n=5+(n-1)\cdot 8=8n-3}$

(2) $2a_{n+1}=a_n+a_{n+2}$이므로 수열 $\{a_n\}$은 등차수열이다.   ← $2a_{n+1}=a_n+a_{n+2}$에서

이때 첫째항이 2, 공차가 $a_2-a_1=6-2=4$이므로 a_{n+1}은 a_n과 a_{n+2}의 등차중항이다.

$\boldsymbol{a_n=2+(n-1)\cdot 4=4n-2}$

필수예제 **02** 등비수열의 귀납적 정의 ↻ 더 다양한 문제는 **RPM** 수학 Ⅰ 148쪽

다음과 같이 정의된 수열 $\{a_n\}$의 일반항 a_n을 구하시오. (단, $n=1, 2, 3, \cdots$)

(1) $a_1=1$, $a_{n+1}=2a_n$

(2) $a_1=4$, $a_2=6$, $a_{n+1}^{\ 2}=a_n a_{n+2}$

풀이

(1) $a_{n+1}=2a_n$이므로 수열 $\{a_n\}$은 공비가 2인 등비수열이다.

이때 첫째항이 1이므로 $\boldsymbol{a_n=1\cdot 2^{n-1}=2^{n-1}}$

(2) $a_{n+1}^{\ 2}=a_n a_{n+2}$이므로 수열 $\{a_n\}$은 등비수열이다.   ← $a_{n+1}^{\ 2}=a_n a_{n+2}$에서

이때 첫째항이 4, 공비가 $\dfrac{a_2}{a_1}=\dfrac{6}{4}=\dfrac{3}{2}$이므로 a_{n+1}은 a_n과 a_{n+2}의 등비중항이다.

$\boldsymbol{a_n=4\cdot\left(\dfrac{3}{2}\right)^{n-1}}$

KEY Point
- 등차수열 꼴 ⇨ $a_{n+1}=a_n+d$ 또는 $2a_{n+1}=a_n+a_{n+2}$ (단, $n=1, 2, 3, \cdots$)
- 등비수열 꼴 ⇨ $a_{n+1}=ra_n$ 또는 $a_{n+1}^{\ 2}=a_n a_{n+2}$ (단, $n=1, 2, 3, \cdots$)

366 수열 $\{a_n\}$이 $a_1=50$, $a_{n+1}+3=a_n$ $(n=1, 2, 3, \cdots)$으로 정의될 때, $a_k=14$를 만족시키는 자연수 k의 값을 구하시오.

367 $a_1=-5$, $a_2=-3$, $a_{n+1}=\dfrac{a_n+a_{n+2}}{2}$ $(n=1, 2, 3, \cdots)$로 정의된 수열 $\{a_n\}$에 대하여

$\displaystyle\sum_{k=1}^{20} a_k$의 값을 구하시오.

368 $a_1=1$, $a_{n+1}^{\ 2}=a_n a_{n+2}$ $(n=1, 2, 3, \cdots)$로 정의된 수열 $\{a_n\}$에 대하여

$\dfrac{a_6}{a_1}+\dfrac{a_8}{a_3}+\dfrac{a_{10}}{a_5}=15$일 때, $\dfrac{a_{20}}{a_{10}}$의 값을 구하시오.

다음과 같이 정의된 수열 $\{a_n\}$에서 a_{20}의 값을 구하시오. (단, $n=1, 2, 3, \cdots$)

(1) $a_1=1$, $a_{n+1}=a_n+n$ (2) $a_1=1$, $a_{n+1}=a_n+2^n$

풀이 (1) $a_{n+1}=a_n+n$의 n에 $1, 2, 3, \cdots, 19$를 차례로 대입한 후 변끼리 더하면

$$a_2=a_1+1$$
$$a_3=a_2+2$$
$$a_4=a_3+3$$
$$\vdots$$
$$+) \ a_{20}=a_{19}+19$$
$$a_{20}=a_1+1+2+3+\cdots+19$$
$$=1+\sum_{k=1}^{19}k=1+\frac{19\cdot20}{2}=\mathbf{191}$$

(2) $a_{n+1}=a_n+2^n$의 n에 $1, 2, 3, \cdots, 19$를 차례로 대입한 후 변끼리 더하면

$$a_2=a_1+2^1$$
$$a_3=a_2+2^2$$
$$a_4=a_3+2^3$$
$$\vdots$$
$$+) \ a_{20}=a_{19}+2^{19}$$
$$a_{20}=a_1+(2^1+2^2+2^3+\cdots+2^{19})$$
$$=1+\sum_{k=1}^{19}2^k=1+\frac{2(2^{19}-1)}{2-1}=\mathbf{2^{20}-1}$$

KEY Point

• $a_{n+1}=a_n+f(n)$ $(n=1, 2, 3, \cdots)$의 꼴

⇨ n에 $1, 2, 3, \cdots, n-1$을 차례로 대입한 후 변끼리 더한다.

---

369 수열 $\{a_n\}$이 $a_1=1$, $a_{n+1}=a_n+3^n-1$ $(n=1, 2, 3, \cdots)$로 정의될 때, a_{10}의 값을 구하시오.

370 수열 $\{a_n\}$이 $a_1=3$, $a_{n+1}=a_n+\dfrac{1}{n(n+1)}$ $(n=1, 2, 3, \cdots)$로 정의될 때, a_{20}의 값을 구하시오.

371 수열 $\{a_n\}$이 $a_1=5$, $a_{n+1}=a_n+2n$ $(n=1, 2, 3, \cdots)$으로 정의될 때, $a_k=115$를 만족시키는 자연수 k의 값을 구하시오.

더 다양한 문제는 **RPM** 수학 I 149쪽

다음 물음에 답하시오.

(1) 수열 $\{a_n\}$이 $a_1=1$, $a_{n+1}=\dfrac{n+3}{n+1}a_n$ $(n=1, 2, 3, \cdots)$으로 정의될 때, a_{29}의 값을 구하시오.

(2) 수열 $\{a_n\}$이 $a_1=1$, $a_{n+1}=2^n a_n$ $(n=1, 2, 3, \cdots)$으로 정의될 때, $a_k=2^{36}$을 만족시키는 자연수 k의 값을 구하시오.

풀이

(1) $a_{n+1}=\dfrac{n+3}{n+1}a_n$의 n에 $1, 2, 3, \cdots, 28$을 차례로 대입한 후 변끼리 곱하면

$$a_2=\frac{4}{2}a_1$$
$$a_3=\frac{5}{3}a_2$$
$$a_4=\frac{6}{4}a_3$$
$$\vdots$$
$$a_{28}=\frac{30}{28}a_{27}$$
$$\times)\ a_{29}=\frac{31}{29}a_{28}$$
$$\overline{\qquad\qquad\qquad}$$
$$a_{29}=\frac{4}{2}\cdot\frac{5}{3}\cdot\frac{6}{4}\cdot\cdots\cdot\frac{30}{28}\cdot\frac{31}{29}\cdot a_1$$
$$=\frac{30\cdot31}{6}$$
$$=155$$

(2) $a_{n+1}=2^n a_n$의 n에 $1, 2, 3, \cdots, n-1$을 차례로 대입한 후 변끼리 곱하면

$$a_2=2a_1$$
$$a_3=2^2 a_2$$
$$a_4=2^3 a_3$$
$$\vdots$$
$$\times)\ a_n=2^{n-1}a_{n-1}$$
$$\overline{\qquad\qquad\qquad}$$
$$a_n=a_1(2^1\cdot2^2\cdot2^3\cdot\cdots\cdot2^{n-1})$$
$$=2^{1+2+3+\cdots+(n-1)}$$
$$=2^{\frac{(n-1)n}{2}}$$

$a_k=2^{36}$에서 $2^{\frac{(k-1)k}{2}}=2^{36}$

$$\frac{(k-1)k}{2}=36$$
$$k^2-k-72=0$$
$$(k-9)(k+8)=0$$
$$\therefore k=9\ (\because k는 자연수)$$

KEY Point

• $a_{n+1}=a_nf(n)$ $(n=1, 2, 3, \cdots)$의 꼴

⇨ n에 $1, 2, 3, \cdots, n-1$을 차례로 대입한 후 변끼리 곱한다.

---

372 수열 $\{a_n\}$이 $a_1=2$, $a_n=\left(1-\dfrac{1}{n^2}\right)a_{n-1}$ $(n=2, 3, 4, \cdots)$로 정의될 때, a_{20}의 값을 구하시오.

373 $a_1=2$, $a_{n+1}=\dfrac{n}{n+1}a_n$ $(n=1, 2, 3, \cdots)$으로 정의된 수열 $\{a_n\}$에 대하여 $a_k=\dfrac{1}{15}$을 만족시키는 자연수 k의 값을 구하시오.

필수예제 **05** S_n이 포함된 수열 $\{a_n\}$의 귀납적 정의 ○ 더 다양한 문제는 **RPM** 수학 I 150쪽

> 수열 $\{a_n\}$의 첫째항부터 제 n항까지의 합을 S_n이라 할 때,
> $$a_1=1,\ S_n=4a_n-3\ (n=1,\ 2,\ 3,\ \cdots)$$
> 이 성립한다. 이때 a_{10}의 값을 구하시오.

풀이

$S_n=4a_n-3\ (n=1,\ 2,\ 3,\ \cdots)$에서 $S_{n+1}=4a_{n+1}-3$

한편, $a_{n+1}=S_{n+1}-S_n\ (n=1,\ 2,\ 3,\ \cdots)$이므로

$a_{n+1}=4a_{n+1}-3-(4a_n-3),\ a_{n+1}=4a_{n+1}-4a_n$

$\therefore a_{n+1}=\dfrac{4}{3}a_n$

따라서 수열 $\{a_n\}$은 첫째항이 $a_1=1$이고 공비가 $\dfrac{4}{3}$인 등비수열이므로

$a_n=\left(\dfrac{4}{3}\right)^{n-1}\qquad \therefore a_{10}=\left(\dfrac{4}{3}\right)^{9}$

필수예제 **06** 귀납적 정의의 활용 ○ 더 다양한 문제는 **RPM** 수학 I 153쪽

> 방학을 맞아 지윤이는 10일 동안 포도 농장에서 포도를 수확하는 일을 돕기로 했다. 첫째 날에는 포도 20송이를 수확했고, 둘째 날부터는 전날 수확한 포도송이의 수의 $\dfrac{3}{2}$배를 수확하였다. 포도를 수확한 지 n일째 되는 날 수확한 포도송이의 수를 a_n이라 할 때, 다음을 구하시오.
>
> (1) $a_1,\ a_2$의 값 $\qquad\qquad\qquad$ (2) a_n과 a_{n+1} 사이의 관계식

풀이

(1) $\boldsymbol{a_1=20,\ a_2}=a_1\times\dfrac{3}{2}=20\times\dfrac{3}{2}=\boldsymbol{30}$

(2) 첫째 날에는 포도 20송이를 수확했고, 둘째 날부터는 전날 수확한 포도송이의 수의 $\dfrac{3}{2}$배를 수확하였으므로

$a_{n+1}=\dfrac{3}{2}a_n\ (n=1,\ 2,\ 3,\ \cdots,\ 9)$

---

374 수열 $\{a_n\}$의 첫째항부터 제 n항까지의 합을 S_n이라 할 때,
$$a_1=\dfrac{1}{2},\ S_n=-a_n+n\ (n=1,\ 2,\ 3,\ \cdots)$$
이 성립한다. 이때 a_{10}의 값을 구하시오.

375 농도가 5 %인 소금물 100 g이 들어 있는 그릇에서 소금물 20 g을 덜어 내고 물 20 g을 넣고 잘 섞는다. 이와 같은 과정을 n번 반복한 후 소금물의 농도를 a_n %라 할 때, 다음을 구하시오.

(1) $a_1,\ a_2$의 값 $\qquad\qquad\qquad$ (2) a_n과 a_{n+1} 사이의 관계식

연습문제

😊 **생각해 봅시다!**

344 수열 $\{a_n\}$이 $a_2 = 2a_1$, $a_{n+2} - 2a_{n+1} + a_n = 0$ $(n=1, 2, 3, \cdots)$으로 정의되고 $a_{10} = 20$일 때, a_6의 값을 구하시오.

345 수열 $\{a_n\}$이 $a_1 = 1$, $a_2 = 3$, ${a_{n+1}}^2 = a_n a_{n+2}$ $(n=1, 2, 3, \cdots)$로 정의될 때, $\log_3 a_{10}$의 값을 구하시오.

${a_{n+1}}^2 = a_n a_{n+2}$
⇨ 수열 $\{a_n\}$은 등비수열

346 수열 $\{a_n\}$이 $a_1 = \dfrac{1}{4}$, $a_{n+1} = a_n + \dfrac{1}{(3n-2)(3n+1)}$ $(n=1, 2, 3, \cdots)$로 정의될 때, a_{18}의 값을 구하시오.

347 수열 $\{a_n\}$이 $a_1 = 4$, $\sqrt{n+1}\, a_{n+1} = \sqrt{n}\, a_n$ $(n=1, 2, 3, \cdots)$으로 정의될 때, a_{16}의 값을 구하시오.

348 수열 $\{a_n\}$의 첫째항부터 제 n항까지의 합을 S_n이라 하면 $S_n = 3 - 2a_n$ $(n=1, 2, 3, \cdots)$인 관계가 성립한다. 이때 $\displaystyle\sum_{k=1}^{10} \dfrac{1}{3} a_k$의 값을 구하시오.

$a_{n+1} = S_{n+1} - S_n$
$(n=1, 2, 3, \cdots)$

349 수족관에 물 100 L가 들어 있다. 전날 수족관에 들어 있던 물의 반을 버리고 30 L의 물을 매일 새로 넣었다. 5일 후에 수족관에 물을 넣은 뒤 남아 있는 물의 양을 구하시오.

350 $a_1 = 1$, $a_{n+1} = 3a_n + 1$ $(n=1, 2, 3, \cdots)$로 정의된 수열 $\{a_n\}$에서 a_{13}의 값을 구하시오.

주어진 식에 $n=1, 2, 3,$ $\cdots$, 12를 차례로 대입한다.

• **연습문제**

STEP **2**

351 수열 $\{a_n\}$이 $a_1=\sqrt{2}$, $a_{n+1}=a_n+\dfrac{1}{\sqrt{n+2}+\sqrt{n+1}}$ $(n=1,\ 2,\ 3,\ \cdots)$로 정의될 때, $a_n>10$을 만족시키는 자연수 n의 최솟값을 구하시오.

352 수열 $\{a_n\}$이 $a_1=\sqrt{2}$, $a_{n+1}=(\sqrt{2})^n a_n$ $(n=1,\ 2,\ 3,\ \cdots)$으로 정의될 때, $a_k=2^{23}$을 만족시키는 자연수 k의 값을 구하시오.

n에 1, 2, 3, $\cdots$, $n-1$을 차례로 대입한 후 변끼리 곱한다.

353 수열 $\{a_n\}$에서 $a_1=1$, $a_n=\sum\limits_{k=1}^{n-1} a_k$ $(n\geq2)$일 때, $\sum\limits_{n=1}^{11} \dfrac{1}{a_n}$의 값을 구하시오.

$\sum\limits_{k=1}^{n-1} a_k = S_{n-1}$

354 수열 $\{a_n\}$이 $a_1=1$, $a_2=1$, $a_{n+2}=a_n+a_{n+1}$ $(n=1,\ 2,\ 3,\ \cdots)$로 정의될 때, a_{10}의 값은?

① 21 ② 34 ③ 55 ④ 89 ⑤ 144

n에 1, 2, 3, $\cdots$, 8을 차례로 대입한다.

355 수열 $\{a_n\}$이 $a_2=4$, $a_6=356$이고 $a_{n+1}=a_n+3^n-p$ $(n=1,\ 2,\ 3,\ \cdots)$를 만족시킬 때, 자연수 p의 값을 구하시오.

356 수열 $\{a_n\}$에서 $a_1=2$이고 $a_{n-1}x^2-a_nx+1=0$ $(n=2,\ 3,\ 4,\ \cdots)$인 관계가 성립한다. 이 이차방정식의 두 근을 α, β라 하면 $3\alpha-\alpha\beta+3\beta=1$일 때, a_5의 값을 구하시오.

$\alpha+\beta = \dfrac{a_n}{a_{n-1}}$

$\alpha\beta = \dfrac{1}{a_{n-1}}$

[교육청기출]
357 수열 $\{a_n\}$은 다음 조건을 만족시킨다.

> (가) $a_1=1$, $a_2=2$
> (나) a_n은 a_{n-2}와 a_{n-1}의 합을 4로 나눈 나머지이다. (단, $n\geq3$)

$\sum\limits_{k=1}^{m} a_k=166$일 때, m의 값을 구하시오.

실력 UP

358 수열 $\{a_n\}$의 첫째항부터 제n항까지의 합을 S_n이라 하면

$$\begin{cases} a_1=1, \ a_2=3 \\ (S_{n+1}-S_{n-1})^2=4a_n a_{n+1}+4 \ (n=2, 3, 4, \cdots) \end{cases}$$

일 때, a_{20}의 값은? (단, $a_1 < a_2 < a_3 < \cdots < a_n < a_{n+1} < \cdots$)

① 39   ② 43   ③ 47   ④ 51   ⑤ 55

생각해 봅시다!

$$\begin{array}{r} a_{n+1} \ =S_{n+1}-S_n \\ +) \quad a_n \ =S_n-S_{n-1} \\ \hline a_{n+1}+a_n=S_{n+1}-S_{n-1} \end{array}$$

[교육청기출]

359 모든 항이 양수인 수열 $\{a_n\}$이 $a_1=2$이고,

$$\log_2 a_{n+1}=1+\log_2 a_n \ (n \geq 1)$$

을 만족시킨다. $a_1 \times a_2 \times a_3 \times \cdots \times a_8=2^k$일 때, 상수 k의 값은?

① 36   ② 40   ③ 44   ④ 48   ⑤ 52

$a>0, \ a \neq 1, \ x>0, \ y>0$
일 때
$\log_a a=1$
$\log_a x+\log_a y=\log_a xy$

360 수열 $\{a_n\}$에 대하여 $\sum\limits_{k=1}^{n} a_k=S_n$이라 할 때,

$$a_1=2, \ a_2=4, \ 2S_n=S_{n+1}+S_{n-1}-2n \ (n=2, 3, 4, \cdots)$$

이 성립한다. 이때 a_{10}의 값을 구하시오.

361 수열 $\{a_n\}$에서 $\sum\limits_{k=1}^{n} a_k=S_n$이고 $S_1=1$, $S_n=\dfrac{n^2}{n^2-1}S_{n-1} \ (n \geq 2)$일 때, a_{12}의 값을 구하시오.

362 다음과 같이 정의되는 수열 $\{a_n\}$이 있다.

$$\begin{cases} a_1=1, \ a_2=2, \ a_3=4 \\ a_{n-1}a_{n+1}=a_n a_{n+2} \ (n=2, 3, 4, \cdots) \end{cases}$$

이때 $\sum\limits_{k=1}^{20} a_k$의 값을 구하시오.

$a_{n-1}a_{n+1}=a_n a_{n+2}$에
$n=2, 3, 4, \cdots$를 차례로
대입하여 a_n의 규칙성을
찾는다.

363 희종이가 10개의 계단을 오르는데 한 걸음에 한 계단 또는 두 계단을 오른다고 한다. 희종이가 10개의 계단을 오르는 방법의 수는?

① 21   ② 34   ③ 55   ④ 89   ⑤ 144

개념원리 이해

1. 수학적 귀납법 ▷ 필수예제 **7~9**

> 자연수 n에 대하여 명제 $p(n)$이 모든 자연수 n에 대하여 성립함을 증명하려면 다음 두 가지를 보이면 된다.
> (i) $n=1$일 때, 명제 $p(n)$이 성립한다.
> (ii) $n=k$일 때, 명제 $p(n)$이 성립한다고 가정하면 $n=k+1$일 때에도 명제 $p(n)$이 성립한다.
> 이와 같은 방법으로 자연수에 대한 어떤 명제가 참임을 증명하는 방법을 **수학적 귀납법**이라 한다.

▶ 명제 $p(n)$이 성립할 때 명제 $p(n+1)$이 성립함을 보일 때는 주로 $p(n)$의 양변에 어떤 값을 더하거나, 곱하는 방법을 이용한다.

설명 모든 자연수 n에 대하여 등식 $1+3+5+\cdots+(2n-1)=n^2$ ...... ㉠

이 성립함을 증명하여 보자.

(i) $n=1$일 때, (좌변)$=1$, (우변)$=1^2=1$이므로 등식 ㉠이 성립한다.

(ii) $n=k$일 때, 등식 ㉠이 성립한다고 가정하면

$$1+3+5+\cdots+(2k-1)=k^2 \quad\quad \cdots\cdots ㉡$$

㉡의 양변에 $2k+1$을 더하면

$$1+3+5+\cdots+(2k-1)+(2k+1)=k^2+(2k+1)=(k+1)^2 \quad \cdots\cdots ㉢$$

㉢은 등식 ㉠의 n에 $k+1$을 대입한 것과 같으므로 $n=k+1$일 때도 등식 ㉠이 성립한다.

(i), (ii)가 성립하므로 모든 자연수 n에 대하여 등식 ㉠이 성립한다고 할 수 있다.

왜냐하면 (i)에 의하여 $n=1$일 때 등식 ㉠이 성립하기 때문이다.

$n=1$일 때 성립하므로 (ii)에 의하여 $n=1+1=2$일 때에도 등식 ㉠이 성립한다.

$n=2$일 때 성립하므로 (ii)에 의하여 $n=2+1=3$일 때에도 등식 ㉠이 성립한다.

같은 방법으로 등식 ㉠은 $n=4, 5, 6, \cdots$일 때에도 성립한다.

따라서 등식 ㉠은 모든 자연수 n에 대하여 성립함을 알 수 있다.

이처럼 (i), (ii)가 성립함을 보이면 등식 ㉠이 모든 자연수 n에 대하여 성립함을 증명한 것이 된다.

이와 같이 증명하는 방법을 수학적 귀납법이라 한다.

참고 자연수 n에 대하여 명제 $p(n)$이 $n \geq m$ (m은 자연수)인 모든 자연수 n에 대하여 성립함을 증명하려면 다음 두 가지를 보이면 된다.

(i) $n=m$일 때, 명제 $p(n)$이 성립한다.

(ii) $n=k$ ($k \geq m$)일 때, 명제 $p(n)$이 성립한다고 가정하면 $n=k+1$일 때에도 명제 $p(n)$이 성립한다.

자연수 n에 대한 명제 $p(n)$에 대하여 두 명제 $p(n)$과 $p(n+1)$이 모두 참이면 명제 $p(n+3)$이 참이라고 한다. 모든 자연수 n에 대하여 명제 $p(n)$이 참이 되기 위한 조건은?

① $p(1)$과 $p(2)$가 참이다.

② $p(1)$과 $p(3)$이 참이다.

③ $p(2)$와 $p(3)$이 참이다.

④ $p(1)$, $p(2)$, $p(3)$이 참이다.

⑤ $p(1)$, $p(2)$, $p(4)$가 참이다.

풀이

$p(n)$과 $p(n+1)$이 참일 때 $p(n+3)$이 참이므로

$p(1)$, $p(2)$가 참이면 $p(4)$가 참

$p(2)$, $p(3)$이 참이면 $p(5)$가 참

$p(3)$, $p(4)$가 참이면 $p(6)$이 참

    ⋮

즉 $p(1)$, $p(2)$, $p(3)$이 참이면 모든 자연수 n에 대하여 명제 $p(n)$이 참이 된다.

따라서 모든 자연수 n에 대하여 명제 $p(n)$이 참이 되기 위한 조건은 ④이다.

376 모든 자연수 n에 대하여 명제 $p(n)$이 아래 조건을 모두 만족시킬 때, 다음 중 반드시 참이라고 할 수 있는 명제는?

> (개) $p(1)$이 참이다.
> (내) $p(2k-1)$이 참이면 $p(3k)$도 참이다.
> (대) $p(2k)$가 참이면 $p(3k+1)$도 참이다.

① $p(12)$ ② $p(13)$ ③ $p(14)$ ④ $p(15)$ ⑤ $p(16)$

377 자연수 n에 대한 명제 $p(n)$에 대하여 명제 $p(n)$ 또는 명제 $p(n+1)$이 참이면 명제 $p(n+2)$가 참이라고 한다. 모든 자연수 n에 대하여 명제 $p(n)$이 참이 되기 위한 조건은?

① $p(1)$과 $p(2)$가 참이다.

② $p(1)$과 $p(3)$이 참이다.

③ $p(2)$와 $p(3)$이 참이다.

④ $p(1)$ 또는 $p(2)$가 참이다.

⑤ $p(1)$ 또는 $p(3)$이 참이다.

모든 자연수 n에 대하여 다음 등식이 성립함을 수학적 귀납법으로 증명하시오.

$$1 \cdot 2 + 2 \cdot 3 + 3 \cdot 4 + \cdots + n(n+1) = \frac{1}{3} n(n+1)(n+2)$$

설명   수학적 귀납법의 증명에서 중요한 것은 아래의 ㉡에서 ㉢으로 유도하는 과정이다.

이때 등식의 양변에 같은 식을 더하는 것으로 해결한다. 즉 ㉠의 좌변의 n번째 항 $n(n+1)$에 $n=k+1$을 대입한 $(k+1)(k+2)$를 양변에 더하여 ㉢으로 유도한다.

풀이 $1 \cdot 2 + 2 \cdot 3 + 3 \cdot 4 + \cdots + n(n+1) = \frac{1}{3} n(n+1)(n+2)$ ······ ㉠

(ⅰ) $n=1$일 때,

    (좌변)$= 1 \cdot 2 = 2$, (우변)$= \frac{1}{3} \cdot 1 \cdot 2 \cdot 3 = 2$

    따라서 (좌변)$=$(우변)이므로 $n=1$일 때 ㉠이 성립한다.

(ⅱ) $n=k$일 때, ㉠이 성립한다고 가정하면

    $1 \cdot 2 + 2 \cdot 3 + 3 \cdot 4 + \cdots + k(k+1) = \frac{1}{3} k(k+1)(k+2)$ ······ ㉡

    ㉡의 양변에 $(k+1)(k+2)$를 더하면

    $1 \cdot 2 + 2 \cdot 3 + 3 \cdot 4 + \cdots + k(k+1) + (k+1)(k+2)$

    $= \frac{1}{3} k(k+1)(k+2) + (k+1)(k+2)$

    $= \frac{1}{3} (k+1)(k+2)(k+3)$

    $= \frac{1}{3} (k+1)\{(k+1)+1\}\{(k+1)+2\}$ ······ ㉢

    따라서 $n=k+1$일 때에도 ㉠이 성립한다.

(ⅰ), (ⅱ)에 의하여 모든 자연수 n에 대하여 ㉠이 성립한다.

KEY Point   • 수학적 귀납법

    (ⅰ) $n=1$일 때, 명제 $p(n)$이 성립한다.

    (ⅱ) $n=k$일 때, 명제 $p(n)$이 성립한다고 가정하면 $n=k+1$일 때에도 명제 $p(n)$이 성립한다.

---

378 모든 자연수 n에 대하여 다음 등식이 성립함을 수학적 귀납법으로 증명하시오.

(1) $1^2 + 2^2 + 3^2 + \cdots + n^2 = \frac{1}{6} n(n+1)(2n+1)$

(2) $\dfrac{1}{1 \cdot 3} + \dfrac{1}{3 \cdot 5} + \dfrac{1}{5 \cdot 7} + \cdots + \dfrac{1}{(2n-1)(2n+1)} = \dfrac{n}{2n+1}$

> $h>0$일 때, $n≥2$인 모든 자연수 n에 대하여 다음 부등식이 성립함을 수학적 귀납법으로 증명하시오.
>
> $$(1+h)^n>1+nh$$

풀이 $(1+h)^n>1+nh$ $\cdots\cdots$ ㉠

    (i) $n=2$일 때,

        (좌변)$=(1+h)^2=1+2h+h^2$, (우변)$=1+2h$

        이때 $h^2>0$이므로 $n=2$일 때 ㉠이 성립한다.

    (ii) $n=k\ (k≥2)$일 때, ㉠이 성립한다고 가정하면

        $(1+h)^k>1+kh$

        $1+h>0$이므로 위 부등식의 양변에 $1+h$를 곱하면

        $(1+h)^k(1+h)>(1+kh)(1+h)$

                         $=1+(k+1)h+kh^2$

                         $>1+(k+1)h$

        $\therefore (1+h)^{k+1}>1+(k+1)h$

        따라서 $n=k+1$일 때에도 ㉠이 성립한다.

    (i), (ii)에 의하여 $n≥2$인 모든 자연수 n에 대하여 ㉠이 성립한다.

KEY Point

- 명제 $p(n)$이 $n≥m$ (m은 2 이상의 자연수)인 모든 자연수 n에 대하여 성립함을 증명하려면 다음의 (i)과 (ii)가 성립함을 보인다.

   (i) $n=m$일 때, 명제 $p(n)$이 성립한다.

   (ii) $n=k(k≥m)$일 때, 명제 $p(n)$이 성립한다고 가정하면 $n=k+1$일 때에도 명제 $p(n)$이 성립한다.

---

 379 다음 부등식이 성립함을 수학적 귀납법으로 증명하시오.

    (1) $n≥5$인 모든 자연수 n에 대하여 $2^n>n^2$

    (2) $n≥2$인 모든 자연수 n에 대하여 $1+\dfrac{1}{2^2}+\dfrac{1}{3^2}+\cdots+\dfrac{1}{n^2}<2-\dfrac{1}{n}$

연습문제

💭 **생각해 봅시다!**

364 자연수 n에 대하여 명제 $p(n)$이 참이면 명제 $p(n+3)$이 참일 때, 다음 보기 중 옳은 것만을 있는 대로 고르시오.

> ―| 보기 |―
>
> ㄱ. $p(1)$이 참이면 $p(13)$도 참이다.
> ㄴ. $p(2)$가 참이면 $p(20)$도 참이다.
> ㄷ. $p(9)$가 참이면 $p(3)$도 참이다.

365 자연수 n에 대한 명제 $p(n)$이 아래 두 조건을 모두 만족시킬 때, 다음 중 반드시 참이라고 할 수 <u>없는</u> 명제는?

> ㈎ $p(1)$이 참이다.
> ㈏ $p(n)$이 참이면 $p(2n)$과 $p(3n)$이 참이다.

① $p(24)$ ② $p(30)$ ③ $p(36)$ ④ $p(48)$ ⑤ $p(96)$

$p(1)$이 참이고 $p(n)$이 참이면 $p(2n)$과 $p(3n)$이 참이므로
$\Rightarrow n=2^{\alpha}3^{\beta}(\alpha,\ \beta=0,\ 1,\ 2,\ \cdots)$일 때, $p(n)$이 참이다.

366 다음은 모든 자연수 n에 대하여
$$1 \cdot 2 + 2 \cdot 2^2 + 3 \cdot 2^3 + \cdots + n \cdot 2^n = (n-1) \cdot 2^{n+1} + 2 \quad \cdots\cdots ㉠$$
가 성립함을 수학적 귀납법으로 증명하는 과정이다.

> (i) $n=1$일 때,
> (좌변)$=1 \cdot 2 = 2$, (우변)$=(1-1) \cdot 2^2 + 2 = 2$
> 따라서 $n=1$일 때 등식 ㉠이 성립한다.
> (ii) $n=k$일 때, 등식 ㉠이 성립한다고 가정하면
> $$1 \cdot 2 + 2 \cdot 2^2 + 3 \cdot 2^3 + \cdots + k \cdot 2^k = (k-1) \cdot 2^{k+1} + 2 \quad \cdots\cdots ㉡$$
> 등식 ㉡의 양변에 ┌─㈎─┐ 을 더하면
> $$1 \cdot 2 + 2 \cdot 2^2 + 3 \cdot 2^3 + \cdots + k \cdot 2^k + \boxed{㈎}$$
> $$= (k-1) \cdot 2^{k+1} + 2 + \boxed{㈎}$$
> $$= \boxed{㈏} \cdot 2^{k+2} + 2$$
> 따라서 $n=k+1$일 때에도 등식 ㉠이 성립한다.
> (i), (ii)에 의하여 모든 자연수 n에 대하여 등식 ㉠이 성립한다.

위의 과정에서 ㈎, ㈏에 알맞은 것을 순서대로 적으시오.

(i) $n=1$일 때, 명제 $p(n)$이 성립
(ii) $n=k$일 때, 명제 $p(n)$이 성립한다고 가정하면 $n=k+1$일 때에도 명제 $p(n)$이 성립

STEP **2**

367 다음은 모든 자연수 n에 대하여 9^n-1이 8의 배수임을 수학적 귀납법으로 증명하는 과정이다.

> (i) $n=1$일 때, $9-1=8$이므로 9^n-1은 8의 배수이다.
>
> (ii) $n=k$일 때, 9^n-1이 8의 배수라고 가정하면
>
> $$9^k-1=8N \ (단, \ N은 \ 자연수)$$
>
> 이때 $n=k+1$이면 $9^{k+1}-1=\boxed{\ \ (가) \ \ }\times 9^k-1=\boxed{\ \ (나) \ \ }\times (9^k+N)$
>
> 따라서 $n=k+1$일 때에도 9^n-1은 8의 배수이다.
>
> (i), (ii)에 의하여 모든 자연수 n에 대하여 9^n-1은 8의 배수이다.

위의 과정에서 (가), (나)에 알맞은 것을 순서대로 적으시오.

[교육청기출]

368 다음은 $n\geq 2$인 모든 자연수 n에 대하여 부등식

$$\left(1+\frac{1}{2}+\frac{1}{3}+\cdots+\frac{1}{n}\right)(1+2+3+\cdots+n)>n^2 \quad \cdots\cdots \ (*)$$

이 성립함을 수학적 귀납법을 이용하여 증명하는 과정이다.

> 주어진 식 $(*)$의 양변을 $\dfrac{n(n+1)}{2}$로 나누면
>
> $$1+\frac{1}{2}+\frac{1}{3}+\cdots+\frac{1}{n}>\frac{2n}{n+1} \qquad \cdots\cdots \ \bigcirc$$
>
> 이다. $n\geq 2$인 자연수 n에 대하여
>
> (i) $n=2$일 때, (좌변)$=\boxed{\ \ (가) \ \ }$, (우변)$=\dfrac{4}{3}$이므로 $\bigcirc$이 성립한다.
>
> (ii) $n=k \ (k\geq 2)$일 때, $\bigcirc$이 성립한다고 가정하면
>
> $$1+\frac{1}{2}+\frac{1}{3}+\cdots+\frac{1}{k}>\frac{2k}{k+1} \qquad \cdots\cdots \ \bigcirc\!\!\!\bigcirc$$
>
> 이다. $\bigcirc\!\!\!\bigcirc$의 양변에 $\dfrac{1}{k+1}$을 더하면
>
> $$1+\frac{1}{2}+\frac{1}{3}+\cdots+\frac{1}{k}+\frac{1}{k+1}>\frac{2k+1}{k+1}$$
>
> 이 성립한다. 한편, $\dfrac{2k+1}{k+1}-\boxed{\ (나) \ }=\dfrac{k}{(k+1)(k+2)}>0$이므로
>
> $$1+\frac{1}{2}+\frac{1}{3}+\cdots+\frac{1}{k}+\frac{1}{k+1}>\boxed{\ (나) \ }$$
>
> 이다. 따라서 $n=k+1$일 때도 $\bigcirc$이 성립한다.
>
> (i), (ii)에 의하여 $n\geq 2$인 모든 자연수 n에 대하여 $\bigcirc$이 성립하므로 $(*)$도 성립한다.

위의 (가)에 알맞은 수를 p, (나)에 알맞은 식을 $f(k)$라 할 때, $8p\times f(10)$의 값은?

① 14   ② 16   ③ 18   ④ 20   ⑤ 22

명제 $p(n)$이 $n\geq m$(m은 2 이상의 자연수)인 모든 자연수 n에 대하여 성립함을 증명

⇨ (i) $n=m$일 때, 명제 $p(n)$이 성립

(ii) $n=k \ (k\geq m)$일 때, 명제 $p(n)$이 성립한다고 가정하면 $n=k+1$일 때에도 명제 $p(n)$이 성립

실력 UP

생각해 봅시다!

$a_{k+1}=a_k+\dfrac{1}{k+1}$

369 다음은 수열 $\{a_n\}$의 일반항 a_n이 $a_n=1+\dfrac{1}{2}+\dfrac{1}{3}+\cdots+\dfrac{1}{n}$일 때, $n\geq2$인 모든 자연수 n에 대하여 등식 $n+a_1+a_2+a_3+\cdots+a_{n-1}=na_n$ $\quad\cdots\cdots$ ㉠

이 성립함을 수학적 귀납법으로 증명하는 과정이다.

> (ⅰ) $n=2$일 때, (좌변)$=2+a_1=3$, (우변)$=2a_2=2\left(1+\boxed{\text{(가)}}\right)=3$
>
> (ⅱ) $n=k$ $(k\geq2)$일 때, 등식 ㉠이 성립한다고 가정하면
>
> $\quad k+a_1+a_2+a_3+\cdots+a_{k-1}=ka_k$이므로
>
> $\quad (k+1)+a_1+a_2+a_3+\cdots+a_{k-1}+a_k$
>
> $\quad =ka_k+\boxed{\text{(나)}}=(k+1)\left(a_{k+1}-\boxed{\text{(다)}}\right)+1=(k+1)a_{k+1}$
>
> 따라서 $n=k+1$일 때에도 등식 ㉠이 성립한다.
>
> (ⅰ), (ⅱ)에 의하여 $n\geq2$인 모든 자연수 n에 대하여 등식 ㉠이 성립한다.

위의 과정에서 (가), (나), (다)에 알맞은 것을 순서대로 적으시오.

[교육청기출]

$n=k+1$일 때도 주어진 부등식이 성립하기 위해 필요한 조건을 생각한다.

370 다음은 모든 자연수 n에 대하여

$$\dfrac{1}{2}\times\dfrac{3}{4}\times\dfrac{5}{6}\times\cdots\times\dfrac{2n-1}{2n}\leq\dfrac{1}{\sqrt{3n+1}}\quad\cdots\cdots\ (\bigstar)$$

이 성립함을 증명하는 과정이다.

> (ⅰ) $n=1$일 때, $\dfrac{1}{2}\leq\dfrac{1}{\sqrt{4}}$이므로 $(\bigstar)$이 성립한다.
>
> (ⅱ) $n=k$일 때, $(\bigstar)$이 성립한다고 가정하면
>
> $\quad \dfrac{1}{2}\times\dfrac{3}{4}\times\dfrac{5}{6}\times\cdots\times\dfrac{2k-1}{2k}\times\dfrac{2k+1}{2k+2}$
>
> $\quad \leq\dfrac{1}{\sqrt{3k+1}}\cdot\dfrac{2k+1}{2k+2}=\dfrac{1}{\sqrt{3k+1}}\cdot\dfrac{1}{1+\boxed{\text{(가)}}}=\dfrac{1}{\sqrt{3k+1}}\cdot\dfrac{1}{\sqrt{\left(1+\boxed{\text{(가)}}\right)^2}}$
>
> $\quad =\dfrac{1}{\sqrt{3k+1+2(3k+1)\cdot\left(\boxed{\text{(가)}}\right)+(3k+1)\cdot\left(\boxed{\text{(가)}}\right)^2}}$
>
> $\quad <\dfrac{1}{\sqrt{3k+1+2(3k+1)\cdot\left(\boxed{\text{(가)}}\right)+\left(\boxed{\text{(나)}}\right)\cdot\left(\boxed{\text{(가)}}\right)^2}}=\dfrac{1}{\sqrt{3(k+1)+1}}$
>
> 따라서 $n=k+1$일 때도 $(\bigstar)$이 성립한다.
>
> 그러므로 (ⅰ), (ⅱ)에 의하여 모든 자연수 n에 대하여 $(\bigstar)$이 성립한다.

위의 증명에서 (가), (나)에 알맞은 식을 각각 $f(k)$, $g(k)$라 할 때, $f(4)\times g(13)$의 값은?

① 1 　　② 2 　　③ 3 　　④ 4 　　⑤ 5

수	0	1	2	3	4	5	6	7	8	9
1.0	.0000	.0043	.0086	.0128	.0170	.0212	.0253	.0294	.0334	.0374
1.1	.0414	.0453	.0492	.0531	.0569	.0607	.0645	.0682	.0719	.0755
1.2	.0792	.0828	.0864	.0899	.0934	.0969	.1004	.1038	.1072	.1106
1.3	.1139	.1173	.1206	.1239	.1271	.1303	.1335	.1367	.1399	.1430
1.4	.1461	.1492	.1523	.1553	.1584	.1614	.1644	.1673	.1703	.1732
1.5	.1716	.1790	.1818	.1847	.1875	.1903	.1931	.1959	.1987	.2014
1.6	.2041	.2068	.2095	.2122	.2148	.2175	.2201	.2227	.2253	.2279
1.7	.2304	.2330	.2355	.2380	.2405	.2430	.2455	.2480	.2504	.2529
1.8	.2553	.2577	.2601	.2625	.2648	.2672	.2695	.2718	.2742	.2765
1.9	.2788	.2810	.2833	.2856	.2878	.2900	.2923	.2945	.2967	.2989
2.0	.3010	.3032	.3054	.3075	.3096	.3118	.3139	.3160	.3181	.3201
2.1	.3222	.3243	.3263	.3284	.3304	.3324	.3345	.3365	.3385	.3404
2.2	.3424	.3444	.3464	.3483	.3502	.3522	.3541	.3560	.3579	.3598
2.3	.3617	.3636	.3655	.3674	.3692	.3711	.3729	.3747	.3766	.3784
2.4	.3802	.3820	.3838	.3856	.3874	.3892	.3909	.3927	.3945	.3962
2.5	.3979	.3997	.4014	.4031	.4048	.4065	.4082	.4099	.4116	.4133
2.6	.4150	.4166	.4183	.4200	.4216	.4232	.4249	.4265	.4281	.4298
2.7	.4314	.4330	.4346	.4362	.4378	.4393	.4409	.4425	.4440	.4456
2.8	.4472	.4487	.4502	.4518	.4533	.4548	.4564	.4579	.4594	.4609
2.9	.4624	.4639	.4654	.4669	.4683	.4698	.4713	.4728	.4742	.4757
3.0	.4771	.4786	.4800	.4814	.4829	.4843	.4857	.4871	.4886	.4900
3.1	.4914	.4928	.4942	.4955	.4969	.4983	.4997	.5011	.5024	.5038
3.2	.5051	.5065	.5079	.5092	.5105	.5119	.5132	.5145	.5159	.5172
3.3	.5185	.5198	.5211	.5224	.5237	.5250	.5263	.5276	.5289	.5302
3.4	.5315	.5328	.5340	.5353	.5366	.5378	.5391	.5403	.5416	.5428
3.5	.5441	.5453	.5465	.5478	.5490	.5502	.5514	.5527	.5539	.5551
3.6	.5563	.5575	.5587	.5599	.5611	.5623	.5635	.5647	.5658	.5670
3.7	.5682	.5694	.5705	.5717	.5729	.5740	.5752	.5763	.5775	.5786
3.8	.5798	.5809	.5821	.5832	.5843	.5855	.5866	.5877	.5888	.5899
3.9	.5911	.5922	.5933	.5944	.5955	.5966	.5977	.5988	.5999	.6010
4.0	.6021	.6031	.6042	.6053	.6064	.6075	.6085	.6096	.6107	.6117
4.1	.6128	.6138	.6149	.6160	.6170	.6180	.6191	.6201	.6212	.6222
4.2	.6232	.6243	.6253	.6263	.6274	.6284	.6294	.6304	.6314	.6325
4.3	.6335	.6345	.6355	.6365	.6375	.6385	.6395	.6405	.6415	.6425
4.4	.6435	.6444	.6454	.6464	.6474	.6484	.6493	.6503	.6513	.6522
4.5	.6532	.6542	.6551	.6561	.6571	.6580	.6590	.6599	.6609	.6618
4.6	.6628	.6637	.6646	.6656	.6665	.6675	.6684	.6693	.6702	.6712
4.7	.6721	.6730	.6739	.6749	.6758	.6767	.6776	.6785	.6794	.6803
4.8	.6812	.6821	.6830	.6839	.6848	.6857	.6866	.6875	.6884	.6893
4.9	.6902	.6911	.6920	.6928	.6937	.6946	.6955	.6964	.6972	.6981
5.0	.6990	.6998	.7007	.7016	.7024	.7033	.7042	.7050	.7059	.7067
5.1	.7076	.7084	.7093	.7101	.7110	.7118	.7126	.7135	.7143	.7152
5.2	.7160	.7168	.7177	.7185	.7193	.7202	.7210	.7218	.7226	.7235
5.3	.7243	.7251	.7259	.7267	.7275	.7284	.7292	.7300	.7308	.7316
5.4	.7324	.7332	.7340	.7348	.7356	.7364	.7372	.7380	.7388	.7396

수	0	1	2	3	4	5	6	7	8	9
5.5	.7404	.7412	.7419	.7427	.7435	.7443	.7451	.7459	.7466	.7474
5.6	.7482	.7490	.7497	.7505	.7513	.7520	.7528	.7536	.7543	.7551
5.7	.7559	.7566	.7574	.7582	.7589	.7597	.7604	.7612	.7619	.7627
5.8	.7634	.7642	.7649	.7657	.7664	.7672	.7679	.7686	.7694	.7701
5.9	.7709	.7716	.7723	.7731	.7738	.7745	.7752	.7760	.7767	.7774
6.0	.7782	.7789	.7796	.7803	.7810	.7818	.7825	.7832	.7839	.7846
6.1	.7853	.7860	.7868	.7875	.7882	.7889	.7896	.7903	.7910	.7917
6.2	.7924	.7931	.7938	.7945	.7952	.7959	.7966	.7973	.7980	.7987
6.3	.7993	.8000	.8007	.8014	.8021	.8028	.8035	.8041	.8048	.8055
6.4	.8062	.8069	.8075	.8082	.8089	.8096	.8102	.8109	.8116	.8122
6.5	.8129	.8136	.8142	.8149	.8156	.8162	.8169	.8176	.8182	.8189
6.6	.8195	.8202	.8209	.8215	.8222	.8228	.8235	.8241	.8248	.8254
6.7	.8261	.8267	.8274	.8280	.8287	.8293	.8299	.8306	.8312	.8319
6.8	.8325	.8331	.8338	.8344	.8351	.8357	.8363	.8370	.8376	.8382
6.9	.8388	.8395	.8401	.8407	.8414	.8420	.8426	.8432	.8439	.8445
7.0	.8451	.8457	.8463	.8470	.8476	.8482	.8488	.8494	.8500	.8506
7.1	.8513	.8519	.8525	.8531	.8537	.8543	.8549	.8555	.8561	.8567
7.2	.8573	.8579	.8585	.8591	.8597	8603	.8609	.8615	.8621	.8627
7.3	.8633	.8639	.8645	.8651	.8657	.8663	.8669	.8675	.8681	.8686
7.4	.8692	.8698	.8704	.8710	.8716	.8722	.8727	.8733	.8739	.8745
7.5	.8751	.8756	.8762	.8768	.8774	.8779	.8785	.8791	.8797	.8802
7.6	.8808	.8814	.8820	.8825	.8831	.8837	.8842	.8848	.8854	.8859
7.7	.8865	.8871	.8876	.8882	.8887	.8893	.8899	.8904	.8910	.8915
7.8	.8921	.8927	.8932	.8938	.8943	.8949	.8954	.8960	.8965	.8971
7.9	.8976	.8982	.8987	.8993	.8998	.9004	.9009	.9015	.9020	.9025
8.0	.9031	.9036	.9042	.9047	.9053	.9058	.9063	.9069	.9074	.9079
8.1	.9085	.9090	.9096	.9101	.9106	.9112	.9117	.9122	.9128	.9133
8.2	.9138	.9143	.9149	.9154	.9159	.9165	.9170	.9175	.9180	.9186
8.3	.9191	.9196	.9201	.9206	.9212	.9217	.9222	.9227	.9232	.9238
8.4	.9243	.9248	.9253	.9258	.9263	.9269	.9274	.9279	.9284	.9289
8.5	.9294	.9299	.9304	.9309	.9315	.9320	.9325	.9330	.9335	.9340
8.6	.9345	.9350	.9355	.9360	.9365	.9370	.9375	.9380	.9385	.9390
8.7	.9395	.9400	.9405	.9410	.9415	.9420	.9425	.9430	.9435	.9440
8.8	.9445	.9450	.9455	.9460	.9465	.9469	.9474	.9479	.9484	.9489
8.9	.9494	.9499	.9504	.9509	.9513	.9518	.9523	.9528	.9533	.9538
9.0	.9542	.9547	.9552	.9557	.9562	.9566	.9571	.9576	.9581	.9586
9.1	.9590	.9595	.9600	.9605	.9609	.9614	.9619	.9624	.9628	.9633
9.2	.9638	.9643	.9647	.9652	.9657	.9661	.9666	.9671	.9675	.9680
9.3	.9685	.9689	.9694	.9699	.9703	.9708	.9713	.9717	.9722	.9727
9.4	.9731	.9736	.9741	.9745	.9750	.9754	.9759	.9763	.9768	.9773
9.5	.9777	.9782	.9786	.9791	.9795	.9800	.9805	.9809	.9814	.9818
9.6	.9823	.9827	.9832	.9836	.9841	.9845	.9850	.9854	.9859	.9863
9.7	.9868	.9872	.9877	.9881	.9886	.9890	.9894	.9899	.9903	.9908
9.8	.9912	.9917	.9921	.9926	.9930	.9934	.9939	.9943	.9948	.9952
9.9	.9956	.9961	.9965	.9969	.9974	.9978	.9983	.9987	.9991	.9996

삼각함수표

각	라디안	sin	cos	tan
0°	0.0000	0.0000	1.0000	0.0000
1°	0.0175	0.0175	0.9998	0.0175
2°	0.0349	0.0349	0.9994	0.0349
3°	0.0524	0.0523	0.9986	0.0524
4°	0.0698	0.0698	0.9976	0.0699
5°	0.0873	0.0872	0.9962	0.0875
6°	0.1047	0.1045	0.9945	0.1051
7°	0.1222	0.1219	0.9925	0.1228
8°	0.1396	0.1392	0.9903	0.1405
9°	0.1571	0.1564	0.9877	0.1584
10°	0.1745	0.1736	0.9848	0.1763
11°	0.1920	0.1908	0.9816	0.1944
12°	0.2094	0.2079	0.9781	0.2126
13°	0.2269	0.2250	0.9744	0.2309
14°	0.2443	0.2419	0.9703	0.2493
15°	0.2618	0.2588	0.9659	0.2679
16°	0.2793	0.2756	0.9613	0.2867
17°	0.2967	0.2924	0.9563	0.3057
18°	0.3142	0.3090	0.9511	0.3249
19°	0.3316	0.3256	0.9455	0.3443
20°	0.3491	0.3420	0.9397	0.3640
21°	0.3665	0.3584	0.9336	0.3839
22°	0.3840	0.3746	0.9272	0.4040
23°	0.4014	0.3907	0.9205	0.4245
24°	0.4189	0.4067	0.9135	0.4452
25°	0.4363	0.4226	0.9063	0.4663
26°	0.4538	0.4384	0.8988	0.4877
27°	0.4712	0.4540	0.8910	0.5095
28°	0.4887	0.4695	0.8829	0.5317
29°	0.5061	0.4848	0.8746	0.5543
30°	0.5236	0.5000	0.8660	0.5774
31°	0.5411	0.5150	0.8572	0.6009
32°	0.5585	0.5299	0.8480	0.6249
33°	0.5760	0.5446	0.8387	0.6494
34°	0.5934	0.5592	0.8290	0.6745
35°	0.6109	0.5736	0.8192	0.7002
36°	0.6283	0.5878	0.8090	0.7265
37°	0.6458	0.6018	0.7986	0.7536
38°	0.6632	0.6157	0.7880	0.7813
39°	0.6807	0.6293	0.7771	0.8098
40°	0.6981	0.6428	0.7660	0.8391
41°	0.7156	0.6561	0.7547	0.8693
42°	0.7330	0.6691	0.7431	0.9004
43°	0.7505	0.6820	0.7314	0.9325
44°	0.7679	0.6947	0.7193	0.9657
45°	0.7854	0.7071	0.7071	1.0000
45°	0.7854	0.7071	0.7071	1.0000
46°	0.8029	0.7193	0.6947	1.0355
47°	0.8203	0.7314	0.6820	1.0724
48°	0.8378	0.7431	0.6691	1.1106
49°	0.8552	0.7547	0.6561	1.1504
50°	0.8727	0.7660	0.6428	1.1918
51°	0.8901	0.7771	0.6293	1.2349
52°	0.9076	0.7880	0.6157	1.2799
53°	0.9250	0.7986	0.6018	1.3270
54°	0.9425	0.8090	0.5878	1.3764
55°	0.9599	0.8192	0.5736	1.4281
56°	0.9774	0.8290	0.5592	1.4826
57°	0.9948	0.8387	0.5446	1.5399
58°	1.0123	0.8480	0.5299	1.6003
59°	1.0297	0.8572	0.5150	1.6643
60°	1.0472	0.8660	0.5000	1.7321
61°	1.0647	0.8746	0.4848	1.8040
62°	1.0821	0.8829	0.4695	1.8807
63°	1.0996	0.8910	0.4540	1.9626
64°	1.1170	0.8988	0.4384	2.0503
65°	1.1345	0.9063	0.4226	2.1445
66°	1.1519	0.9135	0.4067	2.2460
67°	1.1694	0.9205	0.3907	2.3559
68°	1.1868	0.9272	0.3746	2.4751
69°	1.2043	0.9336	0.3584	2.6051
70°	1.2217	0.9397	0.3420	2.7475
71°	1.2392	0.9455	0.3256	2.9042
72°	1.2566	0.9511	0.3090	3.0777
73°	1.2741	0.9563	0.2924	3.2709
74°	1.2915	0.9613	0.2756	3.4874
75°	1.3090	0.9659	0.2588	3.7321
76°	1.3265	0.9703	0.2419	4.0108
77°	1.3439	0.9744	0.2250	4.3315
78°	1.3614	0.9781	0.2079	4.7046
79°	1.3788	0.9816	0.1908	5.1446
80°	1.3963	0.9848	0.1736	5.6713
81°	1.4137	0.9877	0.1564	6.3138
82°	1.4312	0.9903	0.1392	7.1154
83°	1.4486	0.9925	0.1219	8.1443
84°	1.4661	0.9945	0.1045	9.5144
85°	1.4835	0.9962	0.0872	11.4301
86°	1.5010	0.9976	0.0698	14.3007
87°	1.5184	0.9986	0.0523	19.0811
88°	1.5359	0.9994	0.0349	28.6363
89°	1.5533	0.9998	0.0175	57.2900
90°	1.5708	1.0000	0.0000	∞

1 (1) -3, $\dfrac{3+3\sqrt{3}i}{2}$, $\dfrac{3-3\sqrt{3}i}{2}$

   (2) -3, 3, $-3i$, $3i$

2 (1) 2 (2) 2 (3) -3 (4) -3 (5) -0.2 (6) 3

3 (1) 3 (2) $\dfrac{1}{2}$ (3) 8 (4) $\sqrt{3}$ (5) 3 (6) $\dfrac{1}{2}$

4 (1) $\sqrt{6}$ (2) 2

5 ④

6 (1) -1 (2) 1 (3) 1 (4) 81

7 (1) $\sqrt[24]{a^4 b^3}$ (2) 1 (3) $\sqrt[60]{a^{19}}$

8 $A<C<B$

9 (1) 1 (2) 16 (3) $\dfrac{1}{9}$ (4) 17

10 (1) 8 (2) 5 (3) $\dfrac{1}{3}$ (4) 4 (5) 16 (6) 4096

11 $a^{\frac{5}{6}}$

12 (1) 4096 (2) $5^{2\sqrt{5}}$ (3) 81 (4) 45

13 (1) $\dfrac{1}{2}$ (2) 6 (3) 18

14 $\dfrac{1}{2}$

15 $\dfrac{3}{2}$

16 $a^{\frac{16}{3}}b^2$

17 $a^{\frac{1}{3}}b^{\frac{2}{9}}$

18 (1) $a-b$ (2) 6

19 18

20 $\dfrac{54}{197}$

21 6

22 $-\dfrac{215}{42}$

23 $\dfrac{7}{6}$

24 $\sqrt{3}$

25 0

26 (1) $2=\log_4 16$ (2) $-3=\log_{10} 0.001$

   (3) $0=\log_4 1$ (4) $1=\log_5 5$

   (5) $\dfrac{1}{2}=\log_5 \sqrt{5}$ (6) $4=\log_{\sqrt{3}} 9$

27 (1) $3^4=81$ (2) $(\sqrt{2})^4=4$

(3) $\left(\dfrac{1}{3}\right)^3=\dfrac{1}{27}$ (4) $5^0=1$

28 (1) 4 (2) -3 (3) 3 (4) -4

29 (1) $\dfrac{1}{9}$ (2) $\dfrac{1}{64}$ (3) 2 (4) 1

30 (1) $x>-4$ (2) $x>0$, $x\neq 1$

31 (1) $-\dfrac{2}{3}$ (2) 3 (3) $\dfrac{1}{27}$ (4) 2 (5) 8

32 1

33 15

34 (1) 1 (2) 0 (3) 1 (4) 0

35 (1) 2 (2) 1 (3) 2

36 (1) $a+b$ (2) $a+2b$ (3) $1-a$ (4) $2b-3a$

37 (1) $\dfrac{3}{4}$ (2) $-\dfrac{1}{3}$ (3) 5 (4) 81

38 (1) $\dfrac{\log_{10} 2}{\log_{10} 7}$ (2) $\dfrac{3\log_{10} 2}{\log_{10} 3}$ (3) $\dfrac{2}{\log_{10} 3}$

39 (1) $\dfrac{9}{2}$ (2) -2

40 (1) 1 (2) 1 (3) 2 (4) $\dfrac{1}{2}$

41 (1) $\dfrac{55}{18}$ (2) 2 (3) 57 (4) 3

42 (1) 2 (2) $\dfrac{5}{3}$ (3) 8

43 (1) $2(1-a)$ (2) $3a+2b-2$

   (3) $a-b-1$ (4) $\dfrac{1}{2}(b+1)$

44 $\dfrac{3x+y}{12x}$

45 $\dfrac{5}{3}$

46 1

47 $\dfrac{19}{3}$

48 $A<B<C$

49 21

50 (1) 4 (2) -2 (3) -3 (4) $\dfrac{3}{4}$ (5) $\dfrac{3}{2}$ (6) $\dfrac{2}{3}$

51 (1) 0.7126 (2) 0.8248 (3) 0.3945

52 (개) : 2 (내) : 0.5587 (대) : 2.5587

53 (1) 정수 부분 : 0, 소수 부분 : 0.6149

   (2) 정수 부분 : 3, 소수 부분 : 0.5593

(3) 정수 부분 : -1, 소수 부분 : 0.9307

(4) 정수 부분 : -3, 소수 부분 : 0.3979

54 (1) 4 (2) 1 (3) -2 (4) 0

55 (1) 1.2552 (2) 0.2219 (3) 0.38905

56 (1) 정수 부분 : 2, 소수 부분 : 0.7185

(2) 정수 부분 : 1, 소수 부분 : 0.7185

(3) 정수 부분 : -2, 소수 부분 : 0.7185

57 (1) 0.5729 (2) 2.5729 (3) -1.4271

58 (1) 234 (2) 0.234 (3) 0.00234

59 (1) 21자리   (2) 13자리   (3) 24자리

60 (1) 소수점 아래 61째 자리

(2) 소수점 아래 7째 자리

61 19자리

62 23

63 -3

64 100, $100\sqrt[3]{10}$, $100\sqrt[3]{100}$

65 $\dfrac{1}{6}$

66 ②

67 416

68 ㄱ, ㄴ, ㄹ, ㅂ

69 (1) 4 (2) $\dfrac{\sqrt{2}}{2}$ (3) $\dfrac{1}{8}$ (4) 1 (5) $\dfrac{1}{27}$ (6) 9

70 (1) 실수   (2) 양의 실수   (3) $<$

(4) $>$ (5) x축 (직선 $y=0$)

71 (1) 그래프 : 풀이 참조, 정의역 : 실수 전체의 집합,

치역 : 양의 실수 전체의 집합,

점근선 : x축 (직선 $y=0$)

(2) 그래프 : 풀이 참조, 정의역 : 실수 전체의 집합,

치역 : 음의 실수 전체의 집합,

점근선 : x축 (직선 $y=0$)

(3) 그래프 : 풀이 참조, 정의역 : 실수 전체의 집합,

치역 : 양의 실수 전체의 집합,

점근선 : x축 (직선 $y=0$)

(4) 그래프 : 풀이 참조, 정의역 : 실수 전체의 집합,

치역 : $\{y|y>2\}$, 점근선 : 직선 $y=2$

72 (1) $\sqrt[3]{3}<\sqrt[4]{9}$ (2) $\left(\dfrac{1}{5}\right)^{-2}>\left(\dfrac{1}{5}\right)^{0.5}$

73 ㄱ, ㄷ, ㄹ

74 (1) 정의역 : 실수 전체의 집합,

치역 : $\{y|y>-1\}$, 점근선 : 직선 $y=-1$

(2) 정의역 : 실수 전체의 집합,

치역 : $\{y|y<0\}$, 점근선 : x축 (직선 $y=0$)

(3) 정의역 : 실수 전체의 집합,

치역 : $\{y|y>-1\}$, 점근선 : 직선 $y=-1$

(4) 정의역 : 실수 전체의 집합,

치역 : $\{y|y>2\}$, 점근선 : 직선 $y=2$

(5) 정의역 : 실수 전체의 집합,

치역 : $\{y|y>0\}$, 점근선 : x축 (직선 $y=0$)

(6) 정의역 : 실수 전체의 집합,

치역 : $\{y|y<2\}$, 점근선 : 직선 $y=2$

75 $a=-\dfrac{1}{27}$, $b=2$

76 $\dfrac{2}{3}$

77 8

78 (1) $0.5^{\frac{1}{3}}<\sqrt[3]{4}<\sqrt{2^3}$ (2) $\sqrt{\dfrac{1}{9}}<\sqrt[4]{\dfrac{1}{27}}<\sqrt[3]{\dfrac{1}{3}}$

79 -6

80 -1

81 증가, 2, 9, -1, $\dfrac{1}{3}$

82 감소, -2, 9, 3, $\dfrac{1}{27}$

83 (1) 최댓값 : 8, 최솟값 : 1

(2) 최댓값 : 16, 최솟값 : $\dfrac{1}{4}$

(3) 최솟값 : 5, 최댓값은 없다.

(4) 최솟값 : 81, 최댓값은 없다.

84 (1) 최댓값 : 25, 최솟값 : -1

(2) 최댓값 : 6, 최솟값 : $\dfrac{17}{4}$

(3) 최댓값 : 8, 최솟값 : 1

(4) 최댓값 : $\dfrac{9}{2}$, 최솟값 : 2

85 (1) 최댓값 : $\dfrac{43}{9}$, 최솟값 : 2

(2) 최댓값 : 3, 최솟값 : 2

(3) 최댓값 : 34, 최솟값 : -2

86 -2

87 (1) $a=-2$, $b=\dfrac{1}{9}$ (2) $a=-1$, $b=\dfrac{1}{81}$

88 (1) 최댓값 : 128, 최솟값 : 2

(2) 최댓값 : 128, 최솟값 : 8

89 $\dfrac{1}{4}$

90 2

91 21

92 11

93 (1) $x=3$ (2) $x=4$ (3) $x=-4$

(4) $x=3$ (5) $x=2$ (6) $x=-2$

94 (1) $x=1$ (2) $x=1$ (3) $x=-1$

95 (1) $x=-5$ (2) $x=1$

96 (1) $x=5$ (2) $x=-\dfrac{3}{8}$ (3) $x=\dfrac{2}{9}$

(4) $x=\dfrac{1}{3}$ (5) $x=\dfrac{17}{4}$ (6) $x=25$

97 t^2, t, 1, 2, 1, 2, 0, 1

98 (1) $x=-3$ 또는 $x=1$

(2) $x=-3$ 또는 $x=-2$

(3) $x=-1$ 또는 $x=2$

(4) $x=1$ 또는 $x=2$

99 (1) $x=2$ (2) $x=0$ 또는 $x=2$

(3) $x=2$ (4) $x=-1$

100 (1) 1 (2) $\dfrac{1}{16}$

101 (1) $x=1$ 또는 $x=2$

(2) $x=-3$ 또는 $x=1$

(3) $x=2$ 또는 $x=3$

(4) $x=3$ 또는 $x=4$

102 13

103 3

104 (1) $x<2$ (2) $x<-3$

(3) $x\geq6$ (4) $x\geq3$

(5) $x\geq4$ (6) $x<-6$

105 (1) $x\leq2$ (2) $x>2$

(3) $x<1$ (4) $x\geq-1$

106 (1) $x>-3$ (2) $x\leq1$

(3) $x<-1$ (4) $x\geq5$

107 t^2, t, 1, 2, 1, 2, 0, 1

108 (1) $x\geq-\dfrac{6}{11}$ (2) $x<2$ (3) $-4\leq x\leq3$

(4) $1<x<2$ (5) $x\leq2$ (6) $x<-2$

109 -9

110 (1) $1\leq x\leq4$

(2) $0<x\leq1$ 또는 $x\geq7$

(3) $x>0$

111 (1) $-\dfrac{1}{3}<x<2$ (2) $1<x<3$

(3) $-\dfrac{1}{3}<x<\dfrac{5}{6}$

112 (1) $k>27$ (2) $k\geq-1$ (3) $k\geq2$

113 3

114 (1) 2 (2) -1 (3) 0 (4) 2 (5) -3 (6) 0

115 (1) 양의 실수 (2) 실수 (3) $<$

(4) $>$ (5) y축 (직선 $x=0$)

116 (1) 그래프 : 풀이 참조, 정의역 : $\{x|x>1\}$,

치역 : 실수 전체의 집합, 점근선 : 직선 $x=1$

(2) 그래프 : 풀이 참조,

정의역 : 양의 실수 전체의 집합,

치역 : 실수 전체의 집합,

점근선 : y축 (직선 $x=0$)

117 (1) -1, 1 (2) x

118 양의 실수, 일대일대응, $\log_5 y$, $\log_5 x$

119 2

120 ㄴ, ㄹ

121 (1) 그래프 : 풀이 참조, 정의역 : $\{x|x>-2\}$,

치역 : 실수 전체의 집합,

점근선 : 직선 $x=-2$

(2) 그래프 : 풀이 참조, 정의역 : $\{x|x<0\}$,

치역 : 실수 전체의 집합,

점근선 : y축 (직선 $x=0$)

(3) 그래프 : 풀이 참조, 정의역 : $\{x|x>3\}$,

치역 : 실수 전체의 집합, 점근선 : 직선 $x=3$

122 -1

123 $y=\log_5(x-2)-3$

124 (1) $2<\log_8 80<\log_4 25$

(2) $\log_{\frac{1}{2}} 5<\log_{\frac{1}{2}} 4<\log_{\frac{1}{2}} 3$

125 (1) $y=\log_{\frac{1}{2}}(x+3)+1$

(2) $y=\left(\dfrac{1}{3}\right)^{x-1}+2$

126 4

127 16

128 1

129 증가, 1, 0, $\dfrac{1}{2}$, -1

130 감소, $\dfrac{1}{9}$, 2, 3, -1

131 (1) 최댓값 : 2, 최솟값 : 1

(2) 최댓값 : 2, 최솟값 : -1

(3) 최댓값 : 0, 최솟값은 없다.

(4) 최솟값 : 4, 최댓값은 없다.

132 (1) 최댓값 : 0, 최솟값 : -2

(2) 최댓값 : 2, 최솟값 : 1

133 -1

134 7

135 $\dfrac{1}{2}$

136 최댓값 : -2, 최솟값 : -3

137 (1) 최댓값 : 10, 최솟값 : 5

(2) 최댓값 : $\dfrac{1}{4}$, 최솟값 : -2

138 1

139 4

140 -2

141 10^{18}

142 (1) $x=8$ (2) $x=27$ (3) $x=1$

143 (1) $x=3$ (2) $x=-3$ (3) $x=7$

(4) $x=\dfrac{2}{3}$ (5) $x=12$ (6) $x=-\dfrac{2}{3}$

144 (1) $x=-1$ (2) $x=-1$

145 $0, t^{2}, t, 1, 1, 10, 1000, 10, 1000$

146 (1) $x=-5$ 또는 $x=2$ (2) $x=4$

(3) $x=20$ (4) $x=0$ 또는 $x=1$

(5) $x=7$ (6) $x=2$

147 (1) $x=\dfrac{1}{10}$ 또는 $x=1000$

(2) $x=\dfrac{1}{10}$ 또는 $x=100$

(3) $x=\dfrac{1}{100}$ 또는 $x=10$

(4) $x=\dfrac{1}{4}$ 또는 $x=4$

(5) $x=1$ 또는 $x=4$

(6) $x=1$ 또는 $x=\sqrt{3}$

148 (1) 16 (2) 4

149 (1) $x=\dfrac{1}{1000}$ 또는 $x=10$

(2) $x=10$

(3) $x=1$ 또는 $x=100$

150 25

151 8

152 10^{18}

153 ①

154 (1) $0<x<8$ (2) $0<x\leq\dfrac{1}{9}$ (3) $x>1$

155 $\dfrac{5}{3}$, $>$, 3, $x>3$

156 (1) $2\leq x<\dfrac{11}{5}$ (2) $x>3$

157 (1) $2<x\leq6$ (2) $\dfrac{8}{3}\leq x<3$

158 $0, t^{2}, t, -2, 1, -2, 1, \dfrac{1}{4}, 2, \dfrac{1}{4}, 2$

159 (1) $\dfrac{1}{4}<x<2$ (2) $6<x<7$ (3) $x>7$

(4) $0<x<1$ 또는 $10<x<11$

(5) $1<x<5$ (6) $1<x<5$

160 (1) $2<x\leq32$ (2) $1<x\leq9$

(3) $\dfrac{1}{27}<x<\sqrt{3}$

(4) $0<x<\dfrac{1}{16}$ 또는 $x>8$

(5) $\dfrac{1}{27}\leq x\leq3$ (6) $\dfrac{\sqrt{2}}{8}<x<8$

161 9

162 (1) $\dfrac{1}{3}<x<27$

(2) $\dfrac{1}{8}\leq x\leq4$

(3) $0<x\leq5$ 또는 $x\geq125$

163 (1) $2<x\leq4$ (2) $-1<x<2$

164 16

165 $\dfrac{1}{4}<a<2$

166 209

167 ③

168 (1)

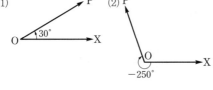

(3)

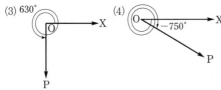

169 (1) $360° \times n + 70°$ (단, n은 정수)

(2) $360° \times n + 150°$ (단, n은 정수)

(3) $360° \times n + 220°$ (단, n은 정수)

(4) $360° \times n + 315°$ (단, n은 정수)

170 (1) $360° \times n + 80°$ (단, n은 정수)

(2) $360° \times n + 40°$ (단, n은 정수)

(3) $360° \times n + 80°$ (단, n은 정수)

(4) $360° \times n + 140°$ (단, n은 정수)

171 (1) 제 3 사분면 (2) 제 1 사분면

(3) 제 2 사분면 (4) 제 4 사분면

172 ④

173 제 2 사분면, 제 4 사분면

174 제 1 사분면, 제 2 사분면, 제 4 사분면

175 $150°$

176 3

177 $45°$, $135°$

178 (1) $\dfrac{2}{3}\pi$ (2) $-\dfrac{7}{4}\pi$ (3) $\dfrac{3}{4}\pi$ (4) $\dfrac{11}{6}\pi$

179 (1) $150°$ (2) $225°$ (3) $-240°$ (4) $-930°$

180 (1) $2n\pi + \dfrac{5}{6}\pi$ (단, n은 정수)

(2) $2n\pi + \dfrac{4}{3}\pi$ (단, n은 정수)

(3) $2n\pi + \dfrac{2}{3}\pi$ (단, n은 정수)

(4) $2n\pi + \dfrac{\pi}{4}$ (단, n은 정수)

181 (1) $l = \dfrac{4}{3}\pi$, $S = \dfrac{8}{3}\pi$ (2) $l = \dfrac{\pi}{2}$, $S = \dfrac{3}{4}\pi$

182 ⑤

183 (1) $2n\pi + \dfrac{23}{12}\pi$ (단, n은 정수)

(2) $2n\pi + \pi$ (단, n은 정수)

(3) $2n\pi + \dfrac{2}{3}\pi$ (단, n은 정수)

184 $6 + 4\pi$

185 4π

186 최대 넓이 : 25, 중심각의 크기 : 2

187 (1) $\dfrac{\sqrt{2}}{2}$ (2) $-\dfrac{\sqrt{2}}{2}$ (3) -1

188 (1) $\sin\theta = \dfrac{3}{5}$, $\cos\theta = -\dfrac{4}{5}$, $\tan\theta = -\dfrac{3}{4}$

(2) $\sin\theta = -\dfrac{8}{17}$, $\cos\theta = \dfrac{15}{17}$, $\tan\theta = -\dfrac{8}{15}$

189 (1) $\sin\theta = \dfrac{\sqrt{3}}{2}$, $\cos\theta = -\dfrac{1}{2}$, $\tan\theta = -\sqrt{3}$

(2) $\sin\theta = -\dfrac{1}{2}$, $\cos\theta = -\dfrac{\sqrt{3}}{2}$, $\tan\theta = \dfrac{\sqrt{3}}{3}$

190 (1) $\sin 400° > 0$, $\cos 400° > 0$, $\tan 400° > 0$

(2) $\sin\left(-\dfrac{17}{6}\pi\right) < 0$, $\cos\left(-\dfrac{17}{6}\pi\right) < 0$,

$\tan\left(-\dfrac{17}{6}\pi\right) > 0$

(3) $\sin(-760°) < 0$, $\cos(-760°) > 0$,

$\tan(-760°) < 0$

(4) $\sin\dfrac{29}{10}\pi > 0$, $\cos\dfrac{29}{10}\pi < 0$, $\tan\dfrac{29}{10}\pi < 0$

191 (1) 제 2 사분면 (2) 제 4 사분면

(3) 제 2 사분면 또는 제 4 사분면

192 (1) $-\dfrac{5}{6}$ (2) -3

193 $\dfrac{\sqrt{3}}{3}$

194 제 4 사분면

195 0

196 $-\cos\theta$

197 (1) 2 (2) 1 (3) $\dfrac{2}{\tan\theta}$ (4) $2\left(1 + \dfrac{1}{\tan\theta}\right)$

198 $2 - \sqrt{5}$

199 $\dfrac{\sqrt{5}}{5}$

200 $-\dfrac{10 + 6\sqrt{5}}{15}$

201 $-\dfrac{\sqrt{5}}{5}$

202 $\dfrac{11}{16}$

203 $-4\sqrt{5}$

204 $\dfrac{\sqrt{31}}{4}$

205 $\sqrt{2}$

206 $-\dfrac{5}{6}$

207 $\dfrac{1}{4}$

208 24

209 (1) 실수 전체의 집합 (2) 3, -3 (3) 원점
(4) 2π (5) y, 3

210 (1) 실수 전체의 집합 (2) $\{y\,|-1\leq y\leq 1\}$
(3) y축 (4) 4π (5) x, 2

211 (1) $3n\pi+\dfrac{3}{2}\pi$ (2) 원점 (3) 3π
(4) $x=3n\pi+\dfrac{3}{2}\pi$ (5) x, 3

212 풀이 참조

213 (1) 최댓값 : $\dfrac{1}{2}$, 최솟값 : $-\dfrac{1}{2}$, 주기 : 2π,
그래프 : 풀이 참조
(2) 최댓값 : 2, 최솟값 : 0, 주기 : 4π,
그래프 : 풀이 참조
(3) 최댓값 : 1, 최솟값 : -1, 주기 : 2π,
그래프 : 풀이 참조

214 12

215 (1) 최댓값 : 2, 최솟값 : 0, 주기 : π,
그래프 : 풀이 참조
(2) 최댓값 : 2, 최솟값 : -2, 주기 : 2π,
그래프 : 풀이 참조
(3) 최댓값 : 3, 최솟값 : -1, 주기 : 6π,
그래프 : 풀이 참조

216 13

217 (1) 주기 : $\dfrac{\pi}{3}$, 그래프 : 풀이 참조,
점근선의 방정식 : $x=\dfrac{n}{3}\pi+\dfrac{\pi}{6}$ (n은 정수)
(2) 주기 : π, 그래프 : 풀이 참조,
점근선의 방정식 : $x=n\pi+\dfrac{\pi}{2}$ (n은 정수)

(3) 주기 : π, 그래프 : 풀이 참조,
점근선의 방정식 : $x=n\pi$ (n은 정수)

218 1

219 (1) 최댓값 : 3, 최솟값 : -1, 주기 : π
(2) 최댓값 : $-\dfrac{15}{4}$, 최솟값 : $-\dfrac{17}{4}$, 주기 : $\dfrac{2}{3}\pi$
(3) 최댓값 : 없다., 최솟값 : 없다., 주기 : 1

220 $y=-\cos\left(2x+\dfrac{\pi}{4}\right)-1$

221 -1

222 3π

223 $y=3\cos\left(x-\dfrac{\pi}{6}\right)$

224 2π

225 (1) 최댓값 : 1, 최솟값 : 0, 주기 : $\dfrac{\pi}{2}$
(2) 최댓값 : 1, 최솟값 : -1, 주기 : π

226 14

227 18

228 (1) $30°$, $30°$, $\dfrac{1}{2}$ (2) $\dfrac{\sqrt{3}}{2}$ (3) $\dfrac{1}{2}$ (4) $\sqrt{3}$

229 (1) $\dfrac{\pi}{6}$, $-\dfrac{\sqrt{3}}{3}$ (2) $-\dfrac{\sqrt{2}}{2}$ (3) $\dfrac{\sqrt{3}}{2}$ (4) $-\sqrt{3}$

230 (1) $\dfrac{\pi}{4}$, $\dfrac{\pi}{4}$, $-\dfrac{\sqrt{2}}{2}$ (2) $\dfrac{1}{2}$ (3) $-\dfrac{\sqrt{2}}{2}$ (4) $\sqrt{3}$

231 (1) 2, $45°$, $45°$, $\dfrac{\sqrt{2}}{2}$ (2) $-\dfrac{1}{2}$ (3) $\dfrac{\sqrt{2}}{2}$ (4) $-\sqrt{3}$

232 (1) 0.6428 (2) 0.1736 (3) -1.1918

233 -2

234 -1

235 $-\dfrac{1}{2}$

236 (1) $\dfrac{91}{2}$ (2) 1

237 2

238 $|t-2|+1$, -1, 1, $t-1$, $-t+3$, -1, 4, 1, 2

239 $-|t-3|+2$, -1, 1, $-t+5$, $t-1$, 1, 0,
-1, -2

240 (1) 최댓값 : -1, 최솟값 : -5
(2) 최댓값 : $\dfrac{5}{2}$, 최솟값 : 1
(3) 최댓값 : 6, 최솟값 : 2

(4) 최댓값 : 6, 최솟값 : 1

241 2

242 (1) 최댓값 : 3, 최솟값 : -1

(2) 최댓값 : $\dfrac{2}{3}$, 최솟값 : -2

(3) 최댓값 : $\dfrac{1}{4}$, 최솟값 : -2

(4) 최댓값 : 5, 최솟값 : -4

243 $\dfrac{\pi}{3}$, $\dfrac{5}{3}\pi$, $\dfrac{\pi}{3}$, $\dfrac{5}{3}\pi$, $\dfrac{\pi}{3}$, $\dfrac{5}{3}\pi$

244 $\dfrac{\pi}{4}$, $\dfrac{5}{4}\pi$, $\dfrac{\pi}{4}$, $\dfrac{5}{4}\pi$, $0\le x<\dfrac{\pi}{4}$, $\dfrac{\pi}{2}<x<\dfrac{5}{4}\pi$, $\dfrac{3}{2}\pi<x<2\pi$

245 (1) $x=\dfrac{4}{3}\pi$ 또는 $x=\dfrac{5}{3}\pi$

(2) $x=\dfrac{\pi}{4}$ 또는 $x=\dfrac{7}{4}\pi$ (3) $x=\dfrac{\pi}{6}$ 또는 $x=\dfrac{7}{6}\pi$

246 (1) $x=\dfrac{\pi}{6}$ 또는 $x=\dfrac{\pi}{3}$

(2) $x=-\dfrac{11}{12}\pi$ 또는 $x=\dfrac{\pi}{12}$

(3) $x=\dfrac{2}{3}\pi$ 또는 $x=\pi$ (4) $x=\pi$

(5) $x=\dfrac{\pi}{3}$ 또는 $x=\pi$ 또는 $x=\dfrac{5}{3}\pi$

(6) $x=\dfrac{\pi}{3}$ 또는 $x=\dfrac{4}{3}\pi$

247 (1) $\dfrac{\pi}{2}<x\le\dfrac{5}{6}\pi$ 또는 $\dfrac{3}{2}\pi<x\le\dfrac{11}{6}\pi$

(2) $0\le x<\dfrac{5}{6}\pi$ 또는 $\dfrac{7}{6}\pi<x<2\pi$

(3) $0\le x<\dfrac{\pi}{4}$ 또는 $\dfrac{5}{4}\pi<x<2\pi$

(4) $\dfrac{\pi}{6}\le x\le\dfrac{3}{2}\pi$

(5) $\dfrac{2}{3}\pi\le x\le\pi$

(6) $\dfrac{\pi}{6}<x<\dfrac{11}{12}\pi$

248 (1) $\dfrac{\pi}{6}\le x\le\dfrac{5}{6}\pi$ (2) $-\dfrac{\pi}{2}<x<\dfrac{\pi}{6}$

(3) $0\le x<\dfrac{\pi}{2}$ 또는 $\dfrac{\pi}{2}<x<\dfrac{2}{3}\pi$

또는 $\dfrac{3}{4}\pi<x<\pi$

249 $0\le\theta<\dfrac{2}{3}\pi$ 또는 $\dfrac{4}{3}\pi<\theta<2\pi$

250 $0<\theta<\dfrac{\pi}{6}$ 또는 $\dfrac{5}{6}\pi<\theta<\pi$

251 $20\sqrt{2}$

252 (1) $60°$ (2) $15\sqrt{3}$

253 4π

254 $3:7:5$

255 $2:\sqrt{3}:1$

256 $a=b$인 이등변삼각형

257 $10\sqrt{2}\pi$ m

258 (1) $\sqrt{17}$ (2) $60°$

259 $45°$

260 $-\dfrac{1}{2}$

261 $A=90°$인 직각삼각형

262 $\dfrac{14\sqrt{3}}{3}$ m

263 (1) $5\sqrt{3}$ (2) $\dfrac{9\sqrt{2}}{2}$ (3) $\dfrac{15}{2}$

264 (1) 12 (2) $15\sqrt{7}$

265 (1) $2\sqrt{3}$ (2) $24\sqrt{3}$

266 (1) $6\sqrt{3}$ (2) $20\sqrt{3}$

267 $30°$ 또는 $150°$

268 16

269 $\dfrac{18}{5}$

270 (1) 84 (2) $\dfrac{65}{8}$ (3) 4

271 $\sqrt{3}$

272 $120°$

273 $4\sqrt{2}$

274 (1) 3, 6, 9 (2) 3, 5, 9 (3) 1, $\dfrac{1}{3}$, $\dfrac{1}{5}$ (4) 0, -1, 0

275 (1) $a_n=\dfrac{1}{n}$ (2) $a_n=(2n-1)(2n+1)$

(3) $a_n=\log 3^n$

276 (1) -12, -18 (2) 9, 21 (3) $-\dfrac{1}{4}$, $-\dfrac{5}{4}$

(4) $\dfrac{1}{6}$, $\dfrac{2}{3}$

277 (1) $a_n=2n$ (2) $a_n=-3n+13$

(3) $a_n=\dfrac{1}{2}n+\dfrac{1}{2}$ (4) $a_n=-\dfrac{1}{3}n+\dfrac{10}{3}$

278 (1) 3 (2) -2

279 (1) 첫째항 : -2, 공차 : 3

(2) 첫째항 : 2, 공차 : -7

280 92

281 $a_n=2n-1$, 제 100 항

282 제 31 항

283 제 28 항

284 18

285 3

286 3, 5, 7

287 (1) $\dfrac{3}{5}$ (2) $\dfrac{10}{11}$

288 30

289 (1) 200 (2) 52 (3) 100

(4) -570 (5) -77 (6) 80

290 (1) 55 (2) 144 (3) 15

(4) -195 (5) 105 (6) -40

291 -4

292 $n=18$, $d=\dfrac{20}{19}$

293 616

294 제 8 항, 최솟값 : -120

295 2990

296 3417

297 35

298 19

299 60

300 4

301 34

302 (1) 4, 16 (2) $\dfrac{1}{4}$, $\dfrac{1}{8}$ (3) 2, -6

(4) $-\dfrac{1}{2}$, $\dfrac{\sqrt{2}}{4}$ (5) $3+2\sqrt{2}$

303 (1) $a_n=2^{n-1}$ (2) $a_n=4\cdot(-1)^{n-1}$

(3) $a_n=3\cdot\left(-\dfrac{1}{3}\right)^{n-1}$ (4) $a_n=-2\cdot\left(-\dfrac{3}{2}\right)^{n-1}$

(5) $a_n=2\cdot(\sqrt{3})^{n-1}$

304 (1) 첫째항 : 2, 공비 : 3

(2) 첫째항 : 1, 공비 : $\dfrac{1}{2}$

(3) 첫째항 : -2, 공비 : -2

304 (4) 첫째항 : $\dfrac{3}{4}$, 공비 : $\dfrac{1}{4}$

(5) 첫째항 : $\dfrac{1}{4}$, 공비 : $\dfrac{1}{16}$

305 첫째항 : 2, 공비 : $\dfrac{1}{2}$

306 $a_n=(-2)^{n-1}$, $a_5=16$

307 162

308 제 6 항

309 제 9 항

310 270

311 17

312 12

313 2, -1, $\dfrac{1}{2}$

314 $\dfrac{1}{8}$

315 $\dfrac{1}{2}$

316 (1) 242 (2) $6+7\sqrt{2}$ (3) 61 (4) $\dfrac{11}{2}$ (5) $-\dfrac{31}{8}$

317 (1) $\dfrac{3^n-1}{2}$ (2) $2n$ (3) $\dfrac{1-(-1)^n}{4}$

(4) $\dfrac{1-(-2)^n}{3}$ (5) $\dfrac{1}{9}\left\{1-\left(\dfrac{1}{10}\right)^n\right\}$

318 (1) 511 (2) $\dfrac{1023}{1024}$ (3) $\dfrac{122}{243}$ (4) 315 (5) 242

319 $\dfrac{1-3^{10}}{2}$

320 -1

321 $\dfrac{(x+1)^{2n}-1}{x+2}$

322 28

323 4

324 제 9 항

325 $a_n=2\cdot3^n$

326 -2

327 12만 6000원

328 175만 원

329 7만 1000원

330 94만 원

331 1625만 원

332 (1) $\sum_{k=1}^{n}(2k-1)$ (2) $\sum_{k=1}^{n+1}2^k$ (3) $\sum_{k=1}^{n}\dfrac{1}{k+1}$

(4) $\sum_{k=1}^{10}(3k-1)$ (5) $\sum_{k=1}^{5}4$ (6) $\sum_{k=1}^{10}k(k+1)$

333 (1) $6+11+16+\cdots+51$

(2) $1+3+3^2+\cdots+3^7$

(3) $3+3+3+3+3$

(4) $-1+2-3+4-5+6-7$

(5) $2^3+2^4+2^5+\cdots+2^n$

(6) $\dfrac{1}{1\cdot2}+\dfrac{1}{2\cdot3}+\dfrac{1}{3\cdot4}+\cdots+\dfrac{1}{n(n+1)}$

334 (1) 20 (2) 90

335 1

336 11

337 ②

338 40

339 10

340 (1) $6(2^{10}-1)$ (2) $5\cdot\left(\dfrac{5}{4}\right)^{10}+\dfrac{3}{7}\cdot\left(\dfrac{3}{4}\right)^{10}-\dfrac{38}{7}$

341 (1) 120 (2) 1252 (3) 483 (4) 393

(5) $2n^2+5n+3$ (6) $(n-1)(n+3)$

(7) $\dfrac{n(2n+1)(7n+1)}{6}$

342 (1) 340 (2) 770 (3) 456 (4) 248

343 (1) $a=\dfrac{1}{2},\ b=\dfrac{1}{2},\ c=-1$

(2) $a=2,\ b=10,\ c=8$

344 440

345 105

346 12

347 $2^{n+1}-n-2$

348 360

349 30

350 (1) 3025 (2) 55

351 6

352 (1) $\dfrac{n}{2n+1}$ (2) $\dfrac{2n}{n+1}$

353 4

354 $\dfrac{n}{5(2n+5)}$

355 $3\sqrt{2}$

356 9

357 16

358 (1) 2 (2) $\log 55$

359 2036

360 $3^{13}+3$

361 제100항 : 17

첫째항부터 제100항까지의 합 : 900

362 (1) 제71항 (2) $\dfrac{8}{7}$

363 73

364 (1) 7, 17, 37 (2) 2, 1, 2 (3) $\dfrac{1}{2}$, 2, $\dfrac{1}{2}$

(4) $\dfrac{1}{5}$, $\dfrac{1}{7}$, $\dfrac{1}{9}$ (5) 2, 3, $\dfrac{8}{3}$ (6) $\dfrac{1}{2}$, $\dfrac{1}{3}$, $\dfrac{1}{4}$

365 (1) 21 (2) 36 (3) -18

(4) 3^{10} (5) $\dfrac{1}{256}$ (6) 2048

366 13

367 280

368 25

369 $\dfrac{1}{2}(3^{10}-19)$

370 $\dfrac{79}{20}$

371 11

372 $\dfrac{21}{20}$

373 30

374 $1-\left(\dfrac{1}{2}\right)^{10}$

375 (1) $a_1=4$, $a_2=\dfrac{16}{5}$ (2) $a_{n+1}=\dfrac{4}{5}a_n$

376 ⑤

377 ①

378 (1) 풀이 참조 (2) 풀이 참조

379 (1) 풀이 참조 (2) 풀이 참조

1 ④

2 ⑤

3 (1) 5　(2) $\dfrac{1}{2}$　(3) 3　(4) $2^{\frac{4}{3}}$　(5) a^5

4 ⑤

5 $\dfrac{5}{3}$

6 ④

7 $\dfrac{10}{3}$

8 ⑤

9 -8

10 ㄹ, ㅁ

11 $\dfrac{1}{3}$

12 10

13 252

14 $\dfrac{1}{12}$

15 3

16 7

17 ②

18 (1) 52　(2) $\dfrac{1}{4}$　(3) $2\sqrt{2}-1$

19 0

20 4

21 1

22 30

23 180

24 $2\sqrt{2}-1$

25 $\dfrac{5}{7}$

26 1

27 ②

28 $\dfrac{1}{2}$

29 (1) 2　(2) 2　(3) 5　(4) $\dfrac{3}{4}$

30 13

31 $\dfrac{1}{2}(2a+b-1)$

32 ③

33 ①

34 25

35 (1) 4　(2) 32　(3) 30

36 ②

37 0

38 ③

39 ⑤

40 2

41 ①

42 ①

43 -70

44 3

45 125

46 109

47 -4

48 6000

49 0.375

50 458

51 ⑤

52 ②

53 ②

54 4

55 $\dfrac{22}{5}$

56 ⑤

57 ①

58 ②

59 (1) 2　(2) 8

60 $a=\dfrac{3}{2},\ b=\dfrac{1}{2}$

61 ④

62 280

63 ③

64 4

65 ④

66 ③

67 ④

68 (1) $\dfrac{1}{27}$ (2) 3

69 0

70 ③

71 64

72 ③

73 ②

74 ③

75 ③

76 (1) $B<A<C$ (2) $C<B<A$

77 8

78 -1

79 ④

80 $a=2,\ b=\dfrac{2}{27}$

81 (1) -26 (2) 6

82 ④

83 (1) 2 (2) $\dfrac{3}{4}$

84 (1) 34 (2) $\dfrac{1}{2}$

85 (1) $x=\dfrac{5}{2}$ (2) $x=-\dfrac{5}{4}$

  (3) $x=-1$ 또는 $x=4$

  (4) $x=-2$ 또는 $x=1$ 또는 $x=3$

  (5) $x=1$ 또는 $x=3$

86 2

87 ②

88 ④

89 128

90 ①

91 $0<k<\dfrac{9}{2}$

92 (1) $x=-1$ 또는 $x=1$

  (2) $x=-1$ 또는 $x=1$

93 ②

94 15

95 $\dfrac{5}{12}$

96 (1) $x>\dfrac{3}{8}$ (2) $x\geq-\dfrac{5}{21}$ (3) $x\leq-4$

  (4) $1<x<7$

97 -2

98 ①

99 ①

100 43

101 -2

102 (1) $0<k<2$ (2) $k>15$

103 4

104 3

105 1

106 2

107 29

108 $k\leq4$

109 4

110 $\dfrac{3}{2}$

111 ③

112 2

113 70

114 ㄱ, ㄷ, ㄹ

115 ④

116 $y=\log_2 x-1$

117 16

118 0

119 ③

120 -12

121 ③

122 2^{16}

123 38

124 4

125 6

126 6

127 2

128 ①

129 -1

130 ②

131 ④

132 $\dfrac{1}{2}$

133 6

134 $\dfrac{9}{4}$

135 2

136 $\sqrt{2}$

137 10000

138 18

139 (1) $x=-5$ (2) $x=6$

(3) $x=1$ 또는 $x=\sqrt{2}$

(4) $x=2$ 또는 $x=16$

(5) $x=\sqrt[3]{10}$ 또는 $x=10$

(6) $x=2\sqrt{2}$

140 7

141 8

142 (1) 27 (2) $\dfrac{1}{27}$

143 ①

144 (1) $x=\dfrac{1}{10}$ 또는 $x=1000$

(2) $x=\dfrac{1}{10}$ 또는 $x=10$

145 8

146 ③

147 4

148 6

149 (1) $x=1$ 또는 $x=10$ (2) $x=12$

150 ④

151 20

152 (1) $x>2$ (2) $-16<x<\dfrac{1}{5}$ (3) $2<x\leq16$

(4) $0<x\leq\dfrac{1}{4}$ 또는 $x\geq2$

153 $\dfrac{7}{2}<x<5$

154 ④

155 $x<-0.04$ 또는 $x>0.04$

156 ④

157 2

158 6

159 2

160 6

161 40

162 -9

163 6

164 ⑤

165 23번

166 ③

167 -5

168 6

169 $0<\alpha<\dfrac{1}{10}$

170 ③

171 ⑤

172 3

173 $\dfrac{\pi}{8}$, $\dfrac{5}{8}\pi$

174 $\dfrac{3}{2}\pi$

175 $\dfrac{\pi}{10}$

176 ③

177 $300°$

178 ①

179 ③

180 풀이 참조, $\dfrac{\pi}{4}$

181 $72\pi\sqrt{\pi^2-1}$

182 ②

183 (1) $2\tan x$ (2) $\sin\theta$

184 $-4\sqrt{3}$

185 $\dfrac{\sqrt{2}}{2}$

186 14

187 $-\dfrac{7}{8}$

188 ㄱ, ㄷ

189 $-\dfrac{\sqrt{3}}{2}$

190 $\dfrac{9\sqrt{2}}{4}$

191 11

192 $-\dfrac{13}{20}$

193 $3\sqrt{3}-4$

194 ⑤

195 ④

196 $(3, 0)$

197 ④

198 5

199 ②

200 $\dfrac{3\sqrt{2}}{2}$

201 $\dfrac{\pi}{4}$

202 9

203 10

204 ④

205 $\dfrac{3}{4}\pi$

206 ③

207 (1) 5 (2) 1 (3) 1

208 -1

209 ③

210 $\dfrac{\sqrt{3}}{2}+\dfrac{3}{4}$

211 $-\dfrac{1}{2}$

212 (1) 5 (2) -1 (3) 1

213 $-5\sqrt{3}\pi$

214 0

215 1

216 (1) $\dfrac{3}{2}$ (2) $-\dfrac{5}{4}$

217 (1) 2 (2) 3

218 $\dfrac{1}{2}$

219 $\dfrac{2}{3}$

220 $-\dfrac{25}{4}$

221 $\dfrac{5}{6}\pi$

222 $x=-\dfrac{\pi}{3}$ 또는 $x=\dfrac{\pi}{3}$

223 ④

224 ④

225 3π

226 8

227 6

228 $-\dfrac{1}{2}$

229 $-\dfrac{\pi}{4}<x<\dfrac{\pi}{4}$

230 (1) $-\dfrac{\pi}{3}\leq x<0$ 또는 $\dfrac{2}{3}\pi<x<\pi$

(2) $\dfrac{\pi}{6}\leq\theta\leq\dfrac{3}{2}\pi$

231 ③

232 $a\leq 7$

233 -2

234 (1) $x=\dfrac{\pi}{3}$ 또는 $x=\dfrac{2}{3}\pi$ 또는 $x=\dfrac{4}{3}\pi$ (2) π

235 26

236 ①

237 (1) $\dfrac{\pi}{6}$ (2) $\dfrac{4}{3}\pi<\theta<\dfrac{5}{3}\pi$

238 $0\leq a\leq\dfrac{9}{4}$

239 30

240 ③

241 2

242 13π

243 4

244 ③

245 $-\dfrac{1}{2}$

246 $\dfrac{3\sqrt{10}}{10}$

247 $10\sqrt{6}$ m

248 $\dfrac{\sqrt{10}}{10}$

249 ③

250 ④

251 ③

252 ①

253 $\dfrac{4}{5}$

254 $120°$

255 ④

256 $\dfrac{12\sqrt{39}}{13}$

257 $4\sqrt{6}$

258 $\dfrac{\sqrt{3}}{2}$

259 $\dfrac{1}{2}$

260 $4(1+\sqrt{3})$

261 $100(3+\sqrt{3})$

262 ①

263 ③

264 ①

265 $\dfrac{60}{7}$ km

266 $2\sqrt{3}$

267 -18

268 첫째항 : -6, 공차 : 2

269 제 15 항

270 $\dfrac{11}{4}$

271 36

272 ②

273 16

274 96

275 19

276 22

277 제 8 항

278 1748

279 ③

280 -6

281 -15

282 37

283 13

284 125

285 $15\sqrt{3}$

286 ③

287 $\dfrac{1}{2}$

288 765

289 제 9 항

290 4

291 ①

292 $\dfrac{21}{4}$

293 ④

294 3069

295 $\dfrac{1}{3}\cdot\left(\dfrac{2}{3}\right)^{19}$

296 1

297 $\dfrac{1}{2}$

298 $\dfrac{1}{3}$

299 $\dfrac{1}{9}(10^{n+1}-9n-10)$

300 4

301 $\dfrac{63}{4}$

302 120

303 3

304 10

305 ②

306 10

307 266만 원

308 24

309 $\left(\dfrac{-1+\sqrt{5}}{2}\right)^{19}$

310 6

311 9

312 ⑤

313 70

314 ④

315 ③

316 ①

317 $\dfrac{7(10^{11}-100)}{81}$

318 2309

319 $\dfrac{n(n+1)(n+2)}{3}$

320 23

321 3025

322 ③

323 (1) 1330 (2) 169150

324 1240

325 $\dfrac{n(n+1)(n+2)}{6}$

326 55

327 25

328 99

329 $\dfrac{108}{55}$

330 ①

331 12

332 ②

333 $\dfrac{100}{101}$

334 10

335 60

336 $\dfrac{9}{20}$

337 ③

338 $\dfrac{509}{128}$

339 $\dfrac{1}{101}$

340 188

341 514

342 ①

343 ④

344 12

345 9

346 $\dfrac{15}{26}$

347 1

348 $1-\left(\dfrac{2}{3}\right)^{10}$

349 $\dfrac{245}{4}$ L

350 $\dfrac{1}{2}(3^{13}-1)$

351 100

352 10

353 $3-\left(\dfrac{1}{2}\right)^{9}$

354 ③

355 2

356 $\dfrac{14}{27}$

357 123

358 ①

359 ①

360 92

361 $\dfrac{1}{78}$

362 45

363 ④

364 ㄱ, ㄴ

365 ②

366 (가) $(k+1)\cdot 2^{k+1}$ (나) k

367 (가) 9 (나) 8

368 ⑤

369 (가) $\dfrac{1}{2}$ (나) a_k+1 (다) $\dfrac{1}{k+1}$

370 ③

개념원리와 만나는 모든 방법

다양한 이벤트, 동기부여 콘텐츠 등
공부 자극에 필요한 모든 콘텐츠를 보고 싶다면?

개념원리 공식 인스타그램
@wonri_with

교재 속 QR코드 문제 풀이 영상 공부법까지
수학 공부에 필요한 모든 것

개념원리 공식 유튜브 채널
youtube.com/개념원리2022

개념원리에서 만들어지는 모든 콘텐츠를
정기적으로 받고 싶다면?

개념원리 공식
카카오뷰 채널

개념원리
교재 소개

문제 난이도

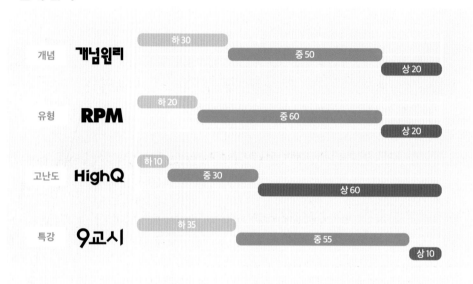

	개념 **개념원리**	하 30	중 50	상 20
유형 **RPM**	하 20	중 60	상 20
고난도 **HighQ**	하 10	중 30	상 60
특강 **9교시**	하 35	중 55	상 10

고등

개념원리 | 수학의 시작　　　　　　　[개념]

하나를 알면 10개, 20개를 풀 수 있는 개념원리 수학
수학(상), 수학(하), 수학Ⅰ, 수학Ⅱ, 확률과 통계, 미적분, 기하

RPM | 유형의 완성　　　　　　　[유형]

다양한 유형의 문제를 통해 수학의 문제 해결력을 높일 수 있는 RPM
수학(상), 수학(하), 수학Ⅰ, 수학Ⅱ, 확률과 통계, 미적분, 기하

High Q | 고난도 정복 (고1 내신 대비)　　[고난도]

최고를 향한 핵심 고난도 문제서 High Q
수학(상), 수학(하)

9교시 | 학교 안 개념원리　　　　　[특강]

쉽고 빠르게 정리하는 9종 교과서 시크릿
수학(상), 수학(하), 수학Ⅰ

중등

개념원리 | 수학의 시작　　　　　　　[개념]

하나를 알면 10개, 20개를 풀 수 있는 개념원리 수학
중학수학 1-1, 1-2, 2-1, 2-2, 3-1, 3-2

RPM | 유형의 완성　　　　　　　[유형]

다양한 유형의 문제를 통해 수학의 문제 해결력을 높일 수 있는 RPM
중학수학 1-1, 1-2, 2-1, 2-2, 3-1, 3-2

개념원리

수학 I

개념원리

수학 I

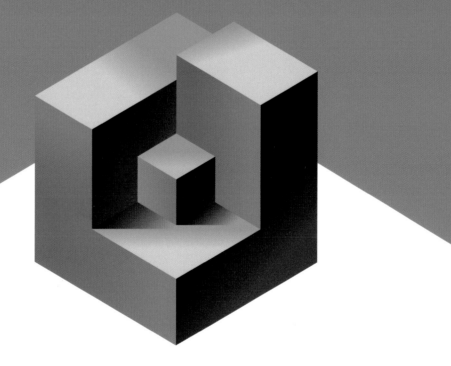

정답과 풀이

개념원리 수학연구소

개념원리 수학 I

정답과 풀이

I 친절한 풀이 정확하고 이해하기 쉬운 친절한 풀이

I 다른 풀이 수학적 사고력을 키우는 다양한 해결 방법 제시

I key point 문제 해결을 돕는 보충 설명 제공

개념원리

수학 I

정답과 풀이

Ⅰ. 지수함수와 로그함수

1

(1) -27의 세제곱근은 방정식 $x^3 = -27$의 근이므로

$x^3 + 27 = 0$, $(x+3)(x^2 - 3x + 9) = 0$

$\therefore x = -3$ 또는 $x = \dfrac{3 \pm 3\sqrt{3}i}{2}$

(2) 81의 네제곱근은 방정식 $x^4 = 81$의 근이므로

$x^4 - 81 = 0$, $(x+3)(x-3)(x^2+9) = 0$

$\therefore x = \pm 3$ 또는 $x = \pm 3i$

$$\text{답 (1) } -3, \frac{3+3\sqrt{3}i}{2}, \frac{3-3\sqrt{3}i}{2}$$

$$\text{(2) } -3, 3, -3i, 3i$$

2

(1) $\sqrt[5]{32} = \sqrt[5]{2^5} = 2$

(2) $\sqrt[6]{64} = \sqrt[6]{2^6} = 2$

(3) $\sqrt[3]{-27} = \sqrt[3]{(-3)^3} = -3$

(4) $-\sqrt[4]{81} = -\sqrt[4]{3^4} = -3$

(5) $\sqrt[3]{-0.008} = \sqrt[3]{(-0.2)^3} = -0.2$

(6) $-\sqrt[5]{(-3)^5} = -(-3) = 3$

$$\text{답 (1) } 2 \quad \text{(2) } 2 \quad \text{(3) } -3$$
$$\text{(4) } -3 \quad \text{(5) } -0.2 \quad \text{(6) } 3$$

3

(1) $\sqrt[4]{3} \times \sqrt[4]{27} = \sqrt[4]{3 \times 27} = \sqrt[4]{81} = \sqrt[4]{3^4} = 3$

(2) $\dfrac{\sqrt[3]{2}}{\sqrt[3]{16}} = \sqrt[3]{\dfrac{2}{16}} = \sqrt[3]{\dfrac{1}{8}} = \sqrt[3]{\left(\dfrac{1}{2}\right)^3} = \dfrac{1}{2}$

(3) $\sqrt[4]{16^3} = (\sqrt[4]{16})^3 = (\sqrt[4]{2^4})^3 = 2^3 = 8$

(4) $\sqrt[3]{\sqrt{27}} = \sqrt[6]{27} = \sqrt[6]{3^3} = \sqrt{3}$

(5) $\sqrt[12]{3^4} \times \sqrt[9]{3^6} = \sqrt[3 \times 4]{3^{1 \times 4}} \times \sqrt[3 \times 3]{3^{2 \times 3}} = \sqrt[3]{3} \times \sqrt[3]{3^2}$
$\qquad = \sqrt[3]{3 \times 3^2} = \sqrt[3]{3^3} = 3$

(6) $\dfrac{\sqrt[4]{2}}{\sqrt[4]{32}} = \sqrt[4]{\dfrac{2}{32}} = \sqrt[4]{\dfrac{1}{16}} = \sqrt[4]{\left(\dfrac{1}{2}\right)^4} = \dfrac{1}{2}$

$$\text{답 (1) } 3 \quad \text{(2) } \frac{1}{2} \quad \text{(3) } 8 \quad \text{(4) } \sqrt{3} \quad \text{(5) } 3 \quad \text{(6) } \frac{1}{2}$$

4

(1) $\sqrt[3]{\sqrt{216}} = \sqrt[6]{216} = \sqrt[6]{6^3} = \sqrt{6}$

(2) $\sqrt[4]{\sqrt[3]{16}} \times \sqrt[3]{\sqrt{16}} = \sqrt[3]{\sqrt[4]{16}} \times \sqrt[3]{\sqrt{16}}$
$\qquad = \sqrt[3]{\sqrt[4]{2^4}} \times \sqrt[3]{\sqrt{4^2}}$
$\qquad = \sqrt[3]{2} \times \sqrt[3]{4}$
$\qquad = \sqrt[3]{2 \times 4}$
$\qquad = \sqrt[3]{8} = \sqrt[3]{2^3}$
$\qquad = 2$

$$\text{답 (1) } \sqrt{6} \quad \text{(2) } 2$$

5

① -4의 제곱근을 x라 하면 $x^2 = -4$이므로

$x = \pm 2i$ (거짓)

② 제곱근 16은 $\sqrt{16} = 4$이다. (거짓)

③ 27의 세제곱근을 x라 하면 $x^3 = 27$이므로

$x^3 - 27 = 0$, $(x-3)(x^2 + 3x + 9) = 0$

$\therefore x = 3$ 또는 $x = \dfrac{-3 \pm 3\sqrt{3}i}{2}$ (거짓)

④ 9의 네제곱근을 x라 하면 $x^4 = 9$이므로

$x^4 - 9 = 0$, $(x^2 - 3)(x^2 + 3) = 0$

$\therefore x = \pm\sqrt{3}$ 또는 $x = \pm\sqrt{3}i$

따라서 9의 네제곱근 중 실수인 것은 $-\sqrt{3}$, $\sqrt{3}$의
2개이다. (참)

⑤ -16의 네제곱근을 x라 하면

$x^4 = -16$

이를 만족시키는 실수 x의 값은 존재하지 않으므로
-16의 네제곱근 중 실수인 것은 없다. (거짓)

따라서 옳은 것은 ④이다.

$$\text{답 } ④$$

6

(1) $\sqrt[5]{32^2} \div (\sqrt[3]{2})^6 - \sqrt[3]{\sqrt{64}} = \sqrt[5]{(2^5)^2} \div \sqrt[3]{2^6} - \sqrt[6]{2^6}$
$\qquad = \sqrt[5]{(2^2)^5} \div \sqrt[3]{(2^2)^3} - 2$
$\qquad = 2^2 \div 2^2 - 2 = 1 - 2$
$\qquad = -1$

(2) $\dfrac{1}{\sqrt[3]{27}}(\sqrt[3]{2}+1)(\sqrt[3]{4}-\sqrt[3]{2}+1)$

$=\dfrac{1}{\sqrt[3]{3^3}}(\sqrt[3]{2}+1)(\sqrt[3]{2^2}-\sqrt[3]{2}+1)$

$=\dfrac{1}{3}(\sqrt[3]{2}+1)\{(\sqrt[3]{2})^2-\sqrt[3]{2}+1\}$

$=\dfrac{1}{3}\{(\sqrt[3]{2})^3+1^3\}$

$=\dfrac{1}{3}\times(2+1)$

$=1$

(3) $\sqrt[4]{\dfrac{\sqrt[3]{125}}{\sqrt[9]{125}}}\times\sqrt[6]{\dfrac{\sqrt[3]{125}}{\sqrt{125}}}\times\sqrt[9]{\dfrac{\sqrt[4]{125}}{\sqrt{125}}}$

$=\dfrac{\sqrt[4]{\sqrt[3]{125}}}{\sqrt[4]{\sqrt[9]{125}}}\times\dfrac{\sqrt[6]{\sqrt[3]{125}}}{\sqrt[6]{\sqrt{125}}}\times\dfrac{\sqrt[9]{\sqrt[4]{125}}}{\sqrt[9]{\sqrt{125}}}$

$=\dfrac{\sqrt[12]{125}}{\sqrt[36]{125}}\times\dfrac{\sqrt[18]{125}}{\sqrt[12]{125}}\times\dfrac{\sqrt[36]{125}}{\sqrt[18]{125}}$

$=1$

(4) $\sqrt{\dfrac{27^{10}+9^{10}}{27^4+9^{11}}}=\sqrt{\dfrac{(3^3)^{10}+(3^2)^{10}}{(3^3)^4+(3^2)^{11}}}$

$=\sqrt{\dfrac{3^{30}+3^{20}}{3^{12}+3^{22}}}=\sqrt{\dfrac{3^{20}(3^{10}+1)}{3^{12}(1+3^{10})}}$

$=\sqrt{3^8}=3^4=81$

답 (1) -1　(2) 1　(3) 1　(4) 81

7

(1) $\sqrt[4]{ab^2}\times\sqrt[8]{a^2b}\div\sqrt[6]{a^2b^3}$

$=\sqrt[24]{a^6b^{12}}\times\sqrt[24]{a^6b^3}\div\sqrt[24]{a^8b^{12}}$

$=\sqrt[24]{a^6b^{12}\times a^6b^3\div a^8b^{12}}$

$=\sqrt[24]{a^{6+6-8}b^{12+3-12}}$

$=\sqrt[24]{a^4b^3}$

(2) $\sqrt[5]{\dfrac{\sqrt[3]{x}}{\sqrt{x}}}\times\sqrt[3]{\dfrac{\sqrt{x}}{\sqrt[5]{x}}}\times\sqrt{\dfrac{\sqrt[5]{x}}{\sqrt[3]{x}}}=\dfrac{\sqrt[5]{\sqrt[3]{x}}}{\sqrt[5]{\sqrt{x}}}\times\dfrac{\sqrt[3]{\sqrt{x}}}{\sqrt[3]{\sqrt[5]{x}}}\times\dfrac{\sqrt{\sqrt[5]{x}}}{\sqrt{\sqrt[3]{x}}}$

$=\dfrac{\sqrt[15]{x}}{\sqrt[10]{x}}\times\dfrac{\sqrt[6]{x}}{\sqrt[15]{x}}\times\dfrac{\sqrt[10]{x}}{\sqrt[6]{x}}$

$=1$

(3) $\sqrt[5]{a\times\sqrt[4]{a^2\times\sqrt[3]{a}}}=\sqrt[5]{a}\times\sqrt[5]{\sqrt[4]{a^2\times\sqrt[3]{a}}}$

$=\sqrt[5]{a}\times\sqrt[20]{a^2\times\sqrt[3]{a}}$

$=\sqrt[5]{a}\times\sqrt[20]{a^2}\times\sqrt[20]{\sqrt[3]{a}}$

$=\sqrt[5]{a}\times\sqrt[10]{a}\times\sqrt[60]{a}$

$=\sqrt[60]{a^{12}}\times\sqrt[60]{a^6}\times\sqrt[60]{a}$

$=\sqrt[60]{a^{12}\times a^6\times a}=\sqrt[60]{a^{12+6+1}}$

$=\sqrt[60]{a^{19}}$

답 (1) $\sqrt[24]{a^4b^3}$　(2) 1　(3) $\sqrt[60]{a^{19}}$

8

$A=\sqrt[3]{\sqrt{10}}=\sqrt[6]{10}$, $B=\sqrt[4]{5}$, $C=\sqrt[3]{\sqrt{11}}=\sqrt[6]{11}$

6, 4의 최소공배수는 12이므로

$A=\sqrt[6]{10}=\sqrt[12]{10^2}=\sqrt[12]{100}$, $B=\sqrt[4]{5}=\sqrt[12]{5^3}=\sqrt[12]{125}$,

$C=\sqrt[6]{11}=\sqrt[12]{11^2}=\sqrt[12]{121}$

따라서 $\sqrt[12]{100}<\sqrt[12]{121}<\sqrt[12]{125}$이므로 $A<C<B$

답 $A<C<B$

9

(1) $(2\sqrt{2})^0=1$

(2) $\left(\dfrac{1}{2}\right)^{-4}=(2^{-1})^{-4}=2^4=16$

(3) $3^{-2}=\dfrac{1}{3^2}=\dfrac{1}{9}$

(4) $8^0+\left(\dfrac{1}{4}\right)^{-2}=1+(4^{-1})^{-2}=1+4^2=17$

답 (1) 1　(2) 16　(3) $\dfrac{1}{9}$　(4) 17

10

(1) $(2^{\frac{3}{4}})^2\times2^{\frac{3}{2}}=2^{\frac{3}{2}}\times2^{\frac{3}{2}}=2^{\frac{3}{2}+\frac{3}{2}}=2^3=8$

(2) $5^{\frac{4}{3}}\times25^{-\frac{1}{6}}=5^{\frac{4}{3}}\times(5^2)^{-\frac{1}{6}}=5^{\frac{4}{3}}\times5^{-\frac{1}{3}}$

$=5^{\frac{4}{3}-\frac{1}{3}}=5^1=5$

(3) $\sqrt{3}\div(3^{\frac{1}{4}})^6=3^{\frac{1}{2}}\div3^{\frac{3}{2}}=3^{\frac{1}{2}-\frac{3}{2}}=3^{-1}=\dfrac{1}{3}$

(4) $\sqrt{32}\div\sqrt[4]{4}=\sqrt{2^5}\div\sqrt[4]{2^2}=2^{\frac{5}{2}}\div2^{\frac{1}{2}}=2^{\frac{5}{2}-\frac{1}{2}}=2^2=4$

(5) $\left\{\left(\dfrac{1}{4}\right)^{\frac{3}{4}}\right\}^{-\frac{8}{3}}=\left(\dfrac{1}{4}\right)^{\frac{3}{4}\times\left(-\frac{8}{3}\right)}=\left(\dfrac{1}{4}\right)^{-2}=(4^{-1})^{-2}$

$=4^2=16$

(6) $\left\{\left(\dfrac{1}{2}\right)^{-\frac{15}{2}}\right\}^{\frac{8}{5}}=\left(\dfrac{1}{2}\right)^{-\frac{15}{2}\times\frac{8}{5}}=\left(\dfrac{1}{2}\right)^{-12}=(2^{-1})^{-12}$

$=2^{12}=4096$

답 (1) 8　(2) 5　(3) $\dfrac{1}{3}$　(4) 4　(5) 16　(6) 4096

11

$$\sqrt{a} \times \sqrt[3]{a} = a^{\frac{1}{2}} \times a^{\frac{1}{3}} = a^{\frac{1}{2}+\frac{1}{3}} = a^{\frac{5}{6}}$$

답 $a^{\frac{5}{6}}$

12

(1) $\left(4^{\sqrt{3}}\right)^{\sqrt{12}} = 4^{\sqrt{36}} = 4^6 = (2^2)^6 = 2^{12} = 4096$

(2) $5^{3\sqrt{5}} \div 5^{\sqrt{5}} = 5^{3\sqrt{5}-\sqrt{5}} = 5^{2\sqrt{5}}$

(3) $3^{\sqrt{2}(\sqrt{2}+1)} \times 3^{2-\sqrt{2}} = 3^{2+\sqrt{2}} \times 3^{2-\sqrt{2}} = 3^{(2+\sqrt{2})+(2-\sqrt{2})}$
$$= 3^4 = 81$$

(4) $5^{\sqrt{3}} \times 5^{1-\sqrt{3}} \times 3^{\pi} \times 3^{2-\pi} = 5^{\sqrt{3}+(1-\sqrt{3})} \times 3^{\pi+(2-\pi)}$
$$= 5^1 \times 3^2 = 5 \times 9$$
$$= 45$$

답 (1) **4096**　(2) $5^{2\sqrt{5}}$　(3) **81**　(4) **45**

13

(1) $8^{\frac{1}{4}} \times 32^{-\frac{1}{2}} \div 2^{-\frac{3}{4}} = (2^3)^{\frac{1}{4}} \times (2^5)^{-\frac{1}{2}} \div 2^{-\frac{3}{4}}$
$$= 2^{\frac{3}{4}} \times 2^{-\frac{5}{2}} \div 2^{-\frac{3}{4}}$$
$$= 2^{\frac{3}{4}-\frac{5}{2}-\left(-\frac{3}{4}\right)}$$
$$= 2^{-1} = \frac{1}{2}$$

(2) $\left\{\left(\dfrac{27}{216}\right)^{-\frac{1}{3}}\right\}^{\frac{3}{2}} \times \left(\dfrac{27}{6}\right)^{\frac{1}{2}} = \left\{\left(\dfrac{1}{2^3}\right)^{-\frac{1}{3}}\right\}^{\frac{3}{2}} \times \left(\dfrac{3^2}{2}\right)^{\frac{1}{2}}$
$$= \left(\dfrac{1}{2^3}\right)^{-\frac{1}{2}} \times \dfrac{3}{2^{\frac{1}{2}}}$$
$$= (2^{-3})^{-\frac{1}{2}} \times 3 \times 2^{-\frac{1}{2}}$$
$$= 2^{\frac{3}{2}} \times 3 \times 2^{-\frac{1}{2}}$$
$$= 2^{\frac{3}{2}-\frac{1}{2}} \times 3$$
$$= 2 \times 3$$
$$= 6$$

(3) $3^{2+2\sqrt{2}} \div 3^{2\sqrt{2}-1} - \left\{(-3)^6\right\}^{\frac{1}{3}}$
$$= 3^{(2+2\sqrt{2})-(2\sqrt{2}-1)} - (3^6)^{\frac{1}{3}}$$
$$= 3^3 - 3^2$$
$$= 18$$

답 (1) $\dfrac{1}{2}$　(2) **6**　(3) **18**

14

$$\sqrt[3]{a^2} \div \sqrt[4]{a} \times \sqrt[12]{a} = a^{\frac{2}{3}} \div a^{\frac{1}{4}} \times a^{\frac{1}{12}}$$
$$= a^{\frac{2}{3}-\frac{1}{4}+\frac{1}{12}} = a^{\frac{1}{2}}$$
$$\therefore k = \frac{1}{2}$$

답 $\dfrac{1}{2}$

15

$$\sqrt[3]{4\sqrt{4} \times \dfrac{4}{\sqrt[4]{4}}} = \left(4 \times 4^{\frac{1}{2}} \times 4 \div 4^{\frac{1}{4}}\right)^{\frac{1}{3}}$$
$$= \left(4^{1+\frac{1}{2}+1-\frac{1}{4}}\right)^{\frac{1}{3}}$$
$$= \left(4^{\frac{9}{4}}\right)^{\frac{1}{3}} = 4^{\frac{3}{4}}$$
$$= (2^2)^{\frac{3}{4}} = 2^{\frac{3}{2}}$$
$$\therefore k = \frac{3}{2}$$

답 $\dfrac{3}{2}$

16

$2^3 = a$에서 $2 = a^{\frac{1}{3}}$, $3^4 = b$에서 $3 = b^{\frac{1}{4}}$이므로
$$12^8 = (2^2 \times 3)^8 = 2^{16} \times 3^8 = (a^{\frac{1}{3}})^{16}(b^{\frac{1}{4}})^8 = a^{\frac{16}{3}}b^2$$

답 $a^{\frac{16}{3}}b^2$

17

$a = \sqrt[3]{6}$, $b = \sqrt{7}$에서 $a^3 = 6$, $b^2 = 7$이므로
$$\sqrt[9]{42} = 42^{\frac{1}{9}} = (6 \times 7)^{\frac{1}{9}} = (a^3 b^2)^{\frac{1}{9}} = a^{\frac{1}{3}}b^{\frac{2}{9}}$$

답 $a^{\frac{1}{3}}b^{\frac{2}{9}}$

18

(1) 곱셈 공식 $(A-B)(A^2+AB+B^2) = A^3 - B^3$을
　이용하여 식을 간단히 하면
$$\left(a^{\frac{1}{3}}-b^{\frac{1}{3}}\right)\left(a^{\frac{2}{3}}+a^{\frac{1}{3}}b^{\frac{1}{3}}+b^{\frac{2}{3}}\right)$$
$$= \left(a^{\frac{1}{3}}-b^{\frac{1}{3}}\right)\left\{\left(a^{\frac{1}{3}}\right)^2 + a^{\frac{1}{3}}b^{\frac{1}{3}} + \left(b^{\frac{1}{3}}\right)^2\right\}$$
$$= \left(a^{\frac{1}{3}}\right)^3 - \left(b^{\frac{1}{3}}\right)^3$$
$$= a - b$$

(2) 곱셈 공식 $(A+B)(A-B)=A^2-B^2$을 이용하여 식을 간단히 하면

$(3^{\frac{1}{2}}+1)(3^{\frac{1}{2}}-1)(8^{\frac{1}{3}}+1)(8^{\frac{1}{3}}-1)$

$=\{(3^{\frac{1}{2}})^2-1\}\{(8^{\frac{1}{3}})^2-1\}$

$=(3-1)(8^{\frac{2}{3}}-1)$

$=2\{(2^3)^{\frac{2}{3}}-1\}$

$=2(2^2-1)=6$

답 (1) $a-b$ (2) 6

19

$x^{\frac{1}{2}}-x^{-\frac{1}{2}}=1$의 양변을 제곱하면

$x-2+x^{-1}=1$ $\therefore x+x^{-1}=3$ ⋯⋯ ㉠

㉠의 양변을 세제곱하면

$x^3+3x^2\cdot x^{-1}+3x\cdot x^{-2}+x^{-3}=27$

$x^3+x^{-3}+3(x+x^{-1})=27$

$x^3+x^{-3}+3\cdot 3=27$

$\therefore x^3+x^{-3}=18$

답 18

다른풀이 곱셈 공식의 변형을 이용하면

$x+x^{-1}=(x^{\frac{1}{2}}-x^{-\frac{1}{2}})^2+2=1^2+2=3$

$\therefore x^3+x^{-3}=(x+x^{-1})^3-3(x+x^{-1})$

$=3^3-3\times 3=18$

20

$a^{\frac{1}{2}}+a^{-\frac{1}{2}}=4$ ⋯⋯ ㉠

㉠의 양변을 제곱하면

$a+2+a^{-1}=16$

$\therefore a+a^{-1}=14$ ⋯⋯ ㉡

㉡의 양변을 제곱하면

$a^2+2+a^{-2}=196$

$\therefore a^2+a^{-2}=194$ ⋯⋯ ㉢

㉠의 양변을 세제곱하면

$a^{\frac{3}{2}}+3a\cdot a^{-\frac{1}{2}}+3a^{\frac{1}{2}}\cdot a^{-1}+a^{-\frac{3}{2}}=64$

$a^{\frac{3}{2}}+a^{-\frac{3}{2}}+3(a^{\frac{1}{2}}+a^{-\frac{1}{2}})=64$

$a^{\frac{3}{2}}+a^{-\frac{3}{2}}+3\cdot 4=64$

$\therefore a^{\frac{3}{2}}+a^{-\frac{3}{2}}=52$ ⋯⋯ ㉣

㉢, ㉣에서

$\dfrac{a^{\frac{3}{2}}+a^{-\frac{3}{2}}+2}{a^2+a^{-2}+3}=\dfrac{52+2}{194+3}=\dfrac{54}{197}$

답 $\dfrac{54}{197}$

21

$x=4^{\frac{1}{3}}+2^{\frac{1}{3}}$의 양변을 세제곱하면

$x^3=(4^{\frac{1}{3}}+2^{\frac{1}{3}})^3$

$=4+3\cdot 4^{\frac{2}{3}}\cdot 2^{\frac{1}{3}}+3\cdot 4^{\frac{1}{3}}\cdot 2^{\frac{2}{3}}+2$

$=6+3\cdot 4^{\frac{1}{3}}\cdot 2^{\frac{1}{3}}(4^{\frac{1}{3}}+2^{\frac{1}{3}})$

$=6+6x$ ← $4^{\frac{1}{3}}\cdot 2^{\frac{1}{3}}=(2^2)^{\frac{1}{3}}\cdot 2^{\frac{1}{3}}=2^{\frac{2}{3}+\frac{1}{3}}=2$

$\therefore x^3-6x=6$

답 6

22

$x^{-2}=6$, 즉 $\dfrac{1}{x^2}=6$에서 $x^2=\dfrac{1}{6}$

주어진 식의 분모, 분자에 각각 x를 곱하면

$\dfrac{x^3-x^{-3}}{x+x^{-1}}=\dfrac{x(x^3-x^{-3})}{x(x+x^{-1})}=\dfrac{x^4-x^{-2}}{x^2+1}$

$=\dfrac{(x^2)^2-x^{-2}}{x^2+1}=\dfrac{\left(\dfrac{1}{6}\right)^2-6}{\dfrac{1}{6}+1}=-\dfrac{215}{42}$

답 $-\dfrac{215}{42}$

23

$9^x=2$, 즉 $3^{2x}=2$이므로 주어진 식의 분모, 분자에 각각 3^x을 곱하면

$\dfrac{27^x-27^{-x}}{3^x+3^{-x}}=\dfrac{3^{3x}-3^{-3x}}{3^x+3^{-x}}=\dfrac{3^x(3^{3x}-3^{-3x})}{3^x(3^x+3^{-x})}$

$=\dfrac{3^{4x}-3^{-2x}}{3^{2x}+1}=\dfrac{(3^{2x})^2-(3^{2x})^{-1}}{3^{2x}+1}$

$=\dfrac{2^2-\dfrac{1}{2}}{2+1}=\dfrac{7}{6}$

답 $\dfrac{7}{6}$

24

$\dfrac{a^x+a^{-x}}{a^x-a^{-x}}=2$에서 좌변의 분모, 분자에 각각 a^x을 곱하면

$\dfrac{a^x(a^x+a^{-x})}{a^x(a^x-a^{-x})}=2,\ \dfrac{a^{2x}+1}{a^{2x}-1}=2$

$a^{2x}+1=2(a^{2x}-1)\qquad \therefore\ a^{2x}=3$

$\therefore\ a^x=\sqrt{3}\ (\because a>0$에서 $a^x>0)$

답 $\sqrt{3}$

다른풀이 $\dfrac{a^x+a^{-x}}{a^x-a^{-x}}=2$에서

$a^x+a^{-x}=2(a^x-a^{-x}),\ a^x+a^{-x}=2a^x-2a^{-x}$

$\therefore\ a^x=3a^{-x}$

양변에 a^x을 곱하면

$a^{2x}=3\qquad \therefore\ a^x=\sqrt{3}\ (\because a>0$에서 $a^x>0)$

25

$4^x=9^y=6^z=k\ (k>0)$라 하면

$4^x=k$에서 $4=k^{\frac{1}{x}}$ ...... ㉠

$9^y=k$에서 $9=k^{\frac{1}{y}}$ ...... ㉡

$6^z=k$에서 $6=k^{\frac{1}{z}}$, 즉 $36=k^{\frac{2}{z}}$ ...... ㉢

㉠$\times$㉡$\div$㉢을 하면

$4\times9\div36=k^{\frac{1}{x}}\times k^{\frac{1}{y}}\div k^{\frac{2}{z}}$

$\therefore\ 1=k^{\frac{1}{x}+\frac{1}{y}-\frac{2}{z}}$

이때 $xyz\neq0$에서 $k\neq1$이므로

$\dfrac{1}{x}+\dfrac{1}{y}-\dfrac{2}{z}=0$

답 0

26

답 (1) $2=\log_4 16$　(2) $-3=\log_{10} 0.001$

(3) $0=\log_4 1$　(4) $1=\log_5 5$

(5) $\dfrac{1}{2}=\log_5 \sqrt{5}$　(6) $4=\log_{\sqrt{3}} 9$

27

답 (1) $3^4=81$　(2) $(\sqrt{2})^4=4$

(3) $\left(\dfrac{1}{3}\right)^3=\dfrac{1}{27}$　(4) $5^0=1$

28

(1) $\log_2 16=x$로 놓으면 로그의 정의에 의하여

$2^x=16\qquad \therefore\ x=4$

(2) $\log_{\frac{1}{3}} 27=x$로 놓으면 로그의 정의에 의하여

$\left(\dfrac{1}{3}\right)^x=27$

$27=3^3=\left(\dfrac{1}{3}\right)^{-3}$이므로 $x=-3$

(3) $\log_4 64=x$로 놓으면 로그의 정의에 의하여

$4^x=64\qquad \therefore\ x=3$

(4) $\log_{\frac{1}{3}} 81=x$로 놓으면 로그의 정의에 의하여

$\left(\dfrac{1}{3}\right)^x=81$

$81=3^4=\left(\dfrac{1}{3}\right)^{-4}$이므로 $x=-4$

답 (1) 4　(2) -3　(3) 3　(4) -4

29

(1) $N=3^{-2}=\dfrac{1}{9}$

(2) $N=\left(\dfrac{1}{4}\right)^3=\dfrac{1}{64}$

(3) $N=2^1=2$

(4) $N=6^0=1$

답 (1) $\dfrac{1}{9}$　(2) $\dfrac{1}{64}$　(3) 2　(4) 1

30

(진수)>0, (밑)>0, (밑)$\neq1$이므로

(1) $x+4>0\qquad \therefore\ x>-4$

(2) $x>0,\ x\neq1$

답 (1) $x>-4$　(2) $x>0,\ x\neq1$

31

(1) $\log_8 0.25=x$에서

$8^x=0.25,\ (2^3)^x=\dfrac{1}{4}$

$2^{3x}=2^{-2},\ 3x=-2$

$\therefore\ x=-\dfrac{2}{3}$

(2) $\log_{0.1} 0.001=x$에서

$0.1^x = 0.001$, $0.1^x = 0.1^3$

$\therefore x = 3$

(3) $\log_x 81 = -\dfrac{4}{3}$에서

$x^{-\frac{4}{3}} = 81$

$\therefore x = 81^{-\frac{3}{4}} = (3^4)^{-\frac{3}{4}} = 3^{-3} = \dfrac{1}{27}$

(4) $\log_{\frac{1}{\sqrt{2}}} x = -2$에서

$x = \left(\dfrac{1}{\sqrt{2}}\right)^{-2} = (\sqrt{2})^2 = 2$

(5) $\log_4\{\log_3(\log_2 x)\} = 0$에서

$4^0 = \log_3(\log_2 x)$, $\log_3(\log_2 x) = 1$

$3^1 = \log_2 x$, $\log_2 x = 3$

$\therefore x = 2^3 = 8$

답 (1) $-\dfrac{2}{3}$　(2) 3　(3) $\dfrac{1}{27}$　(4) 2　(5) 8

32

$\log_a 27 = -2$에서 $a^{-2} = 27$

밑의 조건에서 $a > 0$이므로 $a = 27^{-\frac{1}{2}} = (3^3)^{-\frac{1}{2}} = 3^{-\frac{3}{2}}$

$\log_{\sqrt{3}} b = 3$에서 $b = (\sqrt{3})^3 = (3^{\frac{1}{2}})^3 = 3^{\frac{3}{2}}$

$\therefore ab = 3^{-\frac{3}{2}} \times 3^{\frac{3}{2}} = 3^0 = 1$　　　　답 1

33

$\log_{x-2}(-x^2 + 8x - 7)$이 정의되려면

밑의 조건에서 $x - 2 > 0$, $x - 2 \neq 1$

$\therefore x > 2$, $x \neq 3$　　　　$\cdots\cdots$ ㉠

진수의 조건에서 $-x^2 + 8x - 7 > 0$

$x^2 - 8x + 7 < 0$, $(x-1)(x-7) < 0$

$\therefore 1 < x < 7$　　　　$\cdots\cdots$ ㉡

㉠, ㉡의 공통 범위를 구하면

$2 < x < 3$ 또는 $3 < x < 7$

따라서 자연수 x는 4, 5, 6이므로 그 합은

$4 + 5 + 6 = 15$

답 15

34

답 (1) 1　(2) 0　(3) 1　(4) 0

35

(1) $\log_4 8 + \log_4 2 = \log_4(8 \times 2) = \log_4 16 = 2$

(2) $\log_{10} 50 - \log_{10} 5 = \log_{10} \dfrac{50}{5} = \log_{10} 10 = 1$

(3) $\log_3 \dfrac{3}{4} + \log_3 12 = \log_3\left(\dfrac{3}{4} \times 12\right) = \log_3 9 = 2$

답 (1) 2　(2) 1　(3) 2

36

(1) $\log_{10} 6 = \log_{10}(2 \times 3) = \log_{10} 2 + \log_{10} 3 = a + b$

(2) $\log_{10} 18 = \log_{10}(2 \times 3^2) = \log_{10} 2 + \log_{10} 3^2$

$\qquad = \log_{10} 2 + 2\log_{10} 3 = a + 2b$

(3) $\log_{10} 5 = \log_{10} \dfrac{10}{2} = \log_{10} 10 - \log_{10} 2 = 1 - a$

(4) $\log_{10} \dfrac{9}{8} = \log_{10} \dfrac{3^2}{2^3}$

$\qquad = \log_{10} 3^2 - \log_{10} 2^3$

$\qquad = 2\log_{10} 3 - 3\log_{10} 2$

$\qquad = 2b - 3a$

답 (1) $a + b$　(2) $a + 2b$　(3) $1 - a$　(4) $2b - 3a$

37

(1) $\log_{16} 8 = \log_{2^4} 2^3 = \dfrac{3}{4}\log_2 2 = \dfrac{3}{4}$

(2) $\log_{1000} \dfrac{1}{10} = \log_{10^3} 10^{-1} = -\dfrac{1}{3}\log_{10} 10 = -\dfrac{1}{3}$

(3) $2^{\log_2 5} = 5$

(4) $4^{\log_3 9} = 9^{\log_2 4} = 9^2 = 81$

답 (1) $\dfrac{3}{4}$　(2) $-\dfrac{1}{3}$　(3) 5　(4) 81

38

(1) $\log_7 2 = \dfrac{\log_{10} 2}{\log_{10} 7}$

(2) $\log_3 8 = \dfrac{\log_{10} 8}{\log_{10} 3} = \dfrac{\log_{10} 2^3}{\log_{10} 3} = \dfrac{3\log_{10} 2}{\log_{10} 3}$

(3) $\log_3 100 = \dfrac{\log_{10} 100}{\log_{10} 3} = \dfrac{2}{\log_{10} 3}$

답 (1) $\dfrac{\log_{10} 2}{\log_{10} 7}$　(2) $\dfrac{3\log_{10} 2}{\log_{10} 3}$　(3) $\dfrac{2}{\log_{10} 3}$

39

(1) $\log_2 16\sqrt{2} = \log_2(2^4 \times 2^{\frac{1}{2}}) = \log_2 2^{\frac{9}{2}}$

$\qquad = \dfrac{9}{2}\log_2 2 = \dfrac{9}{2}$

(2) $\log_a \dfrac{1}{a^2} = \log_a a^{-2} = -2\log_a a = -2$

답 (1) $\dfrac{9}{2}$ (2) -2

40

(1) $\dfrac{1}{2}\log_2 \dfrac{9}{49} - \log_2 \dfrac{3}{14}$

$\quad = \log_2 \left(\dfrac{9}{49}\right)^{\frac{1}{2}} - \log_2 \dfrac{3}{14}$

$\quad = \log_2 \dfrac{3}{7} - \log_2 \dfrac{3}{14}$　　←$\left(\dfrac{9}{49}\right)^{\frac{1}{2}} = \left\{\left(\dfrac{3}{7}\right)^2\right\}^{\frac{1}{2}} = \dfrac{3}{7}$

$\quad = \log_2 \left(\dfrac{3}{7} \div \dfrac{3}{14}\right) = \log_2 \left(\dfrac{3}{7} \times \dfrac{14}{3}\right)$

$\quad = \log_2 2 = 1$

(2) $\dfrac{1}{2}\log_2 3 + 3\log_2 \sqrt{2} - \log_2 \sqrt{6}$

$\quad = \log_2 3^{\frac{1}{2}} + \log_2 (\sqrt{2})^3 - \log_2 \sqrt{6}$

$\quad = \log_2 \sqrt{3} + \log_2 2\sqrt{2} - \log_2 \sqrt{6}$

$\quad = \log_2 \dfrac{\sqrt{3} \times 2\sqrt{2}}{\sqrt{6}} = \log_2 2 = 1$

(3) $2\log_{10} \dfrac{5}{3} - \log_{10} \dfrac{7}{4} + 2\log_{10} 3 + \dfrac{1}{2}\log_{10} 49$

$\quad = \log_{10} \left(\dfrac{5}{3}\right)^2 - \log_{10} \dfrac{7}{4} + \log_{10} 3^2 + \log_{10} 49^{\frac{1}{2}}$

$\quad = \log_{10} \left\{\left(\dfrac{5}{3}\right)^2 \div \dfrac{7}{4} \times 3^2 \times 49^{\frac{1}{2}}\right\}$

$\quad = \log_{10} \left(\dfrac{25}{9} \times \dfrac{4}{7} \times 9 \times 7\right)$

$\quad = \log_{10} 100 = \log_{10} 10^2$

$\quad = 2\log_{10} 10 = 2$

(4) $3\log_5 \sqrt[3]{2} + \log_5 \sqrt{10} - \dfrac{1}{2}\log_5 8$

$\quad = \log_5 (\sqrt[3]{2})^3 + \log_5 \sqrt{10} - \log_5 8^{\frac{1}{2}}$

$\quad = \log_5 2 + \log_5 \sqrt{10} - \log_5 2\sqrt{2}$　　←$8^{\frac{1}{2}} = \sqrt{8} = 2\sqrt{2}$

$\quad = \log_5 \dfrac{2 \times \sqrt{10}}{2\sqrt{2}} = \log_5 \sqrt{5} = \log_5 5^{\frac{1}{2}}$

$\quad = \dfrac{1}{2}\log_5 5 = \dfrac{1}{2}$

답 (1) **1** (2) **1** (3) **2** (4) $\dfrac{\mathbf{1}}{\mathbf{2}}$

41

(1) $(\log_2 3 + \log_8 9)(\log_9 2 + \log_{27} 16)$

$\quad = (\log_2 3 + \log_{2^3} 3^2)(\log_{3^2} 2 + \log_{3^3} 2^4)$

$\quad = \left(\log_2 3 + \dfrac{2}{3}\log_2 3\right)\left(\dfrac{1}{2}\log_3 2 + \dfrac{4}{3}\log_3 2\right)$

$\quad = \dfrac{5}{3}\log_2 3 \times \dfrac{11}{6}\log_3 2$

$\quad = \dfrac{55}{18}\log_2 3 \times \log_3 2$

$\quad = \dfrac{55}{18}$

(2) $2\log_5 4 - 3\log_5 2 = \log_5 4^2 - \log_5 2^3$

$\qquad\qquad\qquad\quad = \log_5 16 - \log_5 8$

$\qquad\qquad\qquad\quad = \log_5 \dfrac{16}{8} = \log_5 2$

$\quad \therefore 5^{2\log_5 4 - 3\log_5 2} = 5^{\log_5 2} = 2$

(3) $4^{\log_2 7} + 27^{\log_3 2} = 7^{\log_2 4} + 2^{\log_3 27}$

$\qquad\qquad\qquad\quad = 7^2 + 2^3 = 49 + 8 = 57$

(4) $(\log_2 3)(\log_3 5)(\log_5 6)(\log_6 8)$

$\quad = \dfrac{\log_{10} 3}{\log_{10} 2} \times \dfrac{\log_{10} 5}{\log_{10} 3} \times \dfrac{\log_{10} 6}{\log_{10} 5} \times \dfrac{\log_{10} 8}{\log_{10} 6}$

$\quad = \dfrac{\log_{10} 8}{\log_{10} 2} = \dfrac{3\log_{10} 2}{\log_{10} 2} = 3$

답 (1) $\dfrac{\mathbf{55}}{\mathbf{18}}$ (2) **2** (3) **57** (4) **3**

42

(1) $(\log_2 3)(\log_4 x) = \log_4 3$에서

$\quad (\log_2 3)(\log_{2^2} x) = \log_{2^2} 3$

$\quad \log_2 3 \times \dfrac{1}{2}\log_2 x = \dfrac{1}{2}\log_2 3$

$\quad \log_2 x = 1$

$\quad \therefore x = 2$

(2) $a^2 b^3 = 1$의 양변에 a를 밑으로 하는 로그를 취하면

$\quad \log_a a^2 b^3 = \log_a 1,\ \log_a a^2 + \log_a b^3 = 0$

$\quad 2 + 3\log_a b = 0$

$\quad \therefore \log_a b = -\dfrac{2}{3}$

$\quad \therefore \log_a a^3 b^2 = \log_a a^3 + \log_a b^2$

$\qquad\qquad\quad = 3 + 2\log_a b$

$\qquad\qquad\quad = 3 + 2 \times \left(-\dfrac{2}{3}\right) = \dfrac{5}{3}$

(3) $(\log_2 3 + 2\log_4 5)\log_{\sqrt{15}} a$

$= (\log_2 3 + 2\log_{2^2} 5)\log_{15^{\frac{1}{2}}} a$

$= (\log_2 3 + \log_2 5) \times 2\log_{15} a$

$= \log_2 15 \times 2 \times \dfrac{\log_2 a}{\log_2 15}$

$= 2\log_2 a$

이므로 $2\log_2 a = 6$

$\log_2 a = 3 \qquad \therefore a = 8$

답 (1) **2** (2) $\dfrac{5}{3}$ (3) **8**

43

(1) $\log_{10} 25 = \log_{10} 5^2 = 2\log_{10} 5$

$\qquad = 2\log_{10} \dfrac{10}{2} = 2(\log_{10} 10 - \log_{10} 2)$

$\qquad = 2(1 - a)$

(2) $\log_{10} 0.72 = \log_{10} \dfrac{72}{100} = \log_{10} 72 - \log_{10} 100$

$\qquad = \log_{10} (2^3 \times 3^2) - \log_{10} 10^2$

$\qquad = \log_{10} 2^3 + \log_{10} 3^2 - 2\log_{10} 10$

$\qquad = 3\log_{10} 2 + 2\log_{10} 3 - 2$

$\qquad = 3a + 2b - 2$

(3) $\log_{10} \dfrac{1}{15} = \log_{10} 15^{-1} = -\log_{10} 15$

$\qquad = -\log_{10} (3 \times 5)$

$\qquad = -(\log_{10} 3 + \log_{10} 5)$

$\qquad = -\left(\log_{10} 3 + \log_{10} \dfrac{10}{2}\right)$

$\qquad = -(\log_{10} 3 + \log_{10} 10 - \log_{10} 2)$

$\qquad = -(\log_{10} 3 + 1 - \log_{10} 2)$

$\qquad = -(b + 1 - a)$

$\qquad = a - b - 1$

(4) $\log_{10} \sqrt{30} = \dfrac{1}{2}\log_{10} 30 = \dfrac{1}{2}\log_{10} (3 \times 10)$

$\qquad = \dfrac{1}{2}(\log_{10} 3 + \log_{10} 10)$

$\qquad = \dfrac{1}{2}(\log_{10} 3 + 1) = \dfrac{1}{2}(b + 1)$

답 (1) $2(1-a)$ (2) $3a + 2b - 2$

(3) $a - b - 1$ (4) $\dfrac{1}{2}(b+1)$

44

$\log_{a^3} \sqrt[4]{a^3 b} = \log_{a^3} (a^3 b)^{\frac{1}{4}}$

$\qquad = \dfrac{\log_3 a^{\frac{3}{4}} b^{\frac{1}{4}}}{\log_3 a^3} = \dfrac{\log_3 a^{\frac{3}{4}} + \log_3 b^{\frac{1}{4}}}{3\log_3 a}$

$\qquad = \dfrac{\frac{3}{4}\log_3 a + \frac{1}{4}\log_3 b}{3\log_3 a} = \dfrac{\frac{3}{4}x + \frac{1}{4}y}{3x}$

$\qquad = \dfrac{3x + y}{12x}$

답 $\dfrac{3x+y}{12x}$

45

$32^x = 216$에서 $x = \log_{32} 216$,

$243^y = 216$에서 $y = \log_{243} 216$

$\therefore \dfrac{1}{x} = \dfrac{1}{\log_{32} 216} = \log_{216} 32$,

$\quad \dfrac{1}{y} = \dfrac{1}{\log_{243} 216} = \log_{216} 243$

$\therefore \dfrac{1}{x} + \dfrac{1}{y} = \log_{216} 32 + \log_{216} 243$

$\qquad = \log_{216} 2^5 + \log_{216} 3^5 = \log_{216} (2^5 \times 3^5)$

$\qquad = \log_{6^3} (2^5 \times 3^5) = \log_{6^3} 6^5$

$\qquad = \dfrac{5}{3}$

답 $\dfrac{5}{3}$

46

이차방정식 $x^2 - 9x + 3 = 0$의 두 실근이 α, β이므로 근과 계수의 관계에 의하여

$\alpha + \beta = 9$, $\alpha\beta = 3$

따라서 $\alpha^{-1} + \beta^{-1} = \dfrac{1}{\alpha} + \dfrac{1}{\beta} = \dfrac{\alpha+\beta}{\alpha\beta} = \dfrac{9}{3} = 3$이므로

$\log_3 (\alpha^{-1} + \beta^{-1}) = \log_3 3 = 1$

답 **1**

47

이차방정식 $x^2 - 5x + 3 = 0$의 두 실근이 $\log_{10} \alpha$, $\log_{10} \beta$이므로 근과 계수의 관계에 의하여

$\log_{10} \alpha + \log_{10} \beta = 5$, $(\log_{10} \alpha)(\log_{10} \beta) = 3$

$$\therefore \log_\alpha \beta + \log_\beta \alpha$$
$$= \frac{\log_{10}\beta}{\log_{10}\alpha} + \frac{\log_{10}\alpha}{\log_{10}\beta}$$
$$= \frac{(\log_{10}\alpha)^2 + (\log_{10}\beta)^2}{(\log_{10}\alpha)(\log_{10}\beta)}$$
$$= \frac{(\log_{10}\alpha + \log_{10}\beta)^2 - 2(\log_{10}\alpha)(\log_{10}\beta)}{(\log_{10}\alpha)(\log_{10}\beta)}$$
$$= \frac{5^2 - 2\times 3}{3} = \frac{19}{3}$$

답 $\dfrac{19}{3}$

48

$A = \dfrac{1}{3}\log_{\frac{1}{4}}8 = \dfrac{1}{3}\log_{2^{-2}}2^3 = \dfrac{1}{3}\times\left(-\dfrac{3}{2}\right) = -\dfrac{1}{2}$

$B = 8^{\log_{\frac{1}{8}}16} = 16^{\log_{\frac{1}{8}}8} = 16^{-1} = \dfrac{1}{16}$

$C = \dfrac{1}{7}\log_{27}3\sqrt{3} = \dfrac{1}{7}\log_{3^3}3^{\frac{3}{2}} = \dfrac{1}{7}\times\dfrac{\frac{3}{2}}{3}$

$\quad = \dfrac{1}{7}\times\dfrac{1}{2} = \dfrac{1}{14}$

따라서 $-\dfrac{1}{2} < \dfrac{1}{16} < \dfrac{1}{14}$ 이므로 $A < B < C$

답 $A < B < C$

49

$\log_5 25 = 2$, $\log_5 125 = 3$이므로 $2 < \log_5 100 < 3$
즉 $\log_5 100$의 정수 부분은 2이다.
$\therefore a = 2$
$\log_5 100$의 정수 부분이 2이므로 소수 부분은
$\log_5 100 - 2 = \log_5 100 - \log_5 25$
$\qquad\qquad\quad = \log_5 \dfrac{100}{25}$
$\qquad\qquad\quad = \log_5 4$
$\therefore b = \log_5 4$
$\therefore 4^a + 4^{\frac{1}{b}} = 4^2 + 4^{\frac{1}{\log_5 4}}$
$\qquad\qquad = 16 + 4^{\log_4 5}$
$\qquad\qquad = 16 + 5$
$\qquad\qquad = 21$

답 21

50

(1) $\log 10000 = \log 10^4 = 4$

(2) $\log \dfrac{1}{100} = \log 10^{-2} = -2$

(3) $\log 0.001 = \log \dfrac{1}{1000} = \log 10^{-3} = -3$

(4) $\log \sqrt[4]{10^3} = \log 10^{\frac{3}{4}} = \dfrac{3}{4}$

(5) $\log 10\sqrt{10} = \log 10^{\frac{3}{2}} = \dfrac{3}{2}$

(6) $\log \sqrt[3]{100} = \log \sqrt[3]{10^2} = \log 10^{\frac{2}{3}} = \dfrac{2}{3}$

답 (1) 4 (2) -2 (3) -3 (4) $\dfrac{3}{4}$ (5) $\dfrac{3}{2}$ (6) $\dfrac{2}{3}$

51

답 (1) 0.7126 (2) 0.8248 (3) 0.3945

52

$\log 3.62 = 0.5587$이므로
$\log 362 = \log(3.62 \times 10^{\boxed{2}})$
$\qquad\quad = \log 3.62 + \log 10^{\boxed{2}}$
$\qquad\quad = \log 3.62 + \boxed{2} = \boxed{0.5587} + \boxed{2}$
$\qquad\quad = \boxed{2.5587}$

답 (개) : 2 (내) : 0.5587 (대) : 2.5587

53

(3) $\log 0.8525 = -0.0693 = -1 + 0.9307$이므로
정수 부분은 -1, 소수 부분은 0.9307

(4) $\log 0.0025 = -2.6021 = -3 + 0.3979$이므로
정수 부분은 -3, 소수 부분은 0.3979

답 (1) 정수 부분 : 0, 소수 부분 : 0.6149
(2) 정수 부분 : 3, 소수 부분 : 0.5593
(3) 정수 부분 : -1, 소수 부분 : 0.9307
(4) 정수 부분 : -3, 소수 부분 : 0.3979

54

(1) 진수 12345는 정수 부분이 5자리인 수이므로
$\log 12345$의 정수 부분은 4

(2) 진수 19.19는 정수 부분이 2자리인 수이므로
log 19.19의 정수 부분은 1

(3) 진수 0.0419는 소수점 아래 둘째 자리에서 처음으로 0이 아닌 숫자가 나타나는 수이므로
log 0.0419의 정수 부분은 -2

(4) 진수 1.4는 정수 부분이 한 자리인 수이므로
log 1.4의 정수 부분은 0

답 (1) **4**　(2) **1**　(3) **-2**　(4) **0**

55

(1) $\log 18 = \log(2 \times 3^2) = \log 2 + 2 \log 3$
$\qquad = 0.3010 + 2 \times 0.4771 = 1.2552$

(2) $\log \dfrac{5}{3} = \log 5 - \log 3 = 1 - \log 2 - \log 3$
$\qquad = 1 - 0.3010 - 0.4771 = 0.2219$

(3) $\log \sqrt{6} = \dfrac{1}{2} \log 6 = \dfrac{1}{2}(\log 2 + \log 3)$
$\qquad = \dfrac{1}{2}(0.3010 + 0.4771) = 0.38905$

답 (1) **1.2552**　(2) **0.2219**　(3) **0.38905**

56

(1) $\log 523 = \log(5.23 \times 10^2)$
$\qquad = \log 5.23 + \log 10^2$
$\qquad = 0.7185 + 2$
$\qquad = 2.7185$
∴ 정수 부분 : 2, 소수 부분 : 0.7185

(2) $\log 52.3 = \log(5.23 \times 10)$
$\qquad = \log 5.23 + \log 10$
$\qquad = 0.7185 + 1$
$\qquad = 1.7185$
∴ 정수 부분 : 1, 소수 부분 : 0.7185

(3) $\log 0.0523 = \log(5.23 \times 10^{-2})$
$\qquad = \log 5.23 + \log 10^{-2}$
$\qquad = -2 + 0.7185$
∴ 정수 부분 : -2, 소수 부분 : 0.7185

답 (1) **정수 부분 : 2, 소수 부분 : 0.7185**
(2) **정수 부분 : 1, 소수 부분 : 0.7185**
(3) **정수 부분 : -2, 소수 부분 : 0.7185**

57

(1) 3.74는 정수 부분이 한 자리인 수이므로 log 3.74의 정수 부분은 $1-1=0$이다. 또한 3.74와 37.4의 숫자 배열이 같으므로 log 3.74의 소수 부분은 log 37.4의 소수 부분과 같다.
∴ $\log 3.74 = 0 + 0.5729 = 0.5729$

(2) 374는 정수 부분이 세 자리인 수이므로 log 374의 정수 부분은 $3-1=2$이다. 또한 374와 37.4의 숫자 배열이 같으므로 log 374의 소수 부분은 log 37.4의 소수 부분과 같다.
∴ $\log 374 = 2 + 0.5729 = 2.5729$

(3) 0.0374는 소수점 아래 둘째 자리에서 처음으로 0이 아닌 숫자가 나타나는 수이므로 log 0.0374의 정수 부분은 -2이다. 또한 0.0374와 37.4의 숫자 배열이 같으므로 log 0.0374의 소수 부분은 log 37.4의 소수 부분과 같다.
∴ $\log 0.0374 = -2 + 0.5729 = -1.4271$

답 (1) **0.5729**　(2) **2.5729**　(3) **-1.4271**

다른풀이　(1) $\log 3.74 = \log(37.4 \times 10^{-1})$
$\qquad\qquad = \log 37.4 + \log 10^{-1}$
$\qquad\qquad = 1.5729 - 1$
$\qquad\qquad = 0.5729$

58

(1) log x의 소수 부분과 log 2.34의 소수 부분이 같으므로 x의 숫자 배열은 2.34의 숫자 배열과 같다. 또한 log x의 정수 부분이 2이므로 x는 정수 부분이 3자리인 수이다.
∴ $x = 234$

(2) $\log x = -0.6308 = -1 + (1 - 0.6308)$
$\qquad = -1 + 0.3692$
log x의 소수 부분과 log 2.34의 소수 부분이 같으므로 x의 숫자 배열은 2.34의 숫자 배열과 같다. 또한 log x의 정수 부분이 -1이므로 x는 소수점 아래 첫째 자리에서 처음으로 0이 아닌 숫자가 나타나는 수이다.
∴ $x = 0.234$

(3) $\log x = -2.6308 = -2 - 0.6308$

$$=(-2-1)+(1-0.6308)$$
$$=-3+0.3692$$

$\log x$의 소수 부분과 $\log 2.34$의 소수 부분이 같으므로 x의 숫자 배열은 2.34의 숫자 배열과 같다. 또한 $\log x$의 정수 부분이 -3이므로 x는 소수점 아래 셋째 자리에서 처음으로 0이 아닌 숫자가 나타나는 수이다.

$$\therefore \ x=0.00234$$

답 (1) **234** (2) **0.234** (3) **0.00234**

59

(1) $\log 5^{30}=30 \log 5=30 \log \dfrac{10}{2}$
$$=30(1-\log 2)=30(1-0.3010)$$
$$=20.970$$
따라서 $\log 5^{30}$의 정수 부분이 20이므로 5^{30}은 21자리의 정수이다.

(2) $\log 2^{40}=40 \log 2=40 \times 0.3010=12.040$
따라서 $\log 2^{40}$의 정수 부분이 12이므로 2^{40}은 13자리의 정수이다.

(3) $\log (2^{30} \times 3^{30})=\log 2^{30}+\log 3^{30}$
$$=30 \log 2+30 \log 3$$
$$=30(\log 2+\log 3)$$
$$=30(0.3010+0.4771)$$
$$=23.343$$
따라서 $\log (2^{30} \times 3^{30})$의 정수 부분이 23이므로 $2^{30} \times 3^{30}$은 24자리의 정수이다.

답 (1) **21자리** (2) **13자리** (3) **24자리**

60

(1) $\log \left(\dfrac{1}{4}\right)^{100}=\log 4^{-100}=-100 \log 4$
$$=-100 \times 2 \log 2$$
$$=-100 \times 2 \times 0.3010$$
$$=-60.20=-60-0.20$$
$$=(-60-1)+(1-0.20)$$
$$=-61+0.80$$
따라서 $\log \left(\dfrac{1}{4}\right)^{100}$의 정수 부분이 -61이므로

$\left(\dfrac{1}{4}\right)^{100}$을 소수로 나타내면 소수점 아래 61째 자리에서 처음으로 0이 아닌 숫자가 나타난다.

(2) $\log 2^{-20}=-20 \log 2=-20 \times 0.3010$
$$=-6.020=-6-0.020$$
$$=(-6-1)+(1-0.020)$$
$$=-7+0.980$$
따라서 $\log 2^{-20}$의 정수 부분이 -7이므로 2^{-20}을 소수로 나타내면 소수점 아래 7째 자리에서 처음으로 0이 아닌 숫자가 나타난다.

답 (1) **소수점 아래 61째 자리**
(2) **소수점 아래 7째 자리**

61

18^{50}이 63자리의 정수이므로 $\log 18^{50}$의 정수 부분은 62이다. 즉
$$62 \leq \log 18^{50}<63$$
$$62 \leq 50 \log 18<63 \qquad \therefore \ \dfrac{62}{50} \leq \log 18<\dfrac{63}{50}$$
각 변에 15를 곱하면
$$15 \times \dfrac{62}{50} \leq 15 \log 18<15 \times \dfrac{63}{50}$$
$$\therefore \ 18.6 \leq \log 18^{15}<18.9$$
따라서 $\log 18^{15}$의 정수 부분이 18이므로 18^{15}은 19자리의 정수이다.

답 19자리

62

$\log 5^{20}=20 \log 5=20 \log \dfrac{10}{2}$
$$=20(1-\log 2)$$
$$=20(1-0.3010)$$
$$=13.980$$
$\log 5^{20}$의 정수 부분이 13이므로 5^{20}은 14자리의 정수이다.
$$\therefore \ a=14$$
한편, $\log 5^{20}$의 소수 부분이 0.980이고
$\log 9=2 \log 3=2 \times 0.4771=0.9542$, $\log 10=1$이므로

$\log 9 < 0.980 < \log 10$

$\log 9 + 13 < 13.980 < \log 10 + 13$

$\log 9 + \log 10^{13} < \log 5^{20} < \log 10 + \log 10^{13}$

$\log(9 \times 10^{13}) < \log 5^{20} < \log(10 \times 10^{13})$

$\therefore 9 \times 10^{13} < 5^{20} < 10 \times 10^{13}$

따라서 $5^{20} = 9.\square \times 10^{13}$이므로 5^{20}의 최고 자리의 숫자는 9이다.

$\therefore b = 9$

$\therefore a + b = 14 + 9 = 23$

답 **23**

63

$\log A = n + \alpha$ (n은 정수, $0 \le \alpha < 1$)라 하면 n과 α가 이차방정식 $2x^2 + 5x + k = 0$의 두 근이므로 근과 계수의 관계에 의하여

$n + \alpha = -\dfrac{5}{2}$ ...... ㉠

$n\alpha = \dfrac{k}{2}$ ...... ㉡

n은 정수이고, $0 \le \alpha < 1$이므로 ㉠에서

$n + \alpha = -\dfrac{5}{2} = -2 - \dfrac{1}{2}$

$\qquad = (-2 - 1) + \left(1 - \dfrac{1}{2}\right)$

$\qquad = -3 + \dfrac{1}{2}$

$\therefore n = -3,\ \alpha = \dfrac{1}{2}$

이를 ㉡에 대입하면 $-3 \times \dfrac{1}{2} = \dfrac{k}{2}$

$\therefore k = -3$

답 **-3**

64

$\log x^2$의 소수 부분과 $\log \dfrac{1}{x}$의 소수 부분이 같으므로

$\log x^2 - \log \dfrac{1}{x} = 2 \log x + \log x$

$\qquad\qquad = 3 \log x = (정수)$

$\log x$의 정수 부분이 2이므로

$2 \le \log x < 3$

$\therefore 6 \le 3 \log x < 9$

$3 \log x$는 정수이므로

$3 \log x = 6$ 또는 $3 \log x = 7$ 또는 $3 \log x = 8$

$\therefore \log x = 2$ 또는 $\log x = \dfrac{7}{3}$ 또는 $\log x = \dfrac{8}{3}$

$\therefore x = 10^2 = 100$ 또는 $x = 10^{\frac{7}{3}} = 100 \sqrt[3]{10}$

또는 $x = 10^{\frac{8}{3}} = 100 \sqrt[3]{100}$

답 **$100,\ 100\sqrt[3]{10},\ 100\sqrt[3]{100}$**

65

$\log x$의 소수 부분과 $\log \sqrt{x}$의 소수 부분의 합이 1이므로

$\log x + \log \sqrt{x} = \log x + \dfrac{1}{2} \log x$

$\qquad\qquad = \dfrac{3}{2} \log x = (정수)$

이고, $\log x \ne (정수)$, $\log \sqrt{x} \ne (정수)$

$\log x$의 정수 부분이 4이므로

$4 < \log x < 5$ ← $\log x$는 정수가 아니므로 $\log x = 4$가 될 수 없다.

각 변에 $\dfrac{3}{2}$을 곱하면

$6 < \dfrac{3}{2} \log x < \dfrac{15}{2}$

$\dfrac{3}{2} \log x$는 정수이므로

$\dfrac{3}{2} \log x = 7$ $\therefore \log x = \dfrac{14}{3}$

$\therefore \log \sqrt[4]{x} = \log x^{\frac{1}{4}} = \dfrac{1}{4} \log x = \dfrac{1}{4} \times \dfrac{14}{3}$

$\qquad\qquad = \dfrac{7}{6} = 1 + \dfrac{1}{6}$

따라서 $\log \sqrt[4]{x}$의 소수 부분은 $\dfrac{1}{6}$이다.

답 **$\dfrac{1}{6}$**

다른풀이 $\log x$의 소수 부분을 α라 하면

$\log x = 4 + \alpha$ $(0 < \alpha < 1)$ ← $\log x$는 정수가 아니다.

$\therefore \log \sqrt{x} = \dfrac{1}{2} \log x = \dfrac{1}{2}(4 + \alpha)$

$\qquad\qquad = 2 + \dfrac{\alpha}{2}$

따라서 $\log \sqrt{x}$의 소수 부분은 $\dfrac{\alpha}{2}$이므로

$$a+\frac{a}{2}=1 \qquad \therefore a=\frac{2}{3}$$

$$\therefore \log x=4+\frac{2}{3}=\frac{14}{3}$$

따라서 $\log \sqrt[4]{x}=\frac{1}{4}\log x=\frac{7}{6}$의 소수 부분은 $\frac{1}{6}$이다.

66

$T=T_a+(T_0-T_a)10^{-0.02t}$에

$T_a=20, T_0=120, T=25$를 대입하면

$$25=20+(120-20)10^{-0.02t}$$

$$5=100\times10^{-0.02t}, \ 10^{-0.02t}=\frac{1}{20}$$

$$\log 10^{-0.02t}=\log\frac{1}{20}$$

$$-0.02t=\log\frac{1}{20}=-\log 20=-(1+\log 2)$$

$$\therefore t=\frac{-(1+\log 2)}{-0.02}=\frac{1+0.3}{0.02}=65$$

따라서 물체의 온도가 25 ℃가 되는 것은 65분 후이다.

답 ②

67

먼지 제거 장치가 가동되기 시작하고 n초 후 작업장의 $1\,\mathrm{m}^3$당 먼지의 양이 $50\,\mu\mathrm{g}$이 되었으므로

$$50=20+180\times 3^{-\frac{n}{256}}, \ 30=180\times 3^{-\frac{n}{256}}$$

$$3^{-\frac{n}{256}}=\frac{1}{6}, \ 3^{-\frac{n}{256}}=6^{-1}, \ 3^{\frac{n}{256}}=6$$

양변에 상용로그를 취하면

$$\log 3^{\frac{n}{256}}=\log 6, \ \frac{n}{256}\log 3=\log 6$$

$$\therefore n=\frac{256\log 6}{\log 3}=\frac{256(\log 2+\log 3)}{\log 3}$$

$$=\frac{256(0.30+0.48)}{0.48}=416$$

답 416

68

ㄹ. $y=2\cdot 3^x$에서 $y=3^{\log_3 2}\cdot 3^x$

$$\therefore y=3^{x+\log_3 2}$$

ㅂ. $y=\dfrac{1}{2^x}$에서 $y=\left(\dfrac{1}{2}\right)^x$

답 ㄱ, ㄴ, ㄹ, ㅂ

69

(1) $f(2)=2^2=4$

(2) $f\left(-\dfrac{1}{2}\right)=2^{-\frac{1}{2}}=(2^{\frac{1}{2}})^{-1}=(\sqrt{2})^{-1}=\dfrac{1}{\sqrt{2}}=\dfrac{\sqrt{2}}{2}$

(3) $f(-3)=2^{-3}=\dfrac{1}{8}$

(4) $g(0)=\left(\dfrac{1}{3}\right)^0=1$

(5) $g(3)=\left(\dfrac{1}{3}\right)^3=\dfrac{1}{27}$

(6) $g(-2)=\left(\dfrac{1}{3}\right)^{-2}=9$

답 (1) **4**　(2) $\dfrac{\sqrt{2}}{2}$　(3) $\dfrac{1}{8}$　(4) **1**　(5) $\dfrac{1}{27}$　(6) **9**

70

답 (1) **실수**　(2) **양의 실수**　(3) $<$

(4) $>$　(5) **x축 (직선 $y=0$)**

71

(1) $y=\left(\dfrac{1}{3}\right)^x=3^{-x}$이므로 함수 $y=\left(\dfrac{1}{3}\right)^x$의 그래프는 $y=3^x$의 그래프를 y축에 대하여 대칭이동한 것이다.

따라서 함수 $y=\left(\dfrac{1}{3}\right)^x$의 그래프는 오른쪽 그림과 같고, **정의역은 실수 전체의 집합,** **치역은 양의 실수 전체의 집합,** **점근선은 x축 (직선 $y=0$)** 이다.

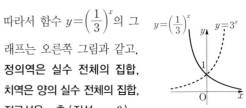

(2) $y=-3^x$에서 $-y=3^x$이므로 함수 $y=-3^x$의 그래프는 $y=3^x$의 그래프를 x축에 대하여 대칭이동한 것이다.

따라서 함수 $y=-3^x$의 그래프는 오른쪽 그림과 같고, **정의역은 실수 전체의 집합, 치역은 음의 실수 전체의 집합, 점근선은 x축 (직선 $y=0$)**이다.

(3) 함수 $y=3^{x-1}$의 그래프는 $y=3^x$의 그래프를 x축의 방향으로 1만큼 평행이동한 것이다.

따라서 함수 $y=3^{x-1}$의 그래프는 오른쪽 그림과 같고, **정의역은 실수 전체의 집합, 치역은 양의 실수 전체의 집합, 점근선은 x축 (직선 $y=0$)이다.**

(4) 함수 $y=3^x+2$의 그래프는 $y=3^x$의 그래프를 y축의 방향으로 2만큼 평행이동한 것이다.

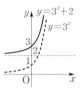

따라서 함수 $y=3^x+2$의 그래프는 오른쪽 그림과 같고, **정의역은 실수 전체의 집합, 치역은 $\{y \,|\, y>2\}$, 점근선은 직선 $y=2$** 이다.

답 풀이 참조

72

(1) $\sqrt[3]{3}=3^{\frac{1}{3}}$, $\sqrt[4]{9}=9^{\frac{1}{4}}=(3^2)^{\frac{1}{4}}=3^{\frac{1}{2}}$

이때 $\frac{1}{3}<\frac{1}{2}$이고, 지수함수 $y=3^x$은 x의 값이 증가하면 y의 값도 증가하는 함수이므로 $3^{\frac{1}{3}}<3^{\frac{1}{2}}$

$\therefore \sqrt[3]{3}<\sqrt[4]{9}$

(2) $\left(\dfrac{1}{5}\right)^{-2}$, $\left(\dfrac{1}{5}\right)^{0.5}$에서 $-2<0.5$이고, 지수함수

$y=\left(\dfrac{1}{5}\right)^x$은 x의 값이 증가하면 y의 값은 감소하는 함수이므로 $\left(\dfrac{1}{5}\right)^{-2}>\left(\dfrac{1}{5}\right)^{0.5}$

답 (1) $\sqrt[3]{3}<\sqrt[4]{9}$ (2) $\left(\dfrac{1}{5}\right)^{-2}>\left(\dfrac{1}{5}\right)^{0.5}$

73

함수 $y=5^x$의 그래프는 오른쪽 그림과 같다.

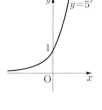

ㄱ. 그래프는 점 $(0,\ 1)$을 지난다. (참)

ㄴ. 그래프의 점근선은 x축이다. (거짓)

ㄷ. x의 값이 증가하면 y의 값도 증가한다. (참)

ㄹ. 지수함수 $y=5^x$은 일대일함수이므로 $x_1 \neq x_2$이면 $f(x_1) \neq f(x_2)$이다. (참)

따라서 옳은 것은 ㄱ, ㄷ, ㄹ이다.

답 ㄱ, ㄷ, ㄹ

74

(1) $y=2^{-x}-1$의 그래프는 $y=2^x$의 그래프를 y축에 대하여 대칭이동한 후 y축의 방향으로 -1만큼 평행이동한 것이다.

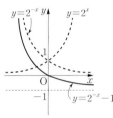

따라서 함수 $y=2^{-x}-1$의 그래프는 오른쪽 그림과 같고, **정의역은 실수 전체의 집합, 치역은 $\{y \,|\, y>-1\}$, 점근선은 직선 $y=-1$이다.**

(2) $y=-2^{-x}$에서 $-y=2^{-x}$이므로 함수 $y=-2^{-x}$의 그래프는 $y=2^x$의 그래프를 원점에 대하여 대칭이동한 것이다.

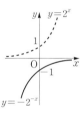

따라서 함수 $y=-2^{-x}$의 그래프는 오른쪽 그림과 같고, **정의역은 실수 전체의 집합, 치역은 $\{y \,|\, y<0\}$, 점근선은 x축 (직선 $y=0$)이다.**

(3) $y=2^{x-2}-1$의 그래프는 $y=2^x$의 그래프를 x축의 방향으로 2만큼, y축의 방향으로 -1만큼 평행이동한 것이다.

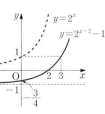

따라서 함수 $y=2^{x-2}-1$의 그래프는 오른쪽 그림과 같고, **정의역은 실수 전체의 집합, 치역은 $\{y \,|\, y>-1\}$, 점근선은 직선 $y=-1$이다.**

(4) $y=\left(\dfrac{1}{4}\right)^{x-1}+2$의 그래프는 $y=\left(\dfrac{1}{4}\right)^x$의 그래프를 x축의 방향으로 1만큼, y축의 방향으로 2만큼 평행이동한 것이다.

따라서 함수
$y=\left(\dfrac{1}{4}\right)^{x-1}+2$의 그

래프는 오른쪽 그림
과 같고, **정의역은 실
수 전체의 집합, 치역
은 $\{y\,|\,y>2\}$, 점근선은 직선 $y=2$이다.**

(5) $y=3^{-x+1}=3^{-(x-1)}=\left(\dfrac{1}{3}\right)^{x-1}$이므로 함수 $y=3^{-x+1}$

의 그래프는 $y=\left(\dfrac{1}{3}\right)^{x}$의 그래프를 x축의 방향으로

1만큼 평행이동한 것이다.

따라서 함수 $y=3^{-x+1}$의
그래프는 오른쪽 그림과
같고, **정의역은 실수 전체
의 집합, 치역은
$\{y\,|\,y>0\}$, 점근선은 x
축 (직선 $y=0$)이다.**

(6) $y=-\left(\dfrac{1}{2}\right)^{x}+2$의 그래프는 $y=\left(\dfrac{1}{2}\right)^{x}$의 그래프를

x축에 대하여 대칭이동한 후 y축의 방향으로 2만큼
평행이동한 것이다.

따라서 함수

$y=-\left(\dfrac{1}{2}\right)^{x}+2$의

그래프는 오른쪽 그
림과 같고, **정의역은
실수 전체의 집합, 치
역은 $\{y\,|\,y<2\}$, 점근선은 직선 $y=2$이다.**

답 풀이 참조

75

$y=3^{x}$의 그래프를 x축의 방향으로 3만큼, y축의 방향
으로 -2만큼 평행이동한 그래프의 식은
$y=3^{x-3}-2$ 　　　　　　　……㉠

㉠의 그래프를 원점에 대하여 대칭이동한 그래프의 식
은
$-y=3^{-x-3}-2$ 　　∴ $y=-3^{-x-3}+2$

즉 $y=-3^{-x}\cdot 3^{-3}+2=-\dfrac{1}{27}\cdot 3^{-x}+2$

$\therefore a=-\dfrac{1}{27},\ b=2$

답 $a=-\dfrac{1}{27},\ b=2$

76

$y=\left(\dfrac{2}{3}\right)^{x}$의 그래프를 x축의 방향으로 -1만큼 평행

이동한 그래프의 식은

$y=\left(\dfrac{2}{3}\right)^{x+1}$ 　　　　　　……㉠

㉠의 그래프를 y축에 대하여 대칭이동한 그래프의 식은

$y=\left(\dfrac{2}{3}\right)^{-x+1}$ 　　　　　……㉡

㉡의 그래프가 두 점 $(-1,\,m),\,(2,\,n)$을 지나므로
$m=\left(\dfrac{2}{3}\right)^{-(-1)+1}=\left(\dfrac{2}{3}\right)^{2}=\dfrac{4}{9}$

$n=\left(\dfrac{2}{3}\right)^{-2+1}=\left(\dfrac{2}{3}\right)^{-1}=\dfrac{3}{2}$

$\therefore mn=\dfrac{4}{9}\times\dfrac{3}{2}=\dfrac{2}{3}$

답 $\dfrac{2}{3}$

77

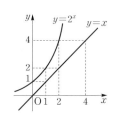

함수 $y=2^{x}$의 그래프는 점
$(0,\,1)$을 지나므로 $a=1$
직선 $y=x$가 점 $(b,\,1)$을
지나므로 $b=1$
함수 $y=2^{x}$의 그래프가 점
$(1,\,c)$를 지나므로 $c=2$
직선 $y=x$는 점 $(2,\,2)$를 지나고, 함수 $y=2^{x}$의 그래
프는 점 $(2,\,4)$를 지난다.
또한 직선 $y=x$는 점 $(4,\,4)$를 지나므로 $d=4$
$\therefore a+b+c+d=1+1+2+4=8$

답 8

78

(1) $\sqrt{2^{3}}=2^{\frac{3}{2}}$, $0.5^{\frac{1}{3}}=\left(\dfrac{1}{2}\right)^{\frac{1}{3}}=2^{-\frac{1}{3}}$, $\sqrt[3]{4}=\sqrt[3]{2^{2}}=2^{\frac{2}{3}}$

이때 $-\dfrac{1}{3}<\dfrac{2}{3}<\dfrac{3}{2}$이고, 지수함수 $y=2^{x}$은 x의

값이 증가하면 y의 값도 증가하는 함수이므로

$$2^{-\frac{1}{3}}<2^{\frac{2}{3}}<2^{\frac{3}{2}}$$

$$\therefore 0.5^{\frac{1}{3}}<\sqrt[3]{4}<\sqrt{2^3}$$

(2) $\sqrt{\dfrac{1}{9}}=\dfrac{1}{3}=\left(\dfrac{1}{3}\right)^1$, $\sqrt[3]{\dfrac{1}{3}}=\left(\dfrac{1}{3}\right)^{\frac{1}{3}}$, $\sqrt[4]{\dfrac{1}{27}}=\left(\dfrac{1}{3}\right)^{\frac{3}{4}}$

이때 $\dfrac{1}{3}<\dfrac{3}{4}<1$이고, 지수함수 $y=\left(\dfrac{1}{3}\right)^x$은 x의

값이 증가하면 y의 값은 감소하는 함수이므로

$$\left(\dfrac{1}{3}\right)^{\frac{1}{3}}>\left(\dfrac{1}{3}\right)^{\frac{3}{4}}>\left(\dfrac{1}{3}\right)^1$$

$$\therefore \sqrt{\dfrac{1}{9}}<\sqrt[4]{\dfrac{1}{27}}<\sqrt[3]{\dfrac{1}{3}}$$

답 (1) $0.5^{\frac{1}{3}}<\sqrt[3]{4}<\sqrt{2^3}$ (2) $\sqrt{\dfrac{1}{9}}<\sqrt[4]{\dfrac{1}{27}}<\sqrt[3]{\dfrac{1}{3}}$

79

$f(x)$와 $g(x)$는 각각 서로의 역함수이므로

$g\left(\dfrac{1}{25}\right)=a$라 하면 $f(a)=\dfrac{1}{25}$

$5^a=5^{-2}$ $\quad\therefore a=-2$

$\therefore g\left(\dfrac{1}{25}\right)=-2$

$g(125)=b$라 하면 $f(b)=125$

$5^b=5^3$ $\quad\therefore b=3$

$\therefore g(125)=3$

$\therefore g\left(\dfrac{1}{25}\right)\cdot g(125)=-2\times 3=-6$

답 -6

80

$f(x)$와 $g(x)$는 각각 서로의 역함수이므로

$g\left(\dfrac{4}{3}\right)=a$라 하면 $f(a)=\dfrac{4}{3}$

$3^a\cdot 2^{1-a}=\dfrac{4}{3}$

$3^a\cdot 2^1\cdot 2^{-a}=\dfrac{4}{3}$, $3^a\cdot 2\cdot\left(\dfrac{1}{2}\right)^a=\dfrac{4}{3}$, $2\cdot\left(\dfrac{3}{2}\right)^a=\dfrac{4}{3}$

$\left(\dfrac{3}{2}\right)^a=\dfrac{2}{3}$, $\left(\dfrac{3}{2}\right)^a=\left(\dfrac{3}{2}\right)^{-1}$

$\therefore a=-1$

$\therefore g\left(\dfrac{4}{3}\right)=-1$

답 -1

81

답 증가, 2, 9, -1, $\dfrac{1}{3}$

82

답 감소, -2, 9, 3, $\dfrac{1}{27}$

83

(1) 함수 $y=2^x$은 x의 값이 증가할 때 y의 값도 증가하는 함수이다.

따라서 $0\le x\le 3$일 때, 함수 $y=2^x$은 $x=3$에서 최댓값 $2^3=8$, $x=0$에서 최솟값 $2^0=1$을 갖는다.

(2) 함수 $y=\left(\dfrac{1}{4}\right)^x$은 x의 값이 증가할 때 y의 값은 감소하는 함수이다.

따라서 $-2\le x\le 1$일 때, 함수 $y=\left(\dfrac{1}{4}\right)^x$은

$x=-2$에서 최댓값 $\left(\dfrac{1}{4}\right)^{-2}=4^2=16$,

$x=1$에서 최솟값 $\left(\dfrac{1}{4}\right)^1=\dfrac{1}{4}$을 갖는다.

(3) 함수 $y=5^x$은 x의 값이 증가할 때 y의 값도 증가하는 함수이다.

따라서 $x\ge 1$일 때, 함수 $y=5^x$은 최댓값을 갖지 않고, $x=1$에서 최솟값 $5^1=5$를 갖는다.

(4) 함수 $y=\left(\dfrac{1}{3}\right)^x$은 x의 값이 증가할 때 y의 값은 감소하는 함수이다.

따라서 $x\le -4$일 때, 함수 $y=\left(\dfrac{1}{3}\right)^x$은 최댓값을 갖지 않고, $x=-4$에서 최솟값 $\left(\dfrac{1}{3}\right)^{-4}=3^4=81$을 갖는다.

답 (1) 최댓값 : 8, 최솟값 : 1

(2) 최댓값 : 16, 최솟값 : $\dfrac{1}{4}$

(3) 최솟값 : 5, 최댓값은 없다.

(4) 최솟값 : 81, 최댓값은 없다.

84

(1) $y=3^{x+1}-2$는 x의 값이 증가
하면 y의 값도 증가하는 함수
이다.

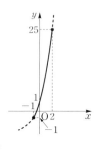

따라서 $-1\le x\le 2$일 때, 함수
$y=3^{x+1}-2$는 $x=2$에서 최댓
값 $3^{2+1}-2=25$, $x=-1$에서
최솟값 $3^{-1+1}-2=-1$을 갖는다.

(2) $y=2^{x-1}+4$는 x의 값이 증가
하면 y의 값도 증가하는 함수
이다.

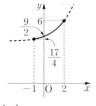

따라서 $-1\le x\le 2$일 때, 함수
$y=2^{x-1}+4$는 $x=2$에서 최댓
값 $2^{2-1}+4=6$, $x=-1$에서 최솟값
$2^{-1-1}+4=\dfrac{17}{4}$을 갖는다.

(3) $y=2^{2-x}=2^{-(x-2)}=\left(\dfrac{1}{2}\right)^{x-2}$이

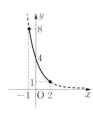

므로 함수 $y=2^{2-x}$은 x의 값
이 증가하면 y의 값은 감소하
는 함수이다.

따라서 $-1\le x\le 2$일 때, 함수 $y=2^{2-x}$은 $x=-1$
에서 최댓값 $2^{2+1}=8$, $x=2$에서 최솟값 $2^{2-2}=1$을
갖는다.

(4) $y=2^x\cdot 3^{1-x}=2^x\cdot 3^1\cdot 3^{-x}$
$=3\cdot\left(\dfrac{2}{3}\right)^x$

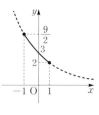

이므로 함수 $y=2^x\cdot 3^{1-x}$은 x
의 값이 증가하면 y의 값은
감소하는 함수이다.

따라서 $-1\le x\le 1$일 때, 함수 $y=2^x\cdot 3^{1-x}$은
$x=-1$에서 최댓값 $2^{-1}\cdot 3^{1-(-1)}=\dfrac{1}{2}\times 3^2=\dfrac{9}{2}$,
$x=1$에서 최솟값 $2^1\cdot 3^{1-1}=2$를 갖는다.

답 (1) **최댓값 : 25, 최솟값 : −1**

　　(2) **최댓값 : 6, 최솟값 : $\dfrac{17}{4}$**

　　(3) **최댓값 : 8, 최솟값 : 1**

　　(4) **최댓값 : $\dfrac{9}{2}$, 최솟값 : 2**

85

(1) $y=9^x-4\cdot 3^x+6=(3^x)^2-4\cdot 3^x+6$

$3^x=t\ (t>0)$로 놓으면

$-1\le x\le 1$에서 $3^{-1}\le 3^x\le 3^1$

$\therefore\ \dfrac{1}{3}\le t\le 3$

이때 주어진 함수는
$y=t^2-4t+6=(t-2)^2+2$

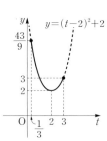

따라서 $\dfrac{1}{3}\le t\le 3$일 때, 함
수 $y=(t-2)^2+2$는
$t=\dfrac{1}{3}$에서 최댓값
$\left(\dfrac{1}{3}-2\right)^2+2=\dfrac{43}{9}$,
$t=2$에서 최솟값 2를 갖는다.

(2) $y=\left(\dfrac{1}{4}\right)^x-\left(\dfrac{1}{2}\right)^{x-1}+3$

$=\left\{\left(\dfrac{1}{2}\right)^2\right\}^x-\left(\dfrac{1}{2}\right)^{-1}\cdot\left(\dfrac{1}{2}\right)^x+3$

$=\left\{\left(\dfrac{1}{2}\right)^x\right\}^2-2\cdot\left(\dfrac{1}{2}\right)^x+3$

$\left(\dfrac{1}{2}\right)^x=t\ (t>0)$로 놓으면

$-1\le x\le 2$에서

$\left(\dfrac{1}{2}\right)^{-1}\ge\left(\dfrac{1}{2}\right)^x\ge\left(\dfrac{1}{2}\right)^2$

$\therefore\ \dfrac{1}{4}\le t\le 2$

이때 주어진 함수는
$y=t^2-2t+3=(t-1)^2+2$

따라서 $\dfrac{1}{4}\le t\le 2$일 때,
함수 $y=(t-1)^2+2$는
$t=2$에서 최댓값
$(2-1)^2+2=3$,
$t=1$에서 최솟값
$0+2=2$를 갖는다.

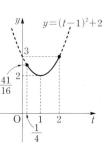

(3) $y=4^x-2^{x+2}+2=(2^2)^x-2^x\cdot 2^2+2$
$=(2^x)^2-4\cdot 2^x+2$

$2^x=t\ (t>0)$로 놓으면

$x\le 3$에서 $0<2^x\le 2^3$ 　　$\therefore\ 0<t\le 8$

이때 주어진 함수는 $y=t^2-4t+2=(t-2)^2-2$

따라서 $0<t\le8$일 때, 함수

$y=(t-2)^2-2$는

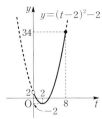

$t=8$에서 최댓값

$(8-2)^2-2=34$,

$t=2$에서 최솟값

$0-2=-2$를 갖는다.

답 (1) 최댓값 : $\dfrac{43}{9}$, 최솟값 : 2

(2) 최댓값 : 3, 최솟값 : 2

(3) 최댓값 : 34, 최솟값 : -2

참고 (2) $t=\left(\dfrac{1}{2}\right)^x$은 x의 값이 증가하면 t의 값은 감

소하는 함수이므로 $-1\le x\le2$에서

$\left(\dfrac{1}{2}\right)^{-1}\ge\left(\dfrac{1}{2}\right)^x\ge\left(\dfrac{1}{2}\right)^2$

$2\ge t\ge\dfrac{1}{4}$ ∴ $\dfrac{1}{4}\le t\le2$

86

$y=9^x+k\cdot3^{x+1}+3=(3^x)^2+3k\cdot3^x+3$

$3^x=t\ (t>0)$로 놓으면 주어진 함수는

$y=t^2+3kt+3=\left(t+\dfrac{3}{2}k\right)^2-\dfrac{9}{4}k^2+3$

따라서 $t>0$일 때, 함수

$y=\left(t+\dfrac{3}{2}k\right)^2-\dfrac{9}{4}k^2+3$이 최

솟값 -6을 가지므로

$-\dfrac{3}{2}k>0$이고

$-\dfrac{9}{4}k^2+3=-6$ …… ㉠

즉 $k<0$이고, $-\dfrac{9}{4}k^2=-9$, $k^2=4$

∴ $k=-2$

답 -2

참고 ㉠에서 $-\dfrac{3}{2}k\le0$이면

함수

$y=\left(t+\dfrac{3}{2}k\right)^2-\dfrac{9}{4}k^2+3\ (t>0)$

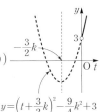

은 최솟값을 갖지 않는다.

87

(1) $f(x)=x^2+4x+2$로 놓으면

$y=3^{x^2+4x+2}$에서 $y=3^{f(x)}$

$y=3^{f(x)}$의 밑 3이 1보다 크므로 $f(x)$가 최소일 때

$y=3^{f(x)}$도 최소가 된다.

$f(x)=x^2+4x+2=(x+2)^2-2$이므로

$f(x)$는 $x=-2$에서 최솟값 -2를 갖는다.

따라서 함수 $y=3^{f(x)}$은 $x=-2$에서 최솟값

$3^{-2}=\dfrac{1}{9}$을 갖는다.

∴ $a=-2$, $b=\dfrac{1}{9}$

(2) $f(x)=-x^2-2x+3$으로 놓으면

$y=\left(\dfrac{1}{3}\right)^{-x^2-2x+3}$에서 $y=\left(\dfrac{1}{3}\right)^{f(x)}$

$y=\left(\dfrac{1}{3}\right)^{f(x)}$의 밑 $\dfrac{1}{3}$이 1보다 작은 양수이므로

$f(x)$가 최대일 때 $y=\left(\dfrac{1}{3}\right)^{f(x)}$은 최소가 된다.

$f(x)=-x^2-2x+3=-(x+1)^2+4$이므로

$f(x)$는 $x=-1$에서 최댓값 4를 갖는다.

따라서 함수 $y=\left(\dfrac{1}{3}\right)^{f(x)}$은 $x=-1$에서 최솟값

$\left(\dfrac{1}{3}\right)^4=\dfrac{1}{81}$을 갖는다.

∴ $a=-1$, $b=\dfrac{1}{81}$

답 (1) $a=-2$, $b=\dfrac{1}{9}$ (2) $a=-1$, $b=\dfrac{1}{81}$

88

(1) $f(x)=-x^2-3x+5$로 놓으면

$y=2^{-x^2-3x+5}$에서 $y=2^{f(x)}$

$y=2^{f(x)}$의 밑 2가 1보다 크므로

$y=2^{f(x)}$은 $f(x)$가 최대일 때 최대가 되고, $f(x)$

가 최소일 때 최소가 된다.

$f(x)=-x^2-3x+5=-\left(x+\dfrac{3}{2}\right)^2+\dfrac{29}{4}$이므로

$-1\le x\le1$일 때, $f(x)$는 $x=-1$에서 최댓값 7,

$x=1$에서 최솟값 1을 갖는다.

따라서 $-1\le x\le1$일 때, 함수 $y=2^{f(x)}$은 $x=-1$

에서 최댓값 $2^7=128$, $x=1$에서 최솟값 $2^1=2$를

갖는다.

(2) $f(x)=-x^2+4x-7$로 놓으면

$y=\left(\frac{1}{2}\right)^{-x^2+4x-7}$에서 $y=\left(\frac{1}{2}\right)^{f(x)}$

$y=\left(\frac{1}{2}\right)^{f(x)}$의 밑 $\frac{1}{2}$이 1보다 작은 양수이므로

$y=\left(\frac{1}{2}\right)^{f(x)}$은 $f(x)$가 최소일 때 최대가 되고,

$f(x)$가 최대일 때 최소가 된다.

$f(x)=-x^2+4x-7=-(x-2)^2-3$이므로

$1\le x\le 4$일 때, $f(x)$는 $x=2$에서 최댓값 -3,

$x=4$에서 최솟값 -7을 갖는다.

따라서 $1\le x\le 4$일 때, 함수 $y=\left(\frac{1}{2}\right)^{f(x)}$은 $x=2$에

서 최솟값 $\left(\frac{1}{2}\right)^{-3}=8$, $x=4$에서 최댓값

$\left(\frac{1}{2}\right)^{-7}=128$을 갖는다.

답 (1) **최댓값 : 128, 최솟값 : 2**
(2) **최댓값 : 128, 최솟값 : 8**

89

$f(x)=-x^2-2x+1$로 놓으면 $y=a^{-x^2-2x+1}$에서

$y=a^{f(x)}$

$y=a^{-x^2-2x+1}$의 밑 a가 $0<a<1$이므로 $y=a^{f(x)}$은

$f(x)$가 최대일 때 최소가 된다.

$f(x)=-x^2-2x+1=-(x+1)^2+2$이므로 $f(x)$

는 $x=-1$에서 최댓값 2를 갖는다.

따라서 함수 $y=a^{f(x)}$은 $x=-1$에서 최솟값 a^2을 갖는

다. 이때 최솟값이 $\frac{1}{16}$이므로

$a^2=\frac{1}{16}$ $\quad\therefore a=\frac{1}{4}\,(\because 0<a<1)$

답 $\frac{1}{4}$

90

실수 x에 대하여 $5^x>0$, $5^{-x}>0$이므로 산술평균과 기

하평균의 관계에 의하여

$5^x+5^{-x}\ge 2\sqrt{5^x\cdot 5^{-x}}=2$

이때 등호는 $5^x=5^{-x}$일 때 성립하므로

$x=-x$ $\quad\therefore x=0$

$\therefore a=0,\ b=2$

$\therefore a+b=2$

답 **2**

91

$y=10^{2x-1}+10^{3-2x}$에서

$10^{2x-1}>0$, $10^{3-2x}>0$이므로 산술평균과 기하평균의

관계에 의하여

$10^{2x-1}+10^{3-2x}\ge 2\sqrt{10^{2x-1}\cdot 10^{3-2x}}$

$\qquad\qquad\qquad =2\sqrt{10^2}=20$

이때 등호는 $10^{2x-1}=10^{3-2x}$일 때 성립하므로

$2x-1=3-2x$ $\quad\therefore x=1$

따라서 $\alpha=1$, $\beta=20$이므로

$\alpha+\beta=21$

답 **21**

92

$2^x+2^{-x}=t$로 놓으면

$2^x>0$, $2^{-x}>0$이므로 산술평균과 기하평균의 관계에

의하여

$t=2^x+2^{-x}\ge 2\sqrt{2^x\cdot 2^{-x}}=2$

(단, 등호는 $2^x=2^{-x}$, 즉 $x=0$일 때 성립)

$\therefore t\ge 2$

또한 $4^x+4^{-x}=(2^x)^2+(2^{-x})^2=(2^x+2^{-x})^2-2$이므

로 $y=4^x+4^{-x}+2(2^x+2^{-x})+5$에서

$y=t^2-2+2t+5=(t+1)^2+2$

따라서 $t\ge 2$일 때, 함수

$y=(t+1)^2+2$는 $t=2$에서

최솟값 $(2+1)^2+2=11$을

갖는다.

답 **11**

93

(1) $2^x=8$에서 $2^x=2^3$ $\quad\therefore x=3$

(2) $\left(\frac{1}{2}\right)^x=\frac{1}{16}$에서 $\left(\frac{1}{2}\right)^x=\left(\frac{1}{2}\right)^4$

$\therefore x=4$

(3) $3^x=\dfrac{1}{81}$에서 $3^x=3^{-4}$ $\quad\therefore x=-4$

(4) $5^x=125$에서 $5^x=5^3$ $\quad\therefore x=3$

(5) $\left(\dfrac{1}{3}\right)^x=\dfrac{1}{9}$에서 $\left(\dfrac{1}{3}\right)^x=\left(\dfrac{1}{3}\right)^2$ $\quad\therefore x=2$

(6) $\left(\dfrac{1}{5}\right)^x=25$에서 $\left(\dfrac{1}{5}\right)^x=\left(\dfrac{1}{5}\right)^{-2}$ $\quad\therefore x=-2$

답 (1) $x=3$ (2) $x=4$ (3) $x=-4$
(4) $x=3$ (5) $x=2$ (6) $x=-2$

94

(1) $2^{2x}=2^{3-x}$에서 $2x=3-x$
$3x=3$ $\quad\therefore x=1$

(2) $3^{-x+1}=3^{2x-2}$에서 $-x+1=2x-2$
$-3x=-3$ $\quad\therefore x=1$

(3) $\left(\dfrac{1}{5}\right)^{-2x-3}=\left(\dfrac{1}{5}\right)^{4x+3}$에서
$-2x-3=4x+3$
$-6x=6$ $\quad\therefore x=-1$

답 (1) $x=1$ (2) $x=1$ (3) $x=-1$

95

(1) $3^{2x-4}-3^{3x+1}=0$에서 $3^{2x-4}=3^{3x+1}$
$2x-4=3x+1$
$\therefore x=-5$

(2) $\left(\dfrac{1}{81}\right)^{4x-4}-\left(\dfrac{1}{81}\right)^{x-1}=0$에서
$\left(\dfrac{1}{81}\right)^{4x-4}=\left(\dfrac{1}{81}\right)^{x-1}$
$4x-4=x-1,\ 3x=3$
$\therefore x=1$

답 (1) $x=-5$ (2) $x=1$

96

(1) $2^{2x-3}=128$에서 $2^{2x-3}=2^7$
$2x-3=7,\ 2x=10$ $\quad\therefore x=5$

(2) $25^{x+3}=\left(\dfrac{1}{125}\right)^{2x-1}$에서
$(5^2)^{x+3}=(5^{-3})^{2x-1},\ 5^{2x+6}=5^{-6x+3}$

$2x+6=-6x+3,\ 8x=-3$ $\quad\therefore x=-\dfrac{3}{8}$

(3) $2^{-x+2}=16^{2x}$에서 $2^{-x+2}=(2^4)^{2x}$
$2^{-x+2}=2^{8x},\ -x+2=8x,\ 9x=2$
$\therefore x=\dfrac{2}{9}$

(4) $\left(\dfrac{1}{2}\right)^{x+1}=(\sqrt{2})^{x-3}$에서
$(2^{-1})^{x+1}=(2^{\frac{1}{2}})^{x-3},\ 2^{-x-1}=2^{\frac{1}{2}x-\frac{3}{2}}$
$-x-1=\dfrac{1}{2}x-\dfrac{3}{2},\ \dfrac{3}{2}x=\dfrac{1}{2}$
$\therefore x=\dfrac{1}{3}$

(5) $\left(\dfrac{1}{9}\right)^{-x+2}=81\sqrt{3}$에서
$(3^{-2})^{-x+2}=3^{4+\frac{1}{2}},\ 3^{2x-4}=3^{\frac{9}{2}}$
$2x-4=\dfrac{9}{2},\ 2x=\dfrac{17}{2}$ $\quad\therefore x=\dfrac{17}{4}$

(6) $4^{x+2}-8^{x-7}=0$에서
$4^{x+2}=8^{x-7},\ (2^2)^{x+2}=(2^3)^{x-7}$
$2^{2x+4}=2^{3x-21},\ 2x+4=3x-21$
$\therefore x=25$

답 (1) $x=5$ (2) $x=-\dfrac{3}{8}$ (3) $x=\dfrac{2}{9}$
(4) $x=\dfrac{1}{3}$ (5) $x=\dfrac{17}{4}$ (6) $x=25$

97

$2^x=t\ (t>0)$로 놓으면 $4^x=(2^2)^x=(2^x)^2$이므로 방정식 $4^x-3\cdot2^x+2=0$은
$\boxed{t^2}-3\boxed{t}+2=0$
$(t-1)(t-2)=0$
$\therefore t=\boxed{1}$ 또는 $t=\boxed{2}$
즉 $2^x=\boxed{1}$ 또는 $2^x=\boxed{2}$이므로
$x=\boxed{0}$ 또는 $x=\boxed{1}$

답 풀이 참조

98

(1) $9^{x^2+3x}=3^{x^2+4x+3}$에서
$(3^2)^{x^2+3x}=3^{x^2+4x+3},\ 3^{2x^2+6x}=3^{x^2+4x+3}$

$2x^2+6x=x^2+4x+3,\ x^2+2x-3=0$

$(x+3)(x-1)=0 \qquad \therefore x=-3 \text{ 또는 } x=1$

(2) $(2\sqrt{2})^{2x^2+12}=2^{-15x}$에서

$(2^{\frac{3}{2}})^{2x^2+12}=2^{-15x},\ 2^{3x^2+18}=2^{-15x}$

$3x^2+18=-15x,\ 3x^2+15x+18=0$

$3(x+3)(x+2)=0 \qquad \therefore x=-3 \text{ 또는 } x=-2$

(3) $\dfrac{3^{x^2+1}}{3^{x-1}}=81$에서 $3^{x^2+1-(x-1)}=3^4,\ 3^{x^2-x+2}=3^4$

$x^2-x+2=4,\ x^2-x-2=0,\ (x+1)(x-2)=0$

$\therefore x=-1 \text{ 또는 } x=2$

(4) $\left(\dfrac{2}{3}\right)^{x^2}=\left(\dfrac{3}{2}\right)^{2-3x}$에서

$\left(\dfrac{2}{3}\right)^{x^2}=\left\{\left(\dfrac{2}{3}\right)^{-1}\right\}^{2-3x},\ \left(\dfrac{2}{3}\right)^{x^2}=\left(\dfrac{2}{3}\right)^{-2+3x}$

$x^2=-2+3x,\ x^2-3x+2=0$

$(x-1)(x-2)=0 \qquad \therefore x=1 \text{ 또는 } x=2$

답 (1) $x=-3$ 또는 $x=1$

(2) $x=-3$ 또는 $x=-2$

(3) $x=-1$ 또는 $x=2$

(4) $x=1$ 또는 $x=2$

99

(1) $9^x-6\times 3^x-27=0$에서 $(3^x)^2-6\times 3^x-27=0$

$3^x=t\ (t>0)$로 놓으면

$t^2-6t-27=0,\ (t+3)(t-9)=0$

$\therefore t=9\ (\because t>0)$

즉 $3^x=9 \qquad \therefore x=2$

(2) $4^{x+1}=4\times 4^x=4\times (2^x)^2,$

$5\times 2^{x+2}=5\times 2^x\times 2^2=20\times 2^x$이므로

$4^{x+1}-5\times 2^{x+2}+16=0$에서

$4\times (2^x)^2-20\times 2^x+16=0$

$2^x=t\ (t>0)$로 놓으면

$4t^2-20t+16=0,\ t^2-5t+4=0$

$(t-1)(t-4)=0$

$\therefore t=1 \text{ 또는 } t=4$

즉 $2^x=1 \text{ 또는 } 2^x=4 \qquad \therefore x=0 \text{ 또는 } x=2$

(3) $3^x-9\times 3^{-x}=8$에서 $3^x-\dfrac{9}{3^x}=8$

$3^x=t\ (t>0)$로 놓으면

$t-\dfrac{9}{t}=8$

양변에 t를 곱하면

$t^2-9=8t\ (\because t\neq 0)$

$t^2-8t-9=0,\ (t+1)(t-9)=0$

$\therefore t=9\ (\because t>0)$

즉 $3^x=9 \qquad \therefore x=2$

(4) $\left(\dfrac{1}{9}\right)^x=\left\{\left(\dfrac{1}{3}\right)^x\right\}^2$이므로 $\left(\dfrac{1}{9}\right)^x+\left(\dfrac{1}{3}\right)^x=12$에서

$\left\{\left(\dfrac{1}{3}\right)^x\right\}^2+\left(\dfrac{1}{3}\right)^x=12$

$\left\{\left(\dfrac{1}{3}\right)^x\right\}^2+\left(\dfrac{1}{3}\right)^x-12=0$

$\left(\dfrac{1}{3}\right)^x=t\ (t>0)$로 놓으면

$t^2+t-12=0,\ (t-3)(t+4)=0$

$\therefore t=3\ (\because t>0)$

즉 $\left(\dfrac{1}{3}\right)^x=3$

$\left(\dfrac{1}{3}\right)^x=\left(\dfrac{1}{3}\right)^{-1} \qquad \therefore x=-1$

답 (1) $x=2$ (2) $x=0$ 또는 $x=2$

(3) $x=2$ (4) $x=-1$

100

(1) $4^x-5\times 2^x+2=0$에서 $(2^x)^2-5\times 2^x+2=0$

$2^x=t\ (t>0)$로 놓으면

$t^2-5t+2=0 \qquad\qquad \cdots\cdots\ \text{㉠}$

방정식 $4^x-5\times 2^x+2=0$의 두 근이 $\alpha,\ \beta$이므로 방정식 ㉠의 두 근은 $2^\alpha,\ 2^\beta$이다.

따라서 이차방정식의 근과 계수의 관계에 의하여

$2^\alpha\cdot 2^\beta=2$

$2^{\alpha+\beta}=2 \qquad \therefore \alpha+\beta=1$

(2) $2^{2x+1}-2^x+k=0$에서 $2\times (2^x)^2-2^x+k=0$

$2^x=t\ (t>0)$로 놓으면

$2t^2-t+k=0 \qquad\qquad \cdots\cdots\ \text{㉠}$

방정식 $2^{2x+1}-2^x+k=0$의 두 근을 $\alpha,\ \beta$라 하면 방정식 ㉠의 두 근은 $2^\alpha,\ 2^\beta$이다.

따라서 이차방정식의 근과 계수의 관계에 의하여

$2^\alpha\cdot 2^\beta=\dfrac{k}{2},\ 2^{\alpha+\beta}=\dfrac{k}{2}$

$\alpha+\beta=-5$이므로 $2^{-5}=\dfrac{k}{2}$

$\therefore k=\dfrac{1}{16}$

답 (1) **1** (2) $\dfrac{1}{16}$

101

(1) 밑이 같으므로 지수가 같거나 밑이 1이다.

　(ⅰ) $3x+1=2x+3$이면 $x=2$

　(ⅱ) $x=1$이면 $1^4=1^5$이므로 등식이 성립한다.

　(ⅰ), (ⅱ)에서 $x=1$ 또는 $x=2$

(2) 지수가 같으므로 밑이 같거나 지수가 0이다.

　(ⅰ) $x+7=4$이면 $x=-3$

　(ⅱ) $x-1=0$, 즉 $x=1$이면 $8^0=4^0$이므로 등식이 성립한다.

　(ⅰ), (ⅱ)에서 $x=-3$ 또는 $x=1$

(3) 밑이 같으므로 지수가 같거나 밑이 1이다.

　(ⅰ) $x^2=2x+3$에서

　　$x^2-2x-3=0$, $(x+1)(x-3)=0$

　　$\therefore x=3 \ (\because x>1)$

　(ⅱ) $x-1=1$, 즉 $x=2$이면 $1^4=1^7$이므로 등식이 성립한다.

　(ⅰ), (ⅱ)에서 $x=2$ 또는 $x=3$

(4) 지수가 같으므로 밑이 같거나 지수가 0이다.

　(ⅰ) $2x-1=3x-5$이면 $x=4$

　(ⅱ) $x-3=0$, 즉 $x=3$이면 $5^0=4^0$이므로 등식이 성립한다.

　(ⅰ), (ⅱ)에서 $x=3$ 또는 $x=4$

답 (1) $x=1$ 또는 $x=2$

(2) $x=-3$ 또는 $x=1$

(3) $x=2$ 또는 $x=3$

(4) $x=3$ 또는 $x=4$

102

$3^x=X \ (X>0)$, $3^y=Y \ (Y>0)$로 놓으면 주어진 연립방정식은

$\begin{cases} -9X+Y=26 & \cdots\cdots \ \unicode{x313A} \\ 54X+\dfrac{1}{3}Y=15 & \cdots\cdots \ \unicode{x313B} \end{cases}$

$\unicode{x313A}$, $\unicode{x313B}$을 연립하여 풀면 $X=\dfrac{1}{9}$, $Y=27$

$3^x=\dfrac{1}{9}$, $3^y=27$ 　 $\therefore x=-2$, $y=3$

따라서 $\alpha=-2$, $\beta=3$이므로

$\alpha^2+\beta^2=(-2)^2+3^2=13$

답 **13**

103

영양제 복용 후 1시간마다 체내에 잔류하는 A 물질의 양이 $\dfrac{1}{2}$로 줄어들고, t시간 후 체내에 잔류하는 A 물질의 양이 12.5 %, 즉 $\dfrac{1}{8}$로 줄어들었으므로

$\left(\dfrac{1}{2}\right)^t=\dfrac{1}{8}$ 　 $\therefore t=3$

답 **3**

104

(1) $3^x<9$에서 $3^x<3^2$

　밑이 1보다 크므로 $x<2$

(2) $\left(\dfrac{1}{2}\right)^x>8$에서 $\left(\dfrac{1}{2}\right)^x>\left(\dfrac{1}{2}\right)^{-3}$

　밑이 1보다 작은 양수이므로 $x<-3$

(3) $\left(\dfrac{5}{3}\right)^x\geq\left(\dfrac{5}{3}\right)^6$에서

　밑이 1보다 크므로 $x\geq6$

(4) $5^x\geq125$에서 $5^x\geq5^3$

　밑이 1보다 크므로 $x\geq3$

(5) $\left(\dfrac{1}{3}\right)^x\leq\dfrac{1}{81}$에서 $\left(\dfrac{1}{3}\right)^x\leq\left(\dfrac{1}{3}\right)^4$

　밑이 1보다 작은 양수이므로 $x\geq4$

(6) $2^x<\dfrac{1}{64}$에서 $2^x<2^{-6}$

　밑이 1보다 크므로 $x<-6$

답 (1) $x<2$　(2) $x<-3$

(3) $x\geq6$　(4) $x\geq3$

(5) $x\geq4$　(6) $x<-6$

105

(1) $2^{3x} \leq 2^{4+x}$에서

밑이 1보다 크므로

$3x \leq 4+x$, $2x \leq 4$ $\quad \therefore x \leq 2$

(2) $\left(\dfrac{1}{5}\right)^{-5x+1} > \left(\dfrac{1}{5}\right)^{-4x-1}$에서

밑이 1보다 작은 양수이므로

$-5x+1 < -4x-1$

$-x < -2$ $\quad \therefore x > 2$

(3) $2^{2x} - 2^{x+1} < 0$에서 $2^{2x} < 2^{x+1}$

밑이 1보다 크므로

$2x < x+1$ $\quad \therefore x < 1$

(4) $\left(\dfrac{1}{25}\right)^{-4x-5} - \left(\dfrac{1}{25}\right)^{2x+1} \geq 0$에서

$\left(\dfrac{1}{25}\right)^{-4x-5} \geq \left(\dfrac{1}{25}\right)^{2x+1}$

밑이 1보다 작은 양수이므로

$-4x-5 \leq 2x+1$

$-6x \leq 6$ $\quad \therefore x \geq -1$

답 (1) $x \leq 2$ (2) $x > 2$
(3) $x < 1$ (4) $x \geq -1$

106

(1) $2^{-x+1} < 16$에서 $2^{-x+1} < 2^4$

밑이 1보다 크므로 $-x+1 < 4$

$-x < 3$ $\quad \therefore x > -3$

(2) $3^{3x-1} \leq 9$에서 $3^{3x-1} \leq 3^2$

밑이 1보다 크므로 $3x-1 \leq 2$

$3x \leq 3$ $\quad \therefore x \leq 1$

(3) $\left(\dfrac{1}{5}\right)^{x+3} > \dfrac{1}{25}$에서 $\left(\dfrac{1}{5}\right)^{x+3} > \left(\dfrac{1}{5}\right)^2$

밑이 1보다 작은 양수이므로 $x+3 < 2$

$\therefore x < -1$

(4) $\left(\dfrac{1}{3}\right)^{x-2} \leq \dfrac{1}{27}$에서 $\left(\dfrac{1}{3}\right)^{x-2} \leq \left(\dfrac{1}{3}\right)^3$

밑이 1보다 작은 양수이므로

$x-2 \geq 3$ $\quad \therefore x \geq 5$

답 (1) $x > -3$ (2) $x \leq 1$
(3) $x < -1$ (4) $x \geq 5$

107

$2^x = t$ $(t > 0)$로 놓으면 $4^x = (2^2)^x = (2^x)^2$이므로

부등식 $4^x - 3 \cdot 2^x + 2 < 0$은

$\boxed{t^2} - 3\boxed{t} + 2 < 0$

$(t-1)(t-2) < 0$ $\quad \therefore \boxed{1} < t < \boxed{2}$

즉 $\boxed{1} < 2^x < \boxed{2}$이므로

$2^0 < 2^x < 2^1$

밑이 1보다 크므로

$\boxed{0} < x < \boxed{1}$

답 풀이 참조

108

(1) $9^{-x} \geq (3\sqrt{3})^{-2-5x}$에서

$(3^2)^{-x} \geq (3^{\frac{3}{2}})^{-2-5x}$, $3^{-2x} \geq 3^{-3-\frac{15}{2}x}$

밑이 1보다 크므로

$-2x \geq -3 - \dfrac{15}{2}x$, $\dfrac{11}{2}x \geq -3$

$\therefore x \geq -\dfrac{6}{11}$

(2) $\left(\dfrac{5}{4}\right)^{x+2} > \left(\dfrac{4}{5}\right)^{2-3x}$에서

$\left(\dfrac{5}{4}\right)^{x+2} > \left\{\left(\dfrac{5}{4}\right)^{-1}\right\}^{2-3x}$, $\left(\dfrac{5}{4}\right)^{x+2} > \left(\dfrac{5}{4}\right)^{-2+3x}$

밑이 1보다 크므로

$x+2 > -2+3x$, $-2x > -4$ $\quad \therefore x < 2$

(3) $\left(\dfrac{1}{4}\right)^{x^2+x+12} \leq \left(\dfrac{1}{16}\right)^{x^2+x}$에서

$\left(\dfrac{1}{4}\right)^{x^2+x+12} \leq \left\{\left(\dfrac{1}{4}\right)^2\right\}^{x^2+x}$

$\left(\dfrac{1}{4}\right)^{x^2+x+12} \leq \left(\dfrac{1}{4}\right)^{2x^2+2x}$

밑이 1보다 작은 양수이므로

$x^2+x+12 \geq 2x^2+2x$

$x^2+x-12 \leq 0$, $(x+4)(x-3) \leq 0$

$\therefore -4 \leq x \leq 3$

(4) $4^x - 3 \times 2^{x+1} + 8 < 0$에서

$(2^x)^2 - 6 \times 2^x + 8 < 0$

$2^x = t$ $(t > 0)$로 놓으면

$t^2 - 6t + 8 < 0$

$(t-2)(t-4)<0$ $\qquad \therefore 2<t<4$

즉 $2<2^x<4$이므로 $2^1<2^x<2^2$

밑이 1보다 크므로 $1<x<2$

(5) $9^x+3^{x+1}\leq 3^{x+2}+27$에서

$(3^x)^2+3\times 3^x\leq 9\times 3^x+27$

$3^x=t\ (t>0)$로 놓으면

$t^2+3t\leq 9t+27$, $t^2-6t-27\leq 0$

$(t+3)(t-9)\leq 0$

$\therefore -3\leq t\leq 9$

그런데 $t>0$이므로 $0<t\leq 9$

즉 $3^x\leq 9$이므로 $3^x\leq 3^2$

밑이 1보다 크므로 $x\leq 2$

(6) $\left(\dfrac{1}{3}\right)^{2x}+\left(\dfrac{1}{3}\right)^{x+2}>\left(\dfrac{1}{3}\right)^{x-2}+1$에서

$\left\{\left(\dfrac{1}{3}\right)^x\right\}^2+\dfrac{1}{9}\times\left(\dfrac{1}{3}\right)^x>9\times\left(\dfrac{1}{3}\right)^x+1$

$\left(\dfrac{1}{3}\right)^x=t\ (t>0)$로 놓으면

$t^2+\dfrac{1}{9}t>9t+1$, $9t^2+t>81t+9$

$9t^2-80t-9>0$, $(9t+1)(t-9)>0$

$\therefore t<-\dfrac{1}{9}$ 또는 $t>9$

그런데 $t>0$이므로 $t>9$

즉 $\left(\dfrac{1}{3}\right)^x>9$이므로 $\left(\dfrac{1}{3}\right)^x>\left(\dfrac{1}{3}\right)^{-2}$

밑이 1보다 작은 양수이므로 $x<-2$

답 (1) $x\geq -\dfrac{6}{11}$ (2) $x<2$ (3) $-4\leq x\leq 3$

(4) $1<x<2$ (5) $x\leq 2$ (6) $x<-2$

109

$4^x+a\times 2^x+b>0$에서 $(2^x)^2+a\times 2^x+b>0$ …… ㉠

$2^x=t\ (t>0)$로 놓으면

$t^2+at+b>0$ …… ㉡

㉠의 해가 $x<-1$ 또는 $x>2$이므로 ㉡의 해는

$2^x<2^{-1}$ 또는 $2^x>2^2$ ← 밑이 1보다 크므로
부등호 방향 그대로

$\therefore t<\dfrac{1}{2}$ 또는 $t>4$

해가 $t<\dfrac{1}{2}$ 또는 $t>4$이고 t^2의 계수가 1인 이차부등

식은

$\left(t-\dfrac{1}{2}\right)(t-4)>0$

$\therefore t^2-\dfrac{9}{2}t+2>0$

따라서 $a=-\dfrac{9}{2}$, $b=2$이므로

$ab=-\dfrac{9}{2}\times 2=-9$

답 -9

110

(1) $x^{x+1}\leq x^5\ (x>0)$에서

(ⅰ) $0<x<1$일 때

밑이 1보다 작은 양수이므로

$x+1\geq 5$ $\quad \therefore x\geq 4$

그런데 $0<x<1$이므로 부등식이 성립하지 않

는다.

(ⅱ) $x=1$일 때

$1^2\leq 1^5$이므로 부등식이 성립한다.

(ⅲ) $x>1$일 때

밑이 1보다 크므로

$x+1\leq 5$ $\quad \therefore x\leq 4$

그런데 $x>1$이므로 $1<x\leq 4$

(ⅰ)~(ⅲ)에서 부등식의 해는

$1\leq x\leq 4$

(2) $x^{2x-5}\geq x^9\ (x>0)$에서

(ⅰ) $0<x<1$일 때

밑이 1보다 작은 양수이므로

$2x-5\leq 9$, $2x\leq 14$ $\quad \therefore x\leq 7$

그런데 $0<x<1$이므로

$0<x<1$

(ⅱ) $x=1$일 때

$1^{-3}\geq 1^9$이므로 부등식이 성립한다.

(ⅲ) $x>1$일 때

밑이 1보다 크므로

$2x-5\geq 9$, $2x\geq 14$ $\quad \therefore x\geq 7$

(ⅰ)~(ⅲ)에서 부등식의 해는

$0<x\leq 1$ 또는 $x\geq 7$

(3) $(x+1)^{-2x-3}<(x+1)^5\ (x>-1)$에서

(ⅰ) $0<x+1<1$, 즉 $-1<x<0$일 때

밑이 1보다 작은 양수이므로

$-2x-3>5$, $-2x>8$ $\therefore x<-4$

그런데 $-1<x<0$이므로 부등식이 성립하지

않는다.

(ii) $x+1=1$, 즉 $x=0$일 때

$1^{-3}<1^5$이므로 부등식이 성립하지 않는다.

(iii) $x+1>1$, 즉 $x>0$일 때

밑이 1보다 크므로

$-2x-3<5$, $-2x<8$ $\therefore x>-4$

그런데 $x>0$이므로 $x>0$

(i)~(iii)에서 부등식의 해는 $x>0$

답 (1) $1\leq x\leq 4$

(2) $0<x\leq 1$ 또는 $x\geq 7$

(3) $x>0$

111

(1) $\left(\dfrac{1}{25}\right)^{3x-1}<625<\left(\dfrac{1}{5}\right)^{4x-12}$에서

$(5^{-2})^{3x-1}<5^4<(5^{-1})^{4x-12}$

$5^{-6x+2}<5^4<5^{-4x+12}$

밑이 1보다 크므로

$-6x+2<4<-4x+12$

(i) $-6x+2<4$에서 $-6x<2$

$\therefore x>-\dfrac{1}{3}$

(ii) $4<-4x+12$에서 $4x<8$

$\therefore x<2$

(i), (ii)에서 연립부등식의 해는

$-\dfrac{1}{3}<x<2$

(2) $\left(\dfrac{1}{2}\right)^{4x-3}<\left(\dfrac{1}{2}\right)^{x^2}<\left(\dfrac{1}{2}\right)^{x-1}$에서

밑이 1보다 작은 양수이므로

$4x-3>x^2>x-1$

$\therefore x-1<x^2<4x-3$

(i) $x-1<x^2$에서 $x^2-x+1>0$

이때 $x^2-x+1=\left(x-\dfrac{1}{2}\right)^2+\dfrac{3}{4}>0$이므로 모

든 실수 x에 대하여 부등식이 성립한다.

(ii) $x^2<4x-3$에서 $x^2-4x+3<0$

$(x-1)(x-3)<0$ $\therefore 1<x<3$

(i), (ii)에서 연립부등식의 해는

$1<x<3$

(3) $\left(\dfrac{1}{3}\right)^x<\sqrt[3]{3}<\left(\dfrac{1}{9}\right)^{x-1}$에서 $3^{-x}<3^{\frac{1}{3}}<(3^{-2})^{x-1}$

$3^{-x}<3^{\frac{1}{3}}<3^{-2x+2}$

밑이 1보다 크므로 $-x<\dfrac{1}{3}<-2x+2$

(i) $-x<\dfrac{1}{3}$에서 $x>-\dfrac{1}{3}$

(ii) $\dfrac{1}{3}<-2x+2$에서

$2x<\dfrac{5}{3}$ $\therefore x<\dfrac{5}{6}$

(i), (ii)에서 연립부등식의 해는

$-\dfrac{1}{3}<x<\dfrac{5}{6}$

답 (1) $-\dfrac{1}{3}<x<2$ (2) $1<x<3$

(3) $-\dfrac{1}{3}<x<\dfrac{5}{6}$

112

(1) $25^x-2\times 5^{x+1}+k-2>0$에서

$(5^x)^2-10\times 5^x+k-2>0$

$5^x=t$ $(t>0)$로 놓으면

$t^2-10t+k-2>0$ ······ ㉠

$f(t)=t^2-10t+k-2=(t-5)^2+k-27$

로 놓으면 $t>0$인 모든 t에

대하여 부등식 ㉠, 즉

$f(t)>0$이 성립할 필요충

분조건은 $t>0$에서 $f(t)$의

최솟값이 $f(5)$이므로 오른

쪽 그림과 같이 $f(5)>0$이다.

즉 $f(5)=k-27>0$ $\therefore k>27$

(2) $\left(\dfrac{1}{3}\right)^{2x}+2\times\left(\dfrac{1}{3}\right)^{x-1}+k+1\geq 0$에서

$\left\{\left(\dfrac{1}{3}\right)^x\right\}^2+6\times\left(\dfrac{1}{3}\right)^x+k+1\geq 0$

$\left(\dfrac{1}{3}\right)^x=t$ $(t>0)$로 놓으면

$t^2+6t+k+1\geq 0$ ······ ㉠

$f(t)=t^2+6t+k+1=(t+3)^2+k-8$

로 놓으면 $t>0$인 모든 t에

대하여 부등식 ㉠, 즉

$f(t)\geq0$이 성립할 필요충분

조건은 오른쪽 그림과 같

이 $f(0)\geq0$이다.

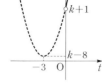

즉 $f(0)=k+1\geq0$ $\therefore k\geq-1$

(3) $\left(\dfrac{1}{5}\right)^{x^2+2x}\leq25^{x+k}$에서 $(5^{-1})^{x^2+2x}\leq(5^2)^{x+k}$

$5^{-x^2-2x}\leq5^{2x+2k}$

밑이 1보다 크므로 $-x^2-2x\leq2x+2k$

$\therefore x^2+4x+2k\geq0$ ……㉠

모든 실수 x에 대하여 ㉠이 항상 성립할 필요충분

조건은 이차방정식 $x^2+4x+2k=0$의 판별식을 D

라 할 때, $D\leq0$이므로

$\dfrac{D}{4}=2^2-2k\leq0$

$2k\geq4$ $\therefore k\geq2$

답 (1) $k>27$ (2) $k\geq-1$ (3) $k\geq2$

113

2000만 원에 산 새 자동차의 1년 후의 가격이 1000만

원이므로 주어진 식에 $A=1000$, $A_0=2000$, $t=1$을 대

입하면

$1000=2000k^1$ $\therefore k=\dfrac{1}{2}$

n년 후에 자동차의 가격이 250만 원 이하로 떨어진다

고 하면 $A=250$, $A_0=2000$, $t=n$이므로

$2000\times\left(\dfrac{1}{2}\right)^n\leq250$

$\left(\dfrac{1}{2}\right)^n\leq\dfrac{1}{8}$, $\left(\dfrac{1}{2}\right)^n\leq\left(\dfrac{1}{2}\right)^3$ $\therefore n\geq3$

따라서 자동차의 가격이 250만 원 이하로 떨어지는 것

은 최소 3년 후이다.

$\therefore m=3$ 답 3

114

(1) $f(4)=\log_2 4=2$

(2) $f\left(\dfrac{1}{2}\right)=\log_2 \dfrac{1}{2}=\log_2 2^{-1}=-1$

(3) $f(1)=\log_2 1=0$

(4) $g\left(\dfrac{1}{9}\right)=\log_{\frac{1}{3}} \dfrac{1}{9}=\log_{\frac{1}{3}} \left(\dfrac{1}{3}\right)^2=2$

(5) $g(27)=\log_{\frac{1}{3}} 27=\log_{3^{-1}} 3^3=-3$

(6) $g(1)=\log_{\frac{1}{3}} 1=0$

답 (1) 2 (2) -1 (3) 0 (4) 2 (5) -3 (6) 0

115

답 (1) 양의 실수   (2) 실수   (3) $<$ (4) $>$

(5) y축(직선 $x=0$)

116

(1) 함수 $y=\log_3(x-1)$의

그래프는 $y=\log_3 x$의

그래프를 x축의 방향으

로 1만큼 평행이동한 것

이므로 오른쪽 그림과 같

고, 정의역은 $\{x\,|\,x>1\}$, 치역은 실수 전체의 집합,

점근선은 직선 $x=1$이다.

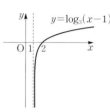

(2) 함수 $y=\log_{\frac{1}{2}} x+2$의 그래

프는 $y=\log_{\frac{1}{2}} x$의 그래프를

y축의 방향으로 2만큼 평행

이동한 것이므로 오른쪽 그

림과 같고, 정의역은 양의 실

수 전체의 집합, 치역은 실수 전체의 집합, 점근선은 y

축(직선 $x=0$)이다.

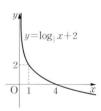

답 풀이 참조

117

(1) $y=\log_2(x+1)+1$의 그래프는 함수 $y=\log_2 x$의

그래프를 x축의 방향으로 $\boxed{-1}$만큼, y축의 방향으

로 $\boxed{1}$만큼 평행이동한 것이다.

(2) $y=-\log_3 x$에서 $-y=\log_3 x$이므로

$y=-\log_3 x$의 그래프는 함수 $y=\log_3 x$의 그래프

를 $\boxed{x}$축에 대하여 대칭이동한 것이다.

답 (1) $-1, 1$ (2) x

118

답 양의 실수, 일대일대응, $\log_5 y$, $\log_5 x$

119

$f\left(-\dfrac{1}{2}\right)=\left(\dfrac{1}{9}\right)^{-\frac{1}{2}}=9^{\frac{1}{2}}=3$이므로

$(g \circ f)\left(-\dfrac{1}{2}\right)=g\left(f\left(-\dfrac{1}{2}\right)\right)=g(3)=\log_3 3^2=2$

답 2

120

함수 $y=\log_{\frac{1}{2}} x$의 그래프는 오른쪽 그림과 같다.

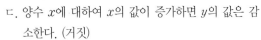

ㄱ. 그래프는 점 $(1, 0)$을 지난다. (거짓)

ㄴ. 그래프의 점근선은 y축이다. (참)

ㄷ. 양수 x에 대하여 x의 값이 증가하면 y의 값은 감소한다. (거짓)

ㄹ. $f(x)=\log_{\frac{1}{2}} x$는 양의 실수 전체의 집합에서 실수 전체의 집합으로의 일대일대응이므로 양수 x_1, x_2에 대하여 $x_1 \neq x_2$이면 $f(x_1) \neq f(x_2)$이다. (참)

ㅁ. 함수 $y=\log_{\frac{1}{2}} x$의 그래프는 $y=\left(\dfrac{1}{2}\right)^x$의 그래프와 직선 $y=x$에 대하여 대칭이다. (거짓)

따라서 옳은 것은 ㄴ, ㄹ이다.

답 ㄴ, ㄹ

121

(1) $y=\log_{\frac{1}{2}}(x+2)+1$의 그래프는

$y=\log_{\frac{1}{2}} x$의 그래프를 x축의 방향으로 -2만큼, y축의 방향으로 1만큼 평행이동한 것이므로 위의 그림과 같다.

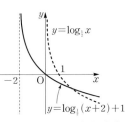

따라서 **정의역은 $\{x | x > -2\}$, 치역은 실수 전체의 집합, 점근선은 직선 $x=-2$**이다.

(2) $y=\log_{\frac{1}{2}}(-x)-2$의 그래프는 $y=\log_{\frac{1}{2}} x$의 그래프를 y축에 대하여 대칭이동한 후, y축의 방향으로 -2만큼 평행이동한 것이므로 오른쪽 그림과 같다.

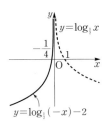

따라서 **정의역은 $\{x | x < 0\}$, 치역은 실수 전체의 집합, 점근선은 y축 (직선 $x=0$)**이다.

(3) $y=-\log_{\frac{1}{2}}(x-3)$의 그래프는 $y=\log_{\frac{1}{2}} x$의 그래프를 x축에 대하여 대칭이동한 후, x축의 방향으로 3만큼 평행이동한 것이므로 위의 그림과 같다.

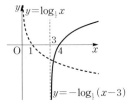

따라서 **정의역은 $\{x | x > 3\}$, 치역은 실수 전체의 집합, 점근선은 직선 $x=3$**이다.

답 풀이 참조

122

$y=\log_3(27x+9)$

$=\log_3\left\{27\left(x+\dfrac{1}{3}\right)\right\}=\log_3 27+\log_3\left(x+\dfrac{1}{3}\right)$

$=\log_3\left(x+\dfrac{1}{3}\right)+3$

따라서 함수 $y=\log_3(27x+9)$의 그래프는 $y=\log_3 x$의 그래프를 x축의 방향으로 $-\dfrac{1}{3}$만큼, y축의 방향으로 3만큼 평행이동한 것이다.

$\therefore m=-\dfrac{1}{3}$, $n=3$

$\therefore mn=\left(-\dfrac{1}{3}\right) \times 3=-1$

답 -1

123

$y=\log_{\frac{1}{5}} x$의 그래프를 x축에 대하여 대칭이동한 그래프의 식은 $-y=\log_{\frac{1}{5}} x$

$y=-\log_{\frac{1}{5}} x$, $y=-\log_{5^{-1}} x$

$\therefore y=\log_5 x$ $\qquad\cdots\cdots\ \text{\textcircled{\small 1}}$

$\text{\textcircled{\small 1}}$의 그래프를 x축의 방향으로 2만큼, y축의 방향으로 -3만큼 평행이동한 그래프의 식은

$y=\log_5(x-2)-3$

답 $y=\log_5(x-2)-3$

124

(1) $\log_4 25=\log_{2^2} 5^2=\log_2 5=\log_{2^3} 5^3=\log_8 125$

$\log_8 80$

$2=\log_8 8^2=\log_8 64$

이때 $64<80<125$이고, 로그함수 $y=\log_8 x$는 x의 값이 증가하면 y의 값도 증가하는 함수이므로

$\log_8 64<\log_8 80<\log_8 125$

$\therefore 2<\log_8 80<\log_4 25$

(2) $3<4<5$이고, 로그함수 $y=\log_{\frac{1}{2}} x$는 x의 값이 증가하면 y의 값은 감소하는 함수이므로

$\log_{\frac{1}{2}} 3>\log_{\frac{1}{2}} 4>\log_{\frac{1}{2}} 5$

$\therefore \log_{\frac{1}{2}} 5<\log_{\frac{1}{2}} 4<\log_{\frac{1}{2}} 3$

답 (1) $2<\log_8 80<\log_4 25$

(2) $\log_{\frac{1}{2}} 5<\log_{\frac{1}{2}} 4<\log_{\frac{1}{2}} 3$

125

(1) 함수 $y=2^{-x+1}-3$은 실수 전체의 집합에서 집합 $\{y\,|\,y>-3\}$으로의 일대일대응이므로 역함수가 존재한다.

$y=2^{-x+1}-3$에서 $y+3=2^{-x+1}$

로그의 정의에서

$-x+1=\log_2(y+3)$

$\therefore x=-\log_2(y+3)+1$

x와 y를 서로 바꾸면 구하는 역함수는

$y=-\log_2(x+3)+1$

$\therefore y=\log_{\frac{1}{2}}(x+3)+1$

(2) 함수 $y=\log_{\frac{1}{3}}(x-2)+1$은 $\{x\,|\,x>2\}$에서 실수 전체의 집합으로의 일대일대응이므로 역함수가 존재한다.

$y=\log_{\frac{1}{3}}(x-2)+1$에서 $y-1=\log_{\frac{1}{3}}(x-2)$

로그의 정의에서

$\left(\dfrac{1}{3}\right)^{y-1}=x-2$ $\qquad \therefore x=\left(\dfrac{1}{3}\right)^{y-1}+2$

x와 y를 서로 바꾸면 구하는 역함수는

$y=\left(\dfrac{1}{3}\right)^{x-1}+2$

답 (1) $y=\log_{\frac{1}{2}}(x+3)+1$

(2) $y=\left(\dfrac{1}{3}\right)^{x-1}+2$

126

$y=\log_4(x+a)-3$에서 $y+3=\log_4(x+a)$

로그의 정의에서

$x+a=4^{y+3}$

$\therefore x=4^{y+3}-a$

x와 y를 서로 바꾸면 구하는 역함수는

$y=4^{x+3}-a$

$\therefore a=1,\ b=3$

$\therefore a+b=4$

답 4

127

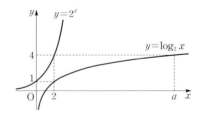

$y=\log_2 x$에서

$y=1$일 때, $\log_2 x=1$ $\qquad \therefore x=2$

$y=2^x$에서 $x=2$일 때, $y=2^2=4$

$y=\log_2 x$의 그래프는 점 $(a,\ 4)$를 지나므로

$4=\log_2 a$에서

$a=2^4=16$

답 16

128

$y=\log_3 x+1$의 그래프는 $y=\log_3 x$의 그래프를 y축의 방향으로 1만큼 평행이동한 것이다.

오른쪽 그림과 같이 직선 $x=3$이 $y=\log_3 x+1$, $y=\log_3 x$의 그래프와 만나는 점을 각각 A, B라 하면

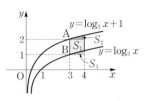

점 B의 y좌표는 $\log_3 3=1$

점 A의 y좌표는 $\log_3 3+1=2$

또한 위의 그림에서 $S_2=S_3$이므로 구하는 넓이는

$$S_1+S_2=S_1+S_3=(4-3)\times(2-1)=1$$

답 **1**

129

답 **증가, 1, 0, $\dfrac{1}{2}$, -1**

130

답 **감소, $\dfrac{1}{9}$, 2, 3, -1**

131

(1) $y=\log_3 x$는 x의 값이 증가할 때 y의 값도 증가하는 함수이다.

따라서 $3\le x\le 9$일 때, 함수 $y=\log_3 x$는 $x=3$에서 최솟값 $\log_3 3=1$, $x=9$에서 최댓값 $\log_3 9=2$를 갖는다.

(2) $y=\log_{\frac{1}{4}} x$는 x의 값이 증가할 때 y의 값은 감소하는 함수이다.

따라서 $\dfrac{1}{16}\le x\le 4$일 때, 함수 $y=\log_{\frac{1}{4}} x$는

$x=\dfrac{1}{16}$에서 최댓값 $\log_{\frac{1}{4}}\dfrac{1}{16}=\log_{\frac{1}{4}}\left(\dfrac{1}{4}\right)^2=2$,

$x=4$에서 최솟값 $\log_{\frac{1}{4}} 4=-1$을 갖는다.

(3) $y=\log_5 x$는 x의 값이 증가할 때 y의 값도 증가하는 함수이다.

따라서 $x\le 1$일 때, 함수 $y=\log_5 x$는 $x=1$에서 최댓값 $\log_5 1=0$을 갖고, 최솟값은 없다.

(4) $y=\log_{\frac{1}{2}} x$는 x의 값이 증가할 때 y의 값은 감소하는 함수이다.

따라서 $x\le\dfrac{1}{16}$일 때, 함수 $y=\log_{\frac{1}{2}} x$는 $x=\dfrac{1}{16}$에서 최솟값 $\log_{\frac{1}{2}}\dfrac{1}{16}=4$를 갖고, 최댓값은 없다.

답 (1) **최댓값 : 2, 최솟값 : 1**

(2) **최댓값 : 2, 최솟값 : -1**

(3) **최댓값 : 0, 최솟값은 없다.**

(4) **최솟값 : 4, 최댓값은 없다.**

132

(1) $y=\log_2(x+1)-3$은 밑 2가 $2>1$이므로 x의 값이 증가하면 y의 값도 증가하는 함수이다.

따라서 $1\le x\le 7$일 때, 함수 $y=\log_2(x+1)-3$은 $x=1$에서 최솟값 $\log_2(1+1)-3=-2$,

$x=7$에서 최댓값 $\log_2(7+1)-3=0$을 갖는다.

(2) $y=\log_{\frac{1}{3}}(2x+1)+3$은 밑 $\dfrac{1}{3}$이 $0<\dfrac{1}{3}<1$이므로 x의 값이 증가하면 y의 값은 감소하는 함수이다.

따라서 $1\le x\le 4$일 때, 함수 $y=\log_{\frac{1}{3}}(2x+1)+3$은 $x=1$에서 최댓값 $\log_{\frac{1}{3}}(2+1)+3=2$,

$x=4$에서 최솟값 $\log_{\frac{1}{3}}(8+1)+3=1$을 갖는다.

답 (1) **최댓값 : 0, 최솟값 : -2**

(2) **최댓값 : 2, 최솟값 : 1**

133

함수 $y=\log_{\frac{1}{2}}(x-a)$는 밑 $\dfrac{1}{2}$이 $0<\dfrac{1}{2}<1$이므로 x의 값이 증가하면 y의 값은 감소하는 함수이다.

따라서 $6\le x\le 8$일 때, 함수 $y=\log_{\frac{1}{2}}(x-a)$는 $x=6$에서 최대이고, $x=8$에서 최소이다.

이때 최솟값이 -2이므로

$$\log_{\frac{1}{2}}(8-a)=-2$$

$4=8-a$ ∴ $a=4$

따라서 구하는 최댓값은

$\log_{\frac{1}{2}}(6-4)=\log_{\frac{1}{2}}2=-1$

답 −1

134

$f(x)=-x^2+6x+7$로 놓으면

$y=\log_2(-x^2+6x+7)$에서 $y=\log_2 f(x)$

함수 $y=\log_2 f(x)$의 밑 2가 1보다 크므로 함수

$y=\log_2 f(x)$는 $f(x)$가 최대일 때 최대가 된다.

$f(x)=-x^2+6x+7=-(x-3)^2+16$이므로

$f(x)$는 $x=3$에서 최댓값 16을 갖는다.

따라서 함수 $y=\log_2 f(x)$는 $x=3$에서 최댓값

$\log_2 16=4$를 갖는다.

$\therefore a=3,\ b=4$

$\therefore a+b=7$

답 7

135

$a>1$이면 함수 $y=\log_a(x^2-2x+5)$는 x^2-2x+5

가 최대일 때 최대가 된다. 그런데 x^2-2x+5의 최댓

값은 존재하지 않으므로 함수 $y=\log_a(x^2-2x+5)$

의 최댓값도 존재하지 않는다.

$\therefore 0<a<1$

함수 $y=\log_a(x^2-2x+5)$는 x^2-2x+5가 최소일

때 최대가 되고,

$x^2-2x+5=(x-1)^2+4$이므로

x^2-2x+5는 $x=1$에서 최솟값 4를 갖는다.

따라서 함수 $y=\log_a(x^2-2x+5)$는 $x=1$에서 최댓

값 $\log_a 4$를 갖고, 이 최댓값이 -2이므로

$\log_a 4=-2$

$a^{-2}=4,\ a^2=\dfrac{1}{4}\qquad \therefore a=\dfrac{1}{2}\ (\because 0<a<1)$

답 $\dfrac{1}{2}$

136

$f(x)=x^2+2x+5$로 놓으면

$y=\log_{\frac{1}{2}}(x^2+2x+5)$에서

$y=\log_{\frac{1}{2}}f(x)$

함수 $y=\log_{\frac{1}{2}}f(x)$의 밑 $\dfrac{1}{2}$이 1보다 작은 양수이므로

함수 $y=\log_{\frac{1}{2}}f(x)$는 $f(x)$가 최소일 때 최대가 되

고, $f(x)$가 최대일 때 최소가 된다.

$f(x)=x^2+2x+5=(x+1)^2+4$이므로 $-2\le x\le 1$

일 때, $f(x)$는 $x=-1$에서 최솟값 4, $x=1$에서 최댓

값 8을 갖는다.

따라서 $-2\le x\le 1$일 때, 함수 $y=\log_{\frac{1}{2}}f(x)$는

$x=-1$에서 최댓값 $\log_{\frac{1}{2}}4=-2$, $x=1$에서 최솟값

$\log_{\frac{1}{2}}8=-3$을 갖는다.

답 최댓값 : −2, 최솟값 : −3

137

(1) $y=\left(\log_{\frac{1}{3}}x\right)^2-\log_{\frac{1}{3}}x^2+2$

$\quad =\left(\log_{\frac{1}{3}}x\right)^2-2\log_{\frac{1}{3}}x+2$

$\log_{\frac{1}{3}}x=t$로 놓으면

$3\le x\le 9$에서 $\log_{\frac{1}{3}}9\le \log_{\frac{1}{3}}x\le \log_{\frac{1}{3}}3$

$\therefore -2\le t\le -1$

이때 주어진 함수는

$y=t^2-2t+2=(t-1)^2+1$ $\qquad\cdots\cdots$ ㉠

따라서 $-2\le t\le -1$일 때, ㉠은

$t=-2$에서 최댓값 $(-2-1)^2+1=10$,

$t=-1$에서 최솟값 $(-1-1)^2+1=5$

를 갖는다.

(2) $y=\left(\log_3\dfrac{x}{9}\right)\left(\log_3\dfrac{3}{x}\right)$

$\quad =(\log_3 x-\log_3 9)(\log_3 3-\log_3 x)$

$\quad =(\log_3 x-2)(1-\log_3 x)$

$\quad =-(\log_3 x)^2+3\log_3 x-2$

$\log_3 x=t$로 놓으면

$1\le x\le 27$에서 $\log_3 1\le \log_3 x\le \log_3 27$

$\therefore 0\le t\le 3$

이때 주어진 함수는

$y=-t^2+3t-2=-\left(t-\dfrac{3}{2}\right)^2+\dfrac{1}{4}$ $\qquad\cdots\cdots$ ㉠

따라서 $0\le t\le 3$일 때, ㉠은

$t=\dfrac{3}{2}$에서 최댓값 $\dfrac{1}{4}$,

$t=0$ 또는 $t=3$에서 최솟값 $-\left(-\dfrac{3}{2}\right)^2+\dfrac{1}{4}=-2$

를 갖는다.

답 (1) **최댓값 : 10, 최솟값 : 5**

(2) **최댓값 : $\dfrac{1}{4}$, 최솟값 : -2**

138

$y=2(\log_3 x)^2+a\log_3 \dfrac{1}{x^2}+b$

$\quad=2(\log_3 x)^2-2a\log_3 x+b$

$\log_3 x=t$로 놓으면 주어진 함수는

$y=2t^2-2at+b$ $\qquad$ ...... ㉠

㉠이 $x=\dfrac{1}{3}$, 즉 $t=\log_3 \dfrac{1}{3}=-1$에서 최솟값 1을 가

지므로 ㉠은

$y=2(t+1)^2+1$

$\therefore y=2t^2+4t+3$

따라서 $-2a=4$, $b=3$이므로

$a=-2$, $b=3$

$\therefore a+b=1$

답 **1**

139

$x>1$에서 $\log_4 x>0$, $\log_x 256>0$이므로 산술평균
과 기하평균의 관계에 의하여

$\log_4 x+\log_x 256\ge 2\sqrt{\log_4 x\times \log_x 256}$

$\qquad\qquad\qquad\quad =2\sqrt{\log_4 256}$

$\qquad\qquad\qquad\quad =2\sqrt{4}=4$

(단, 등호는 $\log_4 x=\log_x 256$, 즉 $x=16$일 때 성립)
따라서 구하는 최솟값은 4이다.

답 **4**

140

$\log_{\frac{1}{3}} x+\log_{\frac{1}{3}} y=\log_{\frac{1}{3}} xy$

$\log_{\frac{1}{3}} xy$의 밑 $\dfrac{1}{3}$이 $0<\dfrac{1}{3}<1$이므로 $\log_{\frac{1}{3}} xy$는 xy가

최대일 때 최소가 된다.

이때 $x>0$, $y>0$이므로 산술평균과 기하평균의 관계
에 의하여

$x+y\ge 2\sqrt{xy}$ (단, 등호는 $x=y$일 때 성립)

$6\ge 2\sqrt{xy}$, $3\ge\sqrt{xy}$ $\qquad \therefore xy\le 9$

따라서 xy의 최댓값이 9이므로 $\log_{\frac{1}{3}} xy$의 최솟값은

$\log_{\frac{1}{3}} 9=-2$이다.

답 -2

141

$y=(100x)^{6-\log x}$의 양변에 상용로그를 취하면

$\log y=\log(100x)^{6-\log x}$

$\qquad\quad =(6-\log x)\log(100x)$

$\qquad\quad =(6-\log x)(2+\log x)$

$\log x=t$로 놓으면

$1\le x\le 1000$에서 $\log 1\le \log x\le \log 1000$

$\therefore 0\le t\le 3$

이때 주어진 함수는

$\log y=(6-t)(2+t)=-t^2+4t+12$

$\qquad\quad =-(t-2)^2+16$

따라서 $0\le t\le 3$일 때, $\log y$는

$t=2$, 즉 $\log x=2$, $x=10^2=100$에서 최댓값 16을

가지므로 y의 최댓값은

$\log y=16$에서 $y=10^{16}$

$\therefore a=100$, $b=10^{16}$

$\therefore ab=100\times 10^{16}=10^{18}$

답 10^{18}

142

(1) $\log_2 x=3$에서 로그의 정의에 의하여 $x=2^3=8$

(2) $\log_{\frac{1}{3}} x=-3$에서 로그의 정의에 의하여

$x=\left(\dfrac{1}{3}\right)^{-3}=3^3=27$

(3) $\log_5 x=0$에서 로그의 정의에 의하여 $x=5^0=1$

답 (1) $x=8$ (2) $x=27$ (3) $x=1$

143

(1) 진수의 조건에서 $3x-1>0$ $\qquad \therefore x>\dfrac{1}{3}$

$\log_2(3x-1)=3$에서 로그의 정의에 의하여

$3x-1=2^3=8$

$3x=9$ $\quad \therefore x=3$

(2) 진수의 조건에서 $-x+6>0$ $\quad \therefore x<6$

$\log_{\frac{1}{3}}(-x+6)=-2$에서 로그의 정의에 의하여

$-x+6=\left(\dfrac{1}{3}\right)^{-2}=9$ $\quad \therefore x=-3$

(3) 진수의 조건에서 $x+2>0$ $\quad \therefore x>-2$

$\log_3(x+2)=2$에서 로그의 정의에 의하여

$x+2=3^2=9$ $\quad \therefore x=7$

(4) 진수의 조건에서 $-3x+4>0$ $\quad \therefore x<\dfrac{4}{3}$

$\log_{\frac{1}{2}}(-3x+4)=-1$에서 로그의 정의에 의하여

$-3x+4=\left(\dfrac{1}{2}\right)^{-1}=2$

$-3x=-2$ $\quad \therefore x=\dfrac{2}{3}$

(5) 진수의 조건에서 $x-2>0$ $\quad \therefore x>2$

$\log_{0.1}(x-2)=-1$에서 로그의 정의에 의하여

$x-2=0.1^{-1}=10$ $\quad \therefore x=12$

(6) 진수의 조건에서 $-3x+1>0$ $\quad \therefore x<\dfrac{1}{3}$

$\log_{\frac{1}{3}}(-3x+1)=-1$에서 로그의 정의에 의하여

$-3x+1=\left(\dfrac{1}{3}\right)^{-1}=3$

$-3x=2$ $\quad \therefore x=-\dfrac{2}{3}$

답 (1) $x=3$ (2) $x=-3$ (3) $x=7$

(4) $x=\dfrac{2}{3}$ (5) $x=12$ (6) $x=-\dfrac{2}{3}$

144

(1) 진수의 조건에서 $2-x>0$, $2x+5>0$

$x<2$, $x>-\dfrac{5}{2}$ $\quad \therefore -\dfrac{5}{2}<x<2$ ······ ㉠

양변의 밑이 2로 같으므로 $2-x=2x+5$

$-3x=3$ $\quad \therefore x=-1$ ······ ㉡

㉠, ㉡에서 방정식의 해는 $x=-1$

(2) 진수의 조건에서 $-3x+1>0$, $x+5>0$

$x<\dfrac{1}{3}$, $x>-5$ $\quad \therefore -5<x<\dfrac{1}{3}$ ······ ㉠

양변의 밑이 $\dfrac{1}{5}$로 같으므로 $-3x+1=x+5$

$-4x=4$ $\quad \therefore x=-1$ ······ ㉡

㉠, ㉡에서 방정식의 해는 $x=-1$

답 (1) $x=-1$ (2) $x=-1$

145

진수의 조건에서 $x>\boxed{0}$ ······ ㉠

$\log x=t$로 놓으면 $(\log x)^2-4\log x+3=0$에서

$\boxed{t^2}-4\boxed{t}+3=0$, $(t-1)(t-3)=0$

$\therefore t=\boxed{1}$ 또는 $t=3$

즉 $\log x=\boxed{1}$ 또는 $\log x=3$이므로

$x=\boxed{10}$ 또는 $x=\boxed{1000}$ ······ ㉡

㉠, ㉡에서 방정식 $(\log x)^2-4\log x+3=0$의 해는

$x=\boxed{10}$ 또는 $x=\boxed{1000}$

답 풀이 참조

146

(1) 진수의 조건에서 $x^2+3x>0$, $x(x+3)>0$

$\therefore x<-3$ 또는 $x>0$ ······ ㉠

$\log(x^2+3x)=1$에서

$x^2+3x=10$, $x^2+3x-10=0$

$(x+5)(x-2)=0$

$\therefore x=-5$ 또는 $x=2$ ······ ㉡

㉠, ㉡에서 방정식 $\log(x^2+3x)=1$의 해는

$x=-5$ 또는 $x=2$

(2) 밑의 조건에서 $x-2>0$, $x-2\neq1$

$\therefore 2<x<3$ 또는 $x>3$ ······ ㉠

$\log_{x-2}4=2$에서 $(x-2)^2=4$

$x^2-4x+4=4$, $x^2-4x=0$

$x(x-4)=0$ $\quad \therefore x=0$ 또는 $x=4$ ······ ㉡

㉠, ㉡에서 방정식 $\log_{x-2}4=2$의 해는 $x=4$

(3) 진수의 조건에서 $x>0$, $x-10>0$

$\therefore x>10$ ······ ㉠

$\log x+\log(x-10)=2+\log 2$에서

$\log x(x-10)=\log 100+\log 2$

$\log(x^2-10x)=\log 200$

양변의 밑이 10으로 같으므로

$x^2-10x=200,\ x^2-10x-200=0$

$(x+10)(x-20)=0$

$\therefore\ x=-10$ 또는 $x=20$ ...... ⓛ

ⓐ, ⓛ에서 방정식

$\log x+\log(x-10)=2+\log 2$의 해는

$x=20$

(4) 진수의 조건에서 $3x+1>0,\ x+1>0$

$\therefore\ x>-\dfrac{1}{3}$ ...... ⓐ

$\log_{\frac{1}{4}}(3x+1)=\log_{\frac{1}{2}}(x+1)$에서

$\log_{\frac{1}{4}}(3x+1)=\log_{\frac{1}{4}}(x+1)^2$

양변의 밑이 $\dfrac{1}{4}$로 같으므로

$3x+1=(x+1)^2,\ x^2-x=0$

$x(x-1)=0$ $\therefore\ x=0$ 또는 $x=1$ ...... ⓛ

ⓐ, ⓛ에서 방정식 $\log_{\frac{1}{4}}(3x+1)=\log_{\frac{1}{2}}(x+1)$의

해는 $x=0$ 또는 $x=1$

(5) 진수의 조건에서 $x-1>0,\ x+5>0$

$\therefore\ x>1$ ...... ⓐ

$\log_{\sqrt{3}}(x-1)=\log_3(x+5)+1$에서

$\log_3(x-1)^2=\log_3(x+5)+\log_3 3$

$\log_3(x-1)^2=\log_3\{3(x+5)\}$

양변의 밑이 3으로 같으므로

$(x-1)^2=3(x+5)$

$x^2-5x-14=0,\ (x+2)(x-7)=0$

$\therefore\ x=-2$ 또는 $x=7$ ...... ⓛ

ⓐ, ⓛ에서 방정식 $\log_{\sqrt{3}}(x-1)=\log_3(x+5)+1$
의 해는 $x=7$

(6) 진수의 조건에서 $2x-1>0,\ x^2+5>0$

$\therefore\ x>\dfrac{1}{2}$ ...... ⓐ

$\log_3(2x-1)=\dfrac{1}{2}\log_3(x^2+5)$에서

$2\log_3(2x-1)=\log_3(x^2+5)$

$\log_3(2x-1)^2=\log_3(x^2+5)$

양변의 밑이 3으로 같으므로

$(2x-1)^2=x^2+5,\ 3x^2-4x-4=0$

$(3x+2)(x-2)=0$

$\therefore\ x=-\dfrac{2}{3}$ 또는 $x=2$ ...... ⓛ

ⓐ, ⓛ에서 방정식

$\log_3(2x-1)=\dfrac{1}{2}\log_3(x^2+5)$의 해는 $x=2$

답 (1) $x=-5$ 또는 $x=2$ (2) $x=4$

(3) $x=20$ (4) $x=0$ 또는 $x=1$

(5) $x=7$ (6) $x=2$

147

(1) 진수의 조건에서 $x>0,\ x^2>0$

$\therefore\ x>0$ ...... ⓐ

$(\log x)^2=3+\log x^2$에서

$(\log x)^2-2\log x-3=0$

$\log x=t$로 놓으면

$t^2-2t-3=0,\ (t+1)(t-3)=0$

$\therefore\ t=-1$ 또는 $t=3$

즉 $\log x=-1$ 또는 $\log x=3$이므로

$x=\dfrac{1}{10}$ 또는 $x=1000$ ...... ⓛ

ⓐ, ⓛ에서 구하는 해는

$x=\dfrac{1}{10}$ 또는 $x=1000$

(2) 진수와 밑의 조건에서 $x>0,\ x\neq 1$ ...... ⓐ

$\log_x 100=\log_x 10^2=2\log_x 10=\dfrac{2}{\log_{10} x}$

이므로 $\log_{10} x-\log_x 100=1$에서

$\log_{10} x-\dfrac{2}{\log_{10} x}=1$

$\log_{10} x=t$로 놓으면

$t-\dfrac{2}{t}=1$

$t^2-t-2=0,\ (t+1)(t-2)=0$

$\therefore\ t=-1$ 또는 $t=2$

즉 $\log_{10} x=-1$ 또는 $\log_{10} x=2$이므로

$x=\dfrac{1}{10}$ 또는 $x=100$ ...... ⓛ

ⓐ, ⓛ에서 구하는 해는

$x=\dfrac{1}{10}$ 또는 $x=100$

(3) 진수의 조건에서 $x>0,\ x^2>0$

$\therefore\ x>0$ ...... ⓐ

$(2+\log x)^2+(\log x-1)^2=(1+\log x^2)^2$에서

$(2+\log x)^2+(\log x-1)^2=(1+2\log x)^2$

$\log x=t$로 놓으면

$(2+t)^2+(t-1)^2=(1+2t)^2$

$t^2+t-2=0,\ (t+2)(t-1)=0$

$\therefore\ t=-2$ 또는 $t=1$

즉 $\log x=-2$ 또는 $\log x=1$이므로

$x=\dfrac{1}{100}$ 또는 $x=10$ ...... ⓛ

ⓐ, ⓛ에서 구하는 해는

$x=\dfrac{1}{100}$ 또는 $x=10$

(4) 진수의 조건에서 $2x>0,\ \dfrac{x}{2}>0$

$\therefore\ x>0$ ...... ⓐ

$\left(\log_2 2x\right)\left(\log_2\dfrac{x}{2}\right)=3$에서

$(\log_2 2+\log_2 x)(\log_2 x-\log_2 2)=3$

$(\log_2 x+1)(\log_2 x-1)=3$

$\log_2 x=t$로 놓으면

$(t+1)(t-1)=3,\ t^2-1=3$

$t^2=4$ $\therefore\ t=-2$ 또는 $t=2$

즉 $\log_2 x=-2$ 또는 $\log_2 x=2$이므로

$x=\dfrac{1}{4}$ 또는 $x=4$ ...... ⓛ

ⓐ, ⓛ에서 구하는 해는

$x=\dfrac{1}{4}$ 또는 $x=4$

(5) 진수의 조건에서 $x>0$ ...... ⓐ

$\log_8 x=\log_{2^3} x=\dfrac{1}{3}\log_2 x$이므로

$\log_2 x+\log_8 x=2(\log_2 x)(\log_8 x)$에서

$\log_2 x+\dfrac{1}{3}\log_2 x=2\log_2 x\times\dfrac{1}{3}\log_2 x$

$3\log_2 x+\log_2 x=2(\log_2 x)^2$

$\therefore\ 4\log_2 x=2(\log_2 x)^2$

$\log_2 x=t$로 놓으면

$4t=2t^2,\ 2t(t-2)=0$

$\therefore\ t=0$ 또는 $t=2$

즉 $\log_2 x=0$ 또는 $\log_2 x=2$이므로

$x=1$ 또는 $x=4$ ...... ⓛ

ⓐ, ⓛ에서 구하는 해는

$x=1$ 또는 $x=4$

(6) 진수의 조건에서 $x>0$ ...... ⓐ

$\log_9 x=\log_{3^2} x=\dfrac{1}{2}\log_3 x,$

$\log_{81} x=\log_{3^4} x=\dfrac{1}{4}\log_3 x$

이므로 $(\log_3 x)^3-4(\log_9 x)^2+\log_{81} x=0$에서

$(\log_3 x)^3-4\left(\dfrac{1}{2}\log_3 x\right)^2+\dfrac{1}{4}\log_3 x=0$

$\therefore\ 4(\log_3 x)^3-4(\log_3 x)^2+\log_3 x=0$

$\log_3 x=t$로 놓으면

$4t^3-4t^2+t=0,\ t(2t-1)^2=0$

$\therefore\ t=0$ 또는 $t=\dfrac{1}{2}$

즉 $\log_3 x=0$ 또는 $\log_3 x=\dfrac{1}{2}$이므로

$x=1$ 또는 $x=\sqrt{3}$ ...... ⓛ

ⓐ, ⓛ에서 구하는 해는

$x=1$ 또는 $x=\sqrt{3}$

답 (1) $x=\dfrac{1}{10}$ 또는 $x=1000$

(2) $x=\dfrac{1}{10}$ 또는 $x=100$

(3) $x=\dfrac{1}{100}$ 또는 $x=10$

(4) $x=\dfrac{1}{4}$ 또는 $x=4$

(5) $x=1$ 또는 $x=4$

(6) $x=1$ 또는 $x=\sqrt{3}$

148

(1) 진수의 조건에서 $x>0$ ...... ⓐ

$\log_2 x=t$로 놓으면

$(\log_2 x)^2-4\log_2 x+3=0$에서

$t^2-4t+3=0$ ...... (*)

$(t-1)(t-3)=0$ $\therefore\ t=1$ 또는 $t=3$

즉 $\log_2 x=1$ 또는 $\log_2 x=3$이므로

$x=2$ 또는 $x=8$ ...... ⓛ

ⓐ, ⓛ에서 주어진 방정식의 해는

$x=2$ 또는 $x=8$

$\therefore\ \alpha\beta=2\times8=16$

(2) 진수와 밑의 조건에서

$x>0$, $x\neq 1$ ...... ㉠

$\log_2 x=t$로 놓으면 $\log_x 2=\dfrac{1}{\log_2 x}=\dfrac{1}{t}$이므로

$\log_2 x-5\log_x 2-2=0$에서 $t-\dfrac{5}{t}-2=0$

$\therefore t^2-2t-5=0$ ...... ㉡

방정식 $\log_2 x-5\log_x 2-2=0$의 두 실근이 α, β 이므로 t에 대한 이차방정식 ㉡의 두 근은 $\log_2 \alpha$, $\log_2 \beta$이다.

따라서 이차방정식의 근과 계수의 관계에 의하여

$\log_2 \alpha+\log_2 \beta=2$

$\log_2 \alpha\beta=2$ $\therefore \alpha\beta=4$

답 (1) **16** (2) **4**

참고 (2)에서 t에 대한 이차방정식 ㉡의 두 근은 모두 0이 아닌 실수이므로 $x=2^t>0$, $x=2^t\neq 1$이다. 즉 진수와 밑의 조건 ㉠을 만족시킨다.

다른풀이 (1) 방정식 $(\log_2 x)^2-4\log_2 x+3=0$의 두 실근이 α, β이므로 t에 대한 이차방정식 (*)의 두 근은 $\log_2 \alpha$, $\log_2 \beta$이다. 따라서 이차방정식의 근과 계수의 관계에 의하여 $\log_2 \alpha+\log_2 \beta=4$

$\log_2 \alpha\beta=4$ $\therefore \alpha\beta=16$

149

(1) 진수의 조건에서 $x>0$ ...... ㉠

$x^{\log x}=\dfrac{1000}{x^2}$의 양변에 상용로그를 취하면

$\log x^{\log x}=\log \dfrac{1000}{x^2}$

$(\log x)(\log x)=\log 1000-\log x^2$

$(\log x)^2+2\log x-3=0$

$\log x=t$로 놓으면

$t^2+2t-3=0$, $(t+3)(t-1)=0$

$\therefore t=-3$ 또는 $t=1$

즉 $\log x=-3$ 또는 $\log x=1$이므로

$x=\dfrac{1}{1000}$ 또는 $x=10$ ...... ㉡

㉠, ㉡에서 구하는 해는

$x=\dfrac{1}{1000}$ 또는 $x=10$

(2) 진수의 조건에서 $x>0$ ...... ㉠

$2^{\log x}+2^{2-\log x}=4$에서

$2^{\log x}+\dfrac{2^2}{2^{\log x}}=4$

$2^{\log x}=t$ $(t>0)$로 놓으면

$t+\dfrac{4}{t}=4$

$t^2-4t+4=0$, $(t-2)^2=0$ $\therefore t=2$

즉 $2^{\log x}=2$이므로 $\log x=1$

$\therefore x=10$ ...... ㉡

㉠, ㉡에서 구하는 해는 $x=10$

(3) 진수의 조건에서 $x>0$ ...... ㉠

$x^{\log 3}=3^{\log x}$이므로

$x^{\log 3}\cdot 3^{\log x}-5(x^{\log 3}+3^{\log x})+9=0$에서

$3^{\log x}\cdot 3^{\log x}-5(3^{\log x}+3^{\log x})+9=0$

$\therefore (3^{\log x})^2-10\cdot 3^{\log x}+9=0$

$3^{\log x}=t$ $(t>0)$로 놓으면

$t^2-10t+9=0$, $(t-1)(t-9)=0$

$\therefore t=1$ 또는 $t=9$

즉 $3^{\log x}=1$ 또는 $3^{\log x}=9$이므로

$\log x=0$ 또는 $\log x=2$

$\therefore x=1$ 또는 $x=100$ ...... ㉡

㉠, ㉡에서 구하는 해는

$x=1$ 또는 $x=100$

답 (1) $x=\dfrac{1}{1000}$ 또는 $x=10$

(2) $x=10$

(3) $x=1$ 또는 $x=100$

150

진수의 조건에서 $x>0$, $y>0$

$\log_3 x=X$, $\log_2 y=Y$로 놓으면

$\begin{cases} X+Y=4 & \cdots\cdots ㉠ \\ XY=3 & \cdots\cdots ㉡ \end{cases}$

㉠, ㉡을 연립하여 풀면

$X=1, Y=3$ 또는 $X=3, Y=1$

즉 $\log_3 x=1$, $\log_2 y=3$ 또는 $\log_3 x=3$, $\log_2 y=1$

$\therefore x=3, y=8$ 또는 $x=27, y=2$

그런데 $x>y$이므로 $\alpha=27$, $\beta=2$

$\therefore \alpha-\beta=27-2=25$

답 25

151

이차방정식에서 x^2의 계수는 0이 아니므로

$5\log_2 a-1\neq 0$

$\log_2 a\neq\dfrac{1}{5}$ $\therefore a\neq\sqrt[5]{2}$

주어진 이차방정식의 판별식을 D라 할 때, 중근을 가질 조건은 $D=0$이므로

$\dfrac{D}{4}=(1+\log_2 a)^2-(5\log_2 a-1)=0$

$(\log_2 a)^2-3\log_2 a+2=0$

$(\log_2 a-1)(\log_2 a-2)=0$

$\log_2 a=1$ 또는 $\log_2 a=2$

$\therefore a=2$ 또는 $a=4$

따라서 모든 실수 a의 값의 곱은 $2\times 4=8$

답 **8**

152

$I_0=10^8$, $x=100$, $I=a$이므로

$100=10\log\dfrac{a}{10^8}$, $10=\log\dfrac{a}{10^8}$

$10=\log a-\log 10^8$

$10=\log a-8$

$\log a=18$ $\therefore a=10^{18}$

답 **10^{18}**

153

물고기의 연령이 1.7세일 때의 길이가 10 cm이므로
주어진 식에 $a=1.7$, $l=10$을 대입하면

$1.7=-2\log_k\left(1-\dfrac{10}{30}\right)-0.3$

$2=-2\log_k\dfrac{2}{3}$, $-1=\log_k\dfrac{2}{3}$, $k^{-1}=\dfrac{2}{3}$

$\therefore k=\dfrac{3}{2}$

물고기의 연령이 3.7세일 때의 길이를 $x(\text{cm})$라 하면

$3.7=-2\log_{\frac{3}{2}}\left(1-\dfrac{x}{30}\right)-0.3$

$4=-2\log_{\frac{3}{2}}\left(1-\dfrac{x}{30}\right)$, $-2=\log_{\frac{3}{2}}\left(1-\dfrac{x}{30}\right)$

$\left(\dfrac{3}{2}\right)^{-2}=1-\dfrac{x}{30}$, $\dfrac{4}{9}=1-\dfrac{x}{30}$

$\therefore x=\dfrac{50}{3}$

따라서 물고기의 연령이 3.7세일 때의 길이는 $\dfrac{50}{3}$ cm이다.

답 ①

154

(1) 진수의 조건에서 $x>0$ ······ ㉠

$\log_2 x<3$에서 $\log_2 x<\log_2 8$

밑이 1보다 크므로 $x<8$ ······ ㉡

㉠, ㉡에서 부등식 $\log_2 x<3$의 해는

$0<x<8$

(2) 진수의 조건에서 $x>0$ ······ ㉠

$\log_{\frac{1}{3}}x\geq 2$에서 $\log_{\frac{1}{3}}x\geq\log_{\frac{1}{3}}\dfrac{1}{9}$

밑이 1보다 작은 양수이므로 $x\leq\dfrac{1}{9}$ ······ ㉡

㉠, ㉡에서 부등식 $\log_{\frac{1}{3}}x\geq 2$의 해는

$0<x\leq\dfrac{1}{9}$

(3) 진수의 조건에서 $x>0$ ······ ㉠

$\log_5 x>0$에서 $\log_5 x>\log_5 1$

밑이 1보다 크므로 $x>1$ ······ ㉡

㉠, ㉡에서 부등식 $\log_5 x>0$의 해는

$x>1$

답 (1) **$0<x<8$** (2) **$0<x\leq\dfrac{1}{9}$** (3) **$x>1$**

155

진수의 조건에서 $6x-10>0$, $3x-1>0$

$x>\dfrac{5}{3}$, $x>\dfrac{1}{3}$ $\therefore x>\boxed{\dfrac{5}{3}}$ ······ ㉠

부등식 $\log_3(6x-10)>\log_3(3x-1)$에서 밑이 1보다 크므로

$6x-10\boxed{>}3x-1$, $3x>9$

$\therefore x>\boxed{3}$ ······ ㉡

㉠, ㉡에서 부등식 $\log_3(6x-10)>\log_3(3x-1)$의 해는 $\boxed{x>3}$

답 **풀이 참조**

156

(1) 진수의 조건에서 $x-1>0$, $-5x+11>0$

$\therefore 1<x<\dfrac{11}{5}$ ...... ㉠

$\log_2(x-1)\geq\log_2(-5x+11)$에서 밑이 1보다 크므로

$x-1\geq-5x+11$

$6x\geq12$ $\therefore x\geq2$ ...... ㉡

㉠, ㉡에서 구하는 부등식의 해는

$2\leq x<\dfrac{11}{5}$

(2) 진수의 조건에서 $2x-5>0$, $x-3>0$

$\therefore x>3$ ...... ㉠

$\log_{\frac{1}{3}}(2x-5)<\log_{\frac{1}{3}}(x-3)$에서 밑이 1보다 작은 양수이므로

$2x-5>x-3$ $\therefore x>2$ ...... ㉡

㉠, ㉡에서 구하는 부등식의 해는

$x>3$

답 (1) $2\leq x<\dfrac{11}{5}$ (2) $x>3$

157

(1) 진수의 조건에서 $2x-4>0$

$\therefore x>2$ ...... ㉠

$\log_2(2x-4)\leq3$에서 $\log_2(2x-4)\leq\log_2 8$

밑이 1보다 크므로 $2x-4\leq8$

$2x\leq12$ $\therefore x\leq6$ ...... ㉡

㉠, ㉡에서 구하는 부등식의 해는

$2<x\leq6$

(2) 진수의 조건에서 $3-x>0$

$\therefore x<3$ ...... ㉠

$\log_{\frac{1}{3}}(3-x)\geq1$에서 $\log_{\frac{1}{3}}(3-x)\geq\log_{\frac{1}{3}}\dfrac{1}{3}$

밑이 1보다 작은 양수이므로 $3-x\leq\dfrac{1}{3}$

$-x\leq-\dfrac{8}{3}$ $\therefore x\geq\dfrac{8}{3}$ ...... ㉡

㉠, ㉡에서 구하는 부등식의 해는

$\dfrac{8}{3}\leq x<3$

답 (1) $2<x\leq6$ (2) $\dfrac{8}{3}\leq x<3$

158

진수의 조건에서 $x>\boxed{0}$ ...... ㉠

$\log_2 x=t$로 놓으면 $(\log_2 x)^2+\log_2 x-2\leq0$에서

$\boxed{t^2}+\boxed{t}-2\leq0$, $(t+2)(t-1)\leq0$

$\therefore \boxed{-2}\leq t\leq\boxed{1}$

즉 $\boxed{-2}\leq\log_2 x\leq\boxed{1}$이므로

$\log_2\dfrac{1}{4}\leq\log_2 x\leq\log_2 2$

밑이 1보다 크므로

$\boxed{\dfrac{1}{4}}\leq x\leq\boxed{2}$ ...... ㉡

㉠, ㉡에서 구하는 부등식의 해는

$\boxed{\dfrac{1}{4}}\leq x\leq\boxed{2}$

답 풀이 참조

159

(1) 진수의 조건에서 $x>0$ ...... ㉠

$-1<\log_{\frac{1}{2}}x<2$에서

$\log_{\frac{1}{2}}\left(\dfrac{1}{2}\right)^{-1}<\log_{\frac{1}{2}}x<\log_{\frac{1}{2}}\left(\dfrac{1}{2}\right)^2$

밑이 1보다 작은 양수이므로

$\left(\dfrac{1}{2}\right)^{-1}>x>\left(\dfrac{1}{2}\right)^2$ $\therefore \dfrac{1}{4}<x<2$ ...... ㉡

㉠, ㉡에서 구하는 부등식의 해는

$\dfrac{1}{4}<x<2$

(2) 진수의 조건에서 $x-5>0$, $x-6>0$

$x>5$, $x>6$ $\therefore x>6$ ...... ㉠

$\log_{\frac{1}{2}}(x-5)+\log_{\frac{1}{2}}(x-6)>-1$에서

$\log_{\frac{1}{2}}\{(x-5)(x-6)\}>\log_{\frac{1}{2}}\left(\dfrac{1}{2}\right)^{-1}$

밑이 1보다 작은 양수이므로

$(x-5)(x-6)<\left(\dfrac{1}{2}\right)^{-1}$

$x^2-11x+28<0$, $(x-4)(x-7)<0$

$\therefore 4<x<7$ ...... ㉡

㉠, ㉡에서 구하는 부등식의 해는

$6<x<7$

(3) 진수의 조건에서 $x-3>0$, $x-5>0$

$x>3,\ x>5$ $\therefore\ x>5$ ...... ㉠

$\log_{0.5}(x-3)>2\log_{0.5}(x-5)$에서

$\log_{0.5}(x-3)>\log_{0.5}(x-5)^2$

밑이 1보다 작은 양수이므로

$x-3<(x-5)^2$

$x^2-11x+28>0,\ (x-4)(x-7)>0$

$\therefore\ x<4$ 또는 $x>7$ ...... ㉡

㉠, ㉡에서 구하는 부등식의 해는

$x>7$

(4) 진수의 조건에서 $11-x>0,\ x>0$

$\therefore\ 0<x<11$ ...... ㉠

$\log(11-x)+\log x<1$에서

$\log\{x(11-x)\}<\log 10$

밑이 1보다 크므로

$x(11-x)<10,\ x^2-11x+10>0$

$(x-1)(x-10)>0$

$\therefore\ x<1$ 또는 $x>10$ ...... ㉡

㉠, ㉡에서 구하는 부등식의 해는

$0<x<1$ 또는 $10<x<11$

(5) 진수의 조건에서 $x-1>0,\ 2x+6>0$

$\therefore\ x>1$ ...... ㉠

$\log_{\frac{1}{2}}(x-1)>\log_{\frac{1}{4}}(2x+6)$에서

$\log_{\left(\frac{1}{2}\right)^2}(x-1)^2>\log_{\frac{1}{4}}(2x+6)$

$\log_{\frac{1}{4}}(x-1)^2>\log_{\frac{1}{4}}(2x+6)$

밑이 1보다 작은 양수이므로

$(x-1)^2<2x+6$

$x^2-4x-5<0,\ (x+1)(x-5)<0$

$\therefore\ -1<x<5$ ...... ㉡

㉠, ㉡에서 구하는 부등식의 해는

$1<x<5$

(6) 진수의 조건에서

$x+1>0,\ 2x-1>0,\ x-1>0$

$\therefore\ x>1$ ...... ㉠

$\log_2(x+1)-\log_4(2x-1)>\log_4(x-1)$에서

$\log_2(x+1)>\log_4(x-1)+\log_4(2x-1)$

$\log_2(x+1)>\log_4\{(x-1)(2x-1)\}$

$\log_{2^2}(x+1)^2>\log_4\{(x-1)(2x-1)\}$

$\therefore\ \log_4(x+1)^2>\log_4\{(x-1)(2x-1)\}$

밑이 1보다 크므로

$(x+1)^2>(x-1)(2x-1)$

$x^2-5x<0,\ x(x-5)<0$

$\therefore\ 0<x<5$ ...... ㉡

㉠, ㉡에서 구하는 부등식의 해는

$1<x<5$

답 (1) $\dfrac{1}{4}<x<2$ (2) $6<x<7$ (3) $x>7$

(4) $0<x<1$ 또는 $10<x<11$

(5) $1<x<5$ (6) $1<x<5$

160

(1) 진수의 조건에서

$x>0,\ \log_2 x-1>0$

$\log_2 x>1$, 즉 $\log_2 x>\log_2 2$에서 (밑)>1이므로

$x>2$

$\therefore\ x>2$ ...... ㉠

$\log_4(\log_2 x-1)\le 1$에서

$\log_4(\log_2 x-1)\le\log_4 4$

(밑)>1이므로 $\log_2 x-1\le 4$

$\log_2 x\le 5,\ \log_2 x\le\log_2 2^5$

(밑)>1이므로 $x\le 2^5$

$x\le 32$ ...... ㉡

㉠, ㉡에서 구하는 부등식의 해는

$2<x\le 32$

(2) 진수의 조건에서

$x>0,\ \log_3 x>0$

$\log_3 x>0$, 즉 $\log_3 x>\log_3 1$에서 (밑)>1이므로

$x>1$

$\therefore\ x>1$ ...... ㉠

$\log_{\frac{1}{2}}(\log_3 x)\ge -1$에서

$\log_{\frac{1}{2}}(\log_3 x)\ge\log_{\frac{1}{2}}\left(\dfrac{1}{2}\right)^{-1}$

$0<$(밑)<1이므로

$\log_3 x\le\left(\dfrac{1}{2}\right)^{-1},\ \log_3 x\le 2,\ \log_3 x\le\log_3 3^2$

(밑)>1이므로 $x\le 3^2$

$\therefore\ x\le 9$ ...... ㉡

⊙, ⓒ에서 구하는 부등식의 해는

$1 < x \leq 9$

(3) 진수의 조건에서 $x > 0$ ...... ⊙

$2(\log_3 x)^2 + 5\log_3 x - 3 < 0$에서

$\log_3 x = t$로 놓으면

$2t^2 + 5t - 3 < 0$, $(t+3)(2t-1) < 0$

$\therefore -3 < t < \dfrac{1}{2}$

즉 $-3 < \log_3 x < \dfrac{1}{2}$이므로

$\log_3 3^{-3} < \log_3 x < \log_3 3^{\frac{1}{2}}$

(밑) > 1이므로 $3^{-3} < x < 3^{\frac{1}{2}}$

$\therefore \dfrac{1}{27} < x < \sqrt{3}$ ...... ⓒ

⊙, ⓒ에서 구하는 부등식의 해는

$\dfrac{1}{27} < x < \sqrt{3}$

(4) 진수의 조건에서 $x > 0$ ...... ⊙

$(\log_{\frac{1}{2}} x)^2 - \log_{\frac{1}{2}} x - 12 > 0$에서

$\log_{\frac{1}{2}} x = t$로 놓으면

$t^2 - t - 12 > 0$, $(t+3)(t-4) > 0$

$\therefore t < -3$ 또는 $t > 4$

즉 $\log_{\frac{1}{2}} x < -3$ 또는 $\log_{\frac{1}{2}} x > 4$이므로

$\log_{\frac{1}{2}} x < \log_{\frac{1}{2}} \left(\dfrac{1}{2}\right)^{-3}$ 또는 $\log_{\frac{1}{2}} x > \log_{\frac{1}{2}} \left(\dfrac{1}{2}\right)^{4}$

$0 < $ (밑) < 1이므로

$x > \left(\dfrac{1}{2}\right)^{-3}$ 또는 $x < \left(\dfrac{1}{2}\right)^{4}$

$\therefore x > 8$ 또는 $x < \dfrac{1}{16}$ ...... ⓒ

⊙, ⓒ에서 구하는 부등식의 해는

$0 < x < \dfrac{1}{16}$ 또는 $x > 8$

(5) 진수의 조건에서 $x > 0$ ...... ⊙

$(\log_{\frac{1}{3}} x)(\log_{\frac{1}{3}} 9x) \leq 3$에서

$\log_{\frac{1}{3}} x (\log_{\frac{1}{3}} 9 + \log_{\frac{1}{3}} x) \leq 3$

$\log_{\frac{1}{3}} x (\log_{\frac{1}{3}} 3^2 + \log_{\frac{1}{3}} x) \leq 3$

$\log_{\frac{1}{3}} x \left\{ \log_{\frac{1}{3}} \left(\dfrac{1}{3}\right)^{-2} + \log_{\frac{1}{3}} x \right\} \leq 3$

$\log_{\frac{1}{3}} x (-2 + \log_{\frac{1}{3}} x) \leq 3$

$\log_{\frac{1}{3}} x = t$로 놓으면

$t(-2+t) \leq 3$, $t^2 - 2t - 3 \leq 0$

$(t-3)(t+1) \leq 0$

$\therefore -1 \leq t \leq 3$

즉 $-1 \leq \log_{\frac{1}{3}} x \leq 3$이므로

$\log_{\frac{1}{3}} \left(\dfrac{1}{3}\right)^{-1} \leq \log_{\frac{1}{3}} x \leq \log_{\frac{1}{3}} \left(\dfrac{1}{3}\right)^{3}$

$0 < $ (밑) < 1이므로 $\left(\dfrac{1}{3}\right)^3 \leq x \leq \left(\dfrac{1}{3}\right)^{-1}$

$\therefore \dfrac{1}{27} \leq x \leq 3$ ...... ⓒ

⊙, ⓒ에서 구하는 부등식의 해는

$\dfrac{1}{27} \leq x \leq 3$

(6) 진수의 조건에서 $x > 0$ ...... ⊙

$(\log_2 8x^2)\left(\log_{\frac{1}{2}} \dfrac{4}{x}\right) < 9$에서

$(\log_2 8x^2)\left\{ \log_{2^{-1}} \left(\dfrac{x}{4}\right)^{-1} \right\} < 9$

$(\log_2 8x^2)\left(\log_2 \dfrac{x}{4}\right) < 9$

$(\log_2 8 + \log_2 x^2)(\log_2 x - \log_2 4) < 9$

$(3 + 2\log_2 x)(\log_2 x - 2) < 9$

$\log_2 x = t$로 놓으면

$(3+2t)(t-2) < 9$, $2t^2 - t - 15 < 0$

$(2t+5)(t-3) < 0$ $\quad \therefore -\dfrac{5}{2} < t < 3$

즉 $-\dfrac{5}{2} < \log_2 x < 3$이므로

$\log_2 2^{-\frac{5}{2}} < \log_2 x < \log_2 2^3$

(밑) > 1이므로

$2^{-\frac{5}{2}} < x < 2^3$ $\quad \therefore \dfrac{\sqrt{2}}{8} < x < 8$ ...... ⓒ

⊙, ⓒ에서 구하는 부등식의 해는

$\dfrac{\sqrt{2}}{8} < x < 8$

답 (1) $2 < x \leq 32$ (2) $1 < x \leq 9$

(3) $\dfrac{1}{27} < x < \sqrt{3}$

(4) $0 < x < \dfrac{1}{16}$ 또는 $x > 8$

(5) $\dfrac{1}{27} \leq x \leq 3$ (6) $\dfrac{\sqrt{2}}{8} < x < 8$

161

진수의 조건에서 $x>0$ $\qquad$ ⋯⋯ ㉠

$(\log_3 x)^2+\log_{\frac{1}{3}} x^2>8$에서

$(\log_3 x)^2+\log_{3^{-1}} x^2>8$

$(\log_3 x)^2-2\log_3 x-8>0$

$\log_3 x=t$로 놓으면

$t^2-2t-8>0,\ (t+2)(t-4)>0$

$\therefore t<-2$ 또는 $t>4$

즉 $\log_3 x<-2$ 또는 $\log_3 x>4$이므로

$\log_3 x<\log_3 3^{-2}$ 또는 $\log_3 x>\log_3 3^4$

(밑)>1이므로

$x<3^{-2}$ 또는 $x>3^4$

$\therefore x<\dfrac{1}{9}$ 또는 $x>81$ $\qquad$ ⋯⋯ ㉡

㉠, ㉡에서 주어진 부등식의 해는

$0<x<\dfrac{1}{9}$ 또는 $x>81$

따라서 $\alpha=\dfrac{1}{9}$, $\beta=81$이므로 $\alpha\beta=9$

답 9

162

(1) 진수의 조건에서 $x>0$ $\qquad$ ⋯⋯ ㉠

$x^{\log_3 x}<27x^2$의 양변에 밑이 3인 로그를 취하면

(밑)>1이므로

$\log_3 x^{\log_3 x}<\log_3 27x^2$

$(\log_3 x)(\log_3 x)<\log_3 27+\log_3 x^2$

$(\log_3 x)^2<3+2\log_3 x$

$\log_3 x=t$로 놓으면 $t^2<3+2t$

$t^2-2t-3<0,\ (t+1)(t-3)<0$

$\therefore -1<t<3$

즉 $-1<\log_3 x<3$이므로

$\log_3 3^{-1}<\log_3 x<\log_3 3^3$

(밑)>1이므로

$\dfrac{1}{3}<x<27$ $\qquad$ ⋯⋯ ㉡

㉠, ㉡에서 구하는 부등식의 해는

$\dfrac{1}{3}<x<27$

(2) 진수의 조건에서 $x>0$ $\qquad$ ⋯⋯ ㉠

$\left(\dfrac{1}{2}x\right)^{\log_{\frac{1}{2}} x-2}\geq 2^{-4}$의 양변에 밑이 2인 로그를 취하면

(밑)>1이므로

$\log_2\left(\dfrac{1}{2}x\right)^{\log_{\frac{1}{2}} x-2}\geq\log_2 2^{-4}$

$\left(\log_{\frac{1}{2}} x-2\right)\left(\log_2\dfrac{1}{2}x\right)\geq -4$

$\left(-\log_2 x-2\right)\left(\log_2\dfrac{1}{2}+\log_2 x\right)\geq -4$

$\left(-\log_2 x-2\right)\left(-1+\log_2 x\right)\geq -4$

$\log_2 x=t$로 놓으면

$(-t-2)(-1+t)\geq -4$

$(t+2)(t-1)\leq 4$

$t^2+t-6\leq 0,\ (t+3)(t-2)\leq 0$

$\therefore -3\leq t\leq 2$

즉 $-3\leq\log_2 x\leq 2$이므로

$\log_2 2^{-3}\leq\log_2 x\leq\log_2 2^2$

(밑)>1이므로

$\dfrac{1}{8}\leq x\leq 4$ $\qquad$ ⋯⋯ ㉡

㉠, ㉡에서 구하는 부등식의 해는

$\dfrac{1}{8}\leq x\leq 4$

(3) 진수의 조건에서 $x>0$ $\qquad$ ⋯⋯ ㉠

$x^{\log_5 2}=2^{\log_5 x}$이므로

$2^{\log_5 x}\cdot x^{\log_5 2}\geq 10\cdot 2^{\log_5 x}-16$에서

$2^{\log_5 x}\cdot 2^{\log_5 x}\geq 10\cdot 2^{\log_5 x}-16$

$\therefore\left(2^{\log_5 x}\right)^2-10\cdot 2^{\log_5 x}+16\geq 0$

$2^{\log_5 x}=t\ (t>0)$로 놓으면

$t^2-10t+16\geq 0$

$(t-2)(t-8)\geq 0$

$\therefore t\leq 2$ 또는 $t\geq 8$

즉 $2^{\log_5 x}\leq 2$ 또는 $2^{\log_5 x}\geq 8$이므로

$2^{\log_5 x}\leq 2^1$ 또는 $2^{\log_5 x}\geq 2^3$

(밑)>1이므로

$\log_5 x\leq 1$ 또는 $\log_5 x\geq 3$

$\log_5 x\leq\log_5 5$ 또는 $\log_5 x\geq\log_5 125$

(밑)>1이므로

$x\leq 5$ 또는 $x\geq 125$ $\qquad$ ⋯⋯ ㉡

㉠, ㉡에서 구하는 부등식의 해는

$0 < x \le 5$ 또는 $x \ge 125$

답 (1) $\dfrac{1}{3} < x < 27$

(2) $\dfrac{1}{8} \le x \le 4$

(3) $0 < x \le 5$ 또는 $x \ge 125$

163

(1)(ⅰ) $2\log_{\frac{1}{2}}(x-2) \ge \log_{\frac{1}{2}}(2x-1)$

진수의 조건에서 $x-2 > 0$, $2x-1 > 0$

$\therefore x > 2$ ······ ㉠

$2\log_{\frac{1}{2}}(x-2) \ge \log_{\frac{1}{2}}(2x-1)$에서

$\log_{\frac{1}{2}}(x-2)^2 \ge \log_{\frac{1}{2}}(2x-1)$

$0 <$ (밑) < 1이므로

$(x-2)^2 \le 2x-1$

$x^2-6x+5 \le 0$, $(x-1)(x-5) \le 0$

$\therefore 1 \le x \le 5$ ······ ㉡

㉠, ㉡에서 부등식

$2\log_{\frac{1}{2}}(x-2) \ge \log_{\frac{1}{2}}(2x-1)$의 해는

$2 < x \le 5$

(ⅱ) $\log_2(\log_4 x) \le 0$

진수의 조건에서 $\log_4 x > 0$, $x > 0$

$\therefore x > 1$ ······ ㉢

$\log_2(\log_4 x) \le 0$에서

$\log_2(\log_4 x) \le \log_2 1$

(밑) > 1이므로 $\log_4 x \le 1$

$\log_4 x \le \log_4 4$

(밑) > 1이므로 $x \le 4$ ······ ㉣

㉢, ㉣에서 부등식 $\log_2(\log_4 x) \le 0$의 해는

$1 < x \le 4$

(ⅰ), (ⅱ)에서 구하는 연립부등식의 해는 $2 < x \le 4$

(2)(ⅰ) $2^{x+3} > 4$에서 $2^{x+3} > 2^2$

(밑) > 1이므로 $x+3 > 2$

$\therefore x > -1$

(ⅱ) $2\log(x+3) < \log(5x+15)$

진수의 조건에서 $x+3 > 0$, $5x+15 > 0$

$\therefore x > -3$ ······ ㉠

$2\log(x+3) < \log(5x+15)$에서

$\log(x+3)^2 < \log(5x+15)$

(밑) > 1이므로

$(x+3)^2 < 5x+15$

$x^2+x-6 < 0$, $(x+3)(x-2) < 0$

$\therefore -3 < x < 2$ ······ ㉡

㉠, ㉡에서 부등식

$2\log(x+3) < \log(5x+15)$의 해는

$-3 < x < 2$

(ⅰ), (ⅱ)에서 구하는 연립부등식의 해는 $-1 < x < 2$

답 (1) $2 < x \le 4$ (2) $-1 < x < 2$

164

$(\log_2 x)^2 \ge \log_2 \dfrac{x^4}{a}$에서

$(\log_2 x)^2 \ge 4\log_2 x - \log_2 a$

$\log_2 x = t$로 놓으면 $t^2 \ge 4t - \log_2 a$

$t^2 - 4t + \log_2 a \ge 0$ ······ ㉠

모든 실수 t에 대하여 ㉠이 성립해야 하므로 이차방정식 $t^2-4t+\log_2 a=0$의 판별식을 D라 하면 $D \le 0$이어야 한다. 즉

$\dfrac{D}{4} = 4 - \log_2 a \le 0$, $\log_2 a \ge 4$, $\log_2 a \ge \log_2 16$

$\therefore a \ge 16$

따라서 양수 a의 최솟값은 16이다.

답 16

165

진수의 조건에서 $a > 0$ ······ ㉠

이차방정식 $x^2-2(1-\log_2 a)x-3(\log_2 a-1)=0$

의 판별식을 D라 하면 $D < 0$이어야 하므로

$\dfrac{D}{4} = (1-\log_2 a)^2 - \{-3(\log_2 a-1)\} < 0$

$(1-\log_2 a)^2 + 3(\log_2 a-1) < 0$

$(\log_2 a)^2 + \log_2 a - 2 < 0$

$\log_2 a = t$로 놓으면 $t^2+t-2 < 0$

$(t-1)(t+2) < 0$ $\therefore -2 < t < 1$

즉 $-2 < \log_2 a < 1$이므로

$\log_2 2^{-2} < \log_2 a < \log_2 2^1$

밑이 1보다 크므로

$2^{-2} < a < 2^1 \qquad \therefore \dfrac{1}{4} < a < 2 \qquad \cdots\cdots \ \text{ⓛ}$

㉠, ㉡에서 실수 a의 값의 범위는 $\dfrac{1}{4} < a < 2$

답 $\dfrac{1}{4} < a < 2$

166

n년 후에 바닷속에 남은 화학 물질의 양이 $5\,\mathrm{kg}$ 이하가 된다고 하면

$$500 \times \left(\dfrac{1}{3}\right)^{\frac{n}{50}} \leq 5$$

$$\left(\dfrac{1}{3}\right)^{\frac{n}{50}} \leq \dfrac{1}{100}$$

양변에 상용로그를 취하면

$$\dfrac{n}{50} \log \dfrac{1}{3} \leq \log \dfrac{1}{100}$$

$$-\dfrac{n}{50} \log 3 \leq -2, \ n \log 3 \geq 100$$

$$\therefore n \geq \dfrac{100}{\log 3} = \dfrac{100}{0.48} = 208. \times \times \times$$

따라서 바닷속에 남은 화학 물질의 양이 $5\,\mathrm{kg}$ 이하가 되려면 최소 209년이 지나야 한다.

$\therefore m = 209$

답 209

167

폐수 처리 기계를 1번 통과하면 오염 물질의 $10\,\%$가 제거되므로 남는 오염 물질의 양은 처음 오염 물질의 양의 $\dfrac{9}{10}$이다.

따라서 폐수 처리 기계를 n번 통과하면 남는 오염 물질의 양은 처음 있던 양의 $\left(\dfrac{9}{10}\right)^n$이고, 오염 물질의 양을 처음의 $\dfrac{2}{100}$ 이하로 줄여야 하므로

$$\left(\dfrac{9}{10}\right)^n \leq \dfrac{2}{100}$$

양변에 상용로그를 취하면 $n \log \dfrac{9}{10} \leq \log \dfrac{2}{100}$

$$n(2\log 3 - 1) \leq \log 2 - 2$$

$$\therefore n \geq \dfrac{\log 2 - 2}{2 \log 3 - 1} \qquad \leftarrow 2\log 3 - 1 < 0$$

$$= \dfrac{0.3010 - 2}{2 \times 0.4771 - 1}$$

$$= \dfrac{-1.699}{-0.0458} = 37. \times \times \times$$

따라서 폐수 처리 기계를 최소 38번 통과시켜야 한다.

답 ③

168

답 (1)

(2) P

(3) 630°

(4)

169

답 (1) $360° \times n + 70°$ (단, n은 정수)

(2) $360° \times n + 150°$ (단, n은 정수)

(3) $360° \times n + 220°$ (단, n은 정수)

(4) $360° \times n + 315°$ (단, n은 정수)

170

(1) $360° \times n + 80°$ (단, n은 정수)

(2) $400° = 360° \times 1 + 40°$이므로

$360° \times n + 40°$ (단, n은 정수)

(3) $-1000° = 360° \times (-3) + 80°$이므로

$360° \times n + 80°$ (단, n은 정수)

(4) $-1300° = 360° \times (-4) + 140°$이므로

$360° \times n + 140°$ (단, n은 정수)

답 풀이 참조

171

(1) $620° = 360° \times 1 + 260°$

따라서 $620°$는 제3사분면의 각이다.

(2) $-680° = 360° \times (-2) + 40°$

따라서 $-680°$는 제1사분면의 각이다.

(3) $1230° = 360° \times 3 + 150°$

따라서 $1230°$는 제2사분면의 각이다.

(4) $-1500° = 360° \times (-5) + 300°$

따라서 $-1500°$는 제4사분면의 각이다.

답 (1) 제3사분면 (2) 제1사분면

(3) 제2사분면 (4) 제4사분면

172

① $-310° = 360° \times (-1) + 50°$

③ $410° = 360° \times 1 + 50°$

④ $660° = 360° \times 1 + 300°$

⑤ $1130° = 360° \times 3 + 50°$

따라서 같은 위치의 동경을 나타내는 것이 아닌 것은

④이다.

답 ④

173

θ가 제4사분면의 각이므로 일반각으로 나타내면

$360° \times n + 270° < \theta < 360° \times n + 360°$ (n은 정수)

각 변을 2로 나누어 $\dfrac{\theta}{2}$의 범위를 구하면

$180° \times n + 135° < \dfrac{\theta}{2} < 180° \times n + 180°$

(ⅰ) $n = 0$일 때, $135° < \dfrac{\theta}{2} < 180°$

$\therefore \dfrac{\theta}{2}$는 제2사분면의 각

(ⅱ) $n = 1$일 때, $315° < \dfrac{\theta}{2} < 360°$

$\therefore \dfrac{\theta}{2}$는 제4사분면의 각

$n = 2$, 3, 4, ⋯에 대해서도 동경의 위치가 제2, 4사분면으로 반복된다.

따라서 $\dfrac{\theta}{2}$를 나타내는 동경이 존재하는 사분면은

제2사분면, 제4사분면이다.

답 제2사분면, 제4사분면

174

3θ가 제2사분면의 각이므로 일반각으로 나타내면

$360° \times n + 90° < 3\theta < 360° \times n + 180°$ (n은 정수)

각 변을 3으로 나누어 θ의 범위를 구하면

$120° \times n + 30° < \theta < 120° \times n + 60°$

(i) $n=0$일 때, $30° < \theta < 60°$

$\quad \therefore \theta$는 제1사분면의 각

(ii) $n=1$일 때, $150° < \theta < 180°$

$\quad \therefore \theta$는 제2사분면의 각

(iii) $n=2$일 때, $270° < \theta < 300°$

$\quad \therefore \theta$는 제4사분면의 각

$n=3, 4, 5, \cdots$에 대해서도 동경의 위치가 제1, 2, 4사분면으로 반복된다.

따라서 θ를 나타내는 동경이 존재하는 사분면은 제1사분면, 제2사분면, 제4사분면이다.

답 제1사분면, 제2사분면, 제4사분면

175

각 θ를 나타내는 동경과 각 7θ를 나타내는 동경이 일직선 위에 있고 방향이 반대이므로

$7\theta - \theta = 360° \times n + 180°$ (n은 정수)

$6\theta = 360° \times n + 180°$

$\therefore \theta = 60° \times n + 30°$ $\qquad \cdots\cdots \text{㉠}$

그런데 $90° < \theta < 180°$이므로

$90° < 60° \times n + 30° < 180°$

$\therefore 1 < n < \dfrac{5}{2}$

n은 정수이므로 $n=2$

$n=2$를 ㉠에 대입하면

$\theta = 60° \times 2 + 30° = 150°$

답 $150°$

176

각 5θ를 나타내는 동경과 각 2θ를 나타내는 동경이 x축에 대하여 대칭이므로

$5\theta + 2\theta = 360° \times n$ (n은 정수)

$7\theta = 360° \times n$

$\therefore \theta = \dfrac{360°}{7} \times n$ $\qquad \cdots\cdots \text{㉠}$

그런데 $0° < \theta < 180°$이므로

$0° < \dfrac{360°}{7} \times n < 180°$

$\therefore 0 < n < \dfrac{7}{2}$

n은 정수이므로 $n=1$ 또는 $n=2$ 또는 $n=3$

$n=1$이면 ㉠에서 $\theta = \dfrac{360°}{7}$

$n=2$이면 ㉠에서 $\theta = \dfrac{720°}{7}$

$n=3$이면 ㉠에서 $\theta = \dfrac{1080°}{7}$

따라서 θ는 $\dfrac{360°}{7}$, $\dfrac{720°}{7}$, $\dfrac{1080°}{7}$의 3개이다.

답 3

177

각 θ를 나타내는 동경과 각 3θ를 나타내는 동경이 y축에 대하여 대칭이므로

$3\theta + \theta = 360° \times n + 180°$ (n은 정수)

$4\theta = 360° \times n + 180°$

$\therefore \theta = 90° \times n + 45°$ $\qquad \cdots\cdots \text{㉠}$

그런데 $0° < \theta < 180°$이므로

$0° < 90° \times n + 45° < 180°$

$\therefore -\dfrac{1}{2} < n < \dfrac{3}{2}$

n은 정수이므로 $n=0$ 또는 $n=1$

$n=0$이면 ㉠에서 $\theta = 45°$

$n=1$이면 ㉠에서 $\theta = 135°$

따라서 각 θ의 크기를 모두 구하면 $45°$, $135°$이다.

답 $45°$, $135°$

178

(1) $120° = 120 \times \dfrac{\pi}{180} = \dfrac{2}{3}\pi$

(2) $-315° = -315 \times \dfrac{\pi}{180} = -\dfrac{7}{4}\pi$

(3) $135° = 135 \times \dfrac{\pi}{180} = \dfrac{3}{4}\pi$

(4) $330° = 330 \times \dfrac{\pi}{180} = \dfrac{11}{6}\pi$

답 (1) $\dfrac{2}{3}\pi$ (2) $-\dfrac{7}{4}\pi$ (3) $\dfrac{3}{4}\pi$ (4) $\dfrac{11}{6}\pi$

179

(1) $\frac{5}{6}\pi = \frac{5}{6}\pi \times \frac{180°}{\pi} = 150°$

(2) $\frac{5}{4}\pi = \frac{5}{4}\pi \times \frac{180°}{\pi} = 225°$

(3) $-\frac{4}{3}\pi = -\frac{4}{3}\pi \times \frac{180°}{\pi} = -240°$

(4) $-\frac{31}{6}\pi = -\frac{31}{6}\pi \times \frac{180°}{\pi} = -930°$

답 (1) **150°** (2) **225°** (3) **−240°** (4) **−930°**

180

(1) $\frac{17}{6}\pi = 2\pi \times 1 + \frac{5}{6}\pi$이므로

$2n\pi + \frac{5}{6}\pi$ (단, n은 정수)

(2) $-\frac{2}{3}\pi = 2\pi \times (-1) + \frac{4}{3}\pi$이므로

$2n\pi + \frac{4}{3}\pi$ (단, n은 정수)

(3) $\frac{8}{3}\pi = 2\pi \times 1 + \frac{2}{3}\pi$이므로

$2n\pi + \frac{2}{3}\pi$ (단, n은 정수)

(4) $-\frac{15}{4}\pi = 2\pi \times (-2) + \frac{\pi}{4}$이므로

$2n\pi + \frac{\pi}{4}$ (단, n은 정수)

답 (1) $2n\pi + \frac{5}{6}\pi$ (단, n은 정수)

(2) $2n\pi + \frac{4}{3}\pi$ (단, n은 정수)

(3) $2n\pi + \frac{2}{3}\pi$ (단, n은 정수)

(4) $2n\pi + \frac{\pi}{4}$ (단, n은 정수)

181

(1) $\theta = 60° = \frac{\pi}{3}$이므로

$l = r\theta = 4 \times \frac{\pi}{3} = \frac{4}{3}\pi$

$S = \frac{1}{2}r^2\theta = \frac{1}{2}rl = \frac{1}{2} \times 4 \times \frac{4}{3}\pi = \frac{8}{3}\pi$

(2) $l = r\theta = 3 \times \frac{\pi}{6} = \frac{\pi}{2}$

$S = \frac{1}{2}r^2\theta = \frac{1}{2}rl = \frac{1}{2} \times 3 \times \frac{\pi}{2} = \frac{3}{4}\pi$

답 (1) $l = \frac{4}{3}\pi$, $S = \frac{8}{3}\pi$ (2) $l = \frac{\pi}{2}$, $S = \frac{3}{4}\pi$

182

① $\frac{3}{4}\pi = \frac{3}{4}\pi \times \frac{180°}{\pi} = 135°$

② $-\frac{7}{6}\pi = -\frac{7}{6}\pi \times \frac{180°}{\pi} = -210°$

③ $\frac{3}{2}\pi = \frac{3}{2}\pi \times \frac{180°}{\pi} = 270°$

④ $330° = 330 \times \frac{\pi}{180} = \frac{11}{6}\pi$

⑤ $165° = 165 \times \frac{\pi}{180} = \frac{11}{12}\pi$

따라서 옳지 않은 것은 ⑤이다.

답 ⑤

183

(1) $345° = 345 \times \frac{\pi}{180} = \frac{23}{12}\pi$

$\therefore 2n\pi + \frac{23}{12}\pi$ (단, n은 정수)

(2) $900° = 360° \times 2 + 180°$이고

$180° = 180 \times \frac{\pi}{180} = \pi$

$\therefore 2n\pi + \pi$ (단, n은 정수)

(3) $-960° = 360° \times (-3) + 120°$이고

$120° = 120 \times \frac{\pi}{180} = \frac{2}{3}\pi$

$\therefore 2n\pi + \frac{2}{3}\pi$ (단, n은 정수)

답 (1) $2n\pi + \frac{23}{12}\pi$ (단, n은 정수)

(2) $2n\pi + \pi$ (단, n은 정수)

(3) $2n\pi + \frac{2}{3}\pi$ (단, n은 정수)

184

부채꼴의 반지름의 길이를 r라 하면

중심각의 크기가 $\theta = \frac{4}{3}\pi$이고 넓이가 $S = 6\pi$이므로

$S=\dfrac{1}{2}r^2\theta$에서 $6\pi=\dfrac{1}{2}r^2\cdot\dfrac{4}{3}\pi$

$r^2=9$　　$\therefore r=3\ (\because r>0)$

따라서 호의 길이가 $l=r\theta=3\times\dfrac{4}{3}\pi=4\pi$이므로 구하는 부채꼴의 둘레의 길이는

$2r+l=2\cdot3+4\pi=6+4\pi$

답 $6+4\pi$

185

원뿔의 전개도는 오른쪽 그림과 같다. 옆면인 부채꼴의 호의 길이 l은 밑면인 원의 둘레의 길이와 같으므로

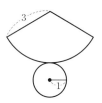

$l=2\pi\cdot1=2\pi$

따라서 옆면인 부채꼴의 넓이는 $\dfrac{1}{2}\times3\times2\pi=3\pi$이고
밑면인 원의 넓이는 $\pi\cdot1^2=\pi$이므로
구하는 원뿔의 겉넓이는 $3\pi+\pi=4\pi$이다.

답 4π

186

부채꼴의 반지름의 길이를 r라 하면 부채꼴의 호의 길이 l은

$l=20-2r\ (0<r<10)$

부채꼴의 넓이 S는

$S=\dfrac{1}{2}rl=\dfrac{1}{2}r(20-2r)$

$\quad=-r^2+10r=-(r-5)^2+25$

따라서 $r=5$일 때, S는 최댓값 25를 갖는다.

이때 부채꼴의 중심각의 크기를 θ라 하고 $S=\dfrac{1}{2}r^2\theta$에

$r=5$, $S=25$를 대입하면 $\theta=2$

$\therefore$ 최대 넓이 : 25, 중심각의 크기 : 2

답 최대 넓이 : 25, 중심각의 크기 : 2

187

(1) $\sin\theta=\dfrac{2\sqrt{2}}{4}=\dfrac{\sqrt{2}}{2}$

(2) $\cos\theta=\dfrac{-2\sqrt{2}}{4}=-\dfrac{\sqrt{2}}{2}$

(3) $\tan\theta=\dfrac{2\sqrt{2}}{-2\sqrt{2}}=-1$

답 (1) $\dfrac{\sqrt{2}}{2}$ (2) $-\dfrac{\sqrt{2}}{2}$ (3) -1

188

(1) $\overline{\mathrm{OP}}=\sqrt{(-4)^2+3^2}=5$이므로

$\sin\theta=\dfrac{3}{5}$

$\cos\theta=-\dfrac{4}{5}$

$\tan\theta=-\dfrac{3}{4}$

(2) $\overline{\mathrm{OP}}=\sqrt{15^2+(-8)^2}=17$이므로

$\sin\theta=-\dfrac{8}{17}$

$\cos\theta=\dfrac{15}{17}$

$\tan\theta=-\dfrac{8}{15}$

답 풀이 참조

189

(1) 오른쪽 그림과 같이 반지름의 길이가 1인 원에서 $\theta=\dfrac{2}{3}\pi$의 동경과 이 원의 교점을 P, 점 P에서 x축에 내린 수선의 발

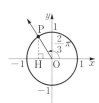

을 H라 하면 $\angle\mathrm{POH}=\dfrac{\pi}{3}$이므로 점 P의 좌표는

$\left(-\dfrac{1}{2},\ \dfrac{\sqrt{3}}{2}\right)$이다.

$\therefore \sin\theta=\dfrac{\sqrt{3}}{2}$, $\cos\theta=-\dfrac{1}{2}$, $\tan\theta=-\sqrt{3}$

(2) 오른쪽 그림과 같이 반지름의 길이가 1인 원에서 $\theta=-\dfrac{5}{6}\pi$의 동경과 이 원의 교점을 P, 점 P에서 x축에 내린 수선의 발을 H라 하면 $\angle\mathrm{POH}=\dfrac{\pi}{6}$이므로

점 P의 좌표는 $\left(-\dfrac{\sqrt{3}}{2},\ -\dfrac{1}{2}\right)$이다.

$$\therefore \sin\theta = -\frac{1}{2},\ \cos\theta = -\frac{\sqrt{3}}{2},\ \tan\theta = \frac{\sqrt{3}}{3}$$

답 풀이 참조

190

(1) $400° = 360° + 40°$이므로

$400°$는 제1사분면의 각이다.

$$\therefore \sin 400° > 0,\ \cos 400° > 0,\ \tan 400° > 0$$

(2) $-\frac{17}{6}\pi = 2\pi \times (-2) + \frac{7}{6}\pi$이므로

$-\frac{17}{6}\pi$는 제3사분면의 각이다.

$$\therefore \sin\left(-\frac{17}{6}\pi\right) < 0,\ \cos\left(-\frac{17}{6}\pi\right) < 0,$$
$$\tan\left(-\frac{17}{6}\pi\right) > 0$$

(3) $-760° = 360° \times (-3) + 320°$이므로

$-760°$는 제4사분면의 각이다.

$$\therefore \sin(-760°) < 0,\ \cos(-760°) > 0,$$
$$\tan(-760°) < 0$$

(4) $\frac{29}{10}\pi = 2\pi \times 1 + \frac{9}{10}\pi$이므로

$\frac{29}{10}\pi$는 제2사분면의 각이다.

$$\therefore \sin\frac{29}{10}\pi > 0,\ \cos\frac{29}{10}\pi < 0,\ \tan\frac{29}{10}\pi < 0$$

답 풀이 참조

191

(1) $\sin\theta > 0$이면 제1사분면 또는 제2사분면의 각이고, $\cos\theta < 0$이면 제2사분면 또는 제3사분면의 각이므로 동시에 만족시키는 θ는 제2사분면의 각이다.

(2) $\cos\theta > 0$이면 제1사분면 또는 제4사분면의 각이고, $\tan\theta < 0$이면 제2사분면 또는 제4사분면의 각이므로 동시에 만족시키는 θ는 제4사분면의 각이다.

(3) $\sin\theta\cos\theta < 0$에서

$\sin\theta > 0,\ \cos\theta < 0$ 또는 $\sin\theta < 0,\ \cos\theta > 0$

따라서 θ는 제2사분면 또는 제4사분면의 각이다.

답 (1) 제2사분면 (2) 제4사분면
(3) 제2사분면 또는 제4사분면

192

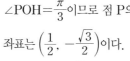

$\overline{OP} = \sqrt{(\sqrt{3})^2 + (-1)^2} = 2$

이므로

$$\sin\theta = -\frac{1}{2},\ \cos\theta = \frac{\sqrt{3}}{2},$$
$$\tan\theta = -\frac{\sqrt{3}}{3}$$

(1) $\dfrac{\tan\theta - \cos\theta}{\sqrt{3}} = \dfrac{-\frac{\sqrt{3}}{3} - \frac{\sqrt{3}}{2}}{\sqrt{3}} = -\dfrac{5}{6}$

(2) $4\sqrt{3}\sin\theta\cos\theta = 4\sqrt{3} \cdot \left(-\frac{1}{2}\right) \cdot \frac{\sqrt{3}}{2} = -3$

답 (1) $-\dfrac{5}{6}$ (2) -3

193

오른쪽 그림과 같이 반지름의 길이가 1인 원에서

$\theta = -\frac{\pi}{3}$의 동경과 이 원의 교점을 P, 점 P에서 x축에 내린 수선의 발을 H라 하면

$\angle POH = \frac{\pi}{3}$이므로 점 P의 좌표는 $\left(\frac{1}{2}, -\frac{\sqrt{3}}{2}\right)$이다.

$$\therefore \sin\theta = -\frac{\sqrt{3}}{2},\ \cos\theta = \frac{1}{2},$$
$$\tan\theta = -\sqrt{3}$$

$$\therefore \frac{\cos\theta}{\sin\theta - \tan\theta} = \frac{\frac{1}{2}}{-\frac{\sqrt{3}}{2} - (-\sqrt{3})} = \frac{1}{\sqrt{3}} = \frac{\sqrt{3}}{3}$$

답 $\dfrac{\sqrt{3}}{3}$

194

(i) $\sin\theta\tan\theta > 0$에서 $\sin\theta > 0,\ \tan\theta > 0$
또는 $\sin\theta < 0,\ \tan\theta < 0$이다.

$\sin\theta > 0,\ \tan\theta > 0$일 때, θ는 제1사분면의 각

$\sin\theta < 0,\ \tan\theta < 0$일 때, θ는 제4사분면의 각

(ii) $\cos\theta\tan\theta < 0$에서 $\cos\theta > 0,\ \tan\theta < 0$

또는 $\cos\theta<0$, $\tan\theta>0$이다.

$\cos\theta>0$, $\tan\theta<0$일 때, θ는 제4사분면의 각

$\cos\theta<0$, $\tan\theta>0$일 때, θ는 제3사분면의 각

(i), (ii)에서 주어진 조건을 동시에 만족시키는 θ는
제4사분면의 각이다.

답 제4사분면

195

θ가 제4사분면의 각이므로 $\sin\theta<0$, $\cos\theta>0$

따라서 $\sin\theta-\cos\theta<0$이므로

$\sqrt{(\sin\theta-\cos\theta)^2}-|\sin\theta|-\sqrt[3]{\cos^3\theta}$

$=-(\sin\theta-\cos\theta)+\sin\theta-\cos\theta$

$=0$

답 0

196

$\dfrac{\sqrt{\sin\theta}}{\sqrt{\cos\theta}}=-\sqrt{\dfrac{\sin\theta}{\cos\theta}}$에서 $\sin\theta>0$, $\cos\theta<0$

따라서 θ는 제2사분면의 각이므로

$\tan\theta<0$, $\cos\theta+\tan\theta<0$,

$\tan\theta-\sin\theta<0$

$\therefore\ |\cos\theta+\tan\theta|+\sqrt{\sin^2\theta}-\sqrt{(\tan\theta-\sin\theta)^2}$

$=-(\cos\theta+\tan\theta)+\sin\theta+(\tan\theta-\sin\theta)$

$=-\cos\theta$

답 $-\cos\theta$

197

(1) $\dfrac{1-\sin^4\theta}{\cos^2\theta}+\cos^2\theta$

$=\dfrac{(1+\sin^2\theta)(1-\sin^2\theta)}{\cos^2\theta}+\cos^2\theta$

$=\dfrac{(1+\sin^2\theta)\cos^2\theta}{\cos^2\theta}+\cos^2\theta$

$=1+\sin^2\theta+\cos^2\theta$

$=1+1=2$

(2) $\left(\sin\theta-\dfrac{1}{\sin\theta}\right)^2+\left(\cos\theta-\dfrac{1}{\cos\theta}\right)^2$

$\qquad\qquad\qquad -\left(\tan\theta-\dfrac{1}{\tan\theta}\right)^2$

$=\left(\sin^2\theta-2+\dfrac{1}{\sin^2\theta}\right)+\left(\cos^2\theta-2+\dfrac{1}{\cos^2\theta}\right)$

$\qquad\qquad\qquad -\left(\tan^2\theta-2+\dfrac{1}{\tan^2\theta}\right)$

$=-2+(\sin^2\theta+\cos^2\theta)$

$\qquad +\left(\dfrac{1}{\sin^2\theta}-\dfrac{\cos^2\theta}{\sin^2\theta}\right)+\left(\dfrac{1}{\cos^2\theta}-\dfrac{\sin^2\theta}{\cos^2\theta}\right)$

$=-2+1+\dfrac{1-\cos^2\theta}{\sin^2\theta}+\dfrac{1-\sin^2\theta}{\cos^2\theta}$

$=-2+1+\dfrac{\sin^2\theta}{\sin^2\theta}+\dfrac{\cos^2\theta}{\cos^2\theta}$

$=-2+1+1+1=1$

(3) $\dfrac{1+\sin\theta}{1-\cos\theta}+\dfrac{1-\sin\theta}{1+\cos\theta}-\dfrac{2}{\sin^2\theta}$

$=\dfrac{(1+\sin\theta)(1+\cos\theta)+(1-\sin\theta)(1-\cos\theta)}{(1-\cos\theta)(1+\cos\theta)}$

$\qquad\qquad\qquad\qquad\qquad -\dfrac{2}{\sin^2\theta}$

$=\dfrac{2+2\sin\theta\cos\theta}{1-\cos^2\theta}-\dfrac{2}{\sin^2\theta}$

$=\dfrac{2\sin\theta\cos\theta}{\sin^2\theta}=2\cdot\dfrac{\cos\theta}{\sin\theta}=\dfrac{2}{\tan\theta}$

(4) $\dfrac{\sin\theta+\sin^2\theta}{1-\cos\theta}-\dfrac{\sin\theta-\sin^2\theta}{1+\cos\theta}$

$=\dfrac{\sin\theta(1+\sin\theta)(1+\cos\theta)}{(1-\cos\theta)(1+\cos\theta)}$

$\qquad\qquad -\dfrac{\sin\theta(1-\sin\theta)(1-\cos\theta)}{(1+\cos\theta)(1-\cos\theta)}$

$=\dfrac{\sin\theta(1+\cos\theta+\sin\theta+\sin\theta\cos\theta)}{1-\cos^2\theta}$

$\qquad -\dfrac{\sin\theta(1-\cos\theta-\sin\theta+\sin\theta\cos\theta)}{1-\cos^2\theta}$

$=\dfrac{2\sin\theta(\sin\theta+\cos\theta)}{\sin^2\theta}$

$=2\left(1+\dfrac{1}{\tan\theta}\right)$

답 (1) 2   (2) 1   (3) $\dfrac{2}{\tan\theta}$ (4) $2\left(1+\dfrac{1}{\tan\theta}\right)$

198

$\sin^2\theta+\cos^2\theta=1$에서

$\cos^2\theta=1-\sin^2\theta=1-\left(-\dfrac{2\sqrt5}{5}\right)^2=\dfrac{1}{5}$

그런데 θ가 제3사분면의 각이므로 $\cos\theta<0$

따라서 $\cos\theta=-\dfrac{1}{\sqrt5}$이므로 $\dfrac{1}{\cos\theta}=-\sqrt5$

또 $\tan\theta = \dfrac{\sin\theta}{\cos\theta}$이므로

$$\tan\theta = \dfrac{-\dfrac{2\sqrt{5}}{5}}{-\dfrac{1}{\sqrt{5}}} = 2$$

$$\therefore \dfrac{1}{\cos\theta} + \tan\theta = 2-\sqrt{5}$$

답 $2-\sqrt{5}$

199

$\sin\theta + 2\cos\theta = 0$에서 $\sin\theta = -2\cos\theta$

$$\dfrac{\sin\theta}{\cos\theta} = -2 \qquad \therefore \tan\theta = -2$$

이때 $\sin^2\theta + \cos^2\theta = 1$의 양변을 $\cos^2\theta$로 나누면

$$\tan^2\theta + 1 = \dfrac{1}{\cos^2\theta}$$

이므로

$$\cos^2\theta = \dfrac{1}{\tan^2\theta + 1} = \dfrac{1}{(-2)^2 + 1} = \dfrac{1}{5}$$

$\dfrac{\pi}{2} < \theta < \pi$이므로 $\cos\theta < 0$

$$\therefore \cos\theta = -\dfrac{1}{\sqrt{5}} = -\dfrac{\sqrt{5}}{5}$$

$\cos\theta = -\dfrac{\sqrt{5}}{5}$를 $\sin\theta = -2\cos\theta$에 대입하면

$$\sin\theta = \dfrac{2\sqrt{5}}{5}$$

$$\therefore \sin\theta + \cos\theta = \dfrac{2\sqrt{5}}{5} - \dfrac{\sqrt{5}}{5} = \dfrac{\sqrt{5}}{5}$$

답 $\dfrac{\sqrt{5}}{5}$

200

$$\dfrac{1+\cos\theta}{\sin\theta} + \dfrac{\sin\theta}{1+\cos\theta}$$

$$= \dfrac{(1+\cos\theta)^2 + \sin^2\theta}{\sin\theta(1+\cos\theta)}$$

$$= \dfrac{1 + 2\cos\theta + \cos^2\theta + \sin^2\theta}{\sin\theta(1+\cos\theta)}$$

$$= \dfrac{2(1+\cos\theta)}{\sin\theta(1+\cos\theta)}$$

$$= \dfrac{2}{\sin\theta}$$

즉 $\dfrac{2}{\sin\theta} = -3$에서 $\sin\theta = -\dfrac{2}{3}$

이때 $\sin^2\theta + \cos^2\theta = 1$에서

$$\cos^2\theta = 1 - \sin^2\theta = 1 - \left(-\dfrac{2}{3}\right)^2 = \dfrac{5}{9}$$

$\dfrac{3}{2}\pi < \theta < 2\pi$이므로 $\cos\theta > 0$

$$\therefore \cos\theta = \dfrac{\sqrt{5}}{3}$$

$$\therefore \tan\theta = \dfrac{\sin\theta}{\cos\theta} = -\dfrac{2\sqrt{5}}{5}$$

$$\therefore \sin\theta + \tan\theta = -\dfrac{2}{3} - \dfrac{2\sqrt{5}}{5} = -\dfrac{10+6\sqrt{5}}{15}$$

답 $-\dfrac{10+6\sqrt{5}}{15}$

201

$\dfrac{1-\tan\theta}{1+\tan\theta} = \dfrac{1}{3}$에서

$3 - 3\tan\theta = 1 + \tan\theta$

$$\therefore \tan\theta = \dfrac{1}{2}$$

$\sin^2\theta + \cos^2\theta = 1$의 양변을 $\sin^2\theta$로 나누면

$$1 + \dfrac{1}{\tan^2\theta} = \dfrac{1}{\sin^2\theta}$$

이므로 $\dfrac{1}{\sin^2\theta} = 1 + 2^2 = 5$

$$\therefore \sin^2\theta = \dfrac{1}{5}$$

$\pi < \theta < \dfrac{3}{2}\pi$이므로 $\sin\theta < 0$

$$\therefore \sin\theta = -\dfrac{\sqrt{5}}{5}$$

답 $-\dfrac{\sqrt{5}}{5}$

202

$\sin\theta - \cos\theta = \dfrac{1}{2}$의 양변을 제곱하면

$$(\sin\theta - \cos\theta)^2 = \left(\dfrac{1}{2}\right)^2$$

$$1 - 2\sin\theta\cos\theta = \dfrac{1}{4}$$

$$\therefore \sin\theta\cos\theta = \dfrac{3}{8}$$

$$\therefore \sin^3\theta - \cos^3\theta$$
$$= (\sin\theta - \cos\theta)(\sin^2\theta + \sin\theta\cos\theta + \cos^2\theta)$$
$$= \frac{1}{2}\left(1 + \frac{3}{8}\right) = \frac{11}{16}$$

답 $\dfrac{11}{16}$

203

$$(\sin\theta + \cos\theta)^2 = 1 + 2\sin\theta\cos\theta$$
$$= 1 + 2\cdot\frac{1}{8} = \frac{5}{4}$$

이때 $\pi < \theta < \dfrac{3}{2}\pi$에서 $\sin\theta < 0$, $\cos\theta < 0$이므로

$$\sin\theta + \cos\theta < 0$$
$$\therefore \sin\theta + \cos\theta = -\frac{\sqrt{5}}{2}$$
$$\therefore \frac{1}{\sin\theta} + \frac{1}{\cos\theta} = \frac{\sin\theta + \cos\theta}{\sin\theta\cos\theta}$$
$$= \frac{-\dfrac{\sqrt{5}}{2}}{\dfrac{1}{8}} = -4\sqrt{5}$$

답 $-4\sqrt{5}$

204

$\sin\theta + \cos\theta = \dfrac{1}{4}$의 양변을 제곱하면

$$(\sin\theta + \cos\theta)^2 = \left(\frac{1}{4}\right)^2$$
$$1 + 2\sin\theta\cos\theta = \frac{1}{16}$$
$$\therefore \sin\theta\cos\theta = -\frac{15}{32}$$
$$(\sin\theta - \cos\theta)^2 = (\sin\theta + \cos\theta)^2 - 4\sin\theta\cos\theta$$
$$= \left(\frac{1}{4}\right)^2 - 4\cdot\left(-\frac{15}{32}\right) = \frac{31}{16}$$

이때 $\dfrac{\pi}{2} < \theta < \pi$에서 $\sin\theta > 0$, $\cos\theta < 0$이므로

$$\sin\theta - \cos\theta > 0$$
$$\therefore \sin\theta - \cos\theta = \frac{\sqrt{31}}{4}$$

답 $\dfrac{\sqrt{31}}{4}$

205

$$\tan\theta + \frac{1}{\tan\theta} = \frac{\sin\theta}{\cos\theta} + \frac{\cos\theta}{\sin\theta}$$
$$= \frac{\sin^2\theta + \cos^2\theta}{\sin\theta\cos\theta}$$
$$= \frac{1}{\sin\theta\cos\theta}$$

즉 $\dfrac{1}{\sin\theta\cos\theta} = -2$이므로

$$\sin\theta\cos\theta = -\frac{1}{2}$$
$$\therefore (\sin\theta - \cos\theta)^2 = 1 - 2\sin\theta\cos\theta$$
$$= 1 - 2\cdot\left(-\frac{1}{2}\right) = 2$$

이때 $\dfrac{\pi}{2} < \theta < \pi$에서 $\sin\theta > 0$, $\cos\theta < 0$이므로

$$\sin\theta - \cos\theta > 0$$
$$\therefore \sin\theta - \cos\theta = \sqrt{2}$$

답 $\sqrt{2}$

206

이차방정식의 근과 계수의 관계에 의하여

$$\sin\theta + \cos\theta = -\frac{2}{3} \qquad \cdots\cdots \text{㉠}$$
$$\sin\theta\cos\theta = \frac{k}{3} \qquad \cdots\cdots \text{㉡}$$

㉠의 양변을 제곱하면

$$(\sin\theta + \cos\theta)^2 = \left(-\frac{2}{3}\right)^2$$
$$1 + 2\sin\theta\cos\theta = \frac{4}{9}$$
$$\therefore \sin\theta\cos\theta = -\frac{5}{18} \qquad \cdots\cdots \text{㉢}$$

㉡, ㉢에서 $\dfrac{k}{3} = -\dfrac{5}{18}$ $\qquad \therefore k = -\dfrac{5}{6}$

답 $-\dfrac{5}{6}$

207

이차방정식의 근과 계수의 관계에 의하여

$$\cos\theta + \tan\theta = -\frac{k}{5} \qquad \cdots\cdots \text{㉠}$$
$$\cos\theta\tan\theta = -\frac{3}{5} \qquad \cdots\cdots \text{㉡}$$

ⓛ에서 $\tan \theta = \dfrac{\sin \theta}{\cos \theta}$이므로

$\sin \theta = -\dfrac{3}{5}$

$\therefore \cos^2 \theta = 1 - \sin^2 \theta = 1 - \left(-\dfrac{3}{5}\right)^2 = \dfrac{16}{25}$

이때 $\pi < \theta < \dfrac{3}{2}\pi$에서 $\cos \theta < 0$이므로

$\cos \theta = -\dfrac{4}{5}$

$\cos \theta = -\dfrac{4}{5}$를 ⓛ에 대입하면

$-\dfrac{4}{5}\tan \theta = -\dfrac{3}{5}$ $\therefore \tan \theta = \dfrac{3}{4}$

따라서 ㉠에서

$k = -5(\cos \theta + \tan \theta) = -5\left(-\dfrac{4}{5} + \dfrac{3}{4}\right)$

$\qquad = -5 \cdot \left(-\dfrac{1}{20}\right) = \dfrac{1}{4}$

답 $\dfrac{1}{4}$

208

이차방정식 $2x^2 - \sqrt{2}x + k = 0$에서 근과 계수의 관계에 의하여

$\sin \theta + \cos \theta = \dfrac{\sqrt{2}}{2}$ $\qquad$ ...... ㉠

$\sin \theta \cos \theta = \dfrac{k}{2}$ $\qquad$ ...... ㉡

㉠의 양변을 제곱하면

$(\sin \theta + \cos \theta)^2 = \left(\dfrac{\sqrt{2}}{2}\right)^2$

$1 + 2\sin \theta \cos \theta = \dfrac{1}{2}$

$\therefore \sin \theta \cos \theta = -\dfrac{1}{4}$ $\qquad$ ...... ㉢

㉡, ㉢에서 $\dfrac{k}{2} = -\dfrac{1}{4}$ $\therefore k = -\dfrac{1}{2}$

따라서 이차방정식 $x^2 + ax + b = 0$의 두 근이

$\dfrac{1}{\sin \theta}, \dfrac{1}{\cos \theta}$이므로 근과 계수의 관계에 의하여

$-a = \dfrac{1}{\sin \theta} + \dfrac{1}{\cos \theta} = \dfrac{\sin \theta + \cos \theta}{\sin \theta \cos \theta} = \dfrac{\dfrac{\sqrt{2}}{2}}{-\dfrac{1}{4}}$

$\qquad = -2\sqrt{2}$

$\therefore a = 2\sqrt{2}$

$b = \dfrac{1}{\sin \theta} \cdot \dfrac{1}{\cos \theta} = \dfrac{1}{\sin \theta \cos \theta} = \dfrac{1}{-\dfrac{1}{4}} = -4$

$\therefore a^2 + b^2 = 8 + 16 = 24$

답 24

209

답 (1) 실수 전체의 집합 (2) $3, -3$ (3) 원점
(4) 2π (5) $y, 3$

210

답 (1) 실수 전체의 집합 (2) $\{y \mid -1 \le y \le 1\}$ (3) y축
(4) 4π (5) $x, 2$

211

답 (1) $3n\pi + \dfrac{3}{2}\pi$ (2) 원점 (3) 3π
(4) $x = 3n\pi + \dfrac{3}{2}\pi$ (5) $x, 3$

212

(1) $y = 2\sin x$의 그래프는 $y = \sin x$의 그래프를 y축
의 방향으로 2배한 것이다.

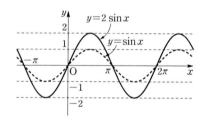

(2) $y = \cos 2x$의 그래프는 $y = \cos x$의 그래프를 x축
의 방향으로 $\dfrac{1}{2}$배한 것이다.

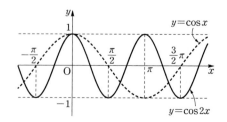

(3) $y=3\tan x$의 그래프는 $y=\tan x$의 그래프를 y축의 방향으로 3배한 것이다.

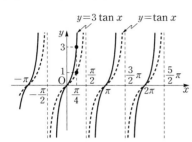

답 풀이 참조

213

(1) **최댓값** : $\dfrac{1}{2}$, **최솟값** : $-\dfrac{1}{2}$

주기 : $\dfrac{2\pi}{1}=2\pi$

$y=\dfrac{1}{2}\sin x$의 그래프는 $y=\sin x$의 그래프를 y축의 방향으로 $\dfrac{1}{2}$배한 것이므로 다음 그림과 같다.

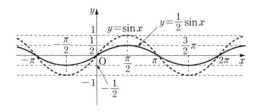

(2) **최댓값** : $1+1=2$, **최솟값** : $-1+1=0$

주기 : $\dfrac{2\pi}{\frac{1}{2}}=4\pi$

$y=\sin\dfrac{1}{2}x+1$의 그래프는 $y=\sin x$의 그래프를 x축의 방향으로 2배하고, y축의 방향으로 1만큼 평행이동한 것이므로 다음 그림과 같다.

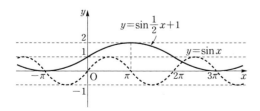

(3) **최댓값** : $|-1|=1$, **최솟값** : $-|-1|=-1$

주기 : $\dfrac{2\pi}{1}=2\pi$

$y=-\sin\left(x+\dfrac{\pi}{2}\right)$의 그래프는 $y=\sin x$의 그래프를 x축의 방향으로 $-\dfrac{\pi}{2}$만큼 평행이동한 후 x축에 대하여 대칭이동한 것이므로 다음 그림과 같다.

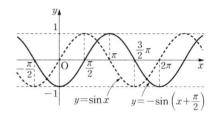

답 풀이 참조

214

주기 : $\dfrac{2\pi}{\frac{\pi}{3}}=6$ $\therefore p=6$

최댓값 : $1+3=4$ $\therefore M=4$

최솟값 : $-1+3=2$ $\therefore m=2$

$\therefore p+M+m=6+4+2=12$

답 12

215

(1) **최댓값** : $1+1=2$, **최솟값** : $-1+1=0$

주기 : $\dfrac{2\pi}{2}=\pi$

$y=\cos 2x+1$의 그래프는 $y=\cos x$의 그래프를 x축의 방향으로 $\dfrac{1}{2}$배하고, y축의 방향으로 1만큼 평행이동한 것이므로 다음 그림과 같다.

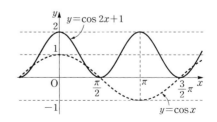

(2) **최댓값** : 2, **최솟값** : -2

주기 : $\dfrac{2\pi}{1}=2\pi$

$y=2\cos(x-\pi)$의 그래프는 $y=\cos x$의 그래프를 x축의 방향으로 π만큼 평행이동한 후 y축의 방향으로 2배한 것이므로 다음 그림과 같다.

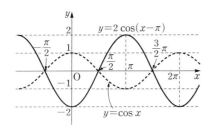

(3) **최댓값** : $|-2|+1=\mathbf{3}$

　최솟값 : $-|-2|+1=\mathbf{-1}$

　주기 : $\dfrac{2\pi}{\dfrac{1}{3}}=\mathbf{6\pi}$

$y=-2\cos\dfrac{x}{3}+1$의 그래프는 $y=\cos x$의 그래프를 x축에 대하여 대칭이동한 후 x축의 방향으로 3배, y축의 방향으로 2배한 다음 y축의 방향으로 1만큼 평행이동한 것이므로 다음 그림과 같다.

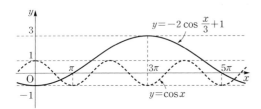

답 풀이 참조

216

주기 : $\dfrac{2\pi}{|-2\pi|}=1$ 　∴ $p=1$

최댓값 : $|-3|+6=9$ 　∴ $M=9$

최솟값 : $-|-3|+6=3$ 　∴ $m=3$

∴ $p+M+m=1+9+3=13$

답 13

217

(1) **주기** : $\dfrac{\pi}{3}$

$y=\tan 3x$의 그래프는 $y=\tan x$의 그래프를 x축

의 방향으로 $\dfrac{1}{3}$배한 것이므로 다음 그림과 같다.

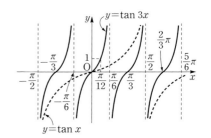

점근선의 방정식 : $3x=n\pi+\dfrac{\pi}{2}$에서

$$x=\dfrac{n}{3}\pi+\dfrac{\pi}{6}\ (\boldsymbol{n}\text{은 정수})$$

(2) **주기** : $\dfrac{\pi}{1}=\boldsymbol{\pi}$

$y=2\tan x$의 그래프는 $y=\tan x$의 그래프를 y축의 방향으로 2배한 것이므로 다음 그림과 같다.

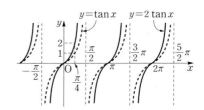

점근선의 방정식 : $x=n\pi+\dfrac{\pi}{2}\ (\boldsymbol{n}\text{은 정수})$

(3) **주기** : $\dfrac{\pi}{1}=\boldsymbol{\pi}$

$y=\tan\left(x-\dfrac{\pi}{2}\right)+2$의 그래프는 $y=\tan x$의 그래프를 x축의 방향으로 $\dfrac{\pi}{2}$만큼, y축의 방향으로 2만큼 평행이동한 것이므로 다음 그림과 같다.

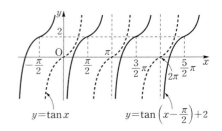

점근선의 방정식 : $x-\dfrac{\pi}{2}=n\pi+\dfrac{\pi}{2}$에서

$x=n\pi+\pi\ (\boldsymbol{n}\text{은 정수})$

∴ $x=n\pi\ (\boldsymbol{n}\text{은 정수})$

답 풀이 참조

218

주기 : $\dfrac{\pi}{2}$ $\therefore a=\dfrac{1}{2}$

점근선의 방정식 : $2x-\dfrac{\pi}{2}=n\pi+\dfrac{\pi}{2}$ 에서

$x=\dfrac{n+1}{2}\pi$ (n은 정수)

$\therefore x=\dfrac{n}{2}\pi$ (n은 정수) $\therefore b=\dfrac{1}{2}$

$\therefore a+b=1$

답 1

219

(1) $y=-2\sin\left(2x-\dfrac{\pi}{2}\right)+1$

$=-2\sin 2\left(x-\dfrac{\pi}{4}\right)+1$

$\therefore$ **최댓값** : $|-2|+1=\mathbf{3}$

최솟값 : $-|-2|+1=\mathbf{-1}$

주기 : $\dfrac{2\pi}{2}=\boldsymbol{\pi}$

(2) $y=-\dfrac{1}{4}\cos\left(3x+\dfrac{\pi}{2}\right)-4$

$=-\dfrac{1}{4}\cos 3\left(x+\dfrac{\pi}{6}\right)-4$

$\therefore$ **최댓값** : $\left|-\dfrac{1}{4}\right|-4=\mathbf{-\dfrac{15}{4}}$

최솟값 : $-\left|-\dfrac{1}{4}\right|-4=\mathbf{-\dfrac{17}{4}}$

주기 : $\dfrac{2}{3}\boldsymbol{\pi}$

(3) $y=-2\tan\left(\pi x+\dfrac{\pi}{3}\right)$

$=-2\tan \pi\left(x+\dfrac{1}{3}\right)$

$\therefore$ **최댓값** : 없다., **최솟값** : 없다.

주기 : $\dfrac{\pi}{\pi}=\mathbf{1}$

답 풀이 참조

220

$y=\cos 2x+1$의 그래프를 x축의 방향으로 $-\dfrac{\pi}{8}$만큼

평행이동하면

$y=\cos 2\left(x+\dfrac{\pi}{8}\right)+1=\cos\left(2x+\dfrac{\pi}{4}\right)+1$

이것을 x축에 대하여 대칭이동하면

$-y=\cos\left(2x+\dfrac{\pi}{4}\right)+1$

$\therefore y=-\cos\left(2x+\dfrac{\pi}{4}\right)-1$

답 $y=-\cos\left(2x+\dfrac{\pi}{4}\right)-1$

221

주기가 4π이고 $b>0$이므로 $\dfrac{2\pi}{b}=4\pi$

$\therefore b=2$

최댓값이 3이고 $a>0$이므로

$a-c=3$ ······ ㉠

$f(x)=a\sin\left(\dfrac{x}{2}-\dfrac{\pi}{3}\right)-c$에서

$f\left(\dfrac{\pi}{3}\right)=a\sin\left(-\dfrac{\pi}{6}\right)-c=0$

$-\dfrac{a}{2}-c=0$ $\therefore a+2c=0$ ······ ㉡

㉠, ㉡을 연립하여 풀면 $a=2$, $c=-1$

$\therefore f(x)=2\sin\left(\dfrac{x}{2}-\dfrac{\pi}{3}\right)+1$

따라서 $f(x)$의 최솟값은 $-2+1=-1$

답 -1

222

$f(x)=a\tan(bx+c)+d$

$=a\tan b\left(x+\dfrac{c}{b}\right)+d$ ······ ㉠

주기가 $\dfrac{\pi}{2}$이고 $b>0$이므로 $\dfrac{\pi}{b}=\dfrac{\pi}{2}$

$\therefore b=2$

또 $y=a\tan bx$의 그래프를 x축의 방향으로 $\dfrac{\pi}{4}$만큼,

y축의 방향으로 -1만큼 평행이동하면

$y=a\tan b\left(x-\dfrac{\pi}{4}\right)-1$ ······ ㉡

㉠, ㉡에서 $-\pi<c<0$이므로 $\dfrac{c}{b}=-\dfrac{\pi}{4}$

$\therefore c=-\dfrac{\pi}{2}$이고 $d=-1$

$$f\left(\frac{\pi}{3}\right)=a\tan\left(2\cdot\frac{\pi}{3}-\frac{\pi}{2}\right)-1$$

$$=a\tan\frac{\pi}{6}-1$$

$$=\frac{1}{\sqrt{3}}a-1=\sqrt{3}-1$$

$$\therefore a=3$$

$$\therefore abcd=3\cdot2\cdot\left(-\frac{\pi}{2}\right)\cdot(-1)=3\pi$$

답 3π

223

주어진 그래프에서 함수의 최댓값이 3, 최솟값이 -3

이고 $a>0$이므로 $a=3$

주기는 $\frac{13}{6}\pi-\frac{\pi}{6}=2\pi$이고 $b>0$이므로

$$\frac{2\pi}{b}=2\pi \qquad \therefore b=1$$

따라서 주어진 함수의 식은 $y=3\cos(x-c)$이고,

그 그래프가 점 $\left(\frac{\pi}{6},\ 3\right)$을 지나므로

$$3=3\cos\left(\frac{\pi}{6}-c\right),\ \cos\left(\frac{\pi}{6}-c\right)=1$$

$0\le c\le2\pi$이므로 $\frac{\pi}{6}-c=0 \qquad \therefore c=\frac{\pi}{6}$

$$\therefore y=3\cos\left(x-\frac{\pi}{6}\right)$$

답 $y=3\cos\left(x-\frac{\pi}{6}\right)$

224

주어진 그래프에서 함수의 최댓값이 3, 최솟값이 -1

이고 $a>0$이므로

$a+d=3,\ -a+d=-1$

위의 두 식을 연립하여 풀면 $a=2,\ d=1$

또 주기가 $\frac{\pi}{2}-\left(-\frac{\pi}{2}\right)=\pi$이고 $b>0$이므로

$$\frac{2\pi}{b}=\pi \qquad \therefore b=2$$

따라서 주어진 함수의 식은 $y=2\sin(2x+c)+1$이

고, 그 그래프가 점 $(0,\ 3)$을 지나므로

$3=2\sin(0+c)+1,\ \sin c=1$

$0<c<\pi$이므로 $c=\frac{\pi}{2}$

$$\therefore abcd=2\cdot2\cdot\frac{\pi}{2}\cdot1=2\pi$$

답 2π

225

(1) $y=|\cos 2x|$의 그래프는 $y=\cos 2x$의 그래프에

서 $y<0$인 부분을 x축에 대하여 대칭이동한 것이

므로 다음 그림과 같다.

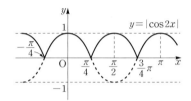

$\therefore$ 최댓값 : 1, 최솟값 : 0, 주기 : $\frac{\pi}{2}$

(2) $y=2|\sin x|-1$의 그래프는 $y=|\sin x|$의 그래

프를 y축의 방향으로 2배한 다음 y축의 방향으로

-1만큼 평행이동한 것이므로 다음 그림과 같다.

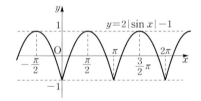

$\therefore$ 최댓값 : 1, 최솟값 : -1, 주기 : π

답 (1) 최댓값 : 1, 최솟값 : 0, 주기 : $\frac{\pi}{2}$

(2) 최댓값 : 1, 최솟값 : -1, 주기 : π

참고 $y=2|\sin x|$의 그래프와 $y=|2\sin x|$의 그래

프는 서로 같다.

226

주기는 $\frac{\pi}{\pi}=1 \qquad \therefore a=1$

또 $0\le|\cos\pi x|\le1$이므로

$3\le7|\cos\pi x|+3\le10$

따라서 $M=10,\ m=3$이므로

$a+M+m=1+10+3=14$

답 14

227

$f(x)=a|\sin bx|+c$에서 최댓값이 5이고 $a>0$이므로

$a+c=5$ $\cdots\cdots$ ㉠

주기가 $\dfrac{\pi}{3}$이고 $b>0$이므로

$\dfrac{\pi}{b}=\dfrac{\pi}{3}$ $\therefore b=3$

$f\left(\dfrac{\pi}{18}\right)=\dfrac{7}{2}$에서

$a\left|\sin\dfrac{\pi}{6}\right|+c=\dfrac{a}{2}+c=\dfrac{7}{2}$ $\cdots\cdots$ ㉡

㉠, ㉡을 연립하여 풀면 $a=3$, $c=2$

$\therefore abc=3\cdot3\cdot2=18$

답 18

228

(1) $\sin 750°=\sin(360°\times2+\boxed{30°})=\sin\boxed{30°}=\boxed{\dfrac{1}{2}}$

(2) $\sin\dfrac{13}{3}\pi=\sin\left(2\pi\times2+\dfrac{\pi}{3}\right)=\sin\dfrac{\pi}{3}=\dfrac{\sqrt{3}}{2}$

(3) $\cos 420°=\cos(360°+60°)=\cos 60°=\dfrac{1}{2}$

(4) $\tan\dfrac{7}{3}\pi=\tan\left(2\pi+\dfrac{\pi}{3}\right)=\tan\dfrac{\pi}{3}=\sqrt{3}$

답 (1) $30°$, $30°$, $\dfrac{1}{2}$ (2) $\dfrac{\sqrt{3}}{2}$ (3) $\dfrac{1}{2}$ (4) $\sqrt{3}$

229

(1) $\tan\left(-\dfrac{\pi}{6}\right)=-\tan\boxed{\dfrac{\pi}{6}}=\boxed{-\dfrac{\sqrt{3}}{3}}$

(2) $\sin\left(-\dfrac{\pi}{4}\right)=-\sin\dfrac{\pi}{4}=-\dfrac{\sqrt{2}}{2}$

(3) $\cos\left(-\dfrac{\pi}{6}\right)=\cos\dfrac{\pi}{6}=\dfrac{\sqrt{3}}{2}$

(4) $\tan\left(-\dfrac{\pi}{3}\right)=-\tan\dfrac{\pi}{3}=-\sqrt{3}$

답 (1) $\dfrac{\pi}{6}$, $-\dfrac{\sqrt{3}}{3}$ (2) $-\dfrac{\sqrt{2}}{2}$ (3) $\dfrac{\sqrt{3}}{2}$ (4) $-\sqrt{3}$

230

(1) $\cos\dfrac{3}{4}\pi=\cos\left(\pi-\boxed{\dfrac{\pi}{4}}\right)=-\cos\boxed{\dfrac{\pi}{4}}$

       $=\boxed{-\dfrac{\sqrt{2}}{2}}$

(2) $\sin 150°=\sin(180°-30°)=\sin 30°=\dfrac{1}{2}$

(3) $\cos 225°=\cos(180°+45°)=-\cos 45°$

       $=-\dfrac{\sqrt{2}}{2}$

(4) $\tan\dfrac{4}{3}\pi=\tan\left(\pi+\dfrac{\pi}{3}\right)=\tan\dfrac{\pi}{3}=\sqrt{3}$

답 (1) $\dfrac{\pi}{4}$, $\dfrac{\pi}{4}$, $-\dfrac{\sqrt{2}}{2}$ (2) $\dfrac{1}{2}$ (3) $-\dfrac{\sqrt{2}}{2}$ (4) $\sqrt{3}$

231

(1) $\sin 135°=\sin(90°\times\boxed{2}-\boxed{45°})=\sin\boxed{45°}=\boxed{\dfrac{\sqrt{2}}{2}}$

(2) $\sin\dfrac{11}{6}\pi=\sin\left(\dfrac{\pi}{2}\times3+\dfrac{\pi}{3}\right)$

       $=-\cos\dfrac{\pi}{3}=-\dfrac{1}{2}$

(3) $\cos\dfrac{7}{4}\pi=\cos\left(\dfrac{\pi}{2}\times4-\dfrac{\pi}{4}\right)$

       $=\cos\dfrac{\pi}{4}=\dfrac{\sqrt{2}}{2}$

(4) $\tan 300°=\tan(90°\times4-60°)$

       $=-\tan 60°=-\sqrt{3}$

답 (1) 2, $45°$, $45°$, $\dfrac{\sqrt{2}}{2}$ (2) $-\dfrac{1}{2}$
(3) $\dfrac{\sqrt{2}}{2}$ (4) $-\sqrt{3}$

232

(1) $\sin 760°=\sin(360°\times2+40°)=\sin 40°$

   삼각함수표에서 $\sin 40°=0.6428$이므로

   $\sin 760°=0.6428$

(2) $\cos 1000°=\cos(360°\times3-80°)=\cos 80°$

   삼각함수표에서 $\cos 80°=0.1736$이므로

   $\cos 1000°=0.1736$

(3) $\tan(-410°)=-\tan 410°$

       $=-\tan(360°+50°)$

$$=-\tan 50°$$

삼각함수표에서 $\tan 50°=1.1918$이므로

$$\tan(-410°)=-1.1918$$

답 (1) 0.6428 (2) 0.1736 (3) −1.1918

233

$$\sin\left(-\frac{17}{6}\pi\right)=-\sin\frac{17}{6}\pi=-\sin\left(2\pi+\frac{5}{6}\pi\right)$$
$$=-\sin\frac{5}{6}\pi=-\sin\left(\pi-\frac{\pi}{6}\right)$$
$$=-\sin\frac{\pi}{6}=-\frac{1}{2}$$

$$\tan\left(-\frac{\pi}{4}\right)=-\tan\frac{\pi}{4}=-1$$

$$\cos\left(-\frac{10}{3}\pi\right)=\cos\frac{10}{3}\pi=\cos\left(3\pi+\frac{\pi}{3}\right)$$
$$=-\cos\frac{\pi}{3}=-\frac{1}{2}$$

$$\therefore \sin\left(-\frac{17}{6}\pi\right)+\tan\left(-\frac{\pi}{4}\right)+\cos\left(-\frac{10}{3}\pi\right)$$
$$=-\frac{1}{2}-1-\frac{1}{2}=-2$$

답 −2

234

$$\sin\left(\frac{5}{2}\pi+\theta\right)=\cos\theta,\ \cos(3\pi+\theta)=-\cos\theta$$

$$\cos\left(\frac{3}{2}\pi-\theta\right)=-\sin\theta,\ \sin(5\pi-\theta)=\sin\theta$$

$$\therefore \sin\left(\frac{5}{2}\pi+\theta\right)\cos(3\pi+\theta)$$
$$+\cos\left(\frac{3}{2}\pi-\theta\right)\sin(5\pi-\theta)$$
$$=\cos\theta(-\cos\theta)+(-\sin\theta)\sin\theta$$
$$=-(\cos^2\theta+\sin^2\theta)$$
$$=-1$$

답 −1

235

$$\sin\left(\frac{\pi}{2}-\frac{\pi}{6}\right)=\cos\frac{\pi}{6}=\frac{\sqrt{3}}{2}$$

$$\sin\left(\frac{3}{2}\pi+\frac{\pi}{6}\right)=-\cos\frac{\pi}{6}=-\frac{\sqrt{3}}{2}$$

$$\cos\left(3\pi+\frac{\pi}{6}\right)=-\cos\frac{\pi}{6}=-\frac{\sqrt{3}}{2}$$

$$\therefore \frac{\sin\left(\frac{\pi}{2}-\frac{\pi}{6}\right)}{\sin\left(\frac{3}{2}\pi+\frac{\pi}{6}\right)+\cos\left(3\pi+\frac{\pi}{6}\right)}$$
$$=\frac{\dfrac{\sqrt{3}}{2}}{-\dfrac{\sqrt{3}}{2}-\dfrac{\sqrt{3}}{2}}=-\frac{1}{2}$$

답 $-\dfrac{1}{2}$

236

(1) $\cos 0°=\cos(90°-90°)=\sin 90°$

$\cos 1°=\cos(90°-89°)=\sin 89°$

$\cos 2°=\cos(90°-88°)=\sin 88°$

$$\vdots$$

$\cos 44°=\cos(90°-46°)=\sin 46°$

$\therefore$ (주어진 식)

$$=\sin^2 90°+\sin^2 89°+\sin^2 88°+\cdots$$
$$+\cos^2 89°+\cos^2 90°$$
$$=(\sin^2 90°+\cos^2 90°)+(\sin^2 89°+\cos^2 89°)$$
$$+\cdots+(\sin^2 46°+\cos^2 46°)+\cos^2 45°$$
$$=\underbrace{1+1+\cdots+1}_{45개}+\frac{1}{2}$$
$$=45\times 1+\frac{1}{2}$$
$$=\frac{91}{2}$$

(2) $\tan 89°=\tan(90°-1°)=\dfrac{1}{\tan 1°}$

$\tan 88°=\tan(90°-2°)=\dfrac{1}{\tan 2°}$

$\tan 87°=\tan(90°-3°)=\dfrac{1}{\tan 3°}$

$$\vdots$$

$\tan 46°=\tan(90°-44°)=\dfrac{1}{\tan 44°}$

$\therefore \tan 1°\times\tan 2°\times\tan 3°\times\cdots$
$$\times\tan 88°\times\tan 89°$$
$$=\tan 1°\times\tan 2°\times\tan 3°\times\cdots$$

$$\times \tan 45° \times \cdots \times \frac{1}{\tan 2°} \times \frac{1}{\tan 1°}$$

$$=\left(\tan 1° \times \frac{1}{\tan 1°}\right) \times \left(\tan 2° \times \frac{1}{\tan 2°}\right) \times$$

$$\cdots \times \left(\tan 44° \times \frac{1}{\tan 44°}\right) \times \tan 45°$$

$$=\underbrace{1 \times \cdots \times 1}_{44개} \times \tan 45°$$

$$=1 \times \tan 45°$$

$$=1$$

답 (1) $\dfrac{91}{2}$ (2) **1**

237

$\cos(\pi+\theta)=-\cos\theta,\ \cos\left(\dfrac{\pi}{2}+\theta\right)=-\sin\theta$

$\cos(2\pi+\theta)=\cos\theta,\ \cos\left(\dfrac{3}{2}\pi+\theta\right)=\sin\theta$

$\therefore \cos^2(\pi+\theta)+\cos^2\left(\dfrac{\pi}{2}+\theta\right)$

$$\qquad\qquad +\cos^2(2\pi+\theta)+\cos^2\left(\dfrac{3}{2}\pi+\theta\right)$$

$=(-\cos\theta)^2+(-\sin\theta)^2+\cos^2\theta+\sin^2\theta$

$=\cos^2\theta+\sin^2\theta+\cos^2\theta+\sin^2\theta$

$=1+1=2$

답 **2**

238

답 $|t-2|+1,\ -1,\ 1,\ t-1,\ -t+3,\ -1,\ 4,\ 1,\ 2$

239

답 $-|t-3|+2,\ -1,\ 1,\ -t+5,\ t-1,\ 1,\ 0,\ -1,$
-2

240

(1) $\sin\left(x-\dfrac{\pi}{2}\right)=\sin\left\{-\left(\dfrac{\pi}{2}-x\right)\right\}$

$$\qquad\qquad =-\sin\left(\dfrac{\pi}{2}-x\right)=-\cos x$$

$\therefore y=3\cos(x+\pi)-\sin\left(x-\dfrac{\pi}{2}\right)-3$

$$\qquad =-3\cos x+\cos x-3$$

$$\qquad =-2\cos x-3$$

이때 $-1\leq\cos x\leq 1$이므로

$-2\leq-2\cos x\leq 2$

$\therefore -5\leq-2\cos x-3\leq-1$

따라서 주어진 함수의 최댓값은 -1,
최솟값은 -5이다.

(2) $y=\left|\sin x-\dfrac{1}{2}\right|+1$에서 $\sin x=t$로 놓으면

$-1\leq t\leq 1$

$y=\left|t-\dfrac{1}{2}\right|+1$

$t\geq\dfrac{1}{2}$일 때, $y=t+\dfrac{1}{2}$

$t<\dfrac{1}{2}$일 때, $y=-t+\dfrac{3}{2}$

$-1\leq t\leq 1$에서 그래
프는 오른쪽 그림과
같으므로
$t=-1$일 때,
최댓값은 $\dfrac{5}{2}$

$t=\dfrac{1}{2}$일 때, 최솟값은 1

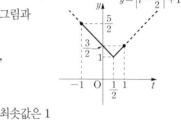

(3) $y=|2\sin x-5|-1$에서 $\sin x=t$로 놓으면

$-1\leq t\leq 1$

$y=|2t-5|-1$

$t\geq\dfrac{5}{2}$일 때, $y=2t-6$

$t<\dfrac{5}{2}$일 때, $y=-2t+4$

$-1\leq t\leq 1$에서 그래프는
오른쪽 그림과 같으므로
$t=-1$일 때,
최댓값은 6
$t=1$일 때,
최솟값은 2

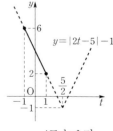

(4) $y=|2-3\cos x|+1$에서 $\cos x=t$로 놓으면

$-1\leq t\leq 1$

$y=|2-3t|+1$

$t\geq\dfrac{2}{3}$일 때, $y=3t-1$

$t<\dfrac{2}{3}$일 때, $y=-3t+3$

$-1\leq t\leq 1$에서 그래프는
오른쪽 그림과 같으므로
$t=-1$일 때,
최댓값은 6
$t=\dfrac{2}{3}$일 때,
최솟값은 1

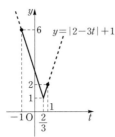

답 (1) 최댓값 : -1, 최솟값 : -5

(2) 최댓값 : $\dfrac{5}{2}$, 최솟값 : 1

(3) 최댓값 : 6, 최솟값 : 2

(4) 최댓값 : 6, 최솟값 : 1

241

$y=a|\cos x-1|+b$에서 $\cos x=t$로 놓으면
$-1\leq t\leq 1$
$y=a|t-1|+b$
$t\geq 1$일 때, $y=at-a+b$
$t<1$일 때, $y=-at+a+b$
$-1\leq t\leq 1$에서 그래프는 오
른쪽 그림과 같으므로
$t=-1$일 때,
최댓값은 $2a+b$
$t=1$일 때, 최솟값은 b
따라서 $2a+b=6$, $b=-2$
이므로 $a=4$, $b=-2$
$\therefore a+b=2$

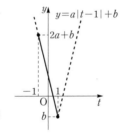

답 2

다른풀이 $-1\leq\cos x\leq 1$에서
$-2\leq\cos x-1\leq 0$
$\therefore 0\leq|\cos x-1|\leq 2$
이때 $a>0$이므로
$0\leq a|\cos x-1|\leq 2a$
$\therefore b\leq a|\cos x-1|+b\leq 2a+b$
따라서 최댓값은 $2a+b$, 최솟값은 b이다.

242

(1) $y=-\cos^2 x+2\sin x+1$

$=-(1-\sin^2 x)+2\sin x+1$
$=\sin^2 x+2\sin x$
$\sin x=t$로 놓으면 $-1\leq t\leq 1$이고
$y=t^2+2t=(t+1)^2-1$
$-1\leq t\leq 1$에서 그래프는
오른쪽 그림과 같으므로
$t=1$일 때, 최댓값은 3
$t=-1$일 때, 최솟값은 -1

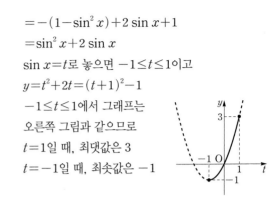

(2) $y=\dfrac{2\sin x}{\sin x+2}$에서

$\sin x=t$로 놓으면 $-1\leq t\leq 1$이고
$y=\dfrac{2t}{t+2}=-\dfrac{4}{t+2}+2$

$-1\leq t\leq 1$에서 그래프는 다음 그림과 같으므로

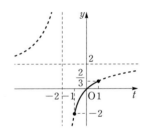

$t=1$일 때, 최댓값은 $\dfrac{2}{3}$

$t=-1$일 때, 최솟값은 -2

(3) $\sin\left(x+\dfrac{\pi}{2}\right)=\cos x$, $\cos(x+\pi)=-\cos x$
이므로
$y=\sin\left(x+\dfrac{\pi}{2}\right)-\cos^2(x+\pi)$
$=\cos x-\cos^2 x$
$\cos x=t$로 놓으면 $-1\leq t\leq 1$이고
$y=t-t^2=-\left(t-\dfrac{1}{2}\right)^2+\dfrac{1}{4}$
$-1\leq t\leq 1$에서 그래프는 오
른쪽 그림과 같으므로
$t=\dfrac{1}{2}$일 때, 최댓값은 $\dfrac{1}{4}$

$t=-1$일 때, 최솟값은 -2

(4) $y=\cos^2\left(\dfrac{\pi}{2}+x\right)-3\cos^2 x+4\sin(\pi+x)$

$=\sin^2 x-3(1-\sin^2 x)-4\sin x$

$=4\sin^2 x-4\sin x-3$

$\sin x=t$로 놓으면

$-1\leq t\leq 1$이고

$y=4t^2-4t-3$

$=4\left(t-\dfrac{1}{2}\right)^2-4$

$-1\leq t\leq 1$에서 그래프는

오른쪽 그림과 같으므로

$t=-1$일 때, 최댓값은 5

$t=\dfrac{1}{2}$일 때, 최솟값은 -4

답 (1) **최댓값 : 3, 최솟값 : -1**

　(2) **최댓값 : $\dfrac{2}{3}$, 최솟값 : -2**

　(3) **최댓값 : $\dfrac{1}{4}$, 최솟값 : -2**

　(4) **최댓값 : 5, 최솟값 : -4**

243

답 $\dfrac{\pi}{3}$, $\dfrac{5}{3}\pi$, $\dfrac{\pi}{3}$, $\dfrac{5}{3}\pi$, $\dfrac{\pi}{3}$, $\dfrac{5}{3}\pi$

244

답 $\dfrac{\pi}{4}$, $\dfrac{5}{4}\pi$, $\dfrac{\pi}{4}$, $\dfrac{5}{4}\pi$, $0\leq x<\dfrac{\pi}{4}$,

　$\dfrac{\pi}{2}<x<\dfrac{5}{4}\pi$, $\dfrac{3}{2}\pi<x<2\pi$

245

(1) $2\sin x=-\sqrt{3}$에서 $\sin x=-\dfrac{\sqrt{3}}{2}$

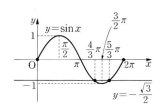

위의 그림에서 $y=\sin x$의 그래프와 직선

$y=-\dfrac{\sqrt{3}}{2}$의 교점의 x좌표를 구하면 $\dfrac{4}{3}\pi$, $\dfrac{5}{3}\pi$이므

로 주어진 방정식의 해는

$x=\dfrac{4}{3}\pi$ 또는 $x=\dfrac{5}{3}\pi$

(2) $\cos x=\dfrac{1}{\sqrt{2}}$

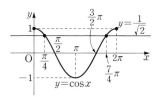

위의 그림에서 $y=\cos x$의 그래프와 직선 $y=\dfrac{1}{\sqrt{2}}$

의 교점의 x좌표를 구하면 $\dfrac{\pi}{4}$, $\dfrac{7}{4}\pi$이므로 주어진

방정식의 해는 $x=\dfrac{\pi}{4}$ 또는 $x=\dfrac{7}{4}\pi$

(3) $\sqrt{3}\tan x=1$에서 $\tan x=\dfrac{1}{\sqrt{3}}$

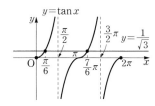

위의 그림에서 $y=\tan x$의 그래프와 직선 $y=\dfrac{1}{\sqrt{3}}$

의 교점의 x좌표를 구하면 $\dfrac{\pi}{6}$, $\dfrac{7}{6}\pi$이므로 주어진

방정식의 해는 $x=\dfrac{\pi}{6}$ 또는 $x=\dfrac{7}{6}\pi$

답 (1) $x=\dfrac{4}{3}\pi$ 또는 $x=\dfrac{5}{3}\pi$

　(2) $x=\dfrac{\pi}{4}$ 또는 $x=\dfrac{7}{4}\pi$

　(3) $x=\dfrac{\pi}{6}$ 또는 $x=\dfrac{7}{6}\pi$

246

(1) $2x=t$로 놓으면 $\sin t=\dfrac{\sqrt{3}}{2}$

한편, $0\leq x<\pi$에서 $0\leq 2x<2\pi$

$\therefore 0\leq t<2\pi$　　　　　$\cdots\cdots$ ㉠

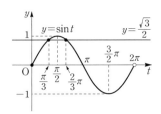

㉠의 범위에서 함수 $y=\sin t$의 그래프와 직선

$y=\dfrac{\sqrt{3}}{2}$의 교점의 t좌표를 구하면

$\dfrac{\pi}{3}$, $\dfrac{2}{3}\pi$이므로

$2x=\dfrac{\pi}{3}$ 또는 $2x=\dfrac{2}{3}\pi$

$\therefore x=\dfrac{\pi}{6}$ 또는 $x=\dfrac{\pi}{3}$

(2) $x+\dfrac{\pi}{4}=t$로 놓으면 $\tan t=\sqrt{3}$

한편, $-\pi\leq x<\pi$에서

$-\dfrac{3}{4}\pi\leq x+\dfrac{\pi}{4}<\dfrac{5}{4}\pi$

$\therefore -\dfrac{3}{4}\pi\leq t<\dfrac{5}{4}\pi$ ······ ㉠

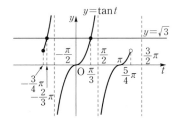

㉠의 범위에서 함수 $y=\tan t$의 그래프와 직선

$y=\sqrt{3}$의 교점의 t좌표를 구하면

$-\dfrac{2}{3}\pi$, $\dfrac{\pi}{3}$이므로

$x+\dfrac{\pi}{4}=-\dfrac{2}{3}\pi$ 또는 $x+\dfrac{\pi}{4}=\dfrac{\pi}{3}$

$\therefore x=-\dfrac{11}{12}\pi$ 또는 $x=\dfrac{\pi}{12}$

(3) $2\sin\left(x-\dfrac{\pi}{3}\right)=\sqrt{3}$에서

$\sin\left(x-\dfrac{\pi}{3}\right)=\dfrac{\sqrt{3}}{2}$

$x-\dfrac{\pi}{3}=t$로 놓으면 $\sin t=\dfrac{\sqrt{3}}{2}$

한편, $0\leq x<2\pi$에서 $-\dfrac{\pi}{3}\leq x-\dfrac{\pi}{3}<\dfrac{5}{3}\pi$

$\therefore -\dfrac{\pi}{3}\leq t<\dfrac{5}{3}\pi$ ······ ㉠

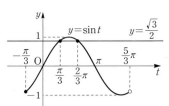

㉠의 범위에서 함수 $y=\sin t$의 그래프와 직선

$y=\dfrac{\sqrt{3}}{2}$의 교점의 t좌표를 구하면

$\dfrac{\pi}{3}$, $\dfrac{2}{3}\pi$이므로

$x-\dfrac{\pi}{3}=\dfrac{\pi}{3}$ 또는 $x-\dfrac{\pi}{3}=\dfrac{2}{3}\pi$

$\therefore x=\dfrac{2}{3}\pi$ 또는 $x=\pi$

(4) $\cos^2 x-\cos x-2=0$에서

$(\cos x+1)(\cos x-2)=0$

$\therefore \cos x=-1$ 또는 $\cos x=2$

그런데 $0\leq x<2\pi$에서 $-1\leq\cos x\leq 1$이므로

$\cos x=-1$

$\therefore x=\pi$

(5) $2\sin^2 x-\cos x-1=0$에서

$2(1-\cos^2 x)-\cos x-1=0$

$2\cos^2 x+\cos x-1=0$

$(\cos x+1)(2\cos x-1)=0$

$\therefore \cos x=-1$ 또는 $\cos x=\dfrac{1}{2}$

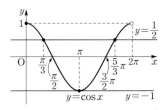

(i) $\cos x=-1$일 때, $x=\pi$

(ii) $\cos x=\dfrac{1}{2}$일 때, $x=\dfrac{\pi}{3}$ 또는 $x=\dfrac{5}{3}\pi$

(i), (ii)에서 주어진 방정식의 해는

$x=\dfrac{\pi}{3}$ 또는 $x=\pi$ 또는 $x=\dfrac{5}{3}\pi$

(6) $\tan x+\dfrac{3}{\tan x}=2\sqrt{3}$의 양변에 $\tan x$를 곱하면

$\tan^2 x-2\sqrt{3}\tan x+3=0$

$(\tan x-\sqrt{3})^2=0$ $\quad\therefore \tan x=\sqrt{3}$

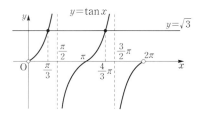

$0<x<2\pi$에서 함수 $y=\tan x$의 그래프와 직선 $y=\sqrt{3}$의 교점의 x좌표를 구하면 주어진 방정식의 해는

$x=\dfrac{\pi}{3}$ 또는 $x=\dfrac{4}{3}\pi$

답 (1) $x=\dfrac{\pi}{6}$ 또는 $x=\dfrac{\pi}{3}$

(2) $x=-\dfrac{11}{12}\pi$ 또는 $x=\dfrac{\pi}{12}$

(3) $x=\dfrac{2}{3}\pi$ 또는 $x=\pi$

(4) $x=\pi$

(5) $x=\dfrac{\pi}{3}$ 또는 $x=\pi$ 또는 $x=\dfrac{5}{3}\pi$

(6) $x=\dfrac{\pi}{3}$ 또는 $x=\dfrac{4}{3}\pi$

247

(1) $\sqrt{3}\tan x\leq-1$에서 $\tan x\leq-\dfrac{1}{\sqrt{3}}$

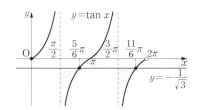

$\therefore \dfrac{\pi}{2}<x\leq\dfrac{5}{6}\pi$ 또는 $\dfrac{3}{2}\pi<x\leq\dfrac{11}{6}\pi$

(2) $2\cos x>-\sqrt{3}$에서 $\cos x>-\dfrac{\sqrt{3}}{2}$

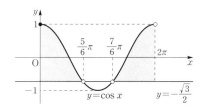

$\therefore 0\leq x<\dfrac{5}{6}\pi$ 또는 $\dfrac{7}{6}\pi<x<2\pi$

(3) $\sin x<\cos x$

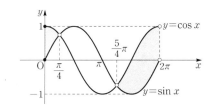

$\therefore 0\leq x<\dfrac{\pi}{4}$ 또는 $\dfrac{5}{4}\pi<x<2\pi$

(4) $\cos\left(x+\dfrac{\pi}{6}\right)\leq\dfrac{1}{2}$에서

$x+\dfrac{\pi}{6}=t$로 놓으면

$\cos t\leq\dfrac{1}{2}$ $\qquad\qquad\cdots\cdots$ ㉠

한편, $0\leq x<2\pi$에서

$\dfrac{\pi}{6}\leq x+\dfrac{\pi}{6}<\dfrac{13}{6}\pi$

$\therefore \dfrac{\pi}{6}\leq t<\dfrac{13}{6}\pi$

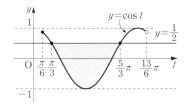

$\dfrac{\pi}{6}\leq t<\dfrac{13}{6}\pi$에서 함수 $y=\cos t$의 그래프와 직선 $y=\dfrac{1}{2}$의 교점의 t좌표를 구하면 $\dfrac{\pi}{3}$, $\dfrac{5}{3}\pi$

㉠의 해는 $y=\cos t$의 그래프가 직선 $y=\dfrac{1}{2}$보다 아래쪽(경계선 포함)에 있는 t의 값의 범위이므로

$\dfrac{\pi}{3}\leq t\leq\dfrac{5}{3}\pi$

이때 $t=x+\dfrac{\pi}{6}$이므로 $\dfrac{\pi}{3}\le x+\dfrac{\pi}{6}\le\dfrac{5}{3}\pi$

$\therefore \dfrac{\pi}{6}\le x\le\dfrac{3}{2}\pi$

(5) $\sin\left(x-\dfrac{\pi}{3}\right)\ge\dfrac{\sqrt{3}}{2}$에서 $x-\dfrac{\pi}{3}=t$로 놓으면

$\sin t\ge\dfrac{\sqrt{3}}{2}$

한편, $0\le x\le\pi$에서 $-\dfrac{\pi}{3}\le x-\dfrac{\pi}{3}\le\dfrac{2}{3}\pi$

$\therefore -\dfrac{\pi}{3}\le t\le\dfrac{2}{3}\pi$

$-\dfrac{\pi}{3}\le t\le\dfrac{2}{3}\pi$에서

$\sin t\ge\dfrac{\sqrt{3}}{2}$의 해는

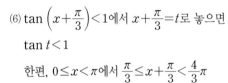

$\dfrac{\pi}{3}\le t\le\dfrac{2}{3}\pi$

이때 $t=x-\dfrac{\pi}{3}$이므로

$\dfrac{\pi}{3}\le x-\dfrac{\pi}{3}\le\dfrac{2}{3}\pi$

$\therefore \dfrac{2}{3}\pi\le x\le\pi$

(6) $\tan\left(x+\dfrac{\pi}{3}\right)<1$에서 $x+\dfrac{\pi}{3}=t$로 놓으면

$\tan t<1$

한편, $0\le x<\pi$에서 $\dfrac{\pi}{3}\le x+\dfrac{\pi}{3}<\dfrac{4}{3}\pi$

$\therefore \dfrac{\pi}{3}\le t<\dfrac{4}{3}\pi$

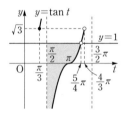

$\dfrac{\pi}{3}\le t<\dfrac{4}{3}\pi$에서 $\tan t<1$의 해는

$\dfrac{\pi}{2}<t<\dfrac{5}{4}\pi$

이때 $t=x+\dfrac{\pi}{3}$이므로 $\dfrac{\pi}{2}<x+\dfrac{\pi}{3}<\dfrac{5}{4}\pi$

$\therefore \dfrac{\pi}{6}<x<\dfrac{11}{12}\pi$

답 풀이 참조

248

(1) $2\sin^2\left(x+\dfrac{3}{2}\pi\right)+3\sin x-3\ge0$에서

$2\cos^2 x+3\sin x-3\ge0$

$2(1-\sin^2 x)+3\sin x-3\ge0$

$2\sin^2 x-3\sin x+1\le0$

$(2\sin x-1)(\sin x-1)\le0$

$\therefore \dfrac{1}{2}\le\sin x\le1$

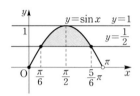

$\therefore \dfrac{\pi}{6}\le x\le\dfrac{5}{6}\pi$

(2) $2\cos x>3\tan x$에서

$2\cos x>3\dfrac{\sin x}{\cos x}$

$-\dfrac{\pi}{2}<x<\dfrac{\pi}{2}$에서 $\cos x>0$이므로 양변에

$\cos x$를 곱하면

$2\cos^2 x>3\sin x$

$2(1-\sin^2 x)>3\sin x$

$2\sin^2 x+3\sin x-2<0$

$(2\sin x-1)(\sin x+2)<0$

$-\dfrac{\pi}{2}<x<\dfrac{\pi}{2}$에서 $\sin x+2>0$이므로

$2\sin x-1<0$

$\therefore \sin x<\dfrac{1}{2}$

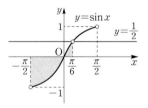

$\therefore -\dfrac{\pi}{2}<x<\dfrac{\pi}{6}$

(3) $\tan^2 x+(\sqrt{3}+1)\tan x>-\sqrt{3}$에서

$\tan^2 x+(\sqrt{3}+1)\tan x+\sqrt{3}>0$

$\tan x=t$로 놓으면

$t^2+(\sqrt{3}+1)t+\sqrt{3}>0$

$(t+\sqrt{3})(t+1)>0$

$\therefore t<-\sqrt{3}$ 또는 $t>-1$

즉 $\tan x<-\sqrt{3}$ 또는 $\tan x>-1$

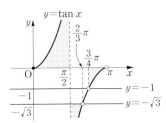

$0\leq x<\pi$에서 함수 $y=\tan x$의 그래프와 두 직선

$y=-\sqrt{3}$, $y=-1$의 교점의 x좌표를 구하면 각각

$\dfrac{2}{3}\pi$, $\dfrac{3}{4}\pi$

따라서 주어진 부등식의 해는

$0\leq x<\dfrac{\pi}{2}$ 또는 $\dfrac{\pi}{2}<x<\dfrac{2}{3}\pi$ 또는

$\dfrac{3}{4}\pi<x<\pi$

답 풀이 참조

249

이차함수 $y=x^2+2\sqrt{2}\,x\sin\theta-3\cos\theta$의 그래프가

x축과 서로 다른 두 점에서 만나므로 이차방정식

$x^2+2\sqrt{2}\,x\sin\theta-3\cos\theta=0$이 서로 다른 두 실근을

갖는다.

즉 이차방정식 $x^2+(2\sqrt{2}\sin\theta)x-3\cos\theta=0$의 판

별식을 D라 할 때 $D>0$이므로

$\dfrac{D}{4}=(\sqrt{2}\sin\theta)^2+3\cos\theta>0$

$2\sin^2\theta+3\cos\theta>0$

$2(1-\cos^2\theta)+3\cos\theta>0$

$2\cos^2\theta-3\cos\theta-2<0$

$(2\cos\theta+1)(\cos\theta-2)<0$

그런데 $\cos\theta-2<0$이므로

$2\cos\theta+1>0$

$\therefore \cos\theta>-\dfrac{1}{2}$

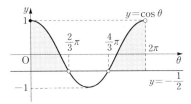

위의 그림에서 구하는 θ의 값의 범위는

$0\leq\theta<\dfrac{2}{3}\pi$ 또는 $\dfrac{4}{3}\pi<\theta<2\pi$

답 $0\leq\theta<\dfrac{2}{3}\pi$ 또는 $\dfrac{4}{3}\pi<\theta<2\pi$

250

모든 실수 x에 대하여 $x^2-(2\sin\theta)x+\dfrac{1}{2}\sin\theta>0$

이 성립해야 하므로 이차방정식

$x^2-(2\sin\theta)x+\dfrac{1}{2}\sin\theta=0$이 허근을 가져야 한다.

즉 이차방정식 $x^2-(2\sin\theta)x+\dfrac{1}{2}\sin\theta=0$의 판별

식을 D라 할 때 $D<0$이어야 하므로

$\dfrac{D}{4}=\sin^2\theta-\dfrac{1}{2}\sin\theta<0$

$\sin\theta\left(\sin\theta-\dfrac{1}{2}\right)<0$ $\therefore 0<\sin\theta<\dfrac{1}{2}$

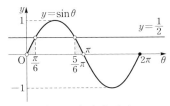

위의 그림에서 구하는 θ의 값의 범위는

$0<\theta<\dfrac{\pi}{6}$ 또는 $\dfrac{5}{6}\pi<\theta<\pi$

답 $0<\theta<\dfrac{\pi}{6}$ 또는 $\dfrac{5}{6}\pi<\theta<\pi$

251

삼각형 ABC에서 $A+B+C=180°$이므로

$C=180°-(45°+105°)=30°$이고,

사인법칙에 의하여 $\dfrac{a}{\sin A}=\dfrac{c}{\sin C}$ 이므로

$\dfrac{a}{\sin 45°}=\dfrac{20}{\sin 30°}$ $\therefore a=20\sqrt{2}$

답 $20\sqrt{2}$

252

(1) 사인법칙에 의하여 $\dfrac{a}{\sin A} = \dfrac{c}{\sin C}$ 이므로

$$\dfrac{15}{\sin 30°} = \dfrac{30}{\sin C} \qquad \therefore \sin C = 1$$

$$\therefore C = 90°$$

이때 삼각형 ABC에서 $A + B + C = 180°$이므로

$$B = 180° - (30° + 90°)$$
$$= 60°$$

(2) 사인법칙에 의하여 $\dfrac{a}{\sin A} = \dfrac{b}{\sin B}$ 이므로

$$\dfrac{15}{\sin 30°} = \dfrac{b}{\sin 60°}$$

$$\therefore b = 15\sqrt{3}$$

답 (1) **60°** (2) $\mathbf{15\sqrt{3}}$

253

삼각형 ABC에서 $A + B + C = 180°$이므로

$$B = 180° - (75° + 45°) = 60°$$

이때 삼각형 ABC의 외접원의 반지름의 길이를 R라

하면 사인법칙에 의하여 $2R = \dfrac{b}{\sin B}$ 이므로

$$R = \dfrac{b}{2\sin B} = \dfrac{2\sqrt{3}}{2\sin 60°} = 2$$

따라서 외접원의 넓이는 $\pi \cdot 2^2 = 4\pi$

답 $\mathbf{4\pi}$

254

$$a + b - 2c = 0 \qquad \cdots\cdots \text{㉠}$$
$$2a - 3b + 3c = 0 \qquad \cdots\cdots \text{㉡}$$

㉠, ㉡을 연립하여 풀면

$$a = \dfrac{3}{5}c, \ b = \dfrac{7}{5}c$$

$$\therefore \sin A : \sin B : \sin C = a : b : c$$
$$= \dfrac{3}{5}c : \dfrac{7}{5}c : c$$
$$= 3 : 7 : 5$$

답 $\mathbf{3 : 7 : 5}$

255

$A + B + C = 180°$이고, $A : B : C = 3 : 2 : 1$이므로

$$A = 180° \times \dfrac{3}{6} = 90°$$

$$B = 180° \times \dfrac{2}{6} = 60°$$

$$C = 180° \times \dfrac{1}{6} = 30°$$

$$\therefore a : b : c = \sin 90° : \sin 60° : \sin 30°$$
$$= 1 : \dfrac{\sqrt{3}}{2} : \dfrac{1}{2}$$
$$= 2 : \sqrt{3} : 1$$

답 $\mathbf{2 : \sqrt{3} : 1}$

256

삼각형 ABC의 외접원의 반지름의 길이를 R라 하면

사인법칙에 의하여

$$\sin A = \dfrac{a}{2R}, \ \sin B = \dfrac{b}{2R}$$

이것을 주어진 식에 대입하면

$$a \cdot \left(\dfrac{a}{2R}\right)^2 = b \cdot \left(\dfrac{b}{2R}\right)^2$$

$$a^3 = b^3 \qquad \therefore a = b \ (\because a > 0, \ b > 0)$$

따라서 삼각형 ABC는 $a = b$인 이등변삼각형이다.

답 $\boldsymbol{a = b}$**인 이등변삼각형**

257

원 모양의 스케이트장의 반지름의 길이를 R라 하면 사

인법칙에 의하여

$$\dfrac{10}{\sin 45°} = 2R \qquad \therefore R = 5\sqrt{2} \ (\text{m})$$

따라서 스케이트장의 둘레의 길이는

$$2\pi \cdot 5\sqrt{2} = 10\sqrt{2}\pi \ (\text{m})$$

답 $\mathbf{10\sqrt{2}\pi}$ **m**

258

(1) 코사인법칙에 의하여

$$a^2 = b^2 + c^2 - 2bc \cos A$$
$$= (\sqrt{2})^2 + 3^2 - 2 \cdot \sqrt{2} \cdot 3 \cos 135°$$
$$= 2 + 9 - 6\sqrt{2} \cdot \left(-\dfrac{1}{\sqrt{2}}\right)$$
$$= 17$$

그런데 $a > 0$이므로 $a = \sqrt{17}$

(2) 코사인법칙에 의하여

$$\cos A = \frac{b^2+c^2-a^2}{2bc}$$

$$= \frac{2^2+3^2-(\sqrt{7})^2}{2\cdot2\cdot3}$$

$$= \frac{1}{2}$$

그런데 $0° < A < 180°$이므로 $A = 60°$

답 (1) $\sqrt{17}$ (2) $60°$

259

삼각형 ABC에서 b가 가장 짧은 변의 길이이므로 B가 최소각의 크기이다.

코사인법칙에 의하여

$$\cos B = \frac{c^2+a^2-b^2}{2ca}$$

$$= \frac{(\sqrt{3}+1)^2+(\sqrt{6})^2-2^2}{2\cdot(\sqrt{3}+1)\cdot\sqrt{6}}$$

$$= \frac{1}{\sqrt{2}}$$

그런데 $0° < B < 180°$이므로 $B = 45°$

따라서 최소각의 크기는 $45°$이다.

답 $45°$

260

삼각형 ABC에서 $B+C = 180°-A$이므로

$$\sin\left(\frac{B+C-A}{2}\right) = \sin\left(\frac{180°-A-A}{2}\right)$$

$$= \sin(90°-A) = \cos A$$

한편, 사인법칙에 의하여

$\sin A : \sin B : \sin C = a:b:c = 7:5:3$

따라서 $a=7k$, $b=5k$, $c=3k$ $(k>0)$로 놓으면 코사인법칙에 의하여

$$\cos A = \frac{(5k)^2+(3k)^2-(7k)^2}{2\cdot5k\cdot3k} = -\frac{1}{2}$$

답 $-\frac{1}{2}$

261

$a\cos B = b\cos A + c$에서

$$a\cdot\frac{c^2+a^2-b^2}{2ca} = b\cdot\frac{b^2+c^2-a^2}{2bc}+c$$

$c^2+a^2-b^2 = b^2+c^2-a^2+2c^2$

$\therefore\ a^2 = b^2+c^2$

따라서 삼각형 ABC는 $A=90°$인 직각삼각형이다.

답 $A=90°$인 직각삼각형

262

코사인법칙에 의하여

$$\overline{BC}^2 = \overline{AB}^2 + \overline{AC}^2 - 2\,\overline{AB}\cdot\overline{AC}\cdot\cos 120°$$

$$= 6^2+10^2-2\cdot6\cdot10\cos 120°$$

$$= 36+100-120\cdot\left(-\frac{1}{2}\right) = 196$$

$\therefore\ \overline{BC} = 14\ (\text{m})\ (\because\ \overline{BC}>0)$

연못의 반지름의 길이를 R라 하면 R는 삼각형 ABC의 외접원의 반지름의 길이이므로 사인법칙에 의하여

$$2R = \frac{\overline{BC}}{\sin A} = \frac{14}{\sin 120°}$$

$$\therefore\ R = \frac{14\sqrt{3}}{3}\ (\text{m})$$

따라서 연못의 반지름의 길이는 $\frac{14\sqrt{3}}{3}$ m이다.

답 $\frac{14\sqrt{3}}{3}$ m

263

(1) $S = \frac{1}{2}ab\sin C = \frac{1}{2}\cdot4\cdot5\cdot\sin 60° = 5\sqrt{3}$

(2) $S = \frac{1}{2}bc\sin A = \frac{1}{2}\cdot3\cdot6\cdot\sin 45° = \frac{9\sqrt{2}}{2}$

(3) $S = \frac{1}{2}ca\sin B = \frac{1}{2}\cdot5\cdot6\cdot\sin 30° = \frac{15}{2}$

답 (1) $5\sqrt{3}$ (2) $\frac{9\sqrt{2}}{2}$ (3) $\frac{15}{2}$

264

(1) $S = \frac{abc}{4R} = \frac{5\cdot6\cdot5}{4\cdot\frac{25}{8}} = 12$

(2) $S = \frac{1}{2}r(a+b+c)$

$$= \frac{1}{2}\cdot\sqrt{7}(10+12+8) = 15\sqrt{7}$$

답 (1) 12 (2) $15\sqrt{7}$

265

(1) □ABCD

$= \overline{AB} \cdot \overline{AD} \cdot \sin A$

$= 4 \cdot \sqrt{3} \cdot \sin 30°$

$= 2\sqrt{3}$

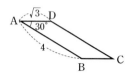

(2) □ABCD

$= \overline{AB} \cdot \overline{BC} \cdot \sin B$

$= 6 \cdot 8 \cdot \sin(180° - 120°)$

$= 24\sqrt{3}$

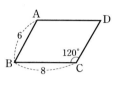

답 (1) $2\sqrt{3}$ (2) $24\sqrt{3}$

266

(1) □ABCD $= \dfrac{1}{2} \cdot 6 \cdot 4 \cdot \sin 60° = 6\sqrt{3}$

(2) □ABCD $= \dfrac{1}{2} \cdot 10 \cdot 8 \cdot \sin 120° = 20\sqrt{3}$

답 (1) $6\sqrt{3}$ (2) $20\sqrt{3}$

267

삼각형 ABC의 넓이가 7이므로

$\dfrac{1}{2} \cdot 4 \cdot 7 \cdot \sin A = 7$

$\therefore \sin A = \dfrac{1}{2}$

그런데 $0° < A < 180°$이므로

$A = 30°$ 또는 $A = 150°$

답 $30°$ 또는 $150°$

268

$\sin^2 C + \cos^2 C = 1$이고, $\sin C > 0$이므로

$\sin C = \sqrt{1 - \cos^2 C}$

$= \sqrt{1 - \left(\dfrac{\sqrt{5}}{3}\right)^2} = \dfrac{2}{3}$

따라서 삼각형 ABC의 넓이를 S라 하면

$S = \dfrac{1}{2} ab \sin C$

$= \dfrac{1}{2} \cdot 8 \cdot 6 \cdot \dfrac{2}{3} = 16$

답 16

269

$\overline{AD} = x$로 놓으면

$\triangle ABC = \triangle ABD + \triangle ACD$에서

$\dfrac{1}{2} \cdot 3\sqrt{3} \cdot 2\sqrt{3} \cdot \sin 60°$

$= \dfrac{1}{2} \cdot 3\sqrt{3} \cdot x \cdot \sin 30° + \dfrac{1}{2} \cdot 2\sqrt{3} \cdot x \cdot \sin 30°$

$9\sqrt{3} = \dfrac{5\sqrt{3}}{2} x$

$\therefore x = \dfrac{18}{5}$

답 $\dfrac{18}{5}$

270

(1) 코사인법칙에 의하여

$\cos C = \dfrac{a^2 + b^2 - c^2}{2ab}$

$= \dfrac{13^2 + 14^2 - 15^2}{2 \cdot 13 \cdot 14} = \dfrac{5}{13}$

$\therefore \sin C = \sqrt{1 - \cos^2 C}$

$= \sqrt{1 - \left(\dfrac{5}{13}\right)^2}$

$= \dfrac{12}{13} \ (\because \sin C > 0)$

따라서 삼각형 ABC의 넓이를 S라 하면

$S = \dfrac{1}{2} ab \sin C$

$= \dfrac{1}{2} \cdot 13 \cdot 14 \cdot \dfrac{12}{13}$

$= 84$

(2) 외접원의 반지름의 길이를 R라 하면

$S = \dfrac{abc}{4R}$에서 $84 = \dfrac{13 \cdot 14 \cdot 15}{4R}$

$\therefore R = \dfrac{65}{8}$

(3) 내접원의 반지름의 길이를 r라 하면

$S = \dfrac{1}{2} r(a + b + c)$에서

$84 = \dfrac{1}{2} r(13 + 14 + 15)$

$\therefore r = 4$

답 (1) 84 (2) $\dfrac{65}{8}$ (3) 4

다른풀이 (1) 헤론의 공식을 이용하면

$$s = \frac{13+14+15}{2} = 21$$이므로

$$S = \sqrt{21(21-13)(21-14)(21-15)}$$
$$= \sqrt{21 \cdot 8 \cdot 7 \cdot 6} = 84$$

271

코사인법칙에 의하여

$$a^2 = 8^2 + 7^2$$
$$\qquad -2 \cdot 8 \cdot 7 \cos 120°$$
$$= 64 + 49 - 2 \cdot 8 \cdot 7 \cdot \left(-\frac{1}{2}\right) = 169$$

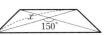

그런데 $a > 0$이므로 $a = 13$

한편, 삼각형 ABC의 넓이를 S라 하면

$$S = \frac{1}{2} \cdot 8 \cdot 7 \cdot \sin 120° = 14\sqrt{3}$$

따라서 내접원의 반지름의 길이를 r라 하면

$$S = \frac{1}{2}r(a+b+c)$$에서 $14\sqrt{3} = \frac{1}{2}r(13+8+7)$

$$\therefore r = \sqrt{3}$$

답 $\sqrt{3}$

272

$\overline{AD} = \overline{BC} = 7$이고, 평행사변형 ABCD의 넓이가 $21\sqrt{3}$이므로

$$6 \cdot 7 \cdot \sin A = 21\sqrt{3}$$

$$\therefore \sin A = \frac{\sqrt{3}}{2}$$

그런데 $90° < A < 180°$이므로

$$A = 120°$$

답 **120°**

273

등변사다리꼴은 두 대각선의 길이가 같으므로 한 대각선의 길이를 x라 하면 등변사다리꼴의 넓이는 8이므로

$$\frac{1}{2} \cdot x \cdot x \cdot \sin 150° = 8, \ x^2 = 32$$

$$\therefore x = 4\sqrt{2} \ (\because x > 0)$$

답 $4\sqrt{2}$

Ⅲ. 수열

274

(1) 수열 $\{3n\}$의 일반항은 $a_n=3n$이므로 n에 1, 2, 3
을 차례로 대입하면

$a_1=3\cdot1=3,\ a_2=3\cdot2=6,\ a_3=3\cdot3=9$

(2) 수열 $\{2^n+1\}$의 일반항은 $a_n=2^n+1$이므로 n에 1,
2, 3을 차례로 대입하면

$a_1=2^1+1=3,\ a_2=2^2+1=5,\ a_3=2^3+1=9$

(3) 수열 $\left\{\dfrac{1}{2n-1}\right\}$의 일반항은 $a_n=\dfrac{1}{2n-1}$이므로 n
에 1, 2, 3을 차례로 대입하면

$a_1=\dfrac{1}{2-1}=1,\ a_2=\dfrac{1}{4-1}=\dfrac{1}{3},\ a_3=\dfrac{1}{6-1}=\dfrac{1}{5}$

(4) 수열 $\left\{\cos\dfrac{n\pi}{2}\right\}$의 일반항은 $a_n=\cos\dfrac{n\pi}{2}$이므로
n에 1, 2, 3을 차례로 대입하면

$a_1=\cos\dfrac{\pi}{2}=0,\ a_2=\cos\pi=-1,$

$a_3=\cos\dfrac{3\pi}{2}=0$

답 (1) $3, 6, 9$ (2) $3, 5, 9$ (3) $1, \dfrac{1}{3}, \dfrac{1}{5}$ (4) $0, -1, 0$

275

(1) $a_1=\dfrac{1}{1},\ a_2=\dfrac{1}{2},\ a_3=\dfrac{1}{3},\ a_4=\dfrac{1}{4},\ \cdots$

이므로

$a_n=\dfrac{1}{n}$

(2) $a_1=1\cdot3=(2\cdot1-1)(2\cdot1+1),$

$a_2=3\cdot5=(2\cdot2-1)(2\cdot2+1),$

$a_3=5\cdot7=(2\cdot3-1)(2\cdot3+1),$

$a_4=7\cdot9=(2\cdot4-1)(2\cdot4+1),\ \cdots$

이므로

$a_n=(2n-1)(2n+1)$

(3) $a_1=\log3=\log3^1,\ a_2=\log9=\log3^2,$

$a_3=\log27=\log3^3,\ a_4=\log81=\log3^4,\ \cdots$

이므로

$a_n=\log3^n$

답 (1) $a_n=\dfrac{1}{n}$ (2) $a_n=(2n-1)(2n+1)$

(3) $a_n=\log3^n$

276

(1) $0-6=-6$에서 공차가 -6이므로 주어진 수열은

$6, 0, -6, \boxed{-12}, \boxed{-18}$

(2) $33-27=6$에서 공차가 6이므로 주어진 수열은

$\boxed{9}, 15, \boxed{21}, 27, 33$

(3) $\dfrac{1}{4}-\dfrac{3}{4}=-\dfrac{1}{2}$에서 공차가 $-\dfrac{1}{2}$이므로 주어진 수
열은 $\dfrac{3}{4},\ \dfrac{1}{4},\ \boxed{-\dfrac{1}{4}},\ -\dfrac{3}{4},\ \boxed{-\dfrac{5}{4}}$

(4) $\dfrac{1}{2}-\dfrac{1}{3}=\dfrac{1}{6}$에서 공차가 $\dfrac{1}{6}$이므로 주어진 수열은

$\boxed{\dfrac{1}{6}},\ \dfrac{1}{3},\ \dfrac{1}{2},\ \boxed{\dfrac{2}{3}},\ \dfrac{5}{6}$

답 (1) $-12, -18$ (2) $9, 21$

(3) $-\dfrac{1}{4}, -\dfrac{5}{4}$ (4) $\dfrac{1}{6}, \dfrac{2}{3}$

277

(1) 첫째항이 2, 공차가 $4-2=2$이므로

$a_n=2+(n-1)\cdot2=2n$

(2) 첫째항이 10, 공차가 $7-10=-3$이므로

$a_n=10+(n-1)\cdot(-3)=-3n+13$

(3) 첫째항이 1, 공차가 $\dfrac{3}{2}-1=\dfrac{1}{2}$이므로

$a_n=1+(n-1)\cdot\dfrac{1}{2}=\dfrac{1}{2}n+\dfrac{1}{2}$

(4) 첫째항이 3, 공차가 $\dfrac{8}{3}-3=-\dfrac{1}{3}$이므로

$a_n=3+(n-1)\cdot\left(-\dfrac{1}{3}\right)=-\dfrac{1}{3}n+\dfrac{10}{3}$

답 (1) $a_n=2n$ (2) $a_n=-3n+13$

(3) $a_n=\dfrac{1}{2}n+\dfrac{1}{2}$ (4) $a_n=-\dfrac{1}{3}n+\dfrac{10}{3}$

278

(1) 첫째항 $a=2$, 공차를 d라 하면

$a_4=a+3d=2+3d=11$

$$\therefore d=3$$

(2) 첫째항 $a=3$, 공차를 d라 하면
$$a_5=a+4d=3+4d=-5$$
$$\therefore d=-2$$

답 (1) **3** (2) **−2**

279

(1) $a_n=3n-5$에서

첫째항은 $a_1=3\cdot1-5=-2$

$a_2=3\cdot2-5=1$이므로 공차는
$$a_2-a_1=1-(-2)=3$$

(2) $a_n=-7n+9$에서

첫째항은 $a_1=-7\cdot1+9=2$

$a_2=-7\cdot2+9=-5$이므로 공차는
$$a_2-a_1=-5-2=-7$$

답 (1) **첫째항 : −2, 공차 : 3**
(2) **첫째항 : 2, 공차 : −7**

280

등차수열 $\{a_n\}$의 첫째항을 a, 공차를 d라 하면
$$a_6+a_{15}=(a+5d)+(a+14d)=61$$
$$\therefore 2a+19d=61 \qquad\qquad \cdots\cdots ㉠$$
$$a_8+a_{16}=(a+7d)+(a+15d)=70$$
$$\therefore a+11d=35 \qquad\qquad \cdots\cdots ㉡$$

㉠, ㉡을 연립하여 풀면
$$a=2,\ d=3$$
$$\therefore a_{31}=a+30d=2+30\cdot3=92$$

답 **92**

281

등차수열 $\{a_n\}$의 첫째항을 a, 공차를 d라 하면

제 2 항이 3이므로 $a_2=a+d=3$ $\qquad \cdots\cdots ㉠$

제 7 항이 13이므로 $a_7=a+6d=13$ $\qquad \cdots\cdots ㉡$

㉠, ㉡을 연립하여 풀면 $a=1,\ d=2$
$$\therefore a_n=1+(n-1)\cdot2=2n-1$$

199를 제 n 항이라 하면
$$2n-1=199 \qquad \therefore n=100$$

따라서 199는 제 100 항이다.

답 $a_n=2n-1$, 제 100 항

282

등차수열 $\{a_n\}$의 첫째항을 a, 공차를 d라 하면

$a_7=70$에서 $a+6d=70$ $\qquad\qquad \cdots\cdots ㉠$

$a_{10}=61$에서 $a+9d=61$ $\qquad\qquad \cdots\cdots ㉡$

㉠, ㉡을 연립하여 풀면
$$a=88,\ d=-3$$

제 n 항에서 처음으로 음수가 된다고 하면
$$a_n=88-3(n-1)=91-3n<0$$
$$\therefore n>\frac{91}{3}=30.\times\times\times$$

따라서 처음으로 음수가 되는 항은 제 31 항이다.

답 **제 31 항**

283

공차를 d라 하면
$$a_5-a_3=(2+4d)-(2+2d)=2d=-4$$
$$\therefore d=-2$$

제 n 항에서 처음으로 -50보다 작아진다고 하면
$$a_n=2-2(n-1)=4-2n<-50$$
$$\therefore n>27$$

따라서 처음으로 -50보다 작아지는 항은 제 28 항이다.

답 **제 28 항**

284

주어진 수열은 첫째항이 -8, 제 $n+2$ 항이 30인 등차
수열이므로
$$-8+\{(n+2)-1\}\times2=30$$
$$2n=36 \qquad \therefore n=18$$

답 **18**

285

나머지정리에 의하여 $f(x)=x^2+ax+2$를 $x+1$,
$x-1$, $x-2$로 나눈 나머지는 각각
$$f(-1)=3-a,\ f(1)=3+a,\ f(2)=6+2a$$

세 수 $f(-1)$, $f(1)$, $f(2)$가 이 순서대로 등차수열을

이루면 $f(1)$은 $f(-1)$과 $f(2)$의 등차중항이므로

$2f(1)=f(-1)+f(2)$

$2(3+a)=(3-a)+(6+2a)$

$\therefore a=3$

답 3

286

세 수를 $a-d$, a, $a+d$라 하면

$(a-d)+a+(a+d)=15$에서

$3a=15$ $\quad\therefore a=5$ $\quad$ ····· ㉠

$(a-d)^2+a^2+(a+d)^2=83$ $\quad$ ····· ㉡

㉠을 ㉡에 대입하여 정리하면 $d^2=4$

$\therefore d=\pm2$

따라서 세 수는 3, 5, 7이다.

답 3, 5, 7

287

(1) 각 항의 역수를 구하면

$$\frac{1}{6},\ \frac{1}{3},\ \frac{1}{2},\ \frac{2}{3},\ \cdots$$

즉 수열 $\left\{\dfrac{1}{a_n}\right\}$은 첫째항이 $\dfrac{1}{6}$, 공차가 $\dfrac{1}{3}-\dfrac{1}{6}=\dfrac{1}{6}$

인 등차수열이므로 일반항 $\dfrac{1}{a_n}$은

$$\frac{1}{a_n}=\frac{1}{6}+\frac{1}{6}(n-1)=\frac{n}{6}$$

따라서 수열 $\{a_n\}$의 일반항 a_n은 $a_n=\dfrac{6}{n}$이므로

$$a_{10}=\frac{6}{10}=\frac{3}{5}$$

(2) 각 항의 역수를 구하면

$$\frac{1}{5},\ \frac{3}{10},\ \frac{2}{5},\ \frac{1}{2},\ \cdots$$

즉 수열 $\left\{\dfrac{1}{a_n}\right\}$은 첫째항이 $\dfrac{1}{5}$, 공차가

$\dfrac{3}{10}-\dfrac{1}{5}=\dfrac{1}{10}$인 등차수열이므로 일반항 $\dfrac{1}{a_n}$은

$$\frac{1}{a_n}=\frac{1}{5}+\frac{1}{10}(n-1)=\frac{n+1}{10}$$

따라서 수열 $\{a_n\}$의 일반항 a_n은 $a_n=\dfrac{10}{n+1}$이므로

$$a_{10}=\frac{10}{11}$$

답 (1) $\dfrac{3}{5}$ (2) $\dfrac{10}{11}$

288

$\dfrac{1}{15}$, x, y, z, $\dfrac{1}{5}$이 이 순서대로 조화수열을 이루므로

각 항의 역수 15, $\dfrac{1}{x}$, $\dfrac{1}{y}$, $\dfrac{1}{z}$, 5는 이 순서대로 등차수

열을 이룬다. 공차를 d라 하면

$5=15+4d$ $\quad\therefore d=-\dfrac{5}{2}$

$\therefore \dfrac{1}{x}=15-\dfrac{5}{2}=\dfrac{25}{2},$

$\dfrac{1}{y}=\dfrac{25}{2}-\dfrac{5}{2}=10,$

$\dfrac{1}{z}=10-\dfrac{5}{2}=\dfrac{15}{2}$

$\therefore \dfrac{1}{x}+\dfrac{1}{y}+\dfrac{1}{z}=30$

답 30

289

등차수열의 첫째항부터 제 n 항까지의 합을 S_n이라 하면

(1) $S_{20}=\dfrac{20(2+18)}{2}=200$

(2) $S_8=\dfrac{8(-2+15)}{2}=52$

(3) $S_{10}=\dfrac{10\{2\cdot1+(10-1)\cdot2\}}{2}=100$

(4) $S_{15}=\dfrac{15\{2\cdot(-3)+(15-1)\cdot(-5)\}}{2}=-570$

(5) $S_{11}=\dfrac{11\left\{2\cdot\dfrac{1}{2}+(11-1)\cdot\left(-\dfrac{3}{2}\right)\right\}}{2}=-77$

(6) 끝항 20을 제 n 항이라 하면

$-10+2(n-1)=20$ $\quad\therefore n=16$

$\therefore S_{16}=\dfrac{16(-10+20)}{2}=80$

답 (1) 200 (2) 52 (3) 100
(4) −570 (5) −77 (6) 80

290

등차수열의 첫째항부터 제 n 항까지의 합을 S_n이라 하면

(1) 첫째항이 1, 공차가 $2-1=1$이므로 10을 제 n 항이라 하면

$a_n=1+(n-1)=10$ $\quad \therefore n=10$

$\therefore S_{10}=\dfrac{10(1+10)}{2}=55$

(2) 첫째항이 1, 공차가 $3-1=2$이므로 23을 제 n 항이라 하면

$a_n=1+2(n-1)=23$

$2n-1=23$ $\quad \therefore n=12$

$\therefore S_{12}=\dfrac{12(1+23)}{2}=144$

(3) 첫째항이 -12, 공차가 $-9+12=3$이므로 15를 제 n 항이라 하면

$a_n=-12+3(n-1)=15$

$3n-15=15$ $\quad \therefore n=10$

$\therefore S_{10}=\dfrac{10(-12+15)}{2}=15$

(4) 첫째항이 15, 공차가 $11-15=-4$이므로 -41을 제 n 항이라 하면

$a_n=15-4(n-1)=-41$

$-4n+19=-41$ $\quad \therefore n=15$

$\therefore S_{15}=\dfrac{15\{15+(-41)\}}{2}=-195$

(5) 첫째항이 $\dfrac{1}{2}$, 공차가 $1-\dfrac{1}{2}=\dfrac{1}{2}$이므로 10을 제 n 항이라 하면

$a_n=\dfrac{1}{2}+\dfrac{1}{2}(n-1)=10$

$\dfrac{n}{2}=10$ $\quad \therefore n=20$

$\therefore S_{20}=\dfrac{20\left(\dfrac{1}{2}+10\right)}{2}=105$

(6) 첫째항이 $-\dfrac{1}{3}$, 공차가 $-\dfrac{2}{3}+\dfrac{1}{3}=-\dfrac{1}{3}$이므로 -5를 제 n 항이라 하면

$a_n=-\dfrac{1}{3}-\dfrac{1}{3}(n-1)=-5$

$-\dfrac{1}{3}n=-5$ $\quad \therefore n=15$

$\therefore S_{15}=\dfrac{15\left\{-\dfrac{1}{3}+(-5)\right\}}{2}=-40$

답 (1) **55** (2) **144** (3) **15**
(4) **-195** (5) **105** (6) **-40**

291

첫째항이 50, 끝항이 -10, 항수가 n인 등차수열의 합이 220이므로

$\dfrac{n(50-10)}{2}=220$

$20n=220$ $\quad \therefore n=11$

즉 제 11 항이 -10이므로 공차를 d라 하면

$50+10d=-10$ $\quad \therefore d=-6$

따라서 주어진 등차수열의 제 10 항 a_{10}은

$a_{10}=50+9\cdot(-6)=-4$

답 **-4**

292

첫째항이 -5, 끝항이 15, 항수가 $n+2$인 등차수열의 합이 100이므로

$\dfrac{(n+2)(-5+15)}{2}=100$

$5(n+2)=100$ $\quad \therefore n=18$

따라서 15는 제 20 항이므로

$-5+19d=15$ $\quad \therefore d=\dfrac{20}{19}$

답 $n=18, d=\dfrac{20}{19}$

293

첫째항을 a, 공차를 d라 하면

$S_8=\dfrac{8\{2a+(8-1)d\}}{2}=104$

$\therefore 2a+7d=26$ $\qquad \cdots\cdots \ \unicode{x24BF}$

$S_{16}-S_8=\dfrac{16\{2a+(16-1)d\}}{2}-104=360$

$\therefore 2a+15d=58$ $\qquad \cdots\cdots \ \unicode{x24C1}$

$\unicode{x24BF}$, $\unicode{x24C1}$을 연립하여 풀면 $a=-1$, $d=4$

따라서 제17항부터 제24항까지의 합은
$$S_{24}-S_{16}=\frac{24\{-2+(24-1)\cdot4\}}{2}-464$$
$$=1080-464=616$$

답 616

294

일반항 a_n은
$$a_n=-29+(n-1)\cdot4=4n-33$$
$a_n=4n-33<0$이 되는 n의 최댓값은 8이므로 첫째항부터 제8항까지의 합이 최소가 된다.
$$\therefore S_8=\frac{8\{2\cdot(-29)+7\cdot4\}}{2}=-120$$

답 제8항, 최솟값 : -120

다른풀이 첫째항부터 제n항까지의 합을 S_n이라 하면
$$S_n=\frac{n\{2\cdot(-29)+(n-1)\cdot4\}}{2}$$
$$=2n^2-31n$$
$$=2\left(n-\frac{31}{4}\right)^2-\frac{961}{8}$$
n이 $\frac{31}{4}$에 가장 가까운 자연수일 때 S_n은 최소가 되므로 $n=8$일 때 최솟값은 $2\cdot8^2-31\cdot8=-120$이다.

295

100과 200 사이에 있는 자연수 중에서 5로 나누었을 때 나머지가 2인 수를 작은 것부터 순서대로 나열하면
$$102, 107, 112, \cdots, 197$$
이것은 첫째항이 102, 공차가 5인 등차수열이므로 197을 제n항이라 하면
$$197=102+5(n-1)$$
$$\therefore n=20$$
즉 197은 제20항이다.
따라서 첫째항이 102, 끝항이 197, 항수가 20인 등차수열의 합을 구하면
$$\frac{20(102+197)}{2}=2990$$

답 2990

296

(i) 2의 배수의 합을 $S_{(2)}$라 하면

$$S_{(2)}=2+4+\cdots+100$$
이것은 첫째항이 2, 끝항이 100, 항수가 50인 등차수열의 합이므로
$$S_{(2)}=\frac{50(2+100)}{2}=2550$$

(ii) 3의 배수의 합을 $S_{(3)}$이라 하면
$$S_{(3)}=3+6+\cdots+99$$
이것은 첫째항이 3, 끝항이 99, 항수가 33인 등차수열의 합이므로
$$S_{(3)}=\frac{33(3+99)}{2}=1683$$

(iii) 2와 3의 최소공배수인 6의 배수의 합을 $S_{(6)}$이라 하면
$$S_{(6)}=6+12+\cdots+96$$
이것은 첫째항이 6, 끝항이 96, 항수가 16인 등차수열의 합이므로
$$S_{(6)}=\frac{16(6+96)}{2}=816$$

따라서 2 또는 3의 배수의 총합 S는
$$S=S_{(2)}+S_{(3)}-S_{(6)}$$
$$=2550+1683-816=3417$$

답 3417

297

$$a_n=S_n-S_{n-1}$$
$$=(2n^2-3n)-\{2(n-1)^2-3(n-1)\}$$
$$=4n-5\ (n\geq2)$$
그런데 S_n에서 상수항이 0이므로 이 수열은 첫째항부터 등차수열을 이룬다.
$$\therefore a_n=4n-5$$
$$\therefore a_{10}=35$$

답 35

다른풀이 $a_n=S_n-S_{n-1}\ (n\geq2)$이므로
$$a_{10}=S_{10}-S_9$$
$$=(2\cdot10^2-3\cdot10)-(2\cdot9^2-3\cdot9)$$
$$=170-135=35$$

298

$S_n=n^2-2n+3$이므로

$a_1 = S_1 = 1^2 - 2 \cdot 1 + 3 = 2$

$a_{10} = S_{10} - S_9$

$\quad = (10^2 - 2 \cdot 10 + 3) - (9^2 - 2 \cdot 9 + 3) = 17$

$\therefore a_1 + a_{10} = 2 + 17 = 19$

답 19

299

$n = 1$일 때 삼각형 $PF'F$의 세 변 위에 있는 점 중에서 x좌표와 y좌표가 모두 정수인 점은 $(-1, 0)$, $(0, 0)$, $(0, 1)$, $(1, 0)$의 4개이므로

$a_1 = 4$

$n = 2$일 때 삼각형 $PF'F$의 세 변 위에 있는 점 중에서 x좌표와 y좌표가 모두 정수인 점은 $(-2, 0)$, $(-1, 0)$, $(0, 0)$, $(1, 0)$, $(2, 0)$, $(-1, 1)$, $(1, 1)$, $(0, 2)$의 8개이므로

$a_2 = 8$

$\quad \vdots$

즉 수열 $\{a_n\}$은 첫째항이 4, 공차가 4인 등차수열이므로 첫째항부터 제 5 항까지의 합은

$$\frac{5\{2 \cdot 4 + (5-1) \cdot 4\}}{2} = 60$$

답 60

300

$a_n = a_1 + 2(n-1) = 2n + a_1 - 2$

이때 수열 $a_1 + a_2$, $a_2 + a_3$, $a_3 + a_4$, $\cdots$의 일반항은

$a_n + a_{n+1} = (2n + a_1 - 2) + \{2(n+1) + a_1 - 2\}$

$\qquad\qquad = 4n + 2a_1 - 2$

따라서 등차수열 $\{a_n + a_{n+1}\}$의 공차는 4이다.

답 4

참고 수열 $\{a_n\}$의 첫째항을 a라 하고 각 항을 나열해 보면

a, $a+2$, $a+4$, $a+6$, $\cdots$

수열 $\{a_n + a_{n+1}\}$의 각 항을 나열해 보면

$2a+2$, $2a+6$, $2a+10$, $2a+14$, $\cdots$

따라서 수열 $\{a_n + a_{n+1}\}$은 첫째항이 $2a+2$, 공차가 4인 등차수열이다.

301

수열 $\{a_n\}$의 공차를 d라 하면

수열 $\{3a_{n+1} - a_n\}$의 공차는

$3d - d = 2d = 6$

$\therefore d = 3$

즉 수열 $\{a_n\}$은 첫째항이 2, 공차가 3인 등차수열이므로

$a_n = 2 + 3(n-1) = 3n - 1$

$a_k > 100$에서 $3k - 1 > 100$

$\therefore k > \dfrac{101}{3} = 33.\times\times\times$

따라서 $a_k > 100$을 만족시키는 자연수 k의 최솟값은 34이다.

답 34

302

(1) $-2 \div 1 = -2$에서 공비가 -2이므로 주어진 수열은 1, -2, $\boxed{4}$, -8, $\boxed{16}$

(2) $\dfrac{1}{32} \div \dfrac{1}{16} = \dfrac{1}{2}$에서 공비가 $\dfrac{1}{2}$이므로 주어진 수열은 $\dfrac{1}{2}$, $\boxed{\dfrac{1}{4}}$, $\boxed{\dfrac{1}{8}}$, $\dfrac{1}{16}$, $\dfrac{1}{32}$

(3) $-54 \div 18 = -3$에서 공비가 -3이므로 주어진 수열은 $\boxed{2}$, $\boxed{-6}$, 18, -54

(4) $-1 \div \sqrt{2} = -\dfrac{1}{\sqrt{2}} = -\dfrac{\sqrt{2}}{2}$에서 공비가 $-\dfrac{\sqrt{2}}{2}$이므로 주어진 수열은 $\sqrt{2}$, -1, $\dfrac{\sqrt{2}}{2}$, $\boxed{-\dfrac{1}{2}}$, $\boxed{\dfrac{\sqrt{2}}{4}}$

(5) $1 \div (\sqrt{2} - 1) = \dfrac{1}{\sqrt{2} - 1} = \sqrt{2} + 1$에서 공비가 $\sqrt{2} + 1$이므로 주어진 수열은 $\sqrt{2} - 1$, 1, $\sqrt{2} + 1$, $\boxed{3 + 2\sqrt{2}}$

답 (1) 4, 16   (2) $\dfrac{1}{4}$, $\dfrac{1}{8}$ (3) 2, −6
(4) $-\dfrac{1}{2}$, $\dfrac{\sqrt{2}}{4}$ (5) $3 + 2\sqrt{2}$

303

(1) 첫째항이 1, 공비가 $2 \div 1 = 2$이므로

$a_n = 1 \cdot 2^{n-1} = 2^{n-1}$

(2) 첫째항이 4, 공비가 $-4 \div 4 = -1$이므로

$$a_n = 4 \cdot (-1)^{n-1}$$

(3) 첫째항이 3, 공비가 $-1 \div 3 = -\dfrac{1}{3}$이므로

$$a_n = 3 \cdot \left(-\dfrac{1}{3}\right)^{n-1}$$

(4) 첫째항이 -2, 공비가 $3 \div (-2) = -\dfrac{3}{2}$이므로

$$a_n = -2 \cdot \left(-\dfrac{3}{2}\right)^{n-1}$$

(5) 첫째항이 2, 공비가 $2\sqrt{3} \div 2 = \sqrt{3}$이므로

$$a_n = 2 \cdot (\sqrt{3})^{n-1}$$

답 (1) $\boldsymbol{a_n = 2^{n-1}}$ (2) $\boldsymbol{a_n = 4 \cdot (-1)^{n-1}}$

$(3)\ \boldsymbol{a_n = 3 \cdot \left(-\dfrac{1}{3}\right)^{n-1}}$

$(4)\ \boldsymbol{a_n = -2 \cdot \left(-\dfrac{3}{2}\right)^{n-1}}$

$(5)\ \boldsymbol{a_n = 2 \cdot (\sqrt{3})^{n-1}}$

304

첫째항을 a_1, 공비를 r라 하면

(1) $a_1 = 2 \cdot 3^0 = 2$, $r = \dfrac{a_2}{a_1} = \dfrac{2 \cdot 3^1}{2 \cdot 3^0} = 3$

(2) $a_1 = \left(\dfrac{1}{2}\right)^0 = 1$, $r = \dfrac{a_2}{a_1} = \dfrac{\left(\dfrac{1}{2}\right)^1}{\left(\dfrac{1}{2}\right)^0} = \dfrac{1}{2}$

(3) $a_1 = (-2)^1 = -2$, $r = \dfrac{a_2}{a_1} = \dfrac{(-2)^2}{(-2)^1} = -2$

(4) $a_1 = 3 \cdot \left(\dfrac{1}{2}\right)^2 = \dfrac{3}{4}$

$r = \dfrac{a_2}{a_1} = \dfrac{3 \cdot \left(\dfrac{1}{2}\right)^4}{3 \cdot \left(\dfrac{1}{2}\right)^2} = \left(\dfrac{1}{2}\right)^2 = \dfrac{1}{4}$

(5) $a_1 = 4^{-1} = \dfrac{1}{4}$, $r = \dfrac{a_2}{a_1} = \dfrac{4^{-3}}{4^{-1}} = 4^{-2} = \dfrac{1}{16}$

답 (1) 첫째항 : 2, 공비 : 3

(2) 첫째항 : 1, 공비 : $\dfrac{1}{2}$

(3) 첫째항 : -2, 공비 : -2

(4) 첫째항 : $\dfrac{3}{4}$, 공비 : $\dfrac{1}{4}$

(5) 첫째항 : $\dfrac{1}{4}$, 공비 : $\dfrac{1}{16}$

305

$a_n = 2^{2-n}$에서

$$a_1 = 2^{2-1} = 2,\ a_2 = 2^{2-2} = 1$$

$$\therefore\ (\text{공비}) = \dfrac{a_2}{a_1} = \dfrac{1}{2}$$

답 첫째항 : 2, 공비 : $\dfrac{1}{2}$

306

공비를 r라 하면 제 4 항이 -8이므로

$$a_1 r^3 = -8 \qquad\qquad \cdots\cdots \text{㉠}$$

제 7 항이 64이므로

$$a_1 r^6 = 64 \qquad\qquad \cdots\cdots \text{㉡}$$

㉡ $\div$ ㉠을 하면 $r^3 = -8$ $\therefore\ r = -2$

$r = -2$를 ㉠에 대입하면 $a_1 = 1$

$$\therefore\ a_n = 1 \cdot (-2)^{n-1} = (-2)^{n-1}$$

$$\therefore\ a_5 = (-2)^{5-1} = (-2)^4 = 16$$

답 $\boldsymbol{a_n = (-2)^{n-1}}$, $\boldsymbol{a_5 = 16}$

307

첫째항을 a, 공비를 r라 하면

$$a_1 - a_4 = a - ar^3 = a(1-r^3) = 56 \qquad \cdots\cdots \text{㉠}$$

$$a_1 + a_2 + a_3 = a + ar + ar^2 = a(1+r+r^2)$$

$$\qquad\qquad = 14 \qquad\qquad \cdots\cdots \text{㉡}$$

㉠ $\div$ ㉡을 하면

$$\dfrac{a(1-r^3)}{a(1+r+r^2)} = \dfrac{a(1-r)(1+r+r^2)}{a(1+r+r^2)} = \dfrac{56}{14}$$

$$1 - r = 4 \qquad \therefore\ r = -3$$

㉡에서 $a(1-3+9) = 14$ $\therefore\ a = 2$

$$\therefore\ a_5 = ar^4 = 2 \cdot (-3)^4 = 162$$

답 162

308

첫째항이 1, 공비가 -4이므로 -1024를 제 n 항이라 하면

$$1 \cdot (-4)^{n-1} = -1024 = (-4)^5$$

$$n - 1 = 5 \qquad \therefore\ n = 6$$

따라서 −1024는 제6항이다.

답 제6항

309

첫째항을 a라 하면 제2항이 6이므로

$a \cdot 3 = 6$ ∴ $a = 2$

∴ $a_n = 2 \cdot 3^{n-1}$

a_n이 10000보다 크려면

$2 \cdot 3^{n-1} > 10000$ ∴ $3^{n-1} > 5000$

양변에 상용로그를 취하면

$\log 3^{n-1} > \log 5000$, $(n-1)\log 3 > \log 5000$

$n - 1 > \dfrac{\log 5 + 3}{\log 3} = \dfrac{\log \dfrac{10}{2} + 3}{\log 3} = \dfrac{4 - \log 2}{\log 3}$

$\qquad = 7.\times\times\times$

∴ $n > 8.\times\times\times$

따라서 처음으로 10000보다 커지는 항은 제9항이다.

답 제9항

310

공비를 r라 하면 첫째항은 3이고 729는 제6항이므로

$729 = 3r^5$, $r^5 = 243$ ∴ $r = 3$

이때 a_2, a_4는 각각 제3항, 제5항이므로

$a_2 + a_4 = 3r^2 + 3r^4$

$\qquad\quad = 3 \cdot 3^2 + 3 \cdot 3^4 = 270$

답 270

311

나머지정리에 의하여 $f(x) = x^2 + 2x + a$를 $x + 1$,

$x - 1$, $x - 2$로 나누었을 때의 나머지는 각각

$f(-1) = a - 1, f(1) = a + 3, f(2) = a + 8$

$f(-1)$, $f(1)$, $f(2)$가 이 순서대로 등비수열을 이루

면 $f(1)$은 $f(-1)$과 $f(2)$의 등비중항이므로

$\{f(1)\}^2 = f(-1)f(2)$

$(a+3)^2 = (a-1)(a+8)$

$a^2 + 6a + 9 = a^2 + 7a - 8$

∴ $a = 17$

따라서 $f(x) = x^2 + 2x + 17$을 $x + 2$로 나누었을 때의

나머지는

$f(-2) = (-2)^2 + 2 \cdot (-2) + 17 = 17$

답 17

312

2, a, b가 이 순서대로 등비수열을 이루므로

$a^2 = 2b$ ……㉠

a, b, 30이 이 순서대로 등차수열을 이루므로

$2b = a + 30$ ……㉡

㉡을 ㉠에 대입하면

$a^2 = a + 30$, $a^2 - a - 30 = 0$

$(a+5)(a-6) = 0$ ∴ $a = -5$ 또는 $a = 6$

그런데 a, b는 양수이므로

$a = 6$, $b = 18$ ∴ $b - a = 12$

답 12

313

세 실수가 등비수열을 이루므로 세 수를 차례대로

a, ar, ar^2이라 하면

세 실수의 합이 $\dfrac{3}{2}$이므로

$a + ar + ar^2 = a(1 + r + r^2) = \dfrac{3}{2}$ ……㉠

세 실수의 곱이 −1이므로

$a \cdot ar \cdot ar^2 = (ar)^3 = -1$

∴ $ar = -1$ ……㉡

㉠÷㉡을 하면

$\dfrac{a(1 + r + r^2)}{ar} = \dfrac{1 + r + r^2}{r} = -\dfrac{3}{2}$

$2(1 + r + r^2) = -3r$, $2r^2 + 5r + 2 = 0$

$(2r+1)(r+2) = 0$

∴ $r = -\dfrac{1}{2}$ 또는 $r = -2$

$r = -\dfrac{1}{2}$이면 $a = 2$

$r = -2$이면 $a = \dfrac{1}{2}$

따라서 등비수열을 이루는 세 실수는 2, -1, $\dfrac{1}{2}$이다.

답 2, -1, $\dfrac{1}{2}$

314

$x^3-2x^2+x=k$에서 $x^3-2x^2+x-k=0$ ...... ㉠

㉠의 세 근을 a, ar, ar^2이라 하면 근과 계수의 관계에 의하여

$a+ar+ar^2=2$

$\therefore a(1+r+r^2)=2$ ...... ㉡

$a^2r+a^2r^2+a^2r^3=1$

$\therefore a^2r(1+r+r^2)=1$ ...... ㉢

$a\cdot ar\cdot ar^2=k$ $\quad\therefore (ar)^3=k$ ...... ㉣

㉢÷㉡을 하면 $ar=\dfrac{1}{2}$

이것을 ㉣에 대입하면 $k=(ar)^3=\left(\dfrac{1}{2}\right)^3=\dfrac{1}{8}$

답 $\dfrac{1}{8}$

315

정사각형 $A_nB_nC_nD_n$의 한 변의 길이를 l_n이라 하면 정사각형 $ABCD$의 각 변의 중점을 이어서 만든 정사각형 $A_1B_1C_1D_1$의 한 변의 길이 l_1은

$l_1=4\cdot\dfrac{1}{\sqrt{2}}$

정사각형 $A_1B_1C_1D_1$의 각 변의 중점을 이어서 만든 정사각형 $A_2B_2C_2D_2$의 한 변의 길이 l_2는

$l_2=l_1\cdot\dfrac{1}{\sqrt{2}}=\left(4\cdot\dfrac{1}{\sqrt{2}}\right)\cdot\dfrac{1}{\sqrt{2}}=4\cdot\left(\dfrac{1}{\sqrt{2}}\right)^2$

$\quad\vdots$

즉 수열 $\{l_n\}$은 첫째항이 $4\cdot\dfrac{1}{\sqrt{2}}$, 공비가 $\dfrac{1}{\sqrt{2}}$인 등비수열이므로

$l_n=4\cdot\dfrac{1}{\sqrt{2}}\cdot\left(\dfrac{1}{\sqrt{2}}\right)^{n-1}=4\cdot\left(\dfrac{1}{\sqrt{2}}\right)^n$

따라서 정사각형 $A_{10}B_{10}C_{10}D_{10}$의 한 변의 길이 l_{10}은

$l_{10}=4\cdot\left(\dfrac{1}{\sqrt{2}}\right)^{10}=\dfrac{1}{8}$

이므로 정사각형 $A_{10}B_{10}C_{10}D_{10}$의 둘레의 길이는

$4\cdot\dfrac{1}{8}=\dfrac{1}{2}$

답 $\dfrac{1}{2}$

316

(1) $S_5=\dfrac{2(3^5-1)}{3-1}=243-1=242$

(2) $S_5=\dfrac{\sqrt{2}\cdot\{(\sqrt{2})^5-1\}}{\sqrt{2}-1}=(\sqrt{2}+1)(8-\sqrt{2})$

$\qquad=6+7\sqrt{2}$

(3) $S_5=\dfrac{1\cdot\{1-(-3)^5\}}{1-(-3)}=\dfrac{244}{4}=61$

(4) $S_5=\dfrac{\dfrac{1}{2}\cdot\{1-(-2)^5\}}{1-(-2)}=\dfrac{1}{2}\cdot\dfrac{33}{3}=\dfrac{11}{2}$

(5) $S_5=\dfrac{-2\cdot\left\{1-\left(\dfrac{1}{2}\right)^5\right\}}{1-\dfrac{1}{2}}=-4\cdot\dfrac{31}{32}=-\dfrac{31}{8}$

답 (1) **242** (2) $6+7\sqrt{2}$

(3) **61** (4) $\dfrac{11}{2}$ (5) $-\dfrac{31}{8}$

317

첫째항을 a, 공비를 r, 첫째항부터 제n항까지의 합을 S_n이라 하면

(1) $a=1$, $r=3$이므로

$S_n=\dfrac{1\cdot(3^n-1)}{3-1}=\dfrac{3^n-1}{2}$

(2) $S_n=2+2+\cdots+2=2n$

(3) $a=\dfrac{1}{2}$, $r=-1$이므로

$S_n=\dfrac{\dfrac{1}{2}\cdot\{1-(-1)^n\}}{1-(-1)}=\dfrac{1-(-1)^n}{4}$

(4) $a=1$, $r=-2$이므로

$S_n=\dfrac{1\cdot\{1-(-2)^n\}}{1-(-2)}=\dfrac{1-(-2)^n}{3}$

(5) $a=0.1$, $r=0.1$이므로

$S_n=\dfrac{0.1\cdot(1-0.1^n)}{1-0.1}=\dfrac{1}{9}\left\{1-\left(\dfrac{1}{10}\right)^n\right\}$

답 (1) $\dfrac{3^n-1}{2}$ (2) $2n$ (3) $\dfrac{1-(-1)^n}{4}$

(4) $\dfrac{1-(-2)^n}{3}$ (5) $\dfrac{1}{9}\left\{1-\left(\dfrac{1}{10}\right)^n\right\}$

318

첫째항을 a, 공비를 r, 첫째항부터 제 n 항까지의 합을 S_n이라 하면

(1) $a=1$, $r=2$이므로 256을 제 n 항이라 하면

$1 \cdot 2^{n-1}=256$ $\therefore n=9$

$\therefore S_9 = \dfrac{1 \cdot (2^9-1)}{2-1} = 2^9-1 = 511$

(2) $a=\dfrac{1}{2}$, $r=\dfrac{1}{2}$이므로 $\left(\dfrac{1}{2}\right)^{10}$을 제 n 항이라 하면

$\dfrac{1}{2} \cdot \left(\dfrac{1}{2}\right)^{n-1} = \left(\dfrac{1}{2}\right)^n = \left(\dfrac{1}{2}\right)^{10}$ $\therefore n=10$

$\therefore S_{10} = \dfrac{\dfrac{1}{2}\left\{1-\left(\dfrac{1}{2}\right)^{10}\right\}}{1-\dfrac{1}{2}} = 1-\left(\dfrac{1}{2}\right)^{10} = \dfrac{1023}{1024}$

(3) $a=\dfrac{2}{3}$, $r=-\dfrac{1}{3}$이고 $\dfrac{2}{243}$는 제 5 항이므로

$S_5 = \dfrac{\dfrac{2}{3}\left\{1-\left(-\dfrac{1}{3}\right)^5\right\}}{1-\left(-\dfrac{1}{3}\right)} = \dfrac{1}{2}\left\{1-\left(-\dfrac{1}{3}\right)^5\right\}$

$\qquad = \dfrac{122}{243}$

(4) $a=5$, $r=2$이므로 160을 제 n 항이라 하면

$5 \cdot 2^{n-1}=160$ $\therefore n=6$

$\therefore S_6 = \dfrac{5(2^6-1)}{2-1} = 315$

(5) $\log_2 4 + \log_2 4^3 + \log_2 4^9 + \log_2 4^{27} + \log_2 4^{81}$

$\quad = \log_2 2^2 + \log_2 2^6 + \log_2 2^{18} + \log_2 2^{54} + \log_2 2^{162}$

$\quad = 2+6+18+54+162$

에서 $a=2$, $r=3$이고 162는 제 5 항이므로

$S_5 = \dfrac{2(3^5-1)}{3-1} = 242$

답 (1) 511 (2) $\dfrac{1023}{1024}$ (3) $\dfrac{122}{243}$

(4) 315 (5) 242

319

공비를 r라 하면

$a_4 = a_1 r^3 = 2r^3 = -54$

$r^3 = -27$ $\therefore r=-3$

$\therefore S_{10} = \dfrac{2 \cdot \{1-(-3)^{10}\}}{1-(-3)} = \dfrac{1-3^{10}}{2}$

답 $\dfrac{1-3^{10}}{2}$

320

첫째항을 a, 공비를 r, 첫째항부터 제 n 항까지의 합을 S_n이라 하면

$a_1 + a_3 = a + ar^2 = a(1+r^2) = -10$ …… ㉠

이때 $r=1$이면 $a=-5$

이것은 $S_4=20$을 만족시키지 않으므로 $r \neq 1$

$S_4 = \dfrac{a(1-r^4)}{1-r} = \dfrac{a(1+r^2)(1+r)(1-r)}{1-r}$

$\quad = a(1+r^2)(1+r) = 20$ …… ㉡

㉡÷㉠을 하면 $1+r=-2$

$\therefore r=-3$

이것을 ㉠에 대입하면

$a\{1+(-3)^2\} = -10$

$\therefore a=-1$

답 -1

321

첫째항이 x, 공비가 $(x+1)^2$이므로 첫째항부터 제 n 항까지의 합을 S_n이라 하면

$S_n = \dfrac{x[\{(x+1)^2\}^n-1]}{(x+1)^2-1}$

$\quad = \dfrac{x\{(x+1)^{2n}-1\}}{x^2+2x}$

$\quad = \dfrac{(x+1)^{2n}-1}{x+2}$ $(\because x>0)$

답 $\dfrac{(x+1)^{2n}-1}{x+2}$

322

첫째항을 a, 공비를 r, 첫째항부터 제 n 항까지의 합을 S_n이라 하면

$S_6 = \dfrac{a(1-r^6)}{1-r} = 4$ …… ㉠

$S_{12} = \dfrac{a(1-r^{12})}{1-r} = 12$ …… ㉡

©에서 $\dfrac{a(1-r^6)(1+r^6)}{1-r}=12$

이 식에 ㉠을 대입하면

$1+r^6=3$ ∴ $r^6=2$

∴ $S_{18}=\dfrac{a(1-r^{18})}{1-r}$

$\quad=\dfrac{a(1-r^6)(1+r^6+r^{12})}{1-r}$

$\quad=\dfrac{a(1-r^6)}{1-r}\cdot(1+r^6+r^{12})$

$\quad=4(1+r^6+r^{12})\ (\because ㉠)$

$\quad=4(1+2+2^2)$

$\quad=28$

답 28

다른풀이 $S_6=4,\ S_{12}-S_6=r^6S_6$이므로 $4r^6=8$

∴ $r^6=2$

이때 $S_{18}-S_{12}=r^{12}S_6$이므로

$S_{18}=S_{12}+r^{12}S_6=(r^6+1)S_6+r^{12}S_6$

$\quad=(r^{12}+r^6+1)S_6=(2^2+2+1)\cdot4$

$\quad=7\cdot4=28$

323

첫째항을 a, 공비를 r라 하면 첫째항부터 제 10 항까지의 합은

$\dfrac{a(1-r^{10})}{1-r}=2$ ······ ㉠

제 21 항부터 제 30 항까지의 합은 첫째항이 $a_{21}=ar^{20}$, 공비가 r인 등비수열의 첫째항부터 제 10 항까지의 합과 같으므로

$\dfrac{ar^{20}(1-r^{10})}{1-r}=8$ ······ ㉡

㉠을 ㉡에 대입하면 $2r^{20}=8,\ r^{20}=4$

∴ $r^{10}=2\ (\because r$는 실수$)$

따라서 제 11 항부터 제 20 항까지의 합은 첫째항이 $a_{11}=ar^{10}$, 공비가 r인 등비수열의 첫째항부터 제 10 항까지의 합과 같으므로

$\dfrac{ar^{10}(1-r^{10})}{1-r}=\dfrac{a(1-r^{10})}{1-r}\cdot r^{10}=2\cdot2=4$

답 4

324

첫째항을 a, 공비를 r라 하면

$a_2=ar=4$ ······ ㉠

$a_5=ar^4=32$ ······ ㉡

㉡÷㉠을 하면 $r^3=8$ ∴ $r=2$

$r=2$를 ㉠에 대입하면 $2a=4$ ∴ $a=2$

따라서 첫째항부터 제 n 항까지의 합을 S_n이라 하면

$S_n=\dfrac{2(2^n-1)}{2-1}=2^{n+1}-2$

$S_n>1000$에서 $2^{n+1}-2>1000$

∴ $2^{n+1}>1002$

이때 $2^9=512,\ 2^{10}=1024$이므로

$n+1\geq10$ ∴ $n\geq9$

따라서 첫째항부터 제 9 항까지의 합이 처음으로 1000보다 커진다.

답 제 9 항

325

$\log_3(S_n+3)=n+1$에서 $S_n+3=3^{n+1}$

∴ $S_n=3^{n+1}-3$

$a_n=S_n-S_{n-1}=(3^{n+1}-3)-(3^n-3)$

$\quad=2\cdot3^n\ (n\geq2)$

첫째항 $a_1=S_1=3^2-3=6$

이때 $a_1=6$은 위의 $a_n=2\cdot3^n$에 $n=1$을 대입한 것과 같다.

∴ $a_n=2\cdot3^n$

답 $a_n=2\cdot3^n$

326

$a_n=S_n-S_{n-1}=(2\cdot3^n+k)-(2\cdot3^{n-1}+k)$

$\quad=4\cdot3^{n-1}\ (n\geq2)$ ······ ㉠

첫째항 $a_1=S_1=2\cdot3+k=6+k$ ······ ㉡

수열 $\{a_n\}$이 첫째항부터 등비수열을 이루려면 ㉠에 $n=1$을 대입한 것과 ㉡이 같아야 하므로

$6+k=4$ ∴ $k=-2$

답 -2

다른풀이 $S_n=2\cdot3^n+k$에서 $2+k=0$

∴ $k=-2$

327

구하는 적립금의 원리합계를 S만 원이라 하면
$$S=1\times(1+0.05)+1\times(1+0.05)^2+$$
$$\cdots+1\times(1+0.05)^{10}$$
이므로 첫째항이 $1\times(1+0.05)$, 공비가 $1+0.05$인
등비수열의 첫째항부터 제10항까지의 합이다.
$$\therefore S=\frac{1\times(1+0.05)\{(1+0.05)^{10}-1\}}{(1+0.05)-1}$$
$$=\frac{1\times1.05(1.6-1)}{0.05}=12.6(만\ 원)$$
따라서 구하는 적립금의 원리합계는 12만 6000원이
다.

답 12만 6000원

328

매년 말에 10만 원씩 10년 동안 적립한 적립금의 원리
합계는 다음과 같다.

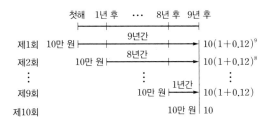

구하는 적립금의 원리합계를 S만 원이라 하면
$$S=10+10(1+0.12)+10(1+0.12)^2+$$
$$\cdots+10(1+0.12)^9$$
이므로 첫째항이 10, 공비가 $1+0.12$인 등비수열의
첫째항부터 제10항까지의 합이다.
$$\therefore S=\frac{10\{(1+0.12)^{10}-1\}}{(1+0.12)-1}$$
$$=\frac{10(3.1-1)}{0.12}=175(만\ 원)$$
따라서 구하는 적립금의 원리합계는 175만 원이다.

답 175만 원

329

매년 초에 적립해야 하는 금액을 a원이라 하면 10년
말까지의 적립금의 원리합계는

$$a(1+0.06)+a(1+0.06)^2+\cdots+a(1+0.06)^{10}$$
이므로 첫째항이 $a(1+0.06)$, 공비가 $1+0.06$인 등
비수열의 첫째항부터 제10항까지의 합이다.
따라서 원리합계가 100만 원이 되려면
$$\frac{a(1+0.06)\{(1+0.06)^{10}-1\}}{(1+0.06)-1}=10^6$$
$$\therefore a=\frac{10^6\times0.06}{1.06(1.06^{10}-1)}$$
$$=\frac{60000}{1.06(1.8-1)}=70754.\times\times\times$$
이때 백의 자리에서 반올림하므로 매년 7만 1000원씩
적립해야 한다.

답 7만 1000원

330

1000만 원의 20년 동안의 원리합계는
$$1000\times(1+0.07)^{20}$$
$$=1000\times3.87=3870(만\ 원)\qquad\cdots\cdots\ \bigcirc$$
또한 올해 말부터 매년 a만 원씩 적립할 때의 원리합계
는 다음과 같다.

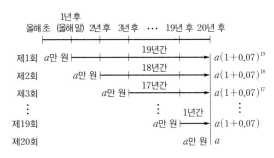

따라서 a만 원씩 20년 동안 적립할 때의 원리합계는
$$a+a(1+0.07)+a(1+0.07)^2+\cdots+a(1+0.07)^{19}$$
$$=\frac{a(1.07^{20}-1)}{1.07-1}=\frac{a(3.87-1)}{0.07}$$
$$=41a(만\ 원)$$
이것이 $\bigcirc$과 같아야 하므로
$$3870=41a\qquad\therefore a=\frac{3870}{41}=94.\times\times\times(만\ 원)$$
이때 만 원 미만은 버리므로 지현이가 매년 갚아야 할
금액은 94만 원이다.

답 94만 원

331

2억 원(20000만 원)을 20년 동안 예금할 때의 원리합계는

$$20000(1+0.05)^{20} = 20000 \times 1.05^{20}$$
$$= 20000 \times 2.6$$
$$= 52000(\text{만 원}) \quad \cdots\cdots \text{㉠}$$

또한 매년 지급받을 금액을 a만 원이라 하면
a만 원씩 20년 동안 적립할 때의 원리합계는

$$a+a(1+0.05)+\cdots+a(1+0.05)^{19}$$
$$= \frac{a\{(1+0.05)^{20}-1\}}{(1+0.05)-1} = \frac{a(2.6-1)}{0.05}$$
$$= 32a(\text{만 원})$$

이것이 ㉠과 같아야 하므로

$$32a=52000 \quad \therefore a=\frac{52000}{32}=1625(\text{만 원})$$

따라서 매년 말에 받을 금액은 1625만 원이다.

답 1625만 원

332

(1) 주어진 수열의 제 k 항을 a_k라 하면 $a_k=2k-1$

$$\therefore 1+3+5+\cdots+(2n-1)=\sum_{k=1}^{n}(2k-1)$$

(2) 주어진 수열의 제 k 항을 a_k라 하면 $a_k=2^k$

$$\therefore 2+4+8+\cdots+2^{n+1}=\sum_{k=1}^{n+1}2^k$$

(3) 주어진 수열의 제 k 항을 a_k라 하면 $a_k=\dfrac{1}{k+1}$

$$\therefore \frac{1}{2}+\frac{1}{3}+\frac{1}{4}+\cdots+\frac{1}{n+1}=\sum_{k=1}^{n}\frac{1}{k+1}$$

(4) 주어진 수열의 제 k 항을 a_k라 하면 첫째항이 2, 공차가 3인 등차수열이므로

$$a_k=2+3(k-1)=3k-1$$
$$3k-1=29\text{에서 } k=10$$
$$\therefore 2+5+8+\cdots+29=\sum_{k=1}^{10}(3k-1)$$

(5) 4를 5개 더했으므로

$$4+4+4+4+4=\sum_{k=1}^{5}4$$

(6) 주어진 수열의 제 k 항을 a_k라 하면 $a_k=k(k+1)$

$$10\cdot 11=k(k+1)\text{에서 } k=10$$
$$\therefore 1\cdot2+2\cdot3+3\cdot4+\cdots+10\cdot11=\sum_{k=1}^{10}k(k+1)$$

답 풀이 참조

333

(1) 일반항 $5k+1$에 $k=1, 2, 3, \cdots, 10$을 차례대로 대입하면

$$\sum_{k=1}^{10}(5k+1)$$
$$= (5\cdot1+1)+(5\cdot2+1)+(5\cdot3+1)+$$
$$\cdots+(5\cdot10+1)$$
$$= 6+11+16+\cdots+51$$

(2) 일반항 3^{i-1}에 $i=1, 2, 3, \cdots, 8$을 차례대로 대입하면

$$\sum_{i=1}^{8}3^{i-1}=3^{1-1}+3^{2-1}+3^{3-1}+\cdots+3^{8-1}$$
$$= 1+3+3^2+\cdots+3^7$$

(3) $\displaystyle\sum_{k=1}^{5}3=3+3+3+3+3$

(4) 일반항 $(-1)^n\cdot n$에 $n=1, 2, 3, \cdots, 7$을 차례대로 대입하면

$$\sum_{n=1}^{7}(-1)^n\cdot n$$
$$= (-1)\cdot1+(-1)^2\cdot2+(-1)^3\cdot3+$$
$$\cdots+(-1)^7\cdot7$$
$$= -1+2-3+4-5+6-7$$

(5) 일반항 2^k에 $k=3, 4, 5, \cdots, n$을 차례대로 대입하면

$$\sum_{k=3}^{n}2^k=2^3+2^4+2^5+\cdots+2^n$$

(6) 일반항 $\dfrac{1}{j(j+1)}$에 $j=1, 2, 3, \cdots, n$을 차례대로 대입하면

$$\sum_{j=1}^{n}\frac{1}{j(j+1)}$$
$$= \frac{1}{1\cdot2}+\frac{1}{2\cdot3}+\frac{1}{3\cdot4}+\cdots+\frac{1}{n(n+1)}$$

답 풀이 참조

334

(1) $\displaystyle\sum_{k=1}^{20}(4a_k-1)=4\sum_{k=1}^{20}a_k-\sum_{k=1}^{20}1$

$\qquad\qquad\qquad =4\cdot 10-1\cdot 20=20$

(2) $\displaystyle\sum_{k=1}^{20}(3a_k-2b_k)=3\sum_{k=1}^{20}a_k-2\sum_{k=1}^{20}b_k$

$\qquad\qquad\qquad\quad =3\cdot 10-2\cdot(-30)=90$

답 (1) 20 (2) 90

335

$\displaystyle\sum_{k=1}^{10}\frac{1}{k}-\sum_{k=1}^{9}\frac{1}{k+1}$

$=\left(1+\dfrac{1}{2}+\dfrac{1}{3}+\cdots+\dfrac{1}{10}\right)$

$\qquad\qquad -\left(\dfrac{1}{2}+\dfrac{1}{3}+\dfrac{1}{4}+\cdots+\dfrac{1}{10}\right)$

$=1$

답 1

336

$\displaystyle\sum_{k=1}^{10}(a_k+a_{k+1})$

$=(a_1+a_2)+(a_2+a_3)+(a_3+a_4)+$

$\qquad\qquad\qquad\cdots+(a_9+a_{10})+(a_{10}+a_{11})$

$=a_1+2(a_2+a_3+\cdots+a_{10})+a_{11}=30$ ...... ㉠

$\displaystyle\sum_{k=1}^{10}a_k=10$에서 $a_1+a_2+a_3+\cdots+a_{10}=10$

$\therefore a_2+a_3+\cdots+a_{10}=10-a_1$ ...... ㉡

㉡을 ㉠에 대입하면

$a_1+2(10-a_1)+a_{11}=30$, $-a_1+a_{11}=10$

이때 $a_1=1$이므로 $-1+a_{11}=10$

$\therefore a_{11}=11$

답 11

337

$\displaystyle\sum_{k=0}^{9}(2k+2)^2+\sum_{k=1}^{10}(2k-1)^2$

$=(2^2+4^2+6^2+\cdots+20^2)+(1^2+3^2+5^2+\cdots+19^2)$

$=1^2+2^2+3^2+\cdots+20^2=\displaystyle\sum_{k=1}^{20}k^2$

답 ②

338

$\displaystyle\sum_{k=1}^{10}(3a_k-1)^2-\sum_{k=1}^{10}(a_k+2)^2$

$=\displaystyle\sum_{k=1}^{10}\{(3a_k-1)^2-(a_k+2)^2\}$

$=\displaystyle\sum_{k=1}^{10}(8a_k^2-10a_k-3)$

$=8\displaystyle\sum_{k=1}^{10}a_k^2-10\sum_{k=1}^{10}a_k-\sum_{k=1}^{10}3$

$=8\cdot 15-10\cdot 5-3\cdot 10=40$

답 40

339

$\displaystyle\sum_{k=1}^{n}(a_k+b_k)^2=\sum_{k=1}^{n}(a_k^2+2a_kb_k+b_k^2)$

$\qquad\qquad\qquad =\displaystyle\sum_{k=1}^{n}(a_k^2+b_k^2)+2\sum_{k=1}^{n}a_kb_k$

이므로 $60=40+2\displaystyle\sum_{k=1}^{n}a_kb_k$

$\therefore \displaystyle\sum_{k=1}^{n}a_kb_k=10$

답 10

340

(1) $\displaystyle\sum_{k=1}^{n}3\cdot 2^k-\sum_{k=11}^{n}3\cdot 2^k=\sum_{k=1}^{10}3\cdot 2^k$

$\qquad\qquad\qquad\qquad\qquad =3\displaystyle\sum_{k=1}^{10}2^k$

$\qquad\qquad\qquad\qquad\qquad =3\cdot\dfrac{2(2^{10}-1)}{2-1}$

$\qquad\qquad\qquad\qquad\qquad =6(2^{10}-1)$

(2) $\displaystyle\sum_{k=1}^{10}\frac{5^k+(-3)^k}{4^k}$

$=\displaystyle\sum_{k=1}^{10}\left(\frac{5}{4}\right)^k+\sum_{k=1}^{10}\left(-\frac{3}{4}\right)^k$

$=\dfrac{\frac{5}{4}\left\{\left(\frac{5}{4}\right)^{10}-1\right\}}{\frac{5}{4}-1}+\dfrac{-\frac{3}{4}\left\{1-\left(-\frac{3}{4}\right)^{10}\right\}}{1-\left(-\frac{3}{4}\right)}$

$=5\left\{\left(\dfrac{5}{4}\right)^{10}-1\right\}-\dfrac{3}{7}\left\{1-\left(-\dfrac{3}{4}\right)^{10}\right\}$

$=5\cdot\left(\dfrac{5}{4}\right)^{10}-5-\dfrac{3}{7}+\dfrac{3}{7}\cdot\left(\dfrac{3}{4}\right)^{10}$

$$=5\cdot\left(\frac{5}{4}\right)^{10}+\frac{3}{7}\cdot\left(\frac{3}{4}\right)^{10}-\frac{38}{7}$$

답 (1) $6(2^{10}-1)$ (2) $5\cdot\left(\frac{5}{4}\right)^{10}+\frac{3}{7}\cdot\left(\frac{3}{4}\right)^{10}-\frac{38}{7}$

341

(1)
$$\sum_{k=1}^{10}(2k+1)=2\sum_{k=1}^{10}k+\sum_{k=1}^{10}1$$
$$=2\cdot\frac{10\cdot11}{2}+1\cdot10$$
$$=110+10=120$$

(2)
$$\sum_{k=1}^{8}(2k+1)(3k-1)$$
$$=\sum_{k=1}^{8}(6k^2+k-1)=6\sum_{k=1}^{8}k^2+\sum_{k=1}^{8}k-\sum_{k=1}^{8}1$$
$$=6\cdot\frac{8\cdot9\cdot17}{6}+\frac{8\cdot9}{2}-1\cdot8$$
$$=1224+36-8$$
$$=1252$$

(3)
$$\sum_{k=1}^{6}k(k^2+2)=\sum_{k=1}^{6}(k^3+2k)=\sum_{k=1}^{6}k^3+2\sum_{k=1}^{6}k$$
$$=\left(\frac{6\cdot7}{2}\right)^2+2\cdot\frac{6\cdot7}{2}$$
$$=441+42$$
$$=483$$

(4)
$$\sum_{k=1}^{5}(3^k+2k)=\sum_{k=1}^{5}3^k+2\sum_{k=1}^{5}k$$
$$=\frac{3(3^5-1)}{3-1}+2\cdot\frac{5\cdot6}{2}$$
$$=363+30$$
$$=393$$

(5)
$$\sum_{k=0}^{n}(3+4k)=3+\sum_{k=1}^{n}(3+4k)$$
$$=3+\sum_{k=1}^{n}3+4\sum_{k=1}^{n}k$$
$$=3+3n+4\cdot\frac{n(n+1)}{2}$$
$$=3+3n+2n(n+1)$$
$$=2n^2+5n+3$$

(6)
$$\sum_{k=1}^{n-1}(2k+3)$$
$$=2\sum_{k=1}^{n-1}k+\sum_{k=1}^{n-1}3=2\cdot\frac{(n-1)n}{2}+3(n-1)$$

$$=(n-1)n+3(n-1)=(n-1)(n+3)$$

(7)
$$\sum_{k=n+1}^{2n}k^2$$
$$=\sum_{k=1}^{2n}k^2-\sum_{k=1}^{n}k^2$$
$$=\frac{2n(2n+1)(4n+1)}{6}-\frac{n(n+1)(2n+1)}{6}$$
$$=\frac{1}{6}n(2n+1)\{2(4n+1)-(n+1)\}$$
$$=\frac{n(2n+1)(7n+1)}{6}$$

답 (1) **120** (2) **1252** (3) **483** (4) **393**
(5) $2n^2+5n+3$ (6) $(n-1)(n+3)$
(7) $\dfrac{n(2n+1)(7n+1)}{6}$

342

(1)
$$\sum_{k=1}^{5}(k+1)^3-\sum_{k=1}^{5}(k-1)^3$$
$$=\sum_{k=1}^{5}\{(k+1)^3-(k-1)^3\}$$
$$=\sum_{k=1}^{5}(6k^2+2)=6\sum_{k=1}^{5}k^2+\sum_{k=1}^{5}2$$
$$=6\cdot\frac{5\cdot6\cdot11}{6}+2\cdot5=330+10=340$$

(2)
$$\sum_{k=1}^{10}(k^2-k+1)+\sum_{i=1}^{10}(i^2+i-1)$$
$$=\sum_{k=1}^{10}(k^2-k+1)+\sum_{k=1}^{10}(k^2+k-1)$$
$$=\sum_{k=1}^{10}\{(k^2-k+1)+(k^2+k-1)\}$$
$$=\sum_{k=1}^{10}2k^2=2\sum_{k=1}^{10}k^2$$
$$=2\cdot\frac{10\cdot11\cdot21}{6}=770$$

(3)
$$\sum_{k=1}^{8}\frac{(k+1)^3}{k}+\sum_{n=1}^{8}\frac{(n-1)^3}{n}$$
$$=\sum_{k=1}^{8}\frac{(k+1)^3}{k}+\sum_{k=1}^{8}\frac{(k-1)^3}{k}$$
$$=\sum_{k=1}^{8}\left\{\frac{(k+1)^3}{k}+\frac{(k-1)^3}{k}\right\}$$
$$=\sum_{k=1}^{8}(2k^2+6)=2\sum_{k=1}^{8}k^2+\sum_{k=1}^{8}6$$
$$=2\cdot\frac{8\cdot9\cdot17}{6}+6\cdot8$$

$$=408+48=456$$

(4) $\displaystyle\sum_{k=1}^{5}(2^k+1)^2-\sum_{k=1}^{5}(2^k-1)^2$

$$=\sum_{k=1}^{5}\{(2^k+1)^2-(2^k-1)^2\}=\sum_{k=1}^{5}2^{k+2}$$

$$=\frac{2^3(2^5-1)}{2-1}=248$$

답 (1) **340** (2) **770** (3) **456** (4) **248**

343

(1) $\displaystyle\sum_{k=2}^{n}k=\sum_{k=1}^{n}k-1=\frac{n(n+1)}{2}-1$

$$=\frac{1}{2}n^2+\frac{1}{2}n-1$$

$$\therefore a=\frac{1}{2},\ b=\frac{1}{2},\ c=-1$$

(2) $\displaystyle\sum_{k=5}^{n+5}4(k-3)=\sum_{k=1}^{n+1}4(k+1)=4\sum_{k=1}^{n+1}k+\sum_{k=1}^{n+1}4$

$$=4\cdot\frac{(n+1)(n+2)}{2}+4(n+1)$$

$$=2(n+1)(n+2)+4(n+1)$$

$$=2n^2+10n+8$$

$$\therefore a=2,\ b=10,\ c=8$$

답 (1) $a=\dfrac{1}{2},\ b=\dfrac{1}{2},\ c=-1$

(2) $a=2,\ b=10,\ c=8$

344

$$\sum_{k=1}^{10}\frac{k^3}{k+3}+\sum_{k=1}^{10}\frac{k(4k+3)}{k+3}$$

$$=\sum_{k=1}^{10}\frac{k^3+4k^2+3k}{k+3}$$

$$=\sum_{k=1}^{10}\frac{k(k+1)(k+3)}{k+3}$$

$$=\sum_{k=1}^{10}k(k+1)=\sum_{k=1}^{10}(k^2+k)$$

$$=\sum_{k=1}^{10}k^2+\sum_{k=1}^{10}k$$

$$=\frac{10\cdot11\cdot21}{6}+\frac{10\cdot11}{2}$$

$$=385+55=440$$

답 **440**

345

$1^2+2^2+3^2+\cdots+k^2=\dfrac{k(k+1)(2k+1)}{6}$ 이므로

$$\sum_{k=1}^{5}(1^2+2^2+3^2+\cdots+k^2)$$

$$=\sum_{k=1}^{5}\frac{k(k+1)(2k+1)}{6}=\sum_{k=1}^{5}\frac{2k^3+3k^2+k}{6}$$

$$=\frac{1}{3}\sum_{k=1}^{5}k^3+\frac{1}{2}\sum_{k=1}^{5}k^2+\frac{1}{6}\sum_{k=1}^{5}k$$

$$=\frac{1}{3}\cdot\left(\frac{5\cdot6}{2}\right)^2+\frac{1}{2}\cdot\frac{5\cdot6\cdot11}{6}+\frac{1}{6}\cdot\frac{5\cdot6}{2}$$

$$=75+\frac{55}{2}+\frac{5}{2}=105$$

답 **105**

346

$$\sum_{j=1}^{n}(2j^2+1)-\sum_{j=1}^{n}(j-1)(2j+1)$$

$$=\sum_{j=1}^{n}\{(2j^2+1)-(2j^2-j-1)\}$$

$$=\sum_{j=1}^{n}(j+2)=\sum_{j=1}^{n}j+\sum_{j=1}^{n}2$$

$$=\frac{n(n+1)}{2}+2n=\frac{n^2+5n}{2}$$

즉 $\dfrac{n^2+5n}{2}=102$ 이므로

$$n^2+5n=204,\ n^2+5n-204=0$$

$$(n+17)(n-12)=0\qquad\therefore n=-17 \text{ 또는 } n=12$$

그런데 n은 자연수이므로 구하는 n의 값은 12이다.

답 **12**

347

$$a_n=1+2+2^2+\cdots+2^{n-1}=\frac{1\cdot(2^n-1)}{2-1}=2^n-1$$

첫째항부터 제 n 항까지의 합을 S_n이라 하면

$$S_n=\sum_{k=1}^{n}(2^k-1)$$

$$=\sum_{k=1}^{n}2^k-\sum_{k=1}^{n}1$$

$$=\frac{2(2^n-1)}{2-1}-n$$

$$=2^{n+1}-n-2$$

답 $2^{n+1}-n-2$

348

수열 $\{a_n\}$의 첫째항부터 제n항까지의 합을 S_n이라

하면 $S_n=\sum\limits_{k=1}^{n}a_k=n^2+3n$이므로

$n\geq 2$일 때,

$a_n=S_n-S_{n-1}$

$\quad=(n^2+3n)-\{(n-1)^2+3(n-1)\}$

$\quad=2n+2$ ...... ㉠

$n=1$일 때, $a_1=S_1=4$

이때 $a_1=4$는 ㉠에 $n=1$을 대입한 값과 같으므로

$a_n=2n+2\ (n\geq 1)$

$\therefore \sum\limits_{k=1}^{5}ka_{3k}=\sum\limits_{k=1}^{5}k(6k+2)$ ← $a_{3k}=2\cdot 3k+2=6k+2$

$\qquad\qquad=\sum\limits_{k=1}^{5}(6k^2+2k)$

$\qquad\qquad=6\cdot\dfrac{5\cdot 6\cdot 11}{6}+2\cdot\dfrac{5\cdot 6}{2}$

$\qquad\qquad=330+30=360$

답 360

349

수열 $\{a_n\}$의 첫째항부터 제n항까지의 합을 S_n이라

하면 $S_n=\sum\limits_{k=1}^{n}a_k=3^n-1$이므로

$n\geq 2$일 때,

$a_n=S_n-S_{n-1}=(3^n-1)-(3^{n-1}-1)$

$\quad=3^n-3^{n-1}=2\cdot 3^{n-1}$ ...... ㉠

$n=1$일 때, $a_1=S_1=2$

이때 $a_1=2$는 ㉠에 $n=1$을 대입한 값과 같으므로

$a_n=2\cdot 3^{n-1}\ (n\geq 1)$

$\dfrac{a_{2k}}{a_{2k-1}}=\dfrac{2\cdot 3^{2k-1}}{2\cdot 3^{2k-2}}=3$이므로

$\sum\limits_{k=1}^{10}\dfrac{a_{2k}}{a_{2k-1}}=\sum\limits_{k=1}^{10}3=30$

답 30

350

(1) $\sum\limits_{l=1}^{10}\left(\sum\limits_{k=1}^{10}kl\right)=\sum\limits_{l=1}^{10}\left(l\sum\limits_{k=1}^{10}k\right)=\sum\limits_{l=1}^{10}\left(l\cdot\dfrac{10\cdot 11}{2}\right)$

$\qquad\qquad=55\sum\limits_{l=1}^{10}l=55\cdot\dfrac{10\cdot 11}{2}=55^2=3025$

(2) $\sum\limits_{k=1}^{4}\left[\sum\limits_{j=1}^{k}\left\{\sum\limits_{i=1}^{j}(i+1)\right\}\right]$

$=\sum\limits_{k=1}^{4}\left\{\sum\limits_{j=1}^{k}\left(\sum\limits_{i=1}^{j}i+\sum\limits_{i=1}^{j}1\right)\right\}$

$=\sum\limits_{k=1}^{4}\left[\sum\limits_{j=1}^{k}\left\{\dfrac{j(j+1)}{2}+j\right\}\right]$

$=\sum\limits_{k=1}^{4}\left(\sum\limits_{j=1}^{k}\dfrac{j^2+3j}{2}\right)=\sum\limits_{k=1}^{4}\left(\dfrac{1}{2}\sum\limits_{j=1}^{k}j^2+\dfrac{3}{2}\sum\limits_{j=1}^{k}j\right)$

$=\sum\limits_{k=1}^{4}\left\{\dfrac{1}{2}\cdot\dfrac{k(k+1)(2k+1)}{6}+\dfrac{3}{2}\cdot\dfrac{k(k+1)}{2}\right\}$

$=\sum\limits_{k=1}^{4}\dfrac{1}{12}k(k+1)(2k+1+9)$

$=\dfrac{1}{6}\sum\limits_{k=1}^{4}k(k+1)(k+5)=\dfrac{1}{6}\sum\limits_{k=1}^{4}(k^3+6k^2+5k)$

$=\dfrac{1}{6}\left(\sum\limits_{k=1}^{4}k^3+6\sum\limits_{k=1}^{4}k^2+5\sum\limits_{k=1}^{4}k\right)$

$=\dfrac{1}{6}\left\{\left(\dfrac{4\cdot 5}{2}\right)^2+6\cdot\dfrac{4\cdot 5\cdot 9}{6}+5\cdot\dfrac{4\cdot 5}{2}\right\}$

$=\dfrac{1}{6}(100+180+50)=55$

답 (1) 3025 (2) 55

351

$\sum\limits_{n=1}^{m}\left(\sum\limits_{i=1}^{n}i\right)=\sum\limits_{n=1}^{m}\dfrac{n(n+1)}{2}=\dfrac{1}{2}\sum\limits_{n=1}^{m}n(n+1)$

$\qquad\qquad=\dfrac{1}{2}\left(\sum\limits_{n=1}^{m}n^2+\sum\limits_{n=1}^{m}n\right)$

$\qquad\qquad=\dfrac{1}{2}\left\{\dfrac{m(m+1)(2m+1)}{6}+\dfrac{m(m+1)}{2}\right\}$

$\qquad\qquad=\dfrac{m(m+1)(m+2)}{6}=56$

즉 $m(m+1)(m+2)=336=6\cdot 7\cdot 8$

$\therefore m=6$

답 6

352

(1) $a_n=\dfrac{1}{(2n-1)(2n+1)}=\dfrac{1}{2}\left(\dfrac{1}{2n-1}-\dfrac{1}{2n+1}\right)$

$\therefore S_n=\sum\limits_{k=1}^{n}a_k=\dfrac{1}{2}\sum\limits_{k=1}^{n}\left(\dfrac{1}{2k-1}-\dfrac{1}{2k+1}\right)$

$\qquad=\dfrac{1}{2}\left\{\left(\dfrac{1}{1}-\dfrac{1}{\cancel{3}}\right)+\left(\dfrac{1}{\cancel{3}}-\dfrac{1}{\cancel{5}}\right)+\right.$

$\qquad\qquad\left.\cdots+\left(\dfrac{\cancel{1}}{\cancel{2n-1}}-\dfrac{1}{2n+1}\right)\right\}$

$$= \frac{1}{2}\left(1-\frac{1}{2n+1}\right)=\frac{n}{2n+1}$$

(2) $a_n = \dfrac{1}{1+2+3+\cdots+n} = \dfrac{1}{\dfrac{n(n+1)}{2}}$

$$=\frac{2}{n(n+1)}=2\left(\frac{1}{n}-\frac{1}{n+1}\right)$$

$$\therefore S_n = \sum_{k=1}^{n} a_k = 2\sum_{k=1}^{n}\left(\frac{1}{k}-\frac{1}{k+1}\right)$$

$$=2\left\{\left(\frac{1}{1}-\frac{1}{2}\right)+\left(\frac{1}{2}-\frac{1}{3}\right)+\right.$$

$$\left. \cdots+\left(\frac{1}{n}-\frac{1}{n+1}\right)\right\}$$

$$=2\left(1-\frac{1}{n+1}\right)=\frac{2n}{n+1}$$

답 (1) $\dfrac{n}{2n+1}$　(2) $\dfrac{2n}{n+1}$

353

$$\sum_{k=1}^{10}\frac{90}{(4k+1)(4k+5)}$$

$$=\frac{90}{4}\sum_{k=1}^{10}\left(\frac{1}{4k+1}-\frac{1}{4k+5}\right)$$

$$=\frac{90}{4}\left\{\left(\frac{1}{5}-\frac{1}{9}\right)+\left(\frac{1}{9}-\frac{1}{13}\right)+\cdots+\left(\frac{1}{41}-\frac{1}{45}\right)\right\}$$

$$=\frac{90}{4}\left(\frac{1}{5}-\frac{1}{45}\right)$$

$$=\frac{90}{4}\cdot\frac{8}{45}=4$$

답 4

354

수열 $\{a_n\}$의 첫째항부터 제 n 항까지의 합을 S_n이라

하면 $S_n = \sum_{k=1}^{n} a_k = n^2+4n$이므로

$n \geq 2$일 때,

$a_n = S_n - S_{n-1}$

$\quad = (n^2+4n)-\{(n-1)^2+4(n-1)\}$

$\quad = 2n+3$ ...... ㉠

$n=1$일 때, $a_1 = S_1 = 5$

이때 $a_1 = 5$는 ㉠에 $n=1$을 대입한 값과 같으므로

$a_n = 2n+3$ $(n \geq 1)$

$$\therefore \sum_{k=1}^{n}\frac{1}{a_k a_{k+1}} = \sum_{k=1}^{n}\frac{1}{(2k+3)(2k+5)}$$

$$=\frac{1}{2}\sum_{k=1}^{n}\left(\frac{1}{2k+3}-\frac{1}{2k+5}\right)$$

$$=\frac{1}{2}\left\{\left(\frac{1}{5}-\frac{1}{7}\right)+\left(\frac{1}{7}-\frac{1}{9}\right)+\right.$$

$$\left.\cdots+\left(\frac{1}{2n+3}-\frac{1}{2n+5}\right)\right\}$$

$$=\frac{1}{2}\left(\frac{1}{5}-\frac{1}{2n+5}\right)$$

$$=\frac{n}{5(2n+5)}$$

답 $\dfrac{n}{5(2n+5)}$

355

$$a_n = \frac{2}{\sqrt{2n+2}+\sqrt{2n}}$$

$$=\frac{2(\sqrt{2n+2}-\sqrt{2n})}{(\sqrt{2n+2}+\sqrt{2n})(\sqrt{2n+2}-\sqrt{2n})}$$

$$=\sqrt{2n+2}-\sqrt{2n}$$

주어진 식은 수열 $\{a_n\}$의 첫째항부터 제 15 항까지의 합

이므로

$$\sum_{k=1}^{15} a_k = \sum_{k=1}^{15}(\sqrt{2k+2}-\sqrt{2k})$$

$$=(\sqrt{4}-\sqrt{2})+(\sqrt{6}-\sqrt{4})+\cdots+(\sqrt{32}-\sqrt{30})$$

$$=\sqrt{32}-\sqrt{2}=3\sqrt{2}$$

답 $3\sqrt{2}$

356

$$\sum_{k=1}^{99}\frac{1}{f(k)}=\sum_{k=1}^{99}\frac{1}{\sqrt{k}+\sqrt{k+1}}=\sum_{k=1}^{99}(\sqrt{k+1}-\sqrt{k})$$

$$=(\sqrt{2}-1)+(\sqrt{3}-\sqrt{2})+\cdots+(\sqrt{100}-\sqrt{99})$$

$$=-1+\sqrt{100}=9$$

답 9

357

$$\sum_{k=1}^{n}\frac{1}{f(k)}=\sum_{k=1}^{n}\frac{1}{\sqrt{k+1}+\sqrt{k+2}}$$

$$=\sum_{k=1}^{n}(\sqrt{k+2}-\sqrt{k+1})$$

$$=(\sqrt{3}-\sqrt{2})+(\sqrt{4}-\sqrt{3})+(\sqrt{5}-\sqrt{4})+\cdots+(\sqrt{n+2}-\sqrt{n+1})$$

$$=\sqrt{n+2}-\sqrt{2}$$

이때 $\sum_{k=1}^{n} \dfrac{1}{f(k)}=2\sqrt{2}$이므로 $\sqrt{n+2}-\sqrt{2}=2\sqrt{2}$

$\sqrt{n+2}=3\sqrt{2}$, $n+2=18$

$\therefore n=16$

답 16

358

(1) $\displaystyle\sum_{k=1}^{99} \log\left(1+\dfrac{1}{k}\right)$

$=\displaystyle\sum_{k=1}^{99} \log \dfrac{k+1}{k}$

$=\log\dfrac{2}{1}+\log\dfrac{3}{2}+\log\dfrac{4}{3}+\cdots+\log\dfrac{100}{99}$

$=\log\left(\dfrac{2}{1}\cdot\dfrac{3}{2}\cdot\dfrac{4}{3}\cdot\cdots\cdot\dfrac{100}{99}\right)=\log 100=2$

(2) $\displaystyle\sum_{k=2}^{10}\left(\dfrac{2}{9}+\log\dfrac{k^2-1}{k^2}\right)$

$=\displaystyle\sum_{k=2}^{10}\dfrac{2}{9}+\sum_{k=2}^{10}\log\dfrac{k^2-1}{k^2}$

$=\dfrac{2}{9}\cdot 9+\displaystyle\sum_{k=2}^{10}\log\dfrac{(k-1)(k+1)}{k\cdot k}$

$=2+\log\dfrac{1\cdot 3}{2\cdot 2}+\log\dfrac{2\cdot 4}{3\cdot 3}+\log\dfrac{3\cdot 5}{4\cdot 4}+$

$\qquad\qquad\qquad\qquad\cdots+\log\dfrac{9\cdot 11}{10\cdot 10}$

$=2+\log\left(\dfrac{1}{2}\cdot\dfrac{3}{2}\cdot\dfrac{2}{3}\cdot\dfrac{4}{3}\cdot\cdots\cdot\dfrac{9}{10}\cdot\dfrac{11}{10}\right)$

$=2+\log\dfrac{11}{20}=\log 55$

답 (1) 2 (2) log 55

359

$S=10\cdot 1+9\cdot 2+8\cdot 2^2+\cdots+1\cdot 2^9$

$-)\,2S=\qquad 10\cdot 2+9\cdot 2^2+\cdots+2\cdot 2^9+1\cdot 2^{10}$
_____

$-S=10-(2+2^2+\cdots+2^9+2^{10})$

$\quad\;\;=10-\dfrac{2(2^{10}-1)}{2-1}=-2^{11}+12$

$\therefore S=2^{11}-12=2036$

답 2036

360

$S=\displaystyle\sum_{k=1}^{10}(2k-1)\cdot 3^k$이라 하면

$S=1\cdot 3+3\cdot 3^2+5\cdot 3^3+\cdots+19\cdot 3^{10}$

$-)\,3S=\qquad 1\cdot 3^2+3\cdot 3^3+\cdots+17\cdot 3^{10}+19\cdot 3^{11}$
_____

$-2S=1\cdot 3+2(3^2+3^3+\cdots+3^{10})-19\cdot 3^{11}$

$\qquad=3+2\cdot\dfrac{3^2(3^9-1)}{3-1}-19\cdot 3^{11}$

$\qquad=3+3^{11}-9-19\cdot 3^{11}=-6-18\cdot 3^{11}$

$\therefore S=9\cdot 3^{11}+3=3^{13}+3$

답 $3^{13}+3$

361

주어진 수열을

제1군 제2군　　　제3군　　　　제4군　　　$\cdots$

(1), (1, 3), (1, 3, 5), (1, 3, 5, 7), $\cdots$

과 같이 군수열로 생각하면 제 n 군의 항의 개수는 n이

고 제 1 군부터 제 n 군까지의 항의 개수는

$1+2+3+\cdots+n=\displaystyle\sum_{k=1}^{n}k=\dfrac{n(n+1)}{2}$

제 1 군부터 제 13 군까지의 항의 개수는 $\dfrac{13\cdot 14}{2}=91$

이므로 제 100 항은 제 14 군의 9번째 항,

즉 $2\cdot 9-1=17$이다.

또한 제 n 군의 합은

$1+3+5+\cdots+(2n-1)=\dfrac{n\{1+(2n-1)\}}{2}=n^2$

이므로 제 1 군부터 제 n 군까지의 합은

$\displaystyle\sum_{k=1}^{n}k^2$

따라서 첫째항부터 제 100 항까지의 합을 S_{100}이라 하

면

$S_{100}=$(제 1 군부터 제 13 군까지의 합)

$\qquad\quad+$(제 14 군의 첫째항부터 9번째 항까지의 합)

$=\displaystyle\sum_{k=1}^{13}k^2+\sum_{k=1}^{9}(2k-1)$

$=\displaystyle\sum_{k=1}^{13}k^2+2\sum_{k=1}^{9}k-\sum_{k=1}^{9}1$

$=\dfrac{13\cdot 14\cdot 27}{6}+2\cdot\dfrac{9\cdot 10}{2}-1\cdot 9$

$=819+90-9$

$=900$

답 제 100 항 : 17
첫째항부터 제 100 항까지의 합 : 900

362

(1) 주어진 수열을 (분자)+(분모)의 값이 같은 항끼리 군으로 묶으면

제1군　　제2군　　　제3군　　　$\cdots$

$\left(\dfrac{1}{1}\right),\ \left(\dfrac{1}{2},\ \dfrac{2}{1}\right),\ \left(\dfrac{1}{3},\ \dfrac{2}{2},\ \dfrac{3}{1}\right),\ \cdots$

제 n 군의 분자와 분모의 합은 $n+1$ 이므로 $\dfrac{5}{8}$ 는

제12군의 5번째 항이다.

한편, 제 n 군의 항의 개수는 n 이므로 제1군부터

제11군까지의 항의 개수는

$1+2+\cdots+11=\displaystyle\sum_{k=1}^{11}k=\dfrac{11\cdot12}{2}=66$

따라서 $66+5=71$ 이므로 $\dfrac{5}{8}$ 는 제71항이다.

(2) 제1군부터 제 n 군까지의 항의 개수는

$1+2+3+\cdots+n=\displaystyle\sum_{k=1}^{n}k=\dfrac{n(n+1)}{2}$

제1군부터 제13군까지의 항의 개수는

$\dfrac{13\cdot14}{2}=91$, 제1군부터 제14군까지의 항의 개수

는 $\dfrac{14\cdot15}{2}=105$ 이므로 제99항은 제14군의 8번

째 항이다.

따라서 제 n 군의 k 번째 항은 $\dfrac{k}{n+1-k}$ 이므로

제99항은 $\dfrac{8}{7}$ 이다.

답 (1) 제71항 (2) $\dfrac{8}{7}$

363

위에서 2번째 줄 : 1, 2, 3, 4, $\cdots$

　　　　　　　$\Rightarrow$ 공차가 1인 등차수열

위에서 3번째 줄 : 1, 3, 5, 7, $\cdots$

　　　　　　　$\Rightarrow$ 공차가 2인 등차수열

위에서 4번째 줄 : 1, 4, 7, 10, $\cdots$

　　　　　　　$\Rightarrow$ 공차가 3인 등차수열

　　　　　　　$\vdots$

이므로 위에서 10번째 줄에 있는 수는 공차가 9인 등차수열을 이룬다.

위에서 10번째 줄의 수를 왼쪽부터 차례대로 나열한 것을 수열 $\{a_n\}$ 이라 하면

$a_n=1+(n-1)\cdot9$

　　$=9n-8$

따라서 위에서 10번째 줄의 왼쪽에서 9번째에 있는 수는

$a_9=9\cdot9-8=73$

답 73

364

(1) $a_1=2$, $a_{n+1}=2a_n+3$ 에서

$a_2=2a_1+3=2\cdot2+3=7$,

$a_3=2a_2+3=2\cdot7+3=17$,

$a_4=2a_3+3=2\cdot17+3=37$

(2) $a_1=1$, $a_{n+1}+a_n=3$ 에서 $a_{n+1}=-a_n+3$ 이므로

$a_2=-a_1+3=-1+3=2$,

$a_3=-a_2+3=-2+3=1$,

$a_4=-a_3+3=-1+3=2$

(3) $a_1=2$, $a_{n+1}=\dfrac{1}{a_n}$ 에서

$a_2=\dfrac{1}{a_1}=\dfrac{1}{2}$, $a_3=\dfrac{1}{a_2}=\dfrac{1}{\frac{1}{2}}=2$, $a_4=\dfrac{1}{a_3}=\dfrac{1}{2}$

(4) $a_1=\dfrac{1}{3}$, $\dfrac{1}{a_{n+1}}=\dfrac{1}{a_n}+2$ 에서

$\dfrac{1}{a_2}=\dfrac{1}{a_1}+2=\dfrac{1}{\frac{1}{3}}+2=5$ $\quad\therefore a_2=\dfrac{1}{5}$

$\dfrac{1}{a_3}=\dfrac{1}{a_2}+2=\dfrac{1}{\frac{1}{5}}+2=7$ $\quad\therefore a_3=\dfrac{1}{7}$

$\dfrac{1}{a_4}=\dfrac{1}{a_3}+2=\dfrac{1}{\frac{1}{7}}+2=9$ $\quad\therefore a_4=\dfrac{1}{9}$

(5) $a_1=5$, $a_2=2$, $3a_{n+2}-2a_{n+1}-a_n=0$ 에서

$3a_3-2a_2-a_1=3a_3-2\cdot2-5=0$ $\quad\therefore a_3=3$

$3a_4-2a_3-a_2=3a_4-2\cdot3-2=0$ $\quad\therefore a_4=\dfrac{8}{3}$

(6) $a_1=1$, $a_2=\dfrac{1}{2}$, $\dfrac{2}{a_{n+1}}=\dfrac{1}{a_n}+\dfrac{1}{a_{n+2}}$ 에서

$\dfrac{2}{a_2}=\dfrac{1}{a_1}+\dfrac{1}{a_3}$, $\dfrac{2}{\frac{1}{2}}=\dfrac{1}{1}+\dfrac{1}{a_3}$, $\dfrac{1}{a_3}=3$

$$\therefore a_3 = \frac{1}{3}$$

$$\frac{2}{a_3} = \frac{1}{a_2} + \frac{1}{a_4}, \quad \frac{2}{\frac{1}{3}} = \frac{1}{\frac{1}{2}} + \frac{1}{a_4}, \quad \frac{1}{a_4} = 4$$

$$\therefore a_4 = \frac{1}{4}$$

답 (1) **7, 17, 37** (2) **2, 1, 2** (3) $\frac{1}{2}$, **2**, $\frac{1}{2}$

(4) $\frac{1}{5}$, $\frac{1}{7}$, $\frac{1}{9}$ (5) **2, 3,** $\frac{8}{3}$ (6) $\frac{1}{2}$, $\frac{1}{3}$, $\frac{1}{4}$

365

(1) $a_1 = 1$, $a_{n+1} = a_n + 2$에서 수열 $\{a_n\}$은 첫째항이 1, 공차가 2인 등차수열이므로

$$a_{11} = 1 + 2 \cdot 10 = 21$$

(2) $a_1 = -4$, $a_{n+1} - a_n = 4$, 즉 $a_{n+1} = a_n + 4$에서 수열 $\{a_n\}$은 첫째항이 -4, 공차가 4인 등차수열이므로

$$a_{11} = -4 + 4 \cdot 10 = 36$$

(3) $a_1 = 12$, $a_2 = 9$, $2a_{n+1} = a_n + a_{n+2}$에서 수열 $\{a_n\}$은 첫째항이 12, 공차가 $9 - 12 = -3$인 등차수열이므로

$$a_{11} = 12 + (-3) \cdot 10 = -18$$

(4) $a_1 = 1$, $a_{n+1} = 3a_n$에서 수열 $\{a_n\}$은 첫째항이 1, 공비가 3인 등비수열이므로

$$a_{11} = 1 \cdot 3^{10} = 3^{10}$$

(5) $a_1 = 4$, $\frac{a_{n+1}}{a_n} = \frac{1}{2}$, 즉 $a_{n+1} = \frac{1}{2} a_n$에서 수열 $\{a_n\}$은 첫째항이 4, 공비가 $\frac{1}{2}$인 등비수열이므로

$$a_{11} = 4 \cdot \left(\frac{1}{2}\right)^{10} = \frac{1}{256}$$

(6) $a_1 = 2$, $a_2 = -4$, $a_{n+1}^2 = a_n a_{n+2}$에서 수열 $\{a_n\}$은 첫째항이 2, 공비가 $\frac{-4}{2} = -2$인 등비수열이므로

$$a_{11} = 2 \cdot (-2)^{10} = 2^{11} = 2048$$

답 (1) **21** (2) **36** (3) $-\mathbf{18}$

(4) $\mathbf{3^{10}}$ (5) $\frac{1}{256}$ (6) **2048**

366

$a_{n+1} + 3 = a_n$에서 $a_{n+1} - a_n = -3$이므로 수열 $\{a_n\}$은

첫째항이 50이고 공차가 -3인 등차수열이다.

$$\therefore a_n = 50 + (n-1) \cdot (-3) = -3n + 53$$

따라서 $a_k = -3k + 53 = 14$에서 $k = 13$

답 **13**

367

$a_{n+1} = \frac{a_n + a_{n+2}}{2}$, 즉 $2a_{n+1} = a_n + a_{n+2}$이므로 수열 $\{a_n\}$은 등차수열이다.

이때 첫째항이 -5, 공차가 $a_2 - a_1 = -3 - (-5) = 2$이므로

$$a_n = -5 + (n-1) \cdot 2 = 2n - 7$$

$$\therefore \sum_{k=1}^{20} a_k = \sum_{k=1}^{20} (2k - 7) = 2 \sum_{k=1}^{20} k - 7 \cdot 20$$

$$= 2 \cdot \frac{20 \cdot 21}{2} - 140 = 280$$

답 **280**

368

$a_{n+1}^2 = a_n a_{n+2}$이므로 수열 $\{a_n\}$은 등비수열이다.

공비를 r라 하면 $\dfrac{a_6}{a_1} = \dfrac{a_8}{a_3} = \dfrac{a_{10}}{a_5} = r^5$이므로

$$\frac{a_6}{a_1} + \frac{a_8}{a_3} + \frac{a_{10}}{a_5} = 15$$에서 $r^5 + r^5 + r^5 = 15$

$$3r^5 = 15 \quad \therefore r^5 = 5$$

$$\therefore \frac{a_{20}}{a_{10}} = r^{10} = (r^5)^2 = 5^2 = 25$$

답 **25**

369

$a_{n+1} = a_n + 3^n - 1$의 n에 $1, 2, 3, \cdots, 9$를 차례로 대입한 후 변끼리 더하면

$$\require{cancel}\cancel{a_2} = a_1 + 3^1 - 1$$
$$\cancel{a_3} = \cancel{a_2} + 3^2 - 1$$
$$\cancel{a_4} = \cancel{a_3} + 3^3 - 1$$
$$\vdots$$
$$+)\ a_{10} = \cancel{a_9} + 3^9 - 1$$
$$\overline{a_{10} = a_1 + (3^1 + 3^2 + 3^3 + \cdots + 3^9) - 9}$$

$$= 1 + \sum_{k=1}^{9} 3^k - 9$$

$$=\frac{3(3^9-1)}{3-1}-8=\frac{3}{2}(3^9-1)-8$$

$$=\frac{1}{2}(3^{10}-19)$$

답 $\dfrac{1}{2}(3^{10}-19)$

370

$a_{n+1}=a_n+\dfrac{1}{n(n+1)}$의 n에 1, 2, 3, $\cdots$, 19를 차례로 대입한 후 변끼리 더하면

$$\cancel{a_2}=a_1+\frac{1}{1\cdot2}$$

$$\cancel{a_3}=\cancel{a_2}+\frac{1}{2\cdot3}$$

$$\cancel{a_4}=\cancel{a_3}+\frac{1}{3\cdot4}$$

$$\vdots$$

$$+\Big)\;a_{20}=\cancel{a_{19}}+\frac{1}{19\cdot20}$$

$$a_{20}=a_1+\frac{1}{1\cdot2}+\frac{1}{2\cdot3}+\frac{1}{3\cdot4}+\cdots+\frac{1}{19\cdot20}$$

$$=3+\left\{\left(1-\frac{1}{2}\right)+\left(\frac{1}{2}-\frac{1}{3}\right)+\left(\frac{1}{3}-\frac{1}{4}\right)+\cdots\right.$$

$$\left.+\left(\frac{1}{19}-\frac{1}{20}\right)\right\}$$

$$=3+1-\frac{1}{20}=\frac{79}{20}$$

답 $\dfrac{79}{20}$

371

$a_{n+1}=a_n+2n$의 n에 1, 2, 3, $\cdots$, $n-1$을 차례로 대입한 후 변끼리 더하면

$$\cancel{a_2}=a_1+2\cdot1$$

$$\cancel{a_3}=\cancel{a_2}+2\cdot2$$

$$\cancel{a_4}=\cancel{a_3}+2\cdot3$$

$$\vdots$$

$$+\Big)\;a_n=\cancel{a_{n-1}}+2(n-1)$$

$$a_n=a_1+2\{1+2+3+\cdots+(n-1)\}$$

$$=5+2\sum_{k=1}^{n-1}k$$

$$=5+2\cdot\frac{(n-1)n}{2}$$

$$=n^2-n+5$$

따라서 $a_k=k^2-k+5=115$에서

$k^2-k-110=0,\ (k-11)(k+10)=0$

$\therefore k=11$ ($\because k$는 자연수)

답 11

372

$$a_n=\left(1-\frac{1}{n^2}\right)a_{n-1}$$

$$=\left(1-\frac{1}{n}\right)\left(1+\frac{1}{n}\right)a_{n-1}$$

$$=\frac{n-1}{n}\cdot\frac{n+1}{n}a_{n-1}$$

위의 식의 n에 2, 3, 4, $\cdots$, 20을 차례로 대입한 후 변끼리 곱하면

$$\cancel{a_2}=\frac{1}{2}\cdot\frac{3}{2}a_1$$

$$\cancel{a_3}=\frac{2}{3}\cdot\frac{4}{3}\cancel{a_2}$$

$$\cancel{a_4}=\frac{3}{4}\cdot\frac{5}{4}\cancel{a_3}$$

$$\vdots$$

$$\times\Big)\;a_{20}=\frac{19}{20}\cdot\frac{21}{20}\cancel{a_{19}}$$

$$a_{20}=\frac{1}{2}\cdot\frac{\cancel{3}}{\cancel{2}}\cdot\frac{\cancel{2}}{\cancel{3}}\cdot\frac{\cancel{4}}{\cancel{3}}\cdot\frac{\cancel{3}}{\cancel{4}}\cdot\frac{\cancel{5}}{\cancel{4}}\cdots\cdot\frac{\cancel{19}}{\cancel{20}}\cdot\frac{21}{20}\cdot a_1$$

$$=\frac{1}{2}\cdot\frac{21}{20}\cdot2=\frac{21}{20}$$

답 $\dfrac{21}{20}$

373

$a_{n+1}=\dfrac{n}{n+1}a_n$의 n에 1, 2, 3, $\cdots$, $n-1$을 차례로 대입한 후 변끼리 곱하면

$$\cancel{a_2}=\frac{1}{2}a_1$$

$$\cancel{a_3}=\frac{2}{3}\cancel{a_2}$$

$$\cancel{a_4}=\frac{3}{4}\cancel{a_3}$$

$$\vdots$$

$$\underline{\times\,\big)\;a_n=\dfrac{n-1}{n}a_{n-1}}$$

$$a_n=\dfrac{1}{2}\cdot\dfrac{2}{3}\cdot\dfrac{3}{4}\cdots\cdots\dfrac{n-1}{n}a_1$$

$$=\dfrac{1}{n}\cdot2=\dfrac{2}{n}$$

따라서 $a_k=\dfrac{2}{k}=\dfrac{1}{15}$에서 $k=30$

답 30

374

$S_n=-a_n+n\ (n=1,\,2,\,3,\,\cdots)$에서

$S_{n+1}=-a_{n+1}+n+1$

한편, $a_{n+1}=S_{n+1}-S_n\ (n=1,\,2,\,3,\,\cdots)$이므로

$a_{n+1}=-a_{n+1}+n+1-(-a_n+n)$

$\qquad=-a_{n+1}+a_n+1$

$\therefore a_{n+1}=\dfrac{1}{2}a_n+\dfrac{1}{2}$

$n=1,\,2,\,3,\,\cdots,\,9$를 $a_{n+1}=\dfrac{1}{2}a_n+\dfrac{1}{2}$에 차례로 대입

하면

$a_2=\dfrac{1}{2}a_1+\dfrac{1}{2}=\dfrac{1}{2}\cdot\dfrac{1}{2}+\dfrac{1}{2}=\Big(\dfrac{1}{2}\Big)^2+\dfrac{1}{2}$

$a_3=\dfrac{1}{2}a_2+\dfrac{1}{2}=\dfrac{1}{2}\Big\{\Big(\dfrac{1}{2}\Big)^2+\dfrac{1}{2}\Big\}+\dfrac{1}{2}$

$\quad=\Big(\dfrac{1}{2}\Big)^3+\Big(\dfrac{1}{2}\Big)^2+\dfrac{1}{2}$

$a_4=\dfrac{1}{2}a_3+\dfrac{1}{2}=\dfrac{1}{2}\Big\{\Big(\dfrac{1}{2}\Big)^3+\Big(\dfrac{1}{2}\Big)^2+\dfrac{1}{2}\Big\}+\dfrac{1}{2}$

$\quad=\Big(\dfrac{1}{2}\Big)^4+\Big(\dfrac{1}{2}\Big)^3+\Big(\dfrac{1}{2}\Big)^2+\dfrac{1}{2}$

$\qquad\vdots$

$a_{10}=\dfrac{1}{2}a_9+\dfrac{1}{2}=\Big(\dfrac{1}{2}\Big)^{10}+\Big(\dfrac{1}{2}\Big)^9+\Big(\dfrac{1}{2}\Big)^8+\cdots+\dfrac{1}{2}$

$\quad=\dfrac{\dfrac{1}{2}\Big\{1-\Big(\dfrac{1}{2}\Big)^{10}\Big\}}{1-\dfrac{1}{2}}=1-\Big(\dfrac{1}{2}\Big)^{10}$

답 $1-\Big(\dfrac{1}{2}\Big)^{10}$

375

(1) 농도가 $5\,\%$인 소금물 $100\,\mathrm{g}$에서 소금물 $20\,\mathrm{g}$을 덜

어 내고 물 $20\,\mathrm{g}$을 넣고 잘 섞은 후의 소금물의 소

금의 양은

$\dfrac{5}{100}\times(100-20)=4\,(\mathrm{g})$

이때 소금물의 농도는 $\dfrac{4}{100}\times100=4\,(\%)$

$\therefore a_1=4$

같은 방법으로 한 번 더 시행한 후의 소금물의 소금

의 양은

$\dfrac{4}{100}\times(100-20)=\dfrac{16}{5}\,(\mathrm{g})$

이때 소금물의 농도는 $\dfrac{\dfrac{16}{5}}{100}\times100=\dfrac{16}{5}\,(\%)$

$\therefore a_2=\dfrac{16}{5}$

(2) n번 반복한 후 소금물의 농도가 $a_n\,\%$이므로 한 번

더 시행한 후의 소금물의 소금의 양은

$\dfrac{a_n}{100}\times(100-20)=\dfrac{4}{5}a_n\,(\mathrm{g})$

이때 소금물의 농도는

$a_{n+1}=\dfrac{\dfrac{4}{5}a_n}{100}\times100=\dfrac{4}{5}a_n$

답 (1) $a_1=4,\ a_2=\dfrac{16}{5}$　(2) $a_{n+1}=\dfrac{4}{5}a_n$

376

조건 ㈎에서 $p(1)$이 참이므로

조건 ㈏에 의하여 $p(3)$이 참이다.

$p(3)$이 참이므로 조건 ㈏에 의하여 $p(6)$이 참이다.

$p(6)$이 참이므로 조건 ㈏에 의하여 $p(10)$이 참이다.

$p(10)$이 참이므로 조건 ㈏에 의하여 $p(16)$이 참이다.

$\qquad\vdots$

따라서 반드시 참이라고 할 수 있는 명제는 $p(16)$이

다.

답 ⑤

377

(i) $p(n)$이 참일 때 $p(n+2)$가 참이므로

　$p(1)$이 참이면 $p(3),\,p(5),\,p(7),\,\cdots$이 참

　$p(2)$가 참이면 $p(4),\,p(6),\,p(8),\,\cdots$이 참

(ii) $p(n+1)$이 참일 때 $p(n+2)$가 참이므로
   $p(2)$가 참이면 $p(3)$, $p(4)$, $p(5)$, $\cdots$가 참
   이때 모든 자연수 n에 대하여 명제 $p(n)$이 참이려
   면 $p(1)$이 참이어야 한다.
(i), (ii)에서 $p(1)$, $p(2)$가 참이면 모든 자연수 n에 대
하여 명제 $p(n)$이 참이 된다.

답 ①

378

(1) $1^2+2^2+3^2+\cdots+n^2=\dfrac{1}{6}n(n+1)(2n+1)$

$\cdots\cdots$ ㉠

(i) $n=1$일 때,

  (좌변)$=1^2=1$, (우변)$=\dfrac{1}{6}\cdot1\cdot2\cdot3=1$

  따라서 (좌변)$=$(우변)이므로 $n=1$일 때
  ㉠이 성립한다.

(ii) $n=k$일 때, ㉠이 성립한다고 가정하면

  $1^2+2^2+3^2+\cdots+k^2=\dfrac{1}{6}k(k+1)(2k+1)$

  이 등식의 양변에 $(k+1)^2$을 더하면
  $1^2+2^2+3^2+\cdots+k^2+(k+1)^2$

  $=\dfrac{1}{6}k(k+1)(2k+1)+(k+1)^2$

  $=\dfrac{1}{6}(k+1)\{k(2k+1)+6(k+1)\}$

  $=\dfrac{1}{6}(k+1)(2k^2+7k+6)$

  $=\dfrac{1}{6}(k+1)(k+2)(2k+3)$

  $=\dfrac{1}{6}(k+1)\{(k+1)+1\}\{2(k+1)+1\}$

  따라서 $n=k+1$일 때에도 ㉠이 성립한다.

(i), (ii)에 의하여 모든 자연수 n에 대하여 ㉠이 성
립한다.

(2) $\dfrac{1}{1\cdot3}+\dfrac{1}{3\cdot5}+\dfrac{1}{5\cdot7}+\cdots+\dfrac{1}{(2n-1)(2n+1)}$

  $=\dfrac{n}{2n+1}$ $\cdots\cdots$ ㉠

(i) $n=1$일 때,

  (좌변)$=\dfrac{1}{1\cdot3}=\dfrac{1}{3}$, (우변)$=\dfrac{1}{3}$

따라서 (좌변)$=$(우변)이므로 $n=1$일 때
㉠이 성립한다.

(ii) $n=k$일 때, ㉠이 성립한다고 가정하면

  $\dfrac{1}{1\cdot3}+\dfrac{1}{3\cdot5}+\dfrac{1}{5\cdot7}+\cdots$

  $+\dfrac{1}{(2k-1)(2k+1)}=\dfrac{k}{2k+1}$

  이 등식의 양변에 $\dfrac{1}{(2k+1)(2k+3)}$ 을 더하면

  $\dfrac{1}{1\cdot3}+\dfrac{1}{3\cdot5}+\dfrac{1}{5\cdot7}+\cdots$

  $+\dfrac{1}{(2k-1)(2k+1)}+\dfrac{1}{(2k+1)(2k+3)}$

  $=\dfrac{k}{2k+1}+\dfrac{1}{(2k+1)(2k+3)}$

  $=\dfrac{k(2k+3)+1}{(2k+1)(2k+3)}$

  $=\dfrac{(k+1)(2k+1)}{(2k+1)(2k+3)}$

  $=\dfrac{k+1}{2k+3}=\dfrac{k+1}{2(k+1)+1}$

  따라서 $n=k+1$일 때에도 ㉠이 성립한다.

(i), (ii)에 의하여 모든 자연수 n에 대하여 ㉠이 성
립한다.

답 풀이 참조

379

(1) $2^n>n^2$ $\cdots\cdots$ ㉠

(i) $n=5$일 때,

  (좌변)$=2^5=32$, (우변)$=5^2=25$

  따라서 (좌변)$>$(우변)이므로 $n=5$일 때 ㉠이
  성립한다.

(ii) $n=k$ $(k\geq5)$일 때, ㉠이 성립한다고 가정하면
  $2^k>k^2$

  위 부등식의 양변에 2를 곱하면
  $2\cdot2^k>2k^2$, 즉 $2^{k+1}>2k^2$

  그런데 $k\geq5$이면
  $k^2-2k-1=(k-1)^2-2>0$

  이므로 $k^2>2k+1$

  $\therefore 2^{k+1}>2k^2=k^2+k^2$

  $>k^2+2k+1=(k+1)^2$

따라서 $n=k+1$일 때에도 ㉠이 성립한다.

(ⅰ), (ⅱ)에 의하여 $n \geq 5$인 모든 자연수 n에 대하여 ㉠이 성립한다.

(2) $1 + \dfrac{1}{2^2} + \dfrac{1}{3^2} + \cdots + \dfrac{1}{n^2} < 2 - \dfrac{1}{n}$ ...... ㉠

(ⅰ) $n=2$일 때,

(좌변)$= 1 + \dfrac{1}{2^2} = \dfrac{5}{4}$, (우변)$= 2 - \dfrac{1}{2} = \dfrac{3}{2}$

따라서 $\dfrac{5}{4} < \dfrac{3}{2}$이므로 ㉠이 성립한다.

(ⅱ) $n=k \; (k \geq 2)$일 때, ㉠이 성립한다고 가정하면

$1 + \dfrac{1}{2^2} + \dfrac{1}{3^2} + \cdots + \dfrac{1}{k^2} < 2 - \dfrac{1}{k}$ ...... ㉡

이 부등식의 양변에 $\dfrac{1}{(k+1)^2}$ 을 더하면

$1 + \dfrac{1}{2^2} + \dfrac{1}{3^2} + \cdots + \dfrac{1}{k^2} + \dfrac{1}{(k+1)^2}$

$< 2 - \dfrac{1}{k} + \dfrac{1}{(k+1)^2}$ ...... ㉢

그런데 ㉡의 우변에 k 대신 $k+1$을 대입하면

$2 - \dfrac{1}{k+1}$ ...... ㉣

㉣$-$(㉢의 우변)을 계산하여 정리하면

$\left(2 - \dfrac{1}{k+1} \right) - \left\{ 2 - \dfrac{1}{k} + \dfrac{1}{(k+1)^2} \right\}$

$= \dfrac{1}{k} - \dfrac{1}{k+1} - \dfrac{1}{(k+1)^2}$

$= \dfrac{1}{k(k+1)^2} > 0$

$\therefore 2 - \dfrac{1}{k} + \dfrac{1}{(k+1)^2} < 2 - \dfrac{1}{k+1}$

$\therefore 1 + \dfrac{1}{2^2} + \dfrac{1}{3^2} + \cdots + \dfrac{1}{k^2} + \dfrac{1}{(k+1)^2}$

$\qquad < 2 - \dfrac{1}{k+1}$

따라서 $n=k+1$일 때에도 ㉠이 성립한다.

(ⅰ), (ⅱ)에 의하여 $n \geq 2$인 모든 자연수 n에 대하여 ㉠이 성립한다.

답 풀이 참조

Ⅰ. 지수함수와 로그함수

1

① $\sqrt[4]{256}=\sqrt[4]{2^8}=2^2=4$

② $\sqrt[4]{\dfrac{1}{81}}=\sqrt[4]{\left(\dfrac{1}{3}\right)^4}=\dfrac{1}{3}$

③ $\sqrt[3]{\left(\dfrac{1}{27}\right)^2}=\sqrt[3]{\left(\dfrac{1}{3}\right)^6}=\left(\dfrac{1}{3}\right)^2=\dfrac{1}{9}$

④ $-\sqrt[3]{-0.008}=-\sqrt[3]{(-0.2)^3}$
$\qquad\qquad\quad =-(-0.2)=0.2$

⑤ $-\sqrt[6]{(-3)^6}=-\sqrt[6]{3^6}=-3$

답 ④

2

① $\sqrt[3]{25}\times\sqrt[3]{5}=\sqrt[3]{25\times5}=\sqrt[3]{5^3}=5$

② $\sqrt[5]{-32}=\sqrt[5]{(-2)^5}=-2$

③ $\dfrac{\sqrt[3]{16}}{\sqrt[3]{2}}=\sqrt[3]{\dfrac{16}{2}}=\sqrt[3]{8}=\sqrt[3]{2^3}=2$

④ $\sqrt[4]{\sqrt[3]{16}}=\sqrt[3]{\sqrt[4]{16}}=\sqrt[3]{\sqrt[4]{2^4}}=\sqrt[3]{2}$

⑤ $\dfrac{\sqrt[6]{27}\times\sqrt[12]{9}}{\sqrt[6]{81}}=\sqrt[6]{3^3}\times\sqrt[12]{3^2}\div\sqrt[6]{3^4}$
$\qquad\qquad =3^{\frac{1}{2}}\times3^{\frac{1}{6}}\div3^{\frac{2}{3}}$
$\qquad\qquad =3^{\frac{1}{2}+\frac{1}{6}-\frac{2}{3}}=3^0=1$

답 ⑤

다른풀이

⑤ $\dfrac{\sqrt[6]{27}\times\sqrt[12]{9}}{\sqrt[6]{81}}=\dfrac{\sqrt[6]{27}\times\sqrt[12]{3^2}}{\sqrt[6]{81}}=\dfrac{\sqrt[6]{27}\times\sqrt[6]{3}}{\sqrt[6]{81}}$
$\qquad\qquad =\sqrt[6]{\dfrac{27\times3}{81}}=1$

3

(1) $\sqrt[3]{2^6}\div\sqrt[5]{32^2}+2\sqrt[3]{\sqrt{64}}=2^2\div\sqrt[5]{(2^5)^2}+2\sqrt[6]{2^6}$
$\qquad\qquad =4\div(\sqrt[5]{2^5})^2+2\times2$
$\qquad\qquad =4\div4+4$
$\qquad\qquad =1+4=5$

(2) $\sqrt{\dfrac{16^2+4^5}{8^4+4^5}}=\sqrt{\dfrac{2^8+2^{10}}{2^{12}+2^{10}}}=\sqrt{\dfrac{2^8(1+2^2)}{2^{10}(2^2+1)}}$
$\qquad\qquad =\sqrt{\dfrac{1}{2^2}}=\dfrac{1}{2}$

(3) $\sqrt[4]{81a\sqrt{a}}\div\sqrt[8]{a^3}=\{81\times(a\times a^{\frac{1}{2}})\}^{\frac{1}{4}}\div a^{\frac{3}{8}}$
$\qquad\qquad =(3^4)^{\frac{1}{4}}\times(a^{\frac{3}{2}})^{\frac{1}{4}}\div a^{\frac{3}{8}}$
$\qquad\qquad =3\times a^{\frac{3}{8}}\div a^{\frac{3}{8}}$
$\qquad\qquad =3a^{\frac{3}{8}-\frac{3}{8}}$
$\qquad\qquad =3a^0=3$

(4) $\dfrac{1}{2}\sqrt[6]{4}+\sqrt[3]{16}+\sqrt[3]{-\dfrac{1}{4}}=\dfrac{1}{2}\sqrt[6]{2^2}+\sqrt[3]{2^4}-\sqrt[3]{\dfrac{1}{4}}$
$\qquad\qquad =2^{-1}\cdot2^{\frac{1}{3}}+2^{\frac{4}{3}}-\sqrt[3]{2^{-2}}$
$\qquad\qquad =2^{-\frac{2}{3}}+2^{\frac{4}{3}}-2^{-\frac{2}{3}}$
$\qquad\qquad =2^{\frac{4}{3}}$

(5) $(a^{\sqrt{3}})^{2\sqrt{3}}\div a^3\times(\sqrt[3]{a})^6=a^6\div a^3\times a^2=a^5$

답 (1) **5** (2) $\dfrac{1}{2}$ (3) **3** (4) $2^{\frac{4}{3}}$ (5) $\boldsymbol{a^5}$

다른풀이 (3) $\sqrt[4]{81a\sqrt{a}}\div\sqrt[8]{a^3}=\sqrt[8]{(81a\sqrt{a})^2}\div\sqrt[8]{a^3}$
$\qquad\qquad =\dfrac{\sqrt[8]{81^2a^3}}{\sqrt[8]{a^3}}=\sqrt[8]{\dfrac{81^2a^3}{a^3}}$
$\qquad\qquad =\sqrt[8]{81^2}=\sqrt[8]{(3^4)^2}$
$\qquad\qquad =\sqrt[8]{3^8}$
$\qquad\qquad =3$

(4) $\dfrac{1}{2}\sqrt[6]{4}+\sqrt[3]{16}+\sqrt[3]{-\dfrac{1}{4}}$
$\qquad =\dfrac{1}{2}\sqrt[6]{2^2}+\sqrt[3]{2^4}-\sqrt[3]{\dfrac{1}{4}}$
$\qquad =\dfrac{1}{2}\sqrt[3]{2}+\sqrt[3]{2^4}-\sqrt[3]{\left(\dfrac{1}{2}\right)^2}$
$\qquad =\sqrt[3]{\left(\dfrac{1}{2}\right)^3}\cdot\sqrt[3]{2}+\sqrt[3]{2^4}-\sqrt[3]{\left(\dfrac{1}{2}\right)^2}$
$\qquad =\sqrt[3]{\left(\dfrac{1}{2}\right)^3\cdot2}+\sqrt[3]{2^4}-\sqrt[3]{\left(\dfrac{1}{2}\right)^2}$
$\qquad =\sqrt[3]{\left(\dfrac{1}{2}\right)^2}+\sqrt[3]{2^4}-\sqrt[3]{\left(\dfrac{1}{2}\right)^2}$
$\qquad =\sqrt[3]{2^4}=2^{\frac{4}{3}}$

실력 U P
연습문제

4

$A=\sqrt{2\sqrt[3]{3}}=\sqrt{2}\times\sqrt{\sqrt[3]{3}}=\sqrt{2}\times\sqrt[6]{3}=\sqrt[6]{2^3}\times\sqrt[6]{3}$

$\quad=\sqrt[6]{2^3\times3}=\sqrt[6]{24}$

$B=\sqrt[3]{3\sqrt{2}}=\sqrt[3]{3}\times\sqrt[3]{\sqrt{2}}=\sqrt[3]{3}\times\sqrt[6]{2}=\sqrt[6]{3^2}\times\sqrt[6]{2}$

$\quad=\sqrt[6]{3^2\times2}=\sqrt[6]{18}$

$C=\sqrt[3]{2\sqrt{3}}=\sqrt[3]{2}\times\sqrt[3]{\sqrt{3}}=\sqrt[3]{2}\times\sqrt[6]{3}=\sqrt[6]{2^2}\times\sqrt[6]{3}$

$\quad=\sqrt[6]{2^2\times3}=\sqrt[6]{12}$

따라서 $\sqrt[6]{12}<\sqrt[6]{18}<\sqrt[6]{24}$이므로

$C<B<A$

답 ⑤

5

$\sqrt{2}\times\sqrt[3]{3}\times\sqrt[4]{4}\times\sqrt[6]{6}=2^{\frac{1}{2}}\times3^{\frac{1}{3}}\times4^{\frac{1}{4}}\times6^{\frac{1}{6}}$

$\qquad\qquad\qquad\qquad\quad=2^{\frac{1}{2}}\times3^{\frac{1}{3}}\times(2^2)^{\frac{1}{4}}\times(2\times3)^{\frac{1}{6}}$

$\qquad\qquad\qquad\qquad\quad=2^{\frac{1}{2}}\times3^{\frac{1}{3}}\times2^{\frac{1}{2}}\times2^{\frac{1}{6}}\times3^{\frac{1}{6}}$

$\qquad\qquad\qquad\qquad\quad=2^{\frac{1}{2}+\frac{1}{2}+\frac{1}{6}}\times3^{\frac{1}{3}+\frac{1}{6}}$

$\qquad\qquad\qquad\qquad\quad=2^{\frac{7}{6}}\times3^{\frac{1}{2}}$

$\therefore a=\dfrac{7}{6},\ b=\dfrac{1}{2}$

$\therefore a+b=\dfrac{5}{3}$

답 $\dfrac{5}{3}$

6

$(9\times\sqrt[3]{3})^3\times(3^2)^{\frac{8}{5}}\times\dfrac{1}{\sqrt[5]{9^3}}$

$=(3^2\times3^{\frac{1}{3}})^3\times3^{\frac{16}{5}}\times\{(3^2)^{\frac{3}{5}}\}^{-1}$

$=3^6\times3\times3^{\frac{16}{5}}\times3^{-\frac{6}{5}}$

$=3^{6+1+\frac{16}{5}-\frac{6}{5}}=3^9$

$\therefore k=9$

답 ④

7

$\sqrt[3]{a^2}=\sqrt[4]{a\sqrt{a^k}}$에서

$\sqrt[3]{a^2}=a^{\frac{2}{3}}$

$\sqrt[4]{a\sqrt{a^k}}=(a\times a^{\frac{k}{2}})^{\frac{1}{4}}=(a^{\frac{2+k}{2}})^{\frac{1}{4}}=a^{\frac{2+k}{8}}$

따라서 $a^{\frac{2}{3}}=a^{\frac{2+k}{8}}$이므로

$\dfrac{2}{3}=\dfrac{2+k}{8},\ 16=3(2+k)$

$10=3k\qquad\therefore k=\dfrac{10}{3}$

답 $\dfrac{10}{3}$

8

$\sqrt[3]{a\sqrt{a\sqrt[4]{a\sqrt[3]{a}}}}=[a\times\{a\times(a\times a^{\frac{1}{3}})^{\frac{1}{4}}\}^{\frac{1}{2}}]^{\frac{1}{3}}$

$\qquad\qquad\qquad=[a\times\{a\times(a^{\frac{4}{3}})^{\frac{1}{4}}\}^{\frac{1}{2}}]^{\frac{1}{3}}$

$\qquad\qquad\qquad=\{a\times(a\times a^{\frac{1}{3}})^{\frac{1}{2}}\}^{\frac{1}{3}}$

$\qquad\qquad\qquad=\{a\times(a^{\frac{4}{3}})^{\frac{1}{2}}\}^{\frac{1}{3}}=(a\times a^{\frac{2}{3}})^{\frac{1}{3}}$

$\qquad\qquad\qquad=(a^{\frac{5}{3}})^{\frac{1}{3}}=a^{\frac{5}{9}}$

$\therefore k=\dfrac{5}{9}$

답 ⑤

다른풀이 $\sqrt[3]{a\sqrt{a\sqrt[4]{a\sqrt[3]{a}}}}=\sqrt[3]{a}\times\sqrt[3]{\sqrt{a\sqrt[4]{a\sqrt[3]{a}}}}$

$\qquad\qquad\qquad=\sqrt[3]{a}\times\sqrt[6]{a\sqrt[4]{a\sqrt[3]{a}}}$

$\qquad\qquad\qquad=\sqrt[3]{a}\times\sqrt[6]{a}\times\sqrt[6]{\sqrt[4]{a\sqrt[3]{a}}}$

$\qquad\qquad\qquad=\sqrt[3]{a}\times\sqrt[6]{a}\times\sqrt[24]{a\sqrt[3]{a}}$

$\qquad\qquad\qquad=\sqrt[3]{a}\times\sqrt[6]{a}\times\sqrt[24]{a}\times\sqrt[24]{\sqrt[3]{a}}$

$\qquad\qquad\qquad=\sqrt[3]{a}\times\sqrt[6]{a}\times\sqrt[24]{a}\times\sqrt[72]{a}$

$\qquad\qquad\qquad=a^{\frac{1}{3}+\frac{1}{6}+\frac{1}{24}+\frac{1}{72}}$

$\qquad\qquad\qquad=a^{\frac{5}{9}}$

9

8의 세제곱근 중 실수인 것은

$\sqrt[3]{8}=\sqrt[3]{2^3}=2\qquad\therefore a=2$

-64의 세제곱근 중 실수인 것은

$\sqrt[3]{-64}=\sqrt[3]{(-4)^3}=-4\qquad\therefore b=-4$

$\therefore a+b=2+(-4)=-2$

$a+b$가 실수 x의 세제곱근이므로

$x=(a+b)^3=(-2)^3=-8$

답 -8

10

ㄱ. $\sqrt{16}=4$의 네제곱근을 x라 하면 $x^4=4$이므로
$x^4-4=0$, $(x^2-2)(x^2+2)=0$
$\therefore x=\pm\sqrt{2}$ 또는 $x=\pm\sqrt{2}i$ (거짓)

ㄴ. $\sqrt[3]{-64}=\sqrt[3]{(-4)^3}=-4$ (거짓)

ㄷ. -49의 네제곱근을 x라 하면 $x^4=-49<0$이므로
-49의 네제곱근 중 실수인 것은 없다. (거짓)

ㄹ. 5의 n제곱근을 x라 하면 $x^n=5$
자연수 n $(n\geq2)$이 홀수일 때, $x^n=5$를 만족시키는 실수 x는 $x=\sqrt[n]{5}$의 1개이다. (참)

ㅁ. -5의 세제곱근 중 실수인 것은 $\sqrt[3]{-5}$이다. 이때
$\sqrt[3]{-5}=-\sqrt[3]{5}$ (참)

따라서 옳은 것은 ㄹ, ㅁ이다.

답 ㄹ, ㅁ

11

$\left(\dfrac{1}{8}\right)^{\frac{x}{3}}=(2^{-3})^{\frac{x}{3}}=2^{-x}=\dfrac{1}{2^x}=\dfrac{1}{3}$

답 $\dfrac{1}{3}$

12

$(\sqrt[3]{3^4})^{\frac{1}{3}}$이 어떤 자연수 x의 n제곱근이면
$x=\{(\sqrt[3]{3^4})^{\frac{1}{3}}\}^n=\{(3^{\frac{4}{3}})^{\frac{1}{3}}\}^n=(3^{\frac{4}{9}})^n=3^{\frac{4}{9}n}$
이므로 $\dfrac{4}{9}n$이 자연수이어야 한다.

따라서 자연수 n $(n\geq2)$은 9의 배수이므로 두 자리 자연수 n은 $18, 27, 36, \cdots, 90, 99$의 10개이다.

답 10

13

자연수 a, b에 대하여 $\sqrt{a}+\sqrt[3]{b}$가 자연수이므로 $\sqrt{a}$와 $\sqrt[3]{b}$는 각각 자연수이다. 즉 a는 어떤 자연수의 제곱꼴, b는 어떤 자연수의 세제곱 꼴이다.
이때 $30\leq a\leq40$이므로 $a=6^2=36$
$150\leq b\leq294$이므로 $b=6^3=216$
$\therefore a+b=36+216=252$

답 252

14

$\sqrt[7]{\sqrt{a}\times\sqrt[4]{\dfrac{a}{\sqrt[3]{a^2}}}}=\{a^{\frac{1}{2}}\times(a\div a^{\frac{2}{3}})^{\frac{1}{4}}\}^{\frac{1}{7}}$

$=\{a^{\frac{1}{2}}\times(a^{\frac{1}{3}})^{\frac{1}{4}}\}^{\frac{1}{7}}$

$=(a^{\frac{1}{2}}\times a^{\frac{1}{12}})^{\frac{1}{7}}$

$=(a^{\frac{7}{12}})^{\frac{1}{7}}$

$=a^{\frac{1}{12}}$

$\therefore k=\dfrac{1}{12}$

답 $\dfrac{1}{12}$

15

$a^{\frac{1}{2}}-a^{-\frac{1}{2}}=3$의 양변을 세제곱하면

$(a^{\frac{1}{2}}-a^{-\frac{1}{2}})^3=3^3$

$a^{\frac{3}{2}}-3\cdot a\cdot a^{-\frac{1}{2}}+3\cdot a^{\frac{1}{2}}\cdot a^{-1}-a^{-\frac{3}{2}}=27$

$a^{\frac{3}{2}}-a^{-\frac{3}{2}}-3(a^{\frac{1}{2}}-a^{-\frac{1}{2}})=27$

$a^{\frac{3}{2}}-a^{-\frac{3}{2}}-3\cdot3=27$

$\therefore a^{\frac{3}{2}}-a^{-\frac{3}{2}}=36$ ...... ㉠

또한 $a^{\frac{1}{2}}-a^{-\frac{1}{2}}=3$의 양변을 제곱하면

$(a^{\frac{1}{2}}-a^{-\frac{1}{2}})^2=3^2$

$a-2+a^{-1}=9$

$\therefore a+a^{-1}=11$ ...... ㉡

㉠, ㉡에서

$\dfrac{a^{\frac{3}{2}}-a^{-\frac{3}{2}}+9}{a+a^{-1}+4}=\dfrac{36+9}{11+4}=\dfrac{45}{15}=3$

답 3

16

$x=\sqrt[3]{9}-\sqrt[3]{3}$의 양변을 세제곱하면

$x^3=(\sqrt[3]{9}-\sqrt[3]{3})^3$

$=9-3\cdot(\sqrt[3]{9})^2\cdot\sqrt[3]{3}+3\sqrt[3]{9}\cdot(\sqrt[3]{3})^2-3$

$=6-3\cdot\sqrt[3]{9}\sqrt[3]{3}(\sqrt[3]{9}-\sqrt[3]{3})$

$=6-3\cdot\sqrt[3]{27}(\sqrt[3]{9}-\sqrt[3]{3})$

$=6-9(\sqrt[3]{9}-\sqrt[3]{3})$

$=6-9x$

$\therefore x^3+9x=6$

$$\therefore 2x^3+18x-5=2(x^3+9x)-5$$
$$=2\times 6-5$$
$$=7$$

답 7

17

분모, 분자에 각각 a^{11}을 곱하면

$$\frac{a^2+a^4+a^6+a^8+a^{10}}{a^{-1}+a^{-3}+a^{-5}+a^{-7}+a^{-9}}$$
$$=\frac{a^{11}(a^2+a^4+a^6+a^8+a^{10})}{a^{11}(a^{-1}+a^{-3}+a^{-5}+a^{-7}+a^{-9})}$$
$$=\frac{a^{11}(a^2+a^4+a^6+a^8+a^{10})}{a^{10}+a^8+a^6+a^4+a^2}$$
$$=a^{11}$$

답 ②

18

(1) $2^x+2^{-x}=4$의 양변을 세제곱하면

$$(2^x+2^{-x})^3=4^3$$
$$2^{3x}+3\cdot 2^{2x}\cdot 2^{-x}+3\cdot 2^x\cdot 2^{-2x}+2^{-3x}=64$$
$$8^x+8^{-x}+3(2^x+2^{-x})=64$$
$$8^x+8^{-x}+3\cdot 4=64$$
$$\therefore 8^x+8^{-x}=52$$

(2) $29^x=2$에서 $29=2^{\frac{1}{x}}$ ······ ㉠

$(4\times 29)^y=2^2$에서 $4\times 29=2^{\frac{2}{y}}$ ······ ㉡

㉠÷㉡을 하면

$$\frac{29}{4\times 29}=2^{\frac{1}{x}}\div 2^{\frac{2}{y}}\qquad \therefore 2^{\frac{1}{x}-\frac{2}{y}}=\frac{1}{4}$$

(3) 분모, 분자에 각각 3^x을 곱하면

$$\frac{3^{3x}+3^{-3x}}{3^x+3^{-x}}=\frac{3^x(3^{3x}+3^{-3x})}{3^x(3^x+3^{-x})}=\frac{3^{4x}+3^{-2x}}{3^{2x}+1}$$
$$=\frac{(3^{2x})^2+(3^{2x})^{-1}}{3^{2x}+1}$$
$$=\frac{(\sqrt{2}-1)^2+\dfrac{1}{\sqrt{2}-1}}{(\sqrt{2}-1)+1}$$
$$=\frac{3-2\sqrt{2}+\sqrt{2}+1}{\sqrt{2}}$$
$$=\frac{4-\sqrt{2}}{\sqrt{2}}$$
$$=2\sqrt{2}-1$$

답 (1) 52 (2) $\dfrac{1}{4}$ (3) $2\sqrt{2}-1$

다른풀이 (1) 곱셈 공식의 변형을 이용하면

$$8^x+8^{-x}=(2^x)^3+(2^{-x})^3$$
$$=(2^x+2^{-x})^3-3\cdot 2^x\cdot 2^{-x}(2^x+2^{-x})$$
$$=4^3-3\times 4$$
$$=52$$

19

$2^x=5^y=10^z=k\ (k>0)$라 하면

$xyz\neq 0$이므로 $k\neq 1$

$2^x=k$에서 $2=k^{\frac{1}{x}}$ ······ ㉠

$5^y=k$에서 $5=k^{\frac{1}{y}}$ ······ ㉡

$10^z=k$에서 $10=k^{\frac{1}{z}}$ ······ ㉢

㉠×㉡÷㉢을 하면

$$2\times 5\div 10=k^{\frac{1}{x}}\times k^{\frac{1}{y}}\div k^{\frac{1}{z}}$$
$$\therefore k^{\frac{1}{x}+\frac{1}{y}-\frac{1}{z}}=1$$

$k\neq 1$이므로 $\dfrac{1}{x}+\dfrac{1}{y}-\dfrac{1}{z}=0$

$$\therefore \frac{yz+zx-xy}{xyz}=0$$

$xyz\neq 0$이므로 $yz+zx-xy=0$

$$\therefore xy-yz-zx=0$$

답 0

20

$5^x=10$에서 $5=10^{\frac{1}{x}}$ ······ ㉠

$80^y=10$에서 $80=10^{\frac{1}{y}}$ ······ ㉡

$a^z=10$에서 $a=10^{\frac{1}{z}}$ ······ ㉢

㉠×㉡÷㉢을 하면

$$5\times 80\div a=10^{\frac{1}{x}}\times 10^{\frac{1}{y}}\div 10^{\frac{1}{z}}$$
$$\frac{400}{a}=10^{\frac{1}{x}+\frac{1}{y}-\frac{1}{z}}$$
$$\frac{400}{a}=10^2\left(\because \frac{1}{x}+\frac{1}{y}-\frac{1}{z}=2\right)$$
$$\therefore a=4$$

답 4

21

주어진 식의 지수 부분을 계산하면

$$\frac{1}{(a-b)(b-c)}+\frac{1}{(b-c)(c-a)}+\frac{1}{(c-a)(a-b)}$$

$$=\frac{(c-a)+(a-b)+(b-c)}{(a-b)(b-c)(c-a)}=0$$

$$\therefore x^{\frac{1}{(a-b)(b-c)}+\frac{1}{(b-c)(c-a)}+\frac{1}{(c-a)(a-b)}}=x^0=1$$

답 1

22

$a^6=5$, $b^5=7$, $c^2=11$에서

$a=5^{\frac{1}{6}}$, $b=7^{\frac{1}{5}}$, $c=11^{\frac{1}{2}}$

$$\therefore (abc)^n=(5^{\frac{1}{6}}\times 7^{\frac{1}{5}}\times 11^{\frac{1}{2}})^n$$

$$=5^{\frac{n}{6}}\times 7^{\frac{n}{5}}\times 11^{\frac{n}{2}}$$

$(abc)^n$, 즉 $5^{\frac{n}{6}}\times 7^{\frac{n}{5}}\times 11^{\frac{n}{2}}$이 자연수가 되려면

$\dfrac{n}{6}$, $\dfrac{n}{5}$, $\dfrac{n}{2}$이 모두 자연수이어야 한다.

따라서 자연수 n의 최솟값은 세 수 6, 5, 2의 최소공배수인 30이다.

답 30

23

이차방정식 $x^2-6x+2=0$의 두 근이 2^a, 2^b이므로 이차방정식의 근과 계수의 관계에 의하여

$2^a+2^b=6$, $2^a\cdot 2^b=2$

$$\therefore 8^a+8^b=(2^a)^3+(2^b)^3$$

$$=(2^a+2^b)^3-3\cdot 2^a\cdot 2^b(2^a+2^b)$$

$$=6^3-3\cdot 2\cdot 6=180$$

답 180

24

$$\frac{a^{6x}+a^{-6x}}{a^{2x}+a^{-2x}}=\frac{(a^{2x})^3+(a^{-2x})^3}{a^{2x}+a^{-2x}}$$

$$=\frac{(a^{2x}+a^{-2x})(a^{4x}-a^{2x}\cdot a^{-2x}+a^{-4x})}{a^{2x}+a^{-2x}}$$

$$=a^{4x}-1+a^{-4x}$$

$$=(\sqrt{2}+1)-1+\frac{1}{\sqrt{2}+1}$$

$$=\sqrt{2}+\frac{1}{\sqrt{2}+1}$$

$$=\sqrt{2}+(\sqrt{2}-1)=2\sqrt{2}-1$$

답 $2\sqrt{2}-1$

다른풀이 $a^{4x}=\sqrt{2}+1$, $a^{-4x}=\dfrac{1}{a^{4x}}=\sqrt{2}-1$이고

$\dfrac{a^{6x}+a^{-6x}}{a^{2x}+a^{-2x}}$의 분모, 분자에 각각 a^{2x}을 곱하면

$$\frac{a^{6x}+a^{-6x}}{a^{2x}+a^{-2x}}=\frac{a^{2x}(a^{6x}+a^{-6x})}{a^{2x}(a^{2x}+a^{-2x})}=\frac{a^{8x}+a^{-4x}}{a^{4x}+1}$$

$$=\frac{(\sqrt{2}+1)^2+\sqrt{2}-1}{(\sqrt{2}+1)+1}=\frac{2+3\sqrt{2}}{2+\sqrt{2}}$$

$$=\frac{(2+3\sqrt{2})(2-\sqrt{2})}{(2+\sqrt{2})(2-\sqrt{2})}=2\sqrt{2}-1$$

25

$$f(x)=\frac{a^x-a^{-x}}{a^x+a^{-x}}=\frac{a^x(a^x-a^{-x})}{a^x(a^x+a^{-x})}=\frac{a^{2x}-1}{a^{2x}+1}$$이므로

$f(p)=\dfrac{a^{2p}-1}{a^{2p}+1}=\dfrac{1}{2}$에서

$2(a^{2p}-1)=a^{2p}+1$

$\therefore a^{2p}=3$

$f(q)=\dfrac{a^{2q}-1}{a^{2q}+1}=\dfrac{1}{3}$에서

$3(a^{2q}-1)=a^{2q}+1$ $\therefore a^{2q}=2$

$$\therefore f(p+q)=\frac{a^{2(p+q)}-1}{a^{2(p+q)}+1}=\frac{a^{2p}\times a^{2q}-1}{a^{2p}\times a^{2q}+1}$$

$$=\frac{3\times 2-1}{3\times 2+1}=\frac{5}{7}$$

답 $\dfrac{5}{7}$

26

조건 (가)에서 $16^x=9^y=48^z=k$ $(k>0)$라 하면

$16^x=k$에서 $16=k^{\frac{1}{x}}$

$9^y=k$에서 $9=k^{\frac{1}{y}}$

$48^z=k$에서 $48=k^{\frac{1}{z}}$

조건 (나)에서 $\dfrac{2a}{x}+\dfrac{1}{y}=\dfrac{2}{z}$이므로 $k^{\frac{2a}{x}+\frac{1}{y}}=k^{\frac{2}{z}}$, 즉

$k^{\frac{2a}{x}}\times k^{\frac{1}{y}}=k^{\frac{2}{z}}$

$(k^{\frac{1}{x}})^{2a} \times k^{\frac{1}{y}} = (k^{\frac{1}{z}})^2$

$16^{2a} \times 9 = 48^2$

$(2^4)^{2a} \times 3^2 = (2^4 \times 3)^2$

$2^{8a} \times 3^2 = 2^8 \times 3^2$, $2^{8a} = 2^8$

$8a = 8$ $\quad \therefore a = 1$

답 **1**

27

① $\log_{\frac{1}{2}} 4 = \log_{2^{-1}} 2^2 = -2$ (거짓)

② $\log_{10} \sqrt[4]{0.001} = \log_{10} \left(\frac{1}{1000}\right)^{\frac{1}{4}}$

$\qquad\qquad\qquad = \frac{1}{4} \log_{10} 10^{-3}$

$\qquad\qquad\qquad = -\frac{3}{4}$ (참)

③ $\log_9 3 + \log_9 27 = \log_9 (3 \times 27) = \log_9 81$

$\qquad\qquad\qquad\qquad = \log_9 9^2 = 2$ (거짓)

④ $\log_{10} 12 - \log_{10} 2 = \log_{10} \frac{12}{2} = \log_{10} 6$ (거짓)

⑤ $\log_{\sqrt{3}} \frac{1}{9} = \log_{3^{\frac{1}{2}}} 3^{-2} = \frac{-2}{\frac{1}{2}} \log_3 3 = -4$ (거짓)

답 **②**

28

$\alpha = \frac{2}{\sqrt{3}-1} = \frac{2(\sqrt{3}+1)}{(\sqrt{3}-1)(\sqrt{3}+1)} = \sqrt{3}+1$

$\therefore \log_3 (\alpha^3 - 1) - \log_3 (\alpha^2 + \alpha + 1)$

$\quad = \log_3 \frac{\alpha^3 - 1}{\alpha^2 + \alpha + 1}$

$\quad = \log_3 \frac{(\alpha - 1)(\alpha^2 + \alpha + 1)}{\alpha^2 + \alpha + 1}$

$\quad = \log_3 (\alpha - 1)$

$\quad = \log_3 (\sqrt{3}+1-1) = \log_3 \sqrt{3}$

$\quad = \log_3 3^{\frac{1}{2}}$

$\quad = \frac{1}{2}$

답 $\dfrac{1}{2}$

29

(1) $\log_2 (4^{\frac{3}{4}} \times \sqrt{2^5})^{\frac{1}{2}} = \log_2 \{(2^2)^{\frac{3}{4}} \times 2^{\frac{5}{2}}\}^{\frac{1}{2}}$

$\qquad\qquad\qquad\qquad = \log_2 (2^{\frac{3}{2}} \times 2^{\frac{5}{2}})^{\frac{1}{2}}$

$\qquad\qquad = \log_2 (2^4)^{\frac{1}{2}}$

$\qquad\qquad = \log_2 2^2 = 2$

(2) $8^{\log_2 3} - 100^{\log_{10} 5} = 3^{\log_2 8} - 5^{\log_{10} 100}$

$\qquad\qquad\qquad\qquad = 3^{\log_2 2^3} - 5^{\log_{10} 10^2}$

$\qquad\qquad\qquad\qquad = 3^3 - 5^2$

$\qquad\qquad\qquad\qquad = 27 - 25$

$\qquad\qquad\qquad\qquad = 2$

(3) $(\log_9 2 + \log_3 4)(\log_2 3 + \log_4 9)$

$\quad = (\log_{3^2} 2 + \log_3 2^2)(\log_2 3 + \log_{2^2} 3^2)$

$\quad = \left(\frac{1}{2} \log_3 2 + 2 \log_3 2\right)(\log_2 3 + \log_2 3)$

$\quad = \frac{5}{2} \log_3 2 \times 2 \log_2 3$

$\quad = 5 \times \log_3 2 \times \log_2 3$

$\quad = 5$

(4) $3 \log_2 \sqrt[3]{3} + \frac{1}{2} \log_2 \sqrt{2} + \log_2 \frac{\sqrt{2}}{3}$

$\quad = 3 \log_2 3^{\frac{1}{3}} + \frac{1}{2} \log_2 2^{\frac{1}{2}} + \log_2 \frac{\sqrt{2}}{3}$

$\quad = \log_2 3 + \frac{1}{4} \log_2 2 + \log_2 \frac{\sqrt{2}}{3}$

$\quad = \log_2 \left(3 \times \frac{\sqrt{2}}{3}\right) + \frac{1}{4}$

$\quad = \log_2 \sqrt{2} + \frac{1}{4}$

$\quad = \log_2 2^{\frac{1}{2}} + \frac{1}{4}$

$\quad = \frac{1}{2} + \frac{1}{4} = \frac{3}{4}$

답 (1) **2** (2) **2** (3) **5** (4) $\dfrac{3}{4}$

30

$a = (\sqrt{3})^{\log_3 4} = (\sqrt{3})^{2\log_3 2}$

$\quad = \{(\sqrt{3})^2\}^{\log_3 2} = 3^{\log_3 2} = 2$

$b = 2^{\log_2 3} = 3$

$\therefore a^2 + b^2 = 2^2 + 3^2 = 13$

답 **13**

31

$\log_5 \sqrt{2.4} = \log_5 2.4^{\frac{1}{2}}$

$\qquad\qquad = \frac{1}{2} \log_5 2.4 = \frac{1}{2} \log_5 \frac{12}{5}$

$$= \frac{1}{2}(\log_5 12 - \log_5 5)$$
$$= \frac{1}{2}\{\log_5(2^2 \times 3) - 1\}$$
$$= \frac{1}{2}(2\log_5 2 + \log_5 3 - 1)$$
$$= \frac{1}{2}(2a + b - 1)$$

답 $\dfrac{1}{2}(2a+b-1)$

32

$2^x = 24$에서 $x = \log_2 24$

$3^y = 24$에서 $y = \log_3 24$

$$\therefore (x-3)(y-1)$$
$$= (\log_2 24 - 3)(\log_3 24 - 1)$$
$$= (\log_2 24 - \log_2 8)(\log_3 24 - \log_3 3)$$
$$= \log_2 \frac{24}{8} \times \log_3 \frac{24}{3} = \log_2 3 \times \log_3 8$$
$$= \frac{\log_{10} 3}{\log_{10} 2} \times \frac{\log_{10} 8}{\log_{10} 3}$$
$$= \frac{\log_{10} 8}{\log_{10} 2} = \log_2 8 = \log_2 2^3 = 3$$

답 ③

33

$A = \dfrac{1}{2}\log_3 \sqrt{3} = \dfrac{1}{2}\log_3 3^{\frac{1}{2}} = \dfrac{1}{4}$

$B = \dfrac{1}{6}\log_4 32 = \dfrac{1}{6}\log_{2^2} 2^5 = \dfrac{1}{6} \times \dfrac{5}{2} = \dfrac{5}{12}$

$C = \log_{25} 5\sqrt{5} = \log_{5^2} 5^{\frac{3}{2}} = \dfrac{\frac{3}{2}}{2} = \dfrac{3}{4}$

따라서 $\dfrac{1}{4} < \dfrac{5}{12} < \dfrac{3}{4}$이므로 $A < B < C$

답 ①

34

$\log_{a-1}(ax^2 - ax + 2)$가 정의되려면

밑의 조건에서 $a - 1 > 0$, $a - 1 \neq 1$

$\therefore a > 1$, $a \neq 2$ ...... ㉠

진수의 조건에서 $ax^2 - ax + 2 > 0$ ...... ㉡

㉠에서 $a > 0$이므로 부등식 ㉡이 모든 실수 x에 대하

여 성립하려면 이차방정식 $ax^2 - ax + 2 = 0$의 판별식

을 D라 할 때 $D < 0$이어야 한다. 즉

$D = a^2 - 8a < 0$, $a(a - 8) < 0$

$\therefore 0 < a < 8$ ...... ㉢

㉠, ㉢의 공통 범위를 구하면

$1 < a < 2$ 또는 $2 < a < 8$

따라서 정수 a는 3, 4, 5, 6, 7이므로 그 합은

$3 + 4 + 5 + 6 + 7 = 25$

답 25

35

(1) $x = \log_2 (2 + \sqrt{3})$에서 $2^x = 2 + \sqrt{3}$

$$\therefore 2^x + 2^{-x} = 2^x + \frac{1}{2^x}$$
$$= 2 + \sqrt{3} + \frac{1}{2 + \sqrt{3}}$$
$$= 2 + \sqrt{3} + (2 - \sqrt{3})$$
$$= 4$$

(2) $\log_2 (a + b) = 3$에서 $a + b = 2^3 = 8$

$\log_2 a + \log_2 b = 3$에서 $\log_2 ab = 3$

$\therefore ab = 2^3 = 8$

$\therefore (a - b)^2 = (a + b)^2 - 4ab = 8^2 - 4 \times 8 = 32$

(3) $\log_a x = \dfrac{1}{4}$, $\log_b x = \dfrac{1}{5}$, $\log_c x = \dfrac{1}{6}$에서

$\log_x a = 4$, $\log_x b = 5$, $\log_x c = 6$

$$\therefore \frac{2}{\log_{abc} x} = 2\log_x abc$$
$$= 2(\log_x a + \log_x b + \log_x c)$$
$$= 2(4 + 5 + 6)$$
$$= 30$$

답 (1) 4 (2) 32 (3) 30

36

$3.45^x = 100$에서 $x = \log_{3.45} 100$

$\therefore \dfrac{1}{x} = \log_{100} 3.45$

$0.00345^y = 100$에서 $y = \log_{0.00345} 100$

$\therefore \dfrac{1}{y} = \log_{100} 0.00345$

$$\therefore \frac{1}{x}-\frac{1}{y}=\log_{100}3.45-\log_{100}0.00345$$

$$=\log_{100}\frac{3.45}{0.00345}$$

$$=\log_{100}1000$$

$$=\log_{10^2}10^3$$

$$=\frac{3}{2}$$

답 ②

다른풀이 $3.45^x=100$에서 $100^{\frac{1}{x}}=3.45$ ····· ㉠

$0.00345^y=100$에서 $100^{\frac{1}{y}}=0.00345$ ····· ㉡

㉠÷㉡을 하면

$$100^{\frac{1}{x}}\div 100^{\frac{1}{y}}=3.45\div 0.00345$$

$$100^{\frac{1}{x}-\frac{1}{y}}=1000$$

$$10^{2\left(\frac{1}{x}-\frac{1}{y}\right)}=10^3$$

$$2\left(\frac{1}{x}-\frac{1}{y}\right)=3 \qquad \therefore \frac{1}{x}-\frac{1}{y}=\frac{3}{2}$$

37

$5^x=2^y=(\sqrt[3]{10})^z=k\ (k>0)$라 하면

$5^x=k$에서 $x=\log_5 k$ $\quad\therefore \dfrac{1}{x}=\dfrac{1}{\log_5 k}=\log_k 5$

$2^y=k$에서 $y=\log_2 k$ $\quad\therefore \dfrac{1}{y}=\dfrac{1}{\log_2 k}=\log_k 2$

$(\sqrt[3]{10})^z=k$에서 $z=\log_{\sqrt[3]{10}}k=\log_{10^{\frac{1}{3}}}k=3\log_{10}k$

$\therefore \dfrac{1}{z}=\dfrac{1}{3\log_{10}k}=\dfrac{1}{3}\log_k 10$

$$\therefore \frac{1}{x}+\frac{1}{y}-\frac{3}{z}=\log_k 5+\log_k 2-3\left(\frac{1}{3}\log_k 10\right)$$

$$=\log_k 5+\log_k 2-\log_k 10$$

$$=\log_k \frac{5\times 2}{10}$$

$$=\log_k 1=0$$

답 0

38

이차방정식 $x^2-3x+1=0$의 두 실근이 $\log_{10}\alpha$, $\log_{10}\beta$이므로 근과 계수의 관계에 의하여

$\log_{10}\alpha+\log_{10}\beta=3$, $(\log_{10}\alpha)(\log_{10}\beta)=1$

$$\therefore 2\log_{\alpha^2}\beta+\frac{1}{3}\log_\beta \alpha^3$$

$$=\log_\alpha \beta+\log_\beta \alpha$$

$$=\frac{\log_{10}\beta}{\log_{10}\alpha}+\frac{\log_{10}\alpha}{\log_{10}\beta}$$

$$=\frac{(\log_{10}\beta)^2+(\log_{10}\alpha)^2}{(\log_{10}\alpha)(\log_{10}\beta)}$$

$$=\frac{(\log_{10}\alpha+\log_{10}\beta)^2-2(\log_{10}\alpha)(\log_{10}\beta)}{(\log_{10}\alpha)(\log_{10}\beta)}$$

$$=\frac{3^2-2\times 1}{1}$$

$$=7$$

답 ③

39

$A=(\sqrt{3})^{\log_3 12-\log_3 3}=(\sqrt{3})^{\log_3 \frac{12}{3}}$

$\quad=(\sqrt{3})^{\log_3 4}=(\sqrt{3})^2$

$\quad=3$

$B=(4\sqrt{2})^{-\log_2 \frac{\sqrt{3}}{3}}=(4\sqrt{2})^{\log_2 \left(\frac{\sqrt{3}}{3}\right)^{-1}}$

$\quad=(4\sqrt{2})^{\log_2 \frac{3}{\sqrt{3}}}=(4\sqrt{2})^{\log_2 \sqrt{3}}$

$\quad=(\sqrt{3})^{\log_2 4\sqrt{2}}=(\sqrt{3})^{\log_2 2^{\frac{5}{2}}}$

$\quad=(\sqrt{3})^{\frac{5}{2}}=(3^{\frac{1}{2}})^{\frac{5}{2}}$

$\quad=3^{\frac{5}{4}}$

$C=\log_4 2+\log_9 3$

$\quad=\log_{2^2}2+\log_{3^2}3$

$\quad=\frac{1}{2}+\frac{1}{2}=1$

따라서 $1<3<3^{\frac{5}{4}}$이므로

$C<A<B$

답 ⑤

40

$\log_a b=\dfrac{1}{5}$에서 $\log_b a=5$

$$\therefore \log_{b^2}a=\frac{1}{2}\log_b a=\frac{1}{2}\times 5=\frac{5}{2}=2+\frac{1}{2}$$

따라서 $\log_{b^2}a$의 정수 부분은 2이다.

답 2

41

$$\log \frac{1}{3230} = \log 3230^{-1} = -\log 3230$$
$$= -\log(32.3 \times 10^2)$$
$$= -(\log 32.3 + 2)$$
$$= -(1.5092 + 2)$$
$$= -3.5092$$

답 ①

42

$$\log 6 + \log \sqrt{2} - \log 18$$
$$= \log(2 \times 3) + \log 2^{\frac{1}{2}} - \log(2 \times 3^2)$$
$$= \log 2 + \log 3 + \frac{1}{2} \log 2 - (\log 2 + 2\log 3)$$
$$= \frac{1}{2} \log 2 - \log 3$$
$$= \frac{1}{2} \times 0.3010 - 0.4771$$
$$= -0.3266$$

답 ①

43

$\log A = 1.2$이므로

$$\log \frac{1}{\sqrt[4]{A}} = \log(\sqrt[4]{A})^{-1} = \log A^{-\frac{1}{4}} = -\frac{1}{4} \log A$$
$$= -\frac{1}{4} \times 1.2 = -0.3$$
$$= -1 + 0.7$$

따라서 $\log \dfrac{1}{\sqrt[4]{A}}$의 정수 부분은 -1, 소수 부분은 0.7

이므로 $a = -1$, $b = 0.7$

$\therefore 100ab = 100 \times (-1) \times 0.7 = -70$

답 -70

44

9는 정수 부분이 한 자리인 수이므로 $\log 9$의 정수 부분은 0

$\therefore f(9) = 0$

99는 정수 부분이 두 자리인 수이므로 $\log 99$의 정수 부분은 1

$\therefore f(99) = 1$

999는 정수 부분이 세 자리인 수이므로 $\log 999$의 정수 부분은 2

$\therefore f(999) = 2$

$\therefore f(9) + f(99) + f(999) = 0 + 1 + 2 = 3$

답 3

45

50은 정수 부분이 두 자리인 수이므로 $\log 50$의 정수 부분은 1이다.

따라서 $\log 50$의 소수 부분 a는

$a = \log 50 - 1 = \log 50 - \log 10 = \log 5$

$\therefore 1000^a = 1000^{\log 5} = 5^{\log 1000} = 5^3 = 125$

답 125

46

$\log 3^{100} = 100 \log 3 = 100 \times 0.4771 = 47.71$

따라서 $\log 3^{100}$의 정수 부분이 47이므로 3^{100}은 48자리의 정수이다.

$\therefore a = 48$

$$\log \left(\frac{1}{2}\right)^{200} = 200 \log \frac{1}{2} = 200 \log 2^{-1}$$
$$= -200 \log 2$$
$$= -200 \times 0.3010 = -60.20$$
$$= -61 + 0.80$$

따라서 $\log \left(\dfrac{1}{2}\right)^{200}$의 정수 부분이 -61이므로 $\left(\dfrac{1}{2}\right)^{200}$

을 소수로 나타내면 소수점 아래 61째 자리에서 처음으로 0이 아닌 숫자가 나타난다.

$\therefore b = 61$

$\therefore a + b = 48 + 61 = 109$

답 109

47

$$\log 200 = \log(2 \times 10^2) = \log 2 + \log 10^2$$
$$= 2 + \log 2$$

이므로 $\log 200$의 정수 부분은 2이고 소수 부분은 $\log 2$이다.

따라서 이차방정식 $x^2+ax+b=0$의 두 근이 2, $\log 2$이므로 근과 계수의 관계에 의하여

$2+\log 2=-a$, $2\log 2=b$ $\therefore a=-2-\log 2$

$\therefore 2a+b=2(-2-\log 2)+2\log 2$

$\qquad\qquad =-4-2\log 2+2\log 2=-4$

답 -4

48

$0.7781=0.3010+0.4771$

$\qquad\quad =\log 2+\log 3=\log 6$

$\therefore \log x=3.7781$

$\qquad\quad =3+0.7781=\log 10^3+\log 6$

$\qquad\quad =\log(10^3\times 6)=\log 6000$

$\therefore x=6000$

답 6000

49

$\log x=-0.4260=-1+0.5740$

$\qquad\quad =-1+\log 3.75$

$\qquad\quad =\log 10^{-1}+\log 3.75$

$\qquad\quad =\log(10^{-1}\times 3.75)$

$\qquad\quad =\log 0.375$

$\therefore x=0.375$

답 0.375

다른풀이 $\log x=-0.4260=-1+(1-0.4260)$

$\qquad\qquad\qquad =-1+0.5740$

에서 $\log 3.75$와 소수 부분이 같으므로 x는 3.75와 숫자 배열이 같고, 정수 부분이 -1이므로 x는 소수점 아래 첫째 자리에서 처음으로 0이 아닌 숫자가 나타난다.

$\therefore x=0.375$

50

$\log_3 x=20$이므로 $x=3^{20}$

$\therefore \log\dfrac{1}{x}=\log\dfrac{1}{3^{20}}=\log\left(\dfrac{1}{3}\right)^{20}=\log 3^{-20}$

$\qquad\qquad =-20\log 3=-20\times 0.4771$

$\qquad\qquad =-9.542=-10+0.458$

따라서 $a=0.458$이므로

$1000a=458$

답 458

51

12는 정수 부분이 두 자리인 수이므로 $\log 12$의 정수 부분은 1이다.

$\therefore x=1$

따라서 $\log 12$의 소수 부분 y는

$y=\log 12-1=\log 12-\log 10=\log\dfrac{6}{5}$

$\therefore 10^x+10^{-y}=10^1+10^{-\log\frac{6}{5}}$

$\qquad\qquad\qquad =10+10^{\log\frac{5}{6}}$

$\qquad\qquad\qquad =10+\dfrac{5}{6}=\dfrac{65}{6}$

답 ⑤

52

A^{50}이 67자리의 정수이므로 $\log A^{50}$의 정수 부분은 66이다.

즉 $66\le\log A^{50}<67$이므로

$66\le 50\log A<67$

$\therefore \dfrac{66}{50}\le\log A<\dfrac{67}{50}$

각 변에 20을 곱하면

$20\times\dfrac{66}{50}\le 20\log A<20\times\dfrac{67}{50}$

$\therefore 26.4\le\log A^{20}<26.8$

따라서 $\log A^{20}$의 정수 부분이 26이므로 A^{20}은 27자리의 정수이다.

답 ②

53

처음 세균의 수를 A라 하면

2시간 후의 세균의 수는 $3A$

4시간 후의 세균의 수는 3^2A

6시간 후의 세균의 수는 3^3A

$\qquad\qquad\vdots$

48시간 후의 세균의 수는 $3^{24}A$

따라서 $x=3^{24}$이므로

$\log x=24 \log 3=24 \times 0.4771=11.4504$

따라서 $\log x$의 정수 부분이 11이므로 x는 12자리의 정수이다.

답 ②

54

$\left(\dfrac{3}{5}\right)^n$을 소수로 나타낼 때, 소수점 아래 15째 자리에서 처음으로 0이 아닌 숫자가 나타나면 $\log \left(\dfrac{3}{5}\right)^n$의 정수 부분은 -15이다. 즉

$-15 \leq \log \left(\dfrac{3}{5}\right)^n < -14$

$-15 \leq \log \left(\dfrac{6}{10}\right)^n < -14$

$-15 \leq n(\log 2 + \log 3 - 1) < -14$

$-15 \leq n(0.3010 + 0.4771 - 1) < -14$

$-15 \leq -0.2219n < -14$

각 변을 -0.2219로 나누면

$\dfrac{14}{0.2219} < n \leq \dfrac{15}{0.2219}$

$\therefore 63. \times \times \times < n \leq 67. \times \times \times$

따라서 자연수 n은 64, 65, 66, 67의 4개이다.

답 4

55

이차방정식 $x^2-8x+10=0$의 두 실근이 $\log a$, $\log b$이므로 근과 계수의 관계에 의하여

$\log a+\log b=8$, $(\log a)(\log b)=10$

$\therefore \log_a b+\log_b a$

$\quad =\dfrac{\log b}{\log a}+\dfrac{\log a}{\log b}$

$\quad =\dfrac{(\log b)^2+(\log a)^2}{(\log a)(\log b)}$

$\quad =\dfrac{(\log a+\log b)^2-2(\log a)(\log b)}{(\log a)(\log b)}$

$\quad =\dfrac{8^2-2\times 10}{10}=\dfrac{22}{5}$

답 $\dfrac{22}{5}$

56

$\log x^4$의 소수 부분과 $\log x^2$의 소수 부분이 같으므로

$\log x^4-\log x^2=4 \log x-2 \log x$

$\qquad\qquad\qquad =2 \log x=(정수)$

$2<\log x<3$에서 $4<2 \log x<6$이고, $2 \log x$는 정수이므로

$2 \log x=5$, $\log x=\dfrac{5}{2}$ $\quad \therefore x=10^{\frac{5}{2}}$

답 ⑤

57

상품의 판매 가격이 P_1일 때의 수요량이 D_1이므로

$\log D_1=\log c-\dfrac{1}{3} \log P_1$

상품의 판매 가격이 $4P_1$일 때의 수요량이 D_2이므로

$\log D_2=\log c-\dfrac{1}{3} \log 4P_1$

$\therefore \log \dfrac{D_2}{D_1}$

$\quad =\log D_2-\log D_1$

$\quad =\left(\log c-\dfrac{1}{3} \log 4P_1\right)-\left(\log c-\dfrac{1}{3} \log P_1\right)$

$\quad =-\dfrac{1}{3}(\log 4P_1-\log P_1)$

$\quad =-\dfrac{1}{3} \log \dfrac{4P_1}{P_1}=-\dfrac{1}{3} \log 4$

$\quad =\log 4^{-\frac{1}{3}}$

$\therefore \dfrac{D_2}{D_1}=4^{-\frac{1}{3}}=2^{-\frac{2}{3}}$

답 ①

58

처음 물의 높이가 64 cm이고, 실험을 시작한 지 40분 후의 물의 높이가 16 cm이므로

$k=\dfrac{C}{40}(\log 64-\log 16)$

$k=\dfrac{C}{40} \times \log \dfrac{64}{16}$, $k=\dfrac{C}{40} \times \log 4$

$\therefore k=\dfrac{C}{20} \times \log 2$ $\qquad\qquad \cdots\cdots$ ㉠

실험을 시작한 지 x분 후의 물의 높이가 2 cm이므로

$$k = \frac{C}{x}(\log 64 - \log 2)$$

$$k = \frac{C}{x} \times \log \frac{64}{2}, \ k = \frac{C}{x} \times \log 32$$

$$\therefore k = \frac{C}{x} \times 5 \log 2 \qquad \cdots\cdots \ \text{ⓛ}$$

동일한 흙의 투수계수(k)는 같은 실험 조건에서 일정하므로 ㉠, ㉡에서

$$\frac{C}{20} \times \log 2 = \frac{C}{x} \times 5 \log 2$$

$$\frac{1}{20} = \frac{5}{x} \qquad \therefore x = 20 \times 5 = 100$$

답 ②

59

(1) $\log 2^{15} = 15 \log 2 = 15 \times 0.3010 = 4.5150$

$\log 2^{15}$의 정수 부분이 4이므로 2^{15}은 5자리의 정수이다.

$\therefore a = 5$

한편, $\log 2^{15}$의 소수 부분이 0.5150이고

$\log 3 = 0.4771$,

$\log 4 = 2 \log 2 = 2 \times 0.3010 = 0.6020$이므로

$\log 3 < 0.5150 < \log 4$

$\log 3 + 4 < 4.5150 < \log 4 + 4$

$\log(3 \times 10^4) < \log 2^{15} < \log(4 \times 10^4)$

$\therefore 3 \times 10^4 < 2^{15} < 4 \times 10^4$

따라서 2^{15}의 최고 자리의 숫자는 3이다.

$\therefore b = 3$

$\therefore a - b = 5 - 3 = 2$

(2) $\log(27^{100} \div 5^{200})$

$\quad = \log 27^{100} - \log 5^{200}$

$\quad = 100 \log 3^3 - 200 \log \frac{10}{2}$

$\quad = 300 \log 3 - 200(1 - \log 2)$

$\quad = 300 \times 0.4771 - 200(1 - 0.3010)$

$\quad = 3.33$

$\log(27^{100} \div 5^{200})$의 정수 부분이 3이므로

$27^{100} \div 5^{200}$은 정수 부분이 4자리인 수이다.

$\therefore a = 4$

한편, $\log(27^{100} \div 5^{200})$의 소수 부분이 0.33이고

$\log 2 = 0.3010$, $\log 3 = 0.4771$이므로

$\log 2 < 0.33 < \log 3$

$\log 2 + 3 < 3.33 < \log 3 + 3$

$\log(2 \times 10^3) < \log(27^{100} \div 5^{200}) < \log(3 \times 10^3)$

$\therefore 2 \times 10^3 < 27^{100} \div 5^{200} < 3 \times 10^3$

따라서 $27^{100} \div 5^{200}$의 최고 자리의 숫자는 2이다.

$\therefore b = 2$

$\therefore ab = 4 \times 2 = 8$

답 (1) 2   (2) 8

60

$\log z = n + \alpha$ (n은 정수, $0 < \alpha < 1$)라 하면 n, α가 이차방정식 $x^2 - ax + b = 0$의 두 근이므로 근과 계수의 관계에 의하여

$$n + \alpha = a \qquad \cdots\cdots \ \text{㉠}$$

$$n\alpha = b \qquad \cdots\cdots \ \text{㉡}$$

$\log \dfrac{1}{z} = -n - \alpha = (-1 - n) + (1 - \alpha)$에서

$0 < 1 - \alpha < 1$이므로 $\log \dfrac{1}{z}$의 정수 부분은 $-1 - n$, 소수 부분은 $1 - \alpha$이다.

따라서 $-1 - n$, $1 - \alpha$가 이차방정식

$x^2 + ax + b - \dfrac{3}{2} = 0$의 두 근이므로 근과 계수의 관계에 의하여

$$(-1 - n) + (1 - \alpha) = -a \qquad \therefore n + \alpha = a$$

$$(-1 - n)(1 - \alpha) = b - \frac{3}{2}$$

$$\therefore -1 + \alpha - n + n\alpha = b - \frac{3}{2} \qquad \cdots\cdots \ \text{㉢}$$

㉡을 ㉢에 대입하여 정리하면 $-n + \alpha = -\dfrac{1}{2}$ $\cdots\cdots$ ㉣

이때 $0 < \alpha < 1$이고 n은 정수이므로

$$-n + \alpha = -\frac{1}{2} = -1 + \frac{1}{2}$$

에서 $n = 1$, $\alpha = \dfrac{1}{2}$

이를 ㉠, ㉡에 대입하면

$a = 1 + \dfrac{1}{2} = \dfrac{3}{2}$, $b = 1 \times \dfrac{1}{2} = \dfrac{1}{2}$

답 $a = \dfrac{3}{2}$, $b = \dfrac{1}{2}$

61

$\log x$의 소수 부분을 α라 하면

$\log x = 3 + \alpha \ (0 \leq \alpha < 1)$

$\therefore \log \sqrt{x} = \dfrac{1}{2} \log x = \dfrac{1}{2}(3 + \alpha)$

$\qquad\qquad = \dfrac{3}{2} + \dfrac{\alpha}{2} = 1 + \dfrac{1+\alpha}{2}$

이때 $0 \leq \alpha < 1$이므로 $\dfrac{1}{2} \leq \dfrac{1+\alpha}{2} < 1$

따라서 $\log \sqrt{x}$의 소수 부분은 $\dfrac{1+\alpha}{2}$이다.

$\log x$의 소수 부분과 $\log \sqrt{x}$의 소수 부분의 합이 $\dfrac{3}{4}$이

므로

$\alpha + \dfrac{1+\alpha}{2} = \dfrac{3}{4}$　　$\therefore \alpha = \dfrac{1}{6}$

따라서 $\log \sqrt{x}$의 소수 부분은

$\dfrac{1+\alpha}{2} = \dfrac{1}{2}\left(1 + \dfrac{1}{6}\right) = \dfrac{7}{12}$

답 ④

62

$\log x^3$과 $\log x^2$의 소수 부분의 합이 1이므로

$\log x^3 + \log x^2 = 3\log x + 2\log x$

$\qquad\qquad\qquad = 5\log x = (정수)$

이고 $\log x^3 \neq (정수)$, $\log x^2 \neq (정수)$

$\log x$의 정수 부분이 2이므로

$2 < \log x < 3$

($\because \log x = 2$이면 $\log x^3$, $\log x^2$도 정수가 되므로

$\log x \neq 2$)

각 변에 5를 곱하면

$10 < 5\log x < 15$

$5\log x$는 정수이므로

$5\log x = 11$ 또는 $5\log x = 12$ 또는 $5\log x = 13$

또는 $5\log x = 14$

$\therefore \log x = \dfrac{11}{5}$ 또는 $\log x = \dfrac{12}{5}$ 또는 $\log x = \dfrac{13}{5}$

　　또는 $\log x = \dfrac{14}{5}$

따라서 $\log x$의 최댓값은 $\dfrac{14}{5}$이므로 $k = \dfrac{14}{5}$

$\therefore 100k = 100 \times \dfrac{14}{5} = 280$

답 280

63

밀폐된 용기 속의 온도가 30 ℃일 때의 포화증기압이

P_1이므로

$\log P_1 = 9 - \dfrac{2200}{30 + 180}$

밀폐된 용기 속의 온도가 40 ℃일 때의 포화증기압이

P_2이므로

$\log P_2 = 9 - \dfrac{2200}{40 + 180}$

$\therefore \log \dfrac{P_2}{P_1} = \log P_2 - \log P_1$

$\qquad\qquad = \left(9 - \dfrac{2200}{40+180}\right) - \left(9 - \dfrac{2200}{30+180}\right)$

$\qquad\qquad = -10 + \dfrac{220}{21} = \dfrac{10}{21}$

$\therefore \dfrac{P_2}{P_1} = 10^{\frac{10}{21}}$

답 ③

64

$f(2) = 16$이므로 $a^2 = 16$

$\therefore a = 4 \ (\because a > 0)$

따라서 $f(x) = 4^x$이므로

$\dfrac{f(-1)f(3)}{f(1)} = \dfrac{4^{-1} \times 4^3}{4} = \dfrac{4^2}{4} = 4$

답 4

65

① 치역은 $\{y | y > 1\}$이다. (거짓)

② x의 값이 증가하면 y의 값도 증가한다. (거짓)

③ $y = 3^{2x-1} + 1 = 3^{2\left(x - \frac{1}{2}\right)} + 1$

$\qquad = 9^{x - \frac{1}{2}} + 1$

이므로 $y = 3^{2x-1} + 1$의 그

래프는 $y = 9^x$의 그래프를

x축의 방향으로 $\dfrac{1}{2}$만큼,

y축의 방향으로 1만큼 평행이동한 것이다. (거짓)

④ 그래프의 점근선은 직선 $y=1$이다. (참)

⑤ $y=\left(\dfrac{1}{9}\right)^{x}$의 그래프와 y축에 대하여 대칭인 그래프는 $y=9^{x}$의 그래프이다. (거짓)

답 ④

66

$y=3^{-x+a}+b$의 그래프의 점근선은 직선 $y=b$이므로
$b=-2$
$y=3^{-x+a}-2$의 그래프가 점 $(1,\ 1)$을 지나므로
$1=3^{-1+a}-2$
$3^{-1+a}=3,\ -1+a=1$　　$\therefore a=2$
$\therefore a+b=2+(-2)=0$

답 ③

67

함수 $y=5^{x-1}-2$의 그래프의 점근선은 직선
$y=-2$이고, x의 값이 증가하면 y의 값도 증가하므로
$y=5^{x-1}-2$의 그래프의 개형으로 알맞은 것은 ④이다.

답 ④

68

(1) 함수 $y=3^{x}$의 그래프를 x축의 방향으로 1만큼 평행
이동한 그래프의 식은 $y=3^{x-1}$　　……㉠
㉠의 그래프를 y축에 대하여 대칭이동하면
$y=3^{-x-1}$　　……㉡
㉡의 그래프가 점 $(2,\ k)$를 지나므로
$$k=3^{-2-1}=3^{-3}=\frac{1}{27}$$

(2) 함수 $y=a^{x}\ (a>0,\ a\neq1)$의 그래프를 x축에 대하여 대칭이동한 그래프의 식은
$-y=a^{x}$　　$\therefore y=-a^{x}$　　……㉠
㉠의 그래프를 x축의 방향으로 2만큼, y축의 방향으로 10만큼 평행이동한 그래프의 식은
$y=-a^{x-2}+10$　　……㉡
㉡의 그래프가 점 $(4,\ 1)$을 지나므로
$1=-a^{2}+10$
$a^{2}=9$　　$\therefore a=3\ (\because a>0)$

답 (1) $\dfrac{1}{27}$　(2) **3**

69

함수 $y=3^{2x}$의 그래프를 x축의 방향으로 m만큼, y축의 방향으로 n만큼 평행이동한 그래프의 식은
$y=3^{2(x-m)}+n$
$y=3^{2x-2m}+n$　　$\therefore y=3^{-2m}\cdot3^{2x}+n$
이 함수가 $y=\dfrac{1}{9}\cdot3^{2x}-1$과 일치하므로
$3^{-2m}=\dfrac{1}{9},\ n=-1$　　$\therefore m=1,\ n=-1$
$\therefore m+n=0$

답 **0**

70

함수 $y=3^{x}$의 그래프가 점 $(a,\ \alpha),\ (b,\ \beta)$를 지나므로
$3^{a}=\alpha,\ 3^{b}=\beta$
그런데 $\alpha\beta=27$이므로
$\alpha\beta=3^{a}\cdot3^{b}=3^{a+b}=27$
$\therefore a+b=3$

답 ③

71

$f(x+2)=a^{x+2},\ f(x+1)=a^{x+1}$이므로
$f(x+2)=2f(x+1)+8f(x)$에서
$a^{x+2}=2a^{x+1}+8a^{x}$
$a^{x}>0$이므로 양변을 a^{x}으로 나누면
$a^{2}=2a+8,\ a^{2}-2a-8=0$
$(a+2)(a-4)=0$　　$\therefore a=-2$ 또는 $a=4$
$\therefore a=4\ (\because a>0)$
$\therefore f(x)=4^{x}$
$\therefore f(3)=4^{3}=64$

답 **64**

72

ㄱ. $y=\left(\dfrac{1}{4}\right)^{x}=4^{-x}$이므로 $y=\left(\dfrac{1}{4}\right)^{x}$의 그래프는
$y=4^{x}$의 그래프를 y축에 대하여 대칭이동한 것이다.

ㄴ. $y=\left(\dfrac{1}{4}\right)^{3-x}=\left(\dfrac{1}{4}\right)^{-(x-3)}=4^{x-3}$이므로

$y=\left(\dfrac{1}{4}\right)^{3-x}$의 그래프는 $y=4^x$의 그래프를 x축의

방향으로 3만큼 평행이동한 것이다.

ㄷ. $y=-\left(\dfrac{1}{2}\right)^{2x}=-\left(\dfrac{1}{4}\right)^{x}=-4^{-x}$이므로

$y=-\left(\dfrac{1}{2}\right)^{2x}$의 그래프는 $y=4^x$의 그래프를 원점

에 대하여 대칭이동한 것이다.

ㄹ. $y=2^{2x-1}=2^{2\left(x-\frac{1}{2}\right)}=4^{x-\frac{1}{2}}$이므로 $y=2^{2x-1}$의 그래

프는 $y=4^x$의 그래프를 x축의 방향으로 $\dfrac{1}{2}$만큼 평

행이동한 것이다.

따라서 그래프를 평행이동하여 $y=4^x$의 그래프와 겹

칠 수 있는 함수는 ㄴ, ㄹ이다.

답 ③

73

$y=a^{2x-4}+3$에서 $y-3=a^{2(x-2)}$이므로

$y=a^{2x-4}+3$의 그래프는 $y=a^{2x}$의 그래프를 x축의 방

향으로 2만큼, y축의 방향으로 3만큼 평행이동한 것이

다. 이때 $y=a^{2x}$의 그래프는 양수 a의 값에 관계없이

점 $(0, 1)$을 지나므로

$(0, 1)\xrightarrow[\text{각각 2, 3만큼 평행이동}]{x축, y축의 방향으로}(2, 4)$

따라서 $y=a^{2x-4}+3$의 그래프는 양수 a의 값에 관계

없이 점 $(2, 4)$를 지난다.

$\therefore \alpha=2,\ \beta=4$

$\therefore \alpha\beta=8$

답 ②

74

$y=3^x$의 그래프를 y축에 대하여 대칭이동한 그래프의

식은 $y=3^{-x}$ ...... ㉠

㉠의 그래프를 x축의 방향으로 a만큼, y축의 방향으로

b만큼 평행이동한 그래프의 식은

$y=3^{-(x-a)}+b$ ...... ㉡

㉡의 그래프의 점근선이 직선 $y=-3$이므로 $b=-3$

또한 ㉡의 그래프가 원점, 즉 점 $(0, 0)$을 지나므로

$0=3^a-3,\ 3^a=3$ $\therefore a=1$

$\therefore a+b=1+(-3)=-2$

답 ③

75

$f(b)=3,\ f(c)=6$이므로 $a^b=3,\ a^c=6$

$\therefore f\left(\dfrac{b+c}{2}\right)=a^{\frac{b+c}{2}}=(a^{b+c})^{\frac{1}{2}}=(a^b a^c)^{\frac{1}{2}}$

$=(3\times 6)^{\frac{1}{2}}=\sqrt{18}=3\sqrt{2}$

답 ③

76

(1) $A=\sqrt[4]{9}=9^{\frac{1}{4}}=(3^2)^{\frac{1}{4}}=3^{\frac{1}{2}}$

$B=\left(\dfrac{1}{3}\right)^{-\frac{1}{3}}=(3^{-1})^{-\frac{1}{3}}=3^{\frac{1}{3}}$

$C=\sqrt{27}=27^{\frac{1}{2}}=(3^3)^{\frac{1}{2}}=3^{\frac{3}{2}}$

이때 $\dfrac{1}{3}<\dfrac{1}{2}<\dfrac{3}{2}$이고, 지수함수 $y=3^x$은 x의 값이

증가하면 y의 값도 증가하는 함수이므로

$3^{\frac{1}{3}}<3^{\frac{1}{2}}<3^{\frac{3}{2}}$

따라서 $\left(\dfrac{1}{3}\right)^{-\frac{1}{3}}<\sqrt[4]{9}<\sqrt{27}$이므로 $B<A<C$

(2) $A=0.1^{\frac{2}{5}}=\left(\dfrac{1}{10}\right)^{\frac{2}{5}}$

$B=\left(\dfrac{1}{100}\right)^{\frac{1}{3}}=\left\{\left(\dfrac{1}{10}\right)^2\right\}^{\frac{1}{3}}=\left(\dfrac{1}{10}\right)^{\frac{2}{3}}$

$C=\left(\dfrac{1}{10}\right)^{\frac{3}{2}}$

이때 $\dfrac{2}{5}<\dfrac{2}{3}<\dfrac{3}{2}$이고, 지수함수 $y=\left(\dfrac{1}{10}\right)^x$은 x의

값이 증가하면 y의 값은 감소하는 함수이므로

$\left(\dfrac{1}{10}\right)^{\frac{2}{5}}>\left(\dfrac{1}{10}\right)^{\frac{2}{3}}>\left(\dfrac{1}{10}\right)^{\frac{3}{2}}$

따라서 $0.1^{\frac{2}{5}}>\left(\dfrac{1}{100}\right)^{\frac{1}{3}}>\left(\dfrac{1}{10}\right)^{\frac{3}{2}}$이므로

$A>B>C$ $\therefore C<B<A$

답 (1) $B<A<C$ (2) $C<B<A$

77

그래프에서 $g(k)=3$이고 $f(x)=2^x$이라 하면

$f(x)$와 $g(x)$는 각각 서로의 역함수이므로

$g(k)=3 \Longleftrightarrow f(3)=k$

$f(3)=2^3=8 \qquad \therefore k=8$

답 8

78

$f(x)$와 $g(x)$는 각각 서로의 역함수이므로

$g(8)=a,\ g(b)=1$에서

$f(a)=8,\ f(1)=b$

$f(a)=\left(\dfrac{1}{3}\right)^{a-1}-1=8$에서

$\left(\dfrac{1}{3}\right)^{a-1}=9,\ 3^{-a+1}=3^2$

$-a+1=2 \qquad \therefore a=-1$

$f(1)=\left(\dfrac{1}{3}\right)^{1-1}-1=0$이므로 $b=0$

$\therefore a+b=-1+0=-1$

답 −1

79

$y=2^{x+1}\cdot 5^{1-x}=(2^x\cdot 2)\cdot\left(5\cdot\dfrac{1}{5^x}\right)=10\cdot\left(\dfrac{2}{5}\right)^x$

은 x의 값이 증가하면 y의 값은 감소하는 함수이다.

따라서 $0\le x\le 1$일 때, 함수 $y=2^{x+1}\cdot 5^{1-x}$은 $x=0$에서 최댓값 $2\cdot 5=10$, $x=1$에서 최솟값 $2^2\cdot 5^0=4$를 갖는다.

$\therefore M=10,\ m=4$

$\therefore M-m=10-4=6$

답 ④

80

$y=3^{-x}+b=\left(\dfrac{1}{3}\right)^x+b$는 x의 값이 증가하면 y의 값은 감소하는 함수이다.

따라서 $a\le x\le 3$일 때, 함수 $y=3^{-x}+b$는 $x=3$에서 최솟값을 갖고, 최솟값이 $\dfrac{1}{9}$이므로

$3^{-3}+b=\dfrac{1}{27}+b=\dfrac{1}{9} \qquad \therefore b=\dfrac{2}{27}$

$a\le x\le 3$일 때, 함수 $y=3^{-x}+b$는 $x=a$에서 최댓값을 갖고, 최댓값이 $\dfrac{5}{27}$이므로

$3^{-a}+\dfrac{2}{27}=\dfrac{5}{27}$

$\left(\dfrac{1}{3}\right)^a=\dfrac{1}{9} \qquad \therefore a=2$

답 $a=2,\ b=\dfrac{2}{27}$

81

(1) $y=-4^x+2^{x+2}+1=-(2^x)^2+4\cdot 2^x+1$

$2^x=t\ (t>0)$로 놓으면 $-1\le x\le 3$에서

$2^{-1}\le 2^x\le 2^3 \qquad \therefore \dfrac{1}{2}\le t\le 8$

이때 주어진 함수는

$y=-t^2+4t+1=-(t-2)^2+5$

따라서 $\dfrac{1}{2}\le t\le 8$일 때,

함수 $y=-(t-2)^2+5$

는 $t=2$에서 최댓값 5,

$t=8$에서 최솟값

$-(8-2)^2+5=-31$을

갖는다.

따라서 최댓값과 최솟값

의 합은

$5+(-31)=-26$

(2) $y=4^x-4\cdot 2^x+k=(2^x)^2-4\cdot 2^x+k$

$2^x=t\ (t>0)$로 놓으면 주어진 함수는

$y=t^2-4t+k=(t-2)^2+k-4 \qquad \cdots\cdots \text{㉠}$

따라서 $t>0$일 때, 함수 ㉠은 $t=2$에서 최솟값 $k-4$를 갖고, 최솟값이 2이므로

$k-4=2 \qquad \therefore k=6$

답 (1) −26   (2) 6

82

$(g\circ f)(x)=g(f(x))$
$=a^{f(x)}$
$=a^{x^2-6x+3}$

$a>1$이면 함수 $(g\circ f)(x)$는 x^2-6x+3이 최대일 때 최대가 되고, 최소일 때 최소가 된다.

$x^2-6x+3=(x-3)^2-6$이므로 $1\le x\le 4$일 때,

x^2-6x+3은 $x=3$에서 최솟값 -6, $x=1$에서 최댓

값 -2를 갖는다.

따라서 $1 \le x \le 4$일 때, 함수 $(g \circ f)(x)$는 $x=3$에서 최솟값 a^{-6}, $x=1$에서 최댓값 a^{-2}을 갖는다.

그런데 최댓값이 27이므로

$$a^{-2}=27, \ a^2 = \frac{1}{27} < 1$$

이것은 $a>1$임에 모순이다. 즉 $a>1$이 아니다.

$$\therefore \ 0 < a < 1$$

$0 < a < 1$이므로 함수 $(g \circ f)(x)$는 x^2-6x+3이 최대일 때 최소가 되고, 최소일 때 최대가 된다.

따라서 $1 \le x \le 4$일 때, 함수 $(g \circ f)(x)$는 $x=3$에서 최댓값 a^{-6}, $x=1$에서 최솟값 a^{-2}을 갖는다.

그런데 최댓값이 27이므로

$$a^{-6}=27, \ a^6 = \frac{1}{27}, \ (a^2)^3 = \frac{1}{27}, \ a^2 = \frac{1}{3}$$

$$\therefore \ a = \frac{\sqrt{3}}{3} \ (\because \ 0 < a < 1)$$

따라서 함수 $(g \circ f)(x)$의 최솟값은

$$a^{-2} = (a^2)^{-1} = \left(\frac{1}{3}\right)^{-1} = 3$$

$$\therefore \ m=3$$

답 ④

83

(1) $y = 3^{x+k} + \left(\frac{1}{3}\right)^{x-k} = 3^{x+k} + 3^{-x+k}$

$3^{x+k} > 0$, $3^{-x+k} > 0$이므로 산술평균과 기하평균의 관계에 의하여

$$3^{x+k} + 3^{-x+k} \ge 2\sqrt{3^{x+k} \cdot 3^{-x+k}} = 2\sqrt{3^{2k}} = 2 \cdot 3^k$$

(단, 등호는 $3^{x+k} = 3^{-x+k}$, 즉 $x=0$일 때 성립)

그런데 주어진 함수의 최솟값이 18이므로

$$2 \cdot 3^k = 18, \ 3^k = 9$$

$$\therefore \ k=2$$

(2) $y = 16^x + \left(\frac{1}{2}\right)^{4x+2} = 2^{4x} + 2^{-4x-2}$

$2^{4x} > 0$, $2^{-4x-2} > 0$이므로 산술평균과 기하평균의 관계에 의하여

$$2^{4x} + 2^{-4x-2} \ge 2\sqrt{2^{4x} \cdot 2^{-4x-2}} = 2\sqrt{2^{-2}} = 2 \cdot \frac{1}{2} = 1$$

이때 등호는 $2^{4x} = 2^{-4x-2}$일 때 성립하므로

$$4x = -4x-2, \ 8x = -2 \qquad \therefore \ x = -\frac{1}{4}$$

따라서 주어진 함수는 $x = -\frac{1}{4}$에서 최솟값 1을 갖는다.

$$\therefore \ p = -\frac{1}{4}, \ q = 1$$

$$\therefore \ p+q = \frac{3}{4}$$

답 (1) **2** (2) $\dfrac{3}{4}$

84

(1) $f(x) = -x^2+4x-5$로 놓으면

$y = \left(\frac{1}{2}\right)^{-x^2+4x-5}$에서 $y = \left(\frac{1}{2}\right)^{f(x)}$

$y = \left(\frac{1}{2}\right)^{f(x)}$의 밑 $\frac{1}{2}$이 1보다 작은 양수이므로

$y = \left(\frac{1}{2}\right)^{f(x)}$은 $f(x)$가 최대일 때 최소, $f(x)$가 최소일 때 최대가 된다.

$f(x) = -x^2+4x-5 = -(x-2)^2-1$이므로

$1 \le x \le 4$일 때, $f(x)$는 $x=2$에서 최댓값 -1, $x=4$에서 최솟값 -5를 갖는다.

따라서 $1 \le x \le 4$일 때, 함수 $y = \left(\frac{1}{2}\right)^{f(x)}$은 $x=2$에서 최솟값 $\left(\frac{1}{2}\right)^{-1} = 2$, $x=4$에서 최댓값 $\left(\frac{1}{2}\right)^{-5} = 32$를 갖는다.

따라서 최댓값과 최솟값의 합은 $32+2 = 34$

(2) $f(x) = x^2-2x-2$로 놓으면

$y = a^{x^2-2x-2}$에서 $y = a^{f(x)}$

$y = a^{f(x)}$에서 $0 < a < 1$이므로 $y = a^{f(x)}$은 $f(x)$가 최소일 때 최대가 된다.

$f(x) = x^2-2x-2 = (x-1)^2-3$이므로 $f(x)$는 $x=1$에서 최솟값 -3을 갖는다.

따라서 함수 $y = a^{f(x)}$은 $x=1$에서 최댓값 a^{-3}을 갖고, 최댓값이 8이므로

$$a^{-3} = 8, \ a^3 = \frac{1}{8} \qquad \therefore \ a = \frac{1}{2}$$

답 (1) **34** (2) $\dfrac{1}{2}$

85

(1) $3^x - 9\sqrt{3} = 0$에서 $3^x = 9\sqrt{3}$, $3^x = 3^{\frac{5}{2}}$

$\therefore x = \dfrac{5}{2}$

(2) $2^{2x} = \dfrac{1}{4\sqrt{2}}$에서 $2^{2x} = \dfrac{1}{2^{\frac{5}{2}}}$, $2^{2x} = 2^{-\frac{5}{2}}$

$2x = -\dfrac{5}{2}$ $\therefore x = -\dfrac{5}{4}$

(3) $\dfrac{2^{x^2-2x}}{2^{x-1}} = 32$에서

$2^{x^2-2x-(x-1)} = 32$, $2^{x^2-3x+1} = 2^5$

$x^2 - 3x + 1 = 5$, $x^2 - 3x - 4 = 0$

$(x+1)(x-4) = 0$

$\therefore x = -1$ 또는 $x = 4$

(4) $\left(\dfrac{5}{7}\right)^{x+6} = \left(\dfrac{7}{5}\right)^{-2x^2-5x}$에서

$\left(\dfrac{5}{7}\right)^{x+6} = \left\{\left(\dfrac{5}{7}\right)^{-1}\right\}^{-2x^2-5x}$

$\left(\dfrac{5}{7}\right)^{x+6} = \left(\dfrac{5}{7}\right)^{2x^2+5x}$

$x^3 + 6 = 2x^2 + 5x$, $x^3 - 2x^2 - 5x + 6 = 0$

$(x+2)(x-1)(x-3) = 0$

$\therefore x = -2$ 또는 $x = 1$ 또는 $x = 3$

(5) $x^{x^2} = x^{2x+3}$에서

밑이 같으므로 지수가 같거나 밑이 1이다.

(i) $x^2 = 2x + 3$에서 $x^2 - 2x - 3 = 0$

$(x+1)(x-3) = 0$

$\therefore x = 3 \ (\because x > 0)$

(ii) $x = 1$이면 $1^1 = 1^5$이므로 등식이 성립한다.

(i), (ii)에서 $x = 1$ 또는 $x = 3$

답 (1) $\boldsymbol{x = \dfrac{5}{2}}$ (2) $\boldsymbol{x = -\dfrac{5}{4}}$

(3) $\boldsymbol{x = -1}$ 또는 $\boldsymbol{x = 4}$

(4) $\boldsymbol{x = -2}$ 또는 $\boldsymbol{x = 1}$ 또는 $\boldsymbol{x = 3}$

(5) $\boldsymbol{x = 1}$ 또는 $\boldsymbol{x = 3}$

86

$f(2x) = 2f(x+1) + 27$에서

$3^{2x} = 2 \cdot 3^{x+1} + 27$

$3^{2x} - 2 \cdot 3^{x+1} - 27 = 0$

$(3^x)^2 - 6 \cdot 3^x - 27 = 0$

$3^x = t \ (t > 0)$로 놓으면

$t^2 - 6t - 27 = 0$, $(t+3)(t-9) = 0$

$\therefore t = 9 \ (\because t > 0)$

즉 $3^x = 9$ $\therefore x = 2$ 답 2

87

$\dfrac{1}{4^x} - 3 \cdot \dfrac{1}{2^{x-2}} + 32 = 0$에서

$2^{-2x} - 3 \cdot 2^{-x+2} + 32 = 0$

$(2^{-x})^2 - 3 \cdot 2^{-x} \cdot 2^2 + 32 = 0$

$\therefore (2^{-x})^2 - 12 \cdot 2^{-x} + 32 = 0$

$2^{-x} = t \ (t > 0)$로 놓으면

$t^2 - 12t + 32 = 0$, $(t-4)(t-8) = 0$

$\therefore t = 4$ 또는 $t = 8$

즉 $2^{-x} = 4$ 또는 $2^{-x} = 8$

$2^{-x} = 2^2$ 또는 $2^{-x} = 2^3$

$\therefore x = -2$ 또는 $x = -3$

따라서 모든 근의 합은 $-2 + (-3) = -5$ 답 ②

88

$9^x - 11 \times 3^x + 28 = 0$에서 $3^x = t \ (t > 0)$로 놓으면

$t^2 - 11t + 28 = 0$ $\cdots\cdots$ ㉠

$(t-4)(t-7) = 0$ $\therefore t = 4$ 또는 $t = 7$

방정식 $9^x - 11 \times 3^x + 28 = 0$의 두 근이 α, β이므로

방정식 ㉠의 두 근은 3^α, 3^β이다.

즉 $3^\alpha = 4$, $3^\beta = 7$ 또는 $3^\alpha = 7$, $3^\beta = 4$이므로

$9^\alpha + 9^\beta = (3^\alpha)^2 + (3^\beta)^2 = 4^2 + 7^2 = 65$ 답 ④

89

$a^{2x} - a^x = 2$에서 $(a^x)^2 - a^x - 2 = 0$

$a^x = t \ (t > 0)$로 놓으면

$t^2 - t - 2 = 0$, $(t+1)(t-2) = 0$

$\therefore t = 2 \ (\because t > 0)$

즉 $a^x = 2$이고 이때의 x의 값이 $\dfrac{1}{7}$이므로

$a^{\frac{1}{7}} = 2$

$\therefore a = (a^{\frac{1}{7}})^7 = 2^7 = 128$

답 128

90

$4 \cdot 3^{2x} - 3^x - k = 0$에서

$3^x = t \ (t > 0)$로 놓으면

$4t^2 - t - k = 0$ ...... ㉠

방정식 $4 \cdot 3^{2x} - 3^x - k = 0$의 두 근을 α, β라 하면

$\alpha + \beta = -4$이고, 방정식 ㉠의 두 근은 3^α, 3^β이다.

따라서 이차방정식의 근과 계수의 관계에 의하여

$3^\alpha \cdot 3^\beta = -\dfrac{k}{4}$

$3^{\alpha+\beta} = -\dfrac{k}{4}$, $3^{-4} = -\dfrac{k}{4}$ $(\because \alpha+\beta = -4)$

$\therefore k = -\dfrac{4}{81}$ 답 ①

91

$9^x = 2 \cdot 3^{x+1} - 2k$에서 $9^x - 2 \cdot 3^{x+1} + 2k = 0$

$(3^x)^2 - 6 \cdot 3^x + 2k = 0$ ...... ㉠

$3^x = t \ (t > 0)$로 놓으면

$t^2 - 6t + 2k = 0$ ...... ㉡

이때 ㉠이 서로 다른 두 실근을 가지려면 t에 대한 이차방정식 ㉡이 서로 다른 두 양의 실근을 가져야 한다.

따라서 ㉡의 판별식을 D라 하면 $D > 0$이므로

$\dfrac{D}{4} = (-3)^2 - 2k > 0$ $\therefore k < \dfrac{9}{2}$ ...... ㉢

또한 ㉡의 두 실근이 모두 양수이므로 근과 계수의 관계에 의하여

(㉡의 두 근의 합) $= 6 > 0$

(㉡의 두 근의 곱) $= 2k > 0$ $\therefore k > 0$ ...... ㉣

㉢, ㉣에서 $0 < k < \dfrac{9}{2}$

답 $0 < k < \dfrac{9}{2}$

92

(1) $3^x + 3^{-x} = t$로 놓으면

$3^x > 0$, $3^{-x} > 0$이므로 산술평균과 기하평균의 관계에 의하여

$t = 3^x + 3^{-x} \geq 2\sqrt{3^x \cdot 3^{-x}} = 2$ ...... ㉠

(단, 등호는 $3^x = 3^{-x}$, 즉 $x = 0$일 때 성립)

또한

$9^x + 9^{-x} = (3^x)^2 + (3^{-x})^2 = (3^x + 3^{-x})^2 - 2$
$= t^2 - 2$

이므로 $3(9^x + 9^{-x}) - (3^x + 3^{-x}) - 24 = 0$에서

$3(t^2 - 2) - t - 24 = 0$

$3t^2 - t - 30 = 0$

$(t+3)(3t-10) = 0$

$\therefore t = \dfrac{10}{3}$ $(\because$ ㉠에서 $t \geq 2)$

즉 $3^x + 3^{-x} = \dfrac{10}{3}$이므로

$3^x = u \ (u > 0)$로 놓으면

$u + \dfrac{1}{u} = \dfrac{10}{3}$, $3u^2 - 10u + 3 = 0$

$(3u-1)(u-3) = 0$

$\therefore u = \dfrac{1}{3}$ 또는 $u = 3$

즉 $3^x = \dfrac{1}{3}$ 또는 $3^x = 3$ $\therefore x = -1$ 또는 $x = 1$

(2) $2^x + 2^{-x} = t$로 놓으면

$2^x > 0$, $2^{-x} > 0$이므로 산술평균과 기하평균의 관계에 의하여

$t = 2^x + 2^{-x} \geq 2\sqrt{2^x \cdot 2^{-x}} = 2$ ...... ㉠

(단, 등호는 $2^x = 2^{-x}$, 즉 $x = 0$일 때 성립)

또한

$4^x + 4^{-x} = (2^x)^2 + (2^{-x})^2 = (2^x + 2^{-x})^2 - 2$
$= t^2 - 2$

이므로 $2(4^x + 4^{-x}) - (2^x + 2^{-x}) - 6 = 0$에서

$2(t^2 - 2) - t - 6 = 0$

$2t^2 - t - 10 = 0$, $(t+2)(2t-5) = 0$

$\therefore t = \dfrac{5}{2}$ $(\because$ ㉠에서 $t \geq 2)$

즉 $2^x + 2^{-x} = \dfrac{5}{2}$이므로

$2^x = u \ (u > 0)$로 놓으면

$u + \dfrac{1}{u} = \dfrac{5}{2}$, $2u^2 - 5u + 2 = 0$

$(2u-1)(u-2) = 0$ $\therefore u = \dfrac{1}{2}$ 또는 $u = 2$

즉 $2^x = \dfrac{1}{2}$ 또는 $2^x = 2$ $\therefore x = -1$ 또는 $x = 1$

답 (1) $x = -1$ 또는 $x = 1$
(2) $x = -1$ 또는 $x = 1$

93

$3^x = X$, $3^y = Y$ $(X > 0, Y > 0)$로 놓으면 주어진 연립방정식은

$$\begin{cases} 3X + Y = 18 & \cdots\cdots \ \text{㉠} \\ \dfrac{XY}{3} = 9 & \cdots\cdots \ \text{㉡} \end{cases}$$

㉠에서 $Y = 18 - 3X$

이 식을 ㉡에 대입하면

$$\dfrac{X(18 - 3X)}{3} = 9, \ 18X - 3X^2 = 27$$

$$X^2 - 6X + 9 = 0, \ (X - 3)^2 = 0$$

$$\therefore X = 3, \ Y = 9$$

$$3^x = 3, \ 3^y = 9$$

$$\therefore x = 1, \ y = 2$$

따라서 $\alpha = 1$, $\beta = 2$이므로

$$\alpha^2 + \beta^2 = 1^2 + 2^2 = 5$$

답 ②

94

10시간 후 미생물의 수가 처음의 16배가 되므로

$$10^{10a} = 16 \qquad\cdots\cdots \ \text{㉠}$$

n시간 후 미생물의 수가 처음의 64배가 되므로

$$10^{na} = 64 \qquad\cdots\cdots \ \text{㉡}$$

$16 = 2^4$, $64 = 2^6$이므로

$$64 = 2^6 = (2^4)^{\frac{3}{2}} = 16^{\frac{3}{2}} = (10^{10a})^{\frac{3}{2}} \ (\because \text{㉠})$$

$$= 10^{15a} \qquad\cdots\cdots \ \text{㉢}$$

따라서 ㉡, ㉢에서 $10^{na} = 10^{15a}$이므로

$$na = 15a \qquad \therefore n = 15 \ (\because a > 0)$$

답 15

95

$T_1 = 1200$, $T = 960$이고, 1월부터 7월까지 6개월이 지났으므로 $t = 6$

이를 주어진 등식에 대입하면

$$960 = 1200 \times \left(\dfrac{4}{5}\right)^{\frac{12}{5}k}$$

$$\left(\dfrac{4}{5}\right)^{\frac{12}{5}k} = \dfrac{960}{1200}, \ \left(\dfrac{4}{5}\right)^{\frac{12}{5}k} = \dfrac{4}{5}$$

$$\dfrac{12}{5}k = 1 \qquad \therefore k = \dfrac{5}{12}$$

답 $\dfrac{5}{12}$

96

(1) $2^{-5x+3} > (16\sqrt{2})^{-2x+1}$에서

$$2^{-5x+3} > (2^{\frac{9}{2}})^{-2x+1}, \ 2^{-5x+3} > 2^{-9x + \frac{9}{2}}$$

$$-5x + 3 > -9x + \dfrac{9}{2}, \ 4x > \dfrac{3}{2}$$

$$\therefore x > \dfrac{3}{8}$$

(2) $(2\sqrt{2})^{x+1} \geq 8^{-10x-2}$에서

$$(2^{\frac{3}{2}})^{x+1} \geq (2^3)^{-10x-2}, \ 2^{\frac{3}{2}x + \frac{3}{2}} \geq 2^{-30x-6}$$

$$\dfrac{3}{2}x + \dfrac{3}{2} \geq -30x - 6, \ \dfrac{63}{2}x \geq -\dfrac{15}{2}$$

$$\therefore x \geq -\dfrac{5}{21}$$

(3) $\left(\dfrac{1}{3}\right)^{2x} \leq \left(\dfrac{1}{27}\right)^{x+2} \times \left(\dfrac{1}{\sqrt{3}}\right)^{x}$에서

$$\left(\dfrac{1}{3}\right)^{2x} \leq \left\{\left(\dfrac{1}{3}\right)^3\right\}^{x+2} \times \left\{\left(\dfrac{1}{3}\right)^{\frac{1}{2}}\right\}^{x}$$

$$\left(\dfrac{1}{3}\right)^{2x} \leq \left(\dfrac{1}{3}\right)^{3x+6} \times \left(\dfrac{1}{3}\right)^{\frac{x}{2}}$$

$$\left(\dfrac{1}{3}\right)^{2x} \leq \left(\dfrac{1}{3}\right)^{\frac{7}{2}x+6}$$

$$2x \geq \dfrac{7}{2}x + 6, \ -\dfrac{3}{2}x \geq 6 \qquad \therefore x \leq -4$$

(4) $x^{2x+5} > x^{3x-2}$ $(x > 0)$에서

  (i) $0 < x < 1$일 때

$$2x + 5 < 3x - 2 \qquad \therefore x > 7$$

    그런데 $0 < x < 1$이므로 부등식이 성립하지 않는다.

  (ii) $x = 1$일 때

    $1^7 > 1^1$이므로 부등식이 성립하지 않는다.

  (iii) $x > 1$일 때

$$2x + 5 > 3x - 2 \qquad \therefore x < 7$$

    그런데 $x > 1$이므로 $1 < x < 7$

  (i) ~ (iii)에서 부등식의 해는 $1 < x < 7$

답 (1) $x > \dfrac{3}{8}$ (2) $x \geq -\dfrac{5}{21}$

(3) $x \leq -4$ (4) $1 < x < 7$

97

$4^{x^2} \leq \left(\dfrac{1}{\sqrt{2}}\right)^{8x}$ 에서

$(2^2)^{x^2} \leq (2^{-\frac{1}{2}})^{8x}$, $2^{2x^2} \leq 2^{-4x}$

$2x^2 \leq -4x$

$2x^2 + 4x \leq 0$, $2x(x+2) \leq 0$

$\therefore -2 \leq x \leq 0$

따라서 정수 x의 최댓값은 0, 최솟값은 -2이므로

$M = 0$, $m = -2$

$\therefore M + m = 0 + (-2) = -2$

답 -2

98

(i) $48 \leq 3^{2x} + 21$ 에서

$27 \leq 3^{2x}$, $3^3 \leq 3^{2x}$

$3 \leq 2x$ $\therefore x \geq \dfrac{3}{2}$

(ii) $3^{2x} + 21 \leq 4 \times 3^{x+1} - 6$ 에서

$3^{2x} - 4 \times 3^{x+1} + 27 \leq 0$

$\therefore (3^x)^2 - 12 \times 3^x + 27 \leq 0$

$3^x = t$ $(t > 0)$로 놓으면

$t^2 - 12t + 27 \leq 0$, $(t-3)(t-9) \leq 0$

$\therefore 3 \leq t \leq 9$

즉 $3 \leq 3^x \leq 9$이므로 $3^1 \leq 3^x \leq 3^2$

$\therefore 1 \leq x \leq 2$

(i), (ii)에서 연립부등식의 해는 $\dfrac{3}{2} \leq x \leq 2$이므로 정수

x는 2의 1개이다.

답 ①

99

$(2^x - 32)\left(\dfrac{1}{3^x} - 27\right) > 0$ 에서

$2^x - 32 > 0$, $\dfrac{1}{3^x} - 27 > 0$ 또는 $2^x - 32 < 0$, $\dfrac{1}{3^x} - 27 < 0$

(i) $2^x - 32 > 0$, $\dfrac{1}{3^x} - 27 > 0$일 때

$2^x > 32$에서 $2^x > 2^5$

$\therefore x > 5$ ...... ㉠

$\dfrac{1}{3^x} > 27$, 즉 $\left(\dfrac{1}{3}\right)^x > \left(\dfrac{1}{3}\right)^{-3}$에서

$x < -3$ ...... ㉡

㉠, ㉡을 동시에 만족시키는 실수 x는 존재하지 않는다.

(ii) $2^x - 32 < 0$, $\dfrac{1}{3^x} - 27 < 0$일 때

$2^x < 32$에서 $2^x < 2^5$ $\therefore x < 5$ ...... ㉢

$\dfrac{1}{3^x} < 27$, 즉 $\left(\dfrac{1}{3}\right)^x < \left(\dfrac{1}{3}\right)^{-3}$에서

$x > -3$ ...... ㉣

㉢, ㉣에서 $-3 < x < 5$

(i), (ii)에서 부등식의 해는 $-3 < x < 5$이므로 정수 x는 -2, -1, 0, $\cdots$, 3, 4의 7개이다.

답 ①

100

$a \times 36^x - b \times 6^x + 6 \leq 0$ 에서

$a \times (6^x)^2 - b \times 6^x + 6 \leq 0$ ...... ㉠

$6^x = t$ $(t > 0)$로 놓으면

$at^2 - bt + 6 \leq 0$ ...... ㉡

㉠의 해가 $-1 \leq x \leq 1$이므로 ㉡의 해는

$\dfrac{1}{6} \leq t \leq 6$ ...... ㉢

㉢을 해로 갖고 t^2의 계수가 a인 이차부등식은

$a\left(t - \dfrac{1}{6}\right)(t-6) \leq 0$ $\therefore at^2 - \dfrac{37}{6}at + a \leq 0$

따라서 $-b = -\dfrac{37}{6}a$, $6 = a$이므로

$a = 6$, $b = 37$

$\therefore a + b = 6 + 37 = 43$

답 43

101

(i) $3^{2x+2} - 82 \times 3^x + 9 = 0$ 에서

$9 \times (3^x)^2 - 82 \times 3^x + 9 = 0$

$3^x = t$ $(t > 0)$로 놓으면

$9t^2 - 82t + 9 = 0$, $(9t-1)(t-9) = 0$

$\therefore t = \dfrac{1}{9}$ 또는 $t = 9$

즉 $3^x=\dfrac{1}{9}$ 또는 $3^x=9$이므로

$x=-2$ 또는 $x=2$

(ii) $\left(\dfrac{1}{4}\right)^x+2\times\left(\dfrac{1}{2}\right)^x>8$에서

$\left\{\left(\dfrac{1}{2}\right)^x\right\}^2+2\times\left(\dfrac{1}{2}\right)^x-8>0$

$\left(\dfrac{1}{2}\right)^x=u\ (u>0)$로 놓으면

$u^2+2u-8>0,\ (u+4)(u-2)>0$

$\therefore u<-4$ 또는 $u>2$

그런데 $u>0$이므로 $u>2$

즉 $\left(\dfrac{1}{2}\right)^x>2$이므로 $\left(\dfrac{1}{2}\right)^x>\left(\dfrac{1}{2}\right)^{-1}$ $\quad\therefore x<-1$

(i), (ii)에서 $A\cap B=\{-2\}$

따라서 $A\cap B$의 모든 원소의 합은 -2이다.

답 -2

102

(1) 부등식 $x^2-(2^{k+1}-4)x+2^k>0$이 모든 실수 x에 대하여 성립하려면 이차방정식

$x^2-(2^{k+1}-4)x+2^k=0$의 판별식 D에 대하여

$D<0$이어야 하므로 $\dfrac{D}{4}=(2^k-2)^2-2^k<0$

$2^{2k}-5\times2^k+4<0$

$2^k=t\ (t>0)$로 놓으면

$t^2-5t+4<0,\ (t-1)(t-4)<0$

$\therefore 1<t<4$

즉 $1<2^k<4$이므로 $2^0<2^k<2^2$

$\therefore 0<k<2$

(2) $4^x-2^{x+3}+k+1>0$에서 $(2^x)^2-8\times2^x+k+1>0$

$2^x=t\ (t>0)$로 놓으면

$t^2-8t+k+1>0$ $\qquad\cdots\cdots$ ㉠

$f(t)=t^2-8t+k+1=(t-4)^2+k-15$로 놓으면

$t>0$인 모든 t에 대하여 부등식 ㉠, 즉 $f(t)>0$이 성립할 필요충분조건은 $t>0$에서 $f(t)$의 최솟값이 $f(4)$이므로 오른쪽 그

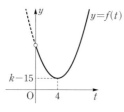

림과 같이 $f(4)>0$이다.

즉 $f(4)=k-15>0$

$\therefore k>15$

답 (1) $0<k<2$ (2) $k>15$

103

오른쪽 그림에서 두 곡선 $y=2^x$, $y=2^{x-2}$과 두 직선 $y=1$, $y=3$으로 둘러싸인 부분의 넓이는 $A+C$이다. 그런데 $y=2^{x-2}$의 그래프는 $y=2^x$의 그래프를 x축의 방향으로 2만큼 평행이동한 것이므로 B와 C의 넓이는 같다. 즉 $A+C=A+B$

따라서 구하는 넓이는 $2\times2=4$

답 4

104

$3^x>0$, $3^{-x}>0$이므로 산술평균과 기하평균의 관계에 의하여

$3^x+3^{-x}\ge2\sqrt{3^x\cdot3^{-x}}=2$

(단, 등호는 $3^x=3^{-x}$, 즉 $x=0$일 때 성립)

따라서 3^x+3^{-x}의 최솟값은 2이다.

그런데 함수 $f(x)=\dfrac{6}{3^x+3^{-x}}$은 3^x+3^{-x}이 최소일 때 최대가 되므로 $f(x)$의 최댓값은 $\dfrac{6}{2}=3$이다.

답 3

105

$2^x+2^{-x}=t\ (t>0)$로 놓으면

$2^x>0$, $2^{-x}>0$이므로 산술평균과 기하평균의 관계에 의하여

$t=2^x+2^{-x}\ge2\sqrt{2^x\cdot2^{-x}}=2$

(단, 등호는 $2^x=2^{-x}$, 즉 $x=0$일 때 성립)

$\therefore t\ge2$

또한 $4^x+4^{-x}=(2^x+2^{-x})^2-2=t^2-2$이므로

함수 $y=4^x+4^{-x}-2k(2^x+2^{-x})$에서

$y=t^2-2-2kt$

$\quad=(t-k)^2-k^2-2$ ······ ㉠

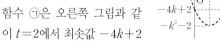

이때 $k<2$이므로 $t\geq2$일 때, 함수 ㉠은 오른쪽 그림과 같이 $t=2$에서 최솟값 $-4k+2$ 를 갖는다. 그런데 최솟값이 -2이므로

$-4k+2=-2$

$\therefore k=1$

답 **1**

106

$x+y=3$에서 $3^{x+y}=3^x\cdot3^y=27$

$3^x=X,\ 3^y=Y\ (X>0,\ Y>0)$로 놓으면

$\begin{cases} XY=27 & \text{······ ㉠} \\ X+Y=12 & \text{······ ㉡} \end{cases}$

㉠, ㉡을 연립하여 풀면

$X=3,\ Y=9$ 또는 $X=9,\ Y=3$

즉 $3^\alpha=3,\ 3^\beta=9$ 또는 $3^\alpha=9,\ 3^\beta=3$

$\therefore \alpha=1,\ \beta=2$ 또는 $\alpha=2,\ \beta=1$

$\therefore \alpha\beta=2$

답 **2**

107

$\left(\dfrac{1}{4}\right)^{x^2}>(\sqrt{2})^{kx}$에서 $(2^{-2})^{x^2}>(2^{\frac{1}{2}})^{kx}$

$2^{-2x^2}>2^{\frac{1}{2}kx}$

$-2x^2>\dfrac{1}{2}kx,\ 2x^2+\dfrac{1}{2}kx<0$

$\therefore \dfrac{1}{2}x(4x+k)<0$ ······ ㉠

그런데 k가 자연수이므로 ㉠의 해는

$-\dfrac{k}{4}<x<0$

이를 만족시키는 정수 x의 개수가 3이므로 정수 x는 $-3,\ -2,\ -1$이다. 즉

$-4\leq-\dfrac{k}{4}<-3 \qquad \therefore 12<k\leq16$

따라서 자연수 k의 최댓값은 16, 최솟값은 13이므로

$M=16,\ m=13$

$\therefore M+m=16+13=29$

답 **29**

108

$3^x=t\ (t>0)$로 놓으면

$9^x-2k\times3^x+16\geq0$에서

$t^2-2kt+16\geq0$ ······ ㉠

$f(t)=t^2-2kt+16=(t-k)^2+16-k^2$으로 놓으면

$t>0$인 모든 t에 대하여 부등식 ㉠, 즉 $f(t)\geq0$이 성립할 필요충분조건은

(ⅰ) $k>0$일 때

$t>0$에서 $f(t)$의 최솟 값이 $f(k)$이므로 오른 쪽 그림과 같이 $f(k)\geq0$이다.

즉 $f(k)=16-k^2\geq0$

$(k+4)(k-4)\leq0 \qquad \therefore -4\leq k\leq4$

그런데 $k>0$이므로 $0<k\leq4$

(ⅱ) $k=0$일 때

임의의 양수 t에 대하여 $f(t)=t^2+16\geq0$이므로 부등식이 성립한다.

(ⅲ) $k<0$일 때

오른쪽 그림과 같이 $f(0)=16\geq0$이므로 임의의 양수 t에 대하여 부등식이 성립한다.

(ⅰ)~(ⅲ)에서 구하는 k의 값의 범위는 $k\leq4$

답 $k\leq4$

109

미생물 A, B를 각각 10마리씩 동시에 배양했을 때, n 주 후 미생물 A, B의 수의 합이 2720마리 이상이 된 다고 하면

$10\cdot2^n+10\cdot4^n\geq2720$

$2^n+4^n\geq272 \qquad \therefore (2^n)^2+2^n-272\geq0$

$2^n=t\ (t>0)$로 놓으면

$t^2+t-272\geq0,\ (t+17)(t-16)\geq0$

$\therefore t\leq-17$ 또는 $t\geq16$

그런데 $t>0$이므로 $t\geq16$

즉 $2^n\geq16 \qquad \therefore n\geq4$

따라서 미생물 A, B의 수의 합이 2720마리 이상이 되는 것은 최소 4주 후이다.

$\therefore m=4$

답 4

110

$f(27)=\log_3 27+k\log_{27} 81=3+k\log_{3^3} 3^4$

$\qquad =3+\dfrac{4}{3}k$

$f(9)=\log_3 9+k\log_9 81=2+2k$

$f(27)=f(9)$이므로

$3+\dfrac{4}{3}k=2+2k,\ \dfrac{2}{3}k=1$

$\therefore k=\dfrac{3}{2}$

답 $\dfrac{3}{2}$

111

②, ④ $y=\log_3(x-5)+2$의 그래프는 $y=\log_3 x$의 그래프를 x축의 방향으로 5만큼, y축의 방향으로 2만큼 평행이동한 것이므로 치역은 실수 전체의 집합이다. (참)

③ $y=\log_3(x-5)+2$에서 $y-2=\log_3(x-5)$

$3^{y-2}=x-5$ $\quad\therefore x=3^{y-2}+5$

x와 y를 서로 바꾸면 함수 $y=\log_3(x-5)+2$의 역함수는

$y=3^{x-2}+5$ (거짓)

⑤ 밑 3이 1보다 크므로 x의 값이 증가할 때, y의 값도 증가한다. (참)

답 ③

112

함수 $y=\log_2(x-a)+b$의 그래프의 점근선은 직선 $x=a$이므로

$a=-2$

$\therefore y=\log_2(x+2)+b$ $\qquad\cdots\cdots$ ㉠

㉠의 그래프가 원점 $(0,0)$을 지나므로

$0=\log_2 2+b$ $\quad\therefore b=-1$

$\therefore ab=(-2)\times(-1)=2$

답 2

113

$y=\log_3\left(\dfrac{x}{9}-1\right)=\log_3\left\{\dfrac{1}{9}(x-9)\right\}$

$\qquad=\log_3\dfrac{1}{9}+\log_3(x-9)=\log_3(x-9)-2$

따라서 함수 $y=\log_3\left(\dfrac{x}{9}-1\right)$의 그래프는 함수 $y=\log_3 x$의 그래프를 x축의 방향으로 9만큼, y축의 방향으로 -2만큼 평행이동한 것이다.

$\therefore m=9,\ n=-2$

$\therefore 10(m+n)=10\times\{9+(-2)\}=70$

답 70

114

ㄱ. $y=\log_{\frac{1}{2}} 4x=\log_{\frac{1}{2}} 4+\log_{\frac{1}{2}} x=-2-\log_2 x$

따라서 $y=\log_{\frac{1}{2}} 4x$의 그래프는 $y=\log_2 x$의 그래프를 x축에 대하여 대칭이동한 후 y축의 방향으로 -2만큼 평행이동하여 만들 수 있다.

ㄴ. $y=\log_2\sqrt{x}=\log_2 x^{\frac{1}{2}}=\dfrac{1}{2}\log_2 x$

따라서 $y=\log_2\sqrt{x}$의 그래프는 $y=\log_2 x$의 그래프를 평행이동 또는 대칭이동하여 만들 수 없다.

ㄷ. $y=2^x$은 $y=\log_2 x$의 역함수이므로 $y=2^{x-1}$의 그래프는 $y=\log_2 x$의 그래프를 직선 $y=x$에 대하여 대칭이동한 후 x축의 방향으로 1만큼 평행이동하여 만들 수 있다.

ㄹ. $y=\log_2\dfrac{1}{x}=\log_2 x^{-1}=-\log_2 x$에서

$-y=\log_2 x$

따라서 $y=\log_2\dfrac{1}{x}$의 그래프는 $y=\log_2 x$의 그래프를 x축에 대하여 대칭이동하여 만들 수 있다.

따라서 함수 $y=\log_2 x$의 그래프를 평행이동 또는 대칭이동하여 만들 수 있는 그래프의 식은 ㄱ, ㄷ, ㄹ이다.

답 ㄱ, ㄷ, ㄹ

115

$A=2\log_{0.1} 3\sqrt{3}=\log_{0.1}(3\sqrt{3})^2=\log_{0.1} 27$

$B=\log\dfrac{1}{25}=\log_{10} 25^{-1}=\log_{10^{-1}} 25=\log_{0.1} 25$

$C = \log_{0.1} 3 - 1 = \log_{0.1} 3 - \log_{0.1} 0.1 = \log_{0.1} \dfrac{3}{0.1}$

$\quad = \log_{0.1} 30$

이때 $25 < 27 < 30$이고, 로그함수 $y = \log_{0.1} x$는 x의
값이 증가하면 y의 값은 감소하는 함수이므로

$\log_{0.1} 30 < \log_{0.1} 27 < \log_{0.1} 25$

$\therefore C < A < B$

답 ④

116

$y = g(f(x)) = 2^{f(x)} = 2^{x+1}$

함수 $y = 2^{x+1}$은 실수 전체의 집합에서 양의 실수 전체
의 집합으로의 일대일대응이므로 역함수가 존재한다.

$y = 2^{x+1}$에서 로그의 정의에 의하여 $\log_2 y = x + 1$

$\therefore x = \log_2 y - 1$

x와 y를 서로 바꾸면 구하는 역함수는

$y = \log_2 x - 1$

답 $y = \log_2 x - 1$

117

오른쪽 그림에서 $\overline{AB} = 2$
이므로

$\log_2 k - \log_4 k = 2$

$\log_2 k - \dfrac{1}{2} \log_2 k = 2$

$\dfrac{1}{2} \log_2 k = 2$, $\log_2 k = 4$

$\therefore k = 2^4 = 16$

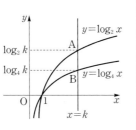

답 16

118

$y = \log_2 x + 1$의 그래프를 x축의 방향으로 a만큼, y
축의 방향으로 b만큼 평행이동한 그래프의 식은

$y = \log_2 (x - a) + 1 + b$이므로

$f(x) = \log_2 (x - a) + 1 + b$

$f(7) = 0$, $f(11) = 1$이므로

$\log_2 (7 - a) + 1 + b = 0$ ······ ㉠

$\log_2 (11 - a) + 1 + b = 1$ ······ ㉡

㉡－㉠을 하면

$\log_2 (11 - a) - \log_2 (7 - a) = 1$

$\log_2 \dfrac{11 - a}{7 - a} = 1$

$2 = \dfrac{11 - a}{7 - a}$ $\quad \therefore a = 3$

$a = 3$을 ㉠에 대입하면

$\log_2 4 + 1 + b = 0$ $\quad \therefore b = -3$

$\therefore a + b = 3 + (-3) = 0$

답 0

119

$A = \log_2 a$

$B = \log_2 \dfrac{1}{a} = \log_2 a^{-1} = -\log_2 a$

$C = \log_a 2 = \dfrac{1}{\log_2 a}$

이때 $1 < a < 2$이고, 로그함수 $y = \log_2 x$는 x의 값이
증가하면 y의 값도 증가하는 함수이므로

$\log_2 1 < \log_2 a < \log_2 2$

$\therefore 0 < \log_2 a < 1$

따라서 $-1 < -\log_2 a < 0$, $\dfrac{1}{\log_2 a} > 1$이므로

$0 < A < 1$, $-1 < B < 0$, $C > 1$

$\therefore B < A < C$

답 ③

120

두 함수 $y = 100^{kx}$, $y = \dfrac{k}{288} \log x$의 그래프가 직선
$y = x$에 대하여 대칭이므로 두 함수 $y = 100^{kx}$,
$y = \dfrac{k}{288} \log x$는 각각 서로의 역함수이다.

$y = 100^{kx}$에서 로그의 정의에 의하여

$kx = \log_{100} y$, $kx = \log_{10^2} y$

$kx = \dfrac{1}{2} \log y$ $\quad \therefore x = \dfrac{1}{2k} \log y \ (\because k < 0)$

x와 y를 서로 바꾸면 함수 $y = 100^{kx}$의 역함수는

$y = \dfrac{1}{2k} \log x$ ······ ㉠

㉠이 $y = \dfrac{k}{288} \log x$와 일치하므로

$\dfrac{1}{2k}=\dfrac{k}{288}$, $2k^2=288$, $k^2=144$

$\therefore k=-12$ $(\because k<0)$

답 -12

121

사각형 ABCD는 한 변의 길이가 4인 정사각형이므로

$\overline{CD}=4$이고, 점 C의 x좌표를 k라 하면

$\log_2 k=4$ $\therefore k=2^4=16$

$\overline{BC}=4$이므로 점 B의 x좌표는 $16-4=12$

$\therefore \overline{BE}=\log_2 12=\log_2 (2^2\times 3)$

$\qquad =2+\log_2 3$

답 ③

122

점 A의 y좌표가 1이므로 점 A의 x좌표를 a라 하면

$1=\log_2 a$ $\therefore a=2$ $\therefore A(2, 1)$

점 B의 x좌표는 2이므로 점 B의 y좌표는 $2^2=4$

$\therefore B(2, 4)$

점 C의 y좌표는 4이므로 점 C의 x좌표를 c라 하면

$4=\log_2 c$ $\therefore c=2^4=16$ $\therefore C(16, 4)$

점 D의 x좌표는 16이므로 점 D의 y좌표는 2^{16}

답 2^{16}

123

$y=g(x)$의 그래프와 $y=\log_2 (x-1)$의 그래프가 직선 $y=x$에 대하여 대칭이므로 $y=g(x)$는

$y=\log_2 (x-1)$의 역함수이다.

즉 $y=\log_2 (x-1)$에서 $2^y=x-1$

$\therefore x=2^y+1$

x와 y를 서로 바꾸면 $y=\log_2 (x-1)$의 역함수는

$y=2^x+1$

$\therefore g(x)=2^x+1$

$y=g(x)$의 그래프가 점 $P(2, b)$를 지나므로

$b=2^2+1=5$

$y=\log_2 (x-1)$의 그래프가 점 $Q(a, b)$, 즉

$Q(a, 5)$를 지나므로

$5=\log_2 (a-1)$

$a-1=2^5$ $\therefore a=33$

$\therefore a+b=33+5=38$

답 38

124

점 D의 y좌표는 $\log_2 2=1$

$\therefore D(0, 1)$

점 F의 y좌표는 $\log_2 16=4$

$\therefore F(0, 4)$

점 E가 선분 DF를 $1:2$로 내분하는 점이므로

$E(0, 2)$

따라서 점 B의 x좌표를 a라 하면

$\log_2 a=2$에서 $a=4$

즉 점 B의 x좌표는 4이다.

답 4

125

$y=\log_2 (x+1)+2$의 그래프는 $y=\log_2 (x+1)$의

그래프를 y축의 방향으로 2만큼 평행이동한 것이다.

따라서 오른쪽 그림에서

$S_1=S_3$이므로

구하는 넓이는

$S_2+S_3=S_2+S_1$

$\qquad =3\times 2=6$

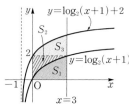

답 6

126

$f(x)=-\log_{\frac{1}{3}} x^2=-\log_{3^{-1}} x^2=\log_3 x^2$의 밑 3이 1

보다 크므로 $f(x)$는 x^2이 최대일 때 최대가 된다.

즉 $21\leq x\leq 27$일 때, $f(x)$는 $x=27$에서 최댓값

$f(27)=\log_3 27^2=6$을 갖는다.

$\therefore M=6$

한편, $g(x)=\log_{\frac{1}{3}} (x-18)+2$의 밑 $\dfrac{1}{3}$이 1보다 작

은 양수이므로 $g(x)$는 x가 최대일 때 최소가 된다. 즉

$21\leq x\leq 27$일 때, $g(x)$는 $x=27$에서 최솟값

$g(27)=\log_{\frac{1}{3}}9+2=0$을 갖는다.

$\therefore m=0$

$\therefore M+m=6$

답 6

127

$y=\log_2(x+3)-1$은 밑 2가 1보다 크므로 x의 값이 증가하면 y의 값도 증가하는 함수이다.

따라서 $1\leq x\leq5$일 때, 함수 $y=\log_2(x+3)-1$은

$x=1$에서 최솟값 $\log_2 4-1=1$,

$x=5$에서 최댓값 $\log_2 8-1=2$를 갖는다.

$\therefore M=2,\ m=1$

$\therefore Mm=2\times1=2$

답 2

128

$y=\log_{\frac{1}{2}}(x+3)+k$는 밑이 1보다 작은 양수이므로 x의 값이 증가하면 y의 값은 감소하는 함수이다.

따라서 $-2\leq x\leq1$일 때, 함수 $y=\log_{\frac{1}{2}}(x+3)+k$는 $x=-2$에서 최댓값 1을 가지므로

$\log_{\frac{1}{2}}(-2+3)+k=1$ $\therefore k=1$

따라서 함수 $y=\log_{\frac{1}{2}}(x+3)+1$은 $x=1$에서 최솟값

$\log_{\frac{1}{2}}(1+3)+1=\log_{\frac{1}{2}}4+1$
$=-2+1=-1$

을 갖는다.

답 ①

129

$(f\circ g)(x)=f(g(x))=\log_{\frac{1}{2}}(x^2-2x+3)$의 밑 $\frac{1}{2}$이 1보다 작은 양수이므로 함수 $(f\circ g)(x)$는 x^2-2x+3이 최소일 때 최대가 된다.

이때 $x^2-2x+3=(x-1)^2+2$이므로 x^2-2x+3은 $x=1$에서 최솟값 2를 갖는다.

따라서 함수 $(f\circ g)(x)$는 $x=1$에서 최댓값

$\log_{\frac{1}{2}}2=-1$을 갖는다.

답 -1

130

$f(x)=x^2-4x+8$로 놓으면 $y=\log_{\frac{1}{2}}(x^2-4x+8)$

에서 $y=\log_{\frac{1}{2}}f(x)$

$y=\log_{\frac{1}{2}}f(x)$의 밑 $\frac{1}{2}$이 1보다 작은 양수이므로 함수 $y=\log_{\frac{1}{2}}f(x)$는 $f(x)$가 최대일 때 최소가 된다.

따라서 $1\leq x\leq4$일 때,

$f(x)=x^2-4x+8=(x-2)^2+4$는 $x=4$에서 최댓값 8을 가지므로 함수 $y=\log_{\frac{1}{2}}f(x)$는 $x=4$에서 최솟값

$\log_{\frac{1}{2}}8=\log_{2^{-1}}2^3=-3$

을 갖는다.

답 ②

131

$x>0$, $y>0$이므로 산술평균과 기하평균의 관계에 의하여

$x+3y\geq2\sqrt{3xy}$ (단, 등호는 $x=3y=100$일 때 성립)

$200\geq2\sqrt{3xy}$ ($\because x+3y=200$)

$\sqrt{3xy}\leq100$ $\therefore 3xy\leq10000$

$\therefore \log 3x+\log y=\log 3xy\leq\log 10000=4$

따라서 $\log 3x+\log y$의 최댓값은 4이다.

답 ④

132

$y=\log_a(x+1)+\log_a(3-x)$가 정의되는 x의 값의 범위는

$x+1>0$, $3-x>0$

$\therefore -1<x<3$

이때 주어진 함수는

$y=\log_a(x+1)+\log_a(3-x)$
$=\log_a(x+1)(3-x)$
$=\log_a(-x^2+2x+3)$
$=\log_a\{-(x-1)^2+4\}$ ······ ㉠

(i) $a>1$이면

㉠은 $-(x-1)^2+4$가 최소일 때 최소가 된다.

그러나 $-1<x<3$일 때, $-(x-1)^2+4$의 최솟값은 존재하지 않으므로 ㉠의 최솟값도 존재하지 않는다.

(ii) $0<a<1$이면

ㄱ은 $-(x-1)^2+4$가 최대일 때 최소가 된다.

$-1<x<3$일 때, $-(x-1)^2+4$는 $x=1$에서 최댓값 4를 가지므로 ㄱ의 최솟값은 $\log_a 4$이다.

그런데 최솟값이 -2이므로 $\log_a 4=-2$

$a^{-2}=4$, $a^2=\dfrac{1}{4}$ $\therefore a=\dfrac{1}{2}$

답 $\dfrac{1}{2}$

133

$y=(\log_2 x)^2+a\log_4 x+2$

$\quad=(\log_2 x)^2+\dfrac{a}{2}\log_2 x+2$

$\log_2 x=t$로 놓으면 주어진 함수는

$y=t^2+\dfrac{a}{2}t+2$ ……ㄱ

따라서 ㄱ이 $x=\dfrac{1}{4}$, 즉 $t=\log_2 \dfrac{1}{4}=-2$에서 최솟값 b를 가지므로 ㄱ은 $y=(t+2)^2+b$

$\therefore y=t^2+4t+4+b$

따라서 $\dfrac{a}{2}=4$, $2=4+b$이므로

$a=8$, $b=-2$

$\therefore a+b=8+(-2)=6$

답 6

134

$y=(\log_3 3x)\left(\log_3 \dfrac{9}{x}\right)$

$\quad=(\log_3 3+\log_3 x)(\log_3 9-\log_3 x)$

$\quad=(1+\log_3 x)(2-\log_3 x)$

$\quad=-(\log_3 x)^2+\log_3 x+2$

$\log_3 x=t$로 놓으면 주어진 함수는

$y=-t^2+t+2$

$\quad=-\left(t-\dfrac{1}{2}\right)^2+\dfrac{9}{4}$ ……ㄱ

따라서 ㄱ은 $t=\dfrac{1}{2}$에서 최댓값 $\dfrac{9}{4}$를 갖는다.

답 $\dfrac{9}{4}$

참고 주어진 함수는 $\log_3 x=\dfrac{1}{2}$, 즉 $x=\sqrt{3}$에서 최댓값 $\dfrac{9}{4}$를 갖는다.

135

$\log_3\left(x+\dfrac{1}{y}\right)+\log_3\left(y+\dfrac{4}{x}\right)$

$=\log_3\left\{\left(x+\dfrac{1}{y}\right)\left(y+\dfrac{4}{x}\right)\right\}$

$=\log_3\left(xy+\dfrac{4}{xy}+5\right)$ ……ㄱ

ㄱ의 밑 3이 1보다 크므로 ㄱ은 $xy+\dfrac{4}{xy}+5$가 최소일 때 최소가 된다.

이때 $x>0$, $y>0$이므로 산술평균과 기하평균의 관계에 의하여

$xy+\dfrac{4}{xy}+5\geq 2\sqrt{xy\times\dfrac{4}{xy}}+5=9$

(단, 등호는 $xy=2$일 때 성립)

따라서 $xy+\dfrac{4}{xy}+5$의 최솟값이 9이므로

$\log_3\left(xy+\dfrac{4}{xy}+5\right)$의 최솟값은 $\log_3 9=2$

답 2

136

$a>1$, $b>1$이므로 $\log_a b>0$, $\log_{b^2} a>0$

따라서 산술평균과 기하평균의 관계에 의하여

$\log_a b+\log_{b^2} a=\log_a b+\dfrac{1}{2}\log_b a$

$\qquad\geq 2\sqrt{\log_a b\times\dfrac{1}{2}\log_b a}$

$\qquad=2\sqrt{\dfrac{1}{2}}=\sqrt{2}$

$\left(\text{단, 등호는 }\log_a b=\dfrac{1}{2}\log_b a\text{일 때 성립}\right)$

따라서 구하는 최솟값은 $\sqrt{2}$이다.

답 $\sqrt{2}$

137

$y=x^{4-\log x}$의 양변에 상용로그를 취하면

$\log y=\log x^{4-\log x}=(4-\log x)\log x$

$\qquad=-(\log x)^2+4\log x$

$\log x=t$로 놓으면

$1\leq x\leq 1000$에서 $\log 1\leq\log x\leq\log 1000$

$\therefore 0\leq t\leq 3$

이때 주어진 함수는

$\log y = -t^2 + 4t = -(t-2)^2 + 4$

따라서 $0 \le t \le 3$일 때, $\log y$는 $t=2$에서 최댓값 4,

$t=0$에서 최솟값 0을 가지므로

y의 최댓값은 10^4, 최솟값은 $10^0 = 1$이다.

$\therefore M = 10000,\ m = 1$

$\therefore Mm = 10000$

답 10000

138

$y = 16x^{-6 + \log_2 x^3}$의 양변에 2를 밑으로 하는 로그를 취

하면

$\log_2 y = \log_2 (16x^{-6 + \log_2 x^3})$

$\qquad = \log_2 16 + \log_2 x^{-6 + \log_2 x^3}$

$\qquad = 4 + (-6 + 3\log_2 x)\log_2 x$

$\qquad = 3(\log_2 x)^2 - 6\log_2 x + 4$

$\log_2 x = t$로 놓으면

$1 \le x \le 4$에서 $\log_2 1 \le \log_2 x \le \log_2 4$

$\therefore 0 \le t \le 2$

이때 주어진 함수는

$\log_2 y = 3t^2 - 6t + 4 = 3(t-1)^2 + 1$

따라서 $0 \le t \le 2$일 때, $\log_2 y$는

$t=1$에서 최솟값 1,

$t=0$ 또는 $t=2$에서 최댓값 4를 가

지므로 y의 최솟값은 $2^1 = 2$, 최댓

값은 $2^4 = 16$이다.

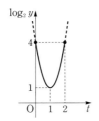

$\therefore M = 16,\ m = 2$

$\therefore M + m = 18$

답 18

139

(1) 진수의 조건에서 $-5x + 2 > 0$

$\quad \therefore x < \dfrac{2}{5}$ ...... ㉠

$\quad \log_3(-5x+2) = 3$에서 로그의 정의에 의하여

$\quad -5x + 2 = 27,\ -5x = 25$

$\quad \therefore x = -5$ ...... ㉡

$\quad$ ㉠, ㉡에서 구하는 해는

$\quad x = -5$

(2) 진수의 조건에서 $x - 4 > 0,\ x - 2 > 0$

$\quad \therefore x > 4$ ...... ㉠

$\quad \log_2(x-4) = \log_4(x-2)$에서

$\quad \log_4(x-4)^2 = \log_4(x-2)$

$\quad$ 양변의 밑이 4로 같으므로

$\quad (x-4)^2 = x-2$

$\quad x^2 - 9x + 18 = 0,\ (x-3)(x-6) = 0$

$\quad \therefore x = 3$ 또는 $x = 6$ ...... ㉡

$\quad$ ㉠, ㉡에서 구하는 해는

$\quad x = 6$

(3) 진수의 조건에서 $x > 0$ ...... ㉠

$\quad \log_2 x - \log_4 x = 3(\log_2 x)(\log_8 x)$에서

$\quad \log_2 x - \log_{2^2} x = 3(\log_2 x)(\log_{2^3} x)$

$\quad \log_2 x - \dfrac{1}{2}\log_2 x = 3(\log_2 x)\left(\dfrac{1}{3}\log_2 x\right)$

$\quad \dfrac{1}{2}\log_2 x = (\log_2 x)^2$

$\quad \therefore 2(\log_2 x)^2 - \log_2 x = 0$

$\quad \log_2 x = t$로 놓으면 $2t^2 - t = 0$

$\quad t(2t-1) = 0 \qquad \therefore t = 0$ 또는 $t = \dfrac{1}{2}$

$\quad$ 즉 $\log_2 x = 0$ 또는 $\log_2 x = \dfrac{1}{2}$이므로

$\quad x = 1$ 또는 $x = 2^{\frac{1}{2}} = \sqrt{2}$ ...... ㉡

$\quad$ ㉠, ㉡에서 구하는 해는

$\quad x = 1$ 또는 $x = \sqrt{2}$

(4) 진수의 조건에서 $x > 0$ ...... ㉠

$\quad (\log_{16} x^2)^2 - 5\log_{16} x + 1 = 0$에서

$\quad (2\log_{16} x)^2 - 5\log_{16} x + 1 = 0$

$\quad \log_{16} x = t$로 놓으면

$\quad (2t)^2 - 5t + 1 = 0,\ 4t^2 - 5t + 1 = 0$

$\quad (4t-1)(t-1) = 0 \qquad \therefore t = \dfrac{1}{4}$ 또는 $t = 1$

$\quad$ 즉 $\log_{16} x = \dfrac{1}{4}$ 또는 $\log_{16} x = 1$이므로

$\quad x = 16^{\frac{1}{4}} = (2^4)^{\frac{1}{4}} = 2$ 또는 $x = 16$ ...... ㉡

$\quad$ ㉠, ㉡에서 구하는 해는

$\quad x = 2$ 또는 $x = 16$

(5) 밑과 진수의 조건에서 $x > 0,\ x \ne 1$ ...... ㉠

$\quad \log_x 10 = \dfrac{1}{\log_{10} x}$이므로

$\log_{10} x = t$로 놓으면

$\log_x 10 + 3 \log_{10} x = 4$에서

$\dfrac{1}{t} + 3t = 4$

$3t^2 - 4t + 1 = 0$

$(3t-1)(t-1) = 0$

$\therefore t = \dfrac{1}{3}$ 또는 $t = 1$

즉 $\log_{10} x = \dfrac{1}{3}$ 또는 $\log_{10} x = 1$이므로

$x = 10^{\frac{1}{3}} = \sqrt[3]{10}$ 또는 $x = 10$ …… ㉡

㉠, ㉡에서 구하는 해는

$x = \sqrt[3]{10}$ 또는 $x = 10$

(6) 밑과 진수의 조건에서 $x > 0$, $x \neq 1$,

    $2x + 4 > 0$, $x - 2 > 0$

    $\therefore x > 2$ …… ㉠

    $\log_x (2x+4) + \log_x (x-2) = 2$에서

    $\log_x (2x+4)(x-2) = 2$

    로그의 정의에 의하여

    $(2x+4)(x-2) = x^2$, $x^2 = 8$

    $\therefore x = -2\sqrt{2}$ 또는 $x = 2\sqrt{2}$ …… ㉡

    ㉠, ㉡에서 구하는 해는

    $x = 2\sqrt{2}$

답 (1) $x = -5$ (2) $x = 6$

     (3) $x = 1$ 또는 $x = \sqrt{2}$

     (4) $x = 2$ 또는 $x = 16$

     (5) $x = \sqrt[3]{10}$ 또는 $x = 10$

     (6) $x = 2\sqrt{2}$

140

밑의 조건에서 $k > 0$, $k \neq 1$ …… ㉠

$\log_3 \{\log_2 (\log_k x)\} = 0$에서 로그의 정의에 의하여

$\log_2 (\log_k x) = 3^0 = 1$

$\log_k x = 2^1 = 2$

$\therefore x = k^2$

그런데 $x = 49$이므로

$k^2 = 49$

$\therefore k = 7$ $(\because$ ㉠$)$

답 7

141

방정식 $(\log_2 x)^2 - \log_2 x^4 + k = 0$의 한 근이 2이므로 $x = 2$를 대입하면

$(\log_2 2)^2 - \log_2 2^4 + k = 0$

$1 - 4 + k = 0$

$\therefore k = 3$

진수의 조건에서 $x > 0$ …… ㉠

$(\log_2 x)^2 - \log_2 x^4 + 3 = 0$에서

$(\log_2 x)^2 - 4 \log_2 x + 3 = 0$

$\log_2 x = t$로 놓으면

$t^2 - 4t + 3 = 0$

$(t-1)(t-3) = 0$

$\therefore t = 1$ 또는 $t = 3$

즉 $\log_2 x = 1$ 또는 $\log_2 x = 3$이므로

$x = 2$ 또는 $x = 8$ …… ㉡

㉠, ㉡에서 구하는 해는

$x = 2$ 또는 $x = 8$

따라서 나머지 한 근은 8이다.

답 8

142

(1) 진수의 조건에서 $x > 0$ …… ㉠

    $(\log_3 x)^2 - 6 \log_3 \sqrt{x} + 2 = 0$에서

    $(\log_3 x)^2 - 6 \log_3 x^{\frac{1}{2}} + 2 = 0$

    $(\log_3 x)^2 - 3 \log_3 x + 2 = 0$

    $\log_3 x = t$로 놓으면

    $t^2 - 3t + 2 = 0$

    $(t-1)(t-2) = 0$

    $\therefore t = 1$ 또는 $t = 2$

    즉 $\log_3 x = 1$ 또는 $\log_3 x = 2$이므로

    $x = 3$ 또는 $x = 9$ …… ㉡

    ㉠, ㉡에서 방정식의 해는

    $x = 3$ 또는 $x = 9$

    따라서 $\alpha = 3$, $\beta = 9$ 또는 $\alpha = 9$, $\beta = 3$이므로

    $\alpha\beta = 3 \times 9 = 27$

(2) 진수의 조건에서 $3x > 0$, $9x > 0$

    $\therefore x > 0$ …… ㉠

$(\log_3 3x)(\log_3 9x) - 1 = 0$에서

$(1 + \log_3 x)(2 + \log_3 x) - 1 = 0$

$\log_3 x = t$로 놓으면

$(1 + t)(2 + t) - 1 = 0$

$t^2 + 3t + 1 = 0$ ...... ㉡

방정식 $(\log_3 3x)(\log_3 9x) - 1 = 0$의 두 근이 α, β이므로 t에 대한 이차방정식 ㉡의 두 근은 $\log_3 \alpha$, $\log_3 \beta$이다.

따라서 이차방정식의 근과 계수의 관계에 의하여

$\log_3 \alpha + \log_3 \beta = -3$

$\log_3 \alpha\beta = -3$ $\therefore \alpha\beta = \dfrac{1}{27}$

답 (1) 27   (2) $\dfrac{1}{27}$

참고 (2) t에 대한 이차방정식 ㉡의 두 근은 모두 실수이므로 $x = 3^t > 0$이다. 즉 진수의 조건 ㉠을 만족시킨다.

다른풀이 (1) $t^2 - 3t + 2 = 0$ ...... ㉠

방정식 $(\log_3 x)^2 - 6\log_3 \sqrt{x} + 2 = 0$의 두 근이 α, β이므로 t에 대한 이차방정식 ㉠의 두 근은 $\log_3 \alpha$, $\log_3 \beta$이다.

따라서 이차방정식의 근과 계수의 관계에 의하여

$\log_3 \alpha + \log_3 \beta = 3$

$\log_3 \alpha\beta = 3$ $\therefore \alpha\beta = 27$

143

$(\log x)^2 - k\log x - 2 = 0$의 두 근을 α, β라 하면 $\alpha\beta = 10$이고, $\log x = t$로 놓으면

$t^2 - kt - 2 = 0$ ...... ㉠

t에 대한 이차방정식 ㉠의 두 근은 $\log \alpha$, $\log \beta$이므로 이차방정식의 근과 계수의 관계에 의하여

$\log \alpha + \log \beta = k$

$\therefore k = \log \alpha\beta = \log 10 = 1$ 답 ①

144

(1) 진수의 조건에서 $x > 0$ ...... ㉠

$x^{\log_{0.1} x} = \dfrac{1}{1000x^2}$의 양변에 상용로그를 취하면

$\log x^{\log_{0.1} x} = \log \dfrac{1}{1000x^2}$

$(\log_{0.1} x)(\log x) = \log (1000x^2)^{-1}$

$(\log_{10^{-1}} x)(\log x) = -\log 1000x^2$

$(-\log x)(\log x) = -(\log 1000 + \log x^2)$

$(\log x)^2 = 3 + 2\log x$

$\therefore (\log x)^2 - 2\log x - 3 = 0$

$\log x = t$로 놓으면

$t^2 - 2t - 3 = 0$

$(t + 1)(t - 3) = 0$

$\therefore t = -1$ 또는 $t = 3$

즉 $\log x = -1$ 또는 $\log x = 3$이므로

$x = 10^{-1} = \dfrac{1}{10}$ 또는 $x = 10^3 = 1000$ ...... ㉡

㉠, ㉡에서 구하는 해는

$x = \dfrac{1}{10}$ 또는 $x = 1000$

(2) 진수의 조건에서 $x > 0$ ...... ㉠

$\left(\dfrac{1}{2}\right)^{\log x} = (2^{-1})^{\log x} = (2^{\log x})^{-1} = \dfrac{1}{2^{\log x}}$이므로

$2^{\log x} = t$ $(t > 0)$로 놓으면

$2^{\log x} + \left(\dfrac{1}{2}\right)^{\log x} = \dfrac{5}{2}$에서

$t + \dfrac{1}{t} = \dfrac{5}{2}$

$2t^2 - 5t + 2 = 0$

$(t - 2)(2t - 1) = 0$

$\therefore t = \dfrac{1}{2}$ 또는 $t = 2$

즉 $2^{\log x} = \dfrac{1}{2}$ 또는 $2^{\log x} = 2$이므로

$\log x = -1$ 또는 $\log x = 1$

$\therefore x = \dfrac{1}{10}$ 또는 $x = 10$ ...... ㉡

㉠, ㉡에서 구하는 해는

$x = \dfrac{1}{10}$ 또는 $x = 10$

답 (1) $x = \dfrac{1}{10}$ 또는 $x = 1000$

(2) $x = \dfrac{1}{10}$ 또는 $x = 10$

145

진수의 조건에서 $x>0$, $y>0$

$$\begin{cases} \log_2 x^2 - 2\log_2 y = 3 \\ \log_2 x^3 + \log_2 y = \dfrac{1}{2} \end{cases} \text{에서}$$

$$\begin{cases} 2\log_2 x - 2\log_2 y = 3 \\ 3\log_2 x + \log_2 y = \dfrac{1}{2} \end{cases}$$

$\log_2 x = X$, $\log_2 y = Y$로 놓으면

$$\begin{cases} 2X - 2Y = 3 & \cdots\cdots \text{㉠} \\ 3X + Y = \dfrac{1}{2} & \cdots\cdots \text{㉡} \end{cases}$$

㉠, ㉡을 연립하여 풀면

$$X = \frac{1}{2}, \ Y = -1$$

즉 $\log_2 x = \dfrac{1}{2}$, $\log_2 y = -1$이므로

$$x = 2^{\frac{1}{2}} = \sqrt{2}, \ y = 2^{-1} = \frac{1}{2}$$

$$\therefore \alpha = \sqrt{2}, \ \beta = \frac{1}{2}$$

$$\therefore \frac{\alpha^2}{\beta^2} = \frac{(\sqrt{2})^2}{\left(\dfrac{1}{2}\right)^2} = 8$$

답 8

146

$\log_x 4 = \log_x 2^2 = 2\log_x 2 = \dfrac{2}{\log_2 x}$이므로

$\log_2 x + a\log_x 4 = b$에서

$$\log_2 x + \frac{2a}{\log_2 x} = b$$

$$\therefore (\log_2 x)^2 - b\log_2 x + 2a = 0 \qquad \cdots\cdots \text{㉠}$$

$\log_2 x = t$로 놓으면

$$t^2 - bt + 2a = 0 \qquad \cdots\cdots \text{㉡}$$

㉠의 두 근이 2와 $\dfrac{1}{8}$이므로 ㉡의 두 근은 $\log_2 2$와

$\log_2 \dfrac{1}{8}$, 즉 1과 -3이다.

따라서 ㉡에서 이차방정식의 근과 계수의 관계에 의하여

$$1 + (-3) = b \qquad \therefore b = -2$$

$$1 \times (-3) = 2a \qquad \therefore a = -\frac{3}{2}$$

$$\therefore ab = -\frac{3}{2} \times (-2) = 3$$

답 ③

147

$$(\log x)^2 - 6\log x - 2 = 0 \qquad \cdots\cdots \text{㉠}$$

$\log x = t$로 놓으면

$$t^2 - 6t - 2 = 0 \qquad \cdots\cdots \text{㉡}$$

㉠의 두 근이 α, β이므로 ㉡의 두 근은 $\log \alpha$, $\log \beta$이다. 따라서 이차방정식의 근과 계수의 관계에 의하여

$$\log \alpha + \log \beta = 6, \ (\log \alpha)(\log \beta) = -2$$

한편, $(\log x)^2 - a\log x + b = 0 \qquad \cdots\cdots \text{㉢}$

$\log x = k$로 놓으면

$$k^2 - ak + b = 0 \qquad \cdots\cdots \text{㉣}$$

㉢의 두 근이 $\dfrac{1}{\alpha}$, $\dfrac{1}{\beta}$이므로 ㉣의 두 근은 $\log \dfrac{1}{\alpha}$, $\log \dfrac{1}{\beta}$이다. 따라서 이차방정식의 근과 계수의 관계에 의하여

$$\log \frac{1}{\alpha} + \log \frac{1}{\beta} = a, \ \left(\log \frac{1}{\alpha}\right)\left(\log \frac{1}{\beta}\right) = b$$

$$\begin{aligned} \therefore a &= \log \frac{1}{\alpha} + \log \frac{1}{\beta} \\ &= -\log \alpha - \log \beta \\ &= -(\log \alpha + \log \beta) \\ &= -6 \end{aligned}$$

$$\begin{aligned} b &= \left(\log \frac{1}{\alpha}\right)\left(\log \frac{1}{\beta}\right) \\ &= (-\log \alpha)(-\log \beta) \\ &= (\log \alpha)(\log \beta) = -2 \end{aligned}$$

$$\therefore b - a = -2 - (-6) = 4$$

답 4

148

밀과 진수의 조건에서 $x+9>0$, $x+9 \neq 1$,

$x^2 - 2x + 5 > 0$, $x^2 - 2x + 5 \neq 1$, $x - 1 > 0$

$$\therefore x > 1 \qquad \cdots\cdots \text{㉠}$$

$\log_{x+9}(x-1) = \log_{x^2-2x+5}(x-1)$에서

$x + 9 = x^2 - 2x + 5$ 또는 $x - 1 = 1$

(i) $x + 9 = x^2 - 2x + 5$에서

$$x^2 - 3x - 4 = 0, \ (x+1)(x-4) = 0$$

$$\therefore x = -1 \ \text{또는} \ x = 4 \qquad \cdots\cdots \text{㉡}$$

(ii) $x-1=1$에서 $x=2$ ...... ⓒ

ⓐ, ⓑ, ⓒ에서 구하는 해는

$x=2$ 또는 $x=4$

따라서 방정식의 모든 근의 합은

$2+4=6$

답 6

참고 $x^2-2x+5=(x-1)^2+4$

$\qquad \geq 4 \ (\because (x-1)^2 \geq 0)$

즉 $\log_{x^2-2x+5}(x-1)$에서 밑의 조건은 항상 성립한다.

149

(1) 진수의 조건에서 $x>0$ ...... ⓐ

$x^{\log 5}=5^{\log x}$이므로 $5^{\log x} \cdot x^{\log 5}-6 \cdot 5^{\log x}+5=0$에서

$5^{\log x} \cdot 5^{\log x}-6 \cdot 5^{\log x}+5=0$

$(5^{\log x})^2-6 \cdot 5^{\log x}+5=0$

$5^{\log x}=t \ (t>0)$로 놓으면

$t^2-6t+5=0, \ (t-1)(t-5)=0$

$\therefore t=1$ 또는 $t=5$

즉 $5^{\log x}=1$ 또는 $5^{\log x}=5$이므로

$\log x=0$ 또는 $\log x=1$

$\therefore x=1$ 또는 $x=10$ ...... ⓑ

ⓐ, ⓑ에서 구하는 해는 $x=1$ 또는 $x=10$

(2) $\left(\dfrac{x}{4}\right)^{\log_5 4}=\left(\dfrac{x}{3}\right)^{\log_5 3}$의 양변에 밑이 5인 로그를 취하면

$\log_5 \left(\dfrac{x}{4}\right)^{\log_5 4}=\log_5 \left(\dfrac{x}{3}\right)^{\log_5 3}$

$\log_5 4(\log_5 x-\log_5 4)=\log_5 3(\log_5 x-\log_5 3)$

$(\log_5 4)(\log_5 x)-(\log_5 4)^2$

$\qquad =(\log_5 3)(\log_5 x)-(\log_5 3)^2$

$(\log_5 4-\log_5 3)\log_5 x=(\log_5 4)^2-(\log_5 3)^2$

$\log_5 x=\dfrac{(\log_5 4)^2-(\log_5 3)^2}{\log_5 4-\log_5 3}$

$\qquad =\dfrac{(\log_5 4+\log_5 3)(\log_5 4-\log_5 3)}{\log_5 4-\log_5 3}$

$\qquad =\log_5 4+\log_5 3$

$\qquad =\log_5 12$

$\therefore x=12$

답 (1) $x=1$ 또는 $x=10$ (2) $x=12$

150

$t=30, C=2$를 주어진 식에 대입하면

$\log(10-2)=1-30k$

$30k=1-\log 8$

$\therefore k=\dfrac{1}{30} \log \dfrac{5}{4}$

$\therefore \log(10-C)=1-\dfrac{t}{30} \log \dfrac{5}{4}$

위의 식에 $t=60, C=a$를 대입하면

$\log(10-a)=1-2 \log \dfrac{5}{4}$

$\qquad =\log 10-\log \left(\dfrac{5}{4}\right)^2$

$\qquad =\log \left(10 \times \dfrac{16}{25}\right)$

$\qquad =\log \dfrac{32}{5}$

양변의 밑이 10으로 같으므로

$10-a=\dfrac{32}{5}$

$\therefore a=10-\dfrac{32}{5}=\dfrac{18}{5}=3.6$

답 ④

151

정수 시설을 1번 가동하면 불순물의 양의 $x \, \%$가 제거되므로 남는 불순물의 양은 전체의 $1-\dfrac{x}{100}$이다. 정수 시설을 10번 가동하였더니 남은 불순물의 양이 처음 불순물의 양의 $10 \, \%$이므로

$\left(1-\dfrac{x}{100}\right)^{10}=\dfrac{10}{100}$

$\left(\dfrac{100-x}{100}\right)^{10}=\dfrac{1}{10}$

양변에 상용로그를 취하면

$\log \left(\dfrac{100-x}{100}\right)^{10}=\log \dfrac{1}{10}$

$10 \log \dfrac{100-x}{100}=-1$

$10\{\log(100-x)-2\}=-1$

$\log(100-x)-2=-\dfrac{1}{10}$

$\log(100-x)=\dfrac{19}{10}=1.9$

연
습
문
제

실
력
U
P

이때 $\log 80 = 1.9$이므로

$100 - x = 80$

$\therefore x = 20$

답 20

152

(1) 진수의 조건에서 $x - 2 > 0$, $x^2 + 1 > 0$

$\therefore x > 2$ ...... ㉠

$2 \log_{\frac{1}{2}}(x-2) > \log_{\frac{1}{2}}(x^2+1)$에서

$\log_{\frac{1}{2}}(x-2)^2 > \log_{\frac{1}{2}}(x^2+1)$

밑이 1보다 작은 양수이므로

$(x-2)^2 < x^2+1$, $x^2-4x+4 < x^2+1$

$4x > 3$ $\therefore x > \dfrac{3}{4}$ ...... ㉡

㉠, ㉡에서 구하는 부등식의 해는 $x > 2$

(2) 진수의 조건에서 $-5x+1 > 0$

$\therefore x < \dfrac{1}{5}$ ...... ㉠

$\log_3(-5x+1) < 4$에서

$\log_3(-5x+1) < \log_3 81$

밑이 1보다 크므로 $-5x+1 < 81$

$-5x < 80$

$\therefore x > -16$ ...... ㉡

㉠, ㉡에서 구하는 부등식의 해는

$-16 < x < \dfrac{1}{5}$

(3) 진수의 조건에서

$\log_2(\log_2 x) > 0$, $\log_2 x > 0$, $x > 0$ ...... ㉠

$\log_2(\log_2 x) > 0$에서 $\log_2(\log_2 x) > \log_2 1$

밑이 1보다 크므로 $\log_2 x > 1$

$\log_2 x > \log_2 2$

밑이 1보다 크므로 $x > 2$ ...... ㉡

$\log_2 x > 0$에서 $\log_2 x > \log_2 1$

밑이 1보다 크므로 $x > 1$ ...... ㉢

㉠, ㉡, ㉢에서 $x > 2$ ...... ㉣

$\log_2\{\log_2(\log_2 x)\} \leq 1$에서

$\log_2\{\log_2(\log_2 x)\} \leq \log_2 2$

밑이 1보다 크므로 $\log_2(\log_2 x) \leq 2$

$\log_2(\log_2 x) \leq \log_2 4$

밑이 1보다 크므로 $\log_2 x \leq 4$

$\log_2 x \leq \log_2 16$

밑이 1보다 크므로 $x \leq 16$ ...... ㉤

㉣, ㉤에서 구하는 부등식의 해는

$2 < x \leq 16$

(4) 진수의 조건에서 $x > 0$ ...... ㉠

$(\log_2 x)^2 + \log_2 x - 2 \geq 0$에서

$\log_2 x = t$로 놓으면

$t^2 + t - 2 \geq 0$, $(t+2)(t-1) \geq 0$

$\therefore t \leq -2$ 또는 $t \geq 1$

즉 $\log_2 x \leq -2$ 또는 $\log_2 x \geq 1$이므로

$\log_2 x \leq \log_2 \dfrac{1}{4}$ 또는 $\log_2 x \geq \log_2 2$

밑이 1보다 크므로 $x \leq \dfrac{1}{4}$ 또는 $x \geq 2$ ...... ㉡

㉠, ㉡에서 구하는 부등식의 해는

$0 < x \leq \dfrac{1}{4}$ 또는 $x \geq 2$

답 (1) $x > 2$ (2) $-16 < x < \dfrac{1}{5}$

(3) $2 < x \leq 16$ (4) $0 < x \leq \dfrac{1}{4}$ 또는 $x \geq 2$

153

진수의 조건에서 $2x^2 - 11x + 14 > 0$

$(x-2)(2x-7) > 0$

$\therefore x < 2$ 또는 $x > \dfrac{7}{2}$ ...... ㉠

밑의 조건에서

$x - 2 > 0$, $x - 2 \neq 1$

$\therefore x > 2$, $x \neq 3$ ...... ㉡

㉠, ㉡에서 $x > \dfrac{7}{2}$ ...... ㉢

$\log_{x-2}(2x^2-11x+14) < 2$에서

$\log_{x-2}(2x^2-11x+14) < \log_{x-2}(x-2)^2$

㉢에서 $x > \dfrac{7}{2}$이므로 (밑)$= x - 2 > 1$

$\therefore 2x^2 - 11x + 14 < (x-2)^2$

$x^2 - 7x + 10 < 0$

$(x-2)(x-5) < 0$

$\therefore 2 < x < 5$ ...... ㉣

ⓒ, ⓔ에서 구하는 부등식의 해는
$$\frac{7}{2} < x < 5$$

답 $\frac{7}{2} < x < 5$

154

진수의 조건에서 $x-4>0$, $x-2>0$
$x>4$, $x>2$
$\therefore x>4$ ...... ⓐ
$2\log_{\frac{1}{3}}(x-4) > \log_{\frac{1}{3}}(x-2)$에서
$\log_{\frac{1}{3}}(x-4)^2 > \log_{\frac{1}{3}}(x-2)$
밑이 1보다 작은 양수이므로
$(x-4)^2 < x-2$
$x^2-9x+18<0$
$(x-3)(x-6)<0$
$\therefore 3<x<6$ ...... ⓑ
ⓐ, ⓑ에서 주어진 부등식의 해는 $4<x<6$
따라서 $a=4$, $b=6$이므로
$ab=4 \times 6 = 24$

답 ④

155

진수의 조건에서 $|x|>0$
$\therefore x \neq 0$ ...... ⓐ
$\log_{0.2}|x|<2$에서
$\log_{0.2}|x| < \log_{0.2} 0.2^2$
$0<($밑$)<1$이므로 $|x|>0.2^2$
$|x|>0.04$
$\therefore x<-0.04$ 또는 $x>0.04$ ...... ⓑ
ⓐ, ⓑ에서 구하는 부등식의 해는
$x<-0.04$ 또는 $x>0.04$

답 $x<-0.04$ 또는 $x>0.04$

156

진수의 조건에서 $x>0$ ...... ⓐ
$\left(\log_{\frac{1}{2}} 8x\right)\left(\log_2 \frac{x}{2}\right)>0$에서

$-\left(\log_2 8x\right)\left(\log_2 \frac{x}{2}\right)>0$
$-(3+\log_2 x)(\log_2 x-1)>0$
$(\log_2 x+3)(\log_2 x-1)<0$
$\log_2 x=t$로 놓으면
$(t+3)(t-1)<0$
$\therefore -3<t<1$
즉 $-3<\log_2 x<1$이므로
$\log_2 2^{-3} < \log_2 x < \log_2 2^1$
밑이 1보다 크므로
$2^{-3}<x<2^1$
$\therefore \frac{1}{8}<x<2$ ...... ⓑ
ⓐ, ⓑ에서 주어진 부등식의 해는 $\frac{1}{8}<x<2$
따라서 $\alpha=\frac{1}{8}$, $\beta=2$이므로
$$\frac{\beta}{\alpha}=\frac{2}{\frac{1}{8}}=16$$

답 ④

157

주어진 부등식의 해가 $\frac{1}{3}<x<9$이므로 각 변에 밑이 3인 로그를 취하면 밑이 1보다 크므로
$\log_3 \frac{1}{3} < \log_3 x < \log_3 9$
$\therefore -1 < \log_3 x < 2$ ...... ⓐ
ⓐ에서 $(\log_3 x+1)(\log_3 x-2)<0$
$(\log_3 x+1)(2-\log_3 x)>0$
$\therefore (1+\log_3 x)(2-\log_3 x)>0$
$\therefore a=2$

답 2

다른풀이 주어진 부등식의 해가 $\frac{1}{3}<x<9$이므로 방정식 $(1+\log_3 x)(a-\log_3 x)=0$의 근이 $x=\frac{1}{3}$ 또는 $x=9$이다.
$(1+\log_3 x)(a-\log_3 x)=0$에서
$\log_3 x=-1$ 또는 $\log_3 x=a$
$\therefore x=\frac{1}{3}$ 또는 $x=3^a$
따라서 $3^a=9$이므로 $3^a=3^2$ $\therefore a=2$

158

진수의 조건에서 $x^2-4x>0$, $x-3>0$

$x^2-4x>0$에서 $x(x-4)>0$

$\therefore x<0$ 또는 $x>4$　　　　　……㉠

$x-3>0$에서 $x>3$　　　　　　　　……㉡

㉠, ㉡에서 $x>4$　　　　　　　　……㉢

$\left(\dfrac{2}{3}\right)^{-2+\log_2(x^2-4x)}\geq\left(\dfrac{2}{3}\right)^{\log_2(x-3)}$에서

$0<$(밑)<1이므로

$-2+\log_2(x^2-4x)\leq\log_2(x-3)$

$\log_2(x^2-4x)\leq\log_2(x-3)+2$

$\log_2(x^2-4x)\leq\log_2\{4(x-3)\}$

(밑)>1이므로

$x^2-4x\leq4(x-3)$

$x^2-8x+12\leq0$

$(x-2)(x-6)\leq0$

$\therefore 2\leq x\leq6$　　　　　　　　……㉣

㉢, ㉣에서 구하는 부등식의 해는 $4<x\leq6$

따라서 x의 최댓값은 6이다.

답 6

159

진수의 조건에서 $x+3>0$, $1-x>0$이므로

$x>-3$, $x<1$

$\therefore -3<x<1$　　　　　　　　……㉠

$\log_a(x+3)-\log_a(1-x)>1$에서

$\log_a(x+3)>\log_a(1-x)+1$

$\log_a(x+3)>\log_a\{a(1-x)\}$

(i) $a>1$일 때　　←(밑)>1인 경우

　　$x+3>a(1-x)$에서 $(a+1)x>a-3$

　　$\therefore x>\dfrac{a-3}{a+1}$ $(\because a+1>0)$　　……㉡

　　이때 부등식의 해가 $-\dfrac{1}{3}<x<1$이므로 ㉠, ㉡에서

　　$\dfrac{a-3}{a+1}=-\dfrac{1}{3}$, $3a-9=-a-1$

　　$\therefore a=2$

(ii) $0<a<1$일 때　　←$0<$(밑)<1인 경우

　　$x+3<a(1-x)$에서 $(a+1)x<a-3$

$\therefore x<\dfrac{a-3}{a+1}$ $(\because a+1>0)$　　……㉢

그런데 ㉠, ㉢으로 부등식의 해 $-\dfrac{1}{3}<x<1$을 만족시킬 수 없다.

(i), (ii)에서 $a=2$

답 2

160

진수의 조건에서 $4x>0$, $x>0$

$\therefore x>0$　　　　　　　　　　……㉠

$(\log_2 4x)^2-4\log_{\sqrt{2}}x-1<0$에서

$(\log_2 x+2)^2-8\log_2 x-1<0$

$\log_2 x=t$로 놓으면

$(t+2)^2-8t-1<0$

$t^2-4t+3<0$

$(t-1)(t-3)<0$

$\therefore 1<t<3$

즉 $1<\log_2 x<3$이므로

$\log_2 2<\log_2 x<\log_2 8$

밑이 1보다 크므로 $2<x<8$　　　　……㉡

㉠, ㉡에서 부등식 $(\log_2 4x)^2-4\log_{\sqrt{2}}x-1<0$의 해는

$2<x<8$　　　　　　　　　　　　……㉢

㉢이 부등식 $x^2+mx+n<0$의 해이므로

$(x-2)(x-8)<0$

$\therefore x^2-10x+16<0$

따라서 $m=-10$, $n=16$이므로

$m+n=-10+16=6$

답 6

161

(i) $2\log_{\frac{1}{2}}(x-5)>\log_{\frac{1}{2}}(x+7)$

　　진수의 조건에서 $x-5>0$, $x+7>0$

　　$x>5$, $x>-7$　　$\therefore x>5$　　……㉠

　　$2\log_{\frac{1}{2}}(x-5)>\log_{\frac{1}{2}}(x+7)$에서

　　$\log_{\frac{1}{2}}(x-5)^2>\log_{\frac{1}{2}}(x+7)$

　　$0<$(밑)<1이므로

$(x-5)^2 < x+7$

$x^2-11x+18 < 0$

$(x-2)(x-9) < 0$

$\therefore\ 2 < x < 9$ ...... ㉡

㉠, ㉡에서 부등식 $2\log_{\frac{1}{2}}(x-5) > \log_{\frac{1}{2}}(x+7)$

의 해는 $5 < x < 9$

(ii) $\left(\log_2\dfrac{x}{2}\right)^2 - \log_2 x^2 + 2 < 0$

진수의 조건에서 $\dfrac{x}{2} > 0$, $x^2 > 0$

$\therefore\ x > 0$ ...... ㉢

$\left(\log_2\dfrac{x}{2}\right)^2 - \log_2 x^2 + 2 < 0$에서

$(\log_2 x - 1)^2 - 2\log_2 x + 2 < 0$

$(\log_2 x)^2 - 4\log_2 x + 3 < 0$

$\log_2 x = t$로 놓으면

$t^2 - 4t + 3 < 0$, $(t-1)(t-3) < 0$

$\therefore\ 1 < t < 3$

즉 $1 < \log_2 x < 3$이므로 $\log_2 2^1 < \log_2 x < \log_2 2^3$

(밑)>1이므로

$2 < x < 8$ ...... ㉣

㉢, ㉣에서 부등식 $\left(\log_2\dfrac{x}{2}\right)^2 - \log_2 x^2 + 2 < 0$의

해는 $2 < x < 8$

(i), (ii)에서 연립부등식의 해는 $5 < x < 8$

따라서 $\alpha = 5$, $\beta = 8$이므로

$\alpha\beta = 40$

답 **40**

162

진수의 조건에서 $x^2 - 2kx + 36 > 0$ ...... ㉠

$\log_3(x^2-2kx+36) \geq 3$에서

$\log_3(x^2-2kx+36) \geq \log_3 27$

밑이 1보다 크므로

$x^2 - 2kx + 36 \geq 27$

$\therefore\ x^2 - 2kx + 9 \geq 0$ ...... ㉡

모든 실수 x에 대하여 ㉡이 성립하면 ㉠도 성립하므로

모든 실수 x에 대하여 ㉡이 성립할 조건만 구하면 된다.

모든 실수 x에 대하여 ㉡이 성립할 필요충분조건은 이

차방정식 $x^2 - 2kx + 9 = 0$의 판별식을 D라 할 때

$D \leq 0$이므로

$\dfrac{D}{4} = k^2 - 9 \leq 0$

$(k+3)(k-3) \leq 0$ $\therefore\ -3 \leq k \leq 3$

따라서 $M = 3$, $m = -3$이므로

$Mm = 3 \times (-3) = -9$

답 **−9**

163

진수의 조건에서 $a > 0$ ...... ㉠

$8^{x^2 + \log_8 a} > a^{-2x}$의 양변에 8을 밑으로 하는 로그를 취하면

$x^2 + \log_8 a > -2x\log_8 a$

$x^2 + 2x\log_8 a + \log_8 a > 0$

임의의 실수 x에 대하여 이 부등식이 성립할 필요충분

조건은 이차방정식 $x^2 + 2x\log_8 a + \log_8 a = 0$의 판

별식을 D라 할 때 $D < 0$이다. 즉

$\dfrac{D}{4} = (\log_8 a)^2 - \log_8 a < 0$

$(\log_8 a)(\log_8 a - 1) < 0$

$0 < \log_8 a < 1$

밑이 1보다 크므로

$1 < a < 8$ ...... ㉡

㉠, ㉡에서 $1 < a < 8$이므로 정수 a는 2, 3, 4, 5, 6, 7

의 6개이다.

답 **6**

164

이차방정식에서 x^2의 계수는 0이 아니므로

$3 + \log_2 a \neq 0$

$\log_2 a \neq -3$ $\therefore\ a \neq \dfrac{1}{8}$ ...... ㉠

진수의 조건에서 $a > 0$ ...... ㉡

이차방정식 $(3+\log_2 a)x^2 + 2(1+\log_2 a)x + 1 = 0$

이 서로 다른 두 실근을 가지므로 판별식을 D라 하면

$D > 0$이다. 즉

$\dfrac{D}{4} = (1+\log_2 a)^2 - (3+\log_2 a) > 0$

$(\log_2 a)^2 + \log_2 a - 2 > 0$

$\log_2 a = t$로 놓으면

$t^2 + t - 2 > 0$

$(t+2)(t-1) > 0$

$\therefore t < -2$ 또는 $t > 1$

즉 $\log_2 a < -2$ 또는 $\log_2 a > 1$이므로

$\log_2 a < \log_2 2^{-2}$ 또는 $\log_2 a > \log_2 2$

(밑)>1이므로 $a < \dfrac{1}{4}$ 또는 $a > 2$ ...... ㉢

㉠, ㉡, ㉢의 공통 범위는

$0 < a < \dfrac{1}{8}$ 또는 $\dfrac{1}{8} < a < \dfrac{1}{4}$ 또는 $a > 2$

따라서 a의 값이 될 수 있는 것은 ⑤이다.

답 ⑤

165

한 번 클릭할 때마다 파일의 크기가 2배로 커지므로 n번을 클릭한 후의 파일의 크기는

1000×2^n (바이트)

파일의 크기가 5기가바이트, 즉 5×10^9바이트보다 커지면 시스템이 다운되므로

$1000 \times 2^n > 5 \times 10^9$

$\therefore 2^n > 5 \times 10^6$

양변에 상용로그를 취하면

$\log 2^n > \log (5 \times 10^6)$

$n \log 2 > \log 5 + 6$

$n \log 2 > \log \dfrac{10}{2} + 6$

$n \log 2 > 7 - \log 2$

$\therefore n > \dfrac{7 - \log 2}{\log 2} = \dfrac{6.6990}{0.3010} = 22.\times\times\times$

따라서 마우스를 23번 클릭하면 시스템이 다운된다.

답 23번

166

두 직선 $x = b$, $y = \log_2 a$의 교점을 H라 하면 삼각형 AHB의 넓이가 4이므로

$\dfrac{1}{2}(b-a)(\log_2 b - \log_2 a) = 4$

$\therefore (b-a)(\log_2 b - \log_2 a) = 8$ ...... ㉠

한편, 직선 l의 기울기가 $\dfrac{1}{2}$이므로

$\dfrac{\log_2 b - \log_2 a}{b - a} = \dfrac{1}{2}$

$\therefore b - a = 2(\log_2 b - \log_2 a)$ ...... ㉡

㉠, ㉡을 연립하여 풀면

$b - a = 4$, $\log_2 b - \log_2 a = 2$ ($\because a < b$)

$\log_2 b - \log_2 a = 2$에서 $\log_2 \dfrac{b}{a} = 2$

$\dfrac{b}{a} = 4$ $\therefore b = 4a$

이때 $b - a = 4$이므로

$4a - a = 4$, $3a = 4$

$\therefore a = \dfrac{4}{3}$, $b = \dfrac{16}{3}$

$\therefore a + b = \dfrac{4}{3} + \dfrac{16}{3} = \dfrac{20}{3}$

답 ③

167

진수의 조건에서 $x > 0$

$y = 3^{\log x} \cdot x^{\log 3} - 3(3^{\log x} + x^{\log 3}) + 7$에서

$x^{\log 3} = 3^{\log x}$이므로

$y = 3^{\log x} \cdot 3^{\log x} - 3(3^{\log x} + 3^{\log x}) + 7$

$3^{\log x} = t$ $(t > 0)$로 놓으면

$y = t^2 - 3 \cdot 2t + 7 = t^2 - 6t + 7 = (t-3)^2 - 2$ ...... ㉠

㉠은 $t = 3$에서 최솟값 -2를 가지므로

주어진 함수는 $t = 3$, 즉 $3^{\log x} = 3$일 때 최솟값 -2를 갖는다.

$\therefore b = -2$

$3^{\log x} = 3$에서 $\log x = 1$ $\therefore x = 10$

$\therefore a = 10$

$\therefore \dfrac{a}{b} = \dfrac{10}{-2} = -5$

답 -5

168

밑의 조건에서 $x > 0$, $x \neq 1$, $y > 0$, $y \neq 1$

$\begin{cases} \log_x 4 - \log_y 3 = 5 \\ \log_x 2 - \log_y 27 = 5 \end{cases}$ 에서 $\begin{cases} 2\log_x 2 - \log_y 3 = 5 \\ \log_x 2 - 3\log_y 3 = 5 \end{cases}$

$\log_x 2 = X$, $\log_y 3 = Y$로 놓으면

$$\begin{cases} 2X-Y=5 & \cdots\cdots\ \text{㉠} \\ X-3Y=5 & \cdots\cdots\ \text{㉡} \end{cases}$$

㉠, ㉡을 연립하여 풀면 $X=2,\ Y=-1$

즉 $\log_x 2=2,\ \log_y 3=-1$이므로

$x^2=2,\ y^{-1}=3$

$\therefore x=\sqrt{2},\ y=\dfrac{1}{3}\ (\because x>0)$

따라서 $\alpha=\sqrt{2},\ \beta=\dfrac{1}{3}$이므로

$\dfrac{\alpha^2}{\beta}=\dfrac{2}{\dfrac{1}{3}}=6$

답 6

169

진수의 조건에서 $\alpha>0$ $\qquad\qquad\cdots\cdots\ \text{㉠}$

(i) $1+2\log \alpha<0$에서 $\log \alpha<-\dfrac{1}{2}$

(ii) 이차방정식

$\quad(1+2\log \alpha)x^2+2(2+\log \alpha)x+\log \alpha=0$의

판별식을 D라 하면

$\dfrac{D}{4}=(2+\log \alpha)^2-(1+2\log \alpha)\log \alpha<0$

$(\log \alpha)^2-3\log \alpha-4>0$

$(\log \alpha+1)(\log \alpha-4)>0$

$\therefore \log \alpha<-1$ 또는 $\log \alpha>4$

(i), (ii)에서 $\log \alpha<-1$

$\therefore \alpha<\dfrac{1}{10}$ $\qquad\qquad\cdots\cdots\ \text{㉡}$

㉠, ㉡에서 α의 값의 범위는 $0<\alpha<\dfrac{1}{10}$

답 $0<\alpha<\dfrac{1}{10}$

170

이상기체 1몰의 부피가 V_0에서 V_1로 a배 변할 때,

$S_1=6.02$이므로

$S_1=C\log \dfrac{V_1}{V_0}$에서 $6.02=20\log \dfrac{aV_0}{V_0}$

$\therefore 20\log a=6.02$ $\qquad\qquad\cdots\cdots\ \text{㉠}$

이상기체 1몰의 부피가 V_0에서 V_2로 b배 변할 때,

$S_2=36.02$이므로

$S_2=C\log \dfrac{V_2}{V_0}$에서 $36.02=20\log \dfrac{bV_0}{V_0}$

$\therefore 20\log b=36.02$ $\qquad\qquad\cdots\cdots\ \text{㉡}$

㉡$-$㉠을 하면

$20(\log b-\log a)=36.02-6.02$

$20\log \dfrac{b}{a}=30,\ \log \dfrac{b}{a}=\dfrac{3}{2}$

$\therefore \dfrac{b}{a}=10^{\frac{3}{2}}=10\sqrt{10}$

답 ③

171

① $\dfrac{\pi}{3}=\dfrac{\pi}{3}\times\dfrac{180°}{\pi}=60°$

② $-\dfrac{5}{3}\pi=-\dfrac{5}{3}\pi\times\dfrac{180°}{\pi}=-300°$

   $\therefore -300°=360°\times(-1)+60°$

③ $\dfrac{7}{3}\pi=\dfrac{7}{3}\pi\times\dfrac{180°}{\pi}=420°$

   $\therefore 420°=360°\times1+60°$

④ $-660°=360°\times(-2)+60°$

⑤ $5\pi=5\pi\times\dfrac{180°}{\pi}=900°$

   $\therefore 900°=360°\times2+180°$

따라서 각을 나타내는 동경의 위치가 다른 하나는 ⑤ 이다.

답 ⑤

172

ㄱ. $1=\dfrac{180°}{\pi}$

ㄴ. $\dfrac{\pi}{2}=\dfrac{\pi}{2}\times\dfrac{180°}{\pi}=90°$

ㄷ. $-\dfrac{\pi}{3}=-\dfrac{\pi}{3}\times\dfrac{180°}{\pi}=-60°$

ㄹ. $\dfrac{1}{4}=\dfrac{1}{4}\times\dfrac{180°}{\pi}=\dfrac{45°}{\pi}$

ㅁ. $\pi=\pi\times\dfrac{180°}{\pi}=180°$

따라서 옳은 것의 개수는 ㄴ, ㄷ, ㅁ의 3이다.

답 3

173

각 3θ를 나타내는 동경과 각 θ를 나타내는 동경이 직선 $y=x$에 대하여 대칭이므로

$3\theta+\theta=2n\pi+\dfrac{\pi}{2}$ (n은 정수)

$4\theta=2n\pi+\dfrac{\pi}{2}$ $\therefore \theta=\dfrac{n}{2}\pi+\dfrac{\pi}{8}$ ······ ㉠

그런데 $0<\theta<\dfrac{2}{3}\pi$이므로

$0<\dfrac{n}{2}\pi+\dfrac{\pi}{8}<\dfrac{2}{3}\pi$ $\therefore -\dfrac{1}{4}<n<\dfrac{13}{12}$

n은 정수이므로 $n=0$ 또는 $n=1$

$n=0$이면 ㉠에서 $\theta=\dfrac{\pi}{8}$

$n=1$이면 ㉠에서 $\theta=\dfrac{5}{8}\pi$

따라서 각 θ의 크기를 모두 구하면 $\dfrac{\pi}{8}$, $\dfrac{5}{8}\pi$이다.

답 $\dfrac{\pi}{8}$, $\dfrac{5}{8}\pi$

174

$l=r\theta=3\cdot\dfrac{\pi}{5}=\dfrac{3}{5}\pi$

$S=\dfrac{1}{2}r^2\theta=\dfrac{1}{2}\cdot3^2\cdot\dfrac{\pi}{5}=\dfrac{9}{10}\pi$

$\therefore l+S=\dfrac{3}{5}\pi+\dfrac{9}{10}\pi=\dfrac{3}{2}\pi$

답 $\dfrac{3}{2}\pi$

175

중심각의 크기가 $50°=50\times\dfrac{\pi}{180}=\dfrac{5}{18}\pi$이고 반지름의 길이가 6 cm인 부채꼴의 넓이는

$\dfrac{1}{2}\times6^2\times\dfrac{5}{18}\pi=5\pi\,(\mathrm{cm}^2)$

또 중심각의 크기가 θ이고 반지름의 길이가 10 cm인 부채꼴의 넓이는

$\dfrac{1}{2}\times10^2\times\theta=50\theta\,(\mathrm{cm}^2)$

이때 두 부채꼴의 넓이가 같으므로

$5\pi=50\theta$ $\therefore \theta=\dfrac{\pi}{10}$

답 $\dfrac{\pi}{10}$

176

θ가 제 2 사분면의 각이므로

$360°\times n+90°<\theta<360°\times n+180°$ (n은 정수) ······ ㉠

(i) ㉠의 각 변을 3으로 나누어 $\dfrac{\theta}{3}$의 범위를 구하면

$120°\times n+30°<\dfrac{\theta}{3}<120°\times n+60°$

$n=0$일 때, $30°<\dfrac{\theta}{3}<60°$

$\therefore \dfrac{\theta}{3}$는 제 1 사분면의 각

$n=1$일 때, $150°<\dfrac{\theta}{3}<180°$

$\therefore \dfrac{\theta}{3}$는 제 2 사분면의 각

$n=2$일 때, $270°<\dfrac{\theta}{3}<300°$

$\therefore \dfrac{\theta}{3}$는 제 4 사분면의 각

$n=3,\ 4,\ 5,\ \cdots$에 대해서도 동경의 위치가 제 1, 2, 4 사분면으로 반복된다.

이상에서 $\dfrac{\theta}{3}$를 나타내는 동경이 존재하는 사분면은 제 1, 2, 4 사분면이다.

(ii) ㉠의 각 변을 4로 나누어 $\dfrac{\theta}{4}$의 범위를 구하면

$90°×n+22.5°<\dfrac{\theta}{4}<90°×n+45°$

$n=0$일 때, $22.5°<\dfrac{\theta}{4}<45°$

$\therefore \dfrac{\theta}{4}$는 제 1 사분면의 각

$n=1$일 때, $112.5°<\dfrac{\theta}{4}<135°$

$\therefore \dfrac{\theta}{4}$는 제 2 사분면의 각

$n=2$일 때, $202.5°<\dfrac{\theta}{4}<225°$

$\therefore \dfrac{\theta}{4}$는 제 3 사분면의 각

$n=3$일 때, $292.5°<\dfrac{\theta}{4}<315°$

$\therefore \dfrac{\theta}{4}$는 제 4 사분면의 각

$n=4,\ 5,\ 6,\ \cdots$에 대해서도 동경의 위치가 제 1, 2, 3, 4 사분면으로 반복된다.

이상에서 $\dfrac{\theta}{4}$를 나타내는 동경이 존재하는 사분면은 제 1, 2, 3, 4 사분면이다.

(i), (ii)에서 $\dfrac{\theta}{3}$를 나타내는 동경과 $\dfrac{\theta}{4}$를 나타내는 동경이 모두 존재하는 사분면은 제 1, 2, 4 사분면이다.

답 ③

연 실
습 력
문 U
제 P

177

각 5θ를 나타내는 동경을 $180°$만큼 회전하면 각 2θ를 나타내는 동경과 일치하므로

$5\theta-2\theta=360°×n+180°$ (n은 정수)

$3\theta=360°×n+180°$

$\therefore \theta=120°×n+60°$ ······ ㉠

그런데 $180°<\theta<360°$이므로

$180°<120°×n+60°<360°$

$\therefore 1<n<\dfrac{5}{2}$

n은 정수이므로 $n=2$

$n=2$를 ㉠에 대입하면

$\theta=300°$

답 $300°$

178

원뿔에서 옆면의 부채꼴의 호의 길이는 밑면의 원의 둘레의 길이와 같으므로 부채꼴의 호의 길이는

$2\pi×8=16\pi$ (cm)

즉 종이의 모양은 오른쪽 그림과 같이 반지름의 길이가 20 cm이고, 호의 길이가 16π cm인 부채꼴이므로 넓이를 S라 하면

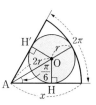

$S=\dfrac{1}{2}×20×16\pi=160\pi$ (cm^2)

답 ①

179

부채꼴의 반지름의 길이를 x라 하면

$\dfrac{\pi}{3}x=2\pi$에서 $x=6$

오른쪽 그림과 같이 부채꼴에 내접하는 원의 반지름의 길이를 r라 하면

$\triangle OAH \equiv \triangle OAH'$이므로

$\angle OAH=\dfrac{1}{2}×\dfrac{\pi}{3}=\dfrac{\pi}{6}$

$$\therefore \overline{OA} = \frac{r}{\sin\frac{\pi}{6}} = \frac{r}{\frac{1}{2}} = 2r$$

한편, 부채꼴의 반지름의 길이가 6이므로

$$2r + r = 6 \qquad \therefore r = 2$$

따라서 부채꼴에 내접하는 원의 넓이는

$$\pi \times 2^2 = 4\pi$$

답 ③

180

θ가 제1사분면의 각이므로 일반각으로 나타내면

$$2n\pi < \theta < 2n\pi + \frac{\pi}{2} \ (n\text{은 정수})$$

각 변을 2로 나누어 $\frac{\theta}{2}$의 범위를 구하면

$$n\pi < \frac{\theta}{2} < n\pi + \frac{\pi}{4}$$

(ⅰ) $n=0$일 때, $0 < \frac{\theta}{2} < \frac{\pi}{4}$

$\therefore \frac{\theta}{2}$는 제1사분면의 각

(ⅱ) $n=1$일 때, $\pi < \frac{\theta}{2} < \frac{5}{4}\pi$

$\therefore \frac{\theta}{2}$는 제3사분면의 각

$n=2, 3, 4, \cdots$에 대해서도 동경의 위치가 제1, 3사분면으로 반복된다.

따라서 $\frac{\theta}{2}$를 나타내는 동경이 존재하는 범위를 단위원 안에 나타내면 오른쪽 그림과 같고, 그 넓이는

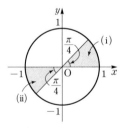

$$2 \times \left(\frac{1}{2} \times 1^2 \times \frac{\pi}{4} \right) = \frac{\pi}{4}$$

답 풀이 참조

181

부채꼴의 반지름의 길이를 r, 호의 길이를 l이라 하면 부채꼴의 둘레의 길이가 24π이므로

$$2r + l = 24\pi$$

$$\therefore l = 24\pi - 2r \ (0 < r < 12\pi)$$

부채꼴의 넓이를 S라 하면

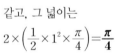

$$S = \frac{1}{2}rl = \frac{1}{2}r(24\pi - 2r)$$

$$= -r^2 + 12\pi r$$

$$= -(r^2 - 12\pi r + 36\pi^2) + 36\pi^2$$

$$= -(r - 6\pi)^2 + 36\pi^2$$

즉 $r = 6\pi$일 때, S는 최댓값 $36\pi^2$을 갖는다.

한편, $r = 6\pi$일 때,

$$l = 24\pi - 2 \times 6\pi = 12\pi$$

오른쪽 그림과 같이 이 부채꼴로 만든 원뿔의 밑면인 원의 반지름의 길이를 R라 하면

$$2\pi R = 12\pi$$

$$\therefore R = 6$$

또한 원뿔의 높이를 h라 하면

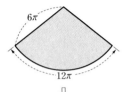

$$h = \sqrt{(6\pi)^2 - 6^2}$$

$$= 6\sqrt{\pi^2 - 1}$$

따라서 구하는 원뿔의 부피는

$$\frac{1}{3}\pi R^2 h = \frac{1}{3} \times \pi \times 6^2 \times 6\sqrt{\pi^2 - 1}$$

$$= 72\pi\sqrt{\pi^2 - 1}$$

답 $72\pi\sqrt{\pi^2 - 1}$

182

$\sin\theta \tan\theta < 0$에서 $\sin\theta > 0$, $\tan\theta < 0$ 또는 $\sin\theta < 0$, $\tan\theta > 0$이다.

(ⅰ) $\sin\theta > 0$, $\tan\theta < 0$일 때

θ는 제2사분면의 각이다.

(ⅱ) $\sin\theta < 0$, $\tan\theta > 0$일 때

θ는 제3사분면의 각이다.

(ⅰ), (ⅱ)에서 θ는 제2사분면 또는 제3사분면의 각이므로 항상 $\cos\theta < 0$이다.

답 ②

183

(1) $\pi < x < \frac{3}{2}\pi$이므로

$$\sin x < 0, \ \cos x < 0, \ \tan x > 0$$

$$\therefore \ \sin x + \cos x + \tan x + |\sin x|$$
$$+ |\cos x| + |\tan x|$$
$$= \sin x + \cos x + \tan x - \sin x$$
$$- \cos x + \tan x$$
$$= 2\tan x$$

(2) $\dfrac{\pi}{2} < \theta < \pi$이므로

$\sin\theta > 0, \ \cos\theta < 0, \ \tan\theta < 0$

$$\therefore \ \sqrt{\sin^2\theta} + \sqrt{\cos^2\theta} + |\tan\theta| - \sqrt{(\cos\theta+\tan\theta)^2}$$
$$= |\sin\theta| + |\cos\theta| + |\tan\theta|$$
$$- |\cos\theta + \tan\theta|$$
$$= \sin\theta - \cos\theta - \tan\theta + \cos\theta + \tan\theta$$
$$= \sin\theta$$

답 (1) $\boldsymbol{2\tan x}$ (2) $\boldsymbol{\sin\theta}$

184

$\sin\theta = \sqrt{3}\cos\theta$에서 $\dfrac{\sin\theta}{\cos\theta} = \sqrt{3}$

$\therefore \ \tan\theta = \sqrt{3}$ $\cdots\cdots$ ㉠

$\sin^2\theta + \cos^2\theta = 1$의 양변을 $\cos^2\theta$로 나누면

$\tan^2\theta + 1 = \dfrac{1}{\cos^2\theta}$ $\cdots\cdots$ ㉡

㉠을 ㉡에 대입하면

$(\sqrt{3})^2 + 1 = \dfrac{1}{\cos^2\theta}$

$4 = \dfrac{1}{\cos^2\theta}$

$\cos^2\theta = \dfrac{1}{4}$

이때 $\pi < \theta < \dfrac{3}{2}\pi$이므로 $\cos\theta < 0$

$\therefore \ \cos\theta = -\dfrac{1}{2}$

$\cos\theta = -\dfrac{1}{2}$을 $\sin\theta = \sqrt{3}\cos\theta$에 대입하면

$\sin\theta = -\dfrac{\sqrt{3}}{2}$

$$\therefore \ \frac{1}{1-\sin\theta} - \frac{1}{1+\sin\theta} = \frac{1+\sin\theta-(1-\sin\theta)}{(1-\sin\theta)(1+\sin\theta)}$$
$$= \frac{2\sin\theta}{1-\sin^2\theta} = \frac{2\sin\theta}{\cos^2\theta}$$

$$= \frac{2\cdot\left(-\dfrac{\sqrt{3}}{2}\right)}{\left(-\dfrac{1}{2}\right)^2}$$
$$= -4\sqrt{3}$$

답 $\boldsymbol{-4\sqrt{3}}$

185

$$(\sin\theta - \cos\theta)^2 = 1 - 2\sin\theta\cos\theta$$
$$= 1 - 2\cdot\left(-\dfrac{1}{2}\right) = 2$$

이때 $\dfrac{\pi}{2} < \theta < \pi$이므로

$\sin\theta > 0, \ \cos\theta < 0$

따라서 $\sin\theta - \cos\theta > 0$이므로

$\sin\theta - \cos\theta = \sqrt{2}$

$$\therefore \ \sin^3\theta - \cos^3\theta$$
$$= (\sin\theta - \cos\theta)^3$$
$$+ 3\sin\theta\cos\theta(\sin\theta - \cos\theta)$$
$$= (\sqrt{2})^3 + 3\cdot\left(-\dfrac{1}{2}\right)\cdot\sqrt{2}$$
$$= \frac{\sqrt{2}}{2}$$

답 $\dfrac{\sqrt{2}}{2}$

186

$$\tan^2\theta + \frac{1}{\tan^2\theta} = \left(\tan\theta + \frac{1}{\tan\theta}\right)^2 - 2$$
$$= \left(\frac{\sin\theta}{\cos\theta} + \frac{\cos\theta}{\sin\theta}\right)^2 - 2$$
$$= \left(\frac{1}{\sin\theta\cos\theta}\right)^2 - 2$$

한편, $(\sin\theta + \cos\theta)^2 = 1 + 2\sin\theta\cos\theta$에서

$\dfrac{1}{2} = 1 + 2\sin\theta\cos\theta$

$\sin\theta\cos\theta = -\dfrac{1}{4}$

$\therefore \ \dfrac{1}{\sin\theta\cos\theta} = -4$

$\therefore \ \tan^2\theta + \dfrac{1}{\tan^2\theta} = (-4)^2 - 2 = 14$

답 14

187

이차방정식의 근과 계수의 관계에 의하여

$-\sin\theta+\cos\theta=\dfrac{3}{4}$ ······ ㉠

$-\sin\theta\cos\theta=\dfrac{k}{4}$

$\therefore \sin\theta\cos\theta=-\dfrac{k}{4}$ ······ ㉡

㉠의 양변을 제곱하여 정리하면

$1-2\sin\theta\cos\theta=\dfrac{9}{16}$

$\therefore \sin\theta\cos\theta=\dfrac{7}{32}$ ······ ㉢

㉡, ㉢에서

$-\dfrac{k}{4}=\dfrac{7}{32}$ $\therefore k=-\dfrac{7}{8}$

답 $-\dfrac{7}{8}$

188

ㄱ. $\cos^4\theta-\sin^4\theta$

$\quad=(\cos^2\theta+\sin^2\theta)(\cos^2\theta-\sin^2\theta)$

$\quad=\cos^2\theta-\sin^2\theta$

$\quad=\cos^2\theta-(1-\cos^2\theta)$

$\quad=2\cos^2\theta-1$ (참)

ㄴ. $(1+\sin\theta-\cos\theta)^2$

$\quad=1+\sin^2\theta+\cos^2\theta+2\sin\theta-2\sin\theta\cos\theta$

$\qquad\qquad\qquad\qquad\qquad\qquad -2\cos\theta$

$\quad=2(1+\sin\theta-\cos\theta-\sin\theta\cos\theta)$

$\quad=2(1+\sin\theta)(1-\cos\theta)$ (거짓)

ㄷ. $\dfrac{\cos\theta}{1-\sin\theta}-\dfrac{\cos\theta}{1+\sin\theta}$

$\quad=\dfrac{\cos\theta(1+\sin\theta)-\cos\theta(1-\sin\theta)}{(1-\sin\theta)(1+\sin\theta)}$

$\quad=\dfrac{\cos\theta+\cos\theta\sin\theta-\cos\theta+\cos\theta\sin\theta}{1-\sin^2\theta}$

$\quad=\dfrac{2\cos\theta\sin\theta}{\cos^2\theta}$

$\quad=2\cdot\dfrac{\sin\theta}{\cos\theta}=2\tan\theta$ (참)

따라서 항상 성립하는 것은 ㄱ, ㄷ이다.

답 ㄱ, ㄷ

189

$\dfrac{1-\tan\theta}{1+\tan\theta}=2+\sqrt{3}$에서

$1-\tan\theta=(2+\sqrt{3})(1+\tan\theta)$

$(3+\sqrt{3})\tan\theta=-(1+\sqrt{3})$

$\therefore \tan\theta=\dfrac{-(1+\sqrt{3})}{3+\sqrt{3}}=-\dfrac{1}{\sqrt{3}}$

$\sin^2\theta+\cos^2\theta=1$의 양변을 $\cos^2\theta$로 나누면

$\tan^2\theta+1=\dfrac{1}{\cos^2\theta}$이므로

$\cos^2\theta=\dfrac{1}{\tan^2\theta+1}=\dfrac{1}{\left(-\dfrac{1}{\sqrt{3}}\right)^2+1}=\dfrac{3}{4}$

이때 $\dfrac{\pi}{2}<\theta<\pi$이므로 $\cos\theta<0$

$\therefore \cos\theta=-\dfrac{\sqrt{3}}{2}$

답 $-\dfrac{\sqrt{3}}{2}$

190

$\sin^2\theta+\cos^2\theta=1$에서

$\cos^2\theta=1-\sin^2\theta=1-\left(-\dfrac{1}{3}\right)^2=\dfrac{8}{9}$

이때 $\pi<\theta<\dfrac{3}{2}\pi$이므로 $\cos\theta<0$

$\therefore \cos\theta=-\dfrac{2\sqrt{2}}{3}$

$\therefore \tan\theta+\dfrac{1}{\tan\theta}=\dfrac{\sin\theta}{\cos\theta}+\dfrac{\cos\theta}{\sin\theta}$

$\qquad\qquad\qquad=\dfrac{1}{\sin\theta\cos\theta}$

$\qquad\qquad\qquad=\dfrac{1}{\left(-\dfrac{1}{3}\right)\cdot\left(-\dfrac{2\sqrt{2}}{3}\right)}$

$\qquad\qquad\qquad=\dfrac{9}{2\sqrt{2}}=\dfrac{9\sqrt{2}}{4}$

답 $\dfrac{9\sqrt{2}}{4}$

191

$\sin\theta+\cos\theta=\sin\theta\cos\theta$의 양변을 제곱하면

$1+2\sin\theta\cos\theta=(\sin\theta\cos\theta)^2$

$(\sin\theta\cos\theta)^2-2\sin\theta\cos\theta-1=0$

$\sin \theta \cos \theta = t \ (-1 \leq t \leq 1)$라 하면

$t^2 - 2t - 1 = 0$ $\therefore t = 1 - \sqrt{2} \ (\because -1 \leq t \leq 1)$

따라서 $\sin \theta \cos \theta = 1 - \sqrt{2}$이므로

$a = 1, b = -1$

$\therefore 10a - b = 11$

답 11

192

$\sqrt{\sin \theta} \sqrt{\cos \theta} = -\sqrt{\sin \theta \cos \theta}$에서

$\sin \theta < 0, \cos \theta < 0$

이므로 θ는 제3사분면의 각이다.

$\therefore a < 0, b < 0$

$|a| - |b| = 1$에서 $-a + b = 1$

$\therefore b = a + 1$ $\cdots\cdots$ ㉠

$\overline{\mathrm{OP}} = 5$에서 $a^2 + b^2 = 25$ $\cdots\cdots$ ㉡

㉠을 ㉡에 대입하면

$a^2 + (a+1)^2 = 25, \ a^2 + a - 12 = 0$

$(a+4)(a-3) = 0$

$\therefore a = -4 \ (\because a < 0)$ $\cdots\cdots$ ㉢

㉢을 ㉠에 대입하면 $b = -3$

$\sin \theta = \dfrac{b}{\mathrm{OP}} = -\dfrac{3}{5}, \ \cos \theta = \dfrac{a}{\mathrm{OP}} = -\dfrac{4}{5},$

$\tan \theta = \dfrac{b}{a} = \dfrac{-3}{-4} = \dfrac{3}{4}$

$\therefore \sin \theta + \cos \theta + \tan \theta = -\dfrac{13}{20}$

답 $-\dfrac{13}{20}$

193

삼차방정식의 근과 계수의 관계에 의하여

$\sin \theta + \cos \theta + \tan \theta = -\dfrac{a}{4}$ $\cdots\cdots$ ㉠

$\sin \theta \cos \theta + \cos \theta \tan \theta + \tan \theta \sin \theta = \dfrac{b}{4}$ $\cdots\cdots$ ㉡

$\sin \theta \cos \theta \tan \theta = \dfrac{3}{4}$ $\cdots\cdots$ ㉢

$\tan \theta = \dfrac{\sin \theta}{\cos \theta}$이므로 ㉢에서

$\sin^2 \theta = \dfrac{3}{4}$

이때 $\dfrac{\pi}{2} < \theta < \pi$이므로 $\sin \theta > 0$

$\therefore \sin \theta = \dfrac{\sqrt{3}}{2}$

$\cos^2 \theta = 1 - \sin^2 \theta = 1 - \left(\dfrac{\sqrt{3}}{2}\right)^2 = \dfrac{1}{4}$

$\therefore \cos \theta = -\dfrac{1}{2} \left(\because \dfrac{\pi}{2} < \theta < \pi\right)$

$\tan \theta = \dfrac{\sin \theta}{\cos \theta} = -\sqrt{3}$

즉 $\sin \theta = \dfrac{\sqrt{3}}{2}, \cos \theta = -\dfrac{1}{2}, \tan \theta = -\sqrt{3}$이므로

이것을 ㉠, ㉡에 대입하면

$a = -4(\sin \theta + \cos \theta + \tan \theta)$

$\quad = -4\left(\dfrac{\sqrt{3}}{2} - \dfrac{1}{2} - \sqrt{3}\right)$

$\quad = 2\sqrt{3} + 2$

$b = 4(\sin \theta \cos \theta + \cos \theta \tan \theta + \tan \theta \sin \theta)$

$\quad = 4\left(-\dfrac{\sqrt{3}}{4} + \dfrac{\sqrt{3}}{2} - \dfrac{3}{2}\right)$

$\quad = \sqrt{3} - 6$

$\therefore a + b = 3\sqrt{3} - 4$

답 $3\sqrt{3} - 4$

194

① $y = a \cos(bx + c) + d$ 꼴인 함수의 주기는 $\dfrac{2\pi}{|b|}$

이므로 주어진 함수의 주기는 $\dfrac{2}{3}\pi$이다.

② 최댓값은 $2 + 1 = 3$이다.

③ 최솟값은 $-2 + 1 = -1$이다.

④ $x = 0$을 대입하면 $y = 2\cos\left(-\dfrac{\pi}{2}\right) + 1 = 1$

따라서 그래프는 점 $(0, 1)$을 지난다.

⑤ $y = 2\cos\left(3x - \dfrac{\pi}{2}\right) + 1 = 2\cos 3\left(x - \dfrac{\pi}{6}\right) + 1$

따라서 $y = 2\cos 3x$의 그래프를 x축의 방향으로

$\dfrac{\pi}{6}$만큼, y축의 방향으로 1만큼 평행이동한 것이다.

따라서 옳지 않은 것은 ⑤이다.

답 ⑤

195

① $y = \sin 2x + 3$의 주기는 $\dfrac{2\pi}{2} = \pi$

② $y = 2 \sin \left(\dfrac{x}{3} - \dfrac{\pi}{4} \right)$의 주기는 $\dfrac{2\pi}{\dfrac{1}{3}} = 6\pi$

③ $y = 3 \cos (x-2)$의 주기는 2π

④ $y = \cos \left(\dfrac{x}{4} + \dfrac{\pi}{6} \right)$의 주기는 $\dfrac{2\pi}{\dfrac{1}{4}} = 8\pi$

⑤ $y = \tan 2x - 5$의 주기는 $\dfrac{\pi}{2}$

따라서 주어진 함수 중 주기가 가장 긴 것은 ④이다.

답 ④

196

$y = \sin 3x$의 주기는 $p = \dfrac{2}{3}\pi$

따라서 $y = \sin \dfrac{2}{3}\pi x$의 주기는 $\dfrac{2\pi}{\dfrac{2}{3}\pi} = 3$이므로 점

A의 좌표는 $(3, 0)$이다.

답 $(3, 0)$

197

$f(x) = a \sin \left(bx + \dfrac{\pi}{2} \right) + c$의 최댓값이 4, 최솟값이

-2이고 $a > 0$이므로

$a + c = 4$, $-a + c = -2$

두 식을 연립하여 풀면

$a = 3$, $c = 1$

또 주기가 π이고 $b > 0$이므로

$\dfrac{2\pi}{b} = \pi$ $\quad \therefore b = 2$

따라서 $f(x) = 3 \sin \left(2x + \dfrac{\pi}{2} \right) + 1$이므로

$f\left(\dfrac{\pi}{4} \right) = 3 \sin \left(\dfrac{\pi}{2} + \dfrac{\pi}{2} \right) + 1 = 1$

답 ④

198

주어진 그래프에서 함수의 최댓값이 1, 최솟값이 -3이
고 $a > 0$이므로

$a + b = 1$, $-a + b = -3$

두 식을 연립하여 풀면

$a = 2$, $b = -1$

주기는 $\dfrac{2\pi}{\dfrac{2}{3}\pi} = 3$이고, 그래프에서 주기는 $c - 1$이므로

$c - 1 = 3$ $\quad \therefore c = 4$

$\therefore a + b + c = 5$

답 5

199

주어진 함수의 식을

$y = a \sin bx + c$ 또는 $y = a \cos bx + c$

$(a > 0, b > 0)$

로 놓으면 주어진 함수의 최댓값이 1, 최솟값이 -3이
므로

$a + c = 1$, $-a + c = -3$

두 식을 연립하여 풀면 $a = 2$, $c = -1$

주어진 함수의 주기가 $\dfrac{2}{3}\pi$이고, $b > 0$이므로

$\dfrac{2\pi}{b} = \dfrac{2}{3}\pi$ $\quad \therefore b = 3$

$\therefore y = 2 \sin 3x - 1$ 또는 $y = 2 \cos 3x - 1$

그런데 주어진 함수의 그래프가 점 $(0, -1)$을 지나므
로 구하는 함수의 식은

$y = 2 \sin 3x - 1$

답 ②

200

$\overline{CD}$가 x축에 평행하고 함수 $y = \cos \dfrac{\pi}{4}x$의 그래프는

y축에 대하여 대칭이므로 사각형 ABCD는 등변사다
리꼴이다.

함수 $y = \cos \dfrac{\pi}{4}x$의 주기는 $\dfrac{2\pi}{\dfrac{\pi}{4}} = 8$이므로

$\overline{OA} = \overline{OB} = 2$

$\overline{CD} = 2$이므로 등변사다리꼴 ABCD의 높이를 h라
하면

$h = \cos \left(\dfrac{\pi}{4} \times 1 \right) = \cos \dfrac{\pi}{4} = \dfrac{\sqrt{2}}{2}$

$$\therefore \square \text{ABCD}=\frac{1}{2}\times(\overline{\text{AB}}+\overline{\text{CD}})\times h$$
$$=\frac{1}{2}\times(4+2)\times\frac{\sqrt{2}}{2}$$
$$=\frac{3\sqrt{2}}{2}$$

답 $\dfrac{3\sqrt{2}}{2}$

201

함수 $y=\tan x+1$의 그래프는 $y=\tan x$의 그래프를 y축의 방향으로 1만큼 평행이동한 것이다.

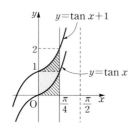

이때 오른쪽 그림에서 빗금 친 두 부분의 넓이는 같으므로 구하는 도형의 넓이는 네 점 $(0,\,0)$, $\left(\dfrac{\pi}{4},\,0\right)$, $\left(\dfrac{\pi}{4},\,1\right)$, $(0,\,1)$을 꼭짓점으로 하는 직사각형의 넓이와 같다.

따라서 구하는 넓이는

$$\frac{\pi}{4}\times1=\frac{\pi}{4}$$

답 $\dfrac{\pi}{4}$

202

주어진 함수에서 $a>0$이므로 최댓값은 $a+c$, 최솟값은 $-a+c$이다.

이때 조건 ㈎에서 최댓값과 최솟값의 합이 6이므로
$$a+c+(-a+c)=6$$
$$2c=6 \qquad \therefore c=3$$

조건 ㈏에서 함수의 주기는 $\dfrac{\pi}{2}$이므로
$$\frac{2\pi}{b}=\frac{\pi}{2} \qquad \therefore b=4$$

따라서 주어진 함수의 식은 $f(x)=a\cos 4x+3$이고, 조건 ㈐에서 함수 $y=f(x)$의 그래프가 점 $\left(\dfrac{\pi}{12},\,4\right)$를 지나므로

$$f\left(\frac{\pi}{12}\right)=a\cos\frac{\pi}{3}+3$$
$$=\frac{a}{2}+3=4$$
$$\therefore a=2$$
$$\therefore a+b+c=9$$

답 9

203

주어진 함수에서 $a>0$이므로
최댓값은 $a+c$, 최솟값은 c이다.

이때 조건 ㈎에서 최댓값과 최솟값의 차가 3이므로
$$a+c-c=3 \qquad \therefore a=3$$

또 $b>0$에서 주어진 함수의 주기는 $\dfrac{\pi}{b}$이고, 함수 $y=\cos 4x$의 주기는 $\dfrac{2\pi}{4}=\dfrac{\pi}{2}$이므로 조건 ㈏에서

$$\frac{\pi}{b}=\frac{\pi}{2} \qquad \therefore b=2$$

따라서 주어진 함수의 식은 $f(x)=3|\sin 2x|+c$이고 조건 ㈐에서 함수 $y=f(x)$의 그래프가 점 $(0,\,5)$를 지나므로
$$f(0)=3|\sin 0|+c$$
$$=c=5$$
$$\therefore a+b+c=10$$

답 10

204

$y=\cos\dfrac{x}{2}$의 그래프를 x축의 방향으로 π만큼 평행이동하면

$$y=\cos\frac{x-\pi}{2}=\cos\left(\frac{x}{2}-\frac{\pi}{2}\right)$$
$$=\cos\left\{-\left(\frac{\pi}{2}-\frac{x}{2}\right)\right\}=\cos\left(\frac{\pi}{2}-\frac{x}{2}\right)$$
$$=\sin\frac{x}{2}$$

이 함수의 그래프를 x축에 대하여 대칭이동하면
$$-y=\sin\frac{x}{2} \qquad \therefore y=-\sin\frac{x}{2}$$

답 ④

205

주기가 2이고 $a>0$이므로

$$\frac{\pi}{a}=2 \qquad \therefore a=\frac{\pi}{2}$$

따라서 주어진 함수의 식은 $f(x)=2\tan\left(\frac{\pi}{2}x+b\right)$

이고, $f(2)=2$이므로 $2\tan(\pi+b)=2$

$\tan(\pi+b)=1 \qquad \therefore \tan b=1$

$-\frac{\pi}{2}<b<\frac{\pi}{2}$이므로 $b=\frac{\pi}{4}$

$$\therefore a+b=\frac{\pi}{2}+\frac{\pi}{4}=\frac{3}{4}\pi$$

$$\text{답} \ \frac{3}{4}\pi$$

206

$\triangle ABC$에서 $A+B+C=\pi$

① $\tan\dfrac{A+B}{2}=\tan\dfrac{\pi-C}{2}$

$$=\tan\left(\frac{\pi}{2}-\frac{C}{2}\right)$$

$$=\frac{1}{\tan\dfrac{C}{2}}$$

② $A=\pi-(B+C)$이므로

$\sin\dfrac{A}{2}=\sin\left\{\dfrac{\pi-(B+C)}{2}\right\}$

$$=\sin\left(\frac{\pi}{2}-\frac{B+C}{2}\right)$$

$$=\cos\left(\frac{B+C}{2}\right)$$

③ $\cos A=\cos\{\pi-(B+C)\}$

$$=-\cos(B+C)$$

④ $\sin A=\sin\{\pi-(B+C)\}$

$$=\sin(B+C)$$

⑤ $\cos\dfrac{A}{2}=\cos\left\{\dfrac{\pi-(B+C)}{2}\right\}$

$$=\cos\left(\frac{\pi}{2}-\frac{B+C}{2}\right)$$

$$=\sin\left(\frac{B+C}{2}\right)$$

따라서 성립하지 않는 것은 ③이다.

$$\text{답 } ③$$

207

(1) $\cos 750°=\cos(360°\times2+30°)=\cos 30°=\dfrac{\sqrt{3}}{2}$

$\sin 420°=\sin(360°\times1+60°)=\sin 60°=\dfrac{\sqrt{3}}{2}$

$\sin 225°=\sin(180°\times1+45°)$

$$=-\sin 45°=-\frac{\sqrt{2}}{2}$$

$\sin 1125°=\sin(360°\times3+45°)=\sin 45°=\dfrac{\sqrt{2}}{2}$

$\cos 330°=\cos(90°\times3+60°)=\sin 60°=\dfrac{\sqrt{3}}{2}$

$\cos 135°=\cos(90°+45°)=-\sin 45°=-\dfrac{\sqrt{2}}{2}$

$\therefore$ (주어진 식)$=\dfrac{\dfrac{\sqrt{3}}{2}}{\dfrac{\sqrt{3}}{2}-\dfrac{\sqrt{2}}{2}}-\dfrac{\dfrac{\sqrt{2}}{2}}{\dfrac{\sqrt{3}}{2}+\dfrac{\sqrt{2}}{2}}$

$$=\frac{\sqrt{3}(\sqrt{3}+\sqrt{2})-\sqrt{2}(\sqrt{3}-\sqrt{2})}{(\sqrt{3}-\sqrt{2})(\sqrt{3}+\sqrt{2})}$$

$$=3+\sqrt{6}-\sqrt{6}+2=5$$

(2) $\sin\left(\dfrac{\pi}{2}-\theta\right)=\cos\theta$, $\cos(3\pi+\theta)=-\cos\theta$

$\cos(\pi-\theta)=-\cos\theta$, $\sin(\pi-\theta)=\sin\theta$

$\cos\left(\dfrac{3}{2}\pi+\theta\right)=\sin\theta$, $\sin(\pi+\theta)=-\sin\theta$

$\therefore$ (주어진 식)

$$=\left\{\frac{\cos\theta(-\cos\theta)}{-\cos\theta}\right\}^2+\left(\frac{\sin\theta\sin\theta}{-\sin\theta}\right)^2$$

$$=\cos^2\theta+(-\sin\theta)^2$$

$$=\cos^2\theta+\sin^2\theta=1$$

(3) $\cos(\pi+\theta)=-\cos\theta$, $\sin\left(\dfrac{3}{2}\pi+\theta\right)=-\cos\theta$

$\cos(\pi-\theta)=-\cos\theta$, $\sin(\pi+\theta)=-\sin\theta$

$\tan(\pi-\theta)=-\tan\theta$, $\cos\left(\dfrac{3}{2}\pi+\theta\right)=\sin\theta$

$\therefore$ (주어진 식)

$$=\frac{-\cos\theta}{-\cos\theta(-\cos\theta)^2}+\frac{-\sin\theta(-\tan\theta)^2}{\sin\theta}$$

$$=\frac{1}{\cos^2\theta}-\tan^2\theta=\frac{1}{\cos^2\theta}-\frac{\sin^2\theta}{\cos^2\theta}$$

$$=\frac{1-\sin^2\theta}{\cos^2\theta}=\frac{\cos^2\theta}{\cos^2\theta}=1$$

$$\text{답 (1) } \mathbf{5} \ \text{ (2) } \mathbf{1} \ \text{ (3) } \mathbf{1}$$

208

$\theta = \dfrac{\pi}{12}$이므로 $12\theta = \pi$

$\cos 11\theta = \cos(\pi - \theta) = -\cos\theta$이므로

$\cos\theta + \cos 11\theta = 0$

이와 같은 방법으로

$\cos 2\theta + \cos 10\theta = 0$

$\cos 3\theta + \cos 9\theta = 0$

$\cos 4\theta + \cos 8\theta = 0$

$\cos 5\theta + \cos 7\theta = 0$

$\therefore$ (주어진 식)$= \cos 6\theta + \cos 12\theta$

$\qquad = \cos \dfrac{\pi}{2} + \cos\pi$

$\qquad = 0 + (-1) = -1$

답 -1

209

① $y = \sin(2x - \pi) = \sin 2\left(x - \dfrac{\pi}{2}\right)$이므로

$y = \sin 2x$의 그래프를 x축의 방향으로 $\dfrac{\pi}{2}$만큼 평행이동한 것이다.

② $y = \cos\left(2x - \dfrac{\pi}{2}\right) + 1$

$\quad = \cos\left\{-\left(\dfrac{\pi}{2} - 2x\right)\right\} + 1$

$\quad = \cos\left(\dfrac{\pi}{2} - 2x\right) + 1$

$\quad = \sin 2x + 1$

이므로 $y = \sin 2x$의 그래프를 y축의 방향으로 1만큼 평행이동한 것이다.

③ $y = 2\sin 2x$의 그래프는 $y = \sin 2x$의 그래프를 y축의 방향으로 2배한 것이므로 겹쳐지지 않는다.

④ $y = \sin 2x + 2$의 그래프는 $y = \sin 2x$의 그래프를 y축의 방향으로 2만큼 평행이동한 것이다.

⑤ $y = -\sin(2x + \pi) - 1 = \sin 2x - 1$이므로 $y = \sin 2x$의 그래프를 y축의 방향으로 -1만큼 평행이동한 것이다.

따라서 평행이동하여 겹쳐지지 않는 것은 ③이다.

답 ③

210

함수 $f(x)$의 주기가 p이므로

$f(x+p) = f(x)$ ······ ㉠

㉠에 $x = \dfrac{2}{3}\pi$를 대입하면

$f\left(p + \dfrac{2}{3}\pi\right) = f\left(\dfrac{2}{3}\pi\right)$

$\qquad = \sin\dfrac{4}{3}\pi + 3\cos^2\dfrac{2}{3}\pi + \tan\dfrac{\pi}{3}$

$\qquad = \sin\left(\pi + \dfrac{\pi}{3}\right) + 3\cos^2\left(\pi - \dfrac{\pi}{3}\right)$

$\qquad\qquad + \tan\dfrac{\pi}{3}$

$\qquad = -\sin\dfrac{\pi}{3} + 3\left(-\cos\dfrac{\pi}{3}\right)^2 + \sqrt{3}$

$\qquad = -\dfrac{\sqrt{3}}{2} + 3\left(-\dfrac{1}{2}\right)^2 + \sqrt{3}$

$\qquad = \dfrac{\sqrt{3}}{2} + \dfrac{3}{4}$

답 $\dfrac{\sqrt{3}}{2} + \dfrac{3}{4}$

211

$A + B + C = \pi$이므로 $A + C = \pi - B$

$\therefore 2\sin\left(\dfrac{A - B + C}{2}\right) = 2\sin\left(\dfrac{\pi - 2B}{2}\right)$

$\qquad\qquad = 2\sin\left(\dfrac{\pi}{2} - B\right)$

$\qquad\qquad = 2\cos B$

$\cos A \cos(\pi - A) + \sin A \sin(\pi + A)$

$= \cos A(-\cos A) + \sin A(-\sin A)$

$= -\cos^2 A - \sin^2 A$

$= -(\cos^2 A + \sin^2 A) = -1$

따라서 $2\cos B = -1$이므로

$\cos B = -\dfrac{1}{2}$

답 $-\dfrac{1}{2}$

212

⑴ $\sin 50° = \sin(90° - 40°) = \cos 40°$

$\quad \sin 60° = \sin(90° - 30°) = \cos 30°$

$\sin 70° = \sin(90° - 20°) = \cos 20°$

$\sin 80° = \sin(90° - 10°) = \cos 10°$

$\therefore \sin^2 10° + \sin^2 20° + \cdots + \sin^2 80° + \sin^2 90°$

$= (\sin^2 10° + \sin^2 80°) + (\sin^2 20° + \sin^2 70°)$

$\qquad + (\sin^2 30° + \sin^2 60°)$

$\qquad\qquad + (\sin^2 40° + \sin^2 50°) + \sin^2 90°$

$= (\sin^2 10° + \cos^2 10°) + (\sin^2 20° + \cos^2 20°)$

$\qquad + (\sin^2 30° + \cos^2 30°)$

$\qquad\qquad + (\sin^2 40° + \cos^2 40°) + \sin^2 90°$

$= 1 + 1 + 1 + 1 + 1$

$= 5$

(2) $\cos 100° = \cos(180° - 80°) = -\cos 80°$

$\cos 110° = \cos(180° - 70°) = -\cos 70°$

$\qquad\qquad \vdots$

$\cos 170° = \cos(180° - 10°) = -\cos 10°$

$\therefore \cos 10° + \cos 20° + \cdots + \cos 170° + \cos 180°$

$= \cos 10° + \cos 20° + \cdots + \cos 90°$

$\qquad + (-\cos 80°) + (-\cos 70°) + \cdots$

$\qquad\qquad + (-\cos 10°) + \cos 180°$

$= \cos 90° + \cos 180°$

$= 0 + (-1)$

$= -1$

(3) $\tan 85° = \tan(90° - 5°) = \dfrac{1}{\tan 5°}$

$\tan 80° = \tan(90° - 10°) = \dfrac{1}{\tan 10°}$

$\qquad\qquad \vdots$

$\tan 50° = \tan(90° - 40°) = \dfrac{1}{\tan 40°}$

$\therefore \tan 5° \times \tan 10° \times \tan 15° \times \cdots$

$\qquad\qquad\qquad\qquad \times \tan 80° \times \tan 85°$

$= (\tan 5° \times \tan 85°) \times (\tan 10° \times \tan 80°)$

$\qquad \times \cdots \times (\tan 40° \times \tan 50°) \times \tan 45°$

$= \left(\tan 5° \times \dfrac{1}{\tan 5°}\right) \times \left(\tan 10° \times \dfrac{1}{\tan 10°}\right)$

$\qquad \times \cdots \times \left(\tan 40° \times \dfrac{1}{\tan 40°}\right) \times \tan 45°$

$= 1 \times 1 \times \cdots \times 1 \times 1$

$= 1$

답 (1) **5** (2) **−1** (3) **1**

213

주어진 그래프에서 함수의 그래프의 점근선 사이의 거리가 $\dfrac{\pi}{3} - \left(-\dfrac{\pi}{6}\right) = \dfrac{\pi}{2}$ 이므로 주기가 $\dfrac{\pi}{2}$ 이다.

즉 $\dfrac{\pi}{b} = \dfrac{\pi}{2}$ $\qquad \therefore b = 2$

이때 주어진 함수의 그래프가 점 $\left(\dfrac{\pi}{12},\ 5\right)$ 에 대하여 대칭이므로 함수 $y = a \tan 2x$ 의 그래프를 x축의 방향으로 $\dfrac{\pi}{12}$ 만큼, y축의 방향으로 5만큼 평행이동한 것과 같다.

$\therefore y = a \tan 2\left(x - \dfrac{\pi}{12}\right) + 5$

또 주어진 그래프가 점 $(0, 2)$ 를 지나므로

$2 = a \tan 2\left(0 - \dfrac{\pi}{12}\right) + 5$

$2 = -a \tan \dfrac{\pi}{6} + 5$

$\dfrac{\sqrt{3}}{3} a = 3$ $\qquad \therefore a = 3\sqrt{3}$

따라서 주어진 함수의 식이

$y = 3\sqrt{3} \tan\left(2x - \dfrac{\pi}{6}\right) + 5$ 이므로

$a = 3\sqrt{3},\ b = 2,\ c = -\dfrac{\pi}{6},\ d = 5$

$\therefore abcd = 3\sqrt{3} \times 2 \times \left(-\dfrac{\pi}{6}\right) \times 5 = -5\sqrt{3}\pi$

답 $-5\sqrt{3}\pi$

214

$4\theta = \pi$ 이므로

$\sin\theta + \sin 2\theta + \cdots + \sin 8\theta$

$= \sin\theta + \sin 2\theta + \sin 3\theta + \sin 4\theta$

$\qquad + \sin(4\theta + \theta) + \sin(4\theta + 2\theta) + \sin(4\theta + 3\theta)$

$\qquad + \sin(4\theta + 4\theta)$

$= \sin\theta + \sin 2\theta + \sin 3\theta + \sin 4\theta + \sin(\pi + \theta)$

$\qquad + \sin(\pi + 2\theta) + \sin(\pi + 3\theta) + \sin(\pi + 4\theta)$

$= \sin\theta + \sin 2\theta + \sin 3\theta + \sin 4\theta - \sin\theta$

$\qquad - \sin 2\theta - \sin 3\theta - \sin 4\theta$

$= 0$

답 **0**

215

$y=a\,|\sin 2x+2|+b$ 에서

$\sin 2x=t$ 로 놓으면 $-1\leq t\leq 1$ 이고

$y=a\,|t+2|+b$

$a>0$ 이므로 $-1\leq t\leq 1$ 에서

그래프는 오른쪽 그림과 같다.

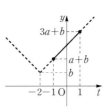

따라서

$t=1$ 일 때, 최댓값은

$3a+b=4$ $\cdots\cdots$ ㉠

$t=-1$ 일 때, 최솟값은

$a+b=2$ $\cdots\cdots$ ㉡

㉠, ㉡에서 $a=1$, $b=1$

$\therefore ab=1$

답 **1**

216

(1) $y=-2\sin^2 x+2\cos x+1$

$\quad=-2(1-\cos^2 x)+2\cos x+1$

$\quad=2\cos^2 x+2\cos x-1$

$\cos x=t$ 로 놓으면 $-1\leq t\leq 1$ 이고

$y=2t^2+2t-1=2\left(t+\dfrac{1}{2}\right)^2-\dfrac{3}{2}$

$-1\leq t\leq 1$ 에서 그래프는 오

른쪽 그림과 같으므로

$t=1$ 일 때, 최댓값은 $M=3$

$t=-\dfrac{1}{2}$ 일 때,

최솟값은 $m=-\dfrac{3}{2}$

$\therefore M+m=3+\left(-\dfrac{3}{2}\right)=\dfrac{3}{2}$

(2) $y=\sin^2\left(x+\dfrac{\pi}{2}\right)+\cos\left(x-\dfrac{\pi}{2}\right)$

$\quad=\sin^2\left(\dfrac{\pi}{2}+x\right)+\cos\left(\dfrac{\pi}{2}-x\right)$

$\quad=\cos^2 x+\sin x$

$\quad=(1-\sin^2 x)+\sin x$

$\quad=-\sin^2 x+\sin x+1$

$\sin x=t$ 로 놓으면 $0\leq x\leq\dfrac{3}{2}\pi$ 에서

$-1\leq t\leq 1$ 이고

$y=-t^2+t+1=-\left(t-\dfrac{1}{2}\right)^2+\dfrac{5}{4}$

$-1\leq t\leq 1$ 에서 그래프는

오른쪽 그림과 같으므로

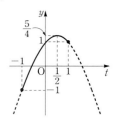

$t=\dfrac{1}{2}$ 일 때, 최댓값은

$M=\dfrac{5}{4}$

$t=-1$ 일 때, 최솟값은

$m=-1$

$\therefore Mm=-\dfrac{5}{4}$

답 (1) $\dfrac{3}{2}$ (2) $-\dfrac{5}{4}$

217

(1) $y=\sin^2 x+\cos x+a-2$

$\quad=(1-\cos^2 x)+\cos x+a-2$

$\quad=-\cos^2 x+\cos x+a-1$

$\cos x=t$ 로 놓으면 $-1\leq t\leq 1$ 이고

$y=-t^2+t+a-1=-\left(t-\dfrac{1}{2}\right)^2+a-\dfrac{3}{4}$

$-1\leq t\leq 1$ 에서 그래프는

오른쪽 그림과 같으므로

$t=-1$ 일 때,

최솟값은 $a-3$

$t=\dfrac{1}{2}$ 일 때,

최댓값은 $a-\dfrac{3}{4}$

이때 최솟값이 $-\dfrac{1}{4}$ 이므로 $a-3=-\dfrac{1}{4}$ 에서

$a=\dfrac{11}{4}$

따라서 최댓값은 $a-\dfrac{3}{4}=\dfrac{11}{4}-\dfrac{3}{4}=2$

(2) $y=\cos^2\left(\dfrac{\pi}{2}+x\right)-2\sin\left(\dfrac{3}{2}\pi-x\right)+a$

$\quad=(-\sin x)^2-2(-\cos x)+a$

$\quad=\sin^2 x+2\cos x+a$

$\quad=(1-\cos^2 x)+2\cos x+a$

$\quad=-\cos^2 x+2\cos x+a+1$

$\cos x=t$ 로 놓으면 $-1\leq t\leq 1$ 이고

$y=-t^2+2t+a+1=-(t-1)^2+a+2$

$-1\leq t\leq 1$에서 그래프는

오른쪽 그림과 같으므로

$t=1$일 때, 최댓값은 $a+2$

$t=-1$일 때, 최솟값은 $a-2$

이때 최댓값이 7이므로

$a+2=7$ $\therefore a=5$

따라서 최솟값은

$a-2=5-2=3$

답 (1) **2** (2) **3**

218

$y=\dfrac{2\tan x+1}{\tan x+2}$에서 $\tan x=t$로 놓으면

$0\leq x\leq \dfrac{\pi}{4}$에서 $0\leq t\leq 1$이고

$y=\dfrac{2t+1}{t+2}=\dfrac{2(t+2)-3}{t+2}=-\dfrac{3}{t+2}+2$

$0\leq t\leq 1$에서 그래프는 오른쪽

그림과 같으므로

$t=1$일 때, 최댓값은 $M=1$

$t=0$일 때, 최솟값은 $m=\dfrac{1}{2}$

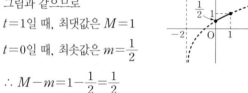

$\therefore M-m=1-\dfrac{1}{2}=\dfrac{1}{2}$

답 $\dfrac{1}{2}$

219

$y=\dfrac{|\sin x|+1}{2|\sin x|+1}$에서 $|\sin x|=t$로 놓으면

$0\leq t\leq 1$이고

$y=\dfrac{t+1}{2t+1}=\dfrac{\frac{1}{2}(2t+1)+\frac{1}{2}}{2t+1}=\dfrac{\frac{1}{2}}{2t+1}+\dfrac{1}{2}$

$0\leq t\leq 1$에서 그래프는 오른

쪽 그림과 같으므로

$t=1$일 때, 최솟값은 $\dfrac{2}{3}$이다.

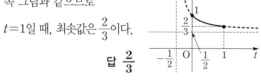

답 $\dfrac{2}{3}$

220

$y=\dfrac{\sin^2 x+\sin x\cos x-4\cos^2 x}{\cos^2 x}$

$\quad=\dfrac{\sin^2 x}{\cos^2 x}+\dfrac{\sin x}{\cos x}-4$

$\quad=\tan^2 x+\tan x-4$

$\tan x=t$로 놓으면 $-\dfrac{\pi}{4}\leq x\leq \dfrac{\pi}{4}$에서

$-1\leq t\leq 1$이고

$y=t^2+t-4=\left(t+\dfrac{1}{2}\right)^2-\dfrac{17}{4}$

$-1\leq t\leq 1$에서 그래프는 오

른쪽 그림과 같으므로

$t=1$일 때, 최댓값은 $M=-2$

$t=-\dfrac{1}{2}$일 때,

최솟값은 $m=-\dfrac{17}{4}$

$\therefore M+m=(-2)+\left(-\dfrac{17}{4}\right)=-\dfrac{25}{4}$

답 $-\dfrac{25}{4}$

221

$4x^2+2(\sqrt{3}-1)x-\sqrt{3}=0$에서

$(2x+\sqrt{3})(2x-1)=0$

$\therefore x=-\dfrac{\sqrt{3}}{2}$ 또는 $x=\dfrac{1}{2}$

이때 $\dfrac{\pi}{2}\leq \theta\leq \pi$에서 $\cos\theta\leq 0$, $\sin\theta\geq 0$이므로

$\cos\theta=-\dfrac{\sqrt{3}}{2}$, $\sin\theta=\dfrac{1}{2}$

$\therefore \theta=\dfrac{5}{6}\pi$

답 $\dfrac{5}{6}\pi$

222

$f(x)=\cos x$, $g(x)=\sin x$이므로 $g^{-1}(f(x))=\dfrac{\pi}{6}$

에서

$f(x)=g\left(\dfrac{\pi}{6}\right)=\sin\dfrac{\pi}{6}=\dfrac{1}{2}$

$\therefore \cos x = \dfrac{1}{2}$

$-\dfrac{\pi}{2} < x < \dfrac{\pi}{2}$ 이므로 $x = -\dfrac{\pi}{3}$ 또는 $x = \dfrac{\pi}{3}$

답 $x = -\dfrac{\pi}{3}$ 또는 $x = \dfrac{\pi}{3}$

223

$\sin\left(\dfrac{\pi}{2} + x\right) = \cos x$, $\cos(\pi - x) = -\cos x$ 이므로

주어진 방정식은 $\cos x - (-\cos x) = 1$

$2\cos x = 1$ $\therefore \cos x = \dfrac{1}{2}$

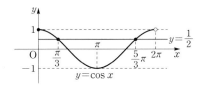

이때 $0 \le x < 2\pi$ 이므로 $x = \dfrac{\pi}{3}$ 또는 $x = \dfrac{5}{3}\pi$

따라서 모든 근의 합은 $\dfrac{\pi}{3} + \dfrac{5}{3}\pi = 2\pi$

답 ④

224

$\tan^2 x - (\sqrt{3} - 1)\tan x < \sqrt{3}$ 에서

$\tan^2 x - (\sqrt{3} - 1)\tan x - \sqrt{3} < 0$

$\tan x = t$ 로 놓으면

$t^2 - (\sqrt{3} - 1)t - \sqrt{3} < 0$

$(t - \sqrt{3})(t + 1) < 0$ $\therefore -1 < t < \sqrt{3}$

즉 $-1 < \tan x < \sqrt{3}$

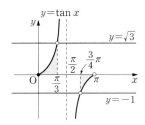

$0 \le x < \pi$ 에서 함수 $y = \tan x$ 의 그래프와 두 직선

$y = -1$, $y = \sqrt{3}$ 의 교점의 x좌표를 구하면 각각

$\dfrac{3}{4}\pi$, $\dfrac{\pi}{3}$

따라서 주어진 부등식의 해는

$0 \le x < \dfrac{\pi}{3}$ 또는 $\dfrac{3}{4}\pi < x < \pi$

$\therefore A = \left\{ x \,\middle|\, 0 \le x < \dfrac{\pi}{3} \text{ 또는 } \dfrac{3}{4}\pi < x < \pi \right\}$

④ $\dfrac{\pi}{3} < \dfrac{2}{3}\pi < \dfrac{3}{4}\pi$ 이므로 $\dfrac{2}{3}\pi \notin A$

답 ④

225

$\tan x = \dfrac{\sin x}{\cos x}$ 를 주어진 방정식에 대입하면

$2\cos x + 3\dfrac{\sin x}{\cos x} = 0$

양변에 $\cos x$를 곱하면

$2\cos^2 x + 3\sin x = 0$

$2(1 - \sin^2 x) + 3\sin x = 0$

$2\sin^2 x - 3\sin x - 2 = 0$

$(2\sin x + 1)(\sin x - 2) = 0$

$\therefore \sin x = -\dfrac{1}{2}$ $(\because \sin x \ne 2)$

따라서 $0 < x < 2\pi$ 에서 주어진 방정식의 해는

$x = \dfrac{7}{6}\pi$ 또는 $x = \dfrac{11}{6}\pi$

이므로 모든 실근의 합은 $\dfrac{7}{6}\pi + \dfrac{11}{6}\pi = 3\pi$

답 3π

226

$2|\sin x| = \sqrt{2}$, 즉 $|\sin x| = \dfrac{\sqrt{2}}{2}$ 에서

$\sin x = \pm\dfrac{\sqrt{2}}{2}$

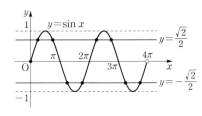

위의 그림에서 함수 $y = \sin x$ 의 그래프와 두 직선

$y = -\dfrac{\sqrt{2}}{2}$, $y = \dfrac{\sqrt{2}}{2}$ 의 교점이 모두 8개이므로 방정식

$|\sin x| = \dfrac{\sqrt{2}}{2}$의 실근의 개수는 8이다.

답 8

227

$y = \sin \dfrac{\pi}{2}x$의 주기는 $\dfrac{2\pi}{\dfrac{\pi}{2}} = 4$이므로 $y = \sin \dfrac{\pi}{2}x$의

그래프는 다음 그림과 같다.

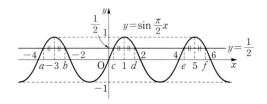

$\dfrac{a+b}{2} = -3$이므로

$a+b = -6$ ...... ㉠

$\dfrac{c+d}{2} = 1$이므로

$c+d = 2$ ...... ㉡

$\dfrac{e+f}{2} = 5$이므로

$e+f = 10$ ...... ㉢

㉠, ㉡, ㉢에 의하여

$a+b+c+d+e+f = -6+2+10 = 6$

답 6

228

(ⅰ) $2\cos x < 1$에서 $\cos x < \dfrac{1}{2}$

$\therefore \dfrac{\pi}{3} < x < \dfrac{5}{3}\pi$

(ⅱ) $2\sin x > 1$에서 $\sin x > \dfrac{1}{2}$

$\therefore \dfrac{\pi}{6} < x < \dfrac{5}{6}\pi$

(ⅰ), (ⅱ)에서 $\dfrac{\pi}{3} < x < \dfrac{5}{6}\pi$이므로

$\alpha = \dfrac{\pi}{3}, \ \beta = \dfrac{5}{6}\pi$

$\therefore \sin(\alpha + \beta) = \sin\left(\dfrac{\pi}{3} + \dfrac{5}{6}\pi\right)$

$= \sin \dfrac{7}{6}\pi = -\dfrac{1}{2}$

답 $-\dfrac{1}{2}$

229

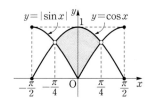

$-\dfrac{\pi}{2} \leq x \leq \dfrac{\pi}{2}$에서 부등식 $|\sin x| < \cos x$의 해는

$y = |\sin x|$의 그래프가 $y = \cos x$의 그래프보다 아래

쪽에 있는 x의 값의 범위이므로

$-\dfrac{\pi}{4} < x < \dfrac{\pi}{4}$

답 $-\dfrac{\pi}{4} < x < \dfrac{\pi}{4}$

230

(1) $\dfrac{1}{2}x + \dfrac{\pi}{3} = t$로 놓으면

$\dfrac{1}{2} \leq \sin t < \dfrac{\sqrt{3}}{2}$ ...... ㉠

한편, $-\pi \leq x < \pi$에서 $-\dfrac{\pi}{6} \leq t < \dfrac{5}{6}\pi$

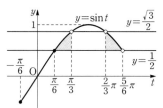

$-\dfrac{\pi}{6} \leq t < \dfrac{5}{6}\pi$에서 $y = \sin t$의 그래프와 두 직선

$y = \dfrac{1}{2}, \ y = \dfrac{\sqrt{3}}{2}$의 교점의 t좌표를 구하면

$\dfrac{\pi}{6}, \dfrac{\pi}{3}, \dfrac{2}{3}\pi, \dfrac{5}{6}\pi$

따라서 ㉠의 해는

$\dfrac{\pi}{6} \leq t < \dfrac{\pi}{3}$ 또는 $\dfrac{2}{3}\pi < t < \dfrac{5}{6}\pi$

즉 $\dfrac{\pi}{6} \leq \dfrac{1}{2}x + \dfrac{\pi}{3} < \dfrac{\pi}{3}$ 또는 $\dfrac{2}{3}\pi < \dfrac{1}{2}x + \dfrac{\pi}{3} < \dfrac{5}{6}\pi$

$$\therefore -\frac{\pi}{3}\le x<0 \ \text{또는} \ \frac{2}{3}\pi<x<\pi$$

(2) $\theta-\dfrac{\pi}{3}=t$로 놓으면 $\theta+\dfrac{\pi}{6}=t+\dfrac{\pi}{2}$이므로

$2\cos^2\left(\theta-\dfrac{\pi}{3}\right)-\cos\left(\theta+\dfrac{\pi}{6}\right)-1\ge0$에서

$2\cos^2 t-\cos\left(t+\dfrac{\pi}{2}\right)-1\ge0$

$2\cos^2 t+\sin t-1\ge0$

$2(1-\sin^2 t)+\sin t-1\ge0$

$2\sin^2 t-\sin t-1\le0$

$(2\sin t+1)(\sin t-1)\le0$

$\therefore -\dfrac{1}{2}\le\sin t\le1 \qquad \cdots\cdots \ \text{㉠}$

한편, $0\le\theta<2\pi$에서 $-\dfrac{\pi}{3}\le t<\dfrac{5}{3}\pi$

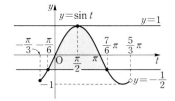

$-\dfrac{\pi}{3}\le t<\dfrac{5}{3}\pi$에서 함수 $y=\sin t$의 그래프와 두

직선 $y=-\dfrac{1}{2}$, $y=1$의 교점의 t좌표를 구하면

$-\dfrac{\pi}{6},\ \dfrac{\pi}{2},\ \dfrac{7}{6}\pi$

따라서 ㉠의 해는 $-\dfrac{\pi}{6}\le t\le\dfrac{7}{6}\pi$

즉 $-\dfrac{\pi}{6}\le\theta-\dfrac{\pi}{3}\le\dfrac{7}{6}\pi$

$\therefore \dfrac{\pi}{6}\le\theta\le\dfrac{3}{2}\pi$

답 (1) $-\dfrac{\pi}{3}\le x<0$ 또는 $\dfrac{2}{3}\pi<x<\pi$

(2) $\dfrac{\pi}{6}\le\theta\le\dfrac{3}{2}\pi$

231

x에 대한 이차방정식 $x^2-3x+1-2\sin^2\theta=0$이 부호가 서로 다른 두 실근을 가지므로 두 근의 곱이 음수이다.

즉 이차방정식의 근과 계수의 관계에 의하여

$1-2\sin^2\theta<0$, $\sin^2\theta>\dfrac{1}{2}$

$\therefore \sin\theta<-\dfrac{\sqrt{2}}{2}$ 또는 $\sin\theta>\dfrac{\sqrt{2}}{2}$

한편, $\dfrac{\pi}{2}\le\theta\le\pi$에서 $0\le\sin\theta\le1$이므로

$\sin\theta>\dfrac{\sqrt{2}}{2}$

오른쪽 그림에서 구하는
θ의 값의 범위는

$\dfrac{\pi}{2}\le\theta<\dfrac{3}{4}\pi$

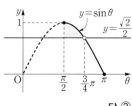

답 ③

232

$\cos^2\theta-3\cos\theta-a+9\ge0$에서

$\cos\theta=t$로 놓으면 $-1\le t\le1$이고

$t^2-3t-a+9\ge0$

$f(t)=t^2-3t-a+9$로 놓으면

$f(t)=\left(t-\dfrac{3}{2}\right)^2-a+\dfrac{27}{4}$

$-1\le t\le1$에서 $f(t)$는 $t=1$일 때 최솟값을 가지므로
$-1\le t\le1$인 모든 실수 t에 대하여 $f(t)\ge0$이려면
$f(1)\ge0$이어야 한다.

즉 $f(1)=1-3-a+9=7-a\ge0$

$\therefore a\le7$

답 $a\le7$

233

$\cos(\pi+x)=-\cos x$이므로 두 함수 $y=\cos x$,
$y=-\cos x+k$의 그래프가 한 점에서 만나려면 방정식 $\cos x=-\cos x+k$, 즉 $2\cos x=k$가 한 개의 실근을 가져야 한다.

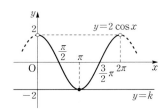

따라서 앞의 그림에서 $y=2\cos x$의 그래프와 직선
$y=k$의 교점이 1개이면 되므로
$k=-2$

답 -2

234

(1) $0\leq x\leq\dfrac{3}{2}\pi$에서 $-1\leq\cos x\leq1$이므로

$-\pi\leq\pi\cos x\leq\pi$

$\cos(\pi\cos x)=0$에서 $\pi\cos x=\pm\dfrac{\pi}{2}$이므로

$\cos x=\pm\dfrac{1}{2}$

$0\leq x\leq\dfrac{3}{2}\pi$이므로

(i) $\cos x=\dfrac{1}{2}$이면 $x=\dfrac{\pi}{3}$

(ii) $\cos x=-\dfrac{1}{2}$이면 $x=\dfrac{2}{3}\pi$ 또는 $x=\dfrac{4}{3}\pi$

(i), (ii)에서 $x=\dfrac{\pi}{3}$ 또는 $x=\dfrac{2}{3}\pi$ 또는 $x=\dfrac{4}{3}\pi$

(2) $0\leq\theta<\pi$에서 $0\leq\sin\theta\leq1$이므로

$0\leq\dfrac{2}{3}\pi\sin\theta\leq\dfrac{2}{3}\pi$

$\cos\left(\dfrac{2}{3}\pi\sin\theta\right)=\dfrac{1}{2}$에서

$\dfrac{2}{3}\pi\sin\theta=\dfrac{\pi}{3}$

$\therefore\sin\theta=\dfrac{1}{2}$

$0\leq\theta<\pi$이므로 $\theta=\dfrac{\pi}{6}$ 또는 $\theta=\dfrac{5}{6}\pi$

따라서 구하는 모든 근의 합은

$\dfrac{\pi}{6}+\dfrac{5}{6}\pi=\pi$

답 (1) $x=\dfrac{\pi}{3}$ 또는 $x=\dfrac{2}{3}\pi$ 또는 $x=\dfrac{4}{3}\pi$　(2) π

235

(i) $n=3$일 때

$y=\sin3x$의 주기는 $\dfrac{2}{3}\pi$이므로 함수 $y=\sin3x$
의 그래프와 직선 $y=\dfrac{1}{2\pi}x$는 다음 그림과 같다.

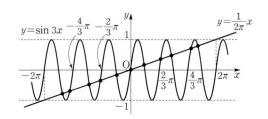

$\therefore f(3)=11$

(ii) $n=4$일 때

$y=\sin4x$의 주기는 $\dfrac{2\pi}{4}=\dfrac{\pi}{2}$이므로 함수

$y=\sin4x$의 그래프와 직선 $y=\dfrac{1}{2\pi}x$는 다음 그
림과 같다.

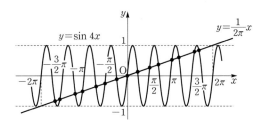

$\therefore f(4)=15$

(i), (ii)에서 $f(3)+f(4)=26$

답 26

236

$(\sin x+\cos x)^2=\sqrt{3}\sin x+1$에서

$1+2\sin x\cos x=\sqrt{3}\sin x+1$

$\sin x(2\cos x-\sqrt{3})=0$

$\therefore\sin x=0$ 또는 $\cos x=\dfrac{\sqrt{3}}{2}$

$0\leq x\leq\pi$이므로

$\sin x=0$일 때, $x=0$ 또는 $x=\pi$

$\cos x=\dfrac{\sqrt{3}}{2}$일 때, $x=\dfrac{\pi}{6}$

따라서 모든 실근의 합은 $0+\pi+\dfrac{\pi}{6}=\dfrac{7}{6}\pi$

답 ①

237

$y=x^2-2x\sin\theta+\cos^2\theta$

$\quad=(x-\sin\theta)^2-\sin^2\theta+\cos^2\theta$

이므로 꼭짓점의 좌표는

$(\sin\theta,\ -\sin^2\theta+\cos^2\theta)$

(1) 이 점이 직선 $y=x$ 위에 있으므로

$-\sin^2\theta+\cos^2\theta=\sin\theta$

$-\sin^2\theta+(1-\sin^2\theta)=\sin\theta$

$2\sin^2\theta+\sin\theta-1=0$

$(2\sin\theta-1)(\sin\theta+1)=0$

$\therefore\ \sin\theta=\dfrac{1}{2}$ 또는 $\sin\theta=-1$

$0\le\theta<\dfrac{\pi}{2}$이므로 $\sin\theta=\dfrac{1}{2}$

$\therefore\ \theta=\dfrac{\pi}{6}$

(2) 주어진 이차함수의 그래프의 꼭짓점이 직선
$y=\sqrt{3}x+1$의 아래쪽에 있으므로

$-\sin^2\theta+\cos^2\theta<\sqrt{3}\sin\theta+1$

$-2\sin^2\theta+1<\sqrt{3}\sin\theta+1$

$2\sin^2\theta+\sqrt{3}\sin\theta>0$

$\sin\theta(2\sin\theta+\sqrt{3})>0$

$\therefore\ \sin\theta<-\dfrac{\sqrt{3}}{2}$ 또는 $\sin\theta>0$

오른쪽 그림에서 구
하는 θ의 값의 범위
는

$\dfrac{4}{3}\pi<\theta<\dfrac{5}{3}\pi$

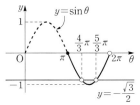

답 (1) $\dfrac{\pi}{6}$ (2) $\dfrac{4}{3}\pi<\theta<\dfrac{5}{3}\pi$

238

$\sin^2\theta-\cos\theta-a+1=0$에서

$(1-\cos^2\theta)-\cos\theta-a+1=0$

$\cos^2\theta+\cos\theta+a-2=0$

$\cos^2\theta+\cos\theta-2=-a$

이 방정식이 실근을 가지려면 직선 $y=-a$와 함수
$y=\cos^2\theta+\cos\theta-2$의 그래프가 교점을 가져야 한
다.

이때 $\cos\theta=t$로 놓으면 $-1\le t\le1$이고

$y=t^2+t-2=\left(t+\dfrac{1}{2}\right)^2-\dfrac{9}{4}$

오른쪽 그림에서 θ가 존재
하려면, 즉 주어진 방정식
의 실근이 존재하려면

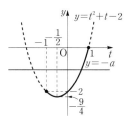

$-\dfrac{9}{4}\le-a\le0$

$\therefore\ 0\le a\le\dfrac{9}{4}$

답 $0\le a\le\dfrac{9}{4}$

239

삼각형 ABC에서 $A+B+C=180°$이므로

$C=180°-(60°+75°)=45°$

 사인법칙에 의하여 $\dfrac{a}{\sin A}=\dfrac{c}{\sin C}$이므로

 $\dfrac{a}{\sin60°}=\dfrac{10\sqrt{6}}{\sin45°}$

$\therefore\ a=30$

답 30

240

사인법칙에 의하여 $\dfrac{b}{\sin B}=\dfrac{c}{\sin C}$이므로

$\dfrac{4}{\sin B}=\dfrac{4\sqrt{3}}{\sin60°}$

$\therefore\ \sin B=\dfrac{1}{2}$

그런데 $C=60°$에서 $0°<B<120°$이므로

$B=30°$

$\therefore\ A=180°-(30°+60°)=90°$

따라서 사인법칙에 의하여 $\dfrac{a}{\sin A}=\dfrac{c}{\sin C}$이므로

$\dfrac{a}{\sin90°}=\dfrac{4\sqrt{3}}{\sin60°}$ $\therefore\ a=8$

답 ③

241

삼각형 ABC의 외접원의 반지름의 길이를 R라 하면
$R=3$, $a+b+c=12$

사인법칙에 의하여

$\sin A+\sin B+\sin C=\dfrac{a}{2R}+\dfrac{b}{2R}+\dfrac{c}{2R}$

$$= \frac{a+b+c}{2R}$$

$$= \frac{12}{6} = 2$$

답 2

242

코사인법칙에 의하여
$$b^2 = 5^2 + 7^2 - 2 \cdot 5 \cdot 7 \cos 60°$$
$$= 25 + 49 - 2 \cdot 5 \cdot 7 \cdot \frac{1}{2}$$
$$= 39$$
그런데 $b > 0$이므로 $b = \sqrt{39}$
또한 삼각형 ABC의 외접원의 반지름의 길이를 R라 하면 사인법칙에 의하여
$$2R = \frac{b}{\sin B} = \frac{\sqrt{39}}{\sin 60°} = 2\sqrt{13}$$
$$\therefore R = \sqrt{13}$$
따라서 외접원의 넓이는
$$\pi R^2 = 13\pi$$

답 13π

243

사각형 ABCD가 원에 내접하므로
$B + D = 180°$에서 $D = 180° - B$
$$\therefore \cos D = \cos(180° - B)$$
$$= -\cos B = -\frac{1}{4}$$
따라서 삼각형 DAC에서 코사인법칙에 의하여
$$\overline{AC}^2 = 2^2 + 3^2 - 2 \cdot 2 \cdot 3 \cos D$$
$$= 4 + 9 - 12 \cdot \left(-\frac{1}{4}\right)$$
$$= 16$$
$$\therefore \overline{AC} = 4 \ (\because \overline{AC} > 0)$$

답 4

244

$\sin A = \sqrt{2} \sin B = 2 \sin C$의 각 변을 2로 나누면
$$\frac{\sin A}{2} = \frac{\sin B}{\sqrt{2}} = \sin C$$

$$\therefore \sin A : \sin B : \sin C = a : b : c$$
$$= 2 : \sqrt{2} : 1$$
$a = 2k$, $b = \sqrt{2}k$, $c = k$ $(k > 0)$로 놓으면
a가 가장 긴 변의 길이이므로 최대각의 크기는 A이다.
따라서 코사인법칙에 의하여
$$\cos \theta = \cos A = \frac{(\sqrt{2}k)^2 + k^2 - (2k)^2}{2 \cdot \sqrt{2}k \cdot k}$$
$$= -\frac{\sqrt{2}}{4}$$

답 ③

245

$$a - 2b + c = 0 \qquad \cdots\cdots \ ㉠$$
$$3a + b - 2c = 0 \qquad \cdots\cdots \ ㉡$$
㉠, ㉡을 연립하여 풀면
$$a = \frac{3}{7}c, \ b = \frac{5}{7}c$$
$$\therefore a : b : c = \frac{3}{7}c : \frac{5}{7}c : c = 3 : 5 : 7$$
따라서 $a = 3k$, $b = 5k$, $c = 7k$ $(k > 0)$로 놓으면
코사인법칙에 의하여
$$\cos C = \frac{(3k)^2 + (5k)^2 - (7k)^2}{2 \cdot 3k \cdot 5k} = -\frac{1}{2}$$

답 $-\frac{1}{2}$

246

꼭짓점 A에서 $\overline{BC}$에 내린 수선의 발을 H라 하면 삼각형 AHC는 직각이등변삼각형이므로
$$\overline{AH} = \overline{HC} = 1$$

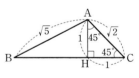

또 직각삼각형 ABH에서 피타고라스 정리에 의하여
$$\overline{BH}^2 = (\sqrt{5})^2 - 1^2 = 4$$
$$\therefore \overline{BH} = 2 \ (\because \overline{BH} > 0)$$
$$\therefore a = \overline{BH} + \overline{HC} = 2 + 1 = 3$$
따라서 삼각형 ABC에서 사인법칙에 의하여
$$\frac{3}{\sin A} = \frac{\sqrt{5}}{\sin 45°} \qquad \therefore \sin A = \frac{3}{\sqrt{10}} = \frac{3\sqrt{10}}{10}$$

답 $\frac{3\sqrt{10}}{10}$

247

드론의 높이를 h m라 하면

직각삼각형 PAQ에서

$h=\overline{\text{AP}}\sin 30°$ $\quad\therefore \overline{\text{AP}}=2h\ (\text{m})$

삼각형 PAB에서

$\angle\text{APB}=180°-(60°+75°)=45°$

이므로 사인법칙에 의하여

$\dfrac{2h}{\sin 60°}=\dfrac{40}{\sin 45°}$ $\quad\therefore h=10\sqrt{6}\ (\text{m})$

따라서 드론의 높이는 $10\sqrt{6}$ m이다.

$\qquad\qquad\qquad\qquad\qquad$ 답 $10\sqrt{6}$ m

248

오른쪽 직육면체에서

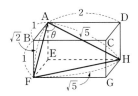

$\overline{\text{AF}}=\sqrt{1^2+1^2}=\sqrt{2}$,

$\overline{\text{AH}}=\sqrt{2^2+1^2}=\sqrt{5}$,

$\overline{\text{FH}}=\sqrt{2^2+1^2}=\sqrt{5}$

이므로 코사인법칙에

의하여

$\cos\theta=\dfrac{\overline{\text{AF}}^2+\overline{\text{AH}}^2-\overline{\text{FH}}^2}{2\cdot\overline{\text{AF}}\cdot\overline{\text{AH}}}=\dfrac{2+5-5}{2\cdot\sqrt{2}\cdot\sqrt{5}}$

$\qquad =\dfrac{1}{\sqrt{10}}=\dfrac{\sqrt{10}}{10}$

$\qquad\qquad\qquad\qquad\qquad$ 답 $\dfrac{\sqrt{10}}{10}$

249

$a:b:c=\sin A:\sin B:\sin C=2:4:3$이므로

$a=2k$, $b=4k$, $c=3k$ $(k>0)$로 놓으면 코사인법칙에 의하여

$\cos A=\dfrac{(4k)^2+(3k)^2-(2k)^2}{2\cdot 4k\cdot 3k}=\dfrac{7}{8}$

이때 $\sin^2 A+\cos^2 A=1$이고, $\sin A>0$이므로

$\sin A=\sqrt{1-\cos^2 A}=\sqrt{\dfrac{15}{64}}=\dfrac{\sqrt{15}}{8}$

한편, $A+B+C=180°$에서 $B+C=180°-A$이므로

$\sin (B+C)=\sin (180°-A)=\sin A=\dfrac{\sqrt{15}}{8}$

$\therefore \sin A+\sin (B+C)=2\sin A=\dfrac{\sqrt{15}}{4}$

$\qquad\qquad\qquad\qquad\qquad$ 답 ③

250

삼각형 ABC에서 $A+B+C=180°$이므로

$A+C=180°-B$

$\therefore \sin\left(\dfrac{A-B+C}{2}\right)=\sin\left(\dfrac{180°-2B}{2}\right)$

$\qquad\qquad\qquad\qquad =\sin (90°-B)$

$\qquad\qquad\qquad\qquad =\cos B$

따라서 주어진 등식은

$2\cos B\sin A=\sin C$ $\qquad\cdots\cdots\ \bigcirc$

로 나타낼 수 있다.

이때 삼각형 ABC의 외접원의 반지름의 길이를 R라 하면

$\sin A=\dfrac{a}{2R}$, $\sin C=\dfrac{c}{2R}$이고,

$\cos B=\dfrac{c^2+a^2-b^2}{2ca}$이므로 이것을 ⊙에 대입하면

$2\cdot\dfrac{c^2+a^2-b^2}{2ca}\cdot\dfrac{a}{2R}=\dfrac{c}{2R}$

$a^2=b^2$ $\quad\therefore a=b\ (\because a>0,\ b>0)$

따라서 삼각형 ABC는 $a=b$인 이등변삼각형이다.

$\qquad\qquad\qquad\qquad\qquad$ 답 ④

251

주어진 이차방정식이 중근을 가지므로 판별식을 D라 하면

$\dfrac{D}{4}=\{2\sqrt{b}\sin (B+C)\}^2-4a\sin^2 A=0$

$4b\sin^2 (B+C)-4a\sin^2 A=0$

$4b\sin^2 (\pi-A)-4a\sin^2 A=0$

$4b\sin^2 A-4a\sin^2 A=0$

$4(b-a)\sin^2 A=0$

$\therefore a=b$ 또는 $\sin^2 A=0$

이때 $0°<A<180°$이므로

$\sin A\neq 0$

따라서 삼각형 ABC는 $a=b$인 이등변삼각형이다.

$\qquad\qquad\qquad\qquad\qquad$ 답 ③

252

원에 내접하는 사각형 ABCD에서
한 쌍의 대각의 크기의 합은 $180°$
이므로

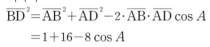

$A+C=180°$

삼각형 ABD에서 코사인법칙에
의하여

$$\overline{BD}^2 = \overline{AB}^2 + \overline{AD}^2 - 2 \cdot \overline{AB} \cdot \overline{AD} \cos A$$
$$= 1 + 16 - 8 \cos A$$
$$= 17 - 8 \cos A \qquad \cdots\cdots ㉠$$

또 삼각형 BCD에서 코사인법칙에 의하여

$$\overline{BD}^2 = \overline{BC}^2 + \overline{CD}^2 - 2 \cdot \overline{BC} \cdot \overline{CD} \cos C$$
$$= 4 + 9 - 12 \cos(180° - A)$$
$$= 13 + 12 \cos A \qquad \cdots\cdots ㉡$$

㉠, ㉡이 같아야 하므로

$17 - 8 \cos A = 13 + 12 \cos A$

$20 \cos A = 4$

$\therefore \cos A = \dfrac{1}{5}$

답 ①

253

$\overline{AC} = 6\sqrt{2}$이므로 $\overline{AD} = \dfrac{1}{3} \overline{AC} = 2\sqrt{2}$

삼각형 ABD에서 $A = 45°$, $\overline{AD} = 2\sqrt{2}$이므로 코사인
법칙에 의하여

$$\overline{BD}^2 = \overline{AB}^2 + \overline{AD}^2 - 2 \cdot \overline{AB} \cdot \overline{AD} \cos 45°$$
$$= 36 + 8 - 2 \cdot 6 \cdot 2\sqrt{2} \cdot \dfrac{1}{\sqrt{2}} = 20$$

$\therefore \overline{BD} = 2\sqrt{5} \ (\because \overline{BD} > 0)$

이때 $\triangle ABD \equiv \triangle CBE$ (SAS 합동)이므로

$\overline{BE} = \overline{BD} = 2\sqrt{5}$

따라서 $\triangle DBE$에서 코사인법칙에 의하여

$$\cos \theta = \dfrac{\overline{BD}^2 + \overline{BE}^2 - \overline{DE}^2}{2 \cdot \overline{BD} \cdot \overline{BE}}$$
$$= \dfrac{(2\sqrt{5})^2 + (2\sqrt{5})^2 - (2\sqrt{2})^2}{2 \cdot 2\sqrt{5} \cdot 2\sqrt{5}} = \dfrac{4}{5}$$

답 $\dfrac{4}{5}$

254

각 변의 길이는 양수이므로 $2x+1 > 0$, $x^2 - 1 > 0$에서
$x > 1$

이때

$x^2 + x + 1 - (2x+1) = x(x-1) > 0$이므로

$x^2 + x + 1 > 2x + 1$

$x^2 + x + 1 - (x^2 - 1) = x + 2 > 0$이므로

$x^2 + x + 1 > x^2 - 1$

즉 가장 긴 변의 길이가 $x^2 + x + 1$이므로 최대각은 길
이가 $x^2 + x + 1$인 변의 대각이다.

최대각의 크기를 θ라 하면

$$\cos \theta = \dfrac{(2x+1)^2 + (x^2-1)^2 - (x^2+x+1)^2}{2(2x+1)(x^2-1)}$$
$$= -\dfrac{1}{2}$$

그런데 $0° < \theta < 180°$이므로 $\theta = 120°$

따라서 최대각의 크기는 $120°$이다.

답 $120°$

255

$\sin A : \sin B = a : b = \sqrt{2} : 1$이므로

$a = \sqrt{2} b$

한편, $c^2 = b^2 + ac$이고 $a = \sqrt{2} b$이므로 코사인법칙에
의하여

$$\cos A = \dfrac{b^2 + c^2 - a^2}{2bc} = \dfrac{b^2 + (b^2 + ac) - 2b^2}{2bc}$$
$$= \dfrac{\sqrt{2} bc}{2bc} = \dfrac{\sqrt{2}}{2}$$

그런데 $0° < A < 180°$이므로 $A = 45°$

이때 $a : b = \sqrt{2} : 1$에서 $a = \sqrt{2} k$, $b = k \ (k > 0)$로 놓
으면 사인법칙에 의하여

$\dfrac{\sqrt{2} k}{\sin 45°} = \dfrac{k}{\sin B} \qquad \therefore \sin B = \dfrac{1}{2}$

그런데 $0° < B < 135°$이므로 $B = 30°$

$\therefore C = 180° - (45° + 30°) = 105°$

답 ④

256

코사인법칙에 의하여

$\overline{BC}^2 = 8^2 + 6^2 - 2 \cdot 8 \cdot 6 \cos 60° = 52$

$\therefore \overline{BC}=2\sqrt{13}\ (\because \overline{BC}>0)$

삼각형 ABC의 넓이는

$\dfrac{1}{2}\times 2\sqrt{13}\times \overline{AH}=\dfrac{1}{2}\times 8\times 6\times \sin 60°$

이므로

$\overline{AH}=\dfrac{12\sqrt{3}}{\sqrt{13}}=\dfrac{12\sqrt{39}}{13}$

답 $\dfrac{12\sqrt{39}}{13}$

257

코사인법칙에 의하여

$\cos C=\dfrac{4^2+5^2-7^2}{2\cdot 4\cdot 5}=-\dfrac{1}{5}$

$\therefore \sin C=\sqrt{1-\cos^2 C}=\sqrt{1-\left(-\dfrac{1}{5}\right)^2}=\dfrac{2\sqrt{6}}{5}$

$(\because \sin C>0)$

삼각형 ABC의 넓이를 S라 하면

$S=\dfrac{1}{2}ab\sin C=\dfrac{1}{2}\cdot 4\cdot 5\cdot \dfrac{2\sqrt{6}}{5}=4\sqrt{6}$

답 $4\sqrt{6}$

258

코사인법칙에 의하여

$a^2=b^2+c^2-2bc\cos A$

$\quad =3^2+5^2-2\cdot 3\cdot 5\cos 120°$

$\quad =9+25+15$

$\quad =49$

$\therefore a=7\ (\because a>0)$

한편, 삼각형 ABC의 넓이를 S라 하면

$S=\dfrac{1}{2}bc\sin A$

$\quad =\dfrac{1}{2}\cdot 3\cdot 5\cdot \sin 120°$

$\quad =\dfrac{15\sqrt{3}}{4}$

따라서 $S=\dfrac{1}{2}r(a+b+c)$에서

$\dfrac{15\sqrt{3}}{4}=\dfrac{1}{2}r(7+3+5)$

$\therefore r=\dfrac{\sqrt{3}}{2}$

답 $\dfrac{\sqrt{3}}{2}$

259

사각형 ABCD의 넓이가 3이므로

$\dfrac{1}{2}\cdot 3\cdot 2\sqrt{3}\cdot \sin \theta=3,\ \sin \theta=\dfrac{\sqrt{3}}{3}$

$\therefore \sin^2 \theta=\dfrac{1}{3}$

따라서 $\cos^2 \theta=1-\sin^2 \theta=1-\dfrac{1}{3}=\dfrac{2}{3}$이므로

$\tan^2 \theta=\dfrac{\sin^2 \theta}{\cos^2 \theta}=\dfrac{1}{2}$

답 $\dfrac{1}{2}$

260

삼각형 ABC의 외접원의 반지름의 길이가 4이므로
사인법칙에 의하여

$\dfrac{a}{\sin 30°}=8 \qquad \therefore a=4$

$\dfrac{b}{\sin 45°}=8 \qquad \therefore b=4\sqrt{2}$

코사인법칙에 의하여 $b^2=a^2+c^2-2ac\cos B$이므로

$32=16+c^2-2\cdot 4\cdot c\cos 45°$

$c^2-4\sqrt{2}c-16=0$

$\therefore c=2\sqrt{2}+2\sqrt{6}\ (\because c>0)$

따라서 삼각형 ABC의 넓이를 S라 하면

$S=\dfrac{1}{2}bc\sin A$

$\quad =\dfrac{1}{2}\cdot 4\sqrt{2}\cdot 2(\sqrt{2}+\sqrt{6})\cdot \sin 30°$

$\quad =4(1+\sqrt{3})$

답 $4(1+\sqrt{3})$

261

부채꼴의 호의 길이는 중심각의
크기에 정비례하므로 원의 중심
을 O라 할 때

$\angle AOB : \angle BOC : \angle COA$
$=3 : 4 : 5$

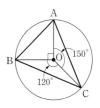

$$\therefore \angle AOB = 360° \times \frac{3}{12} = 90°,$$

$$\angle BOC = 360° \times \frac{4}{12} = 120°,$$

$$\angle COA = 360° \times \frac{5}{12} = 150°$$

따라서 삼각형 ABC의 넓이를 S라 하면

$$S = \triangle AOB + \triangle BOC + \triangle COA$$

$$= \frac{1}{2} \cdot 20^2 \cdot \sin 90° + \frac{1}{2} \cdot 20^2 \cdot \sin 120°$$

$$+ \frac{1}{2} \cdot 20^2 \cdot \sin 150°$$

$$= 200 + 100\sqrt{3} + 100$$

$$= 100(3 + \sqrt{3})$$

답 $100(3+\sqrt{3})$

262

삼각형 ABC의 외접원의 반지름의 길이가 8이므로 사인법칙에 의하여

$$\sin A = \frac{a}{16}, \ \sin B = \frac{b}{16}, \ \sin C = \frac{c}{16}$$

이때 $\sin A + \sin B + \sin C = \frac{5}{4}$이므로

$$\frac{a}{16} + \frac{b}{16} + \frac{c}{16} = \frac{5}{4}$$

$$\therefore a + b + c = 20$$

삼각형 ABC의 내접원의 반지름의 길이를 r라 하면 삼각형 ABC의 넓이가 20이므로

$$\frac{1}{2} r(a+b+c) = 20$$

$$\frac{1}{2} r \cdot 20 = 20$$

$$\therefore r = 2$$

답 ①

263

삼각형 ABC에서 코사인법칙에 의하여

$$(\sqrt{7})^2 = \overline{AB}^2 + (\sqrt{3})^2 - 2\overline{AB} \cdot \sqrt{3} \cos 30°$$

$$7 = \overline{AB}^2 + 3 - 2\overline{AB} \cdot \frac{\sqrt{3}}{2}$$

$$\overline{AB}^2 - 3\overline{AB} - 4 = 0$$

$$(\overline{AB} - 4)(\overline{AB} + 1) = 0$$

$$\therefore \overline{AB} = 4 \ (\because \overline{AB} > 0)$$

따라서 평행사변형 ABCD의 넓이를 S라 하면

$$S = 4 \cdot \sqrt{3} \cdot \sin 30° = 2\sqrt{3}$$

답 ③

264

삼각형 APB는 $\angle P = 90°$인 직각삼각형이므로

$$\overline{AB} = \sqrt{4^2 + 2^2} = \sqrt{20}$$

$$= 2\sqrt{5} \ (cm)$$

또한 삼각형 QAB는 $\angle Q = 90°$인 직각이등변삼각형이므로

$$\overline{QA}^2 + \overline{QB}^2 = \overline{AB}^2$$

$$= (2\sqrt{5})^2 = 20$$

$$\therefore \overline{QA} = \overline{QB} = \sqrt{10} \ (cm)$$

$$\therefore \square APBQ = \triangle PAB + \triangle QAB$$

$$= \frac{1}{2} \cdot 4 \cdot 2 + \frac{1}{2} \cdot \sqrt{10} \cdot \sqrt{10} = 9 \ (cm^2)$$

한편, $\angle ABQ = \angle APQ = 45°$,

$\angle BAQ = \angle BPQ = 45°$이므로

$\overline{PQ} = x$ cm라 하면

$$\square APBQ = \triangle PAQ + \triangle PBQ$$

$$9 = \frac{1}{2} \cdot 4 \cdot x \cdot \sin 45° + \frac{1}{2} \cdot 2 \cdot x \cdot \sin 45°$$

$$= \frac{3\sqrt{2}}{2} x$$

$$\therefore x = 3\sqrt{2} \ (cm)$$

따라서 선분 PQ의 길이는 $3\sqrt{2}$ cm이다.

답 ①

265

$\overline{BD} : \overline{CD} = 3 : 4 = \overline{AB} : \overline{AC}$이므로 $\overline{AD}$는 $\angle BAC$의 이등분선이다.

$$\therefore \angle BAD = \angle CAD = 60°$$

이때 $\triangle ABC = \triangle ABD + \triangle ACD$이므로

$$\frac{1}{2} \cdot 15 \cdot 20 \cdot \sin 120°$$

$$= \frac{1}{2} \cdot 15 \cdot \overline{AD} \cdot \sin 60° + \frac{1}{2} \cdot 20 \cdot \overline{AD} \cdot \sin 60°$$

$75\sqrt{3} = \dfrac{15\sqrt{3}}{4}\,\overline{\text{AD}} + 5\sqrt{3}\,\overline{\text{AD}}$

$\dfrac{35\sqrt{3}}{4}\,\overline{\text{AD}} = 75\sqrt{3}$ $\therefore \overline{\text{AD}} = \dfrac{60}{7}$ (km)

따라서 구하는 직선도로의 길이는 $\dfrac{60}{7}$ km이다.

답 $\dfrac{60}{7}$ km

266

$\overline{\text{AP}} = x$, $\overline{\text{AQ}} = y$라 하면 $\triangle\text{APQ} = \dfrac{1}{2}\triangle\text{ABC}$이므로

$\dfrac{1}{2}\cdot x\cdot y\cdot\sin 60° = \dfrac{1}{2}\cdot\dfrac{1}{2}\cdot 4\cdot 6\cdot\sin 60°$

$\dfrac{\sqrt{3}}{4}xy = 3\sqrt{3}$ $\therefore xy = 12$

삼각형 APQ에서 코사인법칙에 의하여

$\overline{\text{PQ}}^2 = x^2 + y^2 - 2xy\cos 60°$

$\qquad = x^2 + y^2 - 2\cdot 12\cdot\dfrac{1}{2}$

$\qquad = x^2 + y^2 - 12$

이때 $x^2 > 0$, $y^2 > 0$이므로 산술평균과 기하평균의 관계에 의하여

$x^2 + y^2 - 12 \geq 2\sqrt{x^2 y^2} - 12$

$\qquad\qquad\quad = 2\cdot 12 - 12$

$\qquad\qquad\quad = 12$ (단, 등호는 $x = y$일 때 성립)

$\therefore \overline{\text{PQ}} \geq \sqrt{12} = 2\sqrt{3}$

따라서 선분 PQ의 길이의 최솟값은 $2\sqrt{3}$이다.

답 $2\sqrt{3}$

III. 수열

267

등차수열 $\{a_n\}$의 공차를 d라 하면
$a_5 - a_2 = a_7$에서
$a_5 - a_2 = (9+4d) - (9+d) = 3d$,
$a_7 = 9 + 6d$이므로
$3d = 9 + 6d$
$\therefore d = -3$
$\therefore a_{10} = 9 + 9d = 9 + 9 \cdot (-3) = -18$

답 -18

268

제2항과 제6항은 절댓값이 같고 부호가 반대이므로
제2항과 제6항의 합은 0이다.
즉 첫째항을 a, 공차를 d라 하면
$(a+d) + (a+5d) = 0$, $2a + 6d = 0$
$\therefore a + 3d = 0$ $\cdots\cdots$ ㉠
또 제3항이 -2이므로
$a + 2d = -2$ $\cdots\cdots$ ㉡
㉠, ㉡을 연립하여 풀면
$a = -6$, $d = 2$

답 첫째항 : -6, 공차 : 2

269

등차수열 $\{a_n\}$의 첫째항을 a, 공차를 d라 하면
$a_2 = a + d = -37$
$a_5 - a_2 = (a+4d) - (a+d) = 3d = 9$
$\therefore a = -40$, $d = 3$
제n항에서 처음으로 양수가 된다고 하면
$a_n = -40 + 3(n-1) = 3n - 43 > 0$
$\therefore n > \dfrac{43}{3} = 14. \times \times \times$
따라서 처음으로 양수가 되는 항은 제15항이다.

답 제15항

270

a, b, c가 이 순서대로 등차수열을 이루므로
$b = \dfrac{a+c}{2}$ $\cdots\cdots$ ㉠
$-c$, $2b$, $4a$가 이 순서대로 등차수열을 이루므로
$2b = \dfrac{-c+4a}{2}$ $\therefore b = \dfrac{4a-c}{4}$ $\cdots\cdots$ ㉡
㉠, ㉡에서 $\dfrac{a+c}{2} = \dfrac{4a-c}{4}$
$2(4a-c) = 4(a+c)$
$4a = 6c$ $\therefore a = \dfrac{3}{2}c$ $\cdots\cdots$ ㉢
㉢을 ㉠에 대입하면 $b = \dfrac{5}{4}c$
$\therefore \dfrac{a+b}{c} = \dfrac{\frac{3}{2}c + \frac{5}{4}c}{c} = \dfrac{\frac{11}{4}c}{c} = \dfrac{11}{4}$

답 $\dfrac{11}{4}$

271

직각삼각형의 세 변의 길이가 등차수열을 이루므로 세
변의 길이를 각각 $a-d$, a, $a+d$라 하면 피타고라스
정리에 의하여
$(a+d)^2 = (a-d)^2 + a^2$, $a(a-4d) = 0$
$\therefore a = 4d$ $(\because a \neq 0)$
따라서 세 변의 길이는 각각 $3d$, $4d$, $5d$이다.
이때 삼각형의 넓이 S는
$S = \dfrac{1}{2} \cdot 3d \cdot 4d = 6d^2 = 54$
$d^2 = 9$ $\therefore d = 3$ $(\because d > 0)$
따라서 이 삼각형의 세 변의 길이의 합은
$3d + 4d + 5d = 12d = 36$

답 36

272

투구 수는 첫째항이 50, 공차가 2인 등차수열을 이루
므로 30일 동안의 투구 수의 합은
$\dfrac{30\{2 \cdot 50 + (30-1) \cdot 2\}}{2} = 2370$

답 ②

273

$S_n = n^2 + kn + 1$, $T_n = 2n^2 - 3n - 1$이라 하면
$S_{10} - S_9 = T_{10} - T_9$이므로
$(10^2 + 10k + 1) - (9^2 + 9k + 1)$
$= (2 \cdot 10^2 - 3 \cdot 10 - 1) - (2 \cdot 9^2 - 3 \cdot 9 - 1)$
$19 + k = 35$ $\therefore k = 16$

답 16

274

등차수열 $\{a_n\}$의 첫째항을 a, 공차를 d라 하면
$a_2^2 = a_1 a_7 + 5$에서
$(a+d)^2 = a(a+6d) + 5$
$2ad + d^2 = 6ad + 5$, $d(d-4a) = 5$
이때 a와 d는 자연수이므로
$d=1$, $d-4a=5$ 또는 $d=5$, $d-4a=1$
(i) $d=1$, $d-4a=5$일 때
　 $a=-1$이 되어 a는 자연수가 아니므로 모순이다.
(ii) $d=5$, $d-4a=1$일 때
　 $4a=4$ $\therefore a=1$
(i), (ii)에서 $a=1$, $d=5$이므로
$a_{20} = 1 + 19 \cdot 5 = 96$

답 96

275

수열 $1, a_1, a_2, a_3, \cdots, a_n, 2$는 첫째항이 1, 끝항이 2,
항수가 $n+2$인 등차수열이고
$a_1 + a_2 + a_3 + \cdots + a_n = 27$이므로
$1 + a_1 + a_2 + a_3 + \cdots + a_n + 2 = 30$
즉 $\dfrac{(n+2)(1+2)}{2} = 30$ $\therefore n = 18$
이때 2는 제 $n+2$항이므로 $1 + (n+1)d = 2$에서
$1 + 19d = 2$ $\therefore d = \dfrac{1}{19}$
$\therefore n + 19d = 18 + 19 \cdot \dfrac{1}{19} = 19$

답 19

276

등차수열 $\{a_n\}$의 첫째항을 a, 공차를 d라 하면

$a_1 + a_2 + a_3 + \cdots + a_{10} = 10$에서
$S_{10} = \dfrac{10(2a+9d)}{2} = 10$
$\therefore 2a + 9d = 2$ $\cdots\cdots$ ㉠
$a_{11} + a_{12} + a_{13} + \cdots + a_{20} = 50$에서
$S_{20} - S_{10} = \dfrac{20(2a+19d)}{2} - 10 = 50$
$\therefore 2a + 19d = 6$ $\cdots\cdots$ ㉡
㉠, ㉡을 연립하여 풀면 $a = -\dfrac{4}{5}$, $d = \dfrac{2}{5}$
$\therefore a_{21} + a_{22} + a_{23} + \cdots + a_{40}$
　 $= S_{40} - S_{20}$
　 $= \dfrac{40(2a+39d)}{2} - (10+50)$
　 $= \dfrac{40\left\{2 \cdot \left(-\dfrac{4}{5}\right) + 39 \cdot \dfrac{2}{5}\right\}}{2} - 60$
　 $= 280 - 60 = 220$
$\therefore$ (주어진 식) $= \dfrac{1}{10} \times 220 = 22$

답 22

277

등차수열 $\{a_n\}$의 첫째항을 a, 공차를 d라 하면
$a_3 = a + 2d = 17$ $\cdots\cdots$ ㉠
$a_2 : a_7 = 4 : 1$이므로
$(a+d) : (a+6d) = 4 : 1$
$4(a+6d) = a + d$
$\therefore 3a + 23d = 0$ $\cdots\cdots$ ㉡
㉠, ㉡을 연립하여 풀면
$a = 23$, $d = -3$
제 n항에서 처음으로 음수가 된다고 하면
$a_n = 23 - 3(n-1) = -3n + 26 < 0$
$\therefore n > \dfrac{26}{3} = 8.\times\times\times$
따라서 등차수열 $\{a_n\}$은 제 9항에서 처음으로 음수가
되므로 첫째항부터 제 8항까지의 합이 최대가 된다.

답 제8항

278

두 자리의 자연수 중에서 4의 배수의 합은

$12+16+20+\cdots+96=\dfrac{22(12+96)}{2}=1188$

두 자리의 자연수 중에서 7의 배수의 합은

$14+21+28+\cdots+98=\dfrac{13(14+98)}{2}=728$

두 자리의 자연수 중에서 28의 배수의 합은

$28+56+84=168$

따라서 구하는 총합은

$1188+728-168=1748$

답 1748

279

$S_n=2f(n)$에서 $f(n)=-\dfrac{1}{2}n^2+3n$이므로

$S_n=2\left(-\dfrac{1}{2}n^2+3n\right)=-n^2+6n$

$\therefore a_6=S_6-S_5$
$\quad=(-6^2+6\cdot6)-(-5^2+6\cdot5)=-5$

답 ③

280

두 등차수열 $\{a_n\}$, $\{b_n\}$의 첫째항을 a라 하면

$a_n=a+2(n-1)=2n+a-2$

$b_n=a-3(n-1)=-3n+a+3$

$\therefore 3a_n+4b_n$
$\quad=3(2n+a-2)+4(-3n+a+3)$
$\quad=-6n+7a+6$
$\quad=7a+(n-1)\cdot(-6)$

따라서 등차수열 $\{3a_n+4b_n\}$의 공차는 -6이다.

답 -6

281

세 수 a, b, 2와 세 수 2, d, f가 각각 이 순서대로 등차수열을 이루므로

$2b=a+2$ ······ ㉠

$2d=2+f$ ······ ㉡

㉠$-$㉡을 하면 $2(b-d)=a-f$

또한 세 수 b, c, 6과 세 수 1, c, d가 각각 이 순서대로 등차수열을 이루므로

$2c=b+6$, $2c=1+d$

$b+6=1+d$ $\therefore b-d=-5$

$\therefore a+b-(d+f)=(a-f)+(b-d)$
$\qquad\qquad\qquad\quad=2(b-d)+(b-d)$
$\qquad\qquad\qquad\quad=3(b-d)$
$\qquad\qquad\qquad\quad=3\cdot(-5)=-15$

답 -15

282

첫째항이 a이고 공차가 -4인 등차수열 $\{a_n\}$의 첫째항부터 제 n 항까지의 합 S_n은

$S_n=\dfrac{n\{2a-4(n-1)\}}{2}=-2n^2+(a+2)n$

이때 $S_n<200$이므로

$-2n^2+(a+2)n<200$, $2n^2+200>(a+2)n$

n이 자연수이므로 양변을 n으로 나누면

$2n+\dfrac{200}{n}>a+2$ ······ ㉠

$n>0$이므로 산술평균과 기하평균의 관계에 의하여

$2n+\dfrac{200}{n}\geq2\sqrt{2n\cdot\dfrac{200}{n}}=2\cdot20=40$

$\left(\text{단, 등호는 } 2n=\dfrac{200}{n}, \text{ 즉 } n=10\text{일 때 성립}\right)$

모든 자연수 n에 대하여 ㉠이 성립하려면

$a+2<40$ $\therefore a<38$

따라서 자연수 a의 최댓값은 37이다.

답 37

283

조건 ㈎에서

$a_1+a_2+a_3+a_4=26$ ······ ㉠

조건 ㈏에서

$a_{n-3}+a_{n-2}+a_{n-1}+a_n=134$ ······ ㉡

이때 수열 $\{a_n\}$이 등차수열이므로 첫째항을 a, 공차를 d라 하면

$a_n=a+(n-1)d$

$\therefore a_1+a_n=a_2+a_{n-1}=a_3+a_{n-2}=a_4+a_{n-3}$
$\qquad\qquad=2a+(n-1)d$

㉠$+$㉡을 하면

$$a_1+a_2+a_3+a_4+a_{n-3}+a_{n-2}+a_{n-1}+a_n=160$$
$$4(a_1+a_n)=160 \qquad \therefore a_1+a_n=40$$

조건 (다)에서
$$a_1+a_2+\cdots+a_n=\frac{n(a_1+a_n)}{2}=260$$
$$\frac{40n}{2}=260 \qquad \therefore n=13$$

답 13

284

$$a_n=S_n-S_{n-1}$$
$$=(n^2-20n)-\{(n-1)^2-20(n-1)\}$$
$$=2n-21 \ (n\geq2)$$

첫째항 $a_1=S_1=-19$

이때 $a_1=-19$는 위의 $a_n=2n-21$에 $n=1$을 대입한 것과 같다.

$$\therefore a_n=2n-21$$

제 n 항에서 처음으로 양수가 된다고 하면
$$2n-21>0에서 \ n>\frac{21}{2}=10.5$$

즉 첫째항부터 제 10 항까지는 음수이고 제 11 항부터 양수이다.

$$\therefore |a_1|+|a_2|+|a_3|+\cdots+|a_{15}|$$
$$=-(a_1+a_2+\cdots+a_{10})+(a_{11}+a_{12}+\cdots+a_{15})$$
$$=-S_{10}+(S_{15}-S_{10})$$
$$=S_{15}-2S_{10}$$
$$=(15^2-20\cdot15)-2(10^2-20\cdot10)$$
$$=-75+200$$
$$=125$$

답 125

285

삼각형의 세 변의 길이를 $a-d$, a, $a+d$ $(d>0)$라 하면 세 변의 길이의 합은
$$(a-d)+a+(a+d)=3a=30$$
$$\therefore a=10$$

즉 삼각형의 세 변의 길이는 $10-d$, 10, $10+d$이고, $\angle C=120°$이므로 $\angle C$의 대변의 길이가 $10+d$이다.

코사인법칙에 의하여

$$\cos 120°=\frac{10^2+(10-d)^2-(10+d)^2}{2\cdot10(10-d)}$$
$$-\frac{1}{2}=\frac{100-40d}{20(10-d)}$$
$$20(10-d)=-2(100-40d)$$
$$\therefore d=4$$

따라서 삼각형 ABC의 넓이 S는
$$S=\frac{1}{2}\cdot10(10-4)\sin 120°=\frac{1}{2}\cdot10\cdot6\cdot\frac{\sqrt{3}}{2}=15\sqrt{3}$$

답 $15\sqrt{3}$

286

등차수열 $\{a_n\}$의 첫째항을 a, 공차를 d라 하면
$$k_1=a_1+a_2+a_3$$
$$=a+(a+d)+(a+2d)=3a+3d$$
$$k_2=a_4+a_5+a_6$$
$$=(a+3d)+(a+4d)+(a+5d)$$
$$=3a+12d$$
$$k_3=a_7+a_8+a_9$$
$$=(a+6d)+(a+7d)+(a+8d)$$
$$=3a+21d$$
$$\vdots$$

따라서 수열 $\{k_n\}$은 첫째항이 $3a+3d$, 공차가 $9d$인 등차수열이므로
$$k_n=3a+3d+(n-1)\cdot9d=3a+(9n-6)d$$

그런데 $a_{10}-a_8=6$이므로
$$(a+9d)-(a+7d)=6$$
$$2d=6 \qquad \therefore d=3$$
$$\therefore k_{10}-k_8=(3a+84d)-(3a+66d)$$
$$=18d=18\cdot3=54$$

답 ③

287

첫째항을 a, 공비를 r라 하면

$a_5=8a_2$이므로
$$ar^4=8ar, \ r^3=8$$
$$\therefore r=2$$

$$\therefore \frac{a_3 a_4}{a_2 a_6} = \frac{ar^2 \cdot ar^3}{ar \cdot ar^5} = \frac{1}{r} = \frac{1}{2}$$

답 $\dfrac{1}{2}$

288

첫째항을 a, 공비를 r라 하면

$$a_{10} = ar^9 = 6 \qquad \cdots\cdots \text{㉠}$$
$$a_{15} = ar^{14} = 192 \qquad \cdots\cdots \text{㉡}$$

㉡÷㉠을 하면 $r^5 = 32$ $\quad \therefore r = 2$

$$\therefore a_9 = a_{10} \div 2 = 6 \div 2 = 3$$

따라서 수열 $\{a_n\}$의 제9항부터 제16항까지의 합은 첫째항이 3, 공비가 2인 등비수열의 첫째항부터 제8항까지의 합과 같으므로

$$\frac{3(2^8 - 1)}{2 - 1} = 765$$

답 765

289

첫째항이 1, 공비가 $\dfrac{5}{2}$이므로 일반항은

$$a_n = 1 \cdot \left(\frac{5}{2}\right)^{n-1} = \left(\frac{5}{2}\right)^{n-1}$$

제 n항에서 처음으로 1000보다 커진다고 하면

$$\left(\frac{5}{2}\right)^{n-1} > 1000$$

양변에 상용로그를 취하면

$$\log \left(\frac{5}{2}\right)^{n-1} > \log 1000, \ (n-1)\log \frac{5}{2} > 3$$
$$(n-1)(\log 5 - \log 2) > 3$$
$$(n-1)\left(\log \frac{10}{2} - \log 2\right) > 3$$
$$(n-1)(1 - 2\log 2) > 3$$
$$n - 1 > \frac{3}{1 - 2\log 2}$$
$$\therefore n > \frac{3}{1 - 2\log 2} + 1 = 8. \times \times \times$$

따라서 처음으로 1000보다 커지는 항은 제9항이다.

답 제9항

290

공비를 r라 하면 첫째항이 1, 제5항이 100이므로

$$1 \cdot r^4 = 100 \qquad \therefore r^2 = 10$$

따라서 $a_2 = 1 \cdot r^2 = 10$이므로

$$4\log a_2 = 4\log 10 = 4$$

답 4

291

세 수 $f(a)$, $f(\sqrt{3})$, $f(a+2)$가 이 순서대로 등비수열을 이루므로 $f(\sqrt{3})$은 $f(a)$와 $f(a+2)$의 등비중항이다.

즉 $\{f(\sqrt{3})\}^2 = f(a)f(a+2)$이므로

$$\left(\frac{p}{\sqrt{3}}\right)^2 = \frac{p}{a} \times \frac{p}{a+2}$$

이때 $p > 1$이므로 양변을 p^2으로 나누면

$$\frac{1}{3} = \frac{1}{a(a+2)}, \ a(a+2) = 3$$
$$a^2 + 2a - 3 = 0, \ (a-1)(a+3) = 0$$
$$\therefore a = 1 \ (\because a > 0)$$

답 ①

292

공비를 r라 하면 $b = ar$, $c = ar^2$

조건 ㈎에서

$$a + b + c = a + ar + ar^2 = \frac{7}{2}$$
$$\therefore a(1 + r + r^2) = \frac{7}{2} \qquad \cdots\cdots \text{㉠}$$

조건 ㈏에서

$$abc = a \cdot ar \cdot ar^2 = 1$$
$$a^3 r^3 = (ar)^3 = 1 \qquad \therefore ar = 1 \qquad \cdots\cdots \text{㉡}$$

㉠÷㉡을 하면

$$\frac{1 + r + r^2}{r} = \frac{7}{2}, \ 2r^2 - 5r + 2 = 0$$
$$(r-2)(2r-1) = 0$$
$$\therefore r = \frac{1}{2} \ (\because a > b > c \text{에서 } 0 < r < 1)$$

이것을 ㉡에 대입하면 $a = 2$

즉 $a = 2$, $b = 1$, $c = \dfrac{1}{2}$이므로

$$a^2 + b^2 + c^2 = 2^2 + 1^2 + \left(\frac{1}{2}\right)^2 = \frac{21}{4}$$

답 $\dfrac{21}{4}$

293

수열 $\{a_n\}$은 첫째항이 1, 공비가 2인 등비수열이므로

$a_n = 2^{n-1}$

$\therefore a_n a_{n+1} = 2^{n-1} \cdot 2^n = 2^{2n-1} = 2 \cdot 4^{n-1}$

즉 수열 $\{a_n a_{n+1}\}$은 첫째항이 2이고 공비가 4인 등비수열이다.

따라서 첫째항부터 제10항까지의 합은

$\dfrac{2(4^{10}-1)}{4-1} = \dfrac{2}{3}(4^{10}-1)$

답 ④

294

수열 $\{a_n\}$은 첫째항이 3이고 공비가 -2인 등비수열이므로

$a_n = 3 \cdot (-2)^{n-1}$

$\therefore |a_1| + |a_2| + |a_3| + \cdots + |a_{10}|$

$= |3| + |3 \cdot (-2)| + |3 \cdot (-2)^2|$
$\quad + |3 \cdot (-2)^3| + \cdots + |3 \cdot (-2)^9|$

$= 3 + 3 \cdot 2 + 3 \cdot 2^2 + 3 \cdot 2^3 + \cdots + 3 \cdot 2^9$

$= \dfrac{3(2^{10}-1)}{2-1} = 3(2^{10}-1) = 3069$

답 3069

295

$S_n = 3 - \left(\dfrac{2}{3}\right)^n$이므로

$a_{20} = S_{20} - S_{19} = \left\{3 - \left(\dfrac{2}{3}\right)^{20}\right\} - \left\{3 - \left(\dfrac{2}{3}\right)^{19}\right\}$

$= \left(\dfrac{2}{3}\right)^{19} \cdot \left(1 - \dfrac{2}{3}\right) = \dfrac{1}{3} \cdot \left(\dfrac{2}{3}\right)^{19}$

답 $\dfrac{1}{3} \cdot \left(\dfrac{2}{3}\right)^{19}$

296

수열 $\{a_n\}$의 첫째항을 a, 공비를 r라 하면

$a_n = ar^{n-1}$

$\therefore 2a_{n+1} + a_n = 2ar^n + ar^{n-1} = a(2r+1)r^{n-1}$

이때 수열 $\{2a_{n+1} + a_n\}$의 첫째항이 4, 공비가 $\dfrac{1}{2}$이므로

$a(2r+1) = 4$, $r = \dfrac{1}{2}$

$2a = 4$ $\quad \therefore a = 2$

따라서 $a_n = 2 \cdot \left(\dfrac{1}{2}\right)^{n-1}$이므로

$a_2 = 1$

답 1

297

첫째항을 a, 공비를 r라 하면

$a_1 + a_2 + a_3 = a + ar + ar^2$
$\qquad\qquad = a(1 + r + r^2) = 6$ $\qquad$ ······ ㉠

$a_4 + a_5 + a_6 = ar^3 + ar^4 + ar^5$
$\qquad\qquad = ar^3(1 + r + r^2) = 48$ $\qquad$ ······ ㉡

㉡ ÷ ㉠을 하면 $r^3 = 8$ $\quad \therefore r = 2$

$\therefore \dfrac{a_1 + a_3 + a_5}{a_2 + a_4 + a_6} = \dfrac{a + ar^2 + ar^4}{ar + ar^3 + ar^5}$

$= \dfrac{a + ar^2 + ar^4}{r(a + ar^2 + ar^4)}$

$= \dfrac{1}{r} = \dfrac{1}{2}$

답 $\dfrac{1}{2}$

298

세 수 x, y, z는 이 순서대로 공비가 r인 등비수열을 이루므로

$y = xr$, $z = xr^2$ $\qquad$ ······ ㉠

또 세 수 x, $2y$, $3z$는 이 순서대로 등차수열을 이루므로

$4y = x + 3z$ $\qquad$ ······ ㉡

㉠을 ㉡에 대입하면

$4xr = x + 3xr^2$ $\quad \therefore 3xr^2 - 4xr + x = 0$

이때 $x \neq 0$이므로 양변을 x로 나누면

$3r^2 - 4r + 1 = 0$, $(3r-1)(r-1) = 0$

$x \neq y$이므로 $r \neq 1$ $\quad \therefore r = \dfrac{1}{3}$

답 $\dfrac{1}{3}$

299

주어진 수열의 첫째항부터 제 n 항까지의 합은

$$9+99+999+\cdots+\underbrace{999\cdots9}_{n\text{개}}$$

$$=(10-1)+(10^2-1)+(10^3-1)+\cdots+(10^n-1)$$

$$=(10+10^2+10^3+\cdots+10^n)-n$$

$$=\frac{10(10^n-1)}{10-1}-n$$

$$=\frac{10^{n+1}-10}{9}-n$$

$$=\frac{1}{9}(10^{n+1}-9n-10)$$

답 $\dfrac{1}{9}(10^{n+1}-9n-10)$

300

첫째항을 a라 하면 공비는 2이므로

$$a_n=a\cdot 2^{n-1}=400 \qquad\cdots\cdots\ \text{㉠}$$

$$S_n=\frac{a(2^n-1)}{2-1}=750 \qquad\cdots\cdots\ \text{㉡}$$

㉡÷㉠을 하면

$$\frac{2^n-1}{2^{n-1}}=\frac{750}{400}=\frac{15}{8}$$

$$8(2^n-1)=15\cdot 2^{n-1}$$

$$16\cdot 2^{n-1}-8=15\cdot 2^{n-1}$$

$$2^{n-1}=8=2^3,\ n-1=3$$

$$\therefore n=4$$

답 4

301

첫째항을 a, 공비를 r라 하면

$$a_1+a_2+a_3+a_4+a_5+a_6$$

$$=a+ar+ar^2+ar^3+ar^4+ar^5$$

$$=a(1+r+r^2+r^3+r^4+r^5)=\frac{63}{8}$$

$$a_1 a_2 a_3 a_4 a_5 a_6=a\cdot ar\cdot ar^2\cdot ar^3\cdot ar^4\cdot ar^5$$

$$=a^6 r^{1+2+3+4+5}=a^6 r^{15}$$

$$=(a^2 r^5)^3=\frac{1}{8}$$

$$\therefore a^2 r^5=\frac{1}{2}$$

$$\therefore \frac{1}{a_1}+\frac{1}{a_2}+\frac{1}{a_3}+\frac{1}{a_4}+\frac{1}{a_5}+\frac{1}{a_6}$$

$$=\frac{1}{a}+\frac{1}{ar}+\frac{1}{ar^2}+\frac{1}{ar^3}+\frac{1}{ar^4}+\frac{1}{ar^5}$$

$$=\frac{1}{a}\left(1+\frac{1}{r}+\frac{1}{r^2}+\frac{1}{r^3}+\frac{1}{r^4}+\frac{1}{r^5}\right)$$

$$=\frac{1}{a}\cdot\frac{1+r+r^2+r^3+r^4+r^5}{r^5}$$

$$=\frac{a(1+r+r^2+r^3+r^4+r^5)}{a^2 r^5}=\frac{\frac{63}{8}}{\frac{1}{2}}=\frac{63}{4}$$

답 $\dfrac{63}{4}$

302

주어진 등비수열의 공비를 r, 일반항을 b_n이라 하면 $b_1=3$이므로

$$b_n=3r^{n-1}$$

$$\therefore 3+a_1+a_2+\cdots+a_{10}+40=\frac{3(r^{12}-1)}{r-1}$$

또한 수열 $\left\{\dfrac{1}{b_n}\right\}$은 첫째항이 $\dfrac{1}{b_1}=\dfrac{1}{3}$이고 공비가 $\dfrac{1}{r}$ 인 등비수열이므로

$$\frac{1}{3}+\frac{1}{a_1}+\frac{1}{a_2}+\cdots+\frac{1}{a_{10}}+\frac{1}{40}$$

$$=\frac{\frac{1}{3}\left\{1-\left(\frac{1}{r}\right)^{12}\right\}}{1-\frac{1}{r}}=\frac{r^{12}-1}{3r^{11}(r-1)}$$

이때

$$3+a_1+a_2+\cdots+a_{10}+40$$

$$=k\left(\frac{1}{3}+\frac{1}{a_1}+\frac{1}{a_2}+\cdots+\frac{1}{a_{10}}+\frac{1}{40}\right)$$

이므로

$$\frac{3(r^{12}-1)}{r-1}=\frac{k(r^{12}-1)}{3r^{11}(r-1)}\qquad\therefore k=9r^{11}$$

그런데 $b_{12}=3r^{11}=40$이므로

$$k=9r^{11}=3\times 3r^{11}=3\times 40=120$$

답 120

303

첫째항을 a라 하면

$$\frac{S_{3n}}{S_n}=\frac{\dfrac{a(r^{3n}-1)}{r-1}}{\dfrac{a(r^n-1)}{r-1}}=7,\ \frac{r^{3n}-1}{r^n-1}=7$$

$$\frac{(r^n-1)(r^{2n}+r^n+1)}{r^n-1}=7,\ r^{2n}+r^n+1=7$$

$$(r^n)^2+r^n-6=0,\ (r^n+3)(r^n-2)=0$$

$$\therefore r^n=2\,(\because r>1)$$

$$\therefore \frac{S_{2n}}{S_n}=\frac{\dfrac{a(r^{2n}-1)}{r-1}}{\dfrac{a(r^n-1)}{r-1}}=\frac{r^{2n}-1}{r^n-1}$$

$$=\frac{(r^n+1)(r^n-1)}{r^n-1}$$

$$=r^n+1=3$$

답 3

304

첫째항이 $\frac{1}{2}$, 공비가 $\frac{1}{2}$인 등비수열의 첫째항부터

제 n 항까지의 합 S_n은

$$S_n=\frac{\dfrac{1}{2}\left\{1-\left(\dfrac{1}{2}\right)^n\right\}}{1-\dfrac{1}{2}}=1-\left(\frac{1}{2}\right)^n$$

$$|S_n-1|=\left(\frac{1}{2}\right)^n<10^{-3}=\frac{1}{1000}$$이므로

$$2^n>1000$$

이때 $2^9=512$, $2^{10}=1024$이므로 $n\geq 10$

따라서 자연수 n의 최솟값은 10이다.

답 10

305

$\log_2(S_n+k)=n+1$에서

$S_n+k=2^{n+1}$ $\therefore S_n=2^{n+1}-k$

$a_n=S_n-S_{n-1}$

  $=(2^{n+1}-k)-(2^n-k)$

  $=2^{n+1}-2^n$

  $=2^n\,(n\geq 2)$ ······ ㉠

첫째항 $a_1=S_1=4-k$ ······ ㉡

수열 $\{a_n\}$이 첫째항부터 등비수열이 되기 위해서는 ㉠

에 $n=1$을 대입한 것이 ㉡과 같아야 하므로

$4-k=2$ $\therefore k=2$

답 ②

다른풀이 $S_n=2^{n+1}-k=2\cdot 2^n-k$에서

$2-k=0$ $\therefore k=2$

306

$$S_n=2^{n-1}-\frac{1}{2},\ T_n=-\frac{1}{2}n^2+kn$$

이라 하면

$$a_3=S_3-S_2=\left(2^2-\frac{1}{2}\right)-\left(2-\frac{1}{2}\right)=2,$$

$$b_1=T_1=-\frac{1}{2}+k$$

이므로 $a_3=b_1$에서

$$2=-\frac{1}{2}+k\quad \therefore k=\frac{5}{2}$$

이때

$$a_n=S_n-S_{n-1}=\left(2^{n-1}-\frac{1}{2}\right)-\left(2^{n-2}-\frac{1}{2}\right)$$

$$=2^{n-2}\ (n\geq 2)$$

첫째항 $a_1=S_1=1-\frac{1}{2}=\frac{1}{2}$

이므로 $a_n=2^{n-2}$

또

$$b_n=T_n-T_{n-1}$$

$$=\left(-\frac{1}{2}n^2+\frac{5}{2}n\right)-\left\{-\frac{1}{2}(n-1)^2+\frac{5}{2}(n-1)\right\}$$

$$=-n+3\ (n\geq 2)$$

첫째항 $b_1=T_1=-\frac{1}{2}+\frac{5}{2}=2$

이므로 $b_n=-n+3$

즉 수열 $\{a_n\}$은 첫째항이 $\frac{1}{2}$이고 공비가 2인 등비수열

이고, 수열 $\{b_n\}$은 첫째항이 2이고 공차가 -1인 등차

수열이므로

$$\{a_n\}:\frac{1}{2},\,1,\,2,\,4,\,8,\,\cdots$$

$$\{b_n\}:2,\,1,\,0,\,-1,\,-2,\,\cdots$$

따라서 $a_m=b_l$을 만족시키는 두 자연수 m, l의 순서

쌍 $(m,\,l)$은 $(2,\,2)$, $(3,\,1)$뿐이다.

이때 $m\neq 3$이므로 $m=2$, $l=2$

$$\therefore k(m+l)=\frac{5}{2}(2+2)=10$$

답 10

307

12개월 동안 20만 원씩 적립한 적립금의 원리합계를 S만 원이라 하면

$$S=20+20(1+0.015)+\cdots+20(1+0.015)^{11}$$

이것은 첫째항이 20이고 공비가 $1+0.015$인 등비수열의 첫째항부터 제12항까지의 합이므로

$$S=\frac{20(1.015^{12}-1)}{1.015-1}$$
$$=\frac{20\times0.2}{0.015}$$
$$=266.\times\times\times(\text{만 원})$$

이때 만 원 미만은 버리므로 12개월 말의 원리합계는 266만 원이다.

답 266만 원

308

세 수 a^n, 576, b^n이 이 순서대로 등비수열을 이루면 576은 a^n과 b^n의 등비중항이므로

$$576^2=a^n b^n$$
$$2^{12}\cdot3^4=(ab)^n$$

이때 ab의 값이 최소가 되려면 자연수 n이 최대이어야 하므로 n의 최댓값은 4와 12의 최대공약수인 4이다.

따라서 $(ab)^4=2^{12}\cdot3^4=(2^3\cdot3)^4$이므로

$$ab=2^3\cdot3=24$$

답 24

309

직사각형 R_1의 짧은 변의 길이를 x라 하면

정사각형 T_1의 한 변의 길이도 x이므로

직사각형 R_2의 긴 변의 길이는 x, 짧은 변의 길이는 $1-x$이다.

두 직사각형 R_1, R_2가 닮음이므로

$$1:x=x:(1-x)$$
$$x^2=1-x$$

$$x^2+x-1=0$$
$$\therefore x=\frac{-1+\sqrt{5}}{2}\ (\because x>0)$$

따라서 직사각형 R_1의 넓이 S_1은

$$S_1=1\times x=\frac{-1+\sqrt{5}}{2}$$

자연수 n에 대하여 두 직사각형 R_n, R_{n+1}의 닮음비는

$1:\dfrac{-1+\sqrt{5}}{2}$이므로

두 직사각형 R_n, R_{n+1}의 넓이 S_n, S_{n+1}의 비는

$$S_n:S_{n+1}=1:\left(\frac{-1+\sqrt{5}}{2}\right)^2$$

따라서 수열 $\{S_n\}$은 첫째항이 $\dfrac{-1+\sqrt{5}}{2}$이고, 공비가

$\left(\dfrac{-1+\sqrt{5}}{2}\right)^2$인 등비수열이므로

$$S_{10}=\frac{-1+\sqrt{5}}{2}\cdot\left\{\left(\frac{-1+\sqrt{5}}{2}\right)^2\right\}^9$$
$$=\left(\frac{-1+\sqrt{5}}{2}\right)^{19}$$

답 $\left(\dfrac{-1+\sqrt{5}}{2}\right)^{19}$

310

공비를 r라 하면

$$a_1+a_3+a_5+\cdots+a_{2n-1}$$
$$=1+r^2+r^4+\cdots+r^{2n-2}=91 \qquad \cdots\cdots ㉠$$
$$a_2+a_4+a_6+\cdots+a_{2n}$$
$$=r+r^3+r^5+\cdots+r^{2n-1}=273 \qquad \cdots\cdots ㉡$$

㉡÷㉠을 하면

$$\frac{r+r^3+r^5+\cdots+r^{2n-1}}{1+r^2+r^4+\cdots+r^{2n-2}}$$
$$=\frac{r(1+r^2+r^4+\cdots+r^{2n-2})}{1+r^2+r^4+\cdots+r^{2n-2}}$$
$$=r=3$$

$r=3$을 ㉠에 대입하면

$$1+3^2+3^4+\cdots+3^{2n-2}=\frac{1\cdot(9^n-1)}{9-1}=91$$
$$9^n=729=9^3$$
$$\therefore n=3$$
$$\therefore r+n=3+3=6$$

답 6

311

첫째항을 a, 공비를 r라 하면

$$a_1+a_2+a_3+\cdots+a_n=\frac{a(1-r^n)}{1-r}=36 \qquad \cdots\cdots ㉠$$

$$a_{n+1}+a_{n+2}+a_{n+3}+\cdots+a_{2n}$$

$$=ar^n+ar^{n+1}+ar^{n+2}+\cdots+ar^{2n-1}$$

$$=\frac{ar^n(1-r^n)}{1-r}$$

$$=\frac{a(1-r^n)}{1-r}\times r^n=18 \qquad \cdots\cdots ㉡$$

㉠을 ㉡에 대입하면

$$36\times r^n=18 \qquad \therefore r^n=\frac{1}{2}$$

$$\therefore a_{2n+1}+a_{2n+2}+a_{2n+3}+\cdots+a_{3n}$$

$$=ar^{2n}+ar^{2n+1}+ar^{2n+2}+\cdots+ar^{3n-1}$$

$$=\frac{ar^{2n}(1-r^n)}{1-r}=\frac{a(1-r^n)}{1-r}\times r^{2n}$$

$$=36r^{2n}=36\times(r^n)^2$$

$$=36\times\left(\frac{1}{2}\right)^2=36\times\frac{1}{4}=9$$

답 **9**

312

윤모와 동원이가 적립하여 받는 금액을 각각 A만 원, B만 원이라 하면

$$A=20(1+0.05)+20(1+0.05)^2+\cdots$$

$$\qquad +20(1+0.05)^{10}$$

$$=\frac{20(1+0.05)\{(1+0.05)^{10}-1\}}{(1+0.05)-1}$$

$$=420(1.05^{10}-1)(만 원)$$

$$B=40(1+0.05)+40(1+0.05)^2+\cdots$$

$$\qquad +40(1+0.05)^5$$

$$=\frac{40(1+0.05)\{(1+0.05)^5-1\}}{(1+0.05)-1}$$

$$=840(1.05^5-1)(만 원)$$

$$\therefore A-B=420(1.05^{10}-1)-840(1.05^5-1)$$

$$=420\times1.05^{10}-420-840\times1.05^5+840$$

$$=420(1.05^{10}-2\times1.05^5+1)$$

$$=420\times(1.05^5-1)^2$$

$$=420\times0.28^2=32.928(만 원)$$

따라서 윤모가 동원이보다 약 329000원 더 많다.

답 ⑤

313

$$\sum_{k=1}^{30}(a_{2k-1}+a_{2k})$$

$$=(a_1+a_2)+(a_3+a_4)+(a_5+a_6)+\cdots+(a_{59}+a_{60})$$

$$=\sum_{k=1}^{60}a_k=35$$

$$\therefore \sum_{k=1}^{60}2a_k=2\sum_{k=1}^{60}a_k=2\times35=70$$

답 **70**

314

$$\sum_{k=1}^{n}(k^4+1)-\sum_{k=1}^{n-1}k^4$$

$$=\left\{\sum_{k=1}^{n-1}(k^4+1)+n^4+1\right\}-\sum_{k=1}^{n-1}k^4$$

$$=\sum_{k=1}^{n-1}\{(k^4+1)-k^4\}+n^4+1$$

$$=\sum_{k=1}^{n-1}1+n^4+1$$

$$=(n-1)+n^4+1=n^4+n$$

따라서 $n^4+n=n^4+8$이므로

$$n=8$$

답 ④

315

ㄱ. $\left(\sum_{k=1}^{n}a_k\right)^2=(a_1+a_2+a_3+\cdots+a_n)^2$

$\sum_{k=1}^{n}a_k^2=a_1^2+a_2^2+a_3^2+\cdots+a_n^2$

$\therefore \left(\sum_{k=1}^{n}a_k\right)^2\neq\sum_{k=1}^{n}a_k^2$ (거짓)

ㄴ. $\sum_{k=1}^{n}a_kb_k=a_1b_1+a_2b_2+a_3b_3+\cdots+a_nb_n$

$\sum_{k=1}^{n}a_k\sum_{k=1}^{n}b_k$

$=(a_1+a_2+a_3+\cdots+a_n)(b_1+b_2+b_3+\cdots+b_n)$

$\therefore \sum_{k=1}^{n}a_kb_k\neq\sum_{k=1}^{n}a_k\sum_{k=1}^{n}b_k$ (거짓)

ㄷ. $\sum\limits_{k=1}^{2n} a_k$

$= (a_1+a_2+a_3+\cdots+a_n)$
$\qquad\qquad + (a_{n+1}+a_{n+2}+a_{n+3}+\cdots+a_{2n})$

$= \sum\limits_{k=1}^{n} a_k + \sum\limits_{k=n+1}^{2n} a_k$ (참)

따라서 옳은 것은 ㄷ뿐이다.

답 ③

316

$a_1+a_2+a_3+\cdots+a_9$

$= \sum\limits_{k=1}^{9} a_k = \sum\limits_{k=1}^{9} \{2^k+(-1)^k\}$

$= \sum\limits_{k=1}^{9} 2^k + \sum\limits_{k=1}^{9} (-1)^k$

$= \dfrac{2(2^9-1)}{2-1} + \dfrac{-1\cdot\{1-(-1)^9\}}{1-(-1)}$

$= 2^{10}-2-1$

$= 2^{10}-3$

답 ①

317

주어진 수열의 제 n 항을 a_n이라 하면

$a_n = \dfrac{7}{9}(10^n-1)$

따라서 구하는 합은

$\sum\limits_{k=1}^{10} \dfrac{7}{9}(10^k-1) = \dfrac{7}{9}\left(\sum\limits_{k=1}^{10} 10^k - \sum\limits_{k=1}^{10} 1\right)$

$\qquad\qquad = \dfrac{7}{9}\left\{\dfrac{10(10^{10}-1)}{10-1} - 1\cdot10\right\}$

$\qquad\qquad = \dfrac{7}{9}\cdot\dfrac{10^{11}-100}{9}$

$\qquad\qquad = \dfrac{7(10^{11}-100)}{81}$

답 $\dfrac{7(10^{11}-100)}{81}$

318

$\sum\limits_{k=1}^{10} (3k^2+2) + \sum\limits_{k=2}^{10} (3k^2-2)$

$= \sum\limits_{k=1}^{10} (3k^2+2) + \left\{\sum\limits_{k=1}^{10} (3k^2-2) - (3\cdot1^2-2)\right\}$

$= \sum\limits_{k=1}^{10} \{(3k^2+2)+(3k^2-2)\} - 1$

$= \sum\limits_{k=1}^{10} 6k^2 - 1 = 6\sum\limits_{k=1}^{10} k^2 - 1$

$= 6\cdot\dfrac{10\cdot11\cdot21}{6} - 1$

$= 2310-1 = 2309$

답 2309

319

수열 $\{a_n\}$의 첫째항부터 제 n 항까지의 합을 S_n이라

하면 $S_n = \dfrac{n}{n+1}$이므로

$n \geq 2$일 때,

$a_n = S_n - S_{n-1} = \dfrac{n}{n+1} - \dfrac{n-1}{n}$

$\qquad = \dfrac{n^2-(n-1)(n+1)}{n(n+1)}$

$\qquad = \dfrac{1}{n(n+1)}$ ······ ㉠

$n=1$일 때, $a_1 = S_1 = \dfrac{1}{2}$

이때 $a_1 = \dfrac{1}{2}$은 ㉠에 $n=1$을 대입한 값과 같으므로

$a_n = \dfrac{1}{n(n+1)}$ $(n\geq 1)$

$\therefore \sum\limits_{k=1}^{n} \dfrac{1}{a_k} = \sum\limits_{k=1}^{n} k(k+1) = \sum\limits_{k=1}^{n} (k^2+k)$

$\qquad = \sum\limits_{k=1}^{n} k^2 + \sum\limits_{k=1}^{n} k$

$\qquad = \dfrac{n(n+1)(2n+1)}{6} + \dfrac{n(n+1)}{2}$

$\qquad = \dfrac{n(n+1)(n+2)}{3}$

답 $\dfrac{n(n+1)(n+2)}{3}$

320

$a_{10} = S_{10} - S_9$

$\qquad = \left\{\sum\limits_{k=1}^{11} (k^2+1) - \sum\limits_{k=1}^{10} (k^2-1)\right\}$

$\qquad\quad - \left\{\sum\limits_{k=1}^{10} (k^2+1) - \sum\limits_{k=1}^{9} (k^2-1)\right\}$

$$= \left\{ \sum_{k=1}^{11} (k^2+1) - \sum_{k=1}^{10} (k^2+1) \right\}$$
$$- \left\{ \sum_{k=1}^{10} (k^2-1) - \sum_{k=1}^{9} (k^2-1) \right\}$$
$$= (11^2+1) - (10^2-1) = 23$$

답 23

321

$$\sum_{k=1}^{10} k^2 + \sum_{k=2}^{10} k^2 + \sum_{k=3}^{10} k^2 + \cdots + \sum_{k=10}^{10} k^2$$
$$= 1^2 + 2 \cdot 2^2 + 3 \cdot 3^2 + \cdots + 10 \cdot 10^2$$
$$= 1^3 + 2^3 + 3^3 + \cdots + 10^3$$
$$= \sum_{k=1}^{10} k^3 = \left(\frac{10 \cdot 11}{2} \right)^2$$
$$= 55^2 = 3025$$

답 3025

322

곡선 $y=x^2+x$ 와 직선 $y=nx-2$ 가 만나는 두 점 A, B의 좌표를 각각

A$(\alpha_n, \alpha_n^2+\alpha_n)$, B$(\beta_n, \beta_n^2+\beta_n)$

이라 하면

$$a_n = \frac{\alpha_n^2+\alpha_n-0}{\alpha_n-0} = \frac{\alpha_n(\alpha_n+1)}{\alpha_n} = \alpha_n+1$$
$$b_n = \frac{\beta_n^2+\beta_n-0}{\beta_n-0} = \frac{\beta_n(\beta_n+1)}{\beta_n} = \beta_n+1$$
$$\therefore a_n+b_n = \alpha_n+\beta_n+2$$

이때 이차방정식 $x^2+x=nx-2$,

즉 $x^2-(n-1)x+2=0$의 두 실근이 α_n, β_n이므로 근과 계수의 관계에 의하여

$$\alpha_n+\beta_n = n-1$$
$$\therefore \sum_{n=4}^{20} (a_n+b_n) = \sum_{n=4}^{20} (\alpha_n+\beta_n+2)$$
$$= \sum_{n=4}^{20} (n+1)$$
$$= \sum_{n=1}^{20} (n+1) - \sum_{n=1}^{3} (n+1)$$
$$= \left(\frac{20 \cdot 21}{2} + 20 \right) - \left(\frac{3 \cdot 4}{2} + 3 \right)$$
$$= 230 - 9 = 221$$

답 ③

323

(1) $1 \cdot 19 + 2 \cdot 18 + 3 \cdot 17 + \cdots + 19 \cdot 1$
$$= 1 \cdot (20-1) + 2(20-2) + 3(20-3) +$$
$$\cdots + 19(20-19)$$
$$= \sum_{k=1}^{19} k(20-k)$$
$$= \sum_{k=1}^{19} (20k-k^2)$$
$$= 20 \cdot \frac{19 \cdot 20}{2} - \frac{19 \cdot 20 \cdot 39}{6}$$
$$= 3800 - 2470 = 1330$$

(2) $a_n = (2n-1) \cdot 2n = 4n^2-2n$ 이고

$(2n-1) \cdot 2n = 99 \cdot 100$ 에서

$$2n = 100$$
$$\therefore n = 50$$
$$\therefore (주어진 식) = \sum_{k=1}^{50} (4k^2-2k)$$
$$= 4 \cdot \frac{50 \cdot 51 \cdot 101}{6} - 2 \cdot \frac{50 \cdot 51}{2}$$
$$= 171700 - 2550 = 169150$$

답 (1) **1330** (2) **169150**

324

$$\sum_{k=1}^{5} (3k-1)2^{j-1} = 2^{j-1} \sum_{k=1}^{5} (3k-1)$$
$$= 2^{j-1} \left(3 \cdot \frac{5 \cdot 6}{2} - 1 \cdot 5 \right)$$
$$= 40 \cdot 2^{j-1}$$
$$\therefore (주어진 식) = \sum_{j=1}^{5} 40 \cdot 2^{j-1}$$
$$= 40 \cdot \frac{1 \cdot (2^5-1)}{2-1} = 1240$$

답 **1240**

325

겹쳐지는 A의 번호와 B의 번호의 곱들의 합을 S_n이라 하면

$$S_n = 1 \cdot n + 2 \cdot (n-1) + 3 \cdot (n-2) + \cdots + n \cdot 1$$

이때 제 k 번째 항 a_k는

$$a_k = k\{n-(k-1)\} = k(n-k+1)$$

$$\therefore S_n = \sum_{k=1}^{n} a_k = \sum_{k=1}^{n} k(n-k+1)$$
$$= \sum_{k=1}^{n} \{-k^2 + (n+1)k\}$$
$$= -\sum_{k=1}^{n} k^2 + (n+1)\sum_{k=1}^{n} k$$
$$= -\frac{n(n+1)(2n+1)}{6} + (n+1)\cdot\frac{n(n+1)}{2}$$
$$= \frac{n(n+1)(n+2)}{6}$$

답 $\dfrac{n(n+1)(n+2)}{6}$

326

수열 $\{na_n\}$의 첫째항부터 제 n 항까지의 합을 S_n이라

하면 $S_n = \dfrac{n(n+1)(2n+1)}{6}$이므로

$n \ge 2$일 때,

$na_n = S_n - S_{n-1}$
$$= \frac{n(n+1)(2n+1)}{6} - \frac{(n-1)n(2n-1)}{6}$$
$$= n^2 \qquad \cdots\cdots \text{㉠}$$

$n=1$일 때, $a_1 = S_1 = \dfrac{1 \cdot 2 \cdot 3}{6} = 1$

이때 $a_1 = 1$은 ㉠에 $n=1$을 대입한 값과 같으므로

$na_n = n^2$

$\therefore a_n = n \ (n \ge 1)$

$\therefore \displaystyle\sum_{k=1}^{10} a_k = \sum_{k=1}^{10} k = \frac{10 \cdot 11}{2} = 55$

답 55

327

$$\sum_{k=1}^{n} \frac{1}{4k^2-1} = \sum_{k=1}^{n} \frac{1}{(2k-1)(2k+1)}$$
$$= \frac{1}{2}\sum_{k=1}^{n}\left(\frac{1}{2k-1} - \frac{1}{2k+1}\right)$$
$$= \frac{1}{2}\left\{\left(\frac{1}{1} - \frac{1}{3}\right) + \left(\frac{1}{3} - \frac{1}{5}\right) + \left(\frac{1}{5} - \frac{1}{7}\right) + \cdots + \left(\frac{1}{2n-1} - \frac{1}{2n+1}\right)\right\}$$
$$= \frac{1}{2}\left(1 - \frac{1}{2n+1}\right)$$
$$= \frac{n}{2n+1}$$

따라서 $\dfrac{n}{2n+1} = \dfrac{25}{51}$이므로

$51n = 25(2n+1)$

$\therefore n = 25$

답 25

328

첫째항부터 제 n 항까지의 합을 S_n이라 하면

$$S_n = \frac{1}{1+1^2} + \frac{1}{2+2^2} + \frac{1}{3+3^2} + \cdots + \frac{1}{n+n^2}$$
$$= \sum_{k=1}^{n} \frac{1}{k+k^2}$$
$$= \sum_{k=1}^{n} \frac{1}{k(k+1)}$$
$$= \sum_{k=1}^{n}\left(\frac{1}{k} - \frac{1}{k+1}\right)$$
$$= \left(\frac{1}{1} - \frac{1}{2}\right) + \left(\frac{1}{2} - \frac{1}{3}\right) + \left(\frac{1}{3} - \frac{1}{4}\right) + \cdots + \left(\frac{1}{n} - \frac{1}{n+1}\right)$$
$$= 1 - \frac{1}{n+1} \ge 0.99$$

$\dfrac{1}{n+1} \le 0.01$에서

$n+1 \ge 100$

$\therefore n \ge 99$

따라서 자연수 n의 최솟값은 99이다.

답 99

329

$f(x) = a_n x^2 - a_n - 3$으로 놓으면

$f(x)$가 $x-n$으로 나누어떨어지므로

$f(n) = a_n n^2 - a_n - 3 = 0$

$(n^2-1)a_n = 3$

$n \ge 2$일 때, $a_n = \dfrac{3}{n^2-1}$

$$\therefore \sum_{k=2}^{10} a_k = \sum_{k=2}^{10} \frac{3}{k^2-1}$$
$$= \sum_{k=2}^{10} \frac{3}{(k-1)(k+1)}$$
$$= \frac{3}{2}\sum_{k=2}^{10}\left(\frac{1}{k-1} - \frac{1}{k+1}\right)$$

$$= \frac{3}{2}\left\{\left(\frac{1}{1}-\frac{1}{3}\right)+\left(\frac{1}{2}-\frac{1}{4}\right)+\left(\frac{1}{3}-\frac{1}{5}\right)+\right.$$
$$\left.\cdots+\left(\frac{1}{8}-\frac{1}{10}\right)+\left(\frac{1}{9}-\frac{1}{11}\right)\right\}$$
$$= \frac{3}{2}\left(1+\frac{1}{2}-\frac{1}{10}-\frac{1}{11}\right)$$
$$= \frac{108}{55}$$

답 $\dfrac{108}{55}$

330

$$\sum_{k=1}^{10}\frac{a_{k+1}}{S_k S_{k+1}}=\sum_{k=1}^{10}\frac{S_{k+1}-S_k}{S_k S_{k+1}}$$
$$=\sum_{k=1}^{10}\left(\frac{1}{S_k}-\frac{1}{S_{k+1}}\right)$$
$$=\left(\frac{1}{S_1}-\frac{1}{S_2}\right)+\left(\frac{1}{S_2}-\frac{1}{S_3}\right)$$
$$+\left(\frac{1}{S_3}-\frac{1}{S_4}\right)+\cdots+\left(\frac{1}{S_{10}}-\frac{1}{S_{11}}\right)$$
$$=\frac{1}{S_1}-\frac{1}{S_{11}}=\frac{1}{3}$$

이때 $S_1=a_1=2$이므로
$$\frac{1}{S_{11}}=\frac{1}{S_1}-\frac{1}{3}=\frac{1}{2}-\frac{1}{3}=\frac{1}{6}$$
$$\therefore S_{11}=6$$

답 ①

331

$$f(x)=\frac{2}{\sqrt{x}+\sqrt{x+1}}=2(\sqrt{x+1}-\sqrt{x})$$
$$\therefore \sum_{k=1}^{48}f(k)=2\sum_{k=1}^{48}(\sqrt{k+1}-\sqrt{k})$$
$$=2\{(\sqrt{2}-1)+(\sqrt{3}-\sqrt{2})+(\sqrt{4}-\sqrt{3})+$$
$$\cdots+(\sqrt{49}-\sqrt{48})\}$$
$$=2(\sqrt{49}-1)=12$$

답 12

332

$$\sum_{k=2}^{20}\log a_k=\sum_{k=2}^{20}\log\left(1+\frac{1}{k^2-1}\right)=\sum_{k=2}^{20}\log\frac{k^2}{k^2-1}$$
$$=\sum_{k=2}^{20}\log\frac{k\cdot k}{(k-1)(k+1)}$$

$$=\log\frac{2\cdot 2}{1\cdot 3}+\log\frac{3\cdot 3}{2\cdot 4}+\log\frac{4\cdot 4}{3\cdot 5}+$$
$$\cdots+\log\frac{20\cdot 20}{19\cdot 21}$$
$$=\log\left(\frac{2}{1}\cdot\frac{2}{3}\cdot\frac{3}{2}\cdot\frac{3}{4}\cdot\cdots\cdot\frac{20}{19}\cdot\frac{20}{21}\right)$$
$$=\log\left(\frac{2}{1}\cdot\frac{20}{21}\right)=\log\frac{40}{21}$$

따라서 $p=21$, $q=40$이므로 $p+q=61$

답 ②

333

등차수열 $\{a_n\}$의 첫째항을 a, 공차를 d라 하면
$a_8 : a_{15}=8 : 15$에서
$(a+7d) : (a+14d)=8 : 15$
$15(a+7d)=8(a+14d)$
$$\therefore a=d \qquad\qquad \cdots\cdots ㉠$$
$S_{10}=110$에서 $\dfrac{10(2a+9d)}{2}=110$
$$\therefore 2a+9d=22 \qquad\qquad \cdots\cdots ㉡$$
㉠, ㉡을 연립하여 풀면 $a=d=2$이므로
$a_n=2+(n-1)\cdot 2=2n$
$$\therefore \sum_{k=1}^{100}\frac{4}{a_k a_{k+1}}$$
$$=\sum_{k=1}^{100}\frac{4}{2k\cdot 2(k+1)}$$
$$=\sum_{k=1}^{100}\left(\frac{1}{k}-\frac{1}{k+1}\right)$$
$$=\left(\frac{1}{1}-\frac{1}{2}\right)+\left(\frac{1}{2}-\frac{1}{3}\right)+\left(\frac{1}{3}-\frac{1}{4}\right)+$$
$$\cdots+\left(\frac{1}{100}-\frac{1}{101}\right)$$
$$=1-\frac{1}{101}=\frac{100}{101}$$

답 $\dfrac{100}{101}$

334

$n\geq 2$일 때,
$$a_n=S_n-S_{n-1}$$
$$=(n^3-n)-\{(n-1)^3-(n-1)\}$$
$$=3n^2-3n=3n(n-1) \qquad\qquad \cdots\cdots ㉠$$

$n=1$일 때, $a_1=S_1=0$

이때 $a_1=0$은 ㉠에 $n=1$을 대입한 값과 같으므로

$a_n=3n(n-1)$

$\therefore \dfrac{1}{a_2}+\dfrac{1}{a_3}+\dfrac{1}{a_4}+\cdots+\dfrac{1}{a_n}$

$=\displaystyle\sum_{k=2}^{n}\dfrac{1}{3k(k-1)}$

$=\dfrac{1}{3}\displaystyle\sum_{k=2}^{n}\left(\dfrac{1}{k-1}-\dfrac{1}{k}\right)$

$=\dfrac{1}{3}\left\{\left(\dfrac{1}{1}-\dfrac{1}{2}\right)+\left(\dfrac{1}{2}-\dfrac{1}{3}\right)+\left(\dfrac{1}{3}-\dfrac{1}{4}\right)+\right.$

$\left.\cdots+\left(\dfrac{1}{n-1}-\dfrac{1}{n}\right)\right\}$

$=\dfrac{1}{3}\left(1-\dfrac{1}{n}\right)=\dfrac{3}{10}$

$\dfrac{n-1}{3n}=\dfrac{3}{10}$에서 $10n-10=9n$

$\therefore n=10$

답 10

335

$S=\dfrac{3}{1^2}+\dfrac{5}{1^2+2^2}+\dfrac{7}{1^2+2^2+3^2}+$

$\cdots+\dfrac{21}{1^2+2^2+\cdots+10^2}$

$=\displaystyle\sum_{k=1}^{10}\dfrac{2k+1}{\dfrac{k(k+1)(2k+1)}{6}}$

$=\displaystyle\sum_{k=1}^{10}\dfrac{6}{k(k+1)}=6\displaystyle\sum_{k=1}^{10}\left(\dfrac{1}{k}-\dfrac{1}{k+1}\right)$

$=6\left\{\left(\dfrac{1}{1}-\dfrac{1}{2}\right)+\left(\dfrac{1}{2}-\dfrac{1}{3}\right)+\left(\dfrac{1}{3}-\dfrac{1}{4}\right)+\right.$

$\left.\cdots+\left(\dfrac{1}{10}-\dfrac{1}{11}\right)\right\}$

$=6\left(1-\dfrac{1}{11}\right)=\dfrac{60}{11}$

$\therefore 11S=60$

답 60

336

직선 $y=x+a_n$이 원 $(x-2n)^2+(y-2n^2)^2=n^2$을 이등분하려면 직선 $y=x+a_n$은 원의 중심 $(2n,\ 2n^2)$

을 지나야 한다.

$2n^2=2n+a_n$

$\therefore a_n=2n^2-2n=2n(n-1)$

$\therefore \displaystyle\sum_{k=2}^{10}\dfrac{1}{a_k}=\sum_{k=2}^{10}\dfrac{1}{2k(k-1)}$

$=\dfrac{1}{2}\displaystyle\sum_{k=2}^{10}\left(\dfrac{1}{k-1}-\dfrac{1}{k}\right)$

$=\dfrac{1}{2}\left\{\left(\dfrac{1}{1}-\dfrac{1}{2}\right)+\left(\dfrac{1}{2}-\dfrac{1}{3}\right)+\left(\dfrac{1}{3}-\dfrac{1}{4}\right)+\right.$

$\left.\cdots+\left(\dfrac{1}{9}-\dfrac{1}{10}\right)\right\}$

$=\dfrac{1}{2}\left(1-\dfrac{1}{10}\right)=\dfrac{9}{20}$

답 $\dfrac{9}{20}$

337

수열 $\{a_n\}$의 첫째항부터 제 n 항까지의 합을 S_n이라 하면

$S_n=\displaystyle\sum_{k=1}^{n}a_k=n^2-2n$

$n\geq 2$일 때,

$a_n=S_n-S_{n-1}$

$=(n^2-2n)-\{(n-1)^2-2(n-1)\}$

$=2n-3$ ...... ㉠

$n=1$일 때, $a_1=S_1=-1$

이때 $a_1=-1$은 ㉠에 $n=1$을 대입한 값과 같으므로

$a_n=2n-3$

$\therefore \displaystyle\sum_{k=2}^{n}\dfrac{1}{\sqrt{a_k}+\sqrt{a_{k+1}}}$

$=\displaystyle\sum_{k=2}^{n}\dfrac{1}{\sqrt{2k-3}+\sqrt{2k-1}}$

$=-\dfrac{1}{2}\displaystyle\sum_{k=2}^{n}(\sqrt{2k-3}-\sqrt{2k-1})$

$=-\dfrac{1}{2}\left\{(1-\sqrt{3})+(\sqrt{3}-\sqrt{5})+(\sqrt{5}-\sqrt{7})+\right.$

$\left.\cdots+(\sqrt{2n-3}-\sqrt{2n-1})\right\}$

$=-\dfrac{1}{2}(1-\sqrt{2n-1})=2$

$\sqrt{2n-1}=5,\ 2n-1=25$

$\therefore n=13$

답 ③

338

주어진 수열의 첫째항부터 제 10 항까지의 합을 S라 하면

$$S=1+\frac{2}{2}+\frac{3}{2^2}+\frac{4}{2^3}+\frac{5}{2^4}+\cdots+\frac{10}{2^9}$$

$$-\underline{\left)\frac{1}{2}S=\quad\frac{1}{2}+\frac{2}{2^2}+\frac{3}{2^3}+\frac{4}{2^4}+\cdots+\frac{9}{2^9}+\frac{10}{2^{10}}\right.}$$

$$\frac{1}{2}S=\left(1+\frac{1}{2}+\frac{1}{2^2}+\frac{1}{2^3}+\frac{1}{2^4}+\cdots+\frac{1}{2^9}\right)-\frac{10}{2^{10}}$$

$$=\frac{1-\left(\frac{1}{2}\right)^{10}}{1-\frac{1}{2}}-\frac{10}{2^{10}}$$

$$=2\left\{1-\left(\frac{1}{2}\right)^{10}\right\}-\frac{10}{2^{10}}$$

$$=2-\frac{12}{2^{10}}$$

$$\therefore S=2\left(2-\frac{12}{2^{10}}\right)=4-\frac{3}{128}=\frac{509}{128}$$

답 $\dfrac{509}{128}$

339

$$f(x)=\sum_{k=1}^{100}\left\{x-\frac{1}{k(k+1)}\right\}^2$$

$$=\sum_{k=1}^{100}\left[x^2-2x\cdot\frac{1}{k(k+1)}+\left\{\frac{1}{k(k+1)}\right\}^2\right]$$

$$=100x^2-2x\sum_{k=1}^{100}\frac{1}{k(k+1)}+\sum_{k=1}^{100}\frac{1}{k^2(k+1)^2}$$

이때

$$\sum_{k=1}^{100}\frac{1}{k(k+1)}=\sum_{k=1}^{100}\left(\frac{1}{k}-\frac{1}{k+1}\right)$$

$$=1-\frac{1}{101}=\frac{100}{101}$$

이므로 $\sum\limits_{k=1}^{100}\dfrac{1}{k^2(k+1)^2}=A$ (A는 상수)라 하면

$$f(x)=100x^2-\frac{200}{101}x+A$$

$$=100\left(x-\frac{1}{101}\right)^2+C \text{ (단, } C\text{는 상수)}$$

따라서 $f(x)$는 $x=\dfrac{1}{101}$일 때 최소가 된다.

답 $\dfrac{1}{101}$

340

수열 $\{a_n\}$이 첫째항이 -9, 공차가 2인 등차수열이므로

$$a_n=-9+2(n-1)$$

$$=2n-11$$

$2n-11>0$에서 $n>\dfrac{11}{2}$이므로 수열 $\{a_n\}$은 제 6 항부터 양수이다.

$$\therefore S=\sum_{k=1}^{10}\left|\frac{1}{a_k a_{k+1}}\right|$$

$$=\sum_{k=1}^{4}\frac{1}{(2k-11)(2k-9)}$$

$$\qquad+\left|\frac{1}{(-1)\cdot 1}\right|+\sum_{k=6}^{10}\frac{1}{(2k-11)(2k-9)}$$

$$=\frac{1}{2}\sum_{k=1}^{4}\left(\frac{1}{2k-11}-\frac{1}{2k-9}\right)+1$$

$$\qquad+\frac{1}{2}\sum_{k=6}^{10}\left(\frac{1}{2k-11}-\frac{1}{2k-9}\right)$$

$$=\frac{1}{2}\left\{\left(-\frac{1}{9}+\frac{1}{7}\right)+\left(-\frac{1}{7}+\frac{1}{5}\right)+\left(-\frac{1}{5}+\frac{1}{3}\right)\right.$$

$$\qquad\left.+\left(-\frac{1}{3}+\frac{1}{1}\right)\right\}+1+\frac{1}{2}\left\{\left(\frac{1}{1}-\frac{1}{3}\right)+\left(\frac{1}{3}-\frac{1}{5}\right)\right.$$

$$\qquad\left.+\left(\frac{1}{5}-\frac{1}{7}\right)+\left(\frac{1}{7}-\frac{1}{9}\right)+\left(\frac{1}{9}-\frac{1}{11}\right)\right\}$$

$$=\frac{1}{2}\left(-\frac{1}{9}+1\right)+1+\frac{1}{2}\left(1-\frac{1}{11}\right)$$

$$=\frac{4}{9}+1+\frac{5}{11}$$

$$\therefore 99S=99\left(\frac{4}{9}+1+\frac{5}{11}\right)$$

$$=44+99+45=188$$

답 188

341

$\{2^x-2f(x)\}(\sqrt{x}+\sqrt{x-1})+2=0$에서

$$2^x-2f(x)=-\frac{2}{\sqrt{x}+\sqrt{x-1}}$$

$$\therefore f(x)=2^{x-1}+\frac{1}{\sqrt{x}+\sqrt{x-1}}$$

$$=2^{x-1}+(\sqrt{x}-\sqrt{x-1})$$

$$\therefore f(1)+f(2)+f(3)+\cdots+f(9)$$
$$=\sum_{k=1}^{9}\{2^{k-1}+(\sqrt{k}-\sqrt{k-1})\}$$
$$=\sum_{k=1}^{9}2^{k-1}+\sum_{k=1}^{9}(\sqrt{k}-\sqrt{k-1})$$
$$=\frac{1\cdot(2^{9}-1)}{2-1}+\{(\sqrt{1}-0)+(\sqrt{2}-\sqrt{1})$$
$$\qquad\qquad +(\sqrt{3}-\sqrt{2})+\cdots+(\sqrt{9}-\sqrt{8})\}$$
$$=(2^{9}-1)+\sqrt{9}$$
$$=514$$

답 514

342

$\mathrm{A}_n(n,\sqrt{n})$, $\mathrm{B}_n(n,2\sqrt{n})$이므로
$$a_n=2\sqrt{n}-\sqrt{n}=\sqrt{n}$$
$$\therefore \frac{1}{(n+1)a_n+na_{n+1}}=\frac{1}{(n+1)\sqrt{n}+n\sqrt{n+1}}$$
$$=\frac{(n+1)\sqrt{n}-n\sqrt{n+1}}{(n+1)^2 n-n^2(n+1)}$$
$$=\frac{(n+1)\sqrt{n}-n\sqrt{n+1}}{n(n+1)}$$
$$=\frac{\sqrt{n}}{n}-\frac{\sqrt{n+1}}{n+1}$$
$$=\frac{1}{\sqrt{n}}-\frac{1}{\sqrt{n+1}}$$
$$\therefore \sum_{n=1}^{80}\frac{1}{(n+1)a_n+na_{n+1}}$$
$$=\sum_{n=1}^{80}\left(\frac{1}{\sqrt{n}}-\frac{1}{\sqrt{n+1}}\right)$$
$$=\left(\frac{1}{1}-\frac{1}{\sqrt{2}}\right)+\left(\frac{1}{\sqrt{2}}-\frac{1}{\sqrt{3}}\right)+\cdots+\left(\frac{1}{\sqrt{80}}-\frac{1}{\sqrt{81}}\right)$$
$$=1-\frac{1}{9}=\frac{8}{9}$$
따라서 $p=9$, $q=8$이므로
$$p+q=17$$

답 ①

343

$a_n\neq0$이므로 $a_{n+1}=a_n^{2}+3a_n$의 양변을 a_n으로 나누면
$$\frac{a_{n+1}}{a_n}=a_n+3$$

$$\therefore \sum_{k=1}^{30}\log\,(a_k+3)$$
$$=\sum_{k=1}^{30}\log\frac{a_{k+1}}{a_k}$$
$$=\log\frac{a_2}{a_1}+\log\frac{a_3}{a_2}+\log\frac{a_4}{a_3}+\cdots+\log\frac{a_{31}}{a_{30}}$$
$$=\log\left(\frac{a_2}{a_1}\cdot\frac{a_3}{a_2}\cdot\frac{a_4}{a_3}\cdots\cdots\frac{a_{31}}{a_{30}}\right)$$
$$=\log\frac{a_{31}}{a_1}$$
$$=\log a_{31}-\log a_1$$
$$=\log a_{31}-\log 10$$
$$=\log a_{31}-1$$

답 ④

344

$a_{n+2}-2a_{n+1}+a_n=0$에서

$2a_{n+1}=a_n+a_{n+2}$이므로 수열 $\{a_n\}$은 등차수열이다.

이때 공차가 $a_2-a_1=2a_1-a_1=a_1$이므로
$$a_n=a_1+(n-1)\cdot a_1$$
$$=na_1 \qquad\qquad \cdots\cdots ㉠$$
$a_{10}=20$이므로
$$10a_1=20$$
$$\therefore a_1=2$$
따라서 ㉠에서 $a_n=2n$이므로
$$a_6=2\cdot6=12$$

답 12

345

$a_{n+1}{}^{2}=a_n a_{n+2}$이므로 수열 $\{a_n\}$은 등비수열이다.

이때 공비가 $\dfrac{a_2}{a_1}=3$이므로
$$a_n=1\cdot3^{n-1}=3^{n-1}$$
$$\therefore \log_3 a_{10}=\log_3 3^{9}=9$$

답 9

346

$$a_{n+1}=a_n+\frac{1}{(3n-2)(3n+1)}$$
$$=a_n+\frac{1}{3}\left(\frac{1}{3n-2}-\frac{1}{3n+1}\right)$$

위의 식의 n에 1, 2, 3, $\cdots$, 17을 차례로 대입한 후 변끼리 더하면

$$\cancel{a_2}=a_1+\frac{1}{3}\left(1-\frac{1}{4}\right)$$
$$\cancel{a_3}=\cancel{a_2}+\frac{1}{3}\left(\frac{1}{4}-\frac{1}{7}\right)$$
$$\cancel{a_4}=\cancel{a_3}+\frac{1}{3}\left(\frac{1}{7}-\frac{1}{10}\right)$$
$$\vdots$$
$$+\Big)\,a_{18}=\cancel{a_{17}}+\frac{1}{3}\left(\frac{1}{49}-\frac{1}{52}\right)$$
$$\overline{}$$
$$a_{18}=a_1+\frac{1}{3}\left\{\left(1-\frac{1}{\cancel{4}}\right)+\left(\frac{1}{\cancel{4}}-\frac{1}{\cancel{7}}\right)+\left(\frac{1}{\cancel{7}}-\frac{1}{\cancel{10}}\right)\right.$$
$$\left.+\cdots+\left(\frac{1}{\cancel{49}}-\frac{1}{52}\right)\right\}$$
$$=\frac{1}{4}+\frac{1}{3}\left(1-\frac{1}{52}\right)=\frac{1}{4}+\frac{1}{3}\cdot\frac{51}{52}=\frac{15}{26}$$

답 $\dfrac{15}{26}$

347

$\sqrt{n+1}\,a_{n+1}=\sqrt{n}\,a_n$에서 $a_{n+1}=\dfrac{\sqrt{n}}{\sqrt{n+1}}a_n$이므로 n에 1, 2, 3, $\cdots$, 15를 차례로 대입한 후 변끼리 곱하면

$$\cancel{a_2}=\frac{\sqrt{1}}{\sqrt{2}}a_1$$
$$\cancel{a_3}=\frac{\sqrt{2}}{\sqrt{3}}\cancel{a_2}$$
$$\cancel{a_4}=\frac{\sqrt{3}}{\sqrt{4}}\cancel{a_3}$$
$$\vdots$$
$$\times\Big)\,a_{16}=\frac{\sqrt{15}}{\sqrt{16}}\cancel{a_{15}}$$
$$\overline{}$$
$$a_{16}=\frac{\sqrt{1}}{\cancel{\sqrt{2}}}\cdot\frac{\cancel{\sqrt{2}}}{\cancel{\sqrt{3}}}\cdot\frac{\cancel{\sqrt{3}}}{\cancel{\sqrt{4}}}\cdots\frac{\cancel{\sqrt{15}}}{\sqrt{16}}a_1$$
$$=\frac{\sqrt{1}}{\sqrt{16}}a_1=\frac{1}{4}\cdot4=1$$

답 1

다른풀이 $\sqrt{n+1}\,a_{n+1}=\sqrt{n}\,a_n$이므로

$$\sqrt{n}\,a_n=\sqrt{n-1}\,a_{n-1}=\sqrt{n-2}\,a_{n-2}=\cdots=\sqrt{1}\,a_1=a_1$$
$$\therefore\ a_n=\frac{a_1}{\sqrt{n}}=\frac{4}{\sqrt{n}}$$
$$\therefore\ a_{16}=\frac{4}{\sqrt{16}}=1$$

348

$S_n=3-2a_n\ (n=1,\,2,\,3,\,\cdots)$에서 $S_{n+1}=3-2a_{n+1}$

한편, $a_{n+1}=S_{n+1}-S_n\ (n=1,\,2,\,3,\,\cdots)$이므로
$$a_{n+1}=3-2a_{n+1}-(3-2a_n)$$
$$=-2a_{n+1}+2a_n$$
$$\therefore\ a_{n+1}=\frac{2}{3}a_n$$

$a_1=S_1=3-2a_1$에서 $a_1=1$

따라서 수열 $\{a_n\}$은 첫째항이 1이고 공비가 $\dfrac{2}{3}$인 등비

수열이므로 $a_n=\left(\dfrac{2}{3}\right)^{n-1}$

$$\therefore\ \sum_{k=1}^{10}\frac{1}{3}a_k=\frac{1}{3}\sum_{k=1}^{10}\left(\frac{2}{3}\right)^{k-1}$$
$$=\frac{1}{3}\cdot\frac{1-\left(\dfrac{2}{3}\right)^{10}}{1-\dfrac{2}{3}}$$
$$=1-\left(\frac{2}{3}\right)^{10}$$

답 $1-\left(\dfrac{2}{3}\right)^{10}$

349

n일 후에 수족관에 물을 넣은 뒤 남아 있는 물의 양을 a_n L라 하면

$$a_{n+1}=\frac{1}{2}a_n+30$$
$$a_1=\frac{1}{2}\cdot100+30=80$$
$$a_2=\frac{1}{2}a_1+30=\frac{1}{2}\cdot80+30=70$$
$$a_3=\frac{1}{2}a_2+30=\frac{1}{2}\cdot70+30=65$$
$$a_4=\frac{1}{2}a_3+30=\frac{1}{2}\cdot65+30=\frac{125}{2}$$
$$a_5=\frac{1}{2}a_4+30=\frac{1}{2}\cdot\frac{125}{2}+30=\frac{245}{4}$$

따라서 5일 후에 수족관에 물을 넣은 뒤 남아 있는 물의 양은 $\dfrac{245}{4}$ L이다.

답 $\dfrac{245}{4}$ L

350

$n=1,\ 2,\ 3,\ \cdots,\ 12$를 $a_{n+1}=3a_n+1$에 차례로 대입하면

$a_2=3a_1+1=3+1$

$a_3=3a_2+1=3(3+1)+1=3^2+3+1$

$a_4=3a_3+1=3(3^2+3+1)+1=3^3+3^2+3+1$

$\vdots$

$a_{13}=3a_{12}+1=3^{12}+3^{11}+3^{10}+\cdots+3+1$

$\qquad=\dfrac{1\cdot(3^{13}-1)}{3-1}=\dfrac{1}{2}(3^{13}-1)$

답 $\dfrac{1}{2}(3^{13}-1)$

351

$a_{n+1}-a_n=\dfrac{1}{\sqrt{n+2}+\sqrt{n+1}}$

$\qquad=\dfrac{\sqrt{n+2}-\sqrt{n+1}}{(\sqrt{n+2}+\sqrt{n+1})(\sqrt{n+2}-\sqrt{n+1})}$

$\qquad=\sqrt{n+2}-\sqrt{n+1}$

위의 식의 n에 $1,\ 2,\ 3,\ \cdots,\ n-1$을 차례로 대입한 후 변끼리 더하면

$a_2-a_1\ =\sqrt{3}-\sqrt{2}$

$a_3-a_2\ =\sqrt{4}-\sqrt{3}$

$a_4-a_3\ =\sqrt{5}-\sqrt{4}$

$\qquad\vdots$

$+)\ a_n-a_{n-1}=\sqrt{n+1}-\sqrt{n}$

$\overline{\qquad a_n-a_1\ =\sqrt{n+1}-\sqrt{2}}$

$\therefore\ a_n=\sqrt{n+1}$

$a_n=\sqrt{n+1}>10$에서 $n+1>100$

$\therefore\ n>99$

따라서 $a_n>10$을 만족시키는 자연수 n의 최솟값은 100이다.

답 100

352

$a_{n+1}=(\sqrt{2})^n a_n$의 n에 $1,\ 2,\ 3,\ \cdots,\ n-1$을 차례로 대입한 후 변끼리 곱하면

$a_2=\sqrt{2}\cdot a_1$

$a_3=(\sqrt{2})^2\cdot a_2$

$a_4=(\sqrt{2})^3\cdot a_3$

$\qquad\vdots$

$\times)\ a_n=(\sqrt{2})^{n-1}\cdot a_{n-1}$

$\overline{\quad a_n=\sqrt{2}\cdot(\sqrt{2})^2\cdot(\sqrt{2})^3\cdot\cdots\cdot(\sqrt{2})^{n-1}\cdot a_1}$

$\qquad=(\sqrt{2})^{1+2+3+\cdots+(n-1)}\cdot\sqrt{2}$

$\qquad=(\sqrt{2})^{\frac{(n-1)n}{2}}\cdot\sqrt{2}$

$\qquad=(\sqrt{2})^{\frac{n^2-n+2}{2}}$

$a_k=2^{23}$에서 $(\sqrt{2})^{\frac{k^2-k+2}{2}}=2^{23}=(\sqrt{2})^{46}$이므로

$\dfrac{k^2-k+2}{2}=46,\ k^2-k-90=0$

$(k+9)(k-10)=0$

$\therefore\ k=10\ (\because\ k$는 자연수$)$

답 10

353

$a_n=\sum\limits_{k=1}^{n-1}a_k=S_{n-1}$이므로

$S_n=a_{n+1}$

한편, $a_n=S_n-S_{n-1}\ (n=2,\ 3,\ 4,\ \cdots)$이므로

$a_n=a_{n+1}-a_n$

$\therefore\ a_{n+1}=2a_n\ (n\geq2)$

따라서 수열 $\{a_n\}$은 $a_1=1,\ a_2=S_1=1$이고 둘째항부터 공비가 2인 등비수열이므로

$a_1=1,\ a_n=2^{n-2}\ (n\geq2)$

$\therefore\ \sum\limits_{n=1}^{11}\dfrac{1}{a_n}=1+\left(1+\dfrac{1}{2}+\dfrac{1}{2^2}+\cdots+\dfrac{1}{2^9}\right)$

$\qquad=1+\dfrac{1-\left(\dfrac{1}{2}\right)^{10}}{1-\dfrac{1}{2}}$

$\qquad=3-\left(\dfrac{1}{2}\right)^9$

답 $3-\left(\dfrac{1}{2}\right)^9$

354

$a_1=a_2=1$, $a_{n+2}=a_n+a_{n+1}$이므로 n에 1, 2, 3, $\cdots$, 8을 차례로 대입하면

$a_3=a_1+a_2=1+1=2$

$a_4=a_2+a_3=1+2=3$

$a_5=a_3+a_4=2+3=5$

$a_6=a_4+a_5=3+5=8$

$a_7=a_5+a_6=5+8=13$

$a_8=a_6+a_7=8+13=21$

$a_9=a_7+a_8=13+21=34$

$a_{10}=a_8+a_9=21+34=55$

답 ③

355

$a_{n+1}=a_n+3^n-p$의 n에 2, 3, 4, 5를 차례로 대입하면

$a_3=a_2+3^2-p=13-p$

$a_4=a_3+3^3-p=40-2p$

$a_5=a_4+3^4-p=121-3p$

$a_6=a_5+3^5-p=364-4p$

따라서 $a_6=364-4p=356$이므로

$4p=8$ $\therefore p=2$

답 2

356

이차방정식의 근과 계수의 관계에 의하여

$\alpha+\beta=\dfrac{a_n}{a_{n-1}}$, $\alpha\beta=\dfrac{1}{a_{n-1}}$

이므로

$3\alpha-\alpha\beta+3\beta=3(\alpha+\beta)-\alpha\beta$

$\qquad\qquad\qquad =3\cdot\dfrac{a_n}{a_{n-1}}-\dfrac{1}{a_{n-1}}=1$

$\therefore a_n=\dfrac{1}{3}a_{n-1}+\dfrac{1}{3}$

n에 2, 3, 4, 5를 차례로 대입하면

$a_2=\dfrac{1}{3}a_1+\dfrac{1}{3}=\dfrac{2}{3}+\dfrac{1}{3}=1$

$a_3=\dfrac{1}{3}a_2+\dfrac{1}{3}=\dfrac{1}{3}+\dfrac{1}{3}=\dfrac{2}{3}$

$a_4=\dfrac{1}{3}a_3+\dfrac{1}{3}=\dfrac{2}{9}+\dfrac{1}{3}=\dfrac{5}{9}$

$a_5=\dfrac{1}{3}a_4+\dfrac{1}{3}=\dfrac{5}{27}+\dfrac{1}{3}=\dfrac{14}{27}$

답 $\dfrac{14}{27}$

357

조건 ㈎에서 $a_1=1$, $a_2=2$이고 조건 ㈏에서 a_3부터 각 항을 차례로 구하면

a_3은 a_1+a_2, 즉 3을 4로 나눈 나머지이므로 $a_3=3$

a_4는 a_2+a_3, 즉 5를 4로 나눈 나머지이므로 $a_4=1$

a_5는 a_3+a_4, 즉 4를 4로 나눈 나머지이므로 $a_5=0$

a_6은 a_4+a_5, 즉 1을 4로 나눈 나머지이므로 $a_6=1$

a_7은 a_5+a_6, 즉 1을 4로 나눈 나머지이므로 $a_7=1$

a_8은 a_6+a_7, 즉 2를 4로 나눈 나머지이므로 $a_8=2$

$\qquad\qquad\qquad\vdots$

따라서 자연수 n에 대하여 $a_n=a_{n+6}$이고 $\displaystyle\sum_{k=1}^{6}a_k=8$이

므로 $\displaystyle\sum_{k=1}^{6n}a_k=8n$

$n=20$일 때

$\displaystyle\sum_{k=1}^{120}a_k=a_1+a_2+a_3+\cdots+a_{120}=160$

이고, $a_{121}=a_1=1$, $a_{122}=a_2=2$, $a_{123}=a_3=3$이므로

$\displaystyle\sum_{k=1}^{m}a_k=166$을 만족시키는 m의 값은 123이다.

답 123

358

$n\geq2$일 때

$a_{n+1}=S_{n+1}-S_n$ $\qquad\cdots\cdots$ ㉠

$a_n=S_n-S_{n-1}$ $\qquad\cdots\cdots$ ㉡

㉠＋㉡을 하면 $a_{n+1}+a_n=S_{n+1}-S_{n-1}$

이 식을 $(S_{n+1}-S_{n-1})^2=4a_na_{n+1}+4$에 대입하면

$(a_{n+1}+a_n)^2=4a_na_{n+1}+4$

$\therefore (a_{n+1}-a_n)^2=4$

그런데 $a_{n+1}>a_n$이므로

$a_{n+1}-a_n=2 (n\geq2)$

따라서 수열 $\{a_n\}$은 첫째항이 1이고 공차가 2인 등차

수열이므로

$a_{20}=1+(20-1)\cdot2=39$

답 ①

359

$\log_2 a_{n+1}=1+\log_2 a_n \ (n\geq1)$이므로

$\log_2 a_{n+1}=\log_2 2+\log_2 a_n$

$\qquad\qquad=\log_2 2a_n$

$\therefore a_{n+1}=2a_n$

따라서 수열 $\{a_n\}$은 첫째항이 $a_1=2$, 공비가 2인 등비

수열이므로

$a_n=2\cdot2^{n-1}=2^n$

$\therefore a_1\times a_2\times a_3\times\cdots\times a_8$

$\quad=2^1\times2^2\times2^3\times\cdots\times2^7\times2^8$

$\quad=2^{1+2+3+\cdots+8}=2^{\frac{8\cdot9}{2}}=2^{36}$

$\therefore k=36$

답 ①

360

$2S_n=S_{n+1}+S_{n-1}-2n$에서

$(S_{n+1}-S_n)-(S_n-S_{n-1})=2n$

$\therefore a_{n+1}-a_n=2n \ (n\geq2)$

그런데 $a_2-a_1=4-2=2$이므로

$a_{n+1}-a_n=2n$

위의 식의 n에 1, 2, 3, $\cdots$, 9를 차례로 대입한 후 변

끼리 더하면

$\qquad a_2-a_1=2\cdot1$

$\qquad a_3-a_2=2\cdot2$

$\qquad a_4-a_3=2\cdot3$

$\qquad\qquad\vdots$

$+)\ a_{10}-a_9=2\cdot9$

$\overline{\qquad a_{10}-a_1=2\cdot1+2\cdot2+2\cdot3+\cdots+2\cdot9}$

$\therefore a_{10}=a_1+2(1+2+\cdots+9)$

$\qquad\quad=2+2\cdot\dfrac{9\cdot10}{2}$

$\qquad\quad=92$

답 92

361

$S_n=\dfrac{n^2}{n^2-1}S_{n-1}$

$\quad=\dfrac{n\cdot n}{(n-1)(n+1)}S_{n-1}\ (n\geq2)$

위의 식의 n에 2, 3, 4, $\cdots$, n을 차례로 대입한 후 변

끼리 곱하면

$\qquad S_2=\dfrac{2\cdot2}{1\cdot3}S_1$

$\qquad S_3=\dfrac{3\cdot3}{2\cdot4}S_2$

$\qquad S_4=\dfrac{4\cdot4}{3\cdot5}S_3$

$\qquad\qquad\vdots$

$\times\Big)\ S_n=\dfrac{n\cdot n}{(n-1)(n+1)}S_{n-1}$

$\overline{\qquad S_n=\dfrac{2\cdot2}{1\cdot3}\cdot\dfrac{3\cdot3}{2\cdot4}\cdot\dfrac{4\cdot4}{3\cdot5}\cdot\cdots\cdot\dfrac{n\cdot n}{(n-1)(n+1)}S_1}$

$\qquad\quad=\dfrac{2n}{n+1}S_1\ (n\geq2)$

$S_1=1$이므로 $S_n=\dfrac{2n}{n+1}$

$\therefore a_{12}=S_{12}-S_{11}$

$\qquad\quad=\dfrac{24}{13}-\dfrac{22}{12}$

$\qquad\quad=\dfrac{1}{78}$

답 $\dfrac{1}{78}$

362

$a_{n-1}a_{n+1}=a_na_{n+2}$에

$n=2$를 대입하면 $a_1a_3=a_2a_4$이므로

$1\times4=2\times a_4 \qquad \therefore a_4=2$

$n=3$을 대입하면 $a_2a_4=a_3a_5$이므로

$2\times2=4\times a_5 \qquad \therefore a_5=1$

$n=4$를 대입하면 $a_3a_5=a_4a_6$이므로

$4\times1=2\times a_6 \qquad \therefore a_6=2$

$n=5$를 대입하면 $a_4a_6=a_5a_7$이므로

$2\times2=1\times a_7 \qquad \therefore a_7=4$

$n=6$을 대입하면 $a_5a_7=a_6a_8$이므로

$1\times4=2\times a_8 \qquad \therefore a_8=2$

$\therefore \{a_n\} : 1, \ 2, \ 4, \ 2, \ 1, \ 2, \ 4, \ 2, \ \cdots$

따라서 수열 $\{a_n\}$은 $1, \ 2, \ 4, \ 2$가 반복되므로

$$\sum_{k=1}^{20} a_k = a_1 + a_2 + \cdots + a_{20}$$
$$= (a_1 + a_2 + a_3 + a_4) + (a_5 + a_6 + a_7 + a_8) + \cdots$$
$$+ (a_{17} + a_{18} + a_{19} + a_{20})$$
$$= 5 \cdot (1 + 2 + 4 + 2) = 45$$

답 **45**

363

n번째의 계단을 오르는 방법의 수를 a_n이라 하자.

먼저 첫 번째 계단을 오르는 방법이 1가지, 두 번째 계단을 오르는 방법이 2가지이므로

$a_1 = 1, \ a_2 = 2$

$(n+2)$번째의 계단을 오르는 방법은

n번째 계단까지 올라와서 두 계단을 오르는 방법과 $(n+1)$번째 계단까지 올라와서 한 계단을 오르는 방법이 있으므로

$a_{n+2} = a_n + a_{n+1}$

$a_1 = 1, \ a_2 = 2$이므로

$a_3 = a_1 + a_2 = 1 + 2 = 3$

$a_4 = a_2 + a_3 = 2 + 3 = 5$

$a_5 = a_3 + a_4 = 3 + 5 = 8$

$a_6 = a_4 + a_5 = 5 + 8 = 13$

$a_7 = a_5 + a_6 = 8 + 13 = 21$

$a_8 = a_6 + a_7 = 13 + 21 = 34$

$a_9 = a_7 + a_8 = 21 + 34 = 55$

$a_{10} = a_8 + a_9 = 34 + 55 = 89$

따라서 희종이가 10개의 계단을 오르는 방법의 수는 89이다.

답 ④

364

$p(n)$이 참이면 $p(n+3)$이 참이므로

ㄱ. $p(1)$이 참이면 $p(4)$가 참이다.

　　$p(4)$가 참이면 $p(7)$이 참이다.

　　$p(7)$이 참이면 $p(10)$이 참이다.

　　$p(10)$이 참이면 $p(13)$이 참이다. (참)

ㄴ. $p(2)$가 참이면 $p(5)$가 참이다.

　　$p(5)$가 참이면 $p(8)$이 참이다.

　　　　　　　$\vdots$

　　$p(17)$이 참이면 $p(20)$이 참이다. (참)

ㄷ. $p(9)$가 참이면 $p(12)$가 참이다.

　　$p(12)$가 참이면 $p(15)$가 참이다.

　　　　　　　$\vdots$

　　따라서 $p(3)$이 참인지는 알 수 없다. (거짓)

이상에서 옳은 것은 ㄱ, ㄴ이다.

답 **ㄱ, ㄴ**

365

$p(1)$이 참이고 $p(n)$이 참이면 $p(2n)$과 $p(3n)$이 참이므로 $n = 2^\alpha 3^\beta (\alpha, \ \beta = 0, \ 1, \ 2, \ \cdots)$일 때, $p(n)$은 반드시 참이다.

① $p(24) = p(2^3 \cdot 3)$이므로 참이다.

② $p(30) = p(2 \cdot 3 \cdot 5)$이므로 반드시 참이라고 할 수 없다.

③ $p(36) = p(2^2 \cdot 3^2)$이므로 참이다.

④ $p(48) = p(2^4 \cdot 3)$이므로 참이다.

⑤ $p(96) = p(2^5 \cdot 3)$이므로 참이다.

답 **②**

366

(ii) $n = k$일 때, 등식 ㉠이 성립한다고 가정하면

$$1 \cdot 2 + 2 \cdot 2^2 + 3 \cdot 2^3 + \cdots + k \cdot 2^k$$
$$= (k-1) \cdot 2^{k+1} + 2 \qquad \cdots\cdots \ ㉡$$

등식 ㉡의 양변에 $\boxed{(k+1) \cdot 2^{k+1}}$을 더하면

$$1 \cdot 2 + 2 \cdot 2^2 + 3 \cdot 2^3 + \cdots + k \cdot 2^k + \boxed{(k+1) \cdot 2^{k+1}}$$
$$= (k-1) \cdot 2^{k+1} + 2 + \boxed{(k+1) \cdot 2^{k+1}}$$
$$= 2k \cdot 2^{k+1} + 2$$
$$= \boxed{k} \cdot 2^{k+2} + 2$$

따라서 $n = k+1$일 때에도 등식 ㉠이 성립한다.

(i), (ii)에 의하여 모든 자연수 n에 대하여 등식 ㉠이 성립한다.

답 (개) $(k+1) \cdot 2^{k+1}$ (내) k

367

(i) $n=1$일 때, $9-1=8$이므로 9^n-1은 8의 배수이다.

(ii) $n=k$일 때, 9^n-1이 8의 배수라고 가정하면

$9^k-1=8N$ (단, N은 자연수)

이때 $n=k+1$이면

$$9^{k+1}-1=\boxed{9}\times 9^k-1$$
$$=8\times 9^k+9^k-1$$
$$=8\times 9^k+8N$$
$$=\boxed{8}\times(9^k+N)$$

따라서 $n=k+1$일 때에도 9^n-1은 8의 배수이다.

(i), (ii)에 의하여 모든 자연수 n에 대하여 9^n-1은 8의 배수이다.

답 (가) **9** (나) **8**

368

주어진 식 $(*)$의 양변을 $\dfrac{n(n+1)}{2}$로 나누면

$$1+\frac{1}{2}+\frac{1}{3}+\cdots+\frac{1}{n}>\frac{2n}{n+1} \qquad \cdots\cdots ㉠$$

이다. $n\ge 2$인 자연수 n에 대하여

(i) $n=2$일 때,

(좌변)$=1+\dfrac{1}{2}=\boxed{\dfrac{3}{2}}$, (우변)$=\dfrac{4}{3}$이므로 ㉠이 성립한다.

(ii) $n=k\ (k\ge 2)$일 때, ㉠이 성립한다고 가정하면

$$1+\frac{1}{2}+\frac{1}{3}+\cdots+\frac{1}{k}>\frac{2k}{k+1} \qquad \cdots\cdots ㉡$$

이다. ㉡의 양변에 $\dfrac{1}{k+1}$을 더하면

$$1+\frac{1}{2}+\frac{1}{3}+\cdots+\frac{1}{k}+\frac{1}{k+1}>\frac{2k+1}{k+1}$$

이 성립한다. 한편,

$$\frac{2k+1}{k+1}-\boxed{\frac{2k+2}{k+2}}=\frac{k}{(k+1)(k+2)}>0$$

이므로

$$1+\frac{1}{2}+\frac{1}{3}+\cdots+\frac{1}{k}+\frac{1}{k+1}>\boxed{\frac{2k+2}{k+2}}$$

이다. 따라서 $n=k+1$일 때도 ㉠이 성립한다.

(i), (ii)에 의하여 $n\ge 2$인 모든 자연수 n에 대하여 ㉠이 성립하므로 $(*)$도 성립한다.

따라서 $p=\dfrac{3}{2}$, $f(k)=\dfrac{2k+2}{k+2}$이므로

$$8p\times f(10)=8\times\frac{3}{2}\times\frac{22}{12}=22$$

답 ⑤

369

(i) $n=2$일 때,

(좌변)$=2+a_1=2+1=3$,

(우변)$=2a_2=2\left(1+\boxed{\dfrac{1}{2}}\right)=3$

따라서 $n=2$일 때 등식 ㉠이 성립한다.

(ii) $n=k\ (k\ge 2)$일 때, 등식 ㉠이 성립한다고 가정하면

$k+a_1+a_2+a_3+\cdots+a_{k-1}=ka_k$이므로

$$(k+1)+a_1+a_2+a_3+\cdots+a_{k-1}+a_k$$
$$=ka_k+\boxed{a_k+1}$$
$$=(k+1)a_k+1$$
$$=(k+1)\left(a_{k+1}-\boxed{\frac{1}{k+1}}\right)+1 \leftarrow a_{k+1}=a_k+\frac{1}{k+1}$$
$$=(k+1)a_{k+1}$$

따라서 $n=k+1$일 때에도 등식 ㉠이 성립한다.

(i), (ii)에 의하여 $n\ge 2$인 모든 자연수 n에 대하여 등식 ㉠이 성립한다.

답 (가) $\dfrac{1}{2}$ (나) a_k+1 (다) $\dfrac{1}{k+1}$

370

$$\frac{1}{2}\times\frac{3}{4}\times\frac{5}{6}\times\cdots\times\frac{2n-1}{2n}\le\frac{1}{\sqrt{3n+1}} \qquad \cdots\cdots (\bigstar)$$

(i) $n=1$일 때,

$\dfrac{1}{2}\le\dfrac{1}{\sqrt{4}}$이므로 $(\bigstar)$이 성립한다.

(ii) $n=k$일 때, $(\bigstar)$이 성립한다고 가정하면

$$\frac{1}{2}\times\frac{3}{4}\times\frac{5}{6}\times\cdots\times\frac{2k-1}{2k}\times\frac{2k+1}{2k+2}$$
$$\le\frac{1}{\sqrt{3k+1}}\cdot\frac{2k+1}{2k+2}=\frac{1}{\sqrt{3k+1}}\cdot\frac{1}{\frac{2k+2}{2k+1}}$$

$$= \frac{1}{\sqrt{3k+1}} \cdot \frac{1}{1+\boxed{\dfrac{1}{2k+1}}}$$

$$= \frac{1}{\sqrt{3k+1}} \cdot \frac{1}{\sqrt{\left(1+\boxed{\dfrac{1}{2k+1}}\right)^2}}$$

$$= \frac{1}{\sqrt{3k+1+2(3k+1)\cdot\left(\boxed{\dfrac{1}{2k+1}}\right)+(3k+1)\cdot\left(\boxed{\dfrac{1}{2k+1}}\right)^2}}$$

$$< \frac{1}{\sqrt{3k+1+2(3k+1)\cdot\left(\boxed{\dfrac{1}{2k+1}}\right)+\left(\boxed{2k+1}\right)\cdot\left(\boxed{\dfrac{1}{2k+1}}\right)^2}}$$

$$= \frac{1}{\sqrt{3k+1+2(3k+1)\cdot\dfrac{1}{2k+1}+\dfrac{1}{2k+1}}}$$

$$= \frac{1}{\sqrt{3k+1+\dfrac{3(2k+1)}{2k+1}}}$$

$$= \frac{1}{\sqrt{3(k+1)+1}}$$

따라서 $n=k+1$일 때도 (★)이 성립한다.

그러므로 (i), (ii)에 의하여 모든 자연수 n에 대하여 (★)이 성립한다.

따라서 $f(k)=\dfrac{1}{2k+1}$, $g(k)=2k+1$이므로

$$f(4)\times g(13)=\frac{1}{9}\cdot 27=3$$

답 ③